ISBN 978-0-332-49331-2
PIBN 11234853

Centralbl

des

landwirthschaftlichen Vereins

in Bayern.

Jahrgang XXVI.

Erstes Heft. Monat Januar.

München 1836.

Im Lokale des landw. Vereins in der Türkenstrasse Nr. 2., und in Commission bei der literarisch-artistischen Anstalt; Promenadestraße Nr. 10.

Verhandlungen des General-Comité.

Die revidirten und allergnädigst genehmigten Satzungen des landwirthschaftlichen Vereins vom 1. Oktober 1835.

Nr. 21912.

Königreich Bayern.

Staats-Ministerium des Innern.

Die auf den Grund der bisherigen Verhandlungen und mit voller Einhaltung der statutsmäßigen Vorschriften von dem General-Comité des landwirthschaftlichen Vereins in Bayern vorgelegten Satzungen, haben nach der in der Anlage befindlichen Fassung die Genehmigung erlangt. Der unterzeichnete Staatsminister des Innern, welcher sich nach diesen Satzungen in der angenehmen Lage befindet, dem landwirthschaftlichen Vereine, und namentlich dessen General-Comité näher als bisher gestellt zu seyn, erkennt den mit diesen Satzungen beginnenden neuen Aufschwung des Vereins in eben dem Grade für bedeutungsvoll, als die rasche Bewegung in der Entwicklung der materiellen Interessen der Völker Europas es vor Allem Bayern zur heiligsten Pflicht macht, seinem landwirthschaftlichen Systeme die höchste Aufmerksamkeit zuzuwenden. Möge daher der landwirthschaftliche Verein, diese Wahrheit tief erfassend, in Kraft und Umfang neu erstehen, um für Bayerns Landwirthschaft der Brennpunkt agrikoler Weisheit und Wirksamkeit zu werden, was ihm auch in kurzer Frist gewiß um so sicherer gelingen wird, je treuer sein Streben den, von ihm selbst geschaffenen und nun genehmigten, Satzungen entsprechen wird.

München den 1. Oktober 1835.

Auf
Seiner Königlichen Majestät Allerhöchsten Befehl.
Fürst von Oettingen-Wallerstein.

An
das General-Comité des landwirthschaftlichen Vereins in Bayern.

Genehmigung der von demselben vorgelegten Satzungen betreffend.

Durch den Minister
der General-Sekretär.
In dessen Verhinderung
der geheime Sekretär
Goßinger.

§. 9.

Das General-Comité besteht aus 24 Mitgliedern, und diese werden je zur Hälfte aus den Vereins-Mitgliedern des Isarkreises und zur Hälfte aus den übrigen Kreis-Comités aus den in der Haupt- und Residenzstadt München, oder in der auf drei Stunden berechneten Umgebung derselben wohnenden Vereinsmitgliedern gewählt, und diese Wahl wird von drei zu drei Jahren zur Hälfte erneuert.

Die erste derartige Erneuerung erfolgt im Sommer 1837, indem 6 der aus der Wahl der Vereinsglieder des Isarkreises und 6 der aus der Wahl der übrigen Kreis-Comités hervorgegangene mittelst Bezeichnung durch das Loos austreten.

Für die Folge und von dem 2ten Erneuerungsfalle anfangend, bedingt sich der Austritt durch die Funktionsdauer, so daß die in der Funktion ältesten 12 Mitglieder den Neugewählten Platz machen. Die ausgetretenen sind wieder wählbar, und ihre Funktionszeit wird von der neuen Wahl an gerechnet.

Der Eintritt der zur Hälfte durch die Mitglieder des Isarkreises und zur Hälfte durch die übrigen Kreis-Comités gewählten Ersatzleute findet nur für den Fall gänzlichen Austrittes eines Mitgliedes, und nur bis zu dem Zeitpunkte Statt, in welchem diese Mitglieder der Austritt getroffen hätte.

§. 10.

Jedes Kreis-Comité besteht aus 12 Mitgliedern, welche durch die Vereins-Mitglieder des Kreises aus der Mitte der in der Kreis-Hauptstadt selbst, oder in deren auf 3 Stunden berechneten Umgebung wohnenden Vereins-Glieder gewählt werden. Von diesen tritt von 3 zu 3 Jahren und zwar in dem ersten Falle (Sommer 1837) durch Bezeichnung mittelst des Looses und in Zukunft nach der Funktionsdauer, die Hälfte der Mitglieder aus.

Die ausgetretenen Mitglieder sind wieder wählbar.

Bezüglich der Ersatzmänner gilt die Analogie der §. 9 Festgesetzten.

§. 11.

Das General-Comité ist das Organ des Gesammtvereins; in ihm conzentrirt sich die ganze Masse der von Vereins-Mitgliedern gesammelten Erfahrungen. Von ihm aus wird die durch Entdeckungen und Erfindungen auf dem Gebiete der Naturwissenschaften bereicherte Intelligenz mittelst der Kreis-Comités bis auf die Fluren des Landmannes geleitet, um dort in einer den örtlichen Verhältnissen entsprechenden Anwendung der Landwirthschaft Sicherheit, Kraft und Ausdehnung zu verschaffen.

Das General-Comité sorgt:

a) dafür, daß die jeweiligen Fortschritte der Landwirthschaft und der damit in Verbindung stehenden nationalökonomischen und sonstigen Wissenschaften mit Benützung der von der physikalisch-mathematischen Klasse der Akademie der Wissenschaften auf dem Gebiete der Physik, Chemie und Mechanik gesammelten, der Landwirthschaft nützlichen Entdeckungen und Erfindungen, und insbesondere die Bemerkungen, wozu diese Klasse in den ihr mitzutheilenden Jahresberichten der Kreis-Comités bezüglich der genannten Sphäre etwa Anlaß finden könnte, durch das von ihm redigirte Centralblatt den sämmtlichen Vereins-Mitgliedern bekannt gemacht werden; dasselbe giebt

b) die durch das Staatsministerium des Innern veranlaßten Gutachten, ebenso

c) beantwortet selbes sowohl die von den Kreis-Comités, als die durch diese Comités von einzelnen Mitgliedern übergebenen Anfragen; dasselbe erstattet,

d) alljährlich auf den Grund der von den Kreis-Comités eingesendeten Jahresberichte einen Generalbericht über die Wirksamkeit der Kreis-Comités, so wie einzelner ausgezeichneter Landwirthe und um den Verein verdienter Beamten, auch fortan in dem bisherigen Maaße. Ihm liegt

e) die Anordnung des alljährlich auf der Theresienwiese bei München zu haltenden, zugleich das Kreis-Fest des Isarkreises in sich schliessenden landwirthschaftlichen National-Festes (Oktoberfestes) Bayerns ob. Es leitet

f) die Thätigkeit der Kreis-Comités; verwaltet,

g) das für den Verein bereits erworbene und noch zu erwerbende Vermögen und übt

h) auf den gesammten landwirthschaftlichen Unterricht den durch die allerhöchste Verordnung vom 16ten Febr. 1833 festgesetzten Einfluß.

§. 12.

Zur wirksamen Verfolgung der satzungsmäßigen Zwecke des Vereins und um dessen Bestrebungen ohne hemmende Vielschreiberei die nöthige Vollzugsgewähr zuzuwenden, hat in Folge allerh. Genehmigung der jeweilige Staatsminister des Innern, oder in dessen Abwesenheit dessen Stellvertreter die erste Vorstandschaft des General-Comités zu übernehmen.

Der 2te Vorstand, welchem alle von dem Minister des Innern als erstem Vorstande nicht selbst besorgte Geschäfte zukommen, und die beiden Sekretäre des General-Comités werden von den Mitgliedern dieses General-Comités gewählt und deren Wahl wird, so ferne keine besondern Umstände in der Zwischenzeit einen Austritt herbeiführen, von drei zu drei Jahren erneuert.

Der Geschäftsgang richtet sich nach der gewöhnlichen Collegial-Ordnung.

§. 13.

Das General-Comité und die Kreis-Comités können auch einzelne in ihrer Mitte nicht gewählte Vereins-Mitglieder zur Theilnahme an ihren Sitzungen einladen, und ebenso in besonderem Falle dem Vereine nicht angehörende Sachverständige einberufen.

Erscheint die Zurathziehung der in den Kreis-Comités nicht gewählten Mitglieder über eine von der Staats-Regierung dem Gutachten des Gesammtvereins unterstellte Angelegenheit oder über distriktive landwirthschaftliche Interessen ersprießlich, so kann solche auf Antrag des General-Comités von dem Staatsministerium des Innern angeordnet werden, welches in solchen Fällen den Zusammentritt nach landwirthschaftlich verwandten Bezirken verfügt und die Vorstände jedes solchen Bezirkes bezeichnet.

§. 14.

Das General-Comité führt in seinem Siegel einen silbernen Pflug im blauen Felde mit der Umschrift: »General-Comité des landwirthschaftlichen Vereins in Bayern.«

§. 15.

Die Kreis-Comités bieten den Kenntnissen, Erfahrungen und Bemühungen der Vereinsmitglieder einen speciellen Mittelpunkt ihres Wirkens dar. Ihre Aufgabe umfaßt insbesondere

a) Verbreitung nützlicher Kenntnisse in dem Kreise durch Vertheilung deß von dem General-Comité herausgegebenen Vereinsblattes, durch Abfassung und Verbreitung von Aufsätzen über specielle Landwirthschaftsverhältnisse des Kreises, durch eine allen Mitgliedern zugängliche Sammlung nützlicher Bücher, Modelle, Maschinen u. dgl., soweit es angemessen erscheint und unbeschadet des Gleichgewichtes zwischen Einnahme und Ausgabe geschehen kann, durch Herausgabe eines lediglich mit Specialisirung, respective Lokalisirung der in dem allgemeinen Vereinsblatte enthaltenen allgemeinen Entwicklungen und mit reinen Kreis-Landwirthschafts-Angelegenheiten sich befassenden Kreis-Blattes;

b) Beantwortung der von dem General-Comité oder der Kreis-Regierung gestellten, dann der Anfragen einzelner Mitglieder oder Vorlage der letzteren an das General-Comité und Hinausgabe seiner Antworten;

c) Erstattung des Jahres-Berichtes an das General-Comité;

d) Anordnung des vor dem Centralfeste jährlich abzuhaltenden landwirthschaftlichen Kreisfestes;

e) Einwirkung auf den districtiven und lokalen Landwirthschafts-Betrieb;

f) Verwaltung des in dem Kreise befindlichen oder noch zu erwerbenden Vereins-Vermögens, insbesondere auch Erhebung sämmtlicher Beiträge und Ablieferung der treffenden Rate an das General-Comité in dem von demselben bestimmten Termine;

g) Handhabung des durch die Verordnung vom 16. Febr. 1833 begründeten Einflusses auf die Landwirthschafts-Schulen des Kreises.

§. 16.

Die Kreis-Comités führen als Siegel einen silbernen Pflug in blauem Felde mit der Umschrift: Landwirthschaftlicher Verein Bayerns, Comité des N. Kreises.

§. 17.

Die erste Vorstandschaft jedes Kreis-Comités hat aus dem in §. 12 angedeuteten Motive und auf den Grund erfolgter allerh. Genehmigung der jeweilige General-Commissär und Regierungs-Präsident des betreffenden Kreises, mit der Befugniß sich in dem selbst bestimmten Maaße durch den zweit gewählten Vorstand vertreten zu lassen. — Der 2te Vorstand und die 2 Sekretäre werden nach Analogie des §. 12 von dem Kreis-Comité gewählt, und diese Wahl wird von 3 zu 3 Jahren erneuert.

§. 18.

Die Verrichtungen in dem General-Comité sowohl als in den Kreis-Comités sind für die durch Wahl dazu berufenen Mitglieder eine unentgeldlich zu erfüllende Verpflichtung. Bedienstete des Vereins können fortan in ständiger Eigenschaft nicht aufgenommen werden.

Vierter Abschnitt.

Versammlungen.

§. 19.

Das General-Comité und die Kreis-Comités sind gehalten, sich monatlich mindestens einmal in förmlicher Sitzung zu versammeln.

§. 20.

Zu den Sitzungen des General-Comités und der Kreis-Comités können auch Vereinsglieder, welche nicht Mitglieder der Comités sind, beigezogen werden. Ebenso können einzelne, in das Comité nicht gewählte Mitglieder zur Bearbeitung besonderer Aufgaben eingeladen werden.

§. 21.

Jährlich hält jedes Kreis-Comité zur Besprechung allgemeiner Vereins-Interessen während des Kreisfestes eine öffentliche Sitzung, welcher alle zur Zeit des Festes in der Kreishauptstadt anwesenden Mitglieder beizuwohnen berechtiget sind.

§. 22.

Ebenso hält das General-Comité jährlich während des Oktoberfestes eine öffentliche Sitzung, an welcher sämmtliche Abordnungen der Kreis-Comités, so wie alle in der Haupt- und Residenzstadt eben anwesenden Vorstände und Mitglieder dieser Comités Theil zu nehmen die Befugniß haben.

§. 23.

Ueberdieß können, so oft die mündliche Zuratheziehung auch der in den Comités nicht gewählten Vereins-Mitglieder einzelner Distrikte oder ganzer Kreise, oder der Gesammt-Monarchie, über von der Staatsregierung dem Gutachten des Gesammtvereines un-

Tabakbau in Bayern.

Um in Bayern eine bessere Gattung Tabak zu verbreiten, hat Frhr. v. Hallberg zu Birkeneck Samen aus Virginien kommen lassen, wovon er im vorigen Sommer 1835 den schönsten und besten Tabak gezogen hat, welcher ohne alle Beitze als vorzüglich gut anerkannt wird. Die Behandlung ist ganz einfach; der Samen wird nämlich im Frühbeet ausgesäet, und die Pflanzen versetzt; diese bedürfen im Felde gar keiner weitern Bearbeitung. Die Blätter werden vor dem Froste abgenommen, wie Gras auf einer Wiese ausgestreut, und wenn sie trocken sind, zusammengerechet; die Stengel werden ausgebrochen und die Blätter zum Rauchen geschnitten ohne aller Beize oder anderer Beimischung. Dieser Tabak ist auch zum Schnupfen sehr gut und unschädlich. Man kann 30,000 Pflanzen auf ein Tagwerk setzen, welche mehr als 100 fl. eintragen.

Mitglieder können Samen im Lokal des landw. Vereins in kleinen Prisen erhalten.

Landwirthschaftliche Berichte und Aufsätze.

Die Kultur der Gegend von Schmidmühlen im Regenkreise, im Jahre 1835 betr.

Der Cultur-Congreß von Schmidmühlen findet sich veranlaßt, über die in den Monatssitzungen dieses Sommers gepflogenen Verhandlungen gegenwärtigen Hauptbericht zu erstatten, und einige der vorzüglichsten Fortschritte der Landeskultur in dem laufenden Jahre zur Kenntniß des verehrlichen General-Comité zu bringen.

Außer dem Ackerbau sind es vorzüglich drei Gegenstände, deren Betrieb und Verbesserung für die hiesige Gegend von besonderer Wichtigkeit sind, nämlich I. der Bau der Esparsette (Hedysarum onobrychis); II. Der Hopfenbau und III. Die Obstbaumzucht. Für einige Orte dieser Gegend kann man als den vierten Gegenstand noch die Schafzucht betrachten.

Zu I. Wir fangen bei dem Bau der Esparsette an, weil der Futterbau die Grundlage eines ergiebigen Ackerbaues ist, und weil das Gedeihen dieses wahrhaften Wunderklees auf dem hiesigen kalkhaltigen Boden alle Beschreibung übertrifft. Dieser

Klee scheint hier in seinem eigentlichen Elemente zu seyn. Grundstücke, welche auf hohen Bergen und gähen Abhängen bisher kaum einige dünn stehende Grashalmen ertrugen, welche wegen weiter Entfernung und bergigter Lage fast nie vom Pflug berührt, viel weniger jemals gedüngt werden konnten, prangen jetzt mit diesem herrlichen Klee, der hier an manchen Orten dreimal (und das erstemal in einer Höhe vom mehr als 3 Schuhen) gemäht, und dann noch vom Hornvieh beweidet werden kann. Am meisten zeichnet sich hierin aus Kaspar Maier auf der Oed, Ortsvorstand von Bergheim. Derselbe hat im heurigen Jahre 5 1/2 Schäffel Espersamen auf großentheils schlechten, und vorhin öden Grund erhalten, und da die Maß hierum 4 kr. kostet, ungeachtet der Nutzung an Futter sich eine nicht unbedeutende Quelle von Einnahmen eröffnet von einem Grund, den er bisher fast gar nicht benützen konnte. Er nennt es aus eigener Erfahrung ein habermäßiges Futter, mit dem das Vieh auch bei mäßigen Portionen in 4 + 6 Wochen gut gemacht werden könne.

Joseph Schmid: Bürger und Metzger von Schmidmühlen bestätigt ganz diese Angaben, und bemerkt hiebei, daß:

1) der Boden hiesiger Gegend zwar von Natur gut sey, aber bisher wegen Mangel eines verhältnißmäßigen Viehstandes nicht gehörig bewirthschaftet werden konnte;

2) daß der Bau der Esparsette das einzige Mittel sey, dem Mangel an Futter abzuhelfen. Der gewöhnliche rothe Klee sey in trocknen Jahren kaum in Anschlag zu bringen, und auch in den besten Jahren mit dem Ertrage der Esper lange nicht zu vergleichen; für den Luzerner oder ewigen Klee seyen die Gründe zu trocken, und der gute Boden nicht tief genug, während die Esparsette von jeder Witterung unabhängig ist, und ihre Nahrungssäfte tief aus dem Boden holt, wenn er nur kalkhaltig ist;

3) daß viele jetzt öde Gründe auf keine andere Weise zur Cultur, und zu einem anhaltend hohen Ertrag gebracht werden können, als durch den Bau der Esparsette;

4) daß dieser Bau sich in hiesiger Gegend bald eben so verbreiten wird, als der Bau der Karroffel sich verbreitet hat, und daß er die bisherigen Verhältnisse der Landwirthschaft von Grund aus verändern und verbessern wird;

5) daß der hiesigen Gegend von den drei Hauptbedingungen einer vortheilhaften Landwirthschaft, nämlich guter Boden, Futterbau und Wald die zweite und wesentlichste bisher ganz gefehlt habe: daß aber jetzt, nachdem dieses gefun-

den ist, nichts mehr im Wege steht, diese Gegend bei dem Fleiße und der Sparsamkeit der Bewohner zu einer der blühendsten Gegenden des Reichs zu machen.

Hr. Handelsmann Messerer von Schmidmühlen, der heuer selbst 2 Schäffel 4 Metz. baute, und die sämmtlichen Mitglieder des Cultur-Congresses bestätigten diese Bemerkungen. Daher kömmt es auch: daß Landwirthe dieser Gegend bis Hohenfels, Kastl, Verlangen tragen, Esparsette-Samen zu erhalten, welches lebhafte Verlangen sie zur Zeit nirgends befriedigen können. Schon jetzt ist aller Samen vergriffen, der im Frühjahre gesäet werden soll, und dieser Mangel an Samen ist die Ursache, daß eine wichtige Landes-Verbesserung, deren Kapitalwerth viele hunderttausende betragen kann, zurück gehalten wird.

Das verehrliche General-Comité des landwirthschaftlichen Vereins in Bayern wird daher gebeten, wo möglich wenigstens ein paar Zentner guten Samen entweder an den unterzeichneten Cultur-Congreß oder an das k. Landgericht Burglengenfeld entweder ganz unentgeldlich, oder gegen Zurückgabe in Natur nach 3 Jahren zur Vertheilung in kleinen Portionen von etwa 10 Maß zu übersenden.

Uebrigens dürfen die Verdienste des Hrn. Pfarrers Schadutz zu Vielenhofen bei Luzmanstein um Verbreitung dieses Kleebaues, der in hiesiger Gegend noch ganz unbekannt war, und zuerst in Winbuch seinen Anfang nahm, nicht mit Stillschweigen übergangen werden, indem derselbe durch eigenes Beispiel, so wie auch durch Aufmunterung und Belehrung wohlthätig darauf einwirkte.

Zu II. Der zweite Gegenstand ist der Hopfenbau, der den Hauptnahrungszweig der wackeren Bürgerschaft von Schmidmühlen ausmacht. Dieser Bau hat theils durch neue Anlagen, theils durch verbesserte Behandlung seit 10 Jahren wohl um 1/3 zugenommen, und wird noch täglich mehr erweitert. Zwei Bürger, deren jeder bereits über 20 Zentner baute, haben sich verbunden, es dahin allmählig zu bringen: daß jeder 100 Zntr. jährlich erhalten kann. Sie sehen dieses als das sicherste Mittel an, den Schmidmühler Hopfen, dessen gute Qualität anerkannt ist, mehr bekannt zu machen. Jetzt wird der Hopfen von Hopfenhändlern oder großen Bräuhäusern noch wenig gesucht, weil sie große Quantitäten auf einmal nicht erhalten können, sondern, da der ganze Markt kaum 500 Ztnr. baut, dieselben einzeln mühsam zusammen suchen müssen. Dieses Hinderniß müßte sich allgemach verlieren.

Durch die verständige Thätigkeit der groß begüterten Bürger ist Schmidmühlen (längst bekannt durch die Geschichte des oberpfälzischen und nordgauischen Eisenhandels) der Wohnort ungemein emsiger, und dadurch wohlhabender Menschen geworden, deren Gedanken und Unterredungen sich fast einzig auf Cultur und Verbesserung des Bodens, und der Gewerbe beziehen.

Obiger Joseph Schmid hat seinen auf einer Anhöhe gelegenen Gemeindewaldtheil zu beiläufig 1 1/2 Tagw. mit vieler Mühe und Kosten von Stöcken, Wurzeln, Gebüschen und Felsen gereinigt, welche fast ganz zum Hopfenbau bestimmt, und bis jetzt mit 800 Stöcken besetzt sind, welche in gegenwärtigem ersten Jahre, wo der neu gelegte Hopfen wegen Trockne an den meisten Orten zurückblieb, über 12 ℔ ertragen haben. Das Merkwürdigste aber ist dessen im heurigen Jahr auf eine hier neue Art unternommene Bau eines Hopfenbodens, auf welchem in verschiedenen mit mäßigen Zwischenräumen aufeinander liegenden aufgespannten Tüchern 6 Ztnr. Hopfen in längstens 48 Stunden gedörrt werden können.

Michael Schmid, Lederer und Rösselwirth hat einen schlechten, aber ihm wohl gelegenen Acker zu 7/8 Tgw. um 360 fl. gekauft, mit einer starken Steinmauer umgeben, und mit Hopfen bepflanzt, auch einen öden durch stehende Gewässer ganz ausgesäuerten Thalgrund trocken gelegt, von Steinen gereinigt, und ebenfalls mit Hopfen bebaut.

Johann Messerer hat ein Tagwerk herabgekommenen Berggrund um 50 fl. gekauft, davon bis jetzt mehr als den dritten Theil über 2 Schuhe tief gewendet, d. h. rejolt, vorläufig mit 872 Hopfenstöcken belegt, und um diesen Acker eine gegen 600 Schuh lange Mauer aufgeführt. Da mit dieser Cultur noch alle Jahre fortgefahren wird, kann sich bei den hiesigen hohen Grundpreisen, und der Güte des Bodens der Werth dieses Grundstücks in kurzer Zeit gegen oder über 1000 fl. belaufen.

Georg Reindl, Gemeindevorstand, dann Joseph Weigert, Hirschenwirth verbessern und vermehren ihren Hopfenbau von Jahr zu Jahr.

Unter den verschiedenen Sorten des Hopfens rühmen sie am meisten den mit grünen Reben sowohl in Güte als Reichhaltigkeit des Ertrags.

Auch die Gemeinde Winbuch fängt an, mehr Hopfen zu bauen. Seit ein paar Jahren haben 7 Gemeinde-Glieder über

3600 Stöcke gepflanzt, und die Gutsherrschaft zu ihrem großen Hopfengarten von 4775 Stöcken neue Hopfengärten mit 1678 Stöcken angelegt, welche sie im künftigen Jahre mit etwa 1500 zu vermehren gedenkt.

Seit einigen Jahren haben, gelockt durch gute Preise, viele Bauern angefangen, Hopfen zu bauen; man glaubt aber: daß dieses bei großen Bauernhöfen aus Mangel an Zeit, an Dünger und einer gehörigen Behandlung nicht von Bestand seyn werde, und daß, sobald geringere Hopfenpreise eintreten, und diese einige Jahre anhalten sollten, sie mit denselben wieder aufhören werden, so, daß die jetzige Vermehrung dieses Baues auf dem Lande im Ganzen keinen bedeutenden, wenigstens keinen anhaltenden Unterschied machen werde. Die Zeit wird lehren, ob und in wie weit diese Vermuthung sich bestätigen werde. Es scheint vielmehr natürlicher, daß auch die Landleute nach und nach ihre Verhältnisse darauf einrichten werden, und daß, wenn der Hopfenbau einmal seinen Höhepunkt erreicht hat, und aufhören wird, lohnend betrieben zu werden, man nicht nur auf dem Lande, sondern auch in Städten und Märkten ein anderes mehr Vortheil bringendes Produkt aufsuchen wird.

Gute Vicinalwege nach Amberg, Burglengenfeld und Hohenburg erleichtern jetzt sehr die Verbindung mit den nächst gelegenen Hauptorten, und durch diese mit dem ganzen Reiche, wovon Schmidmühlen bisher durch schlechte Wege fast ganz abgeschnitten war. Auch bemerkten die oben genannten Bürger: daß der Hopfenbau in dem von Westen gegen Osten sich hinziehenden Lauttrachthale besser gedeihe, als in dem damit verbundenen Vilsthal, das sich von Norden gegen Süden hinzieht.

Der Bau der Esparsette steht übrigens mit Erweiterung des Hopfenbaues hier in der nächsten Verbindung. In dem fruchtbaren Lauttrachthal, dem Hauptsitze dieses Baues, befinden sich nämlich noch viele Wiesen, welche zur nöthigen Haltung und Fütterung des Viehes bisher beibehalten werden mußten. Da nun durch den Bau der Esparsette auch auf weniger guten Bergfeldern mehr als ein Surrogat für die Wiesen gefunden ist (indem 80 ℔ Esparsette Heu 100 ℔ des besten Wiesenheues gleich geschätzt werden) so können einige dadurch entbehrlich gewordene Wiesen dem Hopfenbau gewidmet werden.

Zu III. Minder wichtig ist zur Zeit noch der Obstbau, der sich zwar in den Dörfern allmählig vermehrt, aber meistens noch ohne Auswahl guter Sorten, und mit wenig Kenntniß und Aufmerksamkeit behandelt wird. Die wichtigsten Anlagen dieser Gegend findet man in den Schloßgärten zu Münchshofen, Rabeck, Vilswörth, Traidendorf und Winbuch. Unter den Landleuten sind zwei Bauern von Wöllmannsbach unweit der Nab, deren Jeder in guten Jahren etwa um 200 fl. Obst verkauft, dann die Orte an der Vils, wo besonders die Zwetschken gedeihen. Aber alles geschieht noch ohne Plan, großen Fleiß, beinahe ganz von sich selbst. Indessen ist die Lage zum Obstbau, so wie zum Absatz des Obstes günstig, und in den Schulen wird den Kindern einiger praktischer Unterricht im Obstbau ertheilt, wodurch mehr Liebe dazu erweckt wird.

Zu IV. Die Schafzucht ist noch in der größten Rohheit, könnte aber bei überall vorhandenen trocknen Weiden mit Erfolg betrieben, und in einigen Dörfern, welche große Strecken von Weiden besitzen, wie z. B. Enselwang ansehnlich vermehrt werden. In weiterer Entfernung besitzt der in den meisten Gegenständen der Landwirthschaft, so wie in vielen wichtigen Zweigen der Industrie ausdezeichnete Gutsbesitzer von Traidendorf von Stachelhausen eine ansehnliche Heerde von veredelten Schafen. Der Schafdünger ist dem hiesigen kalten Lehmboden besonders entsprechend.

Die genannten ersten zwei Gegenstände: nämlich Esparsette und Hopfenbau sind für die hiesige Gegend bereits von großer Wichtigkeit, die beiden letzteren können es bei dem so klaren Fingerzeig der Natur in kurzer Zeit noch werden.

Als eine besondere Leistung im Ackerbau muß bemerkt werden: daß Ulrich Kuen, Bauer von Aberzhausen, der sich bereits durch Arrondirung seiner Grundstücke, Geradeleitung der Lauttrach ꝛc. ausgezeichnet hat, im Frühjahr einen mit Weizen bebauten Acker so eggen ließ, daß kaum noch eine Spur von Weizen zu sehen war. Alle Bauern des Orts und der Nachbarschaft lachten darüber. Indessen wurde der Weizen bald einer der schönsten und dichtesten in der ganzen Gegend, wodurch Thaers Bemerkungen über das Eggen des Weizens auch hier bestättigt worden sind.

Aus öffentlichen Blättern sind auch die neuen Erfindungen von Krieger in Augsburg über neue Benützungsart der Kartoffel, und von Schmidbauer über eine Universal-Kraftmaschine zur Kenntniß des Kulturcongresses gekommen. Derselbe hat sofort beschlossen, diese beiden Werke sich anzuschaffen, und insoferne diese Erfindungen für die hiesige Gegend von Nutzen seyn könnten, sie seiner Zeit zu benützen.

Ein schweres Uebel drückt die Landwirthschaft der hiesigen Gegend. Dieses besteht in verderblichen Gewohnheiten der größern Bauern, und in den Exzessen der Kleingütler und Taglöhner meistens durch Einzelnhüten des Hornviehes, und durch Grasen in den Feldern. Von dem einzelnen Hüten der Ochsen war in diesen Blättern schon öfters die Rede, und dessen Verbot wurde erst vor wenigen Jahren erneuert. Alles umsonst! Unter dem Vorwand, daß es an Futter gebricht, werden alle Wege, Raine zwischen den Feldern, Brachfelder, junge Schläge, selbst die gemeine Viehweide, kurz alle nur irgend zugänglichen Plätze mit Ochsen betrieben, schon frühe Morgens vor der Arbeit, die meistens schon um 10 Uhr Morgens beschlossen wird, um die Ochsen abermal bis Mittag weiden zu lassen, and Nachmittags die nämliche Ordnung fortzusetzen, wo aber das Weiden bis gegen 9 oder 10 Uhr Abends gehütet wird. Die Ausrede von unmittelbarer Nothwendigkeit ist um so grundloser, als der Viehstand unverhältnißmäßig gering ist, indem erst auf 10 Tagw. Acker ungefähr 1 Stück Hornvieh gerechnet werden darf, und nicht auf 4 Tagw., wie es die bewährtesten Oekonomen nothwendig finden, und als zweitens viel rother Klee, Esparsette, Wicken, Kartoffel, Rüben, Kohlraben, Kraut und Dorschen ꝛc. gebaut werden, und das Vieh den Winter hindurch fast nur mit Stroh gefüttert wird. Die Huth wird gewöhnlich Kindern anvertraut, die entweder schlafen, oder ihr Vieh verlassend sich in Gruppen versammeln, um sich das langweilige, und in mehrfacher Hinsicht selbst der Moralität schädliche Geschäft des Ochsenhütens kurzweiliger zu machen. Der Mißbrauch geht so weit: daß Kleingütler, welche statt der Ochsen nur Kühe halten können, auch diese einzeln hüten. Das Vieh, sich selbst überlassen, besucht in der Zwischenzeit Kleeäcker, Lohen, Wiesen, angebaute Getreideäcker, und richtet oft vielen Schaden an, ehe es die Aufseher bemerkt haben. Die ersten Bifange der Felder an einem Wege sind daher gewöhnlich verdorben, wenigstens sehr beschädigt. Oder das Vieh rennt von Insecten gequält oder verfolgt wüthend durch alle Felder, und der dabei aufgestellte Knabe, oder Bauer, wenn er es bemerkt, muß es eben so schnell verfolgen, und dadurch den Schaden des Eigenthümers verdoppeln. Die bergigte Lage und der zerstreute Felderbesitz begünstigt diesen schlimmen Gebrauch, indem Jeder, wenn er bemerkt wird, sich schnell dem Gesichtskreise entziehen kann und oft nicht eher entdeckt werden kann, als wenn man bereits neben ihm steht.

Daß bei diesen Umständen jede höhere Kultur erschwert, oder unmöglich gemacht wird, daß an das Aufkommen eines

Obstbaumes oder überhaupt eines freistehenden Baumes nicht zu denken ist, versteht sich wohl von selbst. Es wäre übrigens nicht so schwer, zu Abhilfe dieser wahren Landplage, die alle Lust zur Kultur erstickt, wirksame Mittel zu treffen.

Nicht geringer ist der Schaden durch das übrige Vieh. Es ist nichts seltenes, Hennen und Gänse auf frisch besäeten Aeckern und im hohen Getreide zu sehen. Schweine sind ohnehin das ganze Jahr hindurch frei, bleiben öfters über Nacht aus, durchwühlen im Frühling die jungen Saaten, und die Kartoffelfelder im Herbste. Unglaublich ist eben so die Nachläsſigkeit in Hütung des kleinen Viehes, als die Geduld und Nachsicht der Grundeigenthümer. Meistens bleibt es dabei: daß die Betheiligten einander schimpfen, oder sich thätlich begegnen, oder das daran unschuldige Thier todtschlagen. Selten kömmt es (was weit wirksamer wäre) zur gerichtlichen Anzeige und Bestrafung.

Keine Seltenheit sind die Felddiebstähle, nächtliches Aufsammeln von Getreide, Klee ꝛc. Diese Diebstähle bleiben gewöhnlich ganz ungestraft, wenn nicht die Thäter auf frischer That ertappt werden, und selbst in diesem Fall wird der Eigenthümer mit Schimpfreden und Drohungen überschüttet, daß er es für klüger hält, zu schweigen, als sich der Gefahr auszusetzen, auf andere Art noch weit empfindlicher beschädigt zu werden.

Das Ausgrasen der Felder ist nicht weniger unheilvoll. Mit dem Anfang des Frühlings durchziehen Schaaren von Weibern alle Felder, ohne Rücksicht auf Eigenthum und schaffen ein an sich wohlthätiges Geschäft um — in eine öffentliche Calamität. Das Feldgras wird gleichsam als res nullius betrachtet, das demjenigen gehört, der sich derselben am ersten bemächtigt. Und so wird ohne mindeste Schonung und Vorsicht mit dem Ausgrasen beinahe bis zur Aernte fortgefahren. Sobald das Getreid geschnitten ist, fängt das Ausgrasen, mit dem Einzelnhüten und Aehrensammeln wieder an, ohne so lange zu warten, bis das Getreide in Garben gebunden, oder abgeführt ist.

Welch enorme Beschädigungen den Feldeigenthümern dadurch zugefügt werden, springt von selbst in die Augen, und bedarf keiner weitern Auseinandersetzung.

Manche würden mehr Klee oder Handelsprodukte bauen, wenn sie nicht zum Voraus die Gewißheit hätten, daß sie Geld und Mühe nicht für sich, sondern nur für Andere verwenden würden. Alle Kulturslust wird dadurch im Keime erstickt, und vergebens werden alle Aufmunterungen und Preise seyn, wenn nicht vorerst diese Radicalübel *) aus dem Wege geräumt sind, die bei zunehmender Bevölkerung immer drückender werden.

Dieser Wurm nagt unaufhörlich an den größern Landwirthschaften, und ist für Schmidmühlen insbesondere um so empfindlicher, als die Wunde noch lange nicht vernarbt ist, welche ihm durch Entziehung der Hauptcommercial-Straße von Regensburg nach Nürnberg geschlagen wurde. Vor Erbauung der Chausseen gieng nämlich diese Straße hier durch, und von hier durch das Lauttrachthal über Lauterhofen nach Nürnberg. Dieser Weg ist der Nächste, weil er wenigstens um 4 Stunden kürzer ist, als die jetzige Straße, und ist der bequemste, weil er keine Berge enthält, und überall gutes Material in der Nähe hat. Noch, wenn einst die Lage gründlich untersucht, und mit jener der jetzigen Straße verglichen wird, (und vielleicht ist es schon geschehen) wird Schmidmühlen wenigstens eine Straße zweiter Klasse hoffen dürfen, oder, wenn Eisenbahn-Straßen auch in Bayern gewöhnlicher werden sollten, wird zum Vortheil des Publikums vielleicht diese Gegend zur Verbindung dieser beiden Städte als die angemessenste erkannt werden. Außerdem berechtigt noch zu dieser Hoffnung die Verbindung mit der Vils, und die Nähe mehrerer Hammer- und Eisengußwerke.

Dadurch würde auch die Landwirthschaft dieser fabrikreichen Gegend einen höheren Schwung, und Hopfen, Eisen- und Glaswaaren nebst vielen andern Artikeln mit geringeren Kosten in die Kreise von Altbayern geliefert werden können.

Dieses waren im Wesentlichen die Verhandlungen des Culturcongreßes von Schmidmühlen, dessen Bemühungen, die Landwirthschaft dieser Gegend aus ihrer Rohheit zu ziehen, schon bisher einige Früchte getragen haben, und deren für die Zukunft noch mehr versprechen.

Die Jedermann offen stehenden Sitzungen werden auch diesen Winter fortgesetzt werden. Die Individuen, welche in diesem Jahre den theils zu Schmidmühlen, theils zu Winbuch gehaltenen Sitzungen regelmäßig beiwohnten, sind außer den Unterzeichneten: Joseph Schmid, Michael Schmid, Jo-

*) Es ist schwer für Ein Landgericht, diesem Uebel abzuhelfen, wenn nicht alle Landgerichte gleichen Ernst und Strenge zeigen, und wenn nicht die Gemeinden selbst mehr mitwirken, um Ordnung und die Früchte ihres Fleißes zu erhalten. Das Wenigste kömmt zur Kenntniß der Landgerichte, und wo kein Kläger ist, ist —

hann Messerer, Joseph Reßzer Bäcker, Christoph Ratter Glaser, sämmtlich von Schmidmühlen; Caspar Maier Bauer von der Oed.

Schmidmühlen und Winbuch den 17. September 1835.

Georg, Freiherr von Aretin.

Georg Reindl, Gemeindevorstand von Schmidmühlen, als Sekretär. Johann Messerer. Michael Schmidt. Joseph Schmidt. Christoph Ratter. Joseph Reßzer.

Von den Witterungsverhältnissen des Jahres 1835, und ihrem Einfluß auf die Pflanzenwelt. Beobachtungen, gesammelt zu Aschaffenburg im Untermainkreise, von Dr. M. B. Kittel, Rector und Professor der Landwirthschafts- und Gewerbsschule daselbst.

Das verflossene Jahr war, wie das Jahr 1834, eines der merkwürdigsten des gegenwärtigen Jahrhunderts in Bezug auf seine Witterungsverhältnisse. Der Winter war sehr gelind, obgleich es weder viel regnete, noch schneiete. Nur gegen Ende Januars sank das Thermometer Nachts unter den Gefrierpunct. Der Februar war dem Januar ähnlich, indem sich nur vom 10ten bis 13ten etwas Frost einstellte. In diesem Monate bedeckte das Hungerblümchen alle Sandfelder, und das Maasliebchen schmückte die Rasenplätze. Mehrere Gesträuchsarten, namentlich die Rheinweide und mehrere Geiskleearten hatten ihre Blätter gar nicht abgeworfen, und als gegen Ende des Monats die Lufttemperatur bis auf 9° R. stieg, fiengen viele Bäume und Gesträuche an, ihre Knospenhüllen auseinander zu treiben; die Veilchen öffneten ihre Kelche, und in den Gärten entwickelten die Primmeln ihre Pracht. Der Monat März war in der ersten Hälfte größtentheils regnerisch und stürmisch, dagegen die zweite Hälfte desto schöner. Wir hatten 16 heitere Tage, und die Temperatur hob sich von 4 bis auf 8 Grade. Gleich Anfangs blühten die Erlen, der Seidelbast, die Schneeglöckchen, der Meverich. Am 7. zeigten sich die ersten Lerchen. Am 15. blühten das Sinngrün und der Erdrauch und die niedlichen Bachstelzen umschwärmten die Bäche. Die sternförmige Vogelmilch und die Zitterpappel blüheten am 20ten, denen sogleich die Ulmen und Kornelkirschen folgten. Der friedfertige Goldammer begann in dieser Zeit sein einförmiges Lied, und die seltenen Dompfaffen passirten durch. Endlich erhob sich auch noch das Hirtentäschel blühend.

Die erste Hälfte des Aprils brachte uns herrliche Frühlingstage, während die zweite Hälfte durchgängig regnerisch blieb. Wir erfreuten uns 14 schöner Tage. Die übrigen Tage bezeichneten den Charakter des Aprils. Die Vegetation machte Fortschritte, weil die Temperatur unter 0° nicht herabsank, vielmehr sich selbst bis auf 60° R. erhob. Die italische Pyramidenpappel und die Lerche blühten gleich zu Anfang des Monats. Ihnen folgten bald die Stachel- oder Klosterbeeren, die liebliche kleine Feldhiazynthe, die Aprikose und der Kriechenbaum nach. Die Waldanemone schmückte die Gebüsche. Am 13ten streute die Birke ihren Blüthenstaub aus, und am 16ten entfaltete die Hainbuche ihre zahlreichen goldgelben Blüthenschweife. Von nun an war der Menge der blühenden Pflanzen nicht mehr zu folgen, und man bemerkte nur noch, die vorspringenden.

Der nette Sauerklee mit seinen rothgeschminkten Blüten bildete freundliche Teppiche, und die honigreiche Schlüsselblume entfaltete ihre goldgelben Blüthenköpfchen. Am 17ten winkte die zarte Pfirsichblüthe. Am 18ten bot die Vogelkirsche ihre Blumensträuße dar, und die eitle Narcisse nickte ihr selbstsüchtiges Haupt. Am 20ten umschwebten die ersten Stadtschwalben die carmoisinrothen Blüthenschweife der deutschen ausgebreiteten Pappel, und der Reps bildete goldgelbe Blütenmeere. Jetzt bedeckte sich das übrige Kernobst mit Blumen: die Kirschen, Mirabellen, Schlehen glichen Schneeballen, der Johannisbeerstrauch und der traubige Hollunder standen in Blüthe. Auf Feldern ergötzten die Stiefmütterchen und in den Lüften die segelnde Mauerschwalbe das Auge. Den Schluß machte die Zwergmandel, die Birne und die Kaiserkrone.

Der Mai versetzte uns schon in den Sommer. Die mittlere Temperatur der Tage erhielt sich meistens auf 11° R. Daher gieng die Temperatur rasch vorwärts. Die in diesem Monate wünschenswerthen Gußregen blieben aus, obgleich es an Gewittern nicht fehlte. Wir hatten nur 2″ 9‴ hoch Regen, und der Winter war schneelos geblieben. Am 1ten blühte der Wachholder, und die Hausschwalbe suchte ihr altes Nest auf, welches ihr der kecke Sperling streitig machte. Jetzt erst kommt die schwarze Johannisbeere nach, und die sauersüßen Weichseln, Der breitblätterige Ahorn blüht, und in den Gärten ergötzen uns die vielgestaltigen Spierstauden, die Matronale und die Tulpe. Am 10. ist die Pracht der Apfelblüthe allgemein, das frühe Geisblatt winkt und die herrlichen Blüthenkegel der Roßkastanie blenden mit ihrem Farbenschmuck das Auge. Fast hätte man am 12ten übersehen, daß Eichen und Buchen ihr Hochzeitfest feyerten; denn die Wiesen entzückten das Auge mit den Erstlingen der jugendlichen Blumen, das Maiglöckchen zog den Blick zur Erde und die Blüthensträuße der Syringen reizten Auge und Nase. Wer wird da zwischen die graugrünen Nadeln der einförmigen Kieferuwaldungen blicken, wehete ihm nicht der Wind den schwefelgelben Staub ihrer Blüthen in die Augen? Am 14ten: der göttliche Goldregen läßt uns vergessen, die Knospen der Wallnuß zu untersuchen, obgleich seine unscheinbare Blüthe gleichzeitig ist. Am 25ten blühte der Maulbeerbaum reichlich; allein der Trockniß wegen fielen die meisten Blüthen wieder ab. Es gab nur eine geringe Aernte an Beeren.

Jetzt häuften sich die Blumen: der Blasenstrauch, die Kuckucksblume, das Waldmaiblümcheu, der Ackermohn, der Färberginster, die weiße Vogelmilch, der Weißdorn, der Vogelbeerbaum, der Schueeballenstrauch, der rothe Hartriegel, die Zimmtrose, und die wenig beachteten aber doch so wunderschönen Orchisarten stritten an Blumenpracht um die Wette. Der Roggen fieng an zu blühen, und mit ihm die Nelken und die Wucherblume, Der wärmste Tag war am 19. mit 21° R. der kälteste am 1ten mit + 3,5° R, Wir hatten 16 sonnige Tage.

Der Juni war durchaus heiß; es regnete so wenig, daß der Regenmesser für den ganzen Monat nur 3 pariser Linien Wasser lieferte. Die große Trockniß war auch Ursache, daß der Roggen zum Theil fehlblüthe, und der Weinstock keinen Trieb machen konnte, da besonders der Tiefe des Erdreichs alle Feuchtigkeit fehlte. Zwar fieng die Weinblüthe am 8ten an; allein sie währte ziemlich lange und ungleich fort. Es fehlte ein warmer Regen. Ein kurzer Regenguß am 15ten verdampfte fast augenblicklich anf der heißen Erde, und erst am 25ten bis 27ten erquickte ein leiser Regen die lechzende Erde. Wir hatten 24 heitere, heiße Tage. Die mittlere Temperatur des Monats war + 14,6° R. Der heißeste Tag am 11ten mit + 25,0° R., der kühleste nach dem Regen am 29ten mit + 6,7° R. Der Wein hat geblüht, aber er wächst sehr ungleich. Die Acacie blüht mit dem Wein gleichzeitig, obwohl kürzer. Diese Bäume waren geschüttet voll Blüthentrauben; allein bald welk fielen neun Zehntheile davon ab. Auch der schwarze Hollunder und die Feldrose sind gleichzeitig. Am 3ten blühte die Himbeere und am 13ten die Brombeere. Zu derselben Zeit folgten die Rheinweide, die Salbey, die eßbare Kastanie, der Fingerhut und Baldrian. Am 16ten bis 20ten folgten der Gerber-Sumach, die Raute, die Bohnen (Phaseoli), die Kartoffeln. Am 18ten thut man die Wintergerste heim; sie hat befriedigende Aernte geliefert. Man bringt reife Kirschen zu Markte. Am 20ten prangt der Tulpenbaum in Blüthe. Am 30ten kostet das Pfund Kirschen 2 Kreuzer. Die Spelze (Dinkel, Fesen) blüht. Die Seerose blüht aufs trockne Land versetzt.

Der Juli überbot den Juni an versengender Hitze, es gab 28 heitere, heiße Tage. Wir hatten zwar 5 Gewitter, die gelieferte Regenmenge erhob sich aber kaum zu der Höhe von 2" par. M. Der heißeste Tag war am 5ten mit + 26,6° R. der kühleste am 7ten nach einem Gewitterregen mit + 7,8° R. Gleich zu Anfang des Monats blüheten kümmerlich die Lindenbäume und die königliche Lilie. Man bringt Frühbirnen zu Markte. Am 13. bringt man Heidelbeeren zum Verkaufe; die gemessene halbe Maaß zu 1 Kreuzer. Am 14. beginnt die Aernte der Winterfrucht. Der Roggen ist weniger kornreich; die Körner aber sind mehlreich und gewichtig. Am 20ten verkauft man 5 Aprikosen um 1 Kreuzer. Der Weizen wird am 22ten geschnitten und man siedet sich Frühkartoffeln zum Mahle. Der Weinstock kömmt nicht vorwärts, die Beeren bleiben klein, die den Sonnenstrahlen ausgesetzten Trauben werden selbst welk und fallen endlich versengt ab.

Der August lieferte zwar öfters Regen, aber wenig Wasser; denn die gesammelte Regenmenge betrug zur Noth 2" 4''' Wir hatten 22 helle Tage und nur 2 Gewitter, worunter das vom 13ten mit Hagel. Diese Witterung konnte den Weinstock auch nicht vor sich bringen. Der heißeste Tag war am 12ten mit × 23,3° R., der kühlste am 29ten mit + 8,0° R.; die mittlere Wärme betrug beinahe + 15° R.

Der Apfelbaum hatte zwar prachtvoll geblüht, allein wegen der großen Hitze waren die meisten Blüthen abgefallen; man machte daher dieses Jahr eine nur geringe Apfelärnte. Auch waren die Aepfel sehr klein, und neigten ungewöhnlich schnell zur Fäulniß, was seinen Grund nur in dem schnellen Aufquellen durch ein paar Regengüsse hatte. Im verflossenen Jahre hatte man das Schäffel gemeiner Aepfel mit 1 fl. 48 Kreuzer und Bergolst mit 2 fl. bezahlt, im gegenwärtigen stieg das Schäffel gemeiner Weinäpfel auf 3 bis 4 fl. Dagegen gab es Birnen in Menge, und wurde daraus vieler vortrefflicher Essig erzeugt. Dieß kommt offenbar daher, daß der Birnbaum, als glänzendblätterig mehr eine südliche Obstart ist und daher die Hitze gerne erträgt.

Bohnen, welche man hier in allen Haushaltungen grün einmacht, gab es auch nicht viele, weil die Blüthen der Hitze wegen abfielen. Man war froh, die Last zu 1 fl. 30 kr. zu erhalten. Der Mangel an Gemüsen war in diesem Jahre allgemein; daher die Leute nothgedrungen, theils aber auch weil das Kartoffelkraut schon Ende dieses Monats abstund, früh einzelne Kartoffeläcker entleerten. Auch der Futtermangel war groß. Die Wiesen verbrannten nach der Heuärnte aus dem Boden, und ein gleiches widerfuhr dem Klee, wenn man nicht die Zeit des Regens glücklich traf. Das Heu ist aber auch trefflich aromatisch und ersetzt in Güte, was ihm an Stroh abgeht.

Unser Staudenkorn hatte im gegenwärtigen Jahre reichlich getragen, obgleich die Trockniß des vorigen und gegenwärtigen Jahres manche taube Aehre erzeugt hatte. Es war auf Sandboden 8 Fuß hoch geworden. Im nächsten Jahre wird dieß Feld gedüngt und mit Kartoffeln bestellt.

Die Runkelrüben, obgleich bei der größten Hitze ausgepflanzt, erholten sich am Thau, und die Aernte war sehr ergiebig. In hiesiger Gegend würde eine Zuckerfabrik mit Erfolg angelegt werden können.

Wirsing und Hauptkraut blieben bis im September zurück; dann aber holte letzteres seine Versäumniß nach. Dieser Monat gab 23 heitere Tade, die Regenmenge betrug nur 1 Zoll 3 Linien; dagegen lieferten der Thau und mehrere Nebel einige unmeßbare Fenchtigkeit an die Pflanzenwelt. Die mittlere Wärme hielt sich auf + 12,6° R. Der wärmste Tag war am 7ten, mit + 20, 8° R., der kühlste am 29ten mit + 6° R. Die Mäuerschwalbe zog schon Anfangs dieses Monats ungewöhnlich früh fort, und ihr folgte am 21ten die Stadt-Schwalbe. Im Jahre 1834 hatte man Anfangs August dahier schon gute Trauben gegessen; dieses Jahr war man froh im September solche zu finden. Der September ist der Kochmonat; da aber die Trauben saftleer waren, so hatte die Sonne nichts zu kochen und die dicken Hülsen wollten sich nicht aufhellen. Die Kartoffelärnte, welche sonst in den October fällt; mußte im gegenwärtigen Jahre fast allgemein im September vorgenommen werden, nur im schweren Boden ließen größere Gutsbesitzer ihre Aernte noch unter der Erde, in der Hoffnung daß sie durch die Herbstregen verbessert werde. Sie wurden getäuscht, wie der October zeigen wird. Im allgemeinen hatte man sich eine schlechte Kartoffelärnte versprochen, sie fiel jedoch troß der großen Trockniß und dem meistentheils schlaff hängenden Kraute leidlich aus; der Preis der Kartoffeln hat sich nur wenig gehoben. Das Schäffel kostete im vorigen Jahre 1 fl. 30 kr, im Gegenwärtigen 2 fl., nämlich auserlesene Kartoffeln.

Die Winterreps-Aernte war mittelmäßig ausgefallen, und von der Sommerreps-Aernte versprach man sich, weil er bei der großen Hitze nur spärlich aufgieng, so wenig, daß viele Bauern ihre Felder wieder stürzten und mit weißen Rüben bestellten. Doch wuchs er später bei, blühete allmählig schön, und lieferte einen dankenswerthen Lohn an besonders schönen Körnern; dagegen blieben die weißen und gelben Rüben klein.

Ganz besonders schön wurden in diesem Jahre die Zwiebeln; doch theilten sie den allgemeinen Charakter der saftigen Früchte, nämlich die Neigung zur Fäulniß.

Die Obererd-Kohlrabi waren in diesem Jahre nur schlecht gerathen, desto besser aber die Untererd-Kohlrabi.

Wäre in hiesiger Gegend nicht in den meisten Orten die Stallfütterung eingeführt, so würden die Bauern nicht mehr im Stande gewesen seyn, ihr Vieh zu ernähren. Das Blattfutter mußte sehr große Dienste leisten, weil der Klee nicht zureichte.

Der Haber gerieth schlecht und stieg deßhalb merklich im Preise.

Die Mehlfrüchte stiegen anfangs gleichfalls; als aber die alten Vorräthe sogleich zu Geld gemacht wurden; so giengen sie nach 14 Tagen schon wieder auf die niedern Preise zurück. Der Weizen gerieth nur auf sehr gutem, weniger gedüngtem Boden, auf hitzigem wurde er meistens brandig, und daher auch minder preiswürdig. Auf unserem Lehm- und Sandboden gedeiht nur die Spelze (Fesen); Weizen fordert einen kalkartigen Lehm- oder einen kräftigen Mergelboden. Kalk muß nothwendig im Boden enthalten seyn, wenn Weizen darauf gedeihen soll.

So wie die Bohnen eine nur mittelmäßige Aernte gegeben hatten, so verhielt es sich auch mit den Erbsen und Linsen, daher sie im Preise stiegen.

Hanf war leidlich; der Flachs hingegen blieb dünn und kurz, weshalb auch er im Preise stieg.

Da der September wenig Feuchtigkeit geliefert hatte, als daß die Trauben sich aufhellen konnten, so hoffte man vom October noch Alles. Einige tüchtige Regen und darauf folgendes warmes Wetter würde einen splendiden Weinherbst bereitet haben. Allein der Oktober blieb von Anfang bis zu Ende regnerisch. In den ersten Tagen dieses Monats zogen die letzten Landschwalben fort. Wir hatten 16 Regentage, und der Himmel heiterte sich nie vollkommen auf. Die wärmsten Tage waren der 2te und 6te mit +14,6° R., der kälteste der 18te, an welchem das Thermometer Morgens nur 0,7° R. zeigte.

Man war froh, am 24ten, 26ten, 27ten, 28ten und 29ten, nur etwas günstige Witterung zu haben, um den Herbst einthun zu können. Der Most fiel in verschiedenen Lagen erster Qualität dennoch sehr verschieden aus. Anfangs schien er sehr rauh und wild, hellte sich aber nach dem ersten Abstich und nahm eine vortreffliche Gährung an, so daß er ein besonders guter Lagerwein werden wird. Dieses gilt jedoch nur von den edlen Rebensorten, namentlich vom Rießling und Harthengst, dann vom Traminer. Der Most wurde in Trebern per Eimer zu 5 fl. verkauft, so daß sich der Eimer reiner Most nach dem ersten Abstich auf beiläufig 7 Gulden berechnet. Doch gilt auch dieß nur von guten Traubensorten und Lagen.

Größere Güterbesitzer hatten von den feuchten Tagen des Monats Anfangs einen Zuwachs an Kartoffeln gehofft, und daher diese in der Erde gelassen, in der Hoffnung, bei günstigem Wetter, wie es hier oftmals der Fall ist, selbst noch im November, die Kartoffelärnte zu halten. Sie wurden bitter getäuscht; denn es trat am 4ten, nachdem kein einziger heiterer Tag den Boden ausgetrocknet hatte, plötzlich Kälte ein, welche fortwährend bis zum 15ten stieg, an welchem Tage in der Frühe das Thermometer — 13,2° R. Kälte zeigte. Daher erfroren viele Kartoffeln in der Erde. Leider sind noch zu wenige Kenntnisse in der großen Masse; sonst würden diese erfrornen Kartoffeln, welche in den günstigeren Tagen vom 20ten bis zum 26ten aus der Erde gebracht und eingekellert wurden, nicht großentheils der Fäulniß anheim gefallen seyn. Freilich hatten die Eigenthümer die Absicht, sie zur Branntweinbrennerei zu verwenden; allein dazu konnte nur ein kleiner Theil benutzt werden, und so giengen gesunde und erfrorne, welche gemischt eingekellert worden waren, in gemeinschaftliches Verderbniß über. Hätte man sie abgekocht, entkält, auf der Kartoffelmühle gemahlen, und dann getrocknet, so würden sie nicht nur ein süßes Viehfutter, sondern auch immer noch ein vortreffliches Material zur Branntweinbrennerei geblieben seyn. Man schreibt und druckt dieses wohl hundertmal und empfiehlt es den Leuten; allein man predigt tauben Ohren, und die Reue kommt zu spät. Wo Kartoffelstärke-Fabriken in der Nähe sind, können solche Kartoffeln gleichfalls zu hinreichend guten Preisen abgesetzt werden; ja wer es versteht, kann daraus mit noch geringern Kosten als aus der gesunden Kartoffel Syrup erzeugen.

Wo erfrorene Kartoffeln eingekellert worden waren, das konnte man Ende Decembers schon von Weitem erkennen, so fürchterlich war der Modergeruch.

Die Regenmenge des Novembers betrug fast zwei Zoll. So streng sich der Monat Anfangs anließ, so gelind wurde er gegen Ende. Der gelingeste Tag war der 28te mit +9,1° R. Das Thermometer hielt sich vom 18ten bis zum 30ten über +0,° R. Bäume, Gesträuche und Weinstock, waren durch den Regen des Octobers wieder grün und saftig geworden; durch die Kälte des Novembers erfroren die jungen Triebe, und die jungen Weinberge litten sehr Noth. Auch die Wintersaat konnte keinen rechten Pelz anziehen, weil es an Feuchtigkeit fehlte und die Kälte zu früh eintrat.

Im Monat December hatten wir 12 heitere und kalte Tage, 8 Regen- oder Schneetage, die übrigen waren gemischt, oder trüb und nebelig. Die ganze Menge des gefallenen Wassers betrug leider aber nur 2 Linien, so daß der Wassermangel, welcher wegen der Trockenheit des Jahres 1834, im gegenwärtigen 1835 so fühlbar geworden war, im kommenden 1836 noch empfindlicher zu werden droht. Der wärmste Tag war der 3te mit +9,0° R., am tiefsten stand das Thermometer am 22ten früh mit —9,5° R. Die mittlere Wärme betrug +0,4° R.

Nachdem der Main am 13ten November zugegangen war, zog das Eis am 20ten in aller Stille wieder ab, um am 22ten December sich neuerdings mit einer Eisdecke zu schließen, welche so dick wird, daß erst der kommende Frühling im Stande seyn wird, dieselbe zu sprengen.

Der herrschende Wind des Jahres 1835 war Ost und Nordost.

Die mittleren Barometer- und Thermometer-Stände von Aschaffenburg für das Jahr 1835 folgen zur Uebersicht in nachstehender Tabelle:

Uebersicht
der meteorologischen Mittelstände vom Jahre 1835 zu Aschaffenburg.

Monat	Barometerstand bey + 10° R.	Thermometerst. nach Reaumür.	Regenmenge.
Januar	332,256322	+2,547164	1'' 4,5''' p. M.
Februar	332,628643	+3,897134	2'' 0,0
März	333,025226	+5,105000	2'' 0,0
April	333,841833	+7,814900	1'' 6,0'''
Mai	330,640000	11,709444	2'' 9,0'''
Juni	332,965433	14,630800	0'' 3,0'''
Juli	333,242516	16,760000	2'' 2,0'''
August	331,012000	14,974200	2'' 4,0'''
September	331,583266	12,649666	1'' 3,0'''
October	331,928000	7,426451	1'' 10,0'''
November	334,215730	1,445555	1'' 11,0'''
December	335,477200	0,415161	0'' 2,0'''
Jahresmittel für 1835	332,734680 par. L.	+8,281290° R	Regenmenge des Jahres 17''10,5'' p. M.
Jahresmittel für 1834	333,454017	+9,480556° R	12'' 9,5'''
Jahresmittel für 1833	330,945984	+7,5690613	25'' 5,7'''

Beiliegendes Muster verfertigte ich auf folgende Weise: Die Stärke, welche aus den Kartoffeln geschieden wird, ist viel weniger als die vom Getreide gebundene, läßt sich daher auch leichter eine sehr reine Stärke davon bereiten.

Nachdem man die Kartoffeln sorgfältig gewaschen hat, werden sie zerrieben, zermalmt oder zerstampft, je nach dem selbstigen Gutbefinden, (könnte man die Kartoffeln schälen, würde das Erzeugniß ungleich reiner, wie dasjenige der blos gewaschenen) dann wird die Masse mit Wasser verdünnt, wohl umgerührt und durch ein Haarsieb gedrückt, dann in einer Schüssel mehrere Minuten stehen gelassen; während dieser Zeit verdünnt man den Rückstand mit Wasser, rührt solches wieder um, und verfährt auf dieselbe Art damit, welches nun der letzte Auszug davon ist, der Rest dient für das Vieh. Die Schüsseln, in denen das durchgepreßte dunkelbraune, übelriechende Wasser der Kartoffeln steht, wird als unbrauchbar abgegossen, während die starre Kartoffelsubstanz schön weiß auf dem Boden sich fest ansetzt. Auf dieses wird frisches Wasser gegossen, das ganze umgerührt, und kurze Zeit stehen gelassen, nach welchem man das noch etwas unreine Wasser abgießt, und so lang auf gleiche Weise damit verfährt, bis sich bei dem ober der Stärke befindlichen Wasser keine Unreinigkeit mehr zeigt. Die verfertigte Stärke wird nun auf die bestmöglichst und leichteste Art getrocknet, und daher zum Verkauf fertig. Aus diesem läßt sich auch Sago bereiten, wenn man mehrere Pfunde dieser Stärke mit einer dünnen Auflösung von Eiweißwasser anfeuchtet, und damit durchknettet; diese etwas anhängende Masse reibt man durch ein etwas weites Drahtsieb, wodurch eine körnige Substanz entsteht, die trefflich als Sago zum verspeisen gebraucht werden kann, wenn man die Körner ofentrocken gemacht, und durch fortgesetztes Sieben von dem anhängenden Pulver befreit hat. *)

Zucker aus der Kartoffelstärke durch Dampf bereitet man auf folgende Weise:

Man nimmt z. B. 20 Pfund St. Gew. Kartoffelstärke, welche mit 20 Pfund Wasser angerührt wird; dann kommen in die hölzernen Bottiche oder Ständer 30 Maß Wasser; wenn nun dieses durch die Dämpfe zum Kochen gebracht worden, werden 40 Loth Vitriol-Oel (Schwefelsäure) mit 5 Pfund Wasser verdünnt, nach und nach obiger Stärke unter beständigem Umrühren hinzugegossen, und so das Ganze 7 bis 8 Stun-

*) Die Muster sind im Locale des landw. Vereins einzusehen.

den fortgesotten, (in die kupfernen Veßike (Kessel) werden aber alle 2 bis 3 Stunden 12 Maß Wasser nachgegossen); nach Verlauf dieser Zeit wird die Mischung mit gestoßener Kreide oder Marmor neutralisirt, sonach filtrirt, der Gyps noch extra gut ausgepreßt, und sodann zur Dicke eines Syrups in einem flachen kupfernen Kessel eingekocht. Dieser Syrup kann nun zu Zucker, Branntwein und zu Essigbereitung verwendet werden.

Freymann den 1. Januar 1836.

Christian Glaser.

Beschreibung des Dampfapparats zu vorstehender Zuckerbereitung nach anliegender Zeichnung.

Nr. 1. der kupferne Helm, welcher inwendig keine Rinne hat, damit nicht, wie bei den gewöhnlichen zu viel Flüssigkeit auf einmal übergehen kann; das innere muß ganz gleich bearbeitet seyn, und sich einige Zoll in den Kessel gut einschliessen.

Nr. 2. Der kupferne Kessel, dessen Inhalt 70 Maß in sich fassen muß, ist in der Form der gewöhnlichen ganz gleich.

Nr. 3. Der Ofen hat hierinnen auch nichts Ausgezeichnetes und kömmt in Hinsicht des Baues den gemeinen Destilliröfen gleich.

Nr. 4. Das kupferne Rohr, so in Verbindung mit der hölzernen Röhre seyn muß, und sich in der Mitte der Wanne anschließt, muß $2\frac{1}{2}$ Schuh lang, und 2 Zoll im Durchschnitt seyn.

Nr. 5. Die hölzerne Bottich oder Wanne, ist $2\frac{1}{2}$ Schuh hoch und oben 2 Schuh weit, so daß sie sehr leicht $2\frac{1}{2}$ Eimer (bayerisch Maaß) in sich faßt.

Nr. 6. Das hölzerne Rohr, welches von der Verbindung mit der kupfernen über dasselbe gut passen und sich anschliessen muß, ist ebenfalls $2\frac{1}{2}$ Schuh lang, bis gegen die Mitte hinauf durchlöchert, und am untern Theile ausgeschnitten.

Nr. 7. Eine Oeffnung im Helme, zum Nachgiessen des Wassers, welche gut verschlossen werden kann.

Nr. 8. Eine Oeffnung im Kessel, in welcher ein 5 Schuh langes kupfernes, blechernes, oder auch gläsernes Röhrchen in der Dicke eines Federkiels, mittels eines Korkstöpsels befestigt, bis eine Hand breit vom Boden des Kessels hineinreichet, um hiedurch die Menge und Abnahme des Wassers im Kessel genau beobachten zu können, damit man wieder zur gehörigen Zeit, um die verdunstete Flüßigkeit zu ersetzen, und das Verbrennen des Kessels zu verhüten, Wasser nachgiessen kann. Das gläserne Rohr ist zu dieser Beobachtung am schicklichsten, indem es dadurch das Steigen und Fallen des Wassers sehr genau anzeiget; und so wie sich in der Glasröhre kein Wasser mehr zeigt, so muß man so lange wieder nachgießen bis selbiges in der Röhre wieder zum Vorschein kömmt. Würde man aber das Nachgießen versäumen, und das Wasser so weit verdampfen lassen, daß der innere Theil des Rohres schon außer Berührung des Wassers stünde, da würde sich am Ausgang der Röhre ein starker Dampf zeigen, und der Kessel durch die Hitze leicht Schaden leiden.

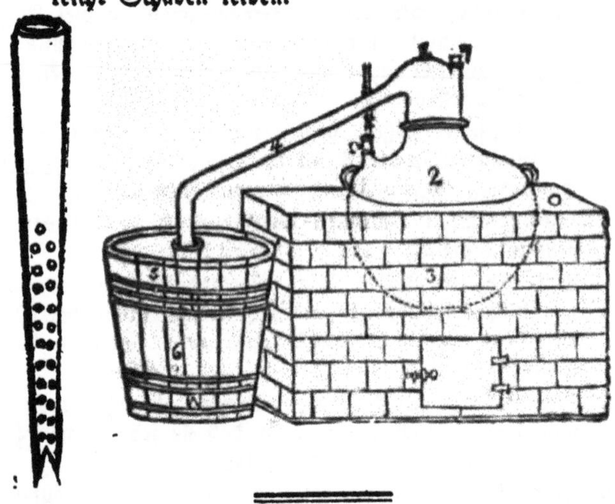

Ueber die Bienenzucht Oesterreichs und überhaupt Deutschlands in Beziehung auf die neueste Bienenzucht-Methode des Engländers Nutt. *)

Der Aufsatz des Hrn. Baron Ehrenfels in der österreichischen Zeitschrift lautet wörtlich:

„In diesen sehr schätzbaren Blättern sind aus dem „Agronome" die neueren Erfahrungen in der Bienenzucht vom Engländer Nutt, welche in England, Frankreich und Deutschland so viel Aufsehen machten, durch Hrn. Jaume Saint-Hilaire, bei

*) Siehe zugleich Wochenblatt d. landw. Vereins Jahrg XXV. S. 93.

der Sitzung der k. französischen Central-Ackerbaugesellschaft im Jahre 1833 begutachtet, im Auszuge, wie auch schon in diesen Blättern mitgetheilt worden.

Hr. Nutt giebt seine Erfahrungen als neu und als das vorzüglichste Verfahren alter und neuer Zeit an. Oesterreich, so wenig in neuerer Zeit dafür gethan und wo in neuester Zeit sogar mehr hindernd als fördernd dagegen gesprochen worden, bleibt noch faktisch, nach Theorie und Praxis, das klassische Land der Bienenzucht durch weiland Maria Theresia und Janscha gegründet. Auf den beiden Buchweizenfeldern im Marchfeld und der Neustädter Halde kommen allein jährlich 10 bis 15 Tausend Wanderbienen zusammen. — Wo in der Welt ist dieses wieder der Fall? Nun wollen wir auf diesem klassischen Boden wenigstens keine falschen Prinzipien unter uns aufkommen lassen, und das Wissenschaftliche der Nachwelt rein erhalten *); darum nachstehende Berichtigungen.

Hr. Nutt baut sein neues Verfahren in der Bienenzucht:

1) Auf seine Ueberwinterungsmethode;
2) auf Umstaltung der Bienenwohnungen;
3) auf Vereinigung schwacher Stöcke mit stärkern, durch Betäubung mit Bovist; endlich
3) auf eine Honignutzung ohne Tödtung der Bienen.

ad 1) Die Ueberwinterung des Bienenstockes gehört unter die Hauptstücke der Meisterschaft. Die Imker der Lüneburger Haide gestehen nur dem das Meisterrecht zu, der vor Johanni alle seine Zuchtstöcke abschwärmen macht. Ich gebe die Meister-

*) Herr Baron von Ehrenfels hat bereits, wie bekannt, ein im In- und Auslande als klassisch anerkanntes Werk über die Bienenzucht geschrieben: „Die Bienenzucht nach Grundsätzen der Theorie und Erfahrung“ (erster Theil bei J. G. Calve in Prag). Zu bedauern ist nur, daß der versprochene zweite Theil so lange ausbleibend wahrscheinlich von den vereitelten oder erschwerten beabsichtigten Anstalten für die Bienenzucht zurück gehalten wird. Hr. Baron v. Ehrenfels hat in Oesterreich privatim große Bienenstände zum öffentlichen Unterrichte aufgestellt, und wollte kürzlich sogar auf seine eigenen Kosten eine eigene bleibende Bienenschule errichten. Die Geschichte seiner Erfahrung, dem obigen Werke vorgedruckt, ist in ganz Deutschland mit dem größten Interesse gelesen, und die der Wissenschaft gebrachten Opfer sind gewürdigt worden. Nun fährt Hr. Baron Ehrenfels wenigstens fort, das Wissenschaftliche und praktisch Wahre in der Bienenzucht bis auf bessere Zeit unter Aufsicht zu halten, und daher auch vorliegende Berichtigungen.

schaft dem, der bei der Auswinterung von 100 Zuchtstöcken nicht mehr als 10 mittel- und unmittelbar verliert. Die Schwierigkeit der Ueberwinterung anerkennend, hat man in jedem Klima andere Ueberwinterungs-Methoden versucht. Ich habe schon an einem andern Orte gesagt: Die Durchwinterung ist überall und bei allen Systemen das Meisterstück der Bienenzucht. Sie steht nicht immer in der Gewalt des Bienenwirthes. Der Winter selbst mit seiner Abwechslung und Strenge, Mangel oder Reichthum an Honig, Menge oder Armuth an Bienen, offener oder zugespündeter, mehr oder weniger geläuterter Honig als Winternahrung ꝛc. liegen außer dem Kunstbereiche des Bienenvaters. Verwahrungsart und Standort, Fütterung und Einwinterung, künstliche Verstärkung mit Arbeitsbienen, Behandlung der Stöcke während des Winters, nebst consequenter Verbesserung der obigen Naturfehler sind die klugen Ueberwinterungs- und Hilfsmittel des Bienenvaters, die ihn in ihrer guten oder schlimmen Anwendung zum Meister oder Stümper stempeln. *)

Hr. Nutt baut die Ueberwinterung allein auf die Veränderung des Winterstandes. Der zusagendste Standort eines Bienenstockes ist die Linie halb Morgen halb Mittag. Nutt empfiehlt für den Winter den nördlichen Stand auf der Abendseite. Zum Theil hat seine dahin veränderte Stellung physikalischen Grund gleich denen, welche über Winter ihre Bienenstöcke in luftige Zimmer, in mäßig warme Gewölbe tragen, in Korn oder Sand vergraben. Allein die Nachtheile aller dieser Ueberwinterungs-Methoden sind größer als ihre Vortheile. Der Winterschlaf der Biene wird dadurch unstreitig verlängert und weniger Honig verzehrt; aber dagegen auch ein ununterbrochener Kältegrad und bei ununterbrochen zu lange dauernden Schlaf eine Körperschwäche (die das Bienenvolk mehr als dreimal beim ersten Ausflug decimirt und entvölkert) hervorgebracht. Die Winterreinigung oder körperliche Entleerung des Unrathes unterbleibt durch die vier strengen Wintermonate ganz, der Stock muß einen neuen Ausflug gewöhnen, und dabei ist die Verirrung vieler Arbeitsbienen unvermeidlich, die Entvölkerung gewiß. Die Verwahrungsart und der Standort der Bienen über Winter verdienen wohl die erste Aufmerksamkeit; ja von der Art der Ueberwinterung ist gewiß oft die Hälfte der Zucht an

*) Noch kein Werk hat sich über die Ueberwinterung der Bienen so erschöpfend, so praktisch und physikalisch wahr ausgesprochen, wie Hr. Baron Ehrenfels im oben angezeigten Werke, sagen die kritischen Blätter.

Stöcken und Volk abhängig. Nur von der Natur selbst aber können wir lernen, wie und wo wir die Bienen einwintern sollen. Der wilde Bienenstock in freier Natur sey unser Lehrmeister. Dieser bleibt Sommer und Winter auf einer und derselben Stelle, im Norden wie im Süden, und in beständiger Communikation mit der freien Luft. Vor 20 Jahren schon glaubte Pastor Staudenmeister, ein tüchtiger deutscher Bienenwirth und Schriftsteller, durch seinen Vorschlag, die Bienenstände durchaus gegen Norden für Sommer und Winter zu stellen, der verfallenen Bienenzucht aufzuhelfen. Die Erfahrung hat seine Anhänger gestraft; ich habe mich dagegen an einem andern Orte also geäußert. *) Die Biene ist ein Insekt, das nur in einer gewissen Temperatur thätig ist und durch Kälte wie leblos wird. Ohne einer äußern Wärme von 5 Grad R. kann die Biene kaum sich im Freien behaupten, kann aber körperlich mehr als einen Hitzgrad von 30 Grad R. im Freien, im Stocke selbst die Brutwärme aushalten. Man kann daher nicht leicht zu viel, wohl aber leicht zu wenig Sonne geben. Der Nordstand könnte gegen den Südstand höchstens in den Monaten Juli und August zu entschuldigen seyn, wo in heißen Mittagstunden die Bienen sich, um die Temperatur im Innern nicht dahin zu erhöhen, daß das Wachs schmilzt, vorlegen. Allein weiß man diese Furcht nicht unschädlicher durch die Einrichtung des Bienenhauses selbst zu entfernen? Der Nordstand hat das Schädliche, daß die Arbeitsbiene zu spät zur Arbeit kommt. Im Frühthau, in der Morgenfrische, geben alle Blumen den feuchten Blumenstaub zu Höschen und Honigsaft. Hat die Sonne die Blumen bis zu einem gewissen Grade eingetrocknet, so ist für die Biene, besonders in diesen warmen Julitagen, wenig mehr zu machen, und bei der Heimkehr, wie viele bleiben müde vor dem Stande täglich liegen, erstarren bei abwechselnder Temperatur im Schatten und werden bis zur Abendsonne des andern Tages todt gefunden!

Die wichtigste Rücksicht, welche gegen den Nordstand auch im Winter streitet, ist die ganz unterbrochene Entleerung der Arbeitsbiene vom November bis April oder Mitte März. Der härteste Winter hat Zwischentage im Laufe obiger Monate, wo 2 Grade R. Wärme eintritt. In dieser Temperatur muß man der Biene freien Ausflug gestatten, sey es Dezember oder März, um sich zu entleeren und selbst Wasser holen zu können, und diesen Ausflug gestattet nur der Südstand und der fixe Standort mit gewohntem Flug.

*) Im obigen Werke.

Wo dieser Ausflug unterbleibt, werden die Stöcke im Innern beschmutzt, eine Biene besudelt die andere, und Tod oder Entvölkerung, bis auf ein Zehntheil herab, sind die Folgen. Nur einen Nachtheil hat der südliche Winterstand der Biene, und zwar den, daß Arbeitsbienen in den Mittagsstunden, bei heiterem Sonnenschein, während der Boden noch mit Schnee bedeckt ist, herausgelockt werden, durch die Weiße des Schnees geblendet, in diesen fallen und erstarren. Die Winterregel, den Bienen so lange den Ausflug zu verwehren, so lange noch in einem Umkreise von 20 bis 30 Schritten Schnee um die Bienenhütte liegt, ist darum eine Hauptregel.

Es ist mir nicht angenehm, mich selbst citiren zu müssen; aber um mit physikalischen Gründen und Erfahrungen das angeblich Neue der Engländer und Franzosen zu berichtigen, muß ich aus dem Buche (Die Bienenzucht nach Grundsätzen der Theorie und Erfahrung von Joseph Michael Freiherrn von Ehrenfels erster Theil, Prag, Calvesche Buchhandlung 1829) auf Seite 150 „über die Stellung und Vorrichtung des Bienenhauses" und Seite 172 auf das Kapitel über Ein- und Durchwinterung der Bienen verweisen, nach deren Durchlesung man über den Nordstand physikalische Aufklärung und daß das in England und Frankreich neu aufgestellte Ueberwinterungsprinzip bei uns Deutschen eine längst bekannte, aber verwerfliche Methode sey, überzeugend selbst finden wird.

ad 2) Gleiche Bewandtniß hat es mit der Umstaltung der Bienenwohnungen. Für physikalische Versuche mag man Bienen in Glas, in Kästen von virginischem Wachholderholz mit mehreren Etagen und Pavillons, wie Nutt, logiren; aber für die ökonomische Benutzung im Großen darf eine leere Bienenwohnung nicht mehr kosten, als fünf lebende Stöcke im Ganzen, wie dieses bei Hrn. Nutt der Fall ist. Im eigentlichen Sinne ist die Nutt'sche Bienenwohnung nichts als ein in Eleganz übersetzter, aus mehreren theilbaren Kästchen zusammengesetzter Magazinstock von Christ. Wie wenig die Magazin-Bienenzucht und wie noch weniger die theilbaren Kästenstöcke zur Wanderzucht, der in ökonomischer Beziehung berücksichtigungswürdigsten, taugen, finden wir im obigen Buche (Seite 125 u. s. w. und Seite 166 das Kapitel: über die Mittel, Bienen zu vermehren) sogar geschichtlich nachgewiesen, wie das in England und Frankreich vermeintliche Neue von deutschen Schriftstellern gründlich gekannt, seit achtzig Jahren geprüft und versucht; und Theorie und Erfahrung, über Probleme hinaus zu praktischen Grundsätzen erhoben, dastehen.

ad 3) Noch weniger neu ist die Vereinigung schwacher Stöcke durch Betäubung mit Povist. Seit 100 Jahren ist dieses Vereinigungsmittel in Deutschland bekannt. Unter den neueren deutschen Schriftstellern hat J. G. Knauff („Die Behandlung der Bienen", dritte Auflage, Jena 1819) dieses Vereinigungsmittel angewendet; aber in dem obigen Buche von mir, Seite 183, sind wir belehrt worden, wie dem Leben schädlich diese Methode der Vereinigung sey, wie sie das also durch Rauch betäubte Volk wenigstens zweimal decimire, und wie leichter und sicherer und gefahrloser die Vereinigung durch das Austreiben des Volkes und durch das natürliche Gefühl der Weisellosigkeit effectuirt werde.

ad 4) Ist die Honignutzung der Bienen, ohne sie zu tödten, nirgends mehr und schon seit 50 Jahren zur Sprache und zum System geworden, als in Deutschland. Die Magazin-Bienenzucht suchte darin vor der Korb-Bienenzucht ihren Vorzug, daß sie die Bienen nicht, wie die Korb-Bienenzucht, zu tödten brauche. Nachdem ich aber die Korb-Bienenzucht des Magisters Spitzner durch seinen verbesserten Korb mit offenem Haupte dahin verbessert hatte, daß die Zeidlung vermieden, der Honig durch Aufsätze bloß abgezapft, die schwachen Stöcke vereinigt und systematisch das Leben jeder einzelnen Biene benützt zu werden, gelehrt worden (siehe obiges Buch Seite 218 im XVII. Kapitel über die Honigärnte), so bleibt nur die Ueberzeugung übrig, daß das Oekonomische der Bienenzucht in England und selbst das Physikalische, des großen Réaumurs ungeachtet, in Frankreich als Wissenschaft so weit gegen Deutschland zurück ist, daß beide wohl von uns, aber nicht wir von ihnen lernen können. Die Achtung gegen deutsche Gründlichkeit und Originalität zu verwahren, habe ich mich bewogen gefunden, nebst dieser Berichtigung auch ein Exemplar meines Bienenbuches an die königlich französische Central-Ackerbaugesellschaft und mittelst dieser an Herrn Nutt nach England zu übersenden. Die praktische Bienenzucht ist eine deutsche Wissenschaft. Reaumur ist nur in physikalischer Beziehung aber auch da nicht klassisch; und wie anatomisch richtiger, wie physiologisch und naturhistorisch wahrer sind die Principien deutscher Bienenwirthe, eines Janscha, eines Christ, eines Spitzner gegen Römer und Griechen! Was Varro und Columella, Plinius und Aristoteles von Bienen sagen, klingt wie das Mährchen gegen Wahrheit. Der Holländer Swammerdam hat in physikalischer Hinsicht das reinste Verdienst. Indessen declamirt und radotirt man hie und da auch in Deutschland noch über Bienenzucht bis zum Lustigen. Als unlängst über meine vorgeschlagene Bienenschule ungeneigt und mit unrichtigen Prinzipien abgesprochen wurde, bat ich den Referenten um Belehrung: wie viel die Arbeitsbiene Füße hätte? — Die dadurch veranlaßte Verlegenheit war meine Satisfaktion. Das Ganze gleicht nicht selten einem Conzerte, in welchem Virtuosen zuhören und Schüler spielen.“ *)

So weit Hr. Baron Ehrenfels über Nutt. **)

Die neue Theorie des Herrn van Mons über Obstkultur betreffend. Aus den Annalen der Gartenbau-Gesellschaft zu Paris. 1834. ***)

Als Herr van Mons seine Saaten begann, hatte er schon früher in andern Baumschulen bemerkt, daß die Samenkerne der Varietäten des Birnengeschlechts weder die Eigenschaften und Charaktere des Baumes, noch jene der Frucht, woraus sie entstanden sind, wieder hervorbringen; deßwegen gab er sich nicht damit ab, nach Gattungen zu säen, da er wohl wußte, daß 10 Kerne einer und derselben Birne 10 verschiedene Bäume und 10 verschiedene Früchte erzeugen. Nichts desto weniger ist seine Art zu säen beinahe dieselbe aller Baumgärtner. Er läßt nämlich seine Samenbeeten zwei Jahre lang stehen; dann hebt er die jungen Pflänzlinge heraus, legt den Ausschuß zur Seite, und pflanzt die schön gewachsenen Stämmchen in einer Entfernung von einander, daß sie sich gehörig entwickeln und Früchte bringen können. Er hält dafür, daß man sie ziemlich

*) Wir glauben mit Beihilfe obigen Werkes die angeblich neue Methode des Engländers Nutt in das gehörige Licht gestellt zu sehen. Die neue Bienenwohnung von Nutt ist nichts weiter, als ein mit gefälligem Aeußern ausgestatteter theilbarer Stock, wie diesen Deutschland in vielerlei Formen bereits versucht hat. Für die praktische Bienenzucht kommt er nach Nutt viel zu theuer; denn ein leerer Nutt'scher Kasten kostet mehr als drei lebendige Bienenstöcke in Deutschland. Das Ganze der angeblich neuen Methode von Nutt beschränkt sich daher auf eine physikalische Spielerei und einen schön gearbeiteten Kasten zur Bienenwohnung. In physikalischer Beziehung und Honignutzung modificirt Nutt auf eine viel kostspieligere Art die deutsche Magazin-Bienenzucht von Christ, also ein deutsches Buch in englischem Einband.

**) Siehe über das Ganze in Ansehung Bayerns: Unhoch über Bienenzucht.

***) Siehe zugleich Wochenblatt des landw. Vereins Jahrg. XXV. S. 185. 209.

nahe zusammensetzen müße, um sie zu zwingen, daß sie schneller aufwachsen, und sich ohne Hilfe des Schnitts zu Pyramiden bilden; dieses beschleuniget auch, sagt er, ihre Fruchtbringung. Ich habe in seiner Pflanzschule zu Louvain Quadrate von Birnbäumen, zur Zeit, als sie ihre ersten Früchte trugen, gesehen, und sie schienen ungefähr 10 Fuß von einander entfernt zu seyn. Bis die jungen, so gepflanzten Bäumchen Früchte bringen, hat man Zeit, ihren Wuchs, und ihre äußere Bildung zu beobachten, und mittels dieses Studiums die Merkmale im Voraus zu bestimmen, woraus man nach ihren verschiedenen äußerlichen Charakteren zu schließen in Stand gesetzt wird, was aus ihnen werden kann. In dieser Beziehung kam Herr van Mons in seinen Beobachtungen dahin, wie folgt:

Er hat nämlich die Erfahrung gemacht, daß die jungen Birnbäume kaum vor vier Jahren sich recht kenntlich machen, und daß es vor diesem Alter selten möglich ist, Muthmaßungen über dasjenige zu schöpfen, was aus jedem derselben werden wird. Erst im zweiten und dritten Jahre, nachdem die Birnsämmlinge aus den Samenbeten gehoben, und auf ihren Standort gebracht worden sind, fängt Herr van Mons an, seine Bemerkungen und Beobachtungen zu machen, um Vorbedeutungs-Merkmale über die Eigenschaften und den Werth eines jeden Baumes bezeichnen zu können. Im Anfange seiner Beobachtungen war es ihm wohl leicht, bei jenen jungen Bäumen, welche an ihrem Wuchse, ihrem Holze, und ihren Blättern die Zeichen unserer guten alten Varietäten an sich trugen, die Merkmale guter Vorbedeutung zu erkennen; aber seitdem er selbst eine große Anzahl der ausgezeichnetsten neuen Früchte erhalten hat, deren Bäume auch neue Charaktere an sich tragen, welche jenen unserer guten alten Varietäten bald analog, bald entgegengesetzt sind, wurde es ihm um so schwieriger, Data herzustellen, was aus den jungen Stämmchen seiner Samenbeeten und Baumpflanzungen hervorgehen wird, als er von Bäumen, die schlechtes Aussehen hatten, vortreffliche Früchte erhielt. Nichts destoweniger konnte er in Folge seiner angestrengten Nachforschungen folgende Vorbedeutungsregeln festsetzen:

Merkmale guter Vorbedeutung.

Schöner Wuchs, glatte, etwas glänzende Rinde; regelmäßig vertheilte Aeste und Zweige, welche der Größe und Gestalt des Baumes angemessen sind; eingebogene, gereifelte, ein wenig gedrehte, ohne Splitter zerbrechliche Knospen; lange Dorne, welche ihrer ganzen oder fast ganzen Länge nach mit Augen versehen sind; wohl gefüllte, nicht auseinander laufende, röthliche oder flachsgraue Augen; glatte Blätter von mittlerer Größe, gefaltet, und mit mehr langen als kurzen Stielen; die jüngsten Blätter bleiben lang gerade gegen den Knospen sich neigend, die anderen älteren sind von oben oder von unten, aber nicht der ganzen Länge nach, rinnenförmig gestaltet.

2. Merkmale schlechter Vorbedeutung.

Verworrene Zweige und Knospen, hagenbuchen- oder besenartige Triebe; kurze, von Augen entblößte Dorne; Blätter, welche sich gleich beim Austreiben vom Knospen abwenden, klein, rund, in kurzer Spitze ausgehend, und ihrer ganzen Länge nach wie eine Rinne ausgeholt sind. Diese Charaktere bezeichnen kleine Früchte mit süßem und trockenem Fleische, oder Spätfrüchte zum Kochen.

3. Merkmale von schnellem Ertrag.

Grobes, kurzes Holz; große nahe beisammen stehende Augen.

4. Merkmale von spät reifenden Früchten.

Dünnes, wohl vertheiltes, hängendes Holz, und etwas eingebogene Knospen zeigen gewöhnlich ein spätes, ausgezeichnet kostbares Obst. Runde Blätter mit kurzen Spitzen, zähe, dunkelgrün, mit Stielen von mittlerer Länge sind analoge, aber weniger gewiße Zeichen.

Ich hätte sehr gewünscht, daß Herr van Mons uns auch angezeigt hätte, woran man erkennen könne, daß ein Birnbaum große Früchte verspricht; aber hierüber schweigt er, während er als ein gewißes sicheres Kennzeichen von guter Vorbedeutung angiebt, wenn eine jährige Knospe sich rein, und ohne Splitter brechen läßt.

Herr van Mons theilt nicht die Meinung jener, welche die Deterioration der Obstbäume der durch Veredlung öfters wiederholten Vermehrung zuschreiben. Dabei erinnere ich mich, was Herr Knight geschrieben, daß, wenn man den Mutterstamm einer alten Varietät wiederfände, man diese wieder erneuern könnte, wenn man Pelzzweige von diesem Mutterstamme nähme. Dieses beweiset deutlich, daß Hr. Knight, der gelehrteste Pomolog Englands, der Meinung ist, daß die Obstbaum-Wildlinge sich bei weitem nicht so schnell verschlechtern, als jene, welche veredelt worden sind. Hr. van Mons behauptet zum Gegentheil, daß die Wildlinge und die veredelten Bäume auf dieselbe Weise und mit derselben Schnelligkeit sich verschlechtern, und daß nur das Alter allein die Deterioration unserer Fruchtbäume, und die Ausartung ihrer Samen bewirken könne. Hier ein Beispiel zur Begründung seiner Angabe:

Im Laufe seiner pomologischen Beobachtungen fand er in einem alten Kapuzinergarten den Mutterstamm unserer Pfingst-Bergamotte, welche schon eine ziemlich alte Birn-Sorte ist, wovon alle damit veredelten Bäume in nur wenig feuchten Gründen vom Krebse angegriffen sind, und deren Früchte klein bleiben und sich spalten, schwarze Flecken bekommen, welche dem Fleische einen bittern Geschmack mittheilen, und nur noch an Spalieren längst einer Mauer gedeihen. Wohlan! der Mutterstamm dieser Bergamotte war mit allen bösen Eigenschaften befallen, die man bei den mit derselben Varietät veredelten Stämmen wiederfindet. Hr. van Mons lößte einbewurzelte Sprößlinge davon ab, nahm Zweige davon, die er pfropfte, und die Einen wie die Andern entwickelten sich zu Bäumen, welche nicht mehr und nicht minder deteriorirt waren, als jene, welche sich seit langer Zeit durch das Veredeln in unsern Gärten vermehrt hatten. Die natürliche und stufenweise Deterioration unserer Varietäten der Obstbäume wäre sohin ganz allein dem Alter zuzuschreiben, so wie die ebenfalls stufenweise Ausartung ihrer Samenkerne; ich sage natürliche und stufenweise Deterioration; denn Herrn van Mons ist nicht unbekannt, daß es gewiße Krankheiten berursachende Zufälle giebt, welche sich vom Mutterstamme dem veredelten und umgekehrt mittheilen.

Der Gegenstand von der Deterioration führt uns natürlich zur weitern Frage, wie viele Jahre eine Varietät der Birnbäume ausdauern könne. Herr van Mons hält dafür, daß sie 200 bis 300 Jahre alt werden könne, und daß, wenn sie bis dahin nicht abgestorben sey, die Frucht davon so sehr verschlechtert sey, daß sie keine Pflege mehr verdient; in Folge dessen glaubt er ganz und gar nicht an die Alterthümlichkeit der Früchte, von welchen man sagt, daß sie sich von den Römern her fortgepflanzt haben, und zu uns gebracht worden sind.

Hr. Knigth läßt die Deterioration noch schneller eintreten, und bezeichnet eine noch kürzere Zeit für die Existenz unserer Varietäten von Obstbäumen; er versichert sogar, daß noch vor nicht langer Zeit unsere alten Früchte besser wären als heut zu Tage. Ich erlaube mir, zu zweifeln, daß Hr. Knight den Beweis hierüber würde führen können.

Die Dornen, womit die meisten jungen Birnwildlinge versehen sind, verschwinden mit den Jahren; aber der Baum kann in einem vorgerückten Alter wieder Dornen erzeugen, wenn ihm Säfte entzogen werden, oder wenn sich die Kräfte vermehren. So habe ich bei Hrn. v. Mons Birnbäume gesehen, welche wieder dornigt geworden sind, nachdem sie es zu seyn kaum aufgehört haben.

Es giebt Wildlinge von alten Varietäten des Birnbaumes, welche die Kraft besitzen, die Früchte, die man darauf gepfropft hat, über die Maß zu vergrößern, oder, wie Hr. van Mons sagt, zu verdoppeln. Dieses ist eine Gabe, welche die Wildlinge der neuen Varietäten nicht haben, und welche Hr. v. Mons nicht zu erklären vermag. Man sieht in der That bei uns Bäume, welche beständig größere Früchte tragen, als andere von derselben Varietät, bei übrigens ganz gleichen Umständen.

Wenn die jungen Birnbäume, welche mittels ununterbrochenen Generationen erzogen worden sind, eßbare Früchte zu tragen anfangen, so sind es größtentheils Sommerfrüchte. Die ununterbrochenen Generationen müßen zahlreicher seyn, um Winterfrüchte oder solche Früchte zu erhalten, welche von langer Dauer sind.

In dem Masse, als die Generationen sich ununterbrochen vermehren, vermindern sich die großen Verschiedenheiten, die man zwischen den Bäumen und ihren Früchten bemerkte, in einer umgekehrten Progression; man sieht keinen fremdartigen Wuchs mehr; alle haben das Ansehen von Verfeinerung und ihre Früchte entfernen sich nicht mehr von ihrer Güte und Geschmack. In der letzten Lieferung, die ich von Hrn. van Mons erhielt, reihte sich ein ziemlich großer Theil der Birnen der Form, dem Umfange und der Qualität nach, an unsere Butter- und unsere Dechant-Birne, und alle diese Früchte, gegen 60 Varietäten waren die ersten einer 6ten Generation ohne Unterbrechung.

Hr. van Mons bemerkt, daß unter den neuen Birnen, die er erhält, Mehrere Jahre lang brauchen, um eine bleibende Form anzunehmen; daß es Einige giebt, die erst nach 12 oder 15 Jahren, und auch Manche, die niemals eine beständige, fixe Gestalt annehmen. Unsere alten Varietäten waren ohne Zweifel auch in demselben Fall, und er giebt als Beispiel Birnen an, welche niemals eine fixe Form angenommen haben, z. B. unser Winter Bon Chrétien, was indessen nicht verhindert, daß diese Birngattung am leichtesten zu erkennen ist, ungeachtet der Mannigfaltigkeit ihrer Form und Größe.

Hr. van Mons sieht es als eine unveränderliche Regel an, daß ein Pelzer nicht eher blühet, als der junge Mutterstamm, von welchem er genommen worden ist. Indessen besteht noch immer unter den Baumpflanzern die entgegengesetzte Meinung; sie pfropfen oft Zweige von jungen Stämmen in der Hoffnung, die Blüthezeit zu beschleunigen und es gelingt ihnen auch manchmal. Aber in diesem Falle kann man entgegnen, daß der Edelreis zur Blüthe schon vorbereitet war, und daß dieser auch dann eben so geblühet hätte, wenn er auf dem Mutterstamme geblieben wäre. Derselbe Fall ist auch bei den Ablegern.

Hr. v. Mons hat die Beobachtung gemacht, daß es vortheilhaft sey, die Früchte etwas grün abzunehmen, wovon man die Kerne säen will, und daß man sie in ihrem Safte zerfliessen lassen soll, bevor man die Kerne oder Steine herausnimmt. Er fügt mit Hrn. Knight bei, daß die Varietäten des Apfelgeschlechtes sich nicht so geschwind verschlechtern und viel länger dauern als jene des Birnengeschlechts. Dieses unterliegt wohl keinem Zweifel, wenn man die Leichtigkeit, einen Apfelbaum in jedem Erdreiche fortzupflanzen, mit der Schwierigkeit vergleicht, einen für den Birnbaum schicklichen und zuträglichen Grund zu finden.

Dieser gelehrte Professor zieht ferner den Weißdorn, Mespilus oxyacantha, bei Weitem dem Kittenbaume vor, um ihn mit den alten Varietäten unserer Birnen zu veredeln. Die auf Weißdorn gepelzten Birnenzweige, sagt er, wachsen höher, bilden besser die Pyramide, und tragen ihre Früchte näher am Stamme. Ich bin vollkommen mit der Meinung des Hrn. van Mons einverstanden, indem der Birnbaum sehr gut auf Weißdorn anschlägt, der ein einheimischer, ausdauernder Baum ist, jedes Erdreich verträgt und sich durch Samen leicht fortpflanzen läßt. Man fängt auch an, sich über den Quittenbaum zu beschweren, theils weil seine 3 Varietäten verschiedene Resultate liefern, theils weil er sich durch die lange Vermehrung und Verbreitung durch Absenker und Ableger verschlechtert hat, und nicht in jedem Erdreiche fortkömmt. Was die Wahl über die bessere Varietät der Quittenbäume betrifft, so hat ein Fehler, der in der Baumschule zu Luxemburg begangen wurde, viele Beschwerden unter denjenigen verursacht, welche daraus Birnbäume bezogen haben, was die Veranlassung gegeben hat, zum tausendsten Male als ausgemacht richtig zu erklären, daß der Quittenbaum mit apfelförmiger Frucht zum veredeln weniger geeignet sey, als der mit birnförmiger Frucht. Der Weißdorn behält aber immer den Vorzug; denn, als die Gartenbaugesellschaft zu Paris im Frühjahre 1834 die Sammlung von Birn-Pelzzweigen von Hrn. van Mons erhielt, fehlte es an einer hinreichenden Anzahl von Quittenbäumen. Hr. Graf von Murinais ließ auf Weißdorn veredeln; die Edelreiser schlugen vollkommen an, machten bewunderungswürdige Triebe und berechtigen zu den frohesten Erwartungen.

Hr. van Mons hat auch die Bemerkung gemacht, daß die neuen Birnvarietäten, die er von seinen Samenbeeten von Generation zu Generation ohne Unterbrechung erhält, diejenige Rohheit und Ausdauer der alten Varietäten nicht besitzen, und daß jene, welche die feinsten Früchte tragen, auch die kürzeste Dauer haben. Dieses alles ist der Natur angemessen; indessen giebt uns Hr. van Mons Aufklärung hierüber. Wenn zwischen den Generationen unserer Obstbaum-Varietäten keine Unterbrechung Statt findet, so kann die Natur ihre Rechte nicht behaupten, sie hat nicht Zeit, den Samen nach ihrer Art zu modifiziren, und einen Theil ihres früheren wilden Karakters wieder anzunehmen. Wenn man aber einen Zeitraum von 50 Jahren zwischen zwei Generationen ließe, so trügen schon die Exemplare der zweiten Generation die Zeichen ihrer angebornen Röhheit, ihres Strebens nach dem wilden Zustande, welchen die Natur in den Kernen ihres Mutterstammes während 50 Jahren entwickelt haben würde, an sich. Dieses geschieht in der That, wenn man Kerne einer alten Varietät von Obstbäumen säet.

Ich will nunmehr auch die Bahn bezeichnen, welche Hr. van Mons in seinen Beobachtungen über die Deterioration und das hohe Alter unserer Obstbäume Varietäten gefolgt ist: „Ich „bemerke, sagt er, daß die jüngsten Varietäten, besonders die feinsten, den zerstörenden Einflüßen des Alters weniger widerstehen, und früher alt werden, als die älteren vor ihnen; sie können überdieß kein halbes Jahrhundert erreichen, ohne daß Merkmale eines hohen Alters an ihnen bemerkbar sind. Das erste dieser Kennzeichen ist, daß sie seltener Früchte bringen, und ihre Früchte später aufsetzen. Das Abnehmen des Holzes, der Verlust der schönen Gestalt des Baumes, die Veränderung der Früchte kommen viel später dazu. Die Varietäten, welche nur ein halbes Jahrhundert alt sind, kennen noch nicht den Krebs, nicht die gesprungene, verkrustete Rinde am Stamme; die Früchte springen noch nicht auf, gehen nicht in Fäulniß über, sind noch nicht unschmackhaft und trocken. Man kann diese Varietäten noch veredeln, ohne daß sich ihre Krankheitszustände vermehren. Es bedarf eines halben Jahrhunderts mehr, bis sich der höchste Grad ihrer Gebrechen einstellt, und bis die allgemeine Ausrottung der Varietät das einzige Mittel wird, dem Uebel abzuhelfen. Es ist traurig, wenn man nachdenkt, daß bald die Saint Germain, die graue Butterbirne, die Crassane, Colmar, Doyenne diesem Untergange erliegen werden. Keine dieser genannten Varietäten geräth mehr bei uns in Belgien als auf Weißdorn, und an Spalieren; aber diesen Erfolg haben wir auch nur ihren vortrefflichen Eigenschaften zu verdanken. In meiner Jugend bildeten diese Varietäten in meines Vaters Garten noch prächtige und gesunde Bäume, und selten hatten ihre Früchte

Gebrechen. Welcher Verfall in einem so kurzen Zeitraume von 60 Jahren! Ich wiederhole es, der Vortheil der jungen Varietät ist, daß sie keinen Fehler, keine Gebrechen hat."

Hr. van Mons wird mir erlauben, diese auffallende Schnelligkeit in der Entkräftigung unserer Birn-Varietäten zu bezweifeln. Ich weiß wohl, daß fast alle, die ich seit 50 Jahren kenne, von verschiedenen Krankheiten behaftet sind; daß man in den Baumschulen Bäume, die 4 bis 5 Jahre veredelt sind, antrifft, deren Stammrinde stark aufgesprungen und krustig ist, deren Aeste den Krebs haben, deren jungen Triebe schwarz sind und ihre Blätter vor der Zeit verlieren, Gebrechen, welche Hr. Graf Lelieur in die Zahl der unheilbaren Krankheiten setzt; allein derselbe Autor, obschon sehr schwer zu befriedigen, hat doch hie und da Bäume angetroffen, an welchen er keine Krankheit bemerkte, und welche er den Gärtnern des Kaisers in den Gärten der Krone einzuführen erlaubte. Ich bin vollkommen überzeugt, daß unsere guten Obstbäume-Varietäten in Ansehung ihrer Herkunft die Zäheheit, Festigkeit und Ausdauer nicht haben können, welche die natürlichen Obstgattungen haben; ich bin aber auch überzeugt, daß es Gebrechen und eigenthümliche Krankheiten giebt, wovon nicht die ganze Varietät gleich befallen ist; daß die Varietät, welche wir z. B. graue Butterbirne nennen, an einem Orte gebrechlich seyn und absterben wird, während dieselbe an einem andern Orte noch lange ausdauern wird. Herr van Mons selbst bestättigt dieses, indem er sagt: in Belgien giebt es Varietäten, welche nur noch an Spalieren längst einer Mauer gedeihen. Endlich glaube ich, daß, wenn man immer Edelreiser von den gesundesten Bäumen zur Fortpflanzung der Varietäten genommen hätte, wir nicht so viel Obstbäume antreffen würden, welche mit Krankheiten behaftet sind, die ihre Existenz verkürzen, und aus derselben Ursache auch beitragen, die Existenz der ganzen Varietät abzukürzen. Wenn man sich's daher von Heute an zum Gesetz machte, nur von jungen sehr gesunden Varietäten Edelreiser zu nehmen, und mit diesen nur recht gesunde Wildlinge zu veredeln, so würde man sicher die Varietäten ungleich längere Zeit gesund erhalten, als es bisher geschehen ist.

Indessen mag die Deterioration unserer Obstbäume langsam, wie ich glaube, oder schnell, wie Hr. v. Mons und Hr. Knight behaupten, vor sich gehen, so ist sie doch nicht weniger gewiß, und es ist immer nützlich auf Mittel zu denken, sie zu ersetzen. Unsere Art zu säen, und es dem Zufalle zu überlassen, neue gute Früchte zu erhalten, ist gewiß nicht die beste; dieses hat die Erfahrung zur Genüge bewiesen. Ueberdieß verdient der Zufall keineswegs die Beachtung eines vernünftigen Menschen, besonders wenn die Wahrscheinlichkeit mit ihm im Widerspruche steht. Man muß daher seine Zuflucht zur Wissenschaft nehmen, welche aus Vernunftschlüssen besteht, welche von besonderen Thatsachen hergeleitet worden, und woraus dasjenige fließt, was man Grundsatz nennt; und wenn dieser Grundsatz mit dem Gange der Natur übereinstimmt, so glaube ich, daß man ihn als Wahrheit anerkennen müße, und mit Vertrauen anwenden könne.

So ist also in meinen Augen die Theorie des Hrn. van Mons als das beste und schnellste Mittel zu betrachten, unsere Obstbäume zu erneuern, d. i., die alten deteriorirten Varietäten durch neue gesunde und ausgezeichnete gute Früchte zu ersetzen. Ich habe auch das Verfahren so deutlich, als mir möglich war, vorgetragen, welches anzuwenden ist, um dieselbe praktisch in's Leben zu setzen, und um die Freunde unsers Vaterlandes zu bestimmen, sie bei uns zu naturalisiren; endlich um mehr Vertrauen einzuflössen, durfte ich auch ein Wort von den Verdiensten des so bescheidenen Erfinders dieser Theorie im Vorübergehen sprechen.

Ich hätte noch weit mehrere Bemerkungen, welche Hr. v. Mons über die Obstbäume und ihre Kultur gemacht hatte, beifügen können; denn seine Korrespondenz ist sehr reich an Beobachtungen und Erfahrungen; ich glaube aber, hievon genug gesagt zu haben, um seine Theorie zu unterstützen.

Ueber den Gebrauch der Scharegge.

Von W. A. Kreyßig.

In neueren Mittheilungen kommt Mehreres von Ackerwerkzeugen vor, die in ihrer Wirkung die Lücke ersetzen, die zwischen den Wirkungen der Pflüge jeder Art und unseren gewöhnlichen Zinkeneggen noch besteht. Die Idee dazu scheint von den durch Thaer bekannt gewordenen Exstirpatoren und Scarificatoren der Engländer in's Leben gekommen zu seyn. Der Verfasser Dieses wurde dadurch im Jahre 1817 ebenfalls angeregt, bei einem verhältnißmäßig ausgedehnten Kartoffelbau sich nach der Idee des Exstirpators ein Instrument zu componiren, welches mehr fördert als der Pflug, flach und tiefer eingreifend gestellt werden kann, und kräftiger wirkt, als unser Zinkeneggen. Er nannte solches Scharegge, weil die Form desselben einer Egge ähnlich ist, die aber statt der Zinken Scharen hat. In dessen „Handbuch zu einem natur- und zeitgemäßen Betriebe der Landwirthschaft“ ist dieses Instrument abgebildet. Der durch Bearson erfundene und durch Flik verbesserte Scarificator hat eine weiter gehende Tendenz, indem er den Gebrauch des Pflugs entbehrlich machen soll, während der in Nr. 13 Jahrg. 1832 des Universalblattes beschriebene sächsische „Grimmer“ oder „Geyer“ auf ähnliche Wirkung gerichtet ist, als die Scharegge leistet.

Der Verfasser fand nun seine Scharegge sehr wirksam zur Vertilgung des Unkrauts im bepflanzten Kartoffelacker, ehe die Kartoffeln aufgiengen, indem die Schare, in vier Balken im Verbande stehend, 2—3 Zoll tief den Acker aufwühlten, und alles Unkraut ausriß. Sie nahm mit jedem Gange 3 Fuß Breite und beschickte mit starker Bespannung in einem Tage 12 Morgen. Sie hatte aber den Fehler, daß sie in etwas feuchtem oder sehr mit Unkraut besetztem Acker sich verstopfte und dann oft erst rein gemacht werden mußte. Ueberdem war sie für gewöhnliche zwei Ackerpferde zu schwer und anstrengend.

In dem den Verfasser betroffenen Fall eines äußerst verqueckten Ackers, der schnell zum Bepflanzen mit Kartoffeln zu reinigen nöthig war, der Wirkung des Pflügens und Eggens aber zu viel Schwierigkeiten entgegen setzte, kam es aber auf einen kräftigen Gebrauch der Scharegge an, und hiezu wurde sie durch Vereinfachung ihrer Construction und Verminderung der Zahl der Schare auf nur 7 Stück verbessert. Sie leistete hier die gedachte Aufgabe vollkommen, indem sie die im erwähnten Aufsatze angegebene Masse Quecken aus dem Acker heraus brachte, und diesen bestellbar machte. Zwei starke Pferde beschickten hier in jeder Stunde einen preußischen Morgen Acker, und so war es immer noch eine Beförderung der Ackerarbeit, wenn sie auch dreimal und zwar in durchkreuzender Richtung auf derselben Stelle gebraucht wurde. Ihre Einfachheit erlaubt es, solche hier durch eine schlichte Handzeichnung deutlich zu machen, und der Verfasser thut dieses, weil er mit Ueberzeugung dieses Instrument als sehr förderlich für die Feldbestellung empfehlen kann.

Ansicht von der Seite.

Ansicht von Unten.

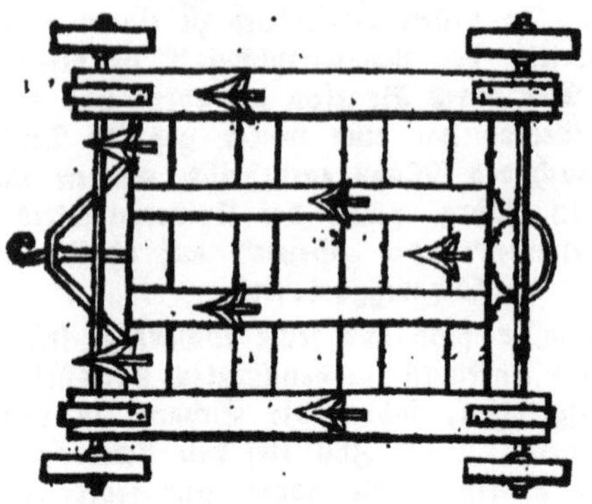

Zu näherer Verdeutlichung dieser Figuren dient noch Folgendes:

Das ganze Viereck, was sich in der Ansicht von unten darstellt, ist 35 Zoll von aussen breit, und von dem vordern bis zum hintern Querbalken eben so lang. Die Zwischenräume der Balken betragen 9 Zoll im Quadrat und jeder Balken ist 4 Zoll im Quadrat dick von gesundem Eichenholz.

Durch die beiden Seitenbalken, die über die andern Längebalken von jedem Ende 6 Zoll überstehen, läuft auf jedem Ende eine eiserne Laufspille, welche den vier Stück Blockrädern als Achse dient. Die in der Ansicht von der Seite an jedem Ende angedeuteten drei Löcher sind zum Durchstecken der Laufspille, und je nachdem selbige durch die höhern oder niedern Löcher gesteckt wird, kommen die Räder höher oder niedriger zu stehen, und lassen die Schare tiefer oder flacher, d. h. 4, 3 oder 2 Zoll tief eindringen. Kehrt man die Scharege um, so, daß die Schare nach oben kommen, dann dienen die Räder gleich zum Transport derselben nach oder von dem Felde, und es bedarf hiezu keiner weitern Vorrichtung.

Die Scharen sind in ihrem Stiele und ohne den Zapfen und die Blätter 6 Zoll lang, und letztere geben durch ihre Wölbung noch 1 Zoll zu. Die sieben Dreiecke auf der Ansicht von unten bezeichnen ihre Stellen in den Balken; auf 5 Zoll Breite der Scharegge steht eine Schar und jede reißt vom Boden 4 Zoll breit auf. Der hier übrig bleibende Zwischenraum wird bei wiederholter durchkreuzender Anwendung mitgenommen.

Auf dem hintern Querbalken ist noch ein eiserner Bügel befestigt, an welchem die Scharegge aufgehoben wird, wenn sie sich verstopft.

Die Stiele der Schare sind von 1 1/2 Zoll breitem und 1/2 Zoll dickem Eisen, stehen mit der schmalen Seite der Länge nach und sind auf der vordern Kante geschärft, um leichter im Acker vorwärts zu gehen. In die besonders ausgeschmiedeten Löffel sind sie eingenietet.

Dieses Instrument wird nun in einmal gepflügtem Boden von zwei kräftigen Pferden in einer Tiefe von 3 Zoll bequem fortgezogen, und in einer Stunde wird ein preuß. Morgen Acker einmal abgefertigt. Dem Verfasser leistete sie ausgezeichnete Dienste im Ausackern der Queckenwurzeln und im Lockern der Oberfläche des Ackers. Auf Letzteres kam es ihm im verwichenen Frühjahre auf einem zähen und vergras'ten zweijährigen Kleedreesche an, den er ungepflügt übernahm, seiner Kräfte wegen aber gleich in diesem Frühlinge mit einer Leinsaat benutzen wollte. Der Acker wurde mit großer Anstrengung umgepflügt; es war aber mit den Zinkeneggen nicht möglich, eine Lage loser Erde zu gewinnen. Das gepflügte Land wurde daher mit der Zinkenegge nur geebnet, dann in der Länge und quer durch mit der Scharegge auf 5 Zoll durchgerissen, ohne daß sich die umgekehrten vergras'ten Pflugfurchen zurückkehrten. Dann wurde der Acker abermals mit Zinkeneggen geebnet, der Lein gesäet und wie gewöhnlich eingeegt. Er bekam hier 3 Zoll tief lose Erde, und hat die faulenden Rasen unter sich. Seine Entwicklung zeigt jetzt, daß er eine gedeihliche Stelle hat. In mehreren andern Fällen der Feldbestellung ist diese Scharegge sicher eben so brauchbar und nützlich, wie jeder praktische Cultivateur leicht einsehen wird. Der Verf. wird sie unter andern dieses Jahr noch bei der noch nicht zu vermeiden gewesenen Sommerbrache eines zweijährigen vergras'ten Dreesches an Stelle des sonst nöthigen Wendens und Hakens anwenden, also zwei Pflugarten durch sie mit einem nur kleinen Theile der sonst nöthigen Menschenarbeit ersetzen.

Ueber Hopfenbau.

Bemerkungen zu dem Aufsatze Nr. 50.

Zu der im Wochenblatte des landwirthschaftlichen Vereins enthaltenen Anfrage sub Nr. 50, auf die man weitere Bemerkungen wünscht, und dem unter dem nämlichen Nro. vorkommenden Aufsatze, finde ich mich veranlaßt, Folgendes zu bemerken:

Ehe sich das General-Comité entschliessen würde, Jemanden nach Böhmen zu schicken, um dort den Hopfenbau und das Bierbrauen zu beobachten, müßte vor Allem hergestellt werden, ob in der einen oder andern Kunst die Böhmen denn wirklich uns Bayern voraus seyen. Bei genauer Prüfung aber möchte sich zeigen, daß wir in der böhmischen Schule Nichts gewinnen werden, und zwar aus folgenden Gründen;

Beym Hopfenbau würde die mechanische Nachahmung der Zeit- und Arbeits-Momente in Böhmen doch bei uns nicht immer von demselben Erfolge begleitet seyn; denn nachdem die Vorfrage, unter welchen Bedingungen der Hopfen am Besten erzeugt und verwahrt werde, längst gelöset ist, bleibt es immer die Aufgabe jedes einzelnen Hopfen-Produzenten, bei einem concreten Falle diese in möglichster Vollkommenheit herbeizuführen. —

Der Hopfenbau ist sich in der Hauptsache in Bayern und Böhmen gleich, und modifizirt sich nur manchmal nach Verhältnissen, welche im Klima, in der Lage oder im Boden bedingt sind; dabei ist er aber so einfach, daß überall, wo er gebaut wird, der gemeinste Dienstknecht hierin unterrichtet ist. — Jeder unpartheyische Bräuer wird bezeugen, daß der Hopfen bei uns so gut und vollkommen produzirt wird wie in Böhmen. Der Beweis ergiebt sich auch daraus, weil der Böhmer Hopfen längst aufgehört hat, für Bayern ein Bedürfniß zu seyn; nur wenn er wohlfeiler oder doch gleich im Preise ist, giebt ihm die alte Gewohnheit und der blinde Glaube noch manchmal den Vorzug. — In München und der Umgebung werden die Lagerbiere — die ausgezeichnetsten in Bayern — größtentheils aus Spalter Hopfen gebraut. Auch wird derselbe sehr stark nach Frankreich und den Niederlanden ausgeführt, so wie überhaupt die Ausfuhr des Hopfens aus Bayern stärker als die Einfuhr ist.

Ueber den Absatz des Hopfens bemerke ich noch, daß im Allgemeinen derselbe nur auf Credit, äußerst selten gegen Baarzahlung verkauft wird. Erst wenn der Bräuer den größten Theil seines Lagerbieres abgesetzt hat, bezahlt er den Hopfen.

Wer nun einen guten und zu Lagerbier tauglichen Hopfen produzirt hat, und ihn eben so — auf Credit — an den Bräuer unmittelbar verkauft, wird auch gute Preise finden; braucht er aber augenblicklich Geld, und wendet er sich an Händler, oder gar an Juden, dann wird er nie zu einem befriedigenden Resultate gelangen.

Was nun für uns Bayern die Beobachtung der Bierbräuerei in Böhmen anbelangt, so glaube ich, daß Zeit und Geld leicht zweckmäßiger verwendet werden könnte, als auf diese Weise. — Die Ueberzeugung, daß das Bier nirgends besser als in Bayern gebraut werde — auch in England nicht — theilen alle unbefangenen Bierkenner auf der ganzen Erde. In Böhmen wird ja Lagerbier gar nicht gebraut! Das dortige Bier ist überhaupt nur trinkbar in solchen Zeiten, wo das Reaumur'sche Thermometer auf Null steht oder tiefer.

Bei solchen Verhältnissen ist es wohl noch keinem unserer Bräukundigen eingefallen, Behufs einer besseren Fabrikation das Bierbräuen in Böhmen zu beobachten, wohl aber werden Viele bezeugen, daß die Böhmen in dieser Absicht schon zu uns kamen und noch kommen.

Die im genannten Aufsatze vorkommenden Ansichten über die Regierung, Akademie der Wissenschaften, polytechnischen Schulen, Staatsgüter-Administrationen ꝛc. will ich, so wie manche andere, nicht berühren, von der Meinung ausgehend, daß es am Sichersten zum Ziele führen wird, die Entscheidung über bayerischen und böhmischen Hopfen, so wie über das Bier — dem Markte zu überlassen.

Eben so dürfte der Erfolg es zeigen, daß die neue Einrichtung der Kreis- und des General-Comités von Seite der Regierung so gut getroffen wurde, als es für jetzt nur möglich ist. — Die Beiträge der Mitglieder sind zwar auf den vierten Theil herabgesetzt, dafür steht aber sicher zu erwarten, daß die Zahl derselben wenigstens um das Zehnfache sich vermehren, und so den pekuniären Ausfall decken werde. Die so allgemeine Theilnahme möchte den Zweck des ganzen Vereins — Förderung der Landwirthschaft — schneller und kräftiger herbeiführen, als es die im Verhältniß wenigen Mitglieder des vorigen Comités im Stande waren.

In Bezug auf Unterstützungen von Versuchen und auf Befreiung vom Postporto meine ich, daß weder eine Cassa existirt, welche alle Versuche in Bayern unterstützen könnte, die dann von den Versuchern des National-Wohles gemacht werden wollten, noch ein Felleisen, das dann vermögend wäre, die verschiedenen Projecte — die einseitig gemachten und einseitig beurtheilten Erfahrungen der vielen Projektanten, an den Vereins Sitz zu spediren. Es ist also eine gute Einrichtung der Regierung, daß das thätige Mitglied nur auf seine Kosten Versuche zu machen und die erhobenen Resultate frankirt zum Vereine zu senden habe —, ja es gereicht sogar der Regierung so wie allen Mitgliedern des ganzen Vereins zur Ehre; denn es beurkundet auf der einen Seite die weise Oekonomie, auf der andern Seite die große und allgemeine Theilnahme an der Landwirthschaft, die nicht mehr wie in andern Ländern, durch künstliche Mittel und Opfer von Seite der Regierung herbeigeführt werden muß.

Sollte aber ein Vereinsmitglied, welches auf seine Kosten Versuche gemacht hat, sich bewogen finden, den wirklich lucrativen Erfolg zum allgemeinen Besten zu geben, so wird gewiß die Regierung ihm nicht nur sein Postporto und nach Verhältniß die Kosten seiner Versuche ersetzen, sondern es noch obendrein belohnen.

Die Ansicht, daß die Landwirthschaftslehre durchaus nicht zur allgemeinen Gewerbslehre passe, theile ich nicht, sondern bin vielmehr der innigsten Ueberzeugung, daß der landwirthschaftliche Unterricht gar nirgends hin besser passe, als zu den Gewerbs-Schulen; doch muß ich offen gestehen, eben so innig überzeugt zu seyn, daß man damit, so wie die Verhältnisse jetzt gestaltet sind, nie zum Zwecke gelangen wird; der Fehler liegt dabei nicht im Wesen, sondern in der Form, denn man dürfte nur eine praktische Wirthschafts-Schule (gewöhnlich und fälschlich Muster-Wirthschaft genannt) mit dem Stuben-Unterrichte verbinden, so würde gewiß der Zweck einer solchen Anstalt erreicht.

Indessen lebe ich der sichersten Hoffnung, daß bei dem unverkennbar guten Willen der Regierung, die Unvollkommenheit, welche neuen Instituten der Art manchmal anzukleben pflegt, bald beseitigt, und dann die Ueberzeugung allgemein werden wird:

„Nur so und nicht anders hat geholfen werden können.“

Passau am 26. Dezember 1835.

K. Hornstein,
Landwirthschafts-Lehrer an der Kreis-Landwirthschafts- u. Gewerbsschule für den Unterdonaukreis.

Ueber die Vortheile der Anzucht des Weinstocks aus dem Samen, nebst Andeutungen über die Fortpflanzung durch Ableger. Vom Kunst- und Handelsgärtner Herrn Fuhrmann.

Mit Bezugnahme auf meine früheren Andeutungen über die Erziehung des Weinstocks aus dem Samen glaube ich zur weitern Empfehlung dieser Kultur-Methode noch nachträglich anführen zu müssen, daß nach meiner Erfahrung es sich immer mehr bestätigt, daß der aus dem Samen gezogene Wein in der Regel nicht nur früher reift, als der durch Ableger erzielte, sondern auch in Hinsicht der Güte und Größe der Beeren sich vortheilhaft auszeichnet. Einen neuen Beweis hievon liefert auch in diesem Jahre wieder der von mir im Jahre 1827 aus dem Samen erzogene mit dem Namen Fuhrmann's Malvasier belegte Wein, indem derselbe nach den von mir der Gartengesellschaft in Berlin vorgelegten Früchten und der beigefügten naturgetreuen Abbildung durch noch größere Trauben, deren Beeren ebenfalls größer und zugleich auch noch wohlschmeckender als alle die der früheren Jahre, sich ganz vorzüglich auszeichnet, wodurch ich denn zu der völligen Ueberzeugung gelangt bin, daß derselbe wirklich als einer der allervorzüglichsten zu empfehlen ist. Auch hat sich aufs Neue an demselben hinlänglich erwiesen, daß die Kennzeichen, durch welche er sich vom Mutterstocke unterscheidet, durchaus bleibend sind. Diese Unterschiede, die am angegebenen Orte auch bereits erwähnt sind, bestehen darin: daß die Reben viel schwächer, die Fruchtaugen viel kleiner, dick und rund sind; die Blätter viel mehr gezackt, und auf ihrer Oberseite mit blatterähnlichen Erhöhungen versehen sind; die Trauben und Beeren bedeutend größer und bei weitem wohlschmeckender, und auch wenigstens um vier Wochen früher als die am Mutterstocke zur Reife kommen. Durch fortgesetzte Beobachtungen habe ich späterhin auch noch die Erfahrung gemacht, daß dieser Wein sich ganz vorzüglich zum Treiben eignet, indem er, zu diesem Zwecke angewendet, ebenfalls viel bessere Trauben als andere Sorten liefert. Auch habe ich noch bemerkt, daß er beim Ablegen schwerer Wurzeln macht, als fast aller andere Wein, und in dieser Hinsicht dem Diamant gleich zu stellen ist.

Bei dieser Gelegenheit erlaube ich mir noch einige Andeutungen über die Fortpflanzung der Weinreben durch Ableger hinzuzufügen.

Es ist oftmals darüber geklagt worden, daß die Wein-Ableger im Wachsthume zurückbleiben, und mehrere Jahre vergehen, ehe eine ordentliche Rebe daraus wird. Die Ursache ist, glaube ich, darin zu suchen, daß die Ableger in der Regel zu tief gepflanzt werden, daher die Wurzeln derselben leicht faulen und der Ableger erst wieder neue Wurzeln machen muß, was dann sein Wachsthum zurückhält; ich pflege den von einjährigem Holze genommenen Ableger, welcher die besten Wurzeln macht, mit 4 Augen in der Erde und höchstens nur 1 Fuß tief zu pflanzen, wobei die Wärme und obere Feuchtigkeit, welche zum

Wachsthum hauptsächlich viel beitragen muß, gehörig einwirken kann. Größere Ableger zu pflanzen, als eben angegeben, würde ebenfalls die obigen Nachtheile herbeiführen.

Bevor ich die Ableger, welche nur 2 – 3 Augen über der Erde abgeschnitten werden müssen, pflanze, mache ich in der Erde ein Loch von 3 Fuß tief und 3 – 4 Fuß im Quadrat, werfe eine Karre voll Kuhdünger hinein, und wechsle mit Erde und Mist so lange ab, bis das Loch noch eine Tiefe von 1 Fuß hat, worin dann die Ableger eingepflanzt und fleißig, am besten mit der Brause, begossen werden müssen, wobei noch zu bemerken ist, daß die Ableger 10 – 12 Fuß von einander zu stehen kommen müssen.

Lehm-, Mergel- oder Thonerde ist zu kompakt, und der Ableger wird dadurch verhindert, tief in die Erde hinein zu gehen; hat aber ein Garten schweren Boden, so würde die oben beschriebene Vertiefung durch Mistbeet-Erde 1 1/2 Fuß tief auszufüllen seyn.

Wenn nun die Reben im ersten Jahre das gehörige Holz gemacht haben, so müssen sie wieder bis auf 3 oder 4 Augen abgeschnitten werden, weil die Reben sonst leicht absterben, im 2ten Jahre kann man schon mehrere Augen an einigen Reben und im 3ten und 4ten Jahre 3 bis 4 der stärksten und kräftigsten Reben auf 8 – 12 Augen stehen lassen, die alsdann schon Früchte bringen werden. Die Reben dürfen aber bei allen Weinsorten niemals gleich lang abgeschnitten werden, was vorzüglich beim Diamant und frühen weißen van der Lahn der Fall ist, von welchen auch die Ableger am schwersten zu ziehen sind, vielmehr müssen die Frucht-Reben dieser Weinsorten auf 8 – 10 Augen, beim frühen Leipziger, Schönedel und Malvoisir hingegen, auf 12 – 16 Augen abgeschnitten werden.

Beim Beschneiden der Reben darf das alte 3 – 4 jährige Holz nicht abgeschnitten werden, was öfters in der Hoffnung geschieht, dadurch einen größeren Gewinn an Trauben zu erreichen, wenn die jungen Triebe stehen bleiben; ich bin aber der Meinung, daß man besser seinen Zweck erreicht, wenn das alte Holz stehen bleibt, damit hieraus die jungen und kräftigen Triebe heranwachsen. Ebenso müssen auch alle späte Sorten z. B. Malvoisir, Muskateller, St. Laurent &c. an einer an der Sonnenseite sich befindenden Mauer oder an einen Zaun, die frühen Sorten können dagegen im Freien gepflanzt werden.

Beim Herunterlegen des Weins ist es zweckmäßiger, denselben in die Erde einzugraben, als ihn blos mit Laub oder Mist zu belegen, weil die Augen bei feuchter Witterung leicht abstocken; auch scheint mir das Absenken des Weins nicht zweckmäßig, weil zwar dadurch viel Holz erzeugt wird, aber keine Trauben gewonnen werden.

Landwirthschaftliche Nachrichten u. Bücheranzeigen.

Brachfelddüngung.

Es war mir die Art, wie die Dreifelderwirthschaft noch in einigen Gegenden um hiesige Stadt ausgeübt wird, auffallend. Man düngt nämlich am stärksten das Brachfeld, und bringt darauf Kartoffeln, Runkelrüben, Kohlrabi, Oelpflanzen; darauf im folgenden Jahre Spelz, Korn, im dritten Jahre Haber oder Gerste; dann geht der Turnus von Neuem an, so daß die Hauptdüngung immer in die Brache fällt. Dabei geht man von der Ansicht aus, daß man nur dann reichliche Aernte an Kartoffeln, Runkelrüben ꝛc. macht, wenn die Düngung vorhergeht und behauptet im darauf folgenden Jahre auf diesem Felde reiche Aernte in Spelz (Dinkel, Kern) zu machen.

Ich bemerke diese Methode darum, weil man in den meisten Ortschaften vor dem Einsäen des Spelz oder Weitzens als Hauptfrucht auch die Haupt-Düngung vornimmt, und wenn es zu den Brachfrüchten kommt, nochmals eine leichte Düngung giebt. Auch sey es hier wiederholt und ausdrücklich gesagt, daß alle Landwirthe hiesiger Gegend gegen die Ansicht der Herren Runkelrübenzucker-Fabrikanten vor der Verpflanzung der Runkelrüben durchaus eine leichte Düngung fordern, um kräftige Wurzeln zu erhalten; vorausgesetzt, daß sie in dem 3ten Jahre, also in der Brache, gebaut werden sollen.

Ich bemerke jedoch, daß ich im gegenwärtigen Jahre auf urbar gemachtem (gerodetem) Lande, Trotz der grossen Dürre, und ohne vorgegangene Düngung, die größten Runkelrüben wachsen sah. Demnach fordern sie mehr einen tiefgründigen, lockeren, als einen fetten, dungreichen Boden, und es kommt Alles auf fleissige Bebauung an. Auf einem schweren festen Boden bleiben sie jederzeit klein.

Dr. Kittel,
in Aschaffenburg.

Ueber die Hopfenstangen.

In Frankreich und England beschäftigt man sich, die bisher gebräuchlichen hölzernen Hopfenstangen durch Eisendrähte zu ersetzen. In Hinsicht auf Oekonomie möchte nicht zu bezweifeln seyn, auf günstige Resultate für letztere zu kommen. Doch noch andere wichtige Gründe möchten für die Sache sprechen. In Frankreich glaubt man bei den Eisendrähten nicht nöthig zu haben, den Stängel so hoch zu erheben, und daß, wenn man die Pflanze sich um wagerechte Drähte schlängeln läßt, die Sonne sie mehr erwärmen wird, und die Zapfen früher reif werden. In England hat man die Anwendung der Eisendrähte nicht aus diesem Gesichtspunkte angesehen. Man macht sie vielmehr mindestens eben so hoch, wie die bisherigen Holzstangen, und spitzt sie oben zu. Man will die erfreuliche Bemerkung gemacht haben, daß die elektrische Thätigkeit, welche die Metall-Leitern ausüben, den Wachsthum außerordentlich fördern. Die Wirkungen sollen so bedeutend seyn, daß ein merklicher Unterschied an den Hopfenstangen ersichtlich ist, vor oder nach dem Vorüberziehen einer elektrischen Wolke, welcher der elektrische Stoff von den Eisenstangen als Leitern fortwährend zuströmt. Diese Eisendrähte verhalten sich demnach überhaupt wie Blitzableiter. Sie neutralisiren die electrischen Wolken, welche in ihr Bereich kommen, und die Landwirthe erweisen dadurch zugleich mittelst ihres Gebrauches dem Lande einen Dienst, und vermindern die Gefahren der Gewitter. Wahrscheinlich liesse sich der Wein mit ähnlichem Erfolge an Eisendraht ziehen.

A———

Ueber die Vertilgung des Getreidwurmes.

Was ich dagegen schon für Mittel anwandte, und Geld dabei verlor, ist kaum zu glauben. Die Monate Mai, Junius und Julius ließ ich meine Getreider alle 14 Tage nicht allein umschlagen, sondern auch durch die Mühle laufen. Oefters ließ ich den ganzen Kasten mit allerlei Mitteln, aus den Wochenblättern entnommen, waschen. Auch Schafpelze legte ich auf den Kastenboden, damit die Würmer jeden Morgen in großer Anzahl gefangen werden konnten. Alles dieses half etwas; und glich halben Maßregeln. Da erinnerte ich mich schon vor langer Zeit in denselben Blättern, daß die Ameisen die wahnen Feinde dieser Würmer sind, und man durch sie alle vertilgen könne. Letzten Junius ließ ich nun 2 große ganze Ameisenhaufen auf meinen Boden tragen, und den einen auf die eine — den andern weit unten auf die entgegengesetzte Seite legen, und siehe da, in 8 Tagen waren alle Würmer, und selbst die Ameisen verschwunden. Ich kann meine Freude darüber nicht genugsam beschreiben, über so ein einfaches und leichtes Mittel, in Rücksicht eines Schadens, der sich in unserem Vaterlande jährlich auf eine halbe Million Gulden belaufen mag: denn so viel fressen die Würmer auf allen Getreidkästen zusammengerechnet, sicher.

Im Novbr. 1835.

Ein Landwirth
aus dem Isarkreise.

Guter Rath an Landleute, trockene Füsse und wasserdichte Stiefel zu erhalten.

Das vorzüglichste Mittel, das Leder wasserdicht zu machen, ist Folgendes: Man läßt sich ein oder zwei Paar Socken oder Halbstiefel von feinem Filze von dem Hutmacher fertigen, welche gehörig passen, und bis an die Waden heraufgehen. Dann läßt man sich von dem Schuhmacher halbe oder ganze Stiefel darüber anmessen und bequem machen, damit der Fuß darin Platz hat, und sich in denselben gehörig biegen und bewegen kann. Man kann diese Socken auch in die Schuhe und die Kamaschen darüber wegziehen. Der Filz läßt keine Feuchtigkeit durch. Kommt man von nassem Wetter nach Hause, so zieht man die Stiefel und die Socken aus und trocknet sie und man kann sie den andern Tag wieder gebrauchen. Sie haben den Vortheil, daß man bei der strengsten Kälte keine kalten Füße bekommt. Sind sie schmutzig geworden, so kann man sie auskochen und waschen.

Der Sibirische Erbsenbaum.

(Acacia sibirica.)

Das Vaterland (heißt es in der landw. Zeitung) dieses schönen und nützlichen Baumes ist Sibirien. In Kur-, Lief- und Ehstland, auch in der Umgegend von Sct. Petersburg, ist er in Gärten sowohl, als im Freien schon hin und wieder angepflanzt worden.

Der sibirische Erbsenbaum wächst meistens völlig gerade, trägt hübsche gelbe Blumen und seine Schale, so wie sein den Erbsenblättern ähnliches Blatt stellen ein angenehmes Hellgrün vor anderen neben ihm stehenden Bäumen dar. Er hält die strengsten Winter aus und kommt am besten in einem sandigen Boden, wenn dieser nur mit etwas weniger Erde vermischt und gut umgearbeitet worden ist, schwieriger in einem schweren thonigen, und gar nicht in einem nassen Morastboden fort. Wenn er über drei Jahre alt und nicht von obenher beschnitten worden ist, trägt er jährlich und mit dem Alter immer mehr Samen. Vieler und anhaltender Regen in der Blüthezeit spült den Samenstaub vor der Befruchtung von der Blüthe, worauf die Schoten zwar wachsen, aber ohne Samen. Doch trifft dieses nur die Blüthen, welche frei und gerade aufwärts gegen den Regen stehen, da hingegen die, welche unter den Blättern hängen (deren die meisten sind), volle Schoten tragen. Der Same hat die Größe und Gestalt einer Spargelerbse, und ist eine wohlschmeckende, nach ärztlichen Zeugnissen gesunde Nahrung für Menschen sowohl als für Thiere. Man kann sie kochen, schmoren, Pfannkuchen davon machen, auch mahlen und Brod daraus backen lassen.

Man sammelt den Samen zu Ausgange des August, wenn die Erbsen noch in den Schoten sind; denn wartet man bis die Schoten aufspringen und die Erbsen ausfallen, so macht es mehr Mühe, sie zu sammeln, zumal wenn die Bäume im Grase stehen. In wärmeren Ländern, als die meisten russischen sind, erfolgt dieses früher. Die Schoten werden hierauf getrocknet, und dann wie andere Hülsenfrüchte ausgedroschen, von den Schalen gereinigt und bis zum Frühjahre wie andere Erbsen aufbewahrt.

Im Frühjahre wählt man ein Stück Land in einer trockenen Gegend mit einem lockern Boden, zum Gewinnen einer Menge von Pflanzen aus dem Samen. In 12 — 14 Tagen, wenn die Witternng nicht zu rauh ist, laufen die Erbsen auf, aber man reinigt sie vom Unkraut und begießt sie in starker Dürre. Sind sie erst ein Jahr alt, so bedürfen sie des Begiessens gar nicht mehr, außer wenn sie versetzt werden. Die Bäumchen im ersten Jahre wachsen 3/4 Ellen hoch; im zweiten 2 1/4 — 2 1/2 Elle; im dritten 3 Ellen und höher; im vierten fangen sie an zu blühen und Früchte zu tragen.

Im dritten Jahre kann man schon im Frühlinge die größten aussuchen und an den Ort ihrer Bestimmung versetzen, wodurch die übrigen mehr Platz zum Wachsen bekommen. So viel mir bekannt ist, wächst dieser Baum bis zu 4 und 5 Klaftern hoch.

Der sibirische Erbsenbaum hat in Deutschland folgenden Nutzen:

1) Er dient zu Hecken und Spalieren in Lustgärten, weil er
   a) aller Kälte widersteht;
   b) eine schöne hellgrüne Schale und ein eben solches Blatt hat;
   c) eine hübsche gelbe Blume trägt;
   d) die Blätter ein sehr nahrhaftes Futter für das Rindvieh geben;
   e) weil er eine nützliche Schutzwand gegen die rauhen Nord- und Ostwinde abgiebt.
2) Die Früchte sind ebenso wie Erbsen und Linsen zu benutzen.
3) Man kann von diesen Bäumen auf sandigem und sonst schlechtem Boden, selbst an der rauhen Nordseite, einen angenehmen Wald anlegen, da, wo sonst kein dergleichen angenehmer und so nützlicher Baum wächst.

Aus diesen und andern Hinsichten mehr wäre zu rathen, daß auch unsere Landsleute, welche leere, unbenutzte und sonst zu nichts taugliche Stellen haben, den Erbsenbaum anpflanzen, Hecken, Zäune und Gehölze davon anlegen, auch ihre Kohl- und Gemüsegärten damit einfassen möchten. Zudem würden dadurch manche wüste und leere Plätze in angenehme Lusthaine verwandelt werden, und der Landmann den Nutzen haben, daß dergleichen Hecken ihm alle Jahre reichlich Erbsen zum Kochen, Backen und Schmoren liefern würden. —

Zu Anfange des April pflanzt man die Erbsenbäume, und überschüttet die Wurzeln, von welchen man die durch Ausgraben beschädigten oder gar zu langen wegschneidet, mit der benannten Erde, doch so, daß sie nicht tiefer als einen Zoll zu stehen kommen, als sie vorher gestanden hatten, was man am Stamme leicht sehen kann. Neben den Baum steckt man einen Pfahl, den man mit Bast oder Bindeweide anbindet, damit er nicht, ehe er festgewurzelt ist, vom Winde hin und hergeschüttelt werde. Ist der Platz hoch, so mache man neben den Stamm eine 1/2 Elle breite und 3 – 4 Zoll tiefe Grube, damit, wenn es regnet, das Wasser mehr nach der Wurzel ziehe. Sollte bald nach der Versetzung eine starke Hitze eintreten, so müssen die angepflanzten Bäumchen 2 – 3 Mal begossen werden.

Haben sie nun feste Wurzel gefaßt, so bedürfen sie keiner weitern Wartung und Pflege mehr, außer daß man sie, bis sie recht groß und stark geworden sind, gegen Kühe, Ziegen und Schweine verwahren muß, weil diese Thiere sie völlig verderben würden.

Damit aber das Land, auf welches die Erbsenbäume gepflanzt worden sind, nicht ganz unbenutzt bleibe, so lange, bis die Bäume durch ihre Früchte die Mühe selbst belohnen und einen dichten Hain bilden, so kann man das Erdreich dazwischen behutsam umgraben, und es mit Kohl, Rüben, Möhren, Sellerie, Kohlrabi u. dgl. bepflanzen.

Die Blätter des sibirischen Erbsenbaumes geben ein gutes Winterfutter für das Rindvieh, wenn man sie wie Heu oder Klee trocknet. Die Kühe geben davon sehr gute, fette Milch und gelbe, wohlschmeckende Butter, wie von dem besten Klee. *)

Der sibirische nnd italienische Hanf.

Der sibirische Hanf (cannabis sybirica) muß allen Landwirthen empfohlen werden. Er wird wenigstens noch einmal so hoch als der gewöhnlich in Deutschland gebaute (cannabis sativa) und giebt einen um so reichlicheren Ertrag an Gespinnst-Material und zwar von vorzüglicher Festigkeit. Er bedarf hingegen um seine leicht zu bearbeitende Stengel hervorzubringen, einer dicken Aussaat: denn bei einer dünnen Aussaat werden sie stark, holzig und ästig. Schreiber dieses, der selbst jährlich Hanf baut und schon viele Erfahrungen hierüber machte, ließ Hanfsamen aus Italien aus der Gegend von Bologna, und aus Turin kommen, und fand bei der Aernte seinen Hanf eben so hoch und fein, so daß er die Verwunderung der ganzen Gegend auf sich zog.

Aus dem Isarkreise ein Landwirth.

---

*) Der Unterzeichnete bestättigt dieses Alles nach seiner Erfahrung, vermuthet auch, daß die Erbsen und das Laub ein sehr gesundes Schaffutter in einer Periode seyn dürften, wo die Gräser bisweilen verdorren. Auch auf einem Morgartenboden sah ich Erbsenbäume gut gedeihen. — In ihrem Schatten wachsen die rothen Himbeeren und Erdbeeren. Auch zur Feuerung empfehle ich den Erbsenbaum.

Anmerk. d. Redaktion.

Die Eichen-Pfähle, dann Föhren und Tannenholz vor Verwesung zu schützen.

Gewöhnlich werden diese Pfähle unten am Spitze angebrannt, ehe sie in die Erde gesetzt werden. Das Recueil industr. vom May 1835 giebt aber eine bessere und bereits erprobte Art an. Man soll nämlich in diese Pfähle oder Pfosten von der Höhe der Erde bis auf einige Zoll unter dieselbe ein Loch bohren, und dieses mit Kochsalz ausfüllen.

In Ansehung des Föhren- und Tannenholzes hat man in England bereits die Erfahrung gemacht, daß die Einweichung desselben in Kalkwasser das einfachste und beste Mittel sey.

Der Wollhandel in England.

Der Aufsatz aus Dinglers Journale, II. Semester 1835, auch besonders abgedruckt:

„Der Wollhandel in England“
aus dem Tagebuche eines deutschen Reisenden;

enthält so viel Interessantes, daß die Redaktion die Leser dieser Blätter darauf aufmerksam zu machen nicht unterläßt, indem sie einen Theil desselben nachstehend mittheilt.

Was zuerst die Handelsplätze für fremde Wolle in England betrifft, so zeigt sich auf den ersten Blick in nachstehender Tabelle, daß der Hauptmarkt auch für diesen Artikel (gleichwie für alle übrigen Hauptartikel des englischen Handels mit Ausnahme der Baumwolle) London ist. Die Zufuhren nach Liverpool und Bristol sind unbedeutend und zufällig, als bloße Rückfrachten. Um so wichtiger für den englischen Wollenhandel sind die Häfen Hull und Goole in Yorkshire, und werden es immer mehr werden. Der westliche Theil der Grafschaft York (westriding) und hierin die Stadt Leeds mit Umgebungen ist der Hauptdistrikt für die englischen Wollenmanufakturen und umfaßt nach der jenem Lande ganz eigenthümlichen Abgränzung der großen Manufakturzweige, welche die Baumwollenmanufakturen nach Manchester und Umgebungen, die Eisen- und Stahlfabriken nach Sheffield, und die übrigen Metallfabriken nach Birmingham verwiesen hat, die Tuchfabrikation fast ausschliessend. Was Liverpool bei der Lieferung der Baumwolle für Manchester, wird für Leeds in nächster Zeit der in großem Aufschwunge begriffene und höchst günstig gelegene Seehafen Hull werden. Gleichwie eine doppelte Canalverbindung und eine Eisenbahn zwischen Liverpool und Manchester, so besteht zwischen Leeds und Hull eine Verbindung durch Canal- und Flußschiffahrt auf den Flüssen Aire und Ouse, wozu sich in der neuesten Zeit noch eine vortrefflich angelegte Eisenbahn gesellt, welche bereits zur Hälfte (bis Selby) vollendet und im Gange ist. Eben so hat sich der kleine Ort Goole (nur 2300 Einwohner zählend), ein Hafen nahe am Anfange der tiefen Meerenge, welche den Ausfluß des Humber bildet, bereits sehr emporgeschwungen und eines Theiles des deutschen Wollenhandels bemächtigt. Betrachtet man ferner den in der Tabelle bezeichneten Ursprung der in den letzten drei Jahren nach England eingeführten Wolle, so ergiebt sich, daß die Einfuhr spanischer Wolle, welche früherhin im englischen Wollenhandel die erste Rolle spielte, in neuester Zeit auf ungemein geringe Quantitäten herabsank, und die deutsche Wolle an deren Stelle trat. Diese Veränderung ist sehr neuen Ursprunges und wird erst seit der Mitte des verflossenen Jahrzehents wahrgenommen, indem während der letzten dreißig Jahre rückwärts vom Jahre 1826 an nach den officiellen Einfuhrlisten der Import spanischer Wolle durchschnittlich nicht unter 50,000 Cntr. jährlich, in einzelnen Jahren aber fast das doppelte Quantum betragen hatte. Der zunehmende Verfall der spanischen Industrie einer- und die großen Fortschritte der deutschen Schafzucht andererseits, der höchst vortheilhafte Ruf der deutschen Wolle in England, verbunden mit der Handelsbetriebsamkeit einiger norddeutschen Städte, welche besonders durch ihren ausgedehnten Colonialwaarenhandel den englischen Schiffen vortheilhafte Rückfrachten in Wolle gewähren, dürften die Hauptursachen dieser für die deutschen Agrikulturinteressen so vortheilhaften Wendung seyn.

In den letztverflossenen fünfzehn Jahren wurden nachstehende Quantitäten deutscher Wolle nach England eingebracht:

	Cntr. in englisch schwerem Gewichte.
1820	52,205
1821	86,452
1822	111,427
1823	126,797
1824	159,695
1825	289,307
1826	106,990
1827	220,191

	Zentr. in englisch schwerem Gewichte.
1828	228,018
1829	149,602
1830	267,870
1831	230,469
1832	220,140
1833	276,104
1834	229,212

Besondere Aufmerksamkeit verdienen ferner die in der Tabelle angezeigten Wollensendungen aus Neuholland, welche auch für den deutschen Wollenhandel wegen der drohenden neuen Concurrenz von hoher Wichtigkeit sind. Es ist bekannt, daß auf Vandiemensland und Neusüdwallis mit Unterstützung englischer Capitalien große Schafheerden unterhalten werden, deren Wollenertrag bloß für England bestimmt seyn kann. Das Gedeihen und die großen Fortschritte der Schafzucht in jenen Colonien ist ausser Zweifel. Sie ist durch die besten spanischen Racen veredelt, und die Wollenmuster von verschiedenen Punkten jener Colonien mehrerer Jahrgänge, welche in den Sammlungen der berühmten Society of arts and manufactures in London hinterlegt sind, beurkunden die ausgezeichneten Fortschritte in der Wollenveredlung. Auch ist die Wolleneinfuhr von daher in neuester Zeit in stetem Fortschreiten begriffen. Dieselbe begann zuerst mit Quantitäten, welche einige tausend Zentner übersteigen im Jahre 1826, und stieg seitdem in folgendem Verhältnisse:

Australische	Wolleneinfuhr	1826 . . .	11,063	Zntr.
—	—	1827 . . .	7,158	—
—	—	1828 . . .	15,781	—
	—	1829 . . .	18,364	—
	—	1830 . . .	20,007	—
	—	1831 . . .	25,412	—
		1832 . . .	25,158	—
		1833 . . .	35,875	—
—	—	1834 . . .	39,069	—

Es ist nach dem Urtheile Sachkundiger mit aller Bestimmtheit zu erwarten, daß die Wollenproduction jener Colonien, durch ungemeine örtliche Vorzüge begünstigt, in nächster Zeit einen hohen Aufschwung nehmen und den gefährlichsten Concurrenten für die deutsche Wolle auf den englischen Märkten abgeben werde, wenn gleich die große Entfernung und der Mangel an Versendungen oder Rückfrachten dahin der bisherigen größeren Importation entgegenstand. Daß dieselbe überdieß die Eingangszollbefreiung in England genießt, ist schon oben erwähnt worden. Der Werth der australischen Wolle steht dermalen in England von 1 – 3 Schill. per Pfund; sie kömmt nicht assortirt, wie jene von Deutschland und anderwärts, wohl aber reinigt man sie etwas, und wirft die Vließe nach oberflächlicher gleicher Beschaffenheit zusammen. Sie ist durchaus sehr beliebt, und wird als vorzüglich geeignet zur Garnspinnerei erachtet, was schon ihr langes haltbares Haar andeutet. Zur Verfertigung von Tüchern wurde sie noch zur Zeit selten verwendet; doch wird dieses ohne Zweifel der Fall seyn, wenn sie in größerer Menge eingebracht wird. Man versendet sie in stark zusammengepreßten Ballen von beiläufig 200 Pfd. nach Art der amerikanischen Baumwollenballen, allein die Wolle leidet durchaus nicht darunter, wie man früher, aus Veranlassung einiger durch andere Zufälle verdorbener Sendungen, verbreitet hatte. Ihre Bezugsweise geschah bisher meist nur als Retouren für dahin gesandte Waaren und noch zur Zeit selten für Rechnung der Produzenten; nur die Familie Mac Arthur, welche große Ländereien auf Neuholland besitzt, sendet ihre Wolle direkt nach England zum Verkaufe. Die übrigen von daher importirten Partien sind von Privaten gekauft, welche dort Landwirthschaft treiben, jedoch nicht von der (seit 1825) bestehenden Australian-agricultural-Society, von deren Wirken bisher noch wenig verlautete.

Folgende sind die mittleren Preise der eingeführten fremden Wolle auf englischen Märkten, einschlüssig des bezahlten Eingangszolles in den letztverflossenen fünf Jahren:

Das Pfund (Avoirdupois-Gew.)

	1830	1831	1832	1833	1834
Der geringeren Sorten der schlesischen Wolle, auch aus Oesterreich u. s. w.	1 Sch. 10 P.	1 Sch. 11 P.	2 Sch. 1 P.	2 Sch. 6 P.	2 Sch. 6 P.
Der Mittelsorten	2 — 4 —	2 — 4 —	2 — 7 —	3 — —	3 — 6 —

Der Wollenwerth steht dermalen (März 1835) so wie er das ganze Jahr 1832 hindurch stand, aber um etwas niedriger als in der ersten Hälfte des verflossenen Jahres. Die starken Zufuhren des letzten Jahres sind Ursache dieses Fallens, und wenn gleich der Verbrauch so stark ist und stärker als je zuvor, so ist doch als wahrscheinlich anzunehmen, daß die Wolle im laufenden Jahre 1835 sich nicht bedeutend über ihren dermaligen Stand erheben werde, indem alle Aussicht gegeben ist, daß in diesem Jahre die Wollenproduction in-, und außerhalb Europa eine reiche Aernte liefern werde.

Wir schliessen diese Bemerkungen mit einigen merkantilischen Notizen über den deutschen Wollhandel nach England insbesondere. Es ist durchaus nicht anzurathen, ordinäre deutsche Wolle nach England zu senden; sie würde dort gegenwärtig nur 7 – 8 Pence per Pfund werth seyn, und kostet in Deutschland stets mehr. Fellwolle (von todten Schafen) ist abzusetzen und ziemlich courant; der Werth ist beiläufig 1 Sch. per Pfd. Gemischte deutsche Wollen gehen häufig noch direkt nach Leeds, wo sie sortirt werden; zur Sendung nach London aber würden immerhin die sorgfältig sortirten (ungemischten) Sorten anzurathen seyn. Die unsortirte deutsche Wolle steht dermalen von 1 Sch. 10 P. bis 2 Sch. 9 P. per Pfund nach Qualität im Werthe.

Aus England reisen jährlich im Frühlinge viele Wollenhändler und Wollenfabrikanten nach Deutschland, und bringen auf den Wollenmärkten große Quantitäten Wolle an sich, je nach Bedarf oder Aussicht auf vortheilhafte Verarbeitung oder Wiederabsatz. Ein sehr großer Theil der jährlichen Versendungen deutscher Wolle nach England geht auf diese Weise dahin. Von den in Deutschland übrigen Vorräthen, welche nicht im Lande verbraucht oder an flandrische, französische &c. Händler abgesetzt werden, gelangen häufig beträchtliche Sendungen im Herbste nach England, meist nach London in Consignation zum Verkaufe an Commissionäre. Der Verkauf macht sich dann zu guten Preisen in den Fällen, wenn auf die erst genannte Weise nicht Wolle genug nach Englang gelangt, oder im Herbste der Begehr nach Tüchern größer ist, als man früher erwartet hatte. Findet das Gegentheil Statt, so ist der Absatz schwierig und kann nur zu niedrigeren Preisen geschehen, als jene, um welche der englische Händler im vorhergehenden Sommer in Deutschland gekauft hatte. Letztere Fälle sind wohl häufiger als erstere, und auch mehr in der Natur der Sache gegründet; denn Jeder kauft meist seinen vollen Bedarf, und auch wenn er schöne Auswahl findet, etwas mehr frühzeitig und sucht Einkäufe im Herbste zu vermeiden, da er die Auswahl, welche sich ihm dann darbietet, nicht vorherzusehen vermag. Der Londner Commissionär nimmt 2 Proc. für seine Commission; 2 Proc. für Garantie (del credo): denn die Wolle wird auf 9 — 12 Monate Zeit verkauft; ferner ist 1/2 Proc. Maklercourtage, dann außer dem dem Verkäufer zur Last fallenden Eingangszoll 1 — 2 Proc. für andere Kosten zu tragen; endlich die Fracht von Hamburg und die Assecuranz; erstere beträgt ungefähr 5 bis 6 Sch. per Ballen, letztere 1/2 bis 1 1/2 Proc. vom Werthe je nach der Jahreszeit.

Unter diesen Verhältnissen erscheint es für den deutschen Producenten vortheilhafter, sein Produkt im Lande selbst, oder auf den Hauptwollmärkten in Deutschland abzusetzen; diese Art des Verkaufes wird sich nach dem Durchschnittsergebnisse mehrerer Jahre als die vortheilhaftere bewähren, und zumal da, wo mehr geringe als mittlere und feine Sorten producirt werden. Allerdings ergaben sich in den letztverflossenen Jahren mehrere Chancen eines vortheilhafteren Wollenabsatzes auf dem Londner Markte im Winter als im vorhergegangenen Sommer; allein solche Conjuncturen sind das Ergebniß zufälliger Ereignisse und nie vorherzusehen; inzwischen wirkt jede einiger Maßen bedeutende Veränderung der Wollenpreise in England schnell und unfehlbar nach Deutschland zurück, so daß auch der deutsche Producent von einer unvorhergesehenen Erhöhung an Ort und Stelle einigen Nutzen zu ziehen vermag, wenn er sein Product nicht vorher verkauft hat.

Uebersicht der Wolleneinfuhr nach England in den Jahren 1832, 1833 und 1834 aus nachbenannten Ländern. Englische Centner schweres (Avoirdupois) Gewicht.

Ort der Einfuhr.		Aus Deutschland.	Aus Spanien.	Aus Portugal.	Aus Neusüdwales u. Vandiemensland.	Aus Cap der guten Hoffnung.	Aus Südamerika.	Aus Italien. (Toskana.)	Aus Rußland.	Aus Dänemark.	Aus Barbarei und Türkei.	Sonstige Bezüge.
London	1832	81280	23620	—	21794	864	5268	—	239	—	—	938
	1833	103024	38236	—	31056	1226	3288	1749	7821	883	—	4094
	1834	77068	31684	1579	34255	1552	7468	4008	11208	1814	23289	712
Liverpool	1832	444	5186	—	3364	—	600	919	—	—	—	695
	1833	—	7872	—	4819	—	1303	7413	—	—	—	3948
	1834	360	789	11236	4814	—	12926	—	3120	—	12669	1027
Hull	1832	79316	—	—	—	—	—	—	—	—	—	—
	1833	92028	—	—	—	—	—	—	2052	2095	—	—
	1834	90716	—	—	—	—	—	—	2253	1898	—	24
Goole	1832	59700	—	—	—	—	—	—	—	—	—	—
	1833	78144	—	—	—	—	—	—	—	—	—	—
	1834	59836	—	—	—	—	—	—	—	—	—	—
Gloucester	1832	—	—	—	—	—	—	—	—	—	—	—
	1833	2908	—	—	—	—	—	—	—	—	—	—
	1834	2232	—	—	—	—	—	—	—	—	—	—
Bristol	1832	—	4034	—	—	—	—	—	—	—	—	—
	1833	—	3604	—	—	—	—	—	—	—	—	—
	1834	—	1123	—	—	—	—	—	—	—	—	—

Anhang
zu den Verhandlungen des General-Comité.

Bekanntmachung
der
Wahlen der Kreis-Comités, in so weit sie bisher dem General-Comité mitgetheilt worden sind.

I.
Kreis-Comité
des landwirthschaftlichen Vereins in Ansbach
für den
Rezatkreis.

I. Vorstand:

v. Stichaner, k. Staatsrath, General-Commissär u. Regierungs-Präsident in Ansbach.

II. Vorstand:

v. Lutz, k. Regierungsdirektor.

I. Sekretär:

Frhr. v. Crailsheim, Rittergutsbesitzer.

II. Sekretär:

Endres, erster Bürgermeister.

Mitglieder:

Forster, k. Regierungsrath;
Geret, k. Regierungsrath;
Frhr. von der Heydte, k. Regierungsrath;
Ott, k. Kreisbaurath;
Seine Durchlaucht Prinz Eduard von Altenburg Herzog von Sachsen, k. bayer. Oberstlieutenant;
Donner, k. Regierungs-Assessor;
Fliesen, k. Reg.-Rath;
Vetter, k. Reg.-Assessor;
v. Röthlein, k. Reg.-Rath.

Ersatzmänner:

Mayer, k. Kreisforstrath;
Frhr. v. Raesfeld, k. Forstmeister;
Schmauß, k. Reg.-Rath;
Schnizlein, Stadtpfarrer und Distrikts-Schul-Inspektor;
Edel, k. Reg.-Assessor;
Scheuing, Magistratsrath zu Ansbach.

II.

Kreis-Comité

des landwirthschaftlichen Vereins in Passau für den Unterdonaukreis.

I. Vorstand:

Ritter v. Rudhart, k. General-Commissär und Regierungs-Präsident zu Passau.

II. Vorstand:

Zenetti, k. Regierungs-Direktor.

I. Sekretär:

Benning, k. Regierungsrath.

II. Sekretär:

Unruh, Bürgermeister.

Mitglieder:

Pummerer, Max, Bürgermeister;
Pummerer, Jos., bisheriger Bezirks-Cassier;
Pauer, Jos., Kaufmann;
Schmerold, Ignatz, Bräuhausbesitzer zu Sct. Nicola;
Harel, Barthlmä, Bräuhausbesitzer in Straßkirchen;
Hohe, k. Regierungs-Assessor;
von Greiner, k. Regierungsdirektor;
Rund, k. Regierungsrath;
Schmid, k. Forstinspektor.

Ersatzmänner:

Martin, k. Oberforstrath;
Ritter v. Sturm, k. Gendarmerie-Rittmeister;
Winneberger, k. Forstmeister in Passau;
v. Lottner, k. Regierungsrath;
Metzger, k. Regierungsrath;
Ammon, k. Lycealprofessor, Rector der Kreisgewerbsschule.

III.

Kreis=Comité
des landwirthschaftlichen Vereins in Bairenth
für den
Obermainkreis.

I. Vorstand:

Frhr. v. Andrian=Werburg, k. General=Commissär und Regierungs=Präsident zu Baireuth.

II. Vorstand:

— — —

I. Sekretär:

Zerzog, Lehrer an der landwirthschaftlichen Schule zu Baireuth.

II. Sekretär:

— — —

Mitglieder:

Frhr. von Redwitz, k. Kämmerer, Regierungs= und Kreisforstrath in Baireuth;

Frhr. von Hirschberg, k. Kämmerer und Landwehrkreis=Inspektor, Gutsbesitzer auf Kaibitz, in Baireuth;

Frhr. von Lindenfels, k. Regierungs=Sekretär in Baireuth;

Huebner, Landrath und Landwirth zu Oberkonnersreuth bei Baireuth;

Döring jun., Johann Christoph, Gastwirth zum wilden Mann in Baireuth;

Graf von Thürheim, Gutsbesitzer zu Karolinenreuth bei Baireuth;

Fikentscher, quiescirter k. Reg.=Rath in Baireuth;

Kolb, k. Revierförster zu Neustädtlein a/F.

Ritter, k. Rentbeamter in Baireuth;

Hagen, rechtskundiger Bürgermeister in Baireuth;

Stenglein, k. Regierungsrath in Baireuth.

Ersatzmänner:

IV.

Kreis-Comité

des landwirthschaftlichen Vereins in Regensburg

für den

Regenkreis.

I. Vorstand:

v. Schenk, k. Staatsrath, General-Commissär und Regierungspräsident.

II. Vorstand:

Frhr v. Godin, k. Kämmerer und Regierungsrath

I. Sekretär:

Beisler, k. Regierungsrath.

II. Sekretär:

von Benda, Fürstlich Thurn- und Taxis'scher Domainen-Ober-Administrations-Direktor in Regensburg, und Gutsbesitzer zu Hohengebraching.

Mitglieder:

von Anns, Bürgermeister in Regensburg;

Kämmel, Dechant und Pfarrer zu Mintraching;

Graf v. Drechsel, k. Kämmerer, Staatsrath, General-Commissär und Regierungs-Präsident, dann Gutsbesitzer zu Carlstein;

Frhr. v. Berchem, k. Kämmerer, General-Major, Kreis-Commandant der Landwehr und Gutsbesitzer zu Niedertraubling, (zugleich Cassier des Comités);

Hartmayer, Oekonom und Gutsbesitzer in Regensburg;

Schleißinger, J. A., Bierbrauer in Regensburg;

Eser, Bürgermeister in Stadtamhof;

Frhr. du Prel, k. Regierungs-Assessor und Stadt-Commissär in Regensburg;

Schäffer, Oekonom in Regensburg.

Ersatzmänner:

Dr. v. Eggelkraut, k. Advokat in Regensburg;

Fürst, k. Posthalter und Oekonom in Alteglofsheim;

Graf v. Oberndorff, k. Kämmerer und Gutsbesitzer zu Regendorf;

Gerzer, Bierbrauer zu Stadtamhof;

Schwab, Bierbrauer in Mintraching;

Morgenroth, k. Rechnungs-Commissär und Regierungs-Raths-Accessist in Regensburg.

Mittelpreise

auf den

vorzüglichsten Getreideschrannen in Bayern.

Wochen.	Getreide-Sorten.	Passau.		Regensburg.		Rosenheim.		Speyer.		Straubing.		Traunstein.		Vilshofen.		Weilheim.	
		fl.	kr.	fl.	kr.	fl.	kr.	fl.	kr.	fl.	kr.	fl.	kr.	fl.	kr.	fl.	kr.
Vom 30. Dec. 1835 bis 5. Januar 1836.	Weitzen	—	—	8	12	9	15	10	48	7	47	9	12	8	40	10	25
	Kern	—	—	—	—	—	—	—	—	—	—	—	—	—	—	10	25
	Roggen	—	—	5	37	6	32	7	52	5	30	6	—	5	51	7	—
	Gerste	—	—	6	21	6	12	6	44	5	30	6	12	4	43	7	30
	Haber	3	30	4	30	3	44	5	25	4	—	3	24	3	36	4	18
Vom 6. bis 13. Januar 1836.	Weitzen	—	—	—	—	9	18	11	29	7	34	9	—	8	37	11	23
	Kern	—	—	—	—	—	—	—	—	—	—	—	—	—	—	11	23
	Roggen	—	—	—	—	6	39	7	42	5	30	6	—	6	—	7	27
	Gerste	5	—	—	—	6	18	7	13	5	52	6	12	—	—	6	50
	Haber	—	—	—	—	3	44	5	32	4	—	3	18	—	—	4	34
Vom 14. bis 20. Januar 1836.	Weitzen	—	—	8	19	9	22	8	2	7	39	8	48	8	38	11	—
	Kern	—	—	—	—	—	—	—	—	—	—	—	—	—	—	11	—
	Roggen	—	—	5	33	6	29	7	42	5	30	6	—	5	55	7	15
	Gerste	—	—	6	30	6	6	6	17	5	34	6	—	4	58	6	21
	Haber	—	—	4	29	3	56	5	29	3	45	3	12	—	—	4	10
Vom 21. bis 27. Januar 1836.	Weitzen	9	10	8	11	9	10	11	—	7	44	9	12	8	40	11	2
	Kern	—	—	—	—	—	—	—	—	—	—	—	—	—	—	11	2
	Roggen	—	—	5	36	6	32	7	49	5	30	6	12	6	—	6	48
	Gerste	—	—	6	27	6	10	6	35	5	38	6	12	5	9	7	30
	Haber	—	—	4	31	3	52	5	45	3	56	3	24	—	—	4	15
Vom 28. Januar bis 3. Febr. 1836	Weitzen	—	—	8	17	9	28	10	57	8	—	9	36	8	33	11	18
	Kern	—	—	—	—	—	—	—	—	—	—	—	—	—	—	11	18
	Roggen	—	—	5	34	6	32	7	49	5	30	6	18	6	—	7	20
	Gerste	5	24	6	37	6	20	6	47	5	40	6	24	4	42	8	10
	Haber	—	—	4	35	3	51	3	23	4	—	3	24	—	—	4	32

Centralblatt

des

landwirthschaftlichen Vereins in Bayern.

Jahrgang: XXVI.

Monat: Februar 1836.

Landwirthschaftliche Berichte und Aufsätze.

20. Resultate des vertheilten Rigaer Leinsamens.

Daß der Flachsbau eines der wichtigsten Gegenstände der Landwirthschaft ist, — unterliegt keinem Zweifel; daher er auch von der Staatsregierung in besondern Schutz genommen, und von derselben diejenige Summe bestimmt wurde, welche zum Ankaufe von Rigaer Leinsamen erforderlich schien, um solchen auf die bestmöglichste und zweckmäßigste Weise zu vertheilen.

Von dieser Vertheilung liegen nun 3 Hanf-Muster und 8 Muster von dem daraus erhaltenen Samen vor, so wie 23 Berichte, welche sehr verschiedenartige Resultate lieferten, darunter sind Muster von dem Herrn Pfarrer Johann Haubl zu Königsdorf, Gerichtsbezirks Passau von 14 Samen, Herrn Xaver Huber von Bachmehring von 10 Samen, und Hrn. Anton Sintzinger ebendaher von 8 Samen, letztere auf einem ohne allem Dünger bestellten Felde.

Auffallend ist es allerdings, daß von dem ganzen Königreiche so wenig und so unbedeutende Einsendungen geschahen, so wie auch den Berichten das Nöthigste stets mangelte, um mit Sicherheit ein Urtheil daraus entnehmen zu können. Mehrere der Einsender bestimmten nach Pfunden, wieder andere nach Metzen die Aussaat und Aernte, bei andern ist der Ertrag an Flachs, dann Werk und der Abgang davon ganz übersehen, und das hauptsächlichste die Bonitirung und Kraft des Bodens ist nirgends angegeben.

Nach den eingesendeten Flachsmustern ergiebt sich, daß der von Pruting vorzüglich, der von Wegscheid mittelmäßig, und der von Griesbach ganz schlecht ist.

Die erhaltenen Leinsamen stellen sich nach mehrfältiger Prüfung in nachstehende Reihenfolge, rücksichtlich der Größe, Reinheit und Farbe.

I. Dem zum zweitenmale gebauten Aramer Lein von Pang gebührt der Vorzug, da derselbe stark in der Linse und sehr rein ist;

II. dem zum erstenmal gebauten Rigaer Leinsamen von Pang, der nicht so stark wie ersterer ist;

III. der zum erstenmal gebaute Rigaer-Lein von Kastenau ist mit vielem Grassamen vermengt;

IV. von Marquardstein ist der Same unrein;

V. u. VI. von Prutting und Kastenau, beide gleichen sich im Samen und in der Menge des Unkrauts;

VII. von Schleching Gerichtsbezirks Traunstein, so wie

VIII. vom Landgerichte Werdenfels kamen sehr unreine mit vielem Unkraute vermischte Samen.

Bei den zum Ankauf für dieses Jahr von dem hiesigen Handlungshaus der Herren Gebrüder Marx beiliegenden zwei Muster ist dasjenige mit der Aufschritt „Säsaat" das geeignetste und berechtigt vermöge seiner Frische und Schönheit zu den günstigsten Resultaten. Um so wünschenswerther wäre es, wenn bald möglichst Bestellungen hierauf gemacht würden*), um nicht wie bisher die Vorwürfe des zu späten Empfangs in allen Berichten vernehmen zu müssen.

Vielfältigere, zweckmäßigere Einläufe über die Vertheilung der Samen würden eintreffen, wenn mit Absendung von Samen zu gleicher Zeit lithographirte Tabellen zum Eintragen desjenigen beigefügt würde, was hiezu erforderlich ist. Indem der Landwirth sich mit ordentlicher Zusammenstellung desselben im Wege der Correspondenz ungerne befaßt, und die Einsendung unterläßt, wodurch der Zweck dieser Vertheilung nur halb erreicht wird.

Schlüßlich ist noch zu bemerken, daß außer dem Anbauen des Leins, der sehr bemerkenswerthe Gegenstand, das Spinnen, hauptsächlich in's Auge gefaßt werden möchte, da bei einer kürzlich angestellten Probe sich ergab, daß eine Spinnerinn aus einem Brabanter Pfund des feinsten Flachses 6 1/2 Stränge à 700 Fäden oder Ellen, die zweite 7 Stränge und die dritte 13 Stränge gesponnen hat, also gerade noch einmal so viel als

*) Ist geschehen.

erstere, und im Gespinnst war nicht zu erkennen, daß es ein und derselbe Flachs gewesen ist.

Freymann den 26. Januar 1836.

Christian Glaser,
Vereins- und General-Comité-
Mitglied.

Ueber die Fabrikation des Rübenzuckers

entlehnen wir (heißt es in dem Würt. Correspondenz-Blatte) aus den Annalen der Pharmacie, Bd. XII. S. 61, eine Abhandlung von Dr. Kodweiß, deren Mittheilung wegen der erneuerten Anregung, die der Benützung des Zuckers aus Runkeln in der neuesten Zeit geworden ist, und bei der Wichtigkeit, welche dieselbe durch die neuesten Handelsconjunkturen erhalten hat, von Interesse seyn dürfte. Vorausgeht folgende von der Redaktion der Annalen der Kodweiß'schen Abhandlung mitgegebene Einleitung.

„Hr. Dr. Kodweiß, als ein gediegener und gründlicher Chemiker der wissenschaftlichen Welt bekannt, unternahm vor 3 Jahren die Leitung einer auf der Herrschaft des Fürsten von Oettingen-Wallerstein errichteten Rübenzuckerfabrik. Aus der vollkommensten Kenntniß der Zusammensetzung des Rübensaftes seines Verhaltens gegen den Sauerstoff der Luft und aller, der leichten Zuckergewinnung im Wege stehenden Einflüsse ist das folgende, von dem gewöhnlichen abweichende Verfahren der Reinigung des Rübensaftes hervorgegangen; es erfordert, wie man leicht einsieht, eine große und unausgesetzte Aufmerksamkeit, gewährt aber auf der andern Seite hinsichtlich der Qualität und Menge des Zuckers so entschiedene Vortheile, daß es, einmal bekannt und gewürdigt, wohl jedes andere Verfahren verdrängen wird.

In Frankreich hat sich eine entschiedene Partei gegen die Anwendung der Schwefelsäure in der Zuckerfabrikation gebildet. Mit einer zuweilen lächerlichen Animosität befeinden sich die Anhänger der einen oder andern Methode, ohne aber sich veranlaßt zu finden, den Gegenstand wissenschaftlich zu prüfen oder einer gründlichen Untersuchung zu unterwerfen. Dieses ist in einer Fabrikation, in welcher so große Kapitalien angelegt sind, unerklärlich.

Die gewöhnlichsten Beobachtungen zeigen, daß der Rübensaft, mit $\frac{5}{1000}$ bis $\frac{6}{1000}$ seines Gewichts Schwefelsäure vermischt, einen gelatinösen Niederschlag fallen läßt, während die darüber stehende Flüßigkeit klar und beinahe farblos ist. Wenn es der schnelle Gang der Fabrikation gestattete, diesen Niederschlag abzuscheiden, so würde bei einer weitern Behandlung mit nur so viel Kalk, als zur Neutralisation hinreicht, ein wenig gefärbter und sehr reiner Zucker gewonnen werden können. Was die Schwefelsäure hier niederschlägt, ist eine gallertsaure Verbindung, welche, im Safte aufgelöst, bei Behandlung mit überschüssigem Kalk zur Entstehung mehrerer Pflanzensäuren Veranlassung giebt. Diese Zersetzungsweise durch den Kalk wird durch die vorläufige Abscheidung vermieden. Während man in der Fabrikation sich dem Frühlinge nähert, wird die Zuckergewinnung in den meisten Fabriken schwieriger; wenn aber in demselben Grade, als die Rüben keimen oder abgefault sind, die Menge der Schwefelsäure vermehrt wird, so ist die Behandlung der Rüben im März nicht schwieriger, und sie liefern einen eben so schönen Zucker, als ganz frische Rüben, die so eben vom Felde kommen.*)

Es wäre zur Zuckergewinnung eigentlich ein ganz neutraler Saft zur Abdampfung der beste; allein der Rübensaft enthält Ammoniaksalze, welche beim Abdampfen, wie alle Salze dieser Klasse, sich zersetzen, indem Ammoniak frei wird und eine saure Reaktion eintritt. Die geringste Menge einer freien organischen Säure zerstört aber augenblicklich die Krystallisations-Fähigkeit des Zuckers; es muß also nothwendig eine schwache alkalische Reaktion vorherrschend erhalten werden, um diesem großen Nachtheile zu entgehen. Freie Schwefelsäure würde bei weitem nicht so unbedingt schädlich seyn, als saures kleesaures Ammoniak; denn der krystallisirbare Zucker (Rohrzucker) geht beim Kochen mit Schwefelsäure in ebenfalls krystallisirbaren

*) Durch die Keimung wird der Zucker, das Stärkmehl ꝛc. in den Wurzeln so gut, wie in den Samen, zersetzt und verzehrt. Wie daher ein stärkerer Zusatz von Schwefelsäure den Abgang an Zuckerstoff in den gekeimten oder gar gefaulten Rüben ersetzen solle, ist nicht wohl abzusehen. Gilt aber das Gesagte bloß von der Gewinnung des in den gekeimten oder gefaulten Rüben noch übrig gebliebenen Zuckers, und ist die nicht größere Schwierigkeit bloß von diesem zu verstehen, so hätte der Ausdruck deutlicher seyn sollen. Im Uebrigen ist hier ja auch nicht behauptet, daß das Keimen oder Faulen der Rüben nicht nachtheilig auf die absolute Quantität des in den Rüben vorhandenen und demnach auch des ausgebrachten Zuckers einwirke. A. d. R.

Traubenzucker über, welcher mit dem andern krystallisirt; seine Süssigkeit würde in dem natürlichen Verhältniß etwas schwächer werden, aber dem Gewichte nach würde der Fabrikant nichts verlieren. Ein großer Ueberschuß von Kalk wäre weder der Qualität noch der Menge des zu erhaltenden Zuckers nachtheilig; allein es ist eine positive Thatsache, daß der Rübensaft eine Menge pflanzensaurer Kalisalze enthält, welche durch den Kalk zerlegt werden; indem Kali, und zwar als ätzendes Kali, in dem Syrup frei wird. Dieses Kali muß durchaus beseitigt werden, denn durch seine Einwirkung auf den Zucker wird eine gewiße Menge desselben zerstört, und eine eigenthümliche Humus- oder Ulmin-artige Materie daraus gebildet, welche die weitere Krystallisation der Melasse sehr schwierig macht oder gänzlich verhindert, auch dem Zucker einen eigenthümlichen unangenehmen Geruch und Geschmack ertheilt, so daß ein solcher Rohzucker gar nicht in den Handel gebracht werden kann, sondern nur für Raffineurs brauchbar ist. Ueberdieß ist die letzte, nicht mehr verkochbare Melasse von so übler Beschaffenheit, daß sie um keinen Preis verkauft werden kann.

Mit der genauen Beachtung aller Vorsichtsmaßregeln, die wir aus einer kleinen Schrift entnahmen, welche auf Veranlassung des Fürsten von Oettingen-Wallerstein von Dr. Kodweiß verfaßt worden ist, wird aus der Fabrik, welche unter des Letztern Leitung steht, ein hellgelber *) ohne Deckung, oder weißer Rohzucker nach unmittelbarer Deckung, in den Handel gebracht. Dieser Zucker besitzt keinen fremdartigen oder Kalkgeschmack und kann durch bloße fortgesetzte Deckung der schönsten Raffinade gleichgebracht werden. Das Kochen des Syrups geht nach seinem Verfahren mit einer solchen Leichtigkeit von Statten, daß ein Anbrennen oder Uebersteigen desselben nie zu fürchten ist, auch Anwendung von Butter, um das Steigen zu verhüten, völlig unnöthig wird. Dieses sind nun Vortheile, welche dieser Fabrikation ein bleibendes Bestehen und Gedeihen sichern, und die gemeinnützige Absicht des Fürsten von Oettingen, indem er seinen eigenen Nutzen einem unendlich wichtigern, dem allgemeinen Wohl hintansetzte, muß ihm den Dank seiner Landsleute und eines jeden Fabrikanten erwerben."

Läutern des rohen Rübensaftes.

Jedermann, dem die Runkelrübenzuckerfabrikation etwas näher bekannt ist, weiß, daß man dreierlei Methoden des Läu-

*) Dieses gilt nur von dem Zucker der ersten Krystallisation; der Zucker der Melasse ist natürlich im Verhältniß brauner und von Beigeschmack frei.

terns unterscheidet, nämlich: die Methode der Colonien, die der Franzosen und das Achard'sche Verfahren.

Es ist viel darüber gestritten worden, welche von diesen dreien die beste sey; es ließe sich jedoch mit chemischen Gründen leicht beweisen, daß das Achard'sche Verfahren den Vorzug verdient, weßhalb in hiesiger Fabrik nach letzterem, mit einigen Modificationen, geläutert wird.

Man fügt somit zum rothen Rübensafte, und zwar in dem Maße, als er von der Presse läuft, so viel mit 5 Theilen Wasser verdünnte Schwefelsäure (66° Beaumé), daß stets auf 1000 Theile rohen Saftes 3 Theile concentrirter Säure kommen. Dieses Verhältniß gilt indessen nur für Saft, der aus ganz gesunder Rübe erhalten worden: denn in dem Maße, als die Rübe, die man verarbeitet, weniger oder mehr angefault war, erhöht man die Quantität der Säure auf 4 – 5 pr. Tausend. Wenn so viel Rübensaft gepreßt ist, als der Läuterkessel faßt, so wird er (es versteht sich, angesäuert) auf denselben gebracht, und ihm kalt dünner Kalkbrei zugefügt.

Dieser Kalkbrei wird bereitet, indem ein Theil gut gebrannter Weißkalk mit so viel Wasser besprengt wird, als zum vollkommenen Zerfallen derselben nöthig ist; hierauf giebt man unter beständigem Umrühren 1 1/2 Theile Wasser zu, und seiht das Ganze durch ein feines Drahtsieb. Von dem dergestalt zugerichteten Kalkbrei kommen auf 1000 Theile Rübensaft 25 Theile. Dieser Kalkzusatz mag unsicher scheinen, allein man wird in der Folge sehen, daß es nicht nöthig ist, gleich Anfangs das richtige Verhältniß des Kalkes zu treffen. Sogleich, nachdem der Kalk zugesetzt und das Ganze gut umgerührt worden, wird starkes Feuer unter den Kessel gegeben, und dasselbe auf's Beste unterhalten. Nach einer halben Stunde wird die Temperatur der Flüßigkeit mit dem Thermometer untersucht, und findet man, daß sie auf 50° R. gestiegen ist, so nimmt man die Probe, d. h. man macht einen Versuch im Kleinen, um zu erfahren, ob der Saft noch Kalk bedürfe oder nicht, und zwar folgendergestalt.

Es werden ungefähr anderthalb bis zwei Loth des zu 50° gekommenen Saftes in einem Blechlöffel oder Glaskolben bis zum Kochen erhitzt und sogleich filtrirt; das vollkommen klare Filtrat wird hierauf in einem passenden Gefäß, z. B. in einem wohlverzinnten, völlig blanken Blechlöffel oder am besten in einer Glasröhre einmal aufgekocht. Hierauf bleibt der Saft entweder klar, oder er trübt und überzieht sich mit einer starken Kalkhaut. Im letztern Falle ist schon ein Ueberschuß von Kalk im Safte, was gerade kein wesentlicher Nachtheil ist, falls man die weitern, unten angeführten Vorsichtsmaßregeln bei der Abdampfung beobachtet, jedoch aber möglichst vermieden werden muß. Bleibt aber der Saft nach dem Aufkochen klar, so sind zwei Fälle möglich: entweder es ist zu wenig oder gerade genug Kalk dabei. Um zu erfahren, welcher von diesen beiden Fällen der vorkommende ist, setzt man mit einem feinen Glas- oder Holzstäbchen einen Tropfen dünner Kalkmilch auf ungefähr ein Loth Saft zu, rührt gut um, und kocht von Neuem auf. Ist zu wenig Kalk in den Kessel gekommen, so erfolgt nach dieser Operation ein eigenthümlicher Niederschlag von feinen gallertartigen Flocken, die sich langsam, aber deutlich vereinigen, und auf den Boden des Gefäßes lagern, so daß man nach wenigen Minuten die Flüssigkeit klar davon abgiessen kann. Die Farbe des Niederschlags ist entweder grau, wenn nämlich noch sehr viel Kalk im Läuterkessel fehlt, oder gelblicht, wenn weniger mangelt. Geschieht von allem dem nichts, so ist genug Kalk im Kessel; mangelt jedoch welcher, so wird unter gutem Umrühren eine kleine Portion des Kalkbreies, welche sich nach dem Verhalten des Saftes bei der Probe richten muß, und zwischen 2 – 10 Pfd. variiren kann, zugegeben, und 10 Minuten nach jeder neuen Zugabe wiederum Probe genommen, wodurch man, wie sich von selbst versteht, endlich auf den richtigen Punkt kommen muß. Während dieser kleinen Versuche wird ununterbrochen stark fortgefeuert, und ist endlich die Temperatur des Saftes auf 75° R. gelangt, so wird das Feuer herausgenommen, und etwas Wasser unter den Kessel gespritzt.

Nach mehrmaligen Läuterungen erlangt man in dem Kalkzusatze eine solche Uebung, daß man ihn leicht bis auf 2 – 3 Pfd. Kalkbrei treffen kann; man soll sich aber hiedurch nie verführen lassen, entweder die Probe zu unterlassen, oder gleich Anfangs einen Ueberschuß an Kalk zu geben. Wenn die Läuterung gut ausgeführt ist, so hat der Saft eine hell reingelbe Farbe, einen eigenthümlichen, den Nußkernen ähnlichen Geschmack, und man kann dann alle Hoffnung haben, daß er viel und guten Zucker liefert.

Ist die Läuterung vollendet, so kann der Saft entweder gleich auf die Läuterungsfilter gegeben werden, oder man läßt ihn eine Stunde ruhig stehen, und zieht ihn dann klar auf die Abdampfkessel ab; worauf man nur den Niederschlag im Kessel auf die Filter zu geben hat; hiebei ist wohl zu berücksichtigen, daß nichts Trübes auf die Abdampfkessel gelange, weil dieses Ursache zum Anbrennen geben kann. Sobald der auf die Filter gekommene Niederschlag wohl abgetropft ist, kommt derselbe unter die Presse, und wird da langsam aber so stark ausgepreßt, daß er zuletzt nur noch feucht bröcklicht erscheint.

Was die Läuterfilter selbst betrifft, so hängt freilich ihre Construktion viel von Oertlichkeit ab, doch scheint es am zweckmäßigsten, mehr lange als breite Säcke, und zwar doppelte, von denen die äußeren dichter, und um die Hälfte schmäler sind, als die innern, anzuwenden.

Abdampfung.

Nachdem der Saft auf die Abdampfungskessel klar abgezogen worden, giebt man unter dieselben ein starkes, fortwährend lebhaft zu unterhaltendes Feuer.

Hat die Flüßigkeit die Dichte von 10° Beaumé (kochend) erreicht, so untersucht man, vermittelst der bekannten Reagens-Papiere, die Beschaffenheit des Saftes; man wird ihn bei einer richtig ausgeführten Läuterung stets alkalisch finden, deßhalb wird nun so viel mit 10 Theilen Wasser verdünnter Schwefelsäure nach und nach in kleinen Quantitäten und unter beständigem Umrühren des Saftes zugefügt, bis derselbe auf Curcuma-Papier nur noch eine schwach alkalische Reaktion äußert. Ist in den Läuterkessel zu viel Kalk gekommen, so giebt man gleich Anfangs, sobald der Saft zu kochen angefangen hat, je nach seiner geringeren oder größeren Alkalinität, ein halbes oder ganzes Pfund Schwefelsäure, die man ebenfalls zuvor mit 10 Theilen Wasser verdünnt hat, auf 1000 Theile geläuterten Saftes zu, und behandelt denselben übrigens eben so, wie oben angegeben. Ist endlich der Saft so weit abgedampft, daß er kochend 25° an Beaumés Aräometer zeigt, so wird das Feuer gelöscht und derselbe noch heiß auf ein passendes Leinwandfilter gegeben.

War gut geläutert, der Saft auf den Abdampfkessel klar abgezogen, der richtige Punkt des Säurezusatzes getroffen, so wird die Flüssigkeit in dem Abdampfkessel, selbst bei dem stärksten Feuer, niemals anbrennen. Der Rückstand auf den Filtern, dem größten Theile nach aus Gyps bestehend, enthält natürlich immer noch Syrup, deßhalb wird er in kleinen Quantitäten von 30 – 60 Pfd. dem zu läuternden angesäuerten Safte vor dem Kalkzusatze zugefügt.

Kohlenfiltration.

Hat man alle vorstehenden Angaben genau befolgt, so wird man einen wenig gefärbten und ziemlich wohlschmeckenden Syrup erhalten, welcher jedoch dessenungeachtet, wollte man ihn so, wie er ist, verkochen, ein schlechtes Resultat liefern würde, weil er noch einen leimartigen Körper, den die früheren Producenten nicht ausscheiden konnten, welcher das Verkochen sehr schwierig macht, und das Produkt bedeutend verschlechtert, enthält. Um diesen Körper aus dem Safte zu entfernen, wendet man thierische Kohle an, deren merkwürdige Wirkung auf Flüssigkeiten, welche Farbenstoffe, riechende oder schleimartige Körper, so wie gewisse Salze aufgelöst enthalten, ziemlich allgemein bekannt ist. Man sieht übrigens leicht ein, daß die Qualität dieses Körpers außerordentlich verschieden seyn kann, je nach der Beschaffenheit des rohen Materials und der Darstellung; es muß aber jedem Runkelrübenzucker-Fabrikanten von der größten Wichtigkeit seyn, die beste Thierkohle in der zweckmäßigsten Form für seinen Zweck zu erhalten, daher hier einige kurze Andeutungen hierüber folgen.

1) Soll man darauf bedacht seyn, rohe Knochen von der besten Qualität sich zu verschaffen, und lieber diese sehr hoch zu bezahlen, als schlechtes Material, d. h. verwitterte und leicht zerreibliche Knochen noch so wohlfeil anzukaufen.

2) Soll die Verkohlung der Knochen in eisernen Cylindern geschehen, deren Durchmesser 9 Zoll nicht übersteigt, die ferner wohl verschließbar sind, und in welchen die fertige Knochenkohle auch abkühlen muß. Die Verkohlung selbst soll so geleitet werden, daß dieselbe an allen Orten im Cylinder gleichmäßig vorschreitet und zu gleicher Zeit beendigt ist.

3) Was die Verkleinerung der fertigen Knochenkohle betrifft, so hat man, auf was immer für eine Weise dieselbe geschehen mag, darauf Rücksicht zu nehmen, daß man ein Gemenge von sehr kleinen Splittern mit möglichst wenig feinem Pulver erhält, was übrigens am besten durch eine, von dem Königssaaler Oberförster, Hrn. Rietsch, erfundene und patentirte Knochenzerkleinerungs-Maschine erzielt wird.

Die Behandlung des Syrups mit Thierkohle geschieht nun folgendermaßen.

Es wird ein hölzerner Bottich, der $2\frac{1}{2}$ Fuß hoch ist, dessen oberer Durchmesser 2 Fuß, der untere aber um 2 Zoll weniger im Lichten hat, und dessen Boden mit vielen Löcheln durchbohrt ist, in einen andern von demselben Durchmesser, aber nur der halben Höhe, hineingesetzt. Der untere, nur halb so hohe Bottich hat ganz nahe über seinem undurchlöcherten Boden eine Oeffnung, in welche eine hölzerne Pippe mittelst umwickelter Leinwand gut eingepaßt wird.

Man legt nun auf den durchlöcherten Boden des oberen Bottichs eine dünne Lage, ungefähr $\frac{1}{8}$'' dick, reiner Strohhalme, die man kreuzweise schichtet, so daß das Ganze einem weitem Siebe gleicht. Auf diese giebt man sodann eine Leinwand, die zuvor angefeuchtet seyn muß. Hierauf werden ungefähr 40 Pf. Thierkohle so lange mit reinem Wasser ausgewaschen, bis alles feine Pulver daraus entfernt ist, und man nur noch gröbliche Körner und Splitter hat; diese werden nun auf die Leinwand gelegt und gleichmäßig darüber ausgebreitet.

Sodann wird Thierkohle, sowie man sie von der Zerkleinerungsmaschine erhält, ohne daß man zuvor das feine Pulver davon trennt, in kleinen Quantitäten mit Wasser zu einem gleichförmig feuchten Pulver angemengt, und davon so viel auf die im Bottiche schon befindliche Schichte ausgewaschener Kohle gegeben, bis der Bottich so weit damit angefüllt ist, daß nur noch 3 Zoll leer bleiben.

Bei dieser Arbeit muß jedwedes Andrücken des Kohlenpulvers vermieden bleiben, man hat nur nöthig, die jedesmal in den Bottich gegebene Quantität angefeuchteten Beinschwarzes gleichmäßig mit der Hand auszubreiten.

Statt zweier Bottiche kann man auch nur einen nehmen, der aber dann $3\frac{1}{2}$ Fuß hoch seyn muß und dessen Boden nicht durchlöchert ist. In diesen setzt man ein mit 12 Zoll hohen Füßen versehenes, hölzernes Sieb, das den Raum, in welchen es zu stehen kommt, genau ausfüllt, und welches an zwei gegenüberstehenden Stellen kleine, umzubiegende Handhaben oder eine andere zum leichten Herausnehmen passende Vorrichtung hat. Auf dieses Sieb wird das Beinschwarz nach der oben beschriebenen Weise geschichtet. Ganz nahe über dem Boden des Bottichs befindet sich die Oeffnung für die hölzerne Pippe, und in der Höhe von einem Fuß, also unmittelbar unter dem hölzernen Siebe, muß ein kleines Loch in die Wand des Bottichs gebohrt werden, damit die Luft freyen Zutritt in den Raum zwischen dem Siebe und dem Boden des Bottichs habe.

Sobald der bis zu 25° Beaumé abgedampfte und durch das Leinwandfilter gegangene Syrup bis zu + 14° R. abgekühlt ist (welches am schnellsten erreicht wird, wenn man denselben in ein kupfernes Gefäß, das beständig mit kaltem Wasser umgeben ist, giebt, und ihn dort öfters umrührt), so verdünnt man ihn mit so viel kaltem Wasser, daß er bei + 12° Temperatur 24° an Beaumés Aräometer zeigt, und fügt, da der Syrup bei richtig geleiteter Arbeit immer noch schwach alkalisch ist, in kleinen Quantitäten, unter beständigem Umrühren bis zu seiner völligen Neutralisation, verdünnte Schwefelsäure zu. Dieser also vorgerichtete Syrup kommt nun auf das Kohlenfilter, und zwar so, daß man alle Stunden 12—15 Pf. langsam und gleichförmig auf dasselbe gießt.

Jedesmal, bevor frischer Syrup auf das Filter gegeben wird, muß man die Oberfläche desselben mit der Hand ebnen, und dann erst den Syrup darauf gießen. Der zuerst aufgegossene Syrup verdrängt das Wasser aus dem Beinschwarz, welches man wegfließen läßt, hat man aber 8—10 mal aufgegossen, so erhält man unten schon ein süßes Wasser, das man besonders auffängt und zur Verdünnung des aufzugießenden Syrups verwendet.

Sind ungefähr 50 Pf. von diesem süßen Wasser durch die Pipe abgeflossen, so kommt ein farbloser, sehr rein schmeckender Syrup, der, wenn er besonders eingedickt wird, einen dem ordinären Raffinade nicht nachstehenden Zucker liefert. In dem Maße, in welchem Syrup auf das Filter kommt, fließt natürlich unten Syrup ab, weßhalb man von Zeit zu Zeit durch die hölzerne Pipe den Syrup ablassen muß. Es ist leicht einzusehen, daß nach vielmaligem Aufgießen von Syrup die Wirkung der Kohle auf denselben abnehmen muß; deßhalb wird der Syrup, der im Anfang farblos unten abfloß, allmählig gelblich, dann braun und endlich unterscheidet er sich von dem aufgegossenen in nichts mehr.

Will man die Thierkohle vollkommen erschöpfen, so muß man das Aufgießen bis zu diesem Punkte fortsetzen, aber dann wird es nöthig, daß mann die zuletzt abgeflossenen Quantitäten Syrup auf ein neues Filter giebt, weil dieselben beim Verkochen ein schlechtes Resultat geben würden. Aeußert das Filter keine Wirkung mehr auf den Syrup, so wird er gerade so, wie man früher Syrup aufgegossen hat, d. h. in denselben Quantitäten und in denselben Zeiträumen kaltes Wasser auf das Filter gegeben, und dieses Aufgießen des Wassers so lange fortgesetzt, bis die unten ablaufende Flüssigkeit nur noch 2° am Aräometer zeigt. Die dichtern Aussüßwasser giebt man, wenn das Filter ganz erschöpft war, wie es geschehen soll, gleich dem zuletzt erhaltenen Syrup wieder auf ein frisches Filter. Das letzte nur wenig Zucker haltende Wasser aber wird, wie das erste, zum Verdünnen des aufzugießenden Syrups verwendet.

Ist das Filter bis zu dem angeführten Punkte ausgesüßt, so läßt man das Beinschwarz herausnehmen, alles wohl reinigen und mit Kalkwasser anfüllen, nach einigen Tagen sind dann die Bottiche wieder zum Gebrauche geeignet. Es versteht sich von selbst, daß, je nach dem größeren oder kleineren Fabrikbetriebe, eine größere oder geringere Menge solcher Kohlenfilter in Gebrauch genommen werden muß.

Eindickung.

Der Syrup, welcher das Kohlenfilter passirt hat, wird nun entweder in abgesonderten Partien, je nach seiner Qualität, oder (was zur Erzielung eines gleichförmigen Produkts zweckmäßiger ist) die erst durchgegangene Portion mit den späteren vermengt, so daß man also einen gleichartigen Syrup hat, eingedickt.

Das Eindicken selbst aber geschieht also:

Es werden auf einem Eindickkessel, der die Breite von 4 Fuß und sammt dem Ausguß eine Länge von 5 Fuß hat und 9 Zoll tief ist, jedesmal 1½ bis 2 Centner Syrup gegeben. Hierauf wird das Weiße von einem Ey mit zwei Eßlöffel voll klaren Kalkwassers zu Schnee geschlagen und mit dem Syrup wohl vermengt. Ist dieses geschehen, so giebt man ein starkes, gleichförmig zu unterhaltendes Feuer unter den Kessel; nach kurzer Zeit ist die Temperatur der Masse auf + 50° gelangt, und nun wird mit geröthetem Lackmuspapier untersucht, ob der Syrup ein wenig alkalisch ist. Ist dieses nicht der Fall, so fügt man unter Umrühren eßlöffelvollweise klares Kalkwasser so lange zu, bis dieser Punkt eingetreten ist. Wenn der Syrup neutral auf das Filter gekommen war, so bedarf man zu der angegebenen Menge Syrup 3 bis 4 Eßlöffel voll Kalkwasser; oft aber reicht schon die zum Eyweiß gegebene Menge hin. Eine halbe Stunde nach dem Anfang des Kochens wird der auf der Oberfläche der Flüssigkeit abgeschiedene Schaum mit dem Schaumlöffel sorgfältig abgenommen; hierauf giebt man ein Thermometer in den Kessel und läßt beständig rühren. Das Feuer wird fortwährend so unterhalten, daß das Thermometer stets 82 bis 85° R. zeigt. Ungefähr Dreiviertelstunden nach dem Abschäumen ist der Zeitpunkt eingetreten, wo man die Blasenprobe zu nehmen hat; dieses geschieht auf die Art, daß man mit dem Rühren einen Augenblick inne halten läßt, damit der Syrup zum Kochen komme, und den Probelöffel, der schon zuvor in dem Syrup sich befand (um seine Temperatur mit dem des Syrups gleichzustellen) an der Stelle, wo man das Kochen bemerkt, untertaucht, denselben gut abschlendert und durch ein langsames Darüberblasen versucht, ob aus allen Löchern Blasen entweichen.

Da es von Wichtigkeit für die folgenden Operationen ist, den Zeitpunkt des Blasenwerfens genau zu treffen, so fängt man mit Versuchen darüber schon etwas früher an und unterbricht dann, sobald der Syrup Probe zeigt, zugleich das Feuer, indem man dasselbe mit Wasser auslöscht. Man läßt nun den

Syrup, ohne darin zu rühren, langsam auskühlen, bis er anfängt, Krystalle zu zeigen, was, wenn der Syrup gut war und richtig gekacht wurde, zwischen 74 und 75° geschehen wird, worauf er sogleich in die zuvor zugestopften Formen eingefüllt werden kann.

Alles das gilt natürlich nur für guten Syrup. Wollte man zum Beyspiel sauren Syrup, oder solchen, der nicht die hinlängliche Wirkung des Kohlenfilters erfahren hat, auf dieselbe Art eindicken, so würde man ein sehr schlechtes Resultat erhalten. Sind aber alle früheren Bewegungen richtig erfüllt, so wird das Eindicken eine äußerst sichere und leichte Operation. Ich führe das nur an, um diejenigen Zuckerfabrikanten, die bei dem Eindicken des Syrups Anstände finden (und dieß ist bei den meisten der Fall, die auf freiem Feuer eindicken), darauf aufmerksam zu machen, daß sie den Grund dieser Anstände nur in der schlechten Beschaffenheit ihrer Syrupe zu suchen haben.

Zweckmäßig ist es, die Arbeit so einzurichten, daß mehrere Kochungen ziemlich zu gleicher Zeit beendigt sind, damit man dieselben in einen Kessel zusammengeben kann, weil dann der Syrup in größerer Masse, somit langsamer, bis zu dem angeführten Punkte abkühlt, wodurch eine reichlichere, grobkörnige Krystallisation erreicht wird. Kurz vor dem Austragen des Syrups in die Formen wird der etwa noch sich auf der Oberfläche zeigende Schaum abgenommen.

Was nun die Wahl der Formen betrifft, so hängt dieselbe von der Beschaffenheit des Syrups ab; verkochte er sich ohne irgend einen Anstand und zeigt sich auf der fertigen Zuckermasse kein oder nur ein unbedeutender Schaum, so kann man ohne Anstand Melisformen zum Einfüllen nehmen; deuten aber Schwierigkeiten beim Verkochen, und zwar besonders gegen das Ende der Operation, und eine größere Schaummenge auf der Oberfläche des eingedickten Syrups auf unvollständige Reinigung desselben, so muß man Basterformen zum Einfüllen wählen; denn guter Zucker reinigt sich leicht vom Syrup, er mag in kleinerer oder größerer Quantität auskühlen, oder mit andern Worten, grob oder fein krystallisirt seyn; allein Zucker von geringerer Qualität muß in großen Partien erkalten, damit er in größeren Krystallen sich ausscheide, was zu seiner leichten Reinigung Bedingniß ist. Sind die Formen, in die der Zucker kommen soll, neu, so müssen sie zuvor einige Stunden lang in reinem Wasser eingetaucht gewesen seyn. Kurz vor dem Gebrauche nimmt man sie heraus und läßt sie abtrocknen. Schon gebrauchte Formen hat man nur nöthig gut auswaschen zu lassen.

Behandlung des Zuckers auf dem Zuckerboden.

Ist die Temperatur der in die Melisformen eingefüllten Zuckermasse auf 72 — 70° gesunken, so wird gestört, d. h. sie wird in den Formen mit einem langen und schmalen hölzernen Messer so durchgerührt, daß kein Punkt der Form von demselben unberührt bleibt. Es ist dieses eine Manipulation, die sich nicht wohl beschreiben läßt, und die man nur durch mehrfache Uebung erlernt, von der übrigens die Gleichförmigkeit der Krystallisation, so wie das leichte und reine Ablösen des Zuckers von der Form wesentlich abhängt. Hat man beim Eindicken den richtigen Punkt der Blasenprobe nicht getroffen, ist somit der Syrup ein wenig zu hoch, oder etwas zu leicht eingedickt, so muß man im ersten Falle gleich nach dem Einfüllen, und im zweiten etwas später, als oben angegeben, etwa bei 68 oder 69° stören. Denn bei höherer Eindickung geht die Krystallbildung schneller, bei leichterer langsamer vor sich, und durch das Stören will man ja nichts anders, als eine gleichförmige Krystallisation von einem gewissen, nicht zu feinen und nicht zu groben Korn erzwecken.

Wenn die Spitzen der Formen auf 2 — 3 Zoll Höhe erkaltet sind, was nach 1 — 1½ Stunden der Fall ist, so öffnet man dieselben und setzt sie zum Abfließen der Melasse auf die Untersatztöpfe.

Nach zwei Tagen, während welcher Zeit schon ein bedeutender Theil Syrup abgeflossen ist, werden die Hüte gelöst, d. h. die Formen werden auf ihre Basis eine Zeit lang (eine halbe bis ganze Stunde) umgestürzt, und während dieser Zeit öfters durch Aufklopfen auf ihren Rand, das Ablösen des Hutes von der Form versucht. Hat sich endlich der Hut abgelöst, so wird er wieder ganz genau in seine Form eingepaßt und diese wieder auf ihren zuvor ausgeleerten Untersatztopf gegeben; durch dieses Lösen erzweckt man ein leichteres und somit schnelleres Abfließen der Melasse.

Alle 2 — 3 Tage wird der abgeflossene Syrup gesammelt, und entweder in der Kälte aufbewahrt oder sogleich wieder verkocht. Nach 14 Tagen hat sich der Zucker von seiner Melasse so weit gereinigt, daß er aus der Form genommen werden kann. An jedem Hute findet man natürlich einen größeren und kleineren Theil der Spitze noch mit Syrup imprägnirt; dieser Theil wird abgeschnitten, der Hut an seinen Wänden, wenn es nöthig seyn sollte, von etwa noch anhängendem, syruphaltigem Zucker gereinigt, und in der Trockenstube bei mäßiger Wärme getrocknet. Der Zucker ist jetzt als Rohzucker zum Verkauf geeignet.

Wünscht man aber statt Rohzucker sogleich weißen Zucker zu erhalten, so müssen die Hüte gedeckt werden, dieses geschieht 3 Tage nach dem Lösen, also 5—6 Tage nach dem Einfällen, jedoch mit der Vorsicht, daß man vor dem Decken alle Hüte nochmals aus den Formen nimmt und nachsieht, ob sie sich gut, d. h. bis auf 3—4 Zoll von der Spitze aufwärts gemessen, von ihrer Melasse gereinigt haben; alle weniger gut abgelaufenen werden zur ferneren Reinigung auf die Seite gesetzt. Denn nur solche Hüte, deren Spitzen nicht höher als bis auf 4 Zoll mit Syrup imprägnirt sind, werden beim Decken ein gutes und reichliches Produkt liefern. Von den Hüten, die nicht so weit abgelaufen sind, und auch in den folgenden 8 Tagen es nicht werden, soll man lieber die Spitzen abschneiden und den obern von Melasse reinen Theil als Rohzucker verkaufen, oder raffiniren. Die abgeschnittenen Spitzen zerhackt man in kleine Stücke und giebt sie zum möglichst vollständigen Abfließen ihres Syrups in eine Basterform. Sie können später zum Raffiniren verwendet werden. Hüte, die bei dem Lösen abgebrochen sind, werden gleichfalls entweder auf Rohzucker behandelt oder zum Raffiniren zurückgestellt.

Hat man die Hüte auf die angezeigte Weise sortirt, so wird die feste Rinde, die sich auf ihrer Oberfläche gebildet hat, mit einem kurzen, oben abgerundeten, scharfen Messer abgeschnitten, sodann die Zuckermasse etwa einen Zoll tief aufgelockert, und hierauf entweder mit einem, aus festem Holze gefertigten, oder besser, eisernen Stampfer wieder mäßig festgedrückt, und zwar so, daß in der Mitte der Basis des Hutes eine kleine Vertiefung entsteht, wodurch dieselbe ein etwas concaves Aussehen gewinnt. Ist diese Operation mit allen Hüten, die gedeckt werden sollen, vorgenommen, so wird auf jeden Hut etwa 2 Pf. eines dünnen Thonbreies gleichförmig ausgegossen. *)

---

*) Dieser Thonbrei wird also bereitet: weißer Töpferthon, der eine solche Mischung von Thon und Sand haben muß, daß er weder zu fett noch zu mager ist, d. i. das Wasser weder zu fest hält, noch zu leicht abgiebt, wird mit etwa seinem doppelten Volum reinen Wassers übergossen, und das Ganze während eines halben Tages unter öfterem Umrühren zusammen stehen gelassen; hierauf gießt man das klare Wasser ab, und wiederholt diese Operation noch einmal; endlich giebt man zum drittenmal frisches Wasser auf den Thon und vertheilt ihn mit

Das Wasser des Thones löst eine gewisse Menge Zucker auf und bildet mit demselben einen Syrup, der, indem er den Hut langsam durchdringt, die Mutterlauge, d. h. die den einzelnen Zuckerkrystallen anhängende Melasse aus denselben verdrängt. Nach 6—8 Tagen ist der Thon nur noch feucht, und hat sich von dem Umkreise der Form weg und nach der Mitte zu zusammengezogen, weßhalb man die feuchte Thonscheibe wiederum so weit ausbreiten muß, daß sie die ganze Basis des Hutes wieder bedeckt, was am besten dadurch geschieht, daß man sie von dem Hute wegnimmt und einigemal mit ihrer oberen Fläche auf einen reinen Holzblock aufwirft. Drey bis vier Tage nach dieser Operation ist der Thon trocken geworden, er wird daher abgenommen und eine gleich dicke Lage frischen Thonbreies auf die Hüte gegeben, mit der man eben so verfährt, wie mit der ersten.

Ist endlich auch die zweite Deckung trocken geworden, so nimmt man die Hüte vorsichtig aus den Formen und sieht nach, ob sie bis in die Spitze weiß sind; diejenigen, bei welchen dieß nicht der Fall ist, werden besonders gegeben und zum drittenmal gedeckt. *)

Die völlig weißen Hüte läßt man, nachdem der Thon abgenommen worden, noch 3 Tage in den Formen, damit der Syrup von der Spitze möglichst ablaufe.

Hierauf werden sie herausgenommen und auf ihre Basis gestellt, und die Form 1—2 Tage lang darüber gestülpt, damit der farblose Syrup, der sich noch in der Spitze des Hutes befindet, gleichförmig durch das ganze Brod sich verbreite. Ist dieß geschehen, so nimmt man die Form weg und läßt den Hut einige Tage in der Temperatur des Zuckerbodens stehen, worauf er sodann in die Trockenstube kommt.

Der Syrup, der beim Decken abfließt, ist dünner als gewöhnlicher Syrup und zeigt deßhalb eine große Neigung zu

---

diesem durch anhaltendes und starkes Rühren so, daß ein gleichförmiger, etwas dünner Brei entsteht, den man dann entweder durch ein Sieb oder ein Seihbecken von Blech oder Kupfer durchgießt, worauf er zum Decken geeignet ist.

*) Will man nicht zum drittenmal decken, so werden die noch gefärbten Spitzen abgeschlagen, in kleine Stücke zerhackt und zum Abfließen des Syrups in eine Basterform gegeben: sie können dann, wenn sie trocken geworden sind, entweder zerstoßen und als gelber Mehlzucker verkauft, oder raffinirt werden; den oberen weißen Theil giebt man sogleich in die Trockenstube.

gähren, weßhalb man nicht versäumen muß, ihn alle 2—3 Tage aus den Untersatztöpfen zu sammeln, und entweder gleich zu verkochen oder doch wenigstens an einem kalten Ort aufzubewahren.

Die Temperatur des Zuckerbodens soll, man mag nun decken oder nicht, stets zwischen 18 bis 20° gehalten werden.

Es ist bisher bloß von der Behandlung des Zuckers in Melisformen die Rede gewesen; wird aber die Zuckermasse in Basterform gefüllt, so hat man die Behandlung in einigen Punkten zu verändern.

Es wird dann nämlich etwas später, etwa bei 69 bis 70° gestört, aus dem Grunde, weil der Syrup in größerer Masse, folglich langsamer erkaltet, sich somit seine Krystalle größer ausbilden, welches man bis zu einem gewissen Grade durch das spätere Stören zu verhindern sucht. Auch werden die Formen erst nach 24 Stunden geöffnet und auf die Töpfe gesetzt. Nach Verlauf von 3—4 Tagen, während welcher Zeit der größte Theil des Syrups vom Zucker abgeflossen ist, wird mit einer Art Holzbohrer auf 5—6 Zoll Tiefe von der Spitze nach der Basis zu, ein Loch in den Hut gebohrt, wodurch man ein leichtes und schnelleres Reinigen des Zuckers von seiner Melasse zu bezwecken sucht. Nach 14—20 Tagen kann der Hut aus der Form genommen werden, wobei man verfährt, wie bereits bei den Melisformen beschrieben worden, indem man denselben auf seine Basis stellt, und durch öfteres Aufklopfen der Form auf den Boden, in Zwischenräumen von einer Viertelstunde, das Ablösen des Hutes bewerkstelligt.

War die Form wohl genäßt und wurde gut gestört, so fällt der Hut, wenn auch erst nach mehreren Stunden, aber sicher heraus; tritt aber der Fall ein, daß er sich nicht loslöst, so muß man zum Herausstechen des Zuckers seine Zuflucht nehmen. Zucker in Basterformen kann gerade wie der in Melisformen gedeckt werden.

Verkochen des vom Rohzucker abfließenden (Melasse), so wie des durch Decken erhaltenen Syrups, und Behandlung des Produktes.

Jeder Syrup, oder was in der Hauptsache dasselbe ist, jede Auflösung des Zuckers im Wasser, hat, je nach ihrer größeren oder geringeren Dichte und Reinheit, und der Temperatur, in der sie sich befindet, eine geringere oder größere Neigung in Gährung überzugehen, welche, wie Jedermann weiß, nichts anderes ist, als eine allmählige Zerstörung des Zuckers. Wünscht man daher aus dem vom Rohzucker abfließenden Syrup noch eine möglichst große Menge Zucker zu erhalten, so darf man nicht versäumen, alle 2—3 Tage denselben zu sammeln und ihn am besten sogleich wieder zu verkochen; falls man aber durch Mangel an Kesseln dieß zu thun verhindert wäre, denselben wenigstens an einem möglichst kalten Orte bis zu der Zeit aufzubewahren, wo er verkocht werden kann. Im letzteren Falle wird man indessen stets ein weniger günstiges Resultat erhalten, als wenn der Syrup sogleich wieder verarbeitet worden wäre, weil immer doch eine, wenn auch äußerlich nicht sichtbare Veränderung in dem Syrup während der Aufbewahrung vorgegangen ist.

Das Verkochen der Melasse aber geschieht folgendermaßen. Auf jeden Eindickkessel kommen 60—70 Pf. Syrup; es wird sogleich ein lebhaftes Feuer unter den Kesseln angemacht, sodann ein Thermometer in den Syrup gesetzt und zu rühren angefangen. Nach etwa 15 Minuten ist die Temperatur auf 75° gestiegen. Man regulirt nun das Feuer so, daß diese Temperatur bei fortwährendem Rühren sich gleich bleibt. Nach kurzer Zeit (etwa nach einer halben Stunde) muß schon versucht werden, ob der Syrup die Blasenprobe zeigt, und zwar auf dieselbe Weise, wie dieses beim Eindicken des ersten Syrups beschrieben worden.

Sobald der Syrup die Probe giebt, wird das Feuer schnell gelöscht, der Inhalt des Kessels sogleich in eine Basterform eingefüllt, und man muß ihn ohne zu stören langsam in der Temperatur des Zuckerbodens erkalten lassen. Es ist übrigens nothwendig, immer auf zwei Kesseln zu gleicher Zeit einzudicken, damit man auf einmal so viel fertige Zuckermasse erhalte, daß eine Basterform mit derselben angefüllt werden kann, weil dann der Syrup in größerer Menge, also langsamer auskühlt.

Manchem, der die Runkelrübenzucker-Fabrikation etwas näher kennt, dürfte diese Art der Verkochung der Melasse, wenn nicht unmöglich, doch wenigstens unwahrscheinlich scheinen; allein, wenn alle vorhergehenden Operationen so ausgeführt wurden, wie sie hier angegeben sind, so ist das Verkochen der Melasse eine Manipulation, die ohne irgend eine Schwierigkeit von Statten geht, und noch eine ansehnliche Quantität eines guten Produktes liefert.

Das Verkochen des von den gedeckten Broden abfließenden Syrups geschieht auf dieselbe Weise, wie das der Melasse, nur mit dem Unterschiede, daß man den Syrup, wenn er auf etwa 50° Temperatur gekommen ist, untersucht, ob er das Lakmuspapier nicht röthe. Ist dieß der Fall, so setzt man, ohne die Temperatur zu erhöhen, so lange klares Kalkwasser in kleinen Quantitäten unter Umrühren zu, bis geröthetes Lakmuspapier schwach gebläut wird. Ueberdieß hat man noch darauf Rücksicht zu nehmen, daß der Syrup der ersten Dickung nicht mit dem der zweiten vermengt, eingekocht wird, weil der letzte natürlich ein schöneres Produkt als der erstere liefert.

Die Formen, in welche die durch das Verkochen der Melasse erhaltene Zuckermasse gegeben wurde, öffnet man erst nach zwei- bis dreimal 24 Stunden. Oft tritt der Fall ein, daß im Anfang etwas Zucker mit dem Syrup abfließt; man giebt dann während den ersten Tagen in die Oeffnung der Form einen Stöpsel, in dessen Umkreis kleine Furchen eingeschnitten sind, wodurch zwar dem Syrup, nicht aber dem Zucker der Abfluß gestattet wird.

Es ist gut, den Zucker der zweyten Verkochung, nachdem der größte Theil des Syrups abgelaufen ist, in eine Temperatur von 22—24° zu bringen, wodurch seine Reinigung sehr befördert wird. Nach 6—8 Wochen ist endlich der Zucker so weit von Melasse befreit, daß er entweder gedeckt oder raffinirt werden kann.

22. Die Abdeckereien oder Schindänger oder Wasenstätte, eine große Last und Fessel für die Landwirthschaft in Deutschland und besonders auch in Bayern.

In der ältesten Zeit wimmelte es von Leuten, die sich mit der Abdeckerei abgaben, und die man Schinder nannte. Es war auch damals kein Wunder, weil zwei Uebel zusammenwirkten, um dieses Gewerbe zahlreich und einträglich zu machen: nämlich die vielen Viehseuchen und sonstigen häufigen Unfälle des Viehes von den allgemein schlechten Gemeinweiden und der Unkunde in der Viehharzneikunde erzeugt. Es möchte dann zugleich ins Lächerliche fallen, wenn man erwähnen muß, daß damals der Schinder und Scharfrichter deßwegen auch die einzigen sogenannten Viehdoctoren waren, und dieser sonderbare Zustand sich zum Theil noch bis zur Stunde erhält.

Das zweite Uebel war die allgemeine Jagdlust, welche beinahe das ganze Land in einen Wildpark für Fürst und Adel umschuf. Dazu mußte man natürlich überall eine Menge Hunde halten. Diese gab man nun den Abdeckern für die Erlaubniß eine Abdeckerei errichten zu dürfen, in die Kost, welche in Fütterung des krepirten Viehes geschah. Deßwegen kamen auch alle Abdecker und Abdeckereyen unter die alleinige oberste Behörde: nämlich das Oberjägermeisteramt. Sieh die Verordnung vom 30. Okt. 1677 in der Mayr'schen Generalien-Sammlung B. 5. S. 733. Wie gesagt, diese Klasse Leute vermehrte sich ungemein, gehörte unter das wildeste Gesindel, und veranlaßte eine Menge Räuberbanden, die dann größtentheils am Rabensteine endeten. Erst 1748 gab es sonach eine kurfürstliche Verordnung darüber, in welcher diese Leute ein Schindersgepack genannt und in der Art für die Zukunft beschränkt wurden, daß alle Abdeckereien aufhören mußten, die nicht wenigstens 25 Höfe zu besorgen hatten, nämlich 25 Höfe, von welchen sie das gefallene Vieh erhielten. Zugleich kam mittelst dieser Verordnung eine eigene Anlage zu Gunsten der Regierung auf: nämlich die Roßhaaranlage, nach welcher jeder Abdecker von 10 Höfen jährlich 1 Pfund Roßhaare zur churfürstlichen Hofkammer gratis liefern mußte.

Am 16. Sept. 1794 kam eine weitere kurfürstliche Verordnung zum Vorschein (Sieh Mayr'sche Generalien-Sammlung B. 5. S. 303) über die Excessen der Wasenmeister, die damit anfängt: „Seine churfürstliche Durchlaucht haben die mehrfältig zwischen den Unterthanen und den Wasenmeistern wegen den Häuten des gefallenen Viehes, so andern obwaltenden Streitigkeiten und dießfalls häufig eingekommenen Beschwerden mildest erwogen. Um nun eines Theils die Unterthanen gegen die bisherigen Mißbräuche und Bedrückungen der Wasenmeister in ihren natürlichen Eigenthumsrechten ferner nicht mehr beschränken, oder übervortheilen, sohin diese in die gebührenden Schranken ihres rechtmäßigen Verdienstes einweisen, und andern Theils auch gegen die durch Häute des von ansteckenden Krankheiten gefallenen Viehes entstehen könnenden gefährlichen Folgen die polizeimäßige Vorkehr treffen zu lassen, so verordnen ꝛc.

Hierin ist zwar festgesetzt, daß die Abdecker von dem gefallenen mit keiner gefährlichen Krankheit behafteten Vieh die Häute zurückgeben müssen und nur den Abziehlohn fordern können. Zugleich heißt es noch am Schlusse der besagten Verordnung: „um jedoch den Wasenmeistern als einer Gattung meist bedürftiger Leute eine andere Hilfe und Unterstützung für den Entgang ihrer bisher aus Mißbrauch und gegen alle Billigkeit bezogenen Häute angedeihen zu lassen: so genehmigen Se. churfürstl. Durchlaucht gnädigst, daß denselben ein so anderer verhältnißmäßiger Gemeindeödgrund in dem Orte ihrer Wohnung oder ihres Wasenbezirkes nach Thunlichkeit zur Kultur überlassen werde, und dergleichen Grund immer bei der Wasenstatt und

Dienst verbleiben soll." Wie ist nun der gegenwärtige Zustand hierüber?

Antwort: beinahe derselbe, wie vor Erscheinung der eben erwähnten Verordnung. Von dem gefallenen Vieh maßt sich der Abdecker alles an, selbst die Hufeisen von den gefallenen Pferden. Wer nur einen Abziehelohn bezahlen will, hat wegen der vorgeblich ansteckenden Krankheit meist einen Prozeß auszustreiten; daher überläßt man lieber sogleich alles dem Abdecker mit Haut und Haar. Dem Schreiber dieses ist z. B. jüngst ein schönes 6jähriges 17 Fäust hohes Pferd umgestanden. Hätte er die Haut selbst abziehen dürfen, so wären ihm Haut, Eisen, Fleisch, Gebeine, so anderes geblieben, und er hätte doch für seinen so großen Schaden 12 bis 15 fl. eingenommen; so hatte er aber nichts. Und in diesem Falle stehen alle Landwirthe. Ich frage dann, ob dieses nicht eine neue Last und Fessel, gleichsam eine neue Zehentabgabe für die Landwirthe ist, welches sich um so weniger rechtfertigen läßt, oder gar kein Grund vorhanden ist, warum man sein Eigenthum Fremden überlassen soll, besonders da es ganz gleichgiltig ist, ob mein Knecht oder der Abdecker das Vieh behandelt. Die Abdecker verstehen meistens sogar selbst den Vortheil nicht, welchen sie von solchem Vieh haben könnten, da sie das Fleisch vergraben, und somit in einem Kreise von einer halben Stunde um ihre Wohnung einen pestartigen Gestank verbreiten. Ueberhaupt bestehen bei dem umgefallenen Vieh- und Pferdefleisch noch so viele Vorurtheile und Aberglauben. Es ist jetzt durch eine Menge Versuche erwiesen, daß das Fleisch von wie immer gefallenen Vieh nicht für die Gesundheit der Thiere so gefährlich sey. Es ist erwiesen, daß das Pferdefleisch eine gute Speise vorstelle, wie in früherer Zeit es in Deutschland allgemein auch gegessen wurde. Im Norden z. B. Dänemark, Schweden, Rußland, ja selbst in Bayern z. B. Obermainkreise wird es öffentlich wie anderes Fleisch verkauft und gegessen. Das Pferd hat mit dem Hirsche die gleiche Nahrung, und es läßt sich gar kein Unterschied in Ansehung der Gesundheit und Güte des Fleisches erkennen. Es würde noch zur Stunde das Pferdefleisch allgemein gespeiset werden, hätte nicht Pabst Gregor III. den Genuß des Pferdefleisches verbothen, wobei zum Grunde angegeben wurde, daß selbes den Menschen wilder mache und weil dabei die Pferde dem Ackerbau mehr erhalten werden: (Siehe hierüber das Wochenblatt des landw. Vereins Jahrg. XIX. S. 250—348, 356—366) allein diese Gründe passen jetzt nicht mehr, und der Ackerbau — die Landwirthschaft genießen dabei keinen Vortheil, vielmehr großen Schaden. Man würde ohnehin nie ein junges, taugliches Pferd schlachten; aber daß man auch jedes andere verlieren muß, das z. B. sich ein Bein brach &c. ist ein zu auffallender Schaden, und große Ungerechtigkeit. Die Landwirthschaft könnte von solch unbrauchbaren oder gefallenen Vieh noch großen Nutzen ziehen. So z. B. werden in den Niederlanden solche Pferde, ehe man sie schlachtet, auf Wiesen oder Saaten herumgeführt, und ihnen die Adern geöffnet, damit das Blut die so mächtig wirkende Düngung verschafft. Das Fleisch wird stückweis unter junge Obstbäume vergraben. In Frankreich werden vom Pferdefleisch die schwersten Schweine gemästet, und wie der berühmte Chemiker Payen in Paris ausführlich in einer besondern Abhandlung an den Tag brachte, das gefallene Vieh auf eine sehr einträgliche Weise für verschiedene Gewerbe, besonders auch für die animalische Kohle verwendet. Es kommen deßwegen in den Wochenblättern des landwirthschaftlichen Vereins schon mehrere Aufsätze hierüber vor. Als: Jahrgang XXIV. S. 10. 419. 832. 853. So muß man auch einen weitern wichtigen Aufsatz im Wochenblatt Jahrgang XXVI. mit der Aufschrift S. 20: „Die Abdeckerei-Berechtigungen, als Last und Eigenthumsbeschränkung des Landmanns hohen Behörden zur Beachtung empfohlen" in Erinnerung bringen. Wirklich bedarf dieser für die Landwirthschaft hochwichtige Gegenstand in Deutschland und besonders in Bayern einer besondern Aufmerksamkeit und einer andern Ordnung der Dinge. Zur näheren Aufklärung der Sache findet man daher auch angemessen, den in Dinglers Journal übersetzten Auszug eines Berichts einer Commission in Paris beizufügen, als:

Untersuchung der Frage, ob das Fleisch der in den Schindereien abgedeckten Pferde in gesottenem oder rohem Zustande ohne Nachtheil für die Gesundheit zur Schweinemastung verwendet werden kann. Auszug aus einem Berichte, den die HH. Adelon, Huzard Sohn und Parent Duchatelet an die Sanitätscommission in Paris hierüber erstatteten *).

Aus den Annales d'hygiène et de médecine légale im Journal des connaissances usuelles. December 1835, S. 252.

Die Verwaltung wendete während der letzten 10 Jahre außerordentliche Sorgfalt auf Verbesserung der Schindereien und

---

*) Wir beeilen uns diesen Bericht obiger als Veterinäre und Gelehrte ausgezeichneter Männer zur allgemeinen Kenntniß zu

Schindanger, so wie auf Erforschung aller Mittel, wodurch diesen Anstalten, die zu den ungesundesten und lästigsten gehören, ihre Nachtheile und Mängel benommen werden könnten. Man hat nach einander mehrere zu diesem Behufe gemachte Vorschläge versucht; lange blieb die Frage unentschieden, bis sie nunmehr endlich durch die Anwendung des Dampfes zur Behandlung der todten thierischen Körper definitiv gelöst zu seyn scheint. Dank der kräftigen Wirkung dieses Mittels! Es findet das Fleisch der Schindereien gegenwärtig eine vortheilhafte Benutzung, ohne daß es der Fäulniß überlassen zu werden braucht; und eben so wenig werden die Knochen, die durch den Dampf vollkommen von dem Fleische getrennt werden, in Zukunst jenen Gestank verbreiten, der deren Gegenwart eben so unangenehm machte, wie die zur Würmerzucht verwendeten faulen Fleischtrümmer.

Unter den verschiedenen Anwendungen des durch Dampf von den Knochen geschiedenen Fleisches der Pferde ꝛc. ist gewiß die Benutzung desselben zur Schweinemastung die merkwürdigste und wichtigste. Die günstigen Erfolge, die einzelne in dieser Hinsicht gemachte Versuche beurkundeten, kamen bald zur Kenntniß mehrerer Speculanten, die sogleich Gewinn daraus zu ziehen wußten, und die auf diesen Grund hin in der Nachbarschaft von Paris mehrere große Schweineställe errichteten. Einige dieser Anstalten fassen 4 bis 500 Schweine, und der Gewinn, den sie abwerfen, ist so bedeutend, daß mehrere Unternehmer im nächsten Winter 1000 bis 1200 Schweine zu ziehen gesonnen sind.

Wir haben die Ursachen der plötzlichen und raschen Zunahme der Schweine in Paris zu erforschen gesucht, und kamen

---

bringen, indem es uns scheint, daß derselbe auch bei uns in Deutschland, wo sich die Schindanger und Abdeckereien größten Theils noch in einem höchst verwahrlosten, große Strecken verpestenden Zustande befinden, die größte Aufmerksamkeit verdient. Es ist zwar vorauszusehen, daß die in diesem Berichte gemachten Vorschläge bei uns noch lange kein Gehör finden werden; ja daß man sogar aus einer falschen Scheu und von manchen Vorurtheilen befangen, polizeiliche Maßregeln dagegen verlangen und erhalten dürfte. Dieß schreckt uns jedoch nicht ab, der Sache, die uns an und für sich sehr zweckmäßig, vortheilhaft und unschädlich erscheint, und die wir von unserer Seite auch bei uns realisirt zu sehen wünschten, alle mögliche Oeffentlichkeit zu geben.

A. d. R.

bei unsern Forschungen zu folgenden Resultaten. Die Anzahl der in Paris und in dessen Umgebung erstandenen Satz- und Stärkmehlsfabriken ist sehr bedeutend, die große Menge der in denselben sich ergebenden Abfälle wird daher um höchst niederen Preis an die Viehzüchter und Milchleute der Nachbarschaft abgegeben. Man versuchte natürlich auch die Schweine damit zu füttern und zu mästen; allein bei diesen Thieren gieng dieß nur dann, wenn dieses Nahrungsmittel mit einer gewissen Menge thierischer Substanz verbunden wurde. Da diese Substanz selten zu haben und in ihren Eigenschaften nur wenigen Personen bekannt war, so war es nicht wahrscheinlich, daß man sich ihrer einst im Großen bedienen könnte.

Nachdem nun die Behandlung der Großcadaver mit Dampf eine große Menge thierischer Substanzen zur Verfügung stellte, so wußte man anfangs nichts weiter damit anzufangen, als sie zu trocknen und sie in diesem Zustande an die Landwirthe oder an die Fabriken chemischer Waaren abzugeben. Bald darauf versuchte man jedoch die Schweine damit zu füttern, und wenn die großen Erfolge, die sich hiebei ergaben, nicht unmittelbar zu einer ausgedehnten Ausbeutung dieses höchst vortheilhaften Handelszweiges führten, so lag das Hinderniß nur darin, daß man gezwungen war zu diesem Behufe eine specielle Erlaubniß der vorgesetzten Behörde einzuholen, und daß diese nicht ertheilt werden konnte, bevor nicht eine Untersuchung der Einwendungen der Nachbarschaft erhoben worden war.

Die glücklichen Resultate, die sich aus dieser Anwendung des Pferdefleisches für die erwähnten Unternehmer ergaben, wurden jedoch bald bekannt; ihre Nachbarn wollten sie daher nachahmen, und suchten eine bestimmte Quantität der Produkte dieser Anstalten käuflich zu erwerben. Der Verkauf des Pferdefleisches geschah anfangs zu einem Centime per Kilogramm; allein mit der großen Zunahme der Nachfrage stieg der Preis so sehr, daß er gegenwärtig bereits auf 4 Cent. per Kilogr. steht. Die Sache ist bereits so weit gediehen, daß nur mehr jene, welche nur wenige Schweine auf einmal ziehen, das Pferdefleisch von der großen Schinderei in Grenelle holen; jene hingegen, die große Schweinställe errichtet, kaufen selbst und direct todte und lebendige Pferde auf, um diese dann je nach den verschiedenen Umständen auf verschiedene Weise behandelt zur Schweinemastung zu verwenden. In allen diesen Anstalten trifft man einen Dampfkessel, der jedoch in einigen Fällen ein einfacher Dampferzeuger ist, während in anderen Fällen der Dampf auf das in dem Kessel enthaltene Fleisch mit einem Hitzgrade wirkt, der einem Drucke von 5 oder 6 Atmosphären entspricht. Diesem Stande der Dinge allein muß es wahrscheinlich zugeschrieben werden, daß sich im vergangenen Winter die außer Dienst befindlichen Pferde im Vergleiche mit den früheren Jahren so hoch im Preise erhielten; ja deren Werth hat sich sogar verdoppelt, was für die Pferdeeigenthümer und namentlich für die Landwirthe von großem Vortheile ist. Wenn eine erst im Aufkeimen begriffene Industrie bereits solche Resultate gewährt, so darf man wohl auf noch günstigere Erfolge schließen, wenn die Erfahrung einmal gezeigt haben wird, welche Zubereitungen für diese Art von Fütterungsweise die zuträglichsten sind, und in welchem Verhältnisse diese Nahrungsstoffe mit dem größten Vortheile gereicht werden können. Aus den bisher angestellten Untersuchungen ergiebt sich in dieser Hinsicht, daß von allen denen, welche die fragliche Methode die Schweine zu füttern befolgen, jeder in Hinsicht auf die Anwendung des Pferdefleisches sein eigenes Verfahren einschlägt. Die einen füttern die Schweine lediglich mit solchem Fleische; die anderen mengen vegetabilische Stoffe in höchst verschiedenen Verhältnissen darunter; die einen lassen es kochen, bis es beinahe eine Fleischauflösung genannt werden kann, die anderen werfen es roh und ohne die geringste Zubereitung vor. In dieser Verschiedenheit der Fütterungsmethoden ist auch wahrscheinlich der Grund zu suchen, warum die Schweine in dem einem Falle schneller als in dem anderen eine gewisse Mastung erreichen. Die Verschiedenheit ist in letzterer Beziehung so groß, daß sie in einigen Anstalten selbst 6 Wochen bis 2 Monate beträgt. Dem sey aber wie ihm wolle, so ist so viel gewiß, daß diese Fütterungs- und Mastungsweise wegen der Vortheile, die sie abwirft, sehr merkwürdig und beachtenswerth ist; man wird sich davon überzeugen, wenn man bedenkt, daß nach dem eigenen Geständnisse jener, die sie betreiben, jedes Schwein in 6 Wochen bis 2 Monaten einen reinen Gewinn von 15 bis 18 Fr. abwirft.

Jede Neuerung findet Widersacher und nie fehlt es an Leuten, die sich deren Emporkommen widersetzen; natürlich mußte daher auch jene, um die es sich hier handelt, diese Probe bestehen. Man schrie namentlich überall herum, daß die mit Fleisch gefütterten Schweine wild werden, und alle Kinder und Menschen, auf die sie träfen, anfallen würden. Man erregte mancherlei Besorgnisse über die Gesundheit des Fleisches dieser Schweine als Nahrungsmittel, und bezog sich in dieser Hinsicht auf manche ältere Verordnungen, in denen diese Fütterungsweise der Schweine verpönt ist, weil aus derselben allerlei Krankheiten für die Thiere und namentlich der Aussatz erwachsen sallen. In einigen Orten endlich wurden die Laden mehrerer Wursthändler und Garköche aufgegeben, weil sich das Gerücht verbreitet hatte, sie hätten ihre Schweine mit Aas und mit den Cadavern von Pferden, die an ansteckenden Krankheiten gestorben seyen, gemästet.

Diese und ähnliche Gründe veranlaßten die Sanitätscommission sich von den oben erwähnten Mitgliedern einen Bericht über diesen Gegenstand erstatten zu lassen, und was nunmehr folgen soll, ist das Resultat der Nachforschungen, welche die ernannte Commission anstellte.

Wir wollen das Schwein zuerst anatomisch und physiologisch betrachten, und sehen, ob sich nicht schon aus dessen Bau erkennen läßt, welche Nahrung demselben von Natur aus bestimmt ist. Das Schwein steht seiner ganzen Organisation nach zwischen den fleischfressenden und den großen pflanzenfressenden Thieren in der Mitte. Die Gelenkverbindung des Unter- mit dem Oberkiefer, welche eine solche ist, daß sie keine seitlichen Bewegungen zuläßt, entfernt dasselbe von den ausschließend pflanzenfressenden Thieren. Das Schwein hat gleich den übrigen allesfressenden Thieren, wohin z. B. der Mensch, der Bär und die eigentlichen Ratten gehören, hintere Backenzähne mit flachen Kronen, die mit gelinden paarweise gestellten Erhabenheiten versehen sind; es hat überdieß an beiden Seiten der beiden Kinnladen vordere Backenzähne, die gleich den falschen Backenzähnen der fleischfressenden Thiere seitlich zusammengedrückt sind, wodurch sich das Schwein den Fleischfressern annähert. Sein Magen ist häutig-muskelig gleich jenem der Fleischfresser, der Pachydermen und der kleinen Pflanzenfresser; nirgendwo bemerkt man an demselben jene Abtheilungen und Fächer, die man an den Wiederkäuern, den vorzüglichsten Pflanzenfressern, trifft. Der Darmkanal ist an den Pflanzenfressern sehr lang, an den Fleischfressern sehr kurz; der Mensch steht in dieser Hinsicht zwischen den beiden Extremen beinahe in der Mitte, und in demselben Falle befinden sich auch der Bär, das Schwein, die Ratte und einige andere Thiere. Aus allem diesem ergiebt sich demnach, daß das Schwein ein alles fressendes Thier ist, und daß ihm von Natur aus ein solcher Bau zukommt, daß das Fleisch mit zu seinen Nahrungsmitteln gehört.

Man wird uns vielleicht einwenden, daß das wilde Schwein in den Wäldern kein Fleisch findet. Allein wer versichert uns, daß das Wildschwein in den Wäldern nicht nach thierischen Substanzen sucht? Mehrere Leute, welche die Lebensweise der Wildschweine genau verfolgten, haben sich sogar überzeugt, daß diese Thiere im Sommer viele Insekten verzehren, daß sie im Winter auf Maulwürfe und Mäuse Jagd machen, und daß sie den Boden gar oft nur deßwegen aufwühlen, um Würmer und andere Thiere aufzufinden. Uebrigens ist erwiesen, daß der Darmkanal des Wildschweines länger ist, als jener des zahmen Schweines, woraus nothwendig folgt, daß das Schwein durch seine Zähmung noch mehr zum fleischfressenden Thiere gemacht wurde, als es im wilden Zustande ein solches ist. Die Wildkatze hingegen, die nur von der Jagd lebt, hat einen kürzeren Darmkanal, als die Hauskatze, was gewiß nur davon herrührt, daß letztere mit den Abfällen unserer Tische mehrere vegetabilische Nahrungsstoffe zu sich nimmt. Aus allem diesem geht als erwiesen hervor, daß das Schwein schon von Natur aus und durch seine Organisation zwar keineswegs dazu bestimmt ist, sich lediglich von Fleisch zu nähren; daß aber eine gewisse Quantität Fleisch mit zu dessen Nahrung gehört, und daß dem zahmen Schweine in Folge einer langen Gewohnheit ein Theil thierischer Nahrung weit nothwendiger geworden, als dem wilden Schweine *).

Eine Menge von Thatsachen beweist auch wirklich täglich, wie nothwendig es ist, unter die Nahrung der Schweine einige thierische Substanzen zu bringen. Ist es z. B. nicht bekannt, daß es sehr schwer ist, Schweine aufzuziehen, ohne die bei Milchwirthschaften sich ergebenden Abfälle benutzen zu können; und wenn man Schweine mit Getreide mästen will, erreicht man seinen Zweck gewöhnlich nicht erst dann vollkommen, wenn man diese Nahrung mit thierischen Stoffen verbindet? Eine Beobachtung, welche man neulich an der Musterschule in Grignon zu machen Gelegenheit hatte, giebt dem eben Gesagten so viel Gewicht, daß wir nicht anstehen, den von dem Vorstande dieser Anstalt erstatteten Bericht in dieser Hinsicht wörtlich anzuführen. „Die bei der Kartoffelsatzmehl-Fabrikation bleibenden Rückstände, heißt es nämlich in diesem Berichte, waren im Winter 1830 ein kostbares Ergänzungsmittel unserer Futterstoffe. Die glänzenden Erfolge, die wir bei der ausschließlichen Füt-

*) Es nimmt uns Wunder, daß die Berichterstatter unter den vielen Beyspielen, die sich noch zum Beweise dafür anführen ließen, daß die Schweine eine thierische Nahrung sehr lieben und sehr gut vertragen, nicht auch auf die bekannten Thatsachen hinwiesen, daß man bei uns zur Vertilgung der Mäuse auf Aeckern und Wiesen nicht selten Schweinheerden benutzt, und daß man in Nordamerika in den Schweinen die besten Vertilger für Schlangen gefunden hat. Uebrigens, welche traurige Erfahrung hat man nicht, daß die Schweine Kinder fraßen. A. d. R.

terung einer zur Mastung bestimmten Schafheerde mit diesen Abfällen hatten, brachten uns auf die Idee, daß sich diese Nahrung auch für die Schweine eignen dürfte. Um uns hievon zu überzeugen, wurde unser ganzer Schweinstall ausschließlich mit diesem Nahrungsstoffe gefüttert. Der Abnahme, die sich bei dieser Fütterung bald an Ebern, Zuchtschweinen und Frischlingen zeigte, suchten wir durch Erhöhung der Rationen abzuhelfen; allein vergebens; wir ließen die Thiere sogar davon fressen, so viel sie nur wollten; dieß vermehrte aber nur das Uebel, indem sie nur noch mühsamer verdauten. Da die Schweine ungeachtet der Begierde, mit der sie fraßen, nur dicke Bäuche bekamen, aber nicht an Fleisch zunahmen, so ließen wir die Abfälle, bevor wir sie ihnen vorschütteten, kochen; sie fraßen sie nun noch gieriger, nahmen aber eben so wenig dabei zu, so daß sich offenbar ergab, daß diese Kartoffelabfälle für sich allein, in welcher Quantität man sie auch den Schweinen reichen mochte, diesen Thieren keine genügende Nahrung waren. Wir dachten, daß eine Beimengung von animalisirter Substanz vielleicht das Mangelnde ersetzen dürfte, und setzten daher den Kartoffelabfällen täglich per Schwein 3 Unzen Gallerte zu. Der Versuch gelang, und in wenigen Wochen hatten die Schweine ihre dicken Bäuche verloren und dafür an Fleisch zugenommen.“ Giebt es einen offenbareren Beweis, daß die Gegenwart einer stickstoffhaltigen Substanz in dem Schweinefutter durchaus nöthig ist, wenn deren Leben unterhalten und sie zur Mastung gebracht werden sollen? Die Schweine wurden, wie dieser Versuch zeigte, bei einer Nahrung, bei der sich die Schafe sehr wohl befanden, krank; und so merkwürdig dieses Resultat auch scheinen mag, so hätte man es doch aus einer Vergleichung der Organisation dieser beiden Thierarten voraussehen können.

Die Veterinärschule in Alfort lieferte uns aber auch noch einige andere schlagende Beweise für die Zweckmäßigkeit der thierischen Nahrung für Schweine. Seit mehreren Jahren fressen nämlich die in dieser Anstalt befindlichen Schweine die Ueberreste aller Cadaver, die zum Unterricht und zu Sectionen gedient hatten. Von den Zuchtschweinen bis zu den Frischlingen wirft sich Alles mit größter Begierde auf die Ueberreste und Eingeweide der Thiere, die ihnen zwei oder dreimal des Tages in rohem Zustande vorgeworfen werden. Seit sieben Jahren werden die 100 bis 150 Raceschweine von allen Arten, die sich fortwährend in der Veterinärschule in Alfort befinden, auf diese Weise genährt; und wahrhaftig nirgendwo dürfte man schönere und gesundere Thiere dieses Geschlechtes finden. Es bleibt daher ein für allemal ausgemacht, daß das Schwein unter die allesfressenden Thiere gehört; daß ihm die animalische Nahrung unumgänglich nothwendig ist; und daß es ohne diese und mit vegetabilischem Futter allein weder gemästet, noch auch genährt werden kann, ausgenommen letzteres enthält Stoffe, die sich ihren chemischen Bestandtheilen nach mehr den thierischen Substanzen annähern.

Diese Nahrung, sagt man aber, macht die Thiere wild, und die Folge wird seyn, daß sie Erwachsene und Kinder anfallen und sie verzehren. Es läßt sich allerdings nicht läugnen, daß auf dem Lande leider schon oft Kinder von den Schweinen aufgefressen wurden; ja man hat sogar Beyspiele, daß sich Schweineheerden über ihre Hirten herwarfen und sie verzehrten. Dieß sind und bleiben jedoch einzelne Fälle, deren Ursache man um so weniger der Art der Nahrung beimessen kann, als sie sich gewöhnlich gerade da ereigneten, wo die Schweine beinahe ausschließlich auf vegetabilische Nahrung beschränkt waren. Die ziemlich häufig verbreitete Meinung über den Einfluß der thierischen Nahrung dürfte sich wahrscheinlich von einem unglücklichen Ereignisse herschreiben, welches vor 50 Jahren in Vaugirard Statt fand, indem zwei Schweine, die mit den Abfällen einer benachbarten Abdeckerey gefüttert wurden, auskamen und zwei Kinder zerrissen. Ohne diesen unglücklichen Vorfall, der weit und breit Schrecken verbreitete, würde sich die Anwendung der thierischen Nahrung bei den großen Vortheilen, die sie gewährt, gewiß schon so allgemein verbreitet haben, daß von den Unbequemlichkeiten der Schindereien schon längst keine Rede mehr wäre. Konnte übrigens dieser Unfall auch wirklich der den beiden Schweinen gereichten Nahrung zugeschrieben werden? Wir zweifeln sehr; wenigstens hat man noch nicht bemerkt, daß die Schweine, die gegenwärtig mit rohem oder gekochtem Fleische gefüttert werden, auch nur im Geringsten wilder und schwerer zu bändigen sind, als die Schweine überhaupt. An der Schule in A fort treiben wenigstens die Kinder des Hüters diese Thiere hin, wohin sie wollen, und sie gehorchen ohne den geringsten Anstand. Wenn Tausende von Schweinen, die in dieser Anstalt seither mit rohem Fleische gefüttert wurden, ihre Neigungen auch nicht im Geringsten veränderten, so läßt sich wahrlich nicht glauben, daß gesottenes Fleisch diese Thiere so wild machen könnte, daß sie den Menschen gefährlich werden dürften. Die in dieser Hinsicht verbreiteten Meinungen erscheinen vielmehr als völlig ungegründet *).

*) So sehr wir in allem dem bisher Gesagten mit den Berichterstattern übereinstimmen, so scheint uns doch, daß sie hier in

Eine andere nicht minder wichtige Frage, die wir nunmehr zu erörtern haben, ist die, ob die Fütterung der Schweine mit Pferdefleisch diesen Thieren Krankheiten und namentlich den Aussatz zuziehen könne, und ob deren Fleisch, deren Blut, deren Speck den Menschen nachtheilig werden können. Zieht man nun in dieser Hinsicht die Physiologie und die Medicin zu Rathe, so lehren uns diese, daß eines der besten Mittel zur Erhaltung der Gesundheit darin besteht, die Nahrung der Thiere ihren Verdauungsorganen und der ihnen von der Natur eingepflanzten Freßlust anzupassen. Da nun das Schwein so gebaut ist, daß es sich von Fleisch und Vegetabilien und nicht ausschließlich von dem einen oder von dem anderen nähren kann, so wird man nur den Gesetzen der Natur nachkommen, und gewiß eine zur Gesundheit der Schweine beitragende Fütterung befolgen, wenn man thierische Substanzen unter deren Nahrung bringt. Die Erfahrung hat übrigens auch hierin bereits gesprochen.

Wie bereits oben gesagt, bekamen die Schweine der Heerde von Grignon bei der ausschließlich vegetabilischen Nahrung dicke, harte Bäuche und andere Unterleibskrankheiten, die durch Zusatz einer geringen Menge Gallerte schnell geheilt wurden. Die Schweine an der Veterinärschule in Alfort erfreuen sich stets der besten Gesundheit; seit 6 Jahren kamen keine Krankheiten unter denselben vor, und den Aussatz bemerkte man nur ein einziges Mal unter ihnen. Würden die Schweine wohl in so kurzer Zeit mit einer wahrhaft merkwürdigen Geschwindigkeit

---

diesem letzteren Punkte etwas zu weit gegangen sind. Der Einfluß, den die Fütterung der Thiere mit Fleisch, und namentlich mit rohem Fleische, auf die Zähmung der Thiere ausübt, ist so allgemein anerkannt, und so vielfach erwiesen, daß die von den Berichterstattern angeführte Erfahrung, die man in Alfort machte, noch keineswegs zu dessen vollkommener Widerlegung genügen dürfte. Die Berichterstatter verglichen oben das Schwein als allesfressendes Thier mit dem Menschen; wir nehmen diesen Vergleich auch hier wieder auf; und bemerken, daß man sogar an den Menschen die Erfahrung machte, daß sie bei vegetabilischer Kost viel leichter zu leiten und ruhiger werden, als bei animalischer. Die Vorstände einiger Zucht- und Correctionshäuser haben hierüber in neuester Zeit nicht unwichtige Daten geliefert. — Wenn aber auch die Schweine durch die thierische Nahrung wirklich wilder werden sollten, so giebt dieß doch noch keinen Grund gegen die Anwendung dieser sonst vortheilhaften Mastungsmethode; denn man braucht ja die Thiere nur gehörig einzusperren, um sich und Jedermann gegen alle Unannehmlichkeiten und Angriffe von ihrer Seite zu schützen. A. d. R.

fett werden, wenn das Pferdefleisch die Schweine zu Krankheiten geneigt machte? Ist dieses Fettwerden nicht vielmehr ein Beweis einer vollkommenen Verdauung, die ohne volle Gesundheit nicht möglich ist?

Ein Beweis dafür, daß das Fleisch der mit Pferdefleisch genährten Schweine nicht schlecht ist, liegt darin, daß diese Thiere auf den Märkten sehr gesucht sind; daß die Wurstmacher und Garköche sie gar nicht von den auf andere Weise gefütterten Schweinen zu unterscheiden im Stande sind; und daß die Zöglinge in Alfort das Schweinefleisch unter allen möglichen Formen genießen, obschon sie die ganze Ernährungsweise dieser Thiere kennen. Wir selbst konnten an dem Fleische gar keinen und an dem Specke nur den Unterschied bemerken, daß er etwas weicher ist, als an den mit Körnern gefütterten Schweinen. Dieser Unterschied dürfte jedoch vielleicht mehr darin gelegen seyn, daß die Schweine in Alfort immer sehr jung geschlachtet werden, als in der Ernährungsweise derselben.

Die Gegner der neuen Fütterungsmethode haben ferner bemerkt, daß wenn auch das Fleisch gesunder Pferde ohne Nachtheil an die Schweine verfüttert werden kann, dieß doch keineswegs mit dem Fleische der kranken Thiere der Fall seyn dürfte. Sie forderten daher, daß wenn die Schweinemastung mit Pferdefleisch ja geduldet werden sollte, dieses Fleisch nur nach vorausgegangener Besichtigung durch Sachverständige zu diesem Behufe abgegeben werden darf. Da jedoch die Frage der Gefahr, welche aus der Benutzung des Fleisches kranker Thiere zur Schweinemastung erwachsen könnte, bereits vor 10 Jahren vor einer Sanitätscommission abgehandelt worden ist, so wollen wir nicht abermals auf diesen Gegenstand zurückkommen, sondern nur erinnern, daß die Thiere, welche gegenwärtig das Fleisch der Pferde, an welcher Krankheit diese auch zu Grunde gegangen seyn mögen, verzehren, sich sehr wohl dabei befinden. Daß man sowohl Hunde als Katzen längere Zeit mit krebsartig entartetem Fleische nährte, ohne daß für diese Thiere auch nur der geringste Nachtheil daraus erwachsen wäre. Daß, wie Desgenettes und Larrey sahen, die Hunde und Schakals während der in Jaffa herrschenden Pest die Leichen ausgruben und die Pestbeulen ausfraßen, ohne daß ihnen diese Nahrung Schaden gebracht hätte. Daß nicht bloß Thiere, sondern auch Menschen ungestraft das Fleisch von Thieren genießen können, die am Carfunkel, an der Rinderpest und an der Wuth zu Grunde giengen, wie dieß durch 1000fache Erfahrung erwiesen ist. Daß endlich während der ersten französischen Revolution die Unglücklichen von St. Germain und aus der Umgegend von Alfort 7 bis 800 rotzige und mit dem Wurme behaftete Pferde, welche von der Regierung zum Behufe anzustellender medicinischer Versuche dahin gesendet worden, verzehren mußten; und daß diese Nahrung nicht nur keinem dieser Unglücklichen Schaden brachte, sondern vielen derselben das Leben rettete.

Die Veterinärschule in Alfort bietet weitere Aufklärungen in Hinsicht auf den fraglichen Gegenstand. Es sind nämlich durchaus nicht immer gesunde Pferde, die zum Unterrichte der Zöglinge in diese Anstalt gebracht werden; im Gegentheile sind es nur Pferde, die an organischen Schäden oder an Krankheiten aller Art leiden. Und wenn man glauben wollte, daß man in der Wahl der Cadaver, bevor man sie den Schweinen vorwirft, mit irgend einer Sorgfalt zu Werke geht, so irrt man sehr; denn alle, ohne Ausnahme, verschwinden sie bis auf die härtesten Knochen unter den Zähnen dieser gefräßigen Thiere. Giebt es wohl einen sprechenderen Beweis für die Entbehrlichkeit aller in Hinsicht auf den Gesundheitszustand der abzudeckenden Thiere zu ergreifenden Vorsichtsmaßregeln, als die Erfahrungen, die sich in einer Reihe von Jahren den gelehrtesten Professoren der Thierarzneikunde vor Hunderten von Zöglingen und Tausenden von Neugierigen, die jährlich die Anstalt in Alfort besuchen, ergaben? Ist es annehmbar, daß irgend ein Nachtheil, der aus der daselbst befolgten Fütterungsmethode der Schweine möglicher Weise hätte erwachsen können, der Aufmerksamkeit so vieler sachkundiger Beobachter hätte entgehen können?

Die Schweine in Alfort verzehren nicht nur alle thierischen Cadaver ohne Unterschied, sondern sie genießen sie sogar, was wohl zu berücksichtigen ist, im Zustande der vollkommenen Rohheit und ohne irgend eine vorausgegangene Zubereitung. In keiner der Schweinemastungsanstalten, die wir besuchten oder von denen wir Kenntniß erhielten, geschieht Aehnliches; überall wird das Fleisch vielmehr gekocht und sogar einer Temperatur ausgesetzt, die jene des siedenden Wassers noch übersteigt. Wie läßt sich glauben, daß schädliche, nachtheilige, im Organismus erzeugte Stoffe, wenn sie nicht schon durch das Aufhören des Lebensprocesses selbst eine Zerstörung erleiden, längere Zeit über der zersetzenden Kraft eines so hohen Grades von Wärme zu widerstehen im Stande wären? *)

*) Wir müssen namentlich in dieser Hinsicht auf die Versuche des Hrn. Henri verweisen, gemäß denen selbst die wirksamsten Ansteckungsstoffe durch Anwendung der Wärme vollkommen zersetzt und gänzlich unschädlich gemacht werden können. Man findet von den interessanten Versuchen des Hrn. Henri im

Aus allen den langen, in gegenwärtigem Berichte gepflogenen Erörterungen ziehen wir den Schluß, daß die Verwaltung aus mächtigen Gründen der Staatswirthschaft und medicinischen Polizei die Richtung, welche mehrere Unternehmer in Hinsicht auf die fragliche neue Mastungsmethode der Schweine genommen, nach allen Kräften unterstützen sollte. In Rücksicht auf Staatswirthschaft wäre zu erwägen:

1) daß hiedurch der Werth der dienstlosen Pferde sehr erhöht wird; 2) daß in der Nachbarschaft der Städte ein neuer, großen Gewinn bringender Industriezweig gegründet werden könnte; 3) daß auf diese Weise dem Volke leicht eine größere Menge der ihm so höchst nöthigen thierischen Nahrung geliefert werden könnte; 4) endlich, daß sich auf diesem Wege sehr vortheilhaft Produkte oder Stoffe, die bisher unbenutzt verloren giengen, verwerthen lassen. Denn wenn auch die mit Dampf behandelten Pferde nicht zu jeder Jahreszeit von den Schweinen verzehrt werden sollten, so läßt sich doch das Fleisch, nachdem es diese Zubereitung erlitten hat, sehr leicht trocknen, und als solches auf dem Lande zu denselben Zwecken, zu denen es früher diente, verwenden.

In medicinisch-polizeilicher Beziehung finden wir hingegen: 1) daß die mit Pferdefleisch gefütterten Schweine ihren Charakter durchaus nicht verändern, und weder wilder, noch den Kindern oder anderen schwächlichen Wesen gefährlich werden dürften. 2) daß das Fleisch dieser Schweine gut und gesund seyn wird; daß ihm weder ein unangenehmer Geschmack, noch ein dergleichen Geruch eigen seyn dürfte; und daß das Sieden und der Verdauungsproceß mehr als hinreichend genügen, um alle Principe oder Stoffe zu zerstören, von denen man glauben könnte, daß sie in Folge einer unzweckmäßig gewählten Nahrung der Thiere in das zu unserer eigenen Nahrung bestimmte Fleisch übergehen dürften. 3) endlich, daß es kein besseres Mittel giebt, um die Schindanger mit allen ihren Abscheu erregenden Widerlichkeiten, in Folge deren die in ihrer Nachbarschaft liegenden Oertlichkeiten so sehr an Werth verlieren, und welche die Verwaltung ungeachtet aller darauf verwendeten Sorgfalt noch immer nicht zu beseitigen so glücklich war, allmählig verschwinden zu machen. In letzterer Beziehung darf jedoch allerdings nicht vergessen werden, daß der Geruch des Kothes der mit Fleisch gefütterten Schweine noch weit uner-

---

Polyt. Journals Bd. XLIII. S. 213, 401, und Bd. XLVI. S. 47 ausführliche Nachricht. A. d. R.

24. Neues erprobtes Mittel gegen den Brand im Weizen von Matthieu de Dombasle. In einem Auszuge aus dem Journ. des connaiss. univers. Auch ein Auszug aus dem polyt. Journ.

Man löst zuerst das schwefelsaure Natron oder Glaubersalz in reinem Wasser auf, indem man auf einen Liter (2 Pfd.) Wasser 80 Gramm ($5\frac{1}{3}$ Loth), oder auf einen Hectoliter (100 Maaß) 8 Kil. (16 Pfd.) nimmt. Da die Auflösung langsam von Statten geht, so ist es gut, sie den Tag vorher zu veranstalten, und die Flüssigkeit mehrmals umzurühren, bis das Salz vollkommen aufgelöst ist. Dann richtet man den Weizen, welcher gekalkt werden soll, auf einer Tenne aus Cement, aus Dielen oder aus einem ebenen Boden, in Haufen, und begießt ihn mittelst eines Spritzkruges mit der Auflösung, während Personen, die mit Kellen oder Schaufeln versehen sind, das Getreide dabei beständig umwenden. Mit diesem Begießen und Umwenden fährt man so lange fort, bis die Weitzenkörner an ihrer ganzen Oberfläche befeuchtet sind, und bis die Flüßigkeit von dem aufgeschütteten Haufen abzufließen beginnt. Man braucht hiezu auf jeden Hectoliter Weitzen beiläufig 8 Liter (8 Maß) Salzauflösung; allein wenn man die eben empfohlene Methode befolgt, so ist alles Messen überflüßig. Unmittelbar nach dem Begießen, und während die Körner noch ganz naß sind, streut man unter beständigem Umrühren das Kalkpulver auf, und fährt damit so lange fort, bis man auf den Hectoliter (100 Maß) Weitzen beiläufig 2 Kil. (4 Pfd.) Kalk zugesetzt hat. Wenn Alles gehörig vermengt, und jedes Weitzenkorn auf seiner ganzen Oberfläche gehörig mit Kalk gesättigt ist, so ist die Operation beendigt, und man kann den auf diese Weise behandelten Saatweitzen entweder sogleich ausbauen oder auch einige Tage lang aufbewahren. Da er bei dieser Behandlung nicht so viel Flüssigkeit aufnimmt, wie bei der Behandlung im Kalkbade, so ist es nicht nothwendig ihn in dünne Schichten auszubreiten; sondern man kann ihn in Haufen aufgeschichtet lassen, ohne daß man zu befürchten hat, daß er sich erhitze. Zur Vorsorge ist es jedoch auch hier besser, die Haufen alle 3 oder 4 Tage umzuwenden.

Es ist bei der hier angegebenen Quantität Kalk keine so große Genauigkeit erforderlich, so daß man die anzuwendenden Mengen nicht immer abzuwägen braucht. Es genügt, das erste Mal die Quantität abzuwägen, welche ein Gefäß, dessen man sich eben bedienen will, faßt, um dann dieses Gefäß in der Folge immer und ohne weiteres Wägen als Maß zu benutzen.

Diese Probe muß jedoch im Voraus angestellt werden, und der Kalk vollkommen zubereitet zur Hand seyn; denn es kommt sehr darauf an, daß der Kalk nach Benetzung der Oberfläche der Weizenkörner ausgestreut werde. Würde man einige Minuten hiemit zögern, so würde die Auflösung von der Substanz der Körner eingesogen werden, so daß der Kalk nicht mehr auf dieselbe Weise wirken könnte.

Wenn man das von mir angegebene Verfahren genau befolgt hat, so kann man keck Weitzen, welcher auch noch so sehr mit Brand angesteckt ist, aussäen, und es wird wenigstens durch die Ansteckung vom Samen aus auch nicht eine einzige brandige Aehre zum Vorschein kommen. Einige sind der Ansicht, daß der Brand auch noch durch andere Ursachen, als durch das Saatkorn in die Saaten gelangen könne; ich meinerseits muß jedoch gestehen, daß mir weder bei meinem Oekonomiebetriebe, noch bei meinen vielen Versuchen irgend eine Thatsache bekannt wurde, die mich zu einer solchen Annahme berechtigt hätte; so daß ich vielmehr glaube, daß alle die Thatsachen, aus denen man hieran schließen zu können glaubte, lediglich der Unvollständigkeit der bisher beim Kalken befolgten Methoden zuzuschreiben sind.

25. Wiesenverbesserung.

Eine wichtige Verbesserung, (heißt es in der allgem. landw. Zeitung) ist, die des Pfluges fähigen Wiesen bisweilen zu pflügen, davon eine oder zwei Hafer-Aerndten zu nehmen, und solche darauf mit angemessenem Grassamen zu besamen, was zu gleicher Zeit blühet, auch bisweilen zu düngen und mit einer zweckmäßigen Erde, die dem Boden anspricht, zu bestreuen. Ist eine Wiese sehr feucht, so ist es rathsam, sie in Breiten zu legen, deren eine Hälfte mollrund ausgehöhlt, durch die weggenommene Erde eine Strecke gleicher Breite erhöhet wird, und die mollrund ausgetieften Stücke mit Poas und solchen Gräsern zu besamen, die zu gleicher Zeit reifen und Feuchtigkeit lieben.

Bekanntlich haben alle Pflanzen der Gräser ihre höchste Nahrhaftigkeit in der Periode des Blüthenanfanges. Bis in die Periode der Blüthe haben die Blätter der Gräser und Kräuter der Wiesen ihre Nahrung aus der Atmosphäre der Pflanzen gezogen und gehen dann schnell zur Reife, und nach solcher zur Verdorrung über.

In England fängt man an, die Wiesen, wo es die Lage erlaubt, auf solche Art zu behandeln, daß ihre Gräser in nicht zu weiter Zeitentfernung von einander blühen, was allerdings nachgeahmt zu werden verdient und nicht so kostbar ist, wenn man den Sammlern des Samens die verlangten Arten gezeigt, oder, nach Rebbien's Vorschlag, solche selbst zu säen angefangen hat.

Diese Regel ist um so wichtiger, da die dem Boden geeigneten Gräser in solchem viele Jahre fortdauern, auf mittelmäßigem und selbst auf leichtem Boden gerathen, und nicht durch den Winterfrost leiden.

Die Gräser ernähren jedes Thier, ohne es zu überfüttern, und sind leicht verdaulich, lassen sich auch leicht trocknen, wenn sie in der gleichen Periode blühen.

Tritt üble Witterung ein, so bringt man das Heu im Freien in große Haufen, oder man legt zwischen das etwas feucht eingebrachte Heu dürres Stroh.

Die Wiesen liefern viel vollkommneres Heu, wenn es von einer Art ist, und folglich in der Periode gemähet wird, wo die Pflanzen sich sämmtlich entweder besamet haben, oder vor Besamung, was das nahrhafteste Heu liefert.

26. Ueber künstliche Hefe.

Im verwichenen Herbst theilte das Wochenblatt des Landwirth. Vereins ein Recept zur Bereitung einer künstlichen Hefe mit, welche aus einem bei Adolph Reimann in Leipzig erschienenen kleinen Werke „Geheimnisse für Bäcker" ꝛc. entnommen und in allen Buchhandlungen, wohlweislich versiegelt, um 24 Kreuzer zu haben ist. Da es für viele Landwirthe eine sehr erwünschte Sache wäre, sich die Hefe für ihren eigenen Bedarf selbst bereiten zu können, so wird wohl mancher sich veranlaßt finden, auf Anrathen dieses zuverlässigen Correspondenten einen Versuch damit anzustellen. Um jedoch diesen braven Leuten Kosten und Arbeit zu ersparen, erachte ich es für meine Pflicht, denselben zu sagen, daß 12 Versuche mir kein günstiges Resultat geliefert und nach allem Anschein beruht die ganze Sache auf einer Geldprellerey. Obiges Werkchen wird versiegelt um 24 Kreuzer verkauft, und sollte von Obrigkeits wegen verboten werden,

Ein Vereins-Mitglied.

27. Ueber Einführung der Schiedsgerichte in Bayern.

Die unzählige Menge von Civilprozessen, die täglich bei unsern Landgerichten, größtentheils von ärmern Bewohnern des Landes besonders auch in landw. Gegenständen, anhängig gemacht werden, muß bei jedem redlich denkenden Manne den Wunsch hervorrufen, ob es nicht zweckmäßig wäre, auch in unserm Vaterlande für jedes Landgericht ein Schiedsgericht einzuführen, bei welchem zuerst gütliche Beilegung der Streitigkeiten versucht werden müßte. — Ich sollte glauben, daß sich patriotisch gesinnte Männer in großer Zahl finden müßten, die ganz unentgeldlich ein so ehrenvolles Amt übernehmen würden.

Ein Vereins-Mitglied.

---

28. Ueber das Knochenmehl.

Von vielen Landwirthen hört man häufig klagen über die geringe Wirkung des Knochenmehls, sowohl auf Felder als auf Wiesen. Ich habe damit mehrere große Versuche angestellt, die mir die Ueberzeugung verschafften, daß nur dasjenige Knochenmehl seine ganze düngende Kraft besitzt, welches wo möglich von frischen Knochen bereitet ist; daß dagegen dasjenige, welches man von solchen Knochen bereitet, welche die Abdecker 3 bis 4 Jahre in Gruben unter der Erde liegen lassen, bis die Verwesung vorüber, $\frac{7}{8}$ seiner düngenden Kraft verloren hat; leider sind dieß aber hauptsächlich diejenigen Knochen, welche zu Knochenmehl verwendet werden.

Es scheint demnach, daß die düngende Kraft allein von der Gallerte, welche in den Knochen enthalten ist, herrührt, und daß die phosphorsaure Kalkerde dabei ohne Einfluß ist.

Uebrigens liegt aber auch meistens der Fehler darin, daß man zu wenig Knochenmehl gestreut hat.

---

29. Ueber Aepfelmost.

An Aepfeln, welche von einem meiner Bäume vor einigen Jahren im Herbste abzunehmen vergessen wurden, und den ganzen Winter hindurch hängen blieben, bemerkte ich, nachdem dieselben ganz durchfroren und wieder aufgethaut waren, daß der Saft, wovon sie strotzten, sich vom Faserstoff völlig abgesondert und eine angenehme Süße erlangt habe. Ich erhielt damals aus ungefähr 20 Aepfeln von 2" Durchmesser zwei $\frac{1}{2}$ Bouteillen sehr schmackhaften Most.

Im Herbste 1835 hatte ich eine so reiche Obstärnte, daß nur für das schönere ausgesuchte Obst Platz im Keller war. Das unansehnlichere und abgefallene verschiedener Sorten mußte an einem Platze aufgeschüttet werden, wo es vor der gleich Anfangs November eingetretenen heftigen Kälte nicht geschützt war. Es fror daher alles steinhart zusammen und ich war nun nicht lange darüber verlegen, was damit anzufangen sey: denn ich erinnerte mich meiner frühern Obstfabrikation. Ich thaute also die Aepfel auf, machte in jeden ein paar Schnitte übers Kreuz, und gewann mittelst einer kleinen vom Gr. Montgelas'schen Obergärtner Herrn Seimel entlehnten Presse von jedem bayer. Halbmetzen (oder Viertl) Aepfel 7½ Maas Most.

Die ausgepreßten Hülsen, in welchen immer noch einiger Saft zurückblieb, der mit etwas Wasser vermischt in einer zweiten Presse noch eine geringere Sorte geben würde, gab ich den Kühen und Schweinen, für welche sie, ihrem gierigen Fraße nach zu urtheilen, eine wahre Delikatesse zu seyn schienen.

Der Most ist gleich nach der Presse etwas weniges trübe, aber angenehm zu trinken und vorzüglich süß.

Nach einem Theil der wenigen Gährung wird er goldfarbig hell und moussirend; verliert etwas Weniges von der Süßigkeit, gewinnt aber an Geist.

Auch gesund ist er zu trinken, so viel ich bei meiner Familie vom Kleinsten bis zum Größten beobachtet habe, und ich glaube sogar, daß er wie guter Weinmost im Stande wäre, zu berauschen.

Nachdem mir nicht anders bekannt ist, als daß bisher nur aus frischen und nicht aus gefrornen Aepfeln Most bereitet wurde, der aber in jeder Beziehung dem obigen weit nachstehen muß, indem bei der Fabrikation eine viel größere Ausbeute und ein besseres Produkt erzielt wird, was jeden Oekonomen, insbesondere aber die Obstkulturanten interessiren muß, so finde ich für allgemein nützlich, meine obigen Erfahrungen dem General-Comité des landwirthschaftlichen Vereins zur allgemeinen Bekanntmachung mitzutheilen.

Zur Probe übergebe ich hiemit eine versiegelte Bouteille mit reinem am 10. d. gepreßten und mit nichts vermischten schon etwas gegohrenen Aepfelwein, und unterzeichne mit vorzüglicher Hochachtung.

Bogenhausen den 16. Jäner 1836.

Georg Mayr,
Eigenthümer des Bades Brunnthal.

30. Böhmens Runkelrübenzucker-Fabriken.

Man rechnet, daß im Jahr 1835 an 16—20,000 Centner Runkelrüben gewonnen worden, und daß ungefähr der vierte Theil des Gesammtbedarfes an Zucker in diesem Königreiche durch diese Fabriken befriedigt wird. Für dieses Jahr sind schon wieder mehrere Fabriken von sehr bedeutender Ausdehnung im Werke, und es läßt sich mit Sicherheit annehmen, daß Böhmen in 5 bis 6 Jahren der Einfuhr des westindischen Zuckers nicht mehr bedarf. Von dem in Böhmen erzeugten Zucker wird nur sehr wenig der eigentlichen Raffination unterworfen; er kommt vielmehr theilweise als Rohzucker, unter der Benennung Farinzucker, oder als gedeckter in den Handel. Der erstere hat eine hellgelbe Farbe, der letztere ist schön weiß und unterscheidet sich vom raffinirten westindischen Zucker nur durch seine größere Porosität und das dadurch bedingte geringere specifische Gewicht. Die Einführung dieses Zuckers hatte Anfangs, besonders in der Hauptstadt, einige Schwierigkeiten; einmal wegen der Porosität, und dann deßhalb, weil die Zuckerbrode zur Vermeidung größerer Kosten sämmtlich gekappt (d. h. mit abgeschlagener Spitze, welche dann syruphaltig bleibt), von den Fabriken geliefert werden, und sie folglich kein so schönes Kaufmannsgut sind. Der Widerwille gegen den Rübenzucker hat sich jedoch bald gelegt, und jetzt sind die von den Fabriken nach Prag gesendeten Lieferungen schon vor der Ankunft verkauft, und namentlich ziehen ihn die Gastwirthe, wegen seines größeren Volumens, vor. Der raffinirte Rübenzucker unterscheidet sich vom raffinirten Rohrzucker nur zu seinem Vortheil. Die größte Rübenzuckerfabrik und eine der ersten, die errichtet wurde, ist die dem Fürsten von Thurn und Taxis gehörige in Dobrawitz bei Jung-Bunzlau. Sie verarbeitet täglich 1000 Centner Rüben, im Ganzen das Jahr etwa 80,000 Centner Rüben, wird also beinahe 5000 Centner gedeckten weißen Zucker liefern. Sie wurde von dem Inspektor Weinrich eingerichtet, nachdem von Seite der Oekonomiebeamten fruchtlose Vorstellungen gemacht worden waren, welche beweisen sollten, wie höchst nachtheilig ein ausgedehnter Rübenbau für die übrigen Zweige der Landwirthschaft sey. Ihre Behauptungen sind jetzt durch fünfjährige praktische Beweise des Gegentheils auf das Hinlänglichste widerlegt.

31. Ueber den Heu- und Sauerwurm.

Durch eine gefällige Mittheilung des sehr verehrlichen Mitgliedes Herrn Regierungs-Assessors Freiherrn v. Welden ist man in den Stand gesetzt, den nachfolgenden Auszug aus einer von Herrn Baron von Ritter verfaßten, jedoch nicht in den Buchhandel gekommenen Abhandlung über den Heu- und Sauerwurm an den Weintrauben hier aufzunehmen, und diesen interessanten Gegenstand zur Kenntniß des weinbauenden Publikums zu bringen.

Der Heuwurm und der Sauerwurm werden durchgängig als die Feinde der Trauben angesehen und sind es auch, aber nicht im Allgemeinen, denn nicht eine jede Traube ist es und nicht eine jede Gegend, wo sein Aufenthalt zu finden ist. Es giebt Landesstriche, wo er ganz verheerend herrscht, und andere, wo man ihn kaum kennet, so daß eine bedeutende Verschiedenheit in den Bedingungen seines Aufenthaltes und der Vermehrung sich dem Beobachter zeigen muß.

1. Nach obigen Beschreibungen ist die Sonnenhitze der vorzüglichste Feind des Insektes unter allen seinen Gestalten. Dessen Erscheinung im Allgemeinen kann daher nur in die gemäßigte Region fallen, und auch da wird sich dem Beobachter die Erfahrung zeigen, daß steiles Weingebirge, auf welches die Sonnenstrahlen recht grell anprellen, wenig oder gar nicht dem Insekte zum Aufenthalte diene, während es in flach liegenden Weingärten gedeihet. Alles, was die Sonne hindert und Schatten verursachet, dienet also dem Insekte als Beförderungsmittel, und aus der nämlichen Ursache wird man an einem, rundum freistehenden, einzelnen Weinstocke nicht so leicht ein Insekt antreffen, als wenn der Stock wie eine Wand gezogen ist und mit seinen vielen Blättern und Aesten Schatten verursacht.

2. Nicht alle Traubensorten sind es, welche das Insekt aufsuchet, manche ziehet es vor, manche vermeidet es ganz. Die botanischen Namen dieser Traubensorten hier anzuführen, möchte außer dem vorliegenden Zwecke liegen, indem der Landmann nicht gewohnt ist, sie mit demselben zu benennen, und übrigens nicht nur jedes Land, sondern jedes Ländchen, seine eigene Benennung hat. Im Ganzen suchet das Insekt vorzüglich jene Stöcke, welche unter dem Namen weiche Traubensorten bekannt sind, und vermeidet jene, welche die entgegengesetzte Eigenschaft haben. Weiche

Traubensorten haben gewöhnlich viel und starkes Holz, ziemlich große, runde Beeren, eine dünne, grüne Haut, deren Farbe durch die Sonne nicht gebräunt wird, sehr viel Saft, welchen aber die Sonne nur wenig verdichtet, so daß die Beere nie rosinenartig eintrocknet und edelfaul wird, sondern eher aufspringt und ausläuft, die Traube endlich zeitiget früh, giebt einen angenehmen, bald trinkbaren, aber nie einen schweren Wein. Diese Trauben sucht das Insekt vorzüglich, und an dem Mittelrhein gehören darunter: Kleinberger, Oestreicher, Grünfrens, Lamberts u. a., welche öfters, besonders die ersten, ganz durch den Sauerwurm zerstöret werden.

Die Trauben entgegengesetzter Art, mit schwächerem Holz, einer kleineren Beere, einer starken Haut, welche die Sonne bräunet, mit weniger Saft, welchen die Sonne verdichtet und zäh macht, welcher später zeitiget und einen hitzigen, gehaltreichen Wein giebt, diese suchet das Insekt nicht, sondern vermeidet sie mehr. An den Mittelrhein gehören darunter: Grobriesling, Feinriesling, Burgundertraube, Orlean, Muskateller, Traminer u. s. w. Bei allen diesen Traubensorten wird man nie mit Recht über eine allgemeine Verheerung klagen können, und sollte auch hie und da in dem Frühjahre der Heuwurm auf den Blüthen dieser Trauben erscheinen, so wird man doch nur äußerst selten im Spätjahre an der Beere den Sauerwurm finden.

3. Während der zweimaligen Erscheinung des Insektes als Raupe wird dessen Leben durch trockenes Wetter verkürzt, durch kühles, feuchtes Wetter verlängert Alle Gegenden, welche eine tiefe, flache Lage ohne Abdachung haben, welchen ein See in der Nähe ist, ein Fluß, ein Bach, eine Wiese mit allen Nebeln und kühlen feuchten Ausdünstungen sind die vorzüglichsten Schutzorte, wo das Insekt gedeihet, während eine höher und trocken liegende Gegend frei von demselben bleibet.

4. Das zweimalige Einspinnen der Raupe geschiehet theils an dem knotigen Rebenstocke selbst, theils in dem Holzwerk, welches zu dessen Befestigung dienet, theils auf dem Boden. In allen Gegenden sonach, wo der Weinstock lang an Wänden oder Spalieren gezogen wird, so daß die einzelne Rebe mit knotigem Hauptstamm oft in fünf bis sechs Theile auf zehn bis zwanzig Schuh Länge auseinander gezogen wird, wo zu deren Befestigung ein

großer Aufwand an Pfosten und Latten nothwendig ist, wo nur eine sehr einfache Bearbeitung des Bodens Statt findet und solcher vielleicht nur einmal des Jahres oder nur sehr seichte umgehackt wird, in allen solchen Gegenden wird das Insekt als Puppe gehegt, das häufigere Ausfliegen des Schmetterlings und die Vermehrung des Insekts ist sonach unvermeidlich. In anderen Gegenden aber, wo nach dem gewöhnten Bau der einzeln stehende Stock so niedrig als möglich am Boden gehalten und sonach im Frühjahr alles überflüssige Holz bis auf eine Rebe und eine Spitze abgeschnitten wird, wo man zwei, drei oder vier Reben zusammensetzet und diesen nur einen Pfahl giebt, wo man den Boden zwei-, drei- bis viermal herumhacket, da wird ein großer Theil der Brut zerstört und mit ihr der Vermehrung des Insektes vorgebaut werden.

Wenn in den vorliegenden vier Punkten die vorzüglichsten Lebensbedingungen des Insektes, sonach die Wege zu dessen Vermehrung, enthalten sind, so wird es sehr einleuchtend werden, wo eigentlich das Insekt seinen vorzüglichsten Sitz haben kann, und wird es mit verheerender Wirkung angetroffen, so kann eben so einleuchtend erscheinen, worin dieses seinen Grund finde. Die ersten und vorzüglichsten Klagen erscheinen aus dem südlichen Frankreich, aus dem nördlichen Italien und aus der Schweiz, und nach diesen wird oft eine ganze Weinärnte durch das Insekt zerstöret. Nicht berufen, die dortigen Anpflanzungen noch den dortigen Weinbau zu beurtheilen und zu tadeln, möge es einem jeden Interessenten überlassen bleiben, aus Vorstehendem die Gründe der Erscheinung aufzufinden oder die Mittel zu deren Beseitigung daraus zu entnehmen.

Die uns näher liegenden und näher verwandten Weingegenden in dem Königreiche Würtemberg und Großherzogthum Baden stimmen in die nämliche Klage ein, und zwar mit großem Recht, indem die Verheerungen in beiden Ländern nur zu fühlbar sind. Beide Gouvernements und die in denselben bestehenden landwirthschaftlichen Vereine haben sich schon sehr bemühet, diesen Gegenstand der allgemeinen Sorge, dem öffentlichen Interesse anzuempfehlen, und gewiß wird Alles, was hiefür geschehen, von den betreffenden Interessenten nur mit Dank anerkannt werden. Sollte jedoch eine oberflächliche Ansicht nicht trügen, so dürfte in beiden Staaten eine modificirte

Zusammensetzung der oben genannten, vorzüglichsten Beförderungsmittel vielleicht auch als Grundursache des allgemeinen Uebels erscheinen.

Weiche Traubensorten scheinen dort vorzüglich herrschend zu seyn; der Bau, wahrscheinlich sehr einfach, wenigstens der Kostenbetrag läßt keinen großen Fleißaufwand vermuthen; die Lagen mitunter kühl und feucht, und wenn in dem Großherzogthum Baden die Insel Reichenau als vorzügliches Beispiel angeführt wird, so kann es nur sehr traurig seyn, vielleicht in der dortigen Traubenart, verbunden mit der Lage am See, den Grund eines unheilbaren Uebels zu finden. Es ist allerdings hart und anmaßend, einem ganzen Staate sein Produkt und seine Verfahrungsweise abzusprechen, aber weit davon entfernt möchte doch alles Vorstehende einladend genug seyn, Versuche in geändertem Bau und Anpflanzung zu machen und nach dem Resultat die eigene Willkühr zur weiteren Richtschnur zu nehmen. An dem Mittelrhein und in näherer Beziehung in dem Rheingau haben viele Stimmen sich unbedingt der allgemeinen Klage angeschlossen; aber so traurig es auch ist, eine Verheerung anzusehen, welche des Landmannes Aerndte kurz vor deren Bezug zerstöret, so darf der ruhige Blick doch durch die Klage allein sich nicht irren lassen, sondern muß die bessere Erfahrung zum Anhaltpunkte nehmen, und diese lehret, daß in dem Rheingau örtliche Verheerungen Statt finden, aber weder Heuwurm noch Sauerwurm unter die allgemein herrschenden Uebel gerechnet werden können. Es fehlet zwar nicht, daß in den Weingärten, mit welchen alle Ortschaften des Rheingaues umgeben und angefüllt sind, oft der ganze Wachsthum durch den Sauerwurm zerstöret wird. Aber die Lage dieser Gärten ist in der Regel flach und tief liegend, oft durch Häuser beschattet; deren Anpflanzung bestehet bloß aus Kleinberger Trauben; ihre tiefere Lage, oft gegen den Strom, ist kühl; ihre ganze Bauart bestehet aus Planken und Gartenlauben mit vielem Holzaufwand und dumpf mit Mauern umschlossen, so daß sich Alles vereiniget, was dem Gedeihen des Insektes schädlich seyn kann. Eben so fehlet es nicht, daß in manchen einzelnen Gemarkungen die Verheerung bedeutender und zu der Zeit, wo der Schmetterling ausflieget, sogar auf der Gränzscheide sichtbar ist. Aber leider giebt es noch mehrere Gemarkungen, deren Anbau größtentheils aus Kleinberger Trauben bestehet oder deren Weinberge ganz flach, eben, feucht, kühl und dumpfig

3. An welchen Orten das Feuer am zweckmäßigsten angelegt wird, um ohne Schaden den Zug des Rauches zu gewinnen.

4. Auf welches Zeichen sämmtliche Feuer angezündet werden.

5. Auf welches Zeichen das Feuer gedeckt und Schwefel beigelegt wird, denn dieses muß nach dem schon bekannten Luftzug immer nur nach und nach in der Art geschehen, daß die Entferntesten sich immer erst auf die Nächsten zurückgezogen haben, ehe diese anfangen zu decken, so daß die Menschen nicht dem Rauch und Schwefelgeruch ausgesetzt sind.

6. Ob die ganze Arbeit nach der Persönlichkeit der Gemeindeglieder am besten durch die Besitzer selbst als Zwangssache oder unter Aufsicht gegen Zahlung aus der Gemeindekasse vollbracht wird u. s. w.

Wenn durch eine solche wohlgeordnete Anstalt auch nur die Hälfte eines sonst verlornen Herbstes gerettet werden kann, so ist die Bemühung von acht bis vierzehn Tagen im Frühjahre täglich einige Stunden des Abends reichlich vergolten. Der Zeitpunkt bei dem zweiten Ausfliegen des Schmetterlinges ist nicht so günstig, indem er nicht so bestimmt und nicht an so kurze Zeit gebunden ist; sollte jedoch auch dieser durch die Erscheinung sich merklich bezeigen, so steht nichts im Wege, das nämliche Schutzmittel zu wiederholen.

---

32. Briefauszüge aus der österreichischen Zeitschrift an Herrn W. B. Petri in Theresienfeld über Wollmärkte.

Aus Berlin, 20. Juny 1835.

Mit Vergnügen gebe ich Ihnen über das, was in der Schaf- und Wollwelt vorkommt, wieder Bericht: Ich besuchte den Breslauer, Wettiner, Holliner, Berliner, Güstrower ꝛc. Wollmarkt und mache wieder einen Abstecher nach Old England.

In Breslau waren circa 50000 Ctr. Wolle. Die mittelfeinen Wollen von 85 bis 95 Rthlr. pr. Ctr. wurden rasch weggekauft und über ihren wahren Werth bezahlet; dagegen waren die extra feinen Wollen, die 110 bis 150 Rthlr. werth waren, sehr gedrückt, und erhielten die Verkäufer im Allgemeinen nur 100 bis 130 Rthlr. dafür. Mein Gemüth wurde durch solche unverhältnißmäßige Preise und verkehrte Conjuncturen in eine trübe Stimmung gesetzt. Eben so gieng es in Stettin, wo an 20,000 Ctr. Wolle am Platz waren.

Ich war früher nie in Stettin. Die Pommern und Ukermärker, so auch die Mecklenburger verlegten sich sehr stark auf Kammwollproduction, und da sie ihren großen Vortheil dabei finden, so muntert der Erfolg sie immer mehr dazu auf. Die Wolle ist 3—4 Zoll lang, halb und ganz constant veredelt, hat wegen der Quantität der Wolle, die ein Schaf giebt, nicht die höchste Feinheit, sondern erreicht solche höchstens nur bis zur Secunda und abwärts, und wurde von 75 bis 90 Rthlr. pr. Ctr. flott gekauft.

Hier in Berlin sind circa etliche 30,000 Ctr. Wolle am Markt. Heute als am 3. Tage konnte kein Mensch kaufen, da die Preise zu hoch waren. Doch stimmten die Urproducenten ihre Preise etwas herunter, und so wurde sehr viel Wolle verkauft; es wird daher wenig überbleiben. Die Engländer, von denen eine Unzahl zum Einkauf hier ist, kaufen fast gar nichts; desto mehr thun die niederländischen Wollhändler.

Die Nachrichten von Wolle und Tuchpreisen aus England lauten schlecht, und darum kaufen die Engländer so wenig deutsche Wolle. Die Hauptursache davon kommt daher, weil die Amerikaner bei ihren sehr starken Aufträgen von Tüchern nach England zugleich nach Qualität der Waaren die Preise limitirt haben, die aber so niedrig sind, daß die englischen Fabrikanten bei den jetzigen Wollpreisen viel Geld verlieren; und darum sind die Preise sehr gedrückt und das Geschäft ist, bis sich dieses ausgleichet, in England ins Stocken gekommen. Es ist daher ein wahrer Beweis, daß sich die deutschen Fabrikanten gewaltig gehoben haben, weil ohne die Concurrenz der Engländer unsere producirt werdenden Wollen auf den Wollmärkten Deutschlands rein vergriffen werden.

Was müßten nicht die österreichischen Gutsbesitzer und Wollproducenten nach ihren schon oft erwähnten Bemerkungen durch einen Haupt-Wollmarkt in Wien — das für den Handel in der gegenwärtigen Entwicklung der Handelsconjuncturen eine so glückliche und wichtige Lage hat — für segenbringende Erfolge für alle Zweige der gesammten Landwirthschaft mit aller Gewißheit zu erwarten haben, wenn solch ein Wollmarkt gegen

Ende July jedes Jahr in Wien abgehalten werden würde; denn, wenn der in England ausgegangene Plan, wie nicht zu zweifeln ist, verwirklichet wird, eine direkte Verbindung über Aegypten nach Ostindien herzustellen, so läßt sich, ohne sanguinische Hoffnungen zu hegen, sehr leicht bemessen, welche reiche Quellen des Verkehres auch für Deutschland und ganz Oesterreich dadurch entspringen müssen, wenn die Donau mit dem Rhein mittelst des Mains durch einen Kanal verbunden wird. Hier liegen äußerst wichtige Keime der Verbesserung der Nationalwohlfahrt in der Mitte, und es handelt sich hauptsächlich darum, eine Haupt-Handels-Wasserstraße durch das gesammte deutsche Vaterland auf ewige Zeiten herzustellen. Deutschland aus dem politischen Mittelpunkte betrachtet, welchen es jetzt schon bildet, würde auch noch durch die Verbindung dreier seiner großen Flüße: der Donau mit dem Rhein und dem Main, der Mittelpunkt einer Handelslinie zwischen dem atlantischen und schwarzen Meere werden; indem dieser Absatzweg der Erzeugnisse und des Durchganges aus England, Frankreich, Holland und Belgien, so wie aus Oesterreich, Ungarn, Griechenland, der Levante, Persien und Aegypten, unser gemeinschaftliches Vaterland einst sehr beschäftigen wird, und sowohl Wien als Pesth wegen ihrer glücklichen Lage an der Donau Hauptstapelplätze für alle einheimischen Naturprodukte werden müßten. In der That, Wien und Pesth sind in dem österreichischen Kaiserthum in ökonomischer und commerzieller Rücksicht sehr geeignet, und gleichsam von Natur berufen, eine höchst glänzende Rolle zu spielen. Verwundern muß man sich daher, daß Oesterreichs Grundbesitzer die wohlthätigen Einwirkungen eines Wollmarkts in seiner Haupt- und Residenzstadt Wien so lange vermissen müssen, wovon doch nur die Apathie seiner großen Grundherrn, die für ihr eigenes Interesse der Einrichtung einer so tief auf das Gedeihen und die Entwicklung des Ackerbaues, so wie auch auf den Werth des Grund und Bodens den größten Einfluß habenden Anstalt fremd und gleichgiltig bleiben — die einzige Ursache sind, daß diese unvermeidliche österreichische Nationalsache so langsam und spät in Erfüllung gehet, und durch diese Verzögerung alljährlich Millionen für den Staat an seiner Entwicklung verloren werden.

Ich kehre nach diesen kleinen Betrachtungen wieder zu meinem Wollbericht zurück. In Breslau sind alle Wollen und sogar die polnischen nach meiner Abreise abgesetzt worden; in Stettin blieb sehr wenig, und so ist es auch in Brandenburg, und in Landsberg an der Wartha gewesen, wo sich die Preise überall gleichgestellt haben. Wollen die Engländer in der Folge deutsche Wollen haben, so werden sie auch wohl deutsche Marktpreise anlegen müssen, und wahrscheinlich wird dieses in sehr kurzer Zeit der Fall werden; dieß leuchtet aus Allem hervor.

Zweiter Brief aus Hamburg, 12. Juli 1835.

Ich schreibe Ihnen heute aus Hamburg und theile Ihnen den ferneren Gang des Wollgeschäftes mit. Von Berlin gieng ich nach Gustrow in Mecklenburg, wo nur beiläufig 7000 Pf. Wolle zum Verkauf vorhanden waren; denn der größte Theil war schon auf den Gütern für England aufgekauft worden. Dieses Land hat die herrlichsten Wiesen, worauf das schönste Heu erzeugt wird, das die Besitzer im Winter den Schafen füttern. Im Frühjahre werden die Felder gewöhnlich mit Haser angebauet, worunter rother und weißer Klee, Timothe- und Raygras jährlich mit eingesäet werden, was ein herrliches Gemenge für Schafweiden giebt, und die Schafe ohne den geringsten Nachtheil ihrer Gesundheit aufnehmen.

Die Schafe daselbst sind mehr oder weniger veredelt, liefern 3 Pf. bis über 4 Zoll lange Wollen von einer außerordentlichen Kraft, und darum wird solche auch schnell von den Engländern zu Preisen von 75 bis 85 Rthlrn. pr. Ctr. weggekauft. Die Zahlung wird in Louisdor à 5 Rthlr. gemacht, folglich um $13\frac{1}{2}$ Proc. besser als in P. C. — Hier sind 2 Franzosen aus Paris, die sehr starke Parthien von Wollen für den Kamm kaufen; die Allerfeinsten und Längsten zahlen sie am höchsten. Ach, wenn doch unsere deutschen Schafzüchter in günstigen Localitäten sich mehr auf die Produktion der Kammwolle verlegen möchten! Es ist in der That unbegreiflich, daß man dießfalls so wenig Industrie wahrnimmt, und die Menschen so sehr bei ihrer alten Weise verfahren.

Ein Schaf in Meklenburg, wo der größte Theil Kammwolle erzeugt wird, giebt im Durchschnitte 3 Pf. Hamburger schweres Gewicht an Wolle.

In 4 Wochen kommen in London 6000 Ballen Wolle aus Neu-South-Wales in Auction und bis Ende July sind 10000 Ballen in Auction zu haben. Ueberhaupt kommen dieses Jahr bei 6 Millionen Pfund aus diesem entfernten Welttheile nach London, meistens Mittelwollen von schlechter Wäsche.

In Betreff des Wollgeschäftes bin ich der Meinung, daß binnen jetzt und 2—3 Monaten sich alle Wollen von guter Natur zu solchen Preisen vergriffen haben werden, daß für den Händler noch ein billiger Gewinn dabei zu erwerben ist.

Wenn ich nach London komme, so werde ich Ihnen nicht nur von den verschiedenen Pommerischen Wollen, die sich ganz besonders für den Kamm eignen, sondern auch von allen Arten New-South-Wales-Wollen, von den feinsten bis zu den ordinärsten, wieder mit Vergnügen Muster einsenden.

---

35 Die doppelte Ringel- oder Schneidwalze, ein noch wenig bekanntes, aber allgemein zu empfehlendes Ackerwerkzeug.

Zur Anfertigung dieses Ackerwerkzeuges sind zwei Stück eichenen Holzes, jedes 9 Fuß lang und 20 Zoll stark, erforderlich. Diese Stücke müssen, nachdem sie abgerundet, noch 17 Zoll Durchmesser behalten, denn jeder Ringel soll 17 Zoll Durchmesser bekommen.

Jeder Ringel ist von dem nächsten Ringel 7 Zoll entfernt.

An die eine Walze kommen 12 Ringel und an die andere deren 13.

Die Vertiefung oder Ausgruppung zwischen zwei Ringeln muß 4½—5 Zoll tief seyn.

Die Annäherung beider in einander greifenden Walzen darf nur 1—1½ Zoll weit seyn. Sämmtliche Ringel werden mit Eisen beschlagen, 3 Zoll breit auf beiden Seiten. Beide Walzen gehen in einem Gestelle.

Stärke der Walzenhölzer: 4 Zoll. Höhe derselben: 8 Zoll. Stärke der Bäume: 5 Zoll Durchmesser. Alle 4 Zapfen dieser beiden Walzen müssen in metallenen Büchsen gehen. An allen 4 Ecken des Gestelles müssen eiserne, an Ketten befestigte Vorstecker angebracht werden, um das Voneinandernehmen und Wiederzusammensetzen des Gestelles schnell und leicht verrichten zu können, denn in allzu steinigen Wegen würde der Beschlag der Ringel durch das Fortwalzen von einem Acker auf den anderen mit der Zeit leiden. In diesem Falle muß die Walze auf einen Wagen geladen und weiter gefahren werden.

Diese doppelte Ringel- oder Schneidwalze besteht demnach aus zwei Walzenkörpern, die in einem Gestelle hintereinander gehen; jeder dieser Walzenkörper ist durch keilförmige, 4 Zoll tiefe Ausschnitte in mehrere Ringel abgetheilt, und beide sind so hintereinander in das Gestelle eingepaßt, daß die Ringel der hintern Walze in die Ausschnitte der vordern eingreifen.

Von den vielen Vortheilen, welche der Gebrauch dieser Walze in jeder Gegend und auf jedem Boden, — dem strengen bindenden Thonboden und dem leichten Flugboden — darbietet, will ich nur einige erwähnen.

Im Frühjahre bei dem Bestellen der Erbsen, Pferdebohnen und Wicken in frischgedüngtem Lande kann man mittelst dieser Walze allen durch den Pflug nicht gänzlich eingeackerten langen Mist eindrücken; und anstatt daß durch den Gebrauch der Egge nach dem Ackern der Mist nur noch mehr herausgerissen wird, erreicht man durch dieses zu empfehlende Werkzeug das gewollte Gegentheil neben dem weitern Vortheile, daß alle auf der Oberfläche liegenden Klumpen viel besser und schneller zertrümmert werden, als es der Egge jemals möglich ist. Ein Gleiches gilt auch ganz vorzüglich von den im Spätherbste mit langem, strohigem Miste gedüngten bestellten Aeckern.

Auch in solchen Gegenden, wo man die Samenfrucht erst auf das eben geackerte Land in die Furchen säet und blos einegget, vertritt diese Walze nicht nur die Stelle der Egge gänzlich, sondern sie verdient sogar den Vorzug. Man kann ferner mittelst derselben beim Bestellen der Gerste und des Hafers im Frühjahre jeden Acker mit leichter Mühe klar machen. — Dies ist zwar mit der gewöhnlichen Egge zuletzt auch zu erreichen, aber doch nur auf weit kostspieligere Weise, mit größerm Zeitverluste und Kraftaufwande, und noch zu gedenken ist, daß das mit der Walze bearbeitete Land gleich gewalzt liegen bleiben kann, indem es keine glatte Oberfläche erhält, sondern sich gereift — wie geegget — darstellt.

Ferner trifft es nur zu oft, daß im Frühjahre gleich nach der Bestellung und noch vor dem Aufgange der Gerste und des Hafers heftige Platzregen fallen, wodurch bei bald folgender Hitze das Land, vorzüglich in bindendem Boden, eine so feste Rust oder Rinde bekommt, daß es den darunter befindlichen Fruchtkeimen unmöglich wird, die Oberfläche zu durchbohren. Bediente man sich nun bisher nothgedrungen der Egge oder anderer ähnlichen Werkzeuge, um die Rinde aufzureißen, so kennt jeder Landwirth die schädlichen Folgen hievon; aber ganz ohne Nachtheil für die aufgehende Saat ist die Zerkrümelung jener Rinde durch diese doppelte Ringelwalze zu erzielen.

Sehr vortheilhaft ist die Anwendung dieser Walze auch auf Saatfeldern, an welchen Mäuse ihr Unwesen treiben: denn sie zerstört nicht nur die Gänge jener großen — kleinen Feinde, sondern tödtet auch viele derselben durch ihre Schwere und ihre scharfen Ringel.

Es wird jeder denkende Landwirth durch mein Gesagtes hinlänglich überzeugt seyn, wie nothwendig ein solches Werkzeug in jeder Wirthschaft ist, und sogar Gemeinden würden wohlthun, wenn sie sich eine oder zwei Walzen auf gemeinschaftliche Kosten anschafften. Als Verfertiger dieser Walze kann ich den Wagnermeister König in Gebesee bestens empfehlen: auch ist derselbe erbötig, zur Anfertigung solcher Walzen, bei einiger Entfernung von seinem Wohnorte und beschwerlicher Herschaffung der nöthigen Eichen dazu, sich selbst an Ort und Stelle zu begeben und solche anzufertigen.

Hinsichtlich des etwas schwierigen Beschlages dieser Walzenringel, den auch der beste Schmidt nur mit Mühe und Kosten bewerkstelligen möchte, — ist es den Herren Dreyße und Collenbusch, Besitzer der Eisenfabrik zu Sömmerda, gelungen, einen sehr zweckmäßigen Beschlag von starkem Eisenblech dazu zu liefern, welchen entfernt Wohnende aus dieser Fabrik beziehen, ihre Walzen dann damit selbst beschlagen lassen können, und also nicht nöthig haben, die schweren Walzenkörper dorthin zu liefern; nur muß bei Anfertigung der Walzen selbst die angegebene Stärke von 17 Zoll Durchmesser berücksichtigt seyn, sonst passen die Beschläge nicht, indem jedes Stück aus einem Halbzirkel besteht. Der Preis des Beschlags ist verschiedenerlei Art und kann zwischen 20 und 32 Rthlr. zu stehen kommen.

Hierauf Reflectirende können sich nun hinsichtlich des Beschlags direct an genannte Fabrik, in Betreff der Anfertigung der Walzen an den Wagnermeister König zu Gebesee wenden; auch ist Letzterer erbötig, gegen Einsendung eines Speciesthalers ein getreues Modell dieses Werkzeuges zu liefern.

Haßleben bei Erfurt.

Kruse.

---

34. Ueber eine neue Maschine zur Fabrikation der Ziegel.

Seit einigen Wochen hat der Bauunternehmer Hr. Hansen nahe bei Aachen eine Maschine zum Kneten und Formen aller Gattungen von Ziegelsteinen in Thätigkeit gesetzt, welche die Aufmerksamkeit aller Architekten, Bau-Unternehmer und überhaupt die Freunde der Industrie in hohem Grade verdient.

Ich will versuchen, eine kurze Beschreibung davon mitzutheilen, so gut dieß sich ohne Zeichnung thun läßt.

Eine schräg liegende doppelte Kette ohne Ende, an welcher Brettstückchen befestigt sind, die Mulden bilden, in welchen der mit Erde vermischte nur wenig befeuchtete Lehm mittelst Schauseln gebracht wird, fördert die Ziegelmasse in ein aufrecht stehendes cylinderförmiges hölzernes Gefäß, durch welches eine eiserne Achse geht, die mehrere gerade und gekrümmte, horizontale und schief stehende Messer und Schaufeln trägt, welche die Ziegelmasse bei Umdrehung der Achse so gut bearbeiten und kneten, wie dieses bei der gewöhnlichen Methode, dem Durchtreten mit den Füßen, kaum bewerkstelliget werden kann, denn die Masse ist vollkommen gemengt (homogen), zart, ohne Brocken, und hat sehr wenig Wasser, daher die Ziegel auch bald trocken werden.

Unter diesem Cylinder befindet sich eine zweyte doppelte Kettenbahn ohne Ende, an welcher zu beiden Seiten hölzerne Backen befestigt sind, und zwar an jedem Kettengliede eine Backe. Beide Ketten sind durch hölzerne Querstücke verbunden, auf welchen zwei 3 bis 4 Fuß lange Bretter von gleicher Breite gelegt werden; es wird demnach dadurch ein oben und unten an den kurzen Seiten offener Kasten gebildet. In diesen fällt die Ziegelmasse aus dem Cylinder und wird darin von einem Arbeiter vertheilt und eingedrückt.

Die Kettenbahn bewegt sich vorwärts und kömmt unter eine Walze, deren Umfang die Backen berührt, mithin die Masse nicht allein festdrückt, sondern auch den Ueberfluß zurückdrängt. Jetzt verlassen die Bretter die sich abwärts neigende Kettenbahn und werden über Rollen weiter geschoben. Durch einen von oben nach unten schräg aufgespannten Messingdrath wird der compacte Lehmstreifen in der Mitte (zwischen den beiden Brettern hindurch) durchschnitten und zwei andere dergleichen beschneiden den etwas ungleichen Rand. Sind die Bretter, welchen immer neue dergleichen folgen, so weit durch die Maschine passirt, so zeigt dieß der Klang einer Glocke an, welche durch einen Ausschnitt in den Brettern in Bewegung gesetzt wird; alsdann senkt ein Arbeiter mittelst eines Hebels einen Rahm nieder, an dem Messingdrähte gespannt sind, welche die beiden Leimstreifen durchschneiden und somit das Formen der Ziegel vollenden.

Die Bretter mit den darauf liegenden fertigen Ziegeln werden nun noch 4 Fuß lang über Rollen fortgeschoben, von Arbeitern abgehoben und zum Abtrocknen aufgestellt.

Man wird hieraus entnehmen, daß es eigentlich zwei Maschinen sind, eine Knetmaschine und eine Formmaschine; sie werden auch durch abgesonderte Kräfte in Bewegung gesetzt, was bei der jetzigen Einrichtung ganz zweckmäßig ist. Die Knetmaschine erfordert eine große Kraft, denn 3 starke Pferde haben, mittelst eines Göpels (Manège), vollkommen ihre Arbeit; es muß jedoch bemerkt werden, daß die doppelte Muldenkette, welche die rohe Masse in den Cylinder transportirt, ebenfalls durch den Pferdegöpel in Bewegung gesetzt wird. Die Formmaschine geht dagegen sehr leicht, und wird von einem Arbeiter ohne große Anstrengung und ohne das Bedürfniß einer Ablösung fortwährend mittelst einer Kurbel in Bewegung gesetzt.

Zum Auflegen der Bretter und deren Bestreuung mit etwas trockenem Sande, zum Antreiben der Pferde, so wie zum Herbeiholen des benöthigten Wassers ist ferner ein Arbeiter erforderlich; vor dem Zerschneiden des Lehmstreifen durch die Dräthe nämlich muß derselbe befeuchtet werden, was mittelst einer mit vielen kleinen Löchern versehenen blechernen Röhre bewirkt wird.

Zum Herbeischaffen der rohen Masse wird ein einspänniger Schlag-Karren nebst Führer erfordert, dem noch ein Arbeiter beim Aufladen behilflich ist.

Es sind demnach überhaupt 4 Pferde und 7 Arbeiter beschäftigt, wenn die Maschine in voller Thätigkeit ist. Ist der Trockenplatz der fertigen Ziegel aber etwas entfernt, so werden noch zwei Menschen mehr zum Wegtragen derselben erforderlich.

Die Construction der Maschine ist einfach, jedoch einiger Verbesserungen nicht unfähig; sie soll im Elsaß erfunden und dort zuerst in Betrieb gesetzt worden seyn; der Eigenthümer der hiesigen Maschine hat sie wenigstens von dort kommen lassen. Sie liefert jetzt durchschnittlich in jeder Minute 60 Ziegel von der hier gewöhnlichen Größe (circa $10\frac{1}{2}$ Zoll lang, 5 Zoll breit, $2\frac{1}{2}$ Zoll hoch), bei 12 Arbeitsstunden täglich also 43,200 Stück.

Bei der gewöhnlichen Methode werden für jeden Arbeitstisch 4 Arbeiter gebraucht, welche in 16 Arbeitsstunden täglich 4000 Stück Ziegel liefern; *) wenn man die Leistung eines Pferdes nach dem Maaßstabe der Kosten berechnet (1 Pferd täglich mit 1 Thlr., ein gewöhnlicher Arbeiter im Durchschnitt

*) Die in hiesiger Gegend arbeitende Ziegelbäcker, fast ausschließlich Wallonen, scheinen zuweilen trotz ihres (in der Regel) liederlichen Lebens, unermüdlich; sie beginnen ihre wahrlich sehr schwere Arbeit des Morgens vor Sonnen-Aufgang, stellen dieselbe Abends erst bei totaler Dunkelheit ein, und gönnen sich Mittags nur 1/2 Stunde zum Essen und Ruhen. Natürlich arbeiten sie nicht im Tagelohn.

mit $7\frac{1}{2}$ Sgr. bezahlt) so würde man die bei der Maschine verwendeten 4 Pferde und 7 Arbeiter zusammen auf 23 Menschenkräfte annehmen können; 23 Arbeiter liefern aber nach der gewöhnlichen Methode (4 : 4000) täglich 23,000 Ziegel, mit der Maschine werden demnach täglich 20,200 Stück mehr erhalten; hierbei sind jedoch noch die Zinsen des Anlage-Kapitals und die Unterhaltung und Abnutzung der Maschine und des Gebäudes in Anschlag zu bringen; es ist indessen der pecuniäre Vortheil bei Anwendung dieser Maschine wohl Jedermann einleuchtend. Fernere wohl zu beachtende Vortheile sind das Arbeiten während heftigen Regens, was bei der bisherigen Methode nicht Statt finden kann, größere Festigkeit der Ziegel, schnelleres Trocknen, glattere Flächen und schärfere Winkel derselben und endlich eine gewisse Unabhängigkeit von den Launen, der Rohheit und Grobheit der wegen dieser Eigenschaften hinlänglich berüchtigten Mehrzahl der Ziegelbäcker.

Man sage nicht, daß durch diese neue Maschine eine Anzahl Menschen ihren bisherigen Verdienst verlieren. Erstlich wird es, wird es, wie gewöhnlich, einer geraumen Zeit bedürfen, bis diese Maschine so häufig angewendet wird, daß sie einen merkbaren Einfluß äußert; auch kann sie nur auf bedeutenden Ziegeleien in Anwendung kommen. Dann sind die Ziegelbäcker dabei auch nicht ganz entbehrlich, denn die lufttrocknen Ziegel müssen doch in den Ofen eingesetzt werden. Der Eigenthümer der hiesigen Maschine, Hr. Hansen, hat auch bei derselben nur seine bisherigen Ziegelstreicher angestellt, welche mit diesem Wechsel ihrer Arbeit sehr wohl zufrieden sind, da die Arbeit bei weitem nicht so anstrengend ist.

Es werden mit Hilfe der Maschine also bedeutend mehr Ziegel fabricirt; diese werden besser und wohlfeiler seyn, als bisher; das Bauen wird demnach auch wohlfeiler werden, folglich wird man mehr bauen und dieß muß auf den Preis und die größere Bequemlichkeit der Wohnungen — wenn auch nicht sogleich — jedenfalls einen vortheilhaften Einfluß äußern.

Aachen, den 24. Okt. 1835,

Aldefeld, Reg. Secr.

35. Ueber die in das Gebiet der Hauswirthschaft einschlagenden Gegenstände, welche bei der letzten Industrieausstellung in Paris ausgestellt wurden und die Oekonomen interessiren können.

Dachbedeckungen. Unter diesen waren jene aus Zink die vorherrschenden und beachtenswerthesten, besonders die Zinkplatten, welche wie Ziegel eingehängt und nicht mit Nägeln oder durch Löthungen befestigt werden. Es ist auf diese Weise die freie Ausdehnung gesichert und dem sonst so häufigen Zerspringen der Platten vorgebaut. Die heiß ausgewalzten Platten des Herrn Bietté verdienen besonders Erwähnung.

Anstriche für Gebäude. In dieser Hinsicht waren besonders die onosmischen, d. h. geruchlosen Anstreichefarben der Herren Bourgoin und Baube merkwürdig; denn diese Farben sollen in 15 Minuten trocknen, sich nicht abblättern und so wenig Geruch und Dunst geben, daß man noch an demselben Abende Zimmer bewohnen kann, die Morgens damit angestrichen wurden. Zur Verhütung der Feuchtigkeit der Mauern wurde ein salpeterwidriges Gemenge (mixtion nitrifuge), das Harzpapier u. dgl. empfohlen. (Verglichen Withalms Privilegium auf Holzpetrifizirung Oekon, Neuigk. 1834 Nr. 92 S. 735.)

Kamine waren in Menge auf der Ausstellung zu finden; man sah außer den länger bekannten Kaminen der Herren Millet und L'Homond, den verbesserten Calorifère des Hrn. Carioli; jenen des Hrn. Borani, der einer der kräftigsten seyn soll; die Kamine mit beweglichem Heerde des Hauses Desarnod; die Feuerblöcke (chenets calorifères) des Hrn. Delaroche; den vortrefflichen rauchverzehrenden Ventilator (ventilateur fumivore) des Hrn. Susleau; den wärmeerzeugenden Kamin (cheminée thermogène) der Herren Poulllet; und endlich den Multiplikator (cheminée multiplicator) des Hrn. Eugen de Dále.

Oefen. Unter den großen Sparöfen war hauptsächlich jener des Hauses Desarnod und das Modell jenes Ofens ausgezeichnet, den Hr. Chavepeyre für die holländische Suppencompagnie in Paris erbaute. Dieser Ofen wird nämlich durch Dampf geheizt, den man nach Belieben mittelst Schlüsseln, welche nach Außen führen, in größerer oder geringerer Menge um jeden einzelnen Tiegel einläßt. Mehr Aufmerksamkeit erregten jedoch jene kleinen Oefen, deren Idee ursprünglich von Hrn. Lemare ausgieng; der Brüteapparat desselben, sein Kamin, in welchem alle Wärme benutzt wird (cheminée pantotherme); sein Ofen, der bloß mit Luft geheizt wird (four aërotherme); die kleinen Oefen der Herren Harel und Chevalier; und endlich der neue Kochapparat des Hrn. Sorel, an welchem der als Regulator dienende Schwimmer des Hrn. Lemare durch eine Glocke ersetzt ist.

Künstliche Kühlapparate. Die Administration der Eisgrube zu Saint-Ouen hatte ihre tragbaren Eisbehälter und ihre Kühlapparate zum Abkühlen oder Gefrierenmachen von Flüssigkeiten ausgestellt.

Abtritte. Unter der wahrhaft zahllosen Menge von geruchlosen, hydraulischen und andern Abtritten scheinen jene des Hrn. Averty und jene des Hrn. Durand die empfehlenswerthesten zu seyn, indem das mit Gewalt in dieselbe dringende Wasser alle Unreinigkeiten entfernt.

Pumpen. Die bisher in den Haushaltungen in Paris beinahe allgemein gebräuchliche rotirende Pumpe des Hrn. Dietz scheint nun durch die amerikanische Pumpe des Hrn. Farcot verdrängt werden zu sollen, indem letztere wegen der großen Einfachheit ihres Baues nur höchst seltene und leicht zu bewerkstelligende Reparaturen nöthig macht. Sie ist gleichfalls rotirend, hat keine Feder, kein Excentricum und keine Reibung; sie dient sowohl als Saug- wie als Druckpumpe, und schleudert das Wasser auf eine Höhe von 30—40 Fuß, so daß sie im Nothfalle auch zum Bespritzen von Rasenflecken und als erstes Hilfsmittel bei Feuersbrünsten, so wie auch zum Empor-pumpen des Wassers in die verschiedenen Stockwerke dienen kann.

Filtrirapparate. Das Filtriren des Trinkwassers, welches mit den alten Apparaten des Hrn. Ducommun sehr langsam von Statten gieng, läßt sich nun mit Legolé's einfachen oder kohlenhaltigen Apparaten sehr leicht bewirken.

Beleuchtung. Man sah eine Menge sehr guter, nach dem Carcel'schen Princip gebauter, aber verschieden abgeänderter Lampen. Ausgezeichnet waren die hydraulischen und hydrostatischen Lampen der Herren Thilorier und Palluy. Die Lampen Silvant's sind zwar sehr leicht und gut zu handhaben; allein ihr Princip scheint nicht neu, indem es schon vor mehreren Jahren Lampen gab, in welchen das Oel durch ein Compressionsgewicht beständig auf einer bestimmten Höhe erhalten wurde. Die Astrarlampen des Hrn. Joanne dürfen vielleicht alle Empfehlung verdienen, wenn sich die Versicherung ihres Erfinders, wonach sie in der Stunde nicht mehr als für einen Centime

Oel verbrennen und dabei so viel Licht als zwei Kerzen geben sollen, bewähren sollte. — Unter den Kerzen zeichneten sich jene des Hrn. Meryot durch ihre Weiße und Geruchlosigkeit aus, obschon sie pr. Pfd. nur um 5 Centimen theurer sind, als die gewöhnlichen Kerzen. Bei der großen Vollkommenheit der ausgestellten Wachs-, Spermacet- und Stearinkerzen war nur noch zu bedauern, daß der Preis dieser Fabrikate immer noch zu hoch ist, was wohl davon herrühren mag, daß die schönen Arbeiten Chevreul's über die Verwandlung der Fette in Fettwachs oder Stearinverbindungen noch nicht genug in's praktische Leben übergegangen sind. — Endlich verdienen hier auch noch die neuen Zündhölzchen des Hrn. Merkel angeführt zu werden.

Tapeten sah man bei dieser Ausstellung die prachtvollsten, die je noch erzeugt wurden. Ohne bei den wahrhaft wunderbaren seidenen Tapeten mit sammetartigen Desseins verweilen zu wollen, erwähnen wir bloß der reichen Papiertapeten des Herrn Benoist Jacquart, der Herren Cartulat, Simon und Rimhaut, und der Madame Mader, welche sich sowohl durch die Reinheit der Desseins, als durch die Schönheit und den Glanz der Farben auszeichneten.

Papierfabrikation. Unter den schönen Fabrikaten der französischen Papierfabriken, welche einen großen Aufschwung dieses Industriezweiges beurkunden, zeichneten sich hauptsächlich das Sicherheitspapier des Hrn. Vidocq, welches gegenwärtig von Hrn. Mozard verfertigt wird, und das aus Schilf verfertigte chinesische Papier aus.

Mühlen und Knetmaschinen. Mit Bedauern müssen wir gestehen, daß alle Apparate, welche den Bäcker in Stand setzen sollen, sein Getreide bei Hause zu mahlen und sein Brod durch Maschinen zu kneten, noch keineswegs diesen Zwecken entsprechen. Alles, was auf der dießjährigen Ausstellung in dieser Hinsicht zu sehen war, stand weit unter dem, was bereits bekannt ist. Täglich sieht man die ersten unserer Bäcker den Knetmaschinen entsagen, weil sie sich täglich mehr überzeugen, daß sie die Arbeit der Menschenhände noch immer nicht vollkommen zu ersetzen im Stande sind.

Mehl, Satzmehl und Dextrin. Von Mehl und Satzmehl wurden nicht nur höchst gelungene und herrliche Produkte zur Ausstellung gebracht, sondern die aus denselben erzeugten Fabrikate, namentlich das Erdäpfelbrod des Hrn. Quest, die aus Dextrin verfertigten Zuckerbäckerwaaren des Hrn. Mouchot, regten die Aufmerksamkeit noch besonders an. Dazu gehört auch der Dextrinsyrup, welchen Herr Jouchard im Großen erzeugt und um einen Preis verkauft, welcher bei gleichem Stärkegrade um die Hälfte wohlfeiler ist, als der Zuckersyrup.

Auf die Weine bezügliche Fabrikate. Mehrere Fabrikanten wollen die Gallerte zum Klären der Weine benutzt wissen; einige andere, namentlich Julien, empfahlen mit Recht ein Pulver, welches in vielen Fällen, in denen das Eiweiß unwirksam ist, eine vortreffliche Wirkung in umgeschlagenen Weinen hervorbringt. — Die Heber oder Flaschenauslehrer des Hrn. Deleuze und die metallenen Kapseln des Hrn. Dupré, welche das Verpichen der Flaschen ersetzen, fanden vielen Beifall.

Wolle und Seide. Die Merinowolle der Heerden von Naz und Pony zeigte die hohe Veredlung der französischen Schafzucht, welche sich jedoch am auffallendsten aus der Wolle der großen Heerde des Hrn. Graux de Mourchamp in Invincourt bei Laon ergab, indem diese Wolle dieselbe Faser und eben das Seidenartige zeigt, wie die Cachemirwolle. Die Wollen der englischen Schafe zu Alfort waren lang und glänzend, aber etwas grob; schöner war die Wolle jener Schafe, die durch eine Kreuzung dieser englischen Schafe mit den Schafen der Artois entsprossen waren, und noch schöner und mehr gekräuselt war endlich die Wolle der Bastarde der englischen Schafe mit Merinowiddern. — Neben den feinen französischen Wollen zeichnete sich sehr vortheilhaft die in der Nähe von Paris gezogene Seide des Hrn. Camille Beauvais aus.

Weberarbeiten. Wir sind nicht im Stande, die großen Leistungen der französischen Webereien zu beurtheilen, und begnügen uns in dieser Hinsicht auf zwei für Frankreich neue Fabrikate aufmerksam zu machen, nämlich auf die aus den Fasern der Musa textilis gewebten Zeuge des Hrn. Bardel, und auf die aus den Fasern der Agave verfertigten Zeuge und Stricke des Hrn. Pavy.

Wäscherey. Besondere Erwähnung verdienen Hr. Dier und hauptsächlich Hr. Edmund Schindler, welche alte Kleider wie neu aussehend zu machen und denselben auch wieder die alte Farbe zu geben wissen, und zwar um einen sehr mäßigen Preis. Madame Ney hat das Putzen der Blonden auf einen sehr hohen Grad von Vollkommenheit gebracht, und Madame Victor putzt sie mittelst Dampf, wodurch ihr Gewebe noch weniger Schaden leidet. Die Herren Tassin und Achard sind im Reinigen der Federn ausgezeichnet.

Schuhmacherarbeiten. Als neu dürften die höchst weichen und zarten Damenschuhe aus Katzen- und Kaninchenfellen hervorgehoben werden.

Berichtigung.

Im Januar-Hefte S. 81 Z. 10 von oben, lies: Brennereien statt: Brauereien.

Mittelpreise
auf den
vorzüglichsten Getreideschrannen in Bayern.

Wochen.	Getreid-Sorten.	Aichach. fl.	Aichach. kr.	Amberg. fl.	Amberg. kr.	Ansbach. fl.	Ansbach. kr.	fl.	kr.	Augsburg. fl.	Augsburg. kr.	Baireuth. fl.	Baireuth. kr.	Erding. fl.	Erding. kr.	Kempten. fl.	Kempten. kr.
Vom 4. bis 10. Febr. 1836.	Weitzen	9	38	9	28	9	50	9	38	9	41	12	22	9	—	—	—
	Kern	—	—	—	—	9	57	10	7	10	30	—	—	—	—	12	24
	Roggen	6	6	6	32	6	18	6	24	6	36	8	15	6	—	8	17
	Gerste	7	28	7	10	9	15	8	39	8	11	9	17	7	45	8	4
	Haber	3	40	5	10	4	49	4	46	4	2	6	27	3	40	4	50
Vom 11 bis 17. Februar 1836.	Weitzen	10	15	9	19	9	30	9	37	9	33	12	11	9	12	—	—
	Kern	—	—	—	—	10	10	9	56	10	38	—	—	—	—	12	28
	Roggen	6	27	7	—	6	21	6	18	6	43	8	9	6	—	8	26
	Gerste	7	52	7	44	8	47	—	—	8	11	9	56	7	45	8	6
	Haber	3	49	5	10	5	9	4	53	4	18	6	33	3	30	4	48
Vom 18. bis 24. Februar 1836.	Weitzen	10	28	9	55	9	36	9	25	10	28	12	29	9	18	—	—
	Kern	—	—	—	—	9	46	9	55	11	26	—	—	—	—	12	36
	Roggen	6	55	6	50	6	19	6	29	7	12	8	23	6	15	8	55
	Gerste	7	41	7	54	8	40	8	34	8	23	9	24	8	—	8	6
	Haber	4	3	5	4	4	53	4	55	4	9	6	11	3	40	4	56
Vom 25. Februar bis 2. März 1836.	Weitzen	10	38	10	24	9	53	9	36	10	41	12	45	9	30	—	—
	Kern	—	—	—	—	9	48	9	53	11	45	—	—	—	—	13	52
	Roggen	7	4	6	52	6	23	6	26	7	59	8	33	6	20	9	43
	Gerste	8	3	8	13	8	48	8	17	8	42	10	13	8	12	8	58
	Haber	4	15	5	12	4	55	5	—	4	13	6	21	3	45	5	5

Mittelpreise
auf den
vorzüglichsten Getreideschrannen in Bayern.

Wochen.	Getreids-Sorten.	Landsberg		Landshut.		Lauingen.		Memmingen.		München.		Neuötting.		Nördlingen.		[illegible]
		fl.	kr.	fl.	kr.	fl.	kr.	fl.	kr.	fl.	kr.	fl.	kr.	fl.	kr.	fl.
Vom 4. bis 10. Februar 1836.	Weitzen	—	—	8	30	—	—	—	—	10	26	8	30	—	—	10
	Kern	10	34	—	—	9	20	11	27	—	—	—	—	9	17	—
	Roggen	6	39	5	30	6	36	7	28	6	42	5	52	7	15	6
	Gerste	7	50	6	52	7	27	9	23	8	7	5	43	7	29	8
	Haber	4	1	3	40	3	53	4	26	[illegible]	1	3	19	4	35	[illegible]
Vom 11. bis 17. Februar 1836.	Weitzen	—	—	8	37	—	—	—	—	10	40	8	53	—	—	10
	Kern	11	10	—	—	9	46	11	56	—	—	—	—	9	35	—
	Roggen	7	12	5	30	6	37	7	54	6	53	5	49	7	20	6
	Gerste	8	5	6	52	7	33	9	9	8	28	—	—	7	43	[illegible]
	Haber	3	58	3	40	3	58	4	32	4	17	3	23	4	54	[illegible]
Vom 18. bis 24. Februar 1836.	Weitzen	—	—	8	45	—	—	—	—	10	59	9	15	—	—	—
	Kern	11	30	—	—	10	11	13	9	—	—	—	—	9	53	—
	Roggen	7	32	5	37	6	52	8	30	6	59	6	6	7	20	—
	Gerste	8	20	7	15	7	48	9	33	8	34	6	46	8	9	—
	Haber	4	7	3	48	3	52	4	52	4	11	3	32	4	40	—
Vom 25. Februar bis 2. März 1836.	Weitzen	—	—	9	7	9	38	—	—	11	2	9	44	—	—	[illegible]
	Kern	12	13	—	—	10	24	13	16	—	—	—	—	10	15	—
	Roggen	8	13	6	—	7	37	9	—	6	56	6	19	7	27	
	Gerste	9	3	7	37	8	11	10	14	8	43	6	18	8	17	
	Haber	4	11	3	52	4	9	4	57	4	13	3	36	5	3	

Mittelpreise
auf den vorzüglichsten Getreideschrannen in Bayern.

Wochen.	Getreid-Sorten.	Aichach. fl.	kr.	Amberg. fl.	kr.	Ansbach. fl.	kr.	fl.	kr.	Augsburg. fl.	kr.	Baireuth. fl.	kr.	Erding. fl.	kr.	Kempten. fl.	kr.
Vom 4. bis 10. Febr. 1836.	Weitzen	9	38	[illegible]	28	9	50	9	38	9	41	12	22	9	—	—	—
	Kern	—	—	—	—	9	57	10	7	10	30	—	—	—	—	12	24
	Roggen	6	6	6	32	6	18	6	24	6	36	8	15	6	—	8	17
	Gerste	7	28	7	10	9	15	8	39	8	11	9	17	7	45	8	4
	Haber	3	40	5	10	4	49	4	46	4	2	6	27	3	40	4	50
Vom 11 bis 17. Februar 1836.	Weitzen	10	15	9	19	9	30	9	37	9	33	12	11	9	12	—	—
	Kern	—	—	—	—	10	10	9	56	10	38	—	—	—	—	12	28
	Roggen	6	27	7	—	6	21	6	18	6	43	8	9	6	—	8	26
	Gerste	7	52	7	44	8	47	—	—	8	11	9	56	7	45	8	6
	Haber	3	49	5	10	5	9	4	53	4	18	6	33	3	30	4	48
Vom 18. bis 24. Februar 1836.	Weitzen-	10	28	9	55	9	36	9	25	10	28	12	29	9	18	—	—
	Kern	—	—	—	—	9	46	9	55	11	26	—	—	—	—	12	36
	Roggen	6	55	6	50	6	19	6	29	7	12	8	23	6	15	8	55
	Gerste	7	41	7	54	8	40	8	34	8	23	9	24	8	—	8	6
	Haber	4	3	5	4	4	53	4	55	4	9	6	11	3	40	4	56
Vom 25. Februar bis 2. März 1836.	Weitzen	10	38	10	24	9	53	9	36	10	41	12	45	9	30	—	—
	Kern	—	—	—	—	9	48	9	53	11	45	—	—	—	—	13	52
	Roggen	7	4	6	52	6	23	6	26	7	59	8	33	6	20	9	43
	Gerste	8	3	8	13	8	48	8	17	8	42	10	13	8	12	8	58
	Haber	4	15	5	12	4	55	5	—	4	13	6	21	3	45	5	5

Mittelpreise

auf den

vorzüglichsten Getreideschrannen in Bayern.

Wochen.	Getreid-Sorten.	Landsberg fl.	Landsberg kr.	Landshut fl.	Landshut kr.	Lauingen fl.	Lauingen kr.	Memmingen fl.	Memmingen kr.	München fl.	München kr.	Neuötting fl.	Neuötting kr.	Nördlingen fl.	Nördlingen kr.	Nürnberg fl.	Nürnberg kr.
Vom 4. bis 10. Februar 1836.	Weitzen	—	—	8	30	—	—	—	—	10	26	8	30	—	—	10	[illegible]
	Kern	10	34	—	—	9	20	11	27	—	—	—	—	9	17	—	—
	Roggen	6	39	5	30	6	36	7	28	6	42	5	52	7	15	6	4[illegible]
	Gerste	7	50	6	52	7	27	9	23	8	7	5	43	7	29	8	5[illegible]
	Haber	4	1	3	40	3	53	4	26	[illegible]	1	3	19	4	35	5	2[illegible]
Vom 11. bis 17. Februar 1836.	Weitzen	—	—	8	37	—	—	—	—	10	40	8	53	—	—	10	1[illegible]
	Kern	11	10	—	—	9	46	11	56	—	—	—	—	9	35	—	—
	Roggen	7	12	5	30	6	37	7	54	6	53	5	49	7	20	6	4[illegible]
	Gerste	8	5	6	52	7	33	9	9	8	28	—	—	7	43	8	4[illegible]
	Haber	3	58	3	40	3	58	4	32	4	17	3	23	4	54	5	2[illegible]
Vom 18. bis 24. Februar 1836.	Weitzen	—	—	8	45	—	—	—	—	10	59	9	15	—	—	—	—
	Kern	11	30	—	—	10	11	13	9	—	—	—	—	9	53	—	—
	Roggen	7	32	5	37	6	52	8	30	6	59	6	6	7	20	—	—
	Gerste	8	20	7	15	7	48	9	33	8	34	6	46	8	9	—	—
	Haber	4	7	3	48	3	52	4	52	4	11	3	32	4	46	—	—
Vom 25. Februar bis 2. März 1836.	Weitzen	—	—	9	7	9	38	—	—	11	2	9	44	—	—	10	[illegible]
	Kern	12	13	—	—	10	24	13	16	—	—	—	—	10	15	—	—
	Roggen	8	13	6	—	7	37	9	—	6	56	6	19	7	27	6	[illegible]
	Gerste	9	3	7	37	8	11	10	14	8	43	6	18	8	17	8	[illegible]
	Haber	4	11	3	52	4	9	4	57	4	13	3	36	5		5	[illegible]

Mittelpreise
auf den
vorzüglichsten Getreideschrannen in Bayern.

Wochen.	Getreids-Sorten.	Passau. fl.	Passau. kr.	Regensburg. fl.	Regensburg. kr.	Rosenheim. fl.	Rosenheim. kr.	Speyer. fl.	Speyer. kr.	Straubing. fl.	Straubing. kr.	Traunstein. fl.	Traunstein. kr.	Vilshofen. fl.	Vilshofen. kr.	Weilheim. fl.	Weilheim. kr.
Vom 4. bis 10. Februar 1836.	Weitzen	—	—	8	18	10	—	10	43	7	55	9	30	5	40	10	26
	Kern	—	—	—	—	—	—	—	—	—	—	—	—	—	—	10	26
	Roggen	—	—	5	30	6	44	7	47	5	30	6	12	6	3	6	56
	Gerste	5	30	6	36	6	32	6	34	5	42	6	24	5	31	6	38
	Haber	—	—	4	36	4	—	5	32	4	—	3	24	—	—	4	10
Vom 11. bis 17. Februar 1836.	Weitzen	—	—	8	59	10	4	12	42	8	—	10	—	8	51	11	41
	Kern	—	—	—	—	—	—	—	—	—	—	—	—	—	—	11	41
	Roggen	—	—	5	57	6	40	8	6	5	30	6	24	5	57	7	39
	Gerste	5	36	6	49	6	30	6	30	5	54	6	24	5	55	7	58
	Haber	—	—	4	51	3	52	5	32	4	10	3	36	—	—	4	44
Vom 18. bis 24. Februar 1836.	Weitzen	—	—	9	11	10	6	11	48	8	—	9	48	9	6	11	—
	Kern	—	—	—	—	—	—	—	—	—	—	—	—	—	—	11	—
	Roggen	—	—	6	8	6	42	7	45	5	30	6	18	6	28	7	52
	Gerste	—	—	7	1	6	42	6	44	6	2	6	24	5	45	8	30
	Haber	—	—	4	57	3	48	5	32	4	—	3	30	—	—	4	32
Vom 25. Februar bis 2. März 1836.	Weitzen	—	—	9	17	10	29	12	12	8	18	10	12	9	56	11	—
	Kern	—	—	—	—	—	—	—	—	—	—	—	—	—	—	11	—
	Roggen	—	—	6	12	6	56	7	47	5	39	6	18	6	40	8	—
	Gerste	5	24	7	16	6	34	6	42	6	27	6	24	6	18	8	—
	Haber	4	—	5	9	3	52	5	37	4	2	3	30	—	—	4	40

Centralblatt

des

landwirthschaftlichen Vereins in Bayern.

Jahrgang: XXVI.

Monat: März 1836.

Landwirthschaftliche Berichte und Aufsätze.

36 Resultat über den Anbau des egyptischen Klees.

Das General-Comité des landwirthschaftlichen Vereins hat im April des vorigen Jahres Portionen von egyptischen Kleesamen zu Versuchen gratis ausgetheilt, mit dem Wunsche, die Resultate über diese Aussaat seiner Zeit bekannt zu geben.

Dieser Aufforderung suche ich demnach auf folgende Weise nachzukommen.

Die kleine Portion Kleesamen, die ich erhielt, ließ ich auf zwei verschiedenen Plätzen aussäen, einen Theil auf dem Grund, den ich zum kleinen Versuchsfeld bestimmt habe, den andern auf ein Feld, das mit Kartoffeln angepflanzt wurde, wo aber ein kleiner Fleck eine nasse Stelle hatte, auf welcher die Kartoffeln unmöglich gerathen konnten.

Der Klee wurde in kein Getreid, sondern für sich allein gesäet. Am 12ten Mai kam er erst in die Erde, auf beiden Stellen wuchs er bald heran, gegen Ende Juli wurde er zum erstenmal geschnitten, und hatte eine Höhe von zwei Schuhen erhalten; bald wuchs er wieder nach, so daß er gegen Ende September geschnitten werden konnte, und auch beiläufig die Höhe von 2 Schuhen erreicht haben mochte; endlich erfolgte noch ein dritter Schnitt am Ende Octobers. Ein kleiner Theil war zu Samen stehen gelassen gewesen; der Same reifte vollkommen, gab aber wenig Ausbeute, da die Saat so spät vorgenommen worden war. — Der Klee war übrigens zu dünn gesäet worden, da er sich wenig zu bestauden scheint; man konnte auch deßhalb keinen aproximativen Kalkul über das Erträgniß eines Morgers versuchen.

Das Vieh fraß diesen Klee sehr gerne. — Ich werde dieses Jahr den Versuch wiederholen und seiner Zeit Bericht darüber erstatten.

Ludwig Graf v. Arco,
Vereinsmitglied.

Nachschrift.

Bei Vertheilung dieses Samens ersuchte man andere Mitglieder, den Versuch zu machen mit diesem Kleesamen unter der Gerste, wie man nämlich gewöhnlich den rothen oder spanischen Klee säet. Die eingegangenen Nachrichten hierüber besagen, daß der Klee unter der Gerste schnell und üppig wuchs, nach und nach sich aber ganz verlor, so daß man nach abgeräumter Gerste nichts mehr davon sah, und sohin das Feld umgeackert werden mußte.

---

37. Ueber den Hopfenbau; aus sechs und dreißigjähriger Erfahrung, von Simon Wittmann, Oeconomen im k. Landgerichte Abensberg. *)

A. Allgemeine Normen bei Anlage von Hopfengärten.

Derjenige, welcher einen Hopfengarten anlegen will, muß vor allem darauf sehen, einen solchen Acker auszuwählen, welcher so wenig wie möglich, den Nord- und Westwinden ausgesetzt ist. Gegen solche schützt ihn ein Wald, ein Berg oder Hügel, oder auch eine nahgelegene Ortschaft. Entbehrt der Hopfengarten dieses Schutzes, so werden die dem Anfalle der rauhen Winde zunächst ausgesetzten Theile der Pflanzung dergestalt angegriffen, daß zwischen ihrem Ertrage und jenem des übrigen, besser geschützten Gartens sich ein auffallender Unterschied ergiebt. Von den Ost- und Südwinden hingegen ist dieser Nachtheil nicht zu befürchten.

Eine weitere Beachtung betrifft den Boden, der zu Hopfenland dienen soll. Der Hopfen verlangt einen nicht allzu bündigen, vielmehr einen lockern Boden, in dessen Grundmischung eine entsprechende Quantität Sand nicht fehlen darf, — einen Boden, den man bei uns einen guten Korn- oder Gerstenboden nennt. Weitzenboden, so ferne er nicht allzu thonhaltig ist, taugt ebenfalls. Zu bündiger Boden hindert die nöthige Bearbeitung und ist dem Hopfen seiner Kälte wegen

*) Er hat wegen seiner Auszeichnung im Hopfenbau die Civilverdienst-Medaille erhalten.

nicht zusagend. — Der Sandboden, welcher sich sonach vorzugsweise zum Hopfenbau eignet, soll jedoch eine urbare Krumme von wenigstens 1 1/2 Fuß besitzen, und nicht mit allzu vielen Kieselsteinen untermengt seyn.

B. Verrichtungen im ersten Jahre der Anlage des Hopfengartens.

Das Feld, auf welchem im Frühjahre der Hopfengarten angelegt werden soll, muß im vorhergehenden Herbste einmal gepflügt werden. Hat man in seiner Oekonomie entbehrlichen Rindviehdünger, so mag derselbe sogleich mit untergepflügt werden.

Im Frühjahre, vor Georgi, wird das Feld abermals ein- oder auch zweymal umgepflügt, und zwar in Form der hier üblichen Bifange, die in der Regel 4 Fuß 2 Zoll halten. Hierauf folgt die Behandlung mit der Ege, um das Feld gänzlich von Unkraut zu reinigen.

Beim Einsetzen der Hopfenfechser verfährt man, wie folgt:

Nachdem das zum Hopfengarten bestimmte Feld in Raine geackert worden, macht man mit einer circa 6 Zoll breiten Haue oder Scharr auf diesen Rainen hin Löcher von einem halben Schuh Tiefe, in einer Entfernung von 4 Fuß 2 Zoll von einander, welche Distanz genau einzuhalten ist. Am zweckmäßigsten wird erachtet, diese Löcher über das Kreutz anzulegen.

Die Hopfenfechser, welche nun in diese Aushöhlungen zu setzen sind, sollen beyläufig 4 Zoll Länge und mindestens ein Paar Augen haben; sie müßen schief abgeschnitten aber nicht zersprengt werden. Je stärker oder dicker der Fechser ist, um so erwünschter ist es. Allenfallsige faule Theile sind mit Sorgsalt abzulösen.

Von der ausgeworfenen Erde füllt man die Löcher einen Zoll tief ein, nimmt alsdann 2 – 3 Fechser, je nachdem sie stark sind, zusammen, windet die daran hängenden Zasern um selbe herum, und setzt sie so in die Grube, daß die Knospen aufwärts zu stehen kommen. Darauf füllt man die Vertiefung mit Erde vollends aus, drückt mit den Händen die Erde um den Stock herum fest zusammen, damit die Fechser die nöthige Festigkeit erhalten, und führt endlich oben so viel lockere Erde auf, daß die Fechser noch von einer Erdschichte von 2 Zoll Tiefe bedeckt sind. Auf solche Weise bilden sich über den Fechserstöcken Erdhausen von 1 1/2 Fuß Breite, welche man auf der Oberfläche etwas platt zu schlagen hat, damit der Regen nicht zu schnell ablaufe, und der wurzelschlagenden Pflanze die benöthigte Feuchtigkeit gewähren könne. —

Die Pflanzung bleibt nun einen Monat lang ruhen, und ihrem Wachsthum überlassen; sie verlangt keine besondere Arbeit als bis sich das Unkraut zeigt, welches durch eine oberflächige Behackung des ganzen Feldes auszurotten ist. Hiebey ist aber die Vorsicht zu gebrauchen, zunächst um den Pflanzenstock, nicht mit dem Hau-Instrumente, sondern mit der Hand die Erde leicht aufzulockern, und das Unkraut auszujäten, damit der Stock, der zur Zeit schon zarte Sprossen treibt, nicht bewegt oder gar verletzt werde.

Wann die jungen Triebe über den Stöcken erscheinen, was in der Regel zu Ende Junius nach Maßgabe der Jahrgänge wohl auch etwas früher oder später zu geschehen pflegt, so ist es an der Zeit, die Hopfenstangen einzustecken.

Zu diesem Ende steckt man mit dem Hopfenstempel Löcher ab, welche von dem Pflanzenstocke 2 Hand breit entfernt zu halten sind. In diese setzt man die Hopfenstangen, deren Höhe circa 6 Fuß und in der ganzen Anlage ungefähr gleich seyn soll, indem einzelne höhere den niederern Schatten machen und so Ungeziefer erzeugen.

Wann die Hopfenreben eine solche Länge erreicht haben, daß man sie an der Stange hinanwinden kann, so nimmt man zwei Reben, schlingt sie in der nämlichen Richtung, die ihnen die Natur schon gegeben, nämlich von der linken zur rechten Hand, um die Stange, und befestiget sie etwas unterhalb dem Gipfel ganz locker mit Bast oder mit Binsen, indem man solche nur einigemal zwischen den Fingern zusammenzudrehen hat. — Leinene Bindfaden möchten nicht anzurathen seyn.

Zu gleicher Zeit hat man die Erde um den Stock abermals etwas aufzulockern, und das allenfalls sich zeigende Unkraut hinwegzuräumen, auf welche Verrichtungen nunmehr eine Ruhe von 14 Tagen eintreten wird.

Erreicht die Rebe eine solche Höhe, daß sie schon 2 bis 3mal um die Stange sich dreht, so binde man sie zweimal an, und nehme die ganz untersten Blätter weg.

Nach Umfluß von 14 Tagen durchgeht man den ganzen Hopfengarten, bindet diejenigen Reben an, welche ehevor noch zu jung und zu kurz gewesen, und blättert auch sie unten ab.

Alsdann zupfe man auch bei jedem Stocke die Reben ab bis auf Eine, welche stehen zu bleiben hat, um im Falle, daß eine der übrigen an der Stange zu Grunde gehen sollte, solche ersetzen zu können.

Bei diesem Wegnehmen der überflüßigen Reben muß man behutsam zu Werke gehen, damit man den Stock nicht erschüttere.

Wann nun auf diese Weise jede Stange ihre 2 Reben hat, und eine dritte in Reserve ist, die man das erste Jahr auch noch mitlaufen lassen kann, so ist es an der Zeit, das Hauen vorzunehmen.

Zwei Personen nämlich machen nach der Länge des Gartens kleine Bifange, zwischen welchen eine ganze Furche liegen bleibt, wobei ihnen wohl einzuschärfen ist, jede Verletzung der Stöcke, namentlich ihrer Wurzeln zu vermeiden.

Hierauf bleibt der Garten wieder einen Monat ruhig liegen.

Nach Umfluß dieser Zeit schlägt man die in Mitte der Bifange liegen gebliebene kleine Furche mit einer Scharrschaufel an die beiden Seiten des Bifanges, wodurch das Unkraut abgestochen und mit frischer Erde überdeckt wird.

Dieses Schaufeln ist die letzte Arbeit, welche vor der Aernte im Hopfengarten vorzunehmen ist; derselbe muß jetzt in allen seinen Theilen wohl bearbeitet und von jedem Unkraute sorgfältig gereinigt seyn.

Was die Aernte betrifft, so fällt sie in der Regel im ersten Jahre ganz unbedeutend aus. Um daher für dieses Jahr einigermassen den Ertrag zu erhöhen, setzt man zwischen die Stöcke Krautpflanzen ein, in welchem Falle jedoch schon etwas Dünger in Anspruch genommen werden muß.

Die Mitte Septembers bringt in der Regel den jungen Hopfen zur Reife, man nimmt ihn ab, schüttet ihn auf den Kasten und trocknet ihn, welches Verfahren hier unten ausführlicher besprochen werden wird, wenn von der Aernte des zweiten Jahres die Rede ist.

C. Verrichtungen im zweiten Jahre des Bestandes des Hopfensgartens.

Im zweiten Jahre bringt man schon im Herbste den Dünger in den Hopfengarten, breitet denselben entweder an, oder legt auf jeden Stock eine Gabel voll, und läßt den Garten umschaufeln, damit der Dünger untergebracht werde. Hat man langen Strohdünger, so ist es nicht räthlich, solchen in

Schaupen beisammen liegen zu lassen, weil sich in dieselben gerne Mäuse begeben, die gar oft mehrere Stöcke nacheinander ausfressen; besonders bei nassen Gründen ist solches von großem Nachtheile, so zwar, daß es in diesem Falle fast besser gewesen wäre, man hätte gar nicht gedüngt. — Zu feuchter Boden, so wie Gebrauch des Schweinedüngers sind als ganz ungeeignet, sehr abzurathen; durch beides erzielt man nur grobes Gewächs, das Heut zu Tage um so weniger Abnehmer findet, als man jetzt den Hopfen besser zu beurtheilen gelernt hat, als es vor 30 Jahren der Fall war. Daher diene als Richtschnur, daß derjenige, welcher keinen kurzen oder Rindviehdünger zu verwenden hat, besser thut, im Herbste gar nicht zu düngen.

Im Frühjahr, ungefähr um Mitte Aprils fängt man an, den Hopfengarten umzubrechen, so, daß bis Ende April diese Arbeit vollendet ist. Vier Personen können zwei Bifange umhauen, eine Person reicht hin, so weit die vorigen aufhauen, die Beschneidung vorzunehmen. In der Mitte bleibt der Rain und der Stock stehen. Derjenige, der beschneidet, stößt mit dem Fuß ein wenig an den Stock, damit der Grund wegfalle, schneidet von dem Stocke die oberen Theile der Fechser ab bis auf den wirklichen Hopfenstock hinunter. Dieser nimmt mit der Tiefe auch an Dicke zu. Desgleichen schneidet er am Stocke alles faule so wie die zu vielen, kleinen Fasern weg.

Sodann wird von beiden Seiten, von Unkraut und Steinen wohl gereinigte Erde über den Hopfenstock angehäuft, und somit ist die erste Arbeit abgethan.

Drei Wochen ungefähr darnach läßt man die Löcher ausstecken und die Stangen einen Fuß oder auch etwas tiefer hineinsetzen, so, daß sie vor der Gewalt der Winde gesichert sind. Es ist nicht gleichgiltig, auf welcher Seite des Stockes die Stange eingesetzt wird, vielmehr ist durchgehends zu beobachten, daß die Pflanze auf der Ost- oder Morgenseite frei bleibe, und daß die Stange nur auf der West- oder Abendseite neben dem Stocke eingesteckt werde. Die Stangen sollen im 2ten Jahre 15 – 18 Fuß hoch seyn.

Bezüglich der Höhe der Stangen kömmt noch zu bemerken, daß wenn im 1ten und 2ten Jahre der Hopfengarten mit zu hohen Stangen übersteckt wird, so, daß die Reben nicht überwerfen können, das Gewächs nie ganz gleich ausfallen wird. Die Rebe muß überwerfen können, das heißt, die Spitze derselben muß circa 3 Fuß von oben noch überfallen können, alsdann dreht sie sich um ihr eigenes Gewächs und wird recht traubig, d. h. sie erlangt eine große reiche Krone. Die Erfahrung lehrt, daß diese Reben den meisten und besten Hopfen tragen, nicht aber jene, welche immer noch an den Stangen hinaufzuwachsen haben, und wegen deren übermäßigen Höhe, nicht überfallen können.

Nach Verlauf einiger Zeit werden sich allmählig die Hopfenranken zeigen, und sich in der ihnen von der Natur bestimmten Richtung um die Stange herumwinden. Es sind alsdann die Ranken, gleichwie im ersten Jahre geschehen, mit Bast oder Binsen ganz leicht, und ohne einen Druck zu verursachen, an der Stange zu befestigen. Nach 14 Tagen durchgeht man wieder die Hopfenanlage, bindet die Reben, die allenfalls vorher noch zu kurz gewesen waren, oder hilft denen nach, deren Band sich etwa gelöst haben sollte.

Das Aufbinden soll in den heisseren Tagesstunden geschehen, weil da die Reben nicht zu fett sind, und sich deshalb beim Herumneigen um die Stange leichter biegen lassen, als in der Frühe. — Wann der Hopfen an den Stangen ungefähr die Mannshöhe erreicht hat, so sendet man einige Arbeiter durch den Hopfengarten, um alles Unkraut auszujäten, alle überflüßigen Hopfensprossen abzunehmen, und zu untersuchen, ob alle Reben gehörig befestigt, ob keine verletzt sind, in welchem letzteren Falle eine Reserverebe angebunden, die beschädigte aber herausgerissen werden muß. Zugleich ist an sämmtlichen Stöcken das Laub 3—4 Fuß von unten auf wegzunehmen, damit die Reben mehr Kräfte erhalten.

Zur selben Zeit behaut man den Garten in Bifange, läßt in ihrer Mitte die Raine stehen, lockert mit der Haue den Hopfenstock ganz leicht auf, jedoch mit möglichster Sorgfalt, um den Reben keinen Schaden zuzufügen, — und bringt endlich mit dieser Haue frische, reine Erde an den Stock.

Diese Arbeiten werden Anfangs Juni vorzunehmen seyn, und sollen längstens Mitte desselben Monats beendigt werden.

Der Hopfengarten bleibt nun in Ruhe und seiner fortschreitenden Ausbildung im Wachsthum überlassen; jedoch ist nicht zu unterlassen, nach 14 Tagen ihn abermals durchsehen zu lassen, um theils das sich zeigende Laub, theils die sogenannten Kienle, welche sich unten ansetzen und zu Reben ausbilden wollten, eben so auch die am Stocke noch heraustreibenden Schößlinge hinwegzuschaffen.

Hat der Hopfen eine solche Höhe erreicht, daß bereits die Ranke herabfällt, ohne daß man sie mit der Hand erreichen kann, so nimmt man eine Hopfenleiter, und durchgeht damit den ganzen Garten, und da, wo der Wind oder sonst der Zufall eine Rebe losgerissen oder das Band gelockert hat, hilft man nach und ersetzt das fehlende.

Mit Ende Juni mag man den Hopfengarten beiläufig bis zur Mannshöhe auslauben, und falls am Stocke nochmals Schößlinge sich zeigen sollten, sind solche wegzunehmen. Das Auslauben muß aber mit Sorgfalt vorgenommen werden. Man hält die Rebe gemeiniglich mit der linken Hand, während man mit der Rechten das Laub gleichsam wegzupft, und wohl acht nimmt, daß die Rebe keine Bug bekomme, oder sonst nicht beschädigt werde. Dieses Auslauben soll nur Morgens und Abends geschehen, wenn der Thau fällt, oder an regnerischen Tagen. Ferners soll man hiebei nicht eine Handvoll Reben oder Laub zusammennehmen, und mit einem Riße das Laub abstreifen wollen, denn in solchen Fällen werden die Hopfenstöcke häufig beschädiget. Ebenso soll nicht geduldet werden, daß die mit dieser Arbeit beschäftigten Weiber, die Kirm rückwärts tragen, weil sie mit dieser rücklings oft an die Reben stossen, und sie zerquetschen. Wenn diese Weiber das Laub in eine Schürze nehmen, so ist diesem Uebel abgeholfen. Nebenbei sey hier bemerkt, daß dieses Laub für Schafe und auch für das Rindvieh ein willkommenes Futter ist.

Zu Mitte Juli soll man mit dem Auslauben aufhören, indem jetzt der Hopfen gewöhnlich schon Anflug bekömmt. Es beginnt aber nun das Schäufeln oder das sogenannte Hopfengraben, welches darin besteht, daß der noch stehen gebliebene Rain auf beiden Seiten der Bifange mit einer Scharrschaufel umgeschlagen wird, wodurch man das Unkraut zerstört und unter die Erde bringt. Hiemit ist die Arbeit vollendet, und es bleibt nur noch die Aernte einzubringen.

Diese beginnt gewöhnlich mit dem Monate September. Bei Abnahme des Hopfens verfährt man am vortheilhaftesten also:

Man schneidet die Reben 3 – 4 Fuß hoch vom Boden ab, zieht die Stangen sammt den darum geschlungenen Hopfenranken aus der Erde, legt solche über leere Stangen, welche man wagerecht an andern Stangen befestiget hat, schneidet die Reben stückweise ab, und nimmt die Stücke herunter.

Der abgenommene Hopfen kann nun bei schönem Wetter sogleich auf dem Felde, oder, in Büschel gebunden, zu Hause gebracht, und hier abgezupft werden. Ist der Hopfen gezupft, so bringt man ihn sogleich auf den Kasten, und streut ihn auseinander, so daß er nicht höher als 1 – 2 Zoll zu liegen kömmt, wendet ihn mit einem Rechen öfters um, und bringt den schon etwas getrockneten allmählig in dichtere Maßen zusammen, um für den noch zu trocknenden den Raum zu gewinnen, und den bereits gedörrten nicht abzublättern. Wann der ganze Hopfen-Vorrath abgedörrt ist, so bringt man ihn in einen Haufen (Schlange) zusammen, deckt ihn zu, um ihn vor dem Einfluße der feuchten Luft zu verwahren, und sticht ihn mit einer Windschaufel zu Zeiten und so oft um, als es nöthig ist, was sich beim Aufstechen erkennen läßt.

Vor dem Gefrieren den Hopfen fest in Ziechen zu verpacken, ist nicht rathsam, mit Ausnahme eines besondern heißen Jahrganges, wo alsdann auch die Reife früher einzutreten pflegt. Ein Kennzeichen der völligen Reife ist die schwefelgelbe Farbe der Dolden, so wie des völligen Gedörrtseyns, wenn die kleinen Stengel an den Dolden sich rasch abbrechen lassen.

Den Hopfenkästen ist so viel als möglich Luftzug nothwendig. Zur Aushilfe mag man auch die Dachtaschen öffnen, jedoch ist deren Schliessung des Abends nicht zu übersehen, denn der eindringende Nebel nimmt dem Hopfen seine schöne gelbe Farbe.

Auf dem Felde endlich bleiben nach der Aernte die Stangen in Pyramidenform aufzustellen, damit der Wind selbe nicht umzustürzen vermöge.

Wie das Verfahren des zweiten Jahres, ebenso findet es Statt in den folgenden Jahren. Wer viele Felder besitzt, kann auch den Hopfengarten allenfalls abkehren, und nach 10 Jahren auf einen andern Acker einlegen, besonders, wenn er in diesem Alter den gewünschten Ertrag nicht mehr geben will, was öfters eintritt.

Das Fortkommen einer jeden Getreidefrucht auf solchen abgekehrten Hopfengärten ist nicht im mindesten gefährdet.

Vorstehende Methode der Hopfen-Cultur halte ich für die wohlfeilste. Was einige vom Rigolen Vortheilhaftes anrühmen, dawider habe ich bloß zu bemerken, daß es eine kostspielige Arbeit ist, der Hopfen an Qualität nicht gewinne, und der Boden für den Getreidebau verdorben wird.

Nach meiner Verfahrungsart aber kann man den Hopfengarten nach Gefallen herausreissen, und es gedeiht das Getreide nachher besser noch darauf, als vorher.

58 Fabrikation und Wirkung der thierischen Kohle. (Noir animalisé.)

Herr Salmon (heißt es im 9ten Heft der landw. Berichte aus Mitteldeutschland von Ch. G. Gumprecht 1835) hat von der Akademie der Wissenschaften zu Paris einen Preis für die Hinwegräumung auf die der Gesundheit nachtheiligen Einwirkungen erhalten.

Hr. Dumas hat deßhalb der Akademie der Wissenschaften Bericht erstattet, wovon Folgendes das Wesentliche ist: Hr. Salmon hat schon im Jahre 1826 zu Grenelle eine Fabrik zur Bereitung der thierischen Kohle angelegt; eine ähnliche später zu Bordeaux, eine andere zu Gray.

In diesen verschiedenen Fabriken, namentlich in der zu Grenelle, welche die Kommission untersuchte, fabricirt Hr. Salmon die Luftreinigende Kohle (Charbon désinfectant) indem er den Schlamm aus Flüssen, Teichen und Gräben in Cylindern von Gußeisen (fonte) calcinirt. Die in diesem Schlamme enthaltene organische Materie liefert ein schwarzes Pulver, welches die Eigenschaft hat, die Säure zu verzehren und die Luft zu reinigen.

Hr. Salmon führt auch an, daß alle Düngererde, nachdem sie zuvor calcinirt worden ist, zu demselben Zwecke sehr tauglich sey. Er hat durch Versuche im Großen sich überzeugt, daß, wenn man eine thonige Erdmischung mit 1/10 ihres Gewichts irgend eines organischen Körpers mengt, als: Ueberreste von Thieren, Theer, Bergharz, Bodensatz von Oel (Crasse d'huile) oder ähnliche Produkte, man die geeignete Mischung zu einer herrlichen Kohle erhält.

Die so bereitete Kohle wird zu Grenelle pulverisirt, oder gemahlen in geriesten Cylindern (Cylindres cannelées). Das Pulver ist, nachdem es gesiebt worden, zum Gebrauch geeignet, nämlich zur Reinigung von Seuchestoff (désinfection.) angewendet zu werden.

Will man z. B. dieses Pulver mit menschlichen Excrementen mischen, so nimmt man gleiche Theile von diesem nach dem Gemäß mit gleichen Theilen der letzteren; sobald die Mischung vollendet ist, verschwindet jede Spur von übeln Geruch, und man riecht nur noch den frischen angenehmen Geruch des caustischen Ammoniums.

Nachdem die Kommission sich überzeugt hatte, daß dieses Produkt eine vollkommene schnelle und dauerhafte Reinigung bewirkt, und daher von größter Wichtigkeit für alle bewohnten Orte ist, so hat sie die Methode der größten Aufmunterung der Akademie empfohlen, um so mehr, als die sonst für die Gesundheit nachtheiligen Ueberreste dadurch zum kräftigen Dünger umgewandelt werden.

Hr. Debonnaire de Gif hat auf der Société d'horticulture zu Paris darüber Bericht erstattet; worin derselbe sagt: Meine Versuche über die Wirkungen der thierischen Kohle auf Garten- und Feldgewächse haben mich überzeugt, daß durch dieses Düngepulver die Entwicklung der Blüthe und Frucht beschleunigt wird; daß es nicht das Unangenehme des gewöhnlichen Düngers hat, den Unkrautsamen in sich zu bergen, daß es den Boden verbessert und die Fruchtbarkeit entwickelt, so wie daß es den Gewächsen keinen unangenehmen Geschmack mittheilt.

Der Preis des Pulvers ist jetzt 5 Francs per Hectoliter (13 1/2 Sgr. der Berliner Schäffel.)

Hr. de Gif schließt seinen Bericht mit Anführung des besonders großen Nutzens des Pulvers auf Gartensträuche und Blumen, indem es namentlich auf Vermehrung der letzteren wirke, und theilt dann einige Beispiele von den Wirkungen desselben auf Spargel und Bohnen, und sodann im Großen auf Runkeln und Hanf mit, wovon ich Einiges noch hier mittheile;

Schneidbohnen. Man mischte beim Pflanzen zwei Löffel voll Pulver an jeden Büschel. Ende April wurden die gelben frühreifen Bohnen gelegt; sie wurden Ende Juli geärntet. Diese geärnteten Bohnen wurden am 10ten August wieder ausgelegt und am 10ten September wurden sie grün zum Gebrauch abgenommen. Sie wurden mit Dampf gekocht und blos auf englische Art bereitet, um besser ihren Geschmack unterscheiden zu können.

Hr. Debonnaire fand sie nicht allein äußerst zart und saftig, sondern auch ohne allen unangenehmen Beigeschmack, den doch sonst die Düngung sehr oft diesen Gewächsen giebt.

Runkelrüben. Das zum Versuche bestimmte Feld war mit gelben Runkelrüben von der Art von Castelnaudary besäet.

Sie ragten 10 Zoll über die Erde hervor, hatten 12 bis 18 Zoll Umfang, so wie breite und viele Blätter. Der Boden war 7 Zoll tief geackert, mit einem leichten einspännigen Pfluge. Sie wurden mit der Hand bearbeitet.

Der Boden war leichter Sand, so wie auch der Untergrund.

Auf 1 Hektare waren 16 1/2 Hektolitres Düngerpulver angewendet.

(Also auf 1 Berl. Morgen 11 1/4 Berl. Schäffel à 13 1/2 Sgr. oder für 5 Rthlr. 2 Sgr.)

Hanf. Bei gleicher Bearbeitung, in Anwendung gleicher Menge des Pulvers hat der Hanf eine Höhe von 6–9 Schuh erreicht und ist sehr reich an Samen geworden.

Vorstehende Mittheilungen macht uns das neueste Heft des Agronome. Es ist demselben wohl Glauben beizumessen, da

1) der Verfertiger dieser sogenannten Thierkohle einen Preis dafür erhalten hat.

2) diese Nachrichten das Ergebniß einer amtlichen Untersuchung zweier gelehrten Gesellschaften sind.

Die Erfindung ist wichtig und wohlthätig, indem sie Materialien benutzt, welche größtentheils bisher unbenutzt blieben, der Landwirthschaft einen neuen Schatz zuführen und der Gesundheit schädliche Dünste unterdrücken.

Die Bereitung ist einfach und derartige Fabriken würden mit weniger Mühe und Kosten sich überall einrichten lassen.

Hat das Pulver, wie angegeben, wirklich die Eigenschaft, die menschlichen Excremente augenblicklich zu zersetzen und geruchlos zu machen, so wird man die Mischung in jedem Haushalte vornehmen und den Abtrittsdünger dann ohne Beschwerde ausführen können, statt daß durch Wegwerfung desselben, wie es leider jetzt noch gar häufig geschieht, dem Staatshaushalte ein Kapital verloren geht.

Was nun die damit auf Runkelrüben und Hanf angestellten Versuche anbetrifft, so würden solche belehrender und entscheidender seyn, wenn sie comparativ mit anderen Düngerarten angestellt worden wären.

Jedenfalls sind die Resultate erstaunend, denn Runkelrüben von 12–18 Zoll Länge bei 12 bis 18 Zoll Umfang gehören wohl zu den Seltenheiten, noch dazu in leichtem Sandboden mit sandigem Untergrund.

Daß der Boden wirklich sehr leicht seyn muß, erhellt auch schon daraus, daß er mit einem leichten einspännigen Pfluge sieben Zoll tief bearbeitet worden ist.

Ueberhaupt ist es auffallend, daß die Franzosen Runkelrüben in solchem Boden bauen. Eine bekannte Erfahrung ist es, daß Kartoffeln im Sandboden erbaut, ungleich mehr Alcohol geben, als im schweren Boden erbaute.

Wahrscheinlich haben die Franzosen dieselbe Erfahrung bei den Runkelrüben, rücksichtlich des darin enthaltenen Zuckerstoffes gemacht.

---

39 Uebersicht des Standes der bedeutenderen landwirthschaftlichen Verhältnisse in Bayern zur Beförderung der bayerischen Landwirthschaft.

Ich hatte Gelegenheit, Bayern einigemal zu durchreisen, und fast jede Gegend zu besuchen. Im Jahre 1820 bereiste ich auf Kosten der Baumgärtnerischen Buchhandlung zu Leipzig, den Obermainkreis. Im Jahre 1822 bereiste ich auf Kosten der Zeh'schen Buchhandlung zu Nürnberg den Rezatkreis, 1825 den Untermain- und Isarkreis, so wie 1830 den Unter- und Oberdonaukreis. Im Jahre 1827 aber bereiste ich den Regenkreis. Späterhin bereiste ich ganz Bayern in verschiedenen Richtungen, so wie Deutschland, einen Theil Frankreichs ꝛc. auf Kosten der Buchhandlung Amelang zu Berlin, und anderer. Der Zweck war einzig, der Landwirthschaft und der Gärten wegen: Indem ich mit eigenen Augen beobachtete, so konnte ich mir von allen Theilen der Bayerschen Landwirthschaft genügende Einsicht verschaffen, und daher einen wahrhaften Befund geben.

Ich gebe ein kurzes Resultat als einen Auszug meiner Beobachtungen nur in einer Uebersicht rücksichtlich der vornehmsten Zweige der bayerischen Landwirthschaft.

Der Getreidbau stehet im Obermainkreise, im Untermainkreise und im Rezatkreise auf einer glänzenden Stuffe. In den beiden Mainkreisen folgte Weitzen, abwechselnd mit Roggen, dann Gerste, Klee unausgesetzt aufeinander. Dazwischen sieht man statt Klee — öfters reine Brache, um dem Lande seine Kraft und Reinheit zu erhalten. In den Fluren der Städte so wie auf dem Schmalsaatfelde folgen sich Kartoffeln, Gerste, dann Dinkel oder Roggen. Es werden auf wenig Land die Fruchtarten gewechselt, z. B. statt Kartoffeln, Runkelrüben, Tabak ꝛc. gebracht. Das Weitere will ich übergehen. Diese reiche Fruchtfolge soll nur der hohe Kulturstand, welcher in die-

Wir müssen dieses, gestützt auf unsere in ganz Bayern an Ort u. Stelle erhobenen Kenntnisse der landwirthschaftlichen Verhältnisse widersprechen. Aber wir müssen zugleich bemerken, daß eine Schafzucht auf einzelnen Gütern allerdings eine Ausnahme macht, da jeder Gutsbesitzer seine Einrichtung im Besondern hienach wagen kann. Auf großen Gütern ist der Wechsel des Viehes leicht, ohne empfindende Folgen für das Ganze. Ja, es kann diesen Wechsel die Zeit selbst bedingen. Zuverläßig bringt eine Schafheerde mehr reinen Gewinn, als eine Kühheerde. Aber in kleinen Wirthschaften ist das ganz anders. Die ganze Wirthschaft hängt von dem Wohlbefinden von ein paar Kühen ab. Sie liefern die meiste Nahrung für den täglichen Bedarf, sie ernähren die Schweine ꝛc. und so reicht eines dem andern die Hand. Eine Kuh weniger würde schon Mangel veranlassen. Mehr Futter oder erst Schaffutter erzeugen wollen, würde dem Kühefutter und der Nahrung der Familie Abbruch thun. Denn die Kartoffeln, Milch und Getreide dienen zur Nahrung des bayerischen Bauern wie seines Viehes.

Somit hängt das Glück einer erklecklichen Schafzucht in Bayern einzig davon ab, wie sich das erforderliche Futter nun nebenbei, ohne die Verhältnisse der Wirthschaft selbst abzuändern gewinnen läßt? Das Futter für das warme halbe Jahr läßt sich in den meisten Gegenden durch Nachhut auf der Brache, in den Waldungen, auf Bergen und dgl. gewinnen. Aber das Winterfutter herbeizuschaffen, ist eine schwere Aufgabe. Denn die Schafe verlangen trocknes Futter, und Wiesen und Weiden lassen sich nicht entbehren. In der Regel dürfen wir zwar nur 4 – 5 Wintermonate für das Schafvieh annehmen, allein der Bedarf ist doch sehr groß. 5 Millionen Schafe brauchen für 5 Monate 1,912 1/2 Millionen ℔ Heu oder 600,000 Tagw. Wiesen. Nehmen wir das ganze Wiesenland in Bayern zu 3 Millionen Tagwerk an, so müßen wir ein volles Fünftheil hievon für die Schafe verwenden, was unmöglich ist, ohne die landwirthschaftlichen Verhältnisse in Bayern total über den Haufen zu werfen. Und diese 600,000 Tagw. Wiesen sind nur für 5 Monate Winterfutter erforderlich! Dann haben wir auch das Futter für 7 Sommermonate nur zu 800,000 Tagw. Wiesen gerechnet nothwendig. Ganz läßt sich Solches nicht durch die Weide ersetzen, daher wir wenigstens 200,000 Tagw. Wiesen dafür verwenden müßen. Somit müßen wir unsern Verhältnissen 800,000 Tagw. Wiesen entziehen. Wie aber solche ersetzen oder woher bringen?

Die noch vorhandenen Oedungen in Bayern, selbst zu 2 Millionen Tagw. angeschlagen, ersetzen nicht 50,000 Tagw.

Wiesen, weil, wenn auch Viel hievon kultivirt würde, doch das Meiste für die Sommerfütterung mittelst der Hütung abgehen würde. Solche aber den 6 1/2 Millionen Tagw. Wald abnehmen zu wollen, würde auf der einen Seite sehr gewagt, in vielen Gegenden, da der Wald sehr ungleich vertheilt ist, nicht ersprießlich seyn. Wir dürfen nur nicht aus den Augen verlieren, daß wir Holz so nothwendig als Brod brauchen, auch unser Wald zu 6 1/2 Millionen Tagw. zu 10 Millionen Tagw. Aecker gar nicht zu Viel ist.

Doch liesse sich der ganze Bedarf für Schafe der Weide abnehmen, wenn, wie weiter unten vorkommen wird, durch Anpflanzung künstlicher Wälder respect. Bäume dieser Abgang ersetzt würde.

Hienach wäre es eine umfassende Berathung erheischende Angelegenheit in Bayern, wie es möglich zu machen sey, den Bedarf an Wolle selbst zu erzeugen, und die Mittel zu prüfen, welche dieses möglich machen sollen, nämlich Verwendung eines Theils des Waldes, dann die Abänderung der landwirthschaftlichen Verhältnisse. Ersteres bliebe Sache der Regierung, letzteres dem verständigen Eingreifen des landwirthschaftlichen Vereins überlassen. Im Ganzen äußern die besondern Verhältnisse einzelner Gegenden den stärksten Einfluß, daher sich im Allgemeinen durchaus keine Vorschriften geben lassen.

Nur nach den natürlichen Verhältnissen des Gegenstandes läßt sich die Schafhaltung nach ganzen Gemeinden empfehlen. Um so eher könnte den Gemeinden ein Theil des Waldes überlassen werden ꝛc. unter der Bedingung, veredelte Schafheerden in erklecklichen Anzahl zu unterhalten. Bei der Zusammenstimmung einer ganzen Gemeinde lassen sich auch die landwirthschaftlichen Verhältnisse eher abändern. Dagegen würde die Gemeinde recht gerne die bisherige Rente des Waldes verlieren. Jede Gemeinde unterhielte dann die Schafe in einer gemeinschaftlichen Heerde, in Stallung, Aufsicht und Fütterung.

Das Nothwendigste hiefür aber wäre ein für unsere inländischen landwirthschaftlichen Verhältnisse passender allgemeiner und besonderer Unterricht „über veredelte Schafzucht."

Bei diesem grossen Aufwande darf man aber nicht glauben, daß der Gewinn nur allein in der Wolle bestehe, obschon keine Viehunterhaltung sich so hoch rentirt, als jene des Schafviehes. Schafe zahlen sich doppelt so hoch, als das Rindvieh, und machen daher schnell reich. Eine Heerde veredelter Schafe kann eine im Wohlstande herabgekommene Gegend schnell wieder heben, indem die Schafe die Fruchtbarkeit der Gegend erhöhen. Ich habe viele Gegenden kennen gelernt, wo die Brache bei Einführung von Schafen weichen mußte. Man konnte die zu weit entlegenen besten Felder vorzüglich an Bergen nicht düngen, und mußte gerade auf dem besten Theile des Landes Brache halten. Sobald aber das Land bepferchet werden konnte, gab das Getreide das Doppelte. Vorzüglich die größere Menge Stroh setzt die Wirthschaft in höhere Kraft ꝛc. Ich sah Tabak im bepferchten Brachfelde von der höchsten Vollkommenheit ꝛc. Eine Heerde von 1000 Schafen bepfercht 100 Tagw. Land, welche man in keiner Art düngen konnte, was in jeder Gemeinde schon sehr viel beträgt. Denn jeder Landwirth weiß den Schafdünger zu schätzen, und wer Vieh des Dungs wegen halten muß, wird in jeder Hinsicht dem Schafviehe den Vorzug geben. In Bayern, vorzüglich im Unter- und Obermainkreise, dann im Rezatkreise, trifft man mehrere gemeinschaftliche Schäfereien, wo auch einzelne große veredelte Schafheerden zu finden sind. Aber in dem bei weitem größten Theile von Bayern findet man das beste Schaffutter an steilen Anhöhen, auf Feldern, auf Rainen, in dem Vorsaum von Waldungen, ungenützt, nicht einmal von Geisen abgefressen.

Um die Schafzucht zu heben, kann nur allein die Regierung in einem freundlichen Entgegenkommen wirken. So lange aber dieser landwirthschaftliche Zweig nicht zur Vollkommenheit gebracht ist, in so lange bleibt die ganze bayerische Landwirthschaft auf der untersten Stufe gegen alle seine Nachbarn, Sachsen, Böhmen, Preußen und Oesterreich. Man kann diese Wahrheit der Regierung nicht dringend genug sagen, um sie zu veranlassen, vor Allem in diesem Zweige für das Wohl des Vaterlandes sich thätig und wohlwollend zu zeigen.

2. Das Nächste für Verbesserung der bayerischen Landwirthschaft bleibt die Anpflanzung van geeigneten Bäumen. Hiebei hat man es in seiner Willkühr, Bäume für Frucht- und Holznutzung, dann auch zur Verbesserung von öden Plätzen und Weiden anzupflanzen. Ich unterwarf vorzüglich die Obstbaumzucht in Bayern meiner aufmerksamsten Beobachtung Ich fand zwar in allen Gegenden Obstbäume in mehr und minderer Anzahl. Allein es fehlte an Empfänglichkeit für das Großartige der künstlichen Baumanpflanzung. Bisher bestand die Anpflanzung von Obstbäumen mehr in Tändelei. Deßhalb geriethen die angepflanzten Bäume bald mehr bald weniger, je nachdem man Ernst zeigte. Im Ganzen geschah wenig oder gar Nichts. Die Ursache war, daß hierin Alles von dem guten Willen abhängig gemacht worden. Das war der Fehler. Somit glaubte man an kein Gedeihen,

an keinen Nutzen, deshalb hatte man keine Aufsicht und keine Anstalt. Was Beamte, Pfarrer und Schullehrer thaten, verschwand bald wieder. Länger währte, was eine Gemeinde unternahm. Diese Erfahrung giebt uns den Fingerzeig, wie wir zu Werke zu gehen haben, um die Anpflanzung von Nutzbäumen zu sichern. Wir dürfen nur solche Pflanzungen unter Aufsicht des Staates stellen. So gut die Bäume im Walde nur durch die strenge försterliche Aufsicht erhalten werden können, eben so sicher würden die Obstbäume unter Aufsicht des Försters gestellt erhalten werden können. Es verstehet sich, daß hier nur von Anpflanzung von Bäumen auf öffentlichen Plätzen die Sprache ist. Die Förster können allein zweckgemäß Anpflanzungen machen, auch solche erhalten. Der Forst-Unterricht begreift ja ohnedem die Kultur der Nutzbäume, somit braucht der Förster nicht viel mehr zu lernen, um auch die Kultur der Obstbäume inne zu haben. Der Staat lasse in seinen vielen Hofgärten, botanischen Gärten, auf Staatsgütern ꝛc. die erforderlichen Millionen Obstbäume erziehen und veredeln, und vertheile solche unentgeldlich an die Forstämter. Die Förster hätten die Bäume an schicklichen Orten, an Wegen, Chausseen, auf Rainen, auf Weiden, Oedungen, an den Ufern der Bäche und Flüße, Seen ꝛc. im Vorsaume der Waldungen, mit Umsicht anzupflanzen, und die Aufsicht hierüber zu führen. Das Forstamt habe eine genaue Controlle über diese Anpflanzungen zu führen, und im Jahresberichte deren Vorhandenseyn, Erträgnisse ꝛc. zu berichten. Die einschlägige Gemeinde dagegen habe für die Anpflanzung zu haften, und hätte jeden Baum zu ersetzen, welcher durch Frevel verdorben worden. Der Gemeinde gebühre die Benützung an Obst und Holz, gegen die Unterhaltung, dem Förster aber vom Obste der Zehent. Für die Anpflanzung von 5000 Bäumen und deren Erhaltung in 6 Jahren werde dem Förster die goldene Verdienst-Medaille zu 100 fl. Werth. Man darf nicht fürchten, daß zu viel Obst gebaut werden könnte. Es ist wahr, das Obst hat unter allen Früchten dermal den geringsten Werth. Solches rührt aber daher, daß wir das grüne Obst nicht zu versenden verstehen. Beim Dürren des Obstes aber gehet das Meiste verloren, und Holz und Arbeit vertheuern dasselbe. Gewöhnlich rechnet der Landwirth das Obst als eine Nahrungsdareingabe für die Seinigen. Was er verkauft, wird unverhältnißmäßig gering bezahlt, weil erst der Dritte den Gewinn daraus ziehet, das ist derjenige, welcher es auf dem Markte feilbietet. Man hört auch allgemein über die Verschlechterung des Obstes klagen. Die Schuld ist, daß der Unterricht im Obstbau mangelt, daß mehr auf die

Menge als auf die Güte des Obstes Rücksicht genommen wird. Dann läßt man das Obst nicht gehörig auszeitigen. In Nürnberg und Würzburg trifft man das beste, in Amberg, Bamberg und Regensburg das schlechteste Obst. In München läßt sich natürlich nur schlechtes Obst treffen. Das beste Obst traff ich am Rhein. Noch im August Kirschen, so groß als Pflaumen in Koblenz ꝛc. Könnte man frisches gutes Obst nach Berlin, Warschau, Petersburg — z. B. auf den Eisenbahnen schaffen, so würde das Obst einen 10mal höheren Werth erhalten, wie die Zitronen, welche von Italien aus nach Petersburg geschafft werden, wo ganze Schiffsladungen voll schnellen Absatz finden. Unter allem Obste verwerthen sich die Zwetschken am theuersten, womit ein starker Handel nach Norden getrieben wird. In jedem Falle erzeugt Bayern seinen Bedarf an frischem und dürrem Obste. Die Ausfuhr dagegen ist nicht so bedeutend, daß sie mit dem selbstigen Verbrauche auch nur im Verhältnisse steht. Die Ausfuhr beträgt kaum für 100,000 fl. Daher wird der Obstbau weniger eine National-Angelegenheit werden. Wenn daher auch die Ausfuhr sich auf das 10fache erhöhen dürfte, so wäre dieser Gewinn unter allen landwirthschaftlichen Zweigen der geringste, und hat auf das Ganze keinen Einfluß. Mehr würde bei einem erweiterten Obstbaue die eigene Consumtion gewinnen. Denn Obst ist nur Nahrung für Menschen, dabei sich daher andere Nahrungsmittel ersparen lassen. Größerer Gewinn für das Ganze aber gehet aus dem Holze, vorzüglich dem Nutzholze, das Obstbäume liefern, dann durch die hervorspriessende Befruchtung des Bodens, hervor. In dieser Rücksicht eignet sich die Obstbaumzucht unter die Holzaufsicht, daher unter das Forstwesen. Das Holz von Obstbäumen in selbstiger Verarbeitung gewinnt dem Lande mehrere Millionen. Ich selbst verkaufte zu Banz den Kirschenstamm um 12 fl. nach Koburg, welcher nach seinem gewöhnlichen Holzwerthe mit 24 kr. bezahlt worden wäre. Ein mittelmäßiger Nußstamm wird um 16 – 24 fl. bezahlt. Birnbaum- und Zwetschkenholz wird um den Preis wie Eichenholz verkauft. Im Herrschaftsgerichte Banz hatten wir viele kleine Gutsbesitzer, welche alle Jahre ihren Holzbedarf von ihren Obstbäumen erhielten. Sehr gefehlt war es, bisher die vielen wilden Birn- und Aepfelbäume ganz auszurotten. Solche hatten mehr Werth als die Eichen. Und dermal noch würden sie an den Chausseen, auf Oedungen, in dem Vorsaume der Waldungen reichen Nutzen gewähren. Der Landmann nimmt all' sein Holz zum Arbeitszeug nur vom Holze der wilden Birnbäume. Deßhalb haben wir immer noch Platz für Millionen veredelter Obstbäume übrig. Diese wilden Obstarten dienen vorzüglich auch zu Essig, selbst zur Nahrung. In Burgebrach wurden vor 40 Jahren 200 fl. aus dem wilden Obste von der Gemeinde gelöst. Dermal fährt man gut, Zwetschken und Kirschen in Menge zu Branntwein zu verwenden, welcher Branntwein sehr gesucht ist. Den meisten Gewinn bringen in Franken die Nüsse, welche in guter Lage angepflanzt alle Jahre eine reiche Aernte liefern. Der Nußbaum giebt an Frucht und Holz unter allen Obstbäumen den höchsten Gewinn.

Die Obstbaumzucht wird in allen Gegenden von Bayern von Privaten betrieben. Allein ohne Gewinn, während die wilde Obstbaumzucht den höchsten reinen Gewinn bringt. So werden im Maingrunde jährlich viele tausend Zwetschkenbäume in's Ausland versendet. Das Stück 6 – 8 Schuh hoch kostet 6 – 8 kr. während ein veredelter Baum um 12 kr. zu haben ist. Dieses Mißverhältniß ist aber für das Ganze kein Nachtheil.

In den meisten Gegenden, ja fast allgemein hält man den Frevel an Obstbäumen für das größte Hinderniß der Obstbaumzucht, was freilich noch den rohen Zustand der Menschen beurkundet. Dagegen können Seelsorger, dann Ersatz durch die Gemeinden die Abstellung am schnellsten bewirken.

Von Privaten geschieht für den Obstbau wenig auf dem Felde, dagegen viel in Gärten. Noch nicht lange fängt man in Franken an, alle steilen Bergabhänge, selbst geringe öde abhängige Plätze vor den Feldern und Gärten, waldartig mit Obstbäumen zu bepflanzen. Hier werden die meisten Zwetschkenbäume ohne alle Mühe gezogen, da sie für sich aus der Wurzel hervorkommen. In solcher Art wird todtes Land sehr reich benützt. Aber überall ist der Obstbau am Spalier weit zurück, wir sind hierin den Franzosen weit nach. Die Schuld liegt einzig an dem Mangel tüchtiger Gärtner und besserer Obstarten. Dagegen hat sich in vielen Gärten die Topfobstbaumhaltung zur bedeutenden Höhe erhoben. Allein es bleibt solche ohne Einfluß auf's Ganze. Für den Garten gieng aber schon der wichtige Nutzen hieraus hervor, daß man nun sehr viele Gebüsch-Anlagen von Zwergobstbäumen findet. Diese Zwergobstbäume liefern das edelste Obst, welches viel früher reifet, weil es der Erde niedriger hängt, dann machen diese Obstbäume keinen Schatten, was dem übrigen Gartenfruchtbau ganz entgegen ist, und finden auch besseren Platz, sind fruchtbarer ꝛc. Diese Zwergobstbäume geben dem Garten einen nochmals so hohen Werth. Wo die Arbeit theuer ist, das Gemüse wohlfeil, auch das Wasser selten ist, passen solche Zwergobstbäume am besten. Man sieht schon große Gruppen, ja ganze Beete und Quartiere voll. Die vielen neuen Arten kostbarer Kirschen, Weichseln, Pflaumen, Aepfeln und Aprikosen gewähren unendliches Vergnügen und großen Nutzen. Birnen sind nicht so erträglich, streben überhaupt nur nach einem hohen Wuchs, und taugen besser am Spalier, zu Pyramiden und Hochstämmen. Was bisher diese Anpflanzung in solcher Art in Gärten erschwert, ist der Mangel an den guten neuen edlen Obstarten, da wir leider diese Obstbäume mit gar schweren Kosten vom Auslande bringen lassen müssen. Das Stück kömmt noch auf einen Gulden zu stehen. Zuverläßig veranlassen diese Zwergobstbäume in unserem Gartenbau eine allgemeine, nur wohlthätige Revolution. Noch weit herrlichere Folgen würde einstens die Anpflanzung der Zwergobstbäume im Freien haben, wo wir dann statt der wilden Hecken und dem Gebüsche von Schlehen und Rosen ꝛc. an Abhängen, Rainen ꝛc. nur das edelste Obst sammeln könnten. Denn wo Schlehen und wilde Rosen wachsen, ist für Obst der passende Boden und Lage. Obstbäume auf Feldern und Wiesen, werden mit Recht dem Frucht- und Futterbau für schädlich gehalten. Aenger und Oedungen aber werden durch Anpflanzung von Obstbäumen verbessert, da der hierauf verwendete Dung dem übrigen Lande auch zu Guten kömmt ꝛc.

So liegen uns die Mittel, das Land in einen zusammenhängenden Garten zu verwandeln, sehr nahe, nur wollen wir Nichts hiefür aufwenden. In der Landwirthschaft soll sich Alles nur von selbst machen. Aber aus Nichts — wird Nichts!

Bisher haben wir von Aufbringung unserer unentbehrlichen Lebensbedürfnisse, des Brodes und des Obstes, des Fleisches, des Holzes und der Kleidung, gesprochen; nun kommen wir zu denjenigen landwirthschaftlichen Zweigen, welche Luxusbedürfnisse sind, die uns aber alle so unentbehrlich geworden sind, als wie das Brod.

3. Oben an steht das **Bier**. Hiezu werden Gerste und Hopfen erfordert.

Die nöthige Gerste bauen wir, aber nicht mehr. Der Gerstenbau hängt vom Kartoffelbau ab, daher bauen solche Gegenden die meiste Gerste, welche wenig Brache halten. So baut der Untermainkreis die meiste Gerste, und versieht damit noch den Obermainkreis, wo viel Gerste im ehemals Bambergischen, wenig Gerste im ehemals Bayreuthischen erbaut wird. Der Rezatkreis versieht den Isar-, Oberdonau- und Regenkreis, so wie der Unterdonaukreis den Isar- und Regenkreis mit

Gerste. Die Kultur der Gerste hängt mehr vom Boden ab. Es ist nicht unsere Absicht, solche landwirthschaftliche Produkte hier in nähere Erörterung zu nehmen, welche schon fest begründet sind, wie der Getreidebau, die Rindviehzucht und die Bierproduction. Getreide und Viehausführung wird Bayern wenig reinen Gewinn bringen, weil alle Staaten ringsum gar zu hohen Zoll auf die Einfuhr derselben gelegt haben. Außerordentliche Fälle aber stehen außer den Konjunkturen der Landwirthschaft. Auch wird Bayern nie bedeutend Gerste ausführen können, da solche noch häufig zur Viehmast verwendet wird. Ein stärkerer Gerstenbau hängt daher einzig von eigenen landwirthschaftlichen Conjunkturen ab, und bedürfen keines besondern Hebels, da die Aernte schnell dem Ausbau folgt. In jedem Falle kann der Gerstenbau nur für den Bierbedarf berechnet angenommen werden. Denn als Nahrung wird deren Werth, wie Korn und Weizen nur von dem Ausfall der Kartoffelärnte bestimmt. In jedem Falle hat aber die Gerste mehr Werth als eine andere Getreideart, da sie für mehrere Zwecke dienet, für Bier, Nahrung und Mastung. Giebt es viele Kartoffeln, so sinkt der Nahrungswerth der Gerste, wie jeder andern Getreideart. Hier genügt, daß der Getreide- wie der Kartoffelbau in ganz Bayern genügend ist, welches Verhältniß wir diesen Resultaten unserer Beobachtungen voraussetzten. In jedem Falle ist es für das Ganze vortheilhafter, solche Produkte in den Handel zu bringen, welche erst durch Verwandlung von Urproducten selbst hervorgebracht worden waren. Wir werden mit mehr Vortheil Mastvieh ausführen, als Getreide und Kartoffeln. Ein anderes Verhältniß hat der Hopfen. Gerste wächst zur Noth in ganz Deutschland, also in allen Nachbarstaaten, aber nicht Hopfen. Ganz Bayern ist vorzüglich für Hopfenbau geeignet. Es ist erfreulich, daß wir unser großes Bedürfniß an Hopfen nicht allein bauen, sondern schon jährlich gegen 30,000 Zentner in's Ausland führen. Hersbruck allein führt jährlich gegen 8000 Zentner Hopfen in's Ausland und baut doch kaum 3000 Zentner. Sehr Viel hievon kaufen die Böhmen. Die Bamberger Juden schicken jährlich gegen 800 Ztnr. nach Sachsen. Die Ausfuhr des Hopfens hat seit 1825 um das Doppelte zugenommen. Hersbrucker Hopfen gehet nach Wien und Oesterreich überhaupt jährlich an 1500 Zentner. Ein Beweis, daß selbst die Oesterreicher unsern Hopfen lieber, als den Böhmischen kaufen. Eben so ganz Sachsen und Preußen. So wie sich unser Hopfenbau gehoben hatte, fiel der böhmische. Kaum daß noch 2000 Zentner bei uns an Böhmerhopfen eingeführt werden. Der eigentliche böhmische Hopfenhandel liegt ganz darnieder, nämlich in Bayern und Sachsen. Denn selbst diese 2000 Ztnr. Hopfen sind in Hersbruck, Lauf und Altdorf erkauft worden. Nur noch wenige Narren glauben an Böhmerhopfen.

Unser Hopfenbau erträgt dermal jährlich an 6 Millionen Gulden, und ist somit eine der ersten Stützen der bayerischen Landwirthschaft, weil er eine Menge Menschen nicht allein ernährt, sondern noch reich machet. Ich fand in der Gegend von Passau so guten Hopfen, wie zu Hochstätt, Neuburg, wie zu Schmidtmühlen, bei Eichstädt wie zu Baireuth, am Bodensee wie zu Hof, und bei Schweinfurt. Ich fand bei der richtig angewandten Kultur die nämliche Güte und Erträgnisse, wie in Hersbruck, und dahier. Es bestättiget sich, daß ganz Bayern den besten Hopfen liefert, wenn die rechte Art angepflanzt, und richtig kultivirt wird. Hat ja die Güte unsers Hopfens schon das Ausland anerkannt, somit läßt sich erwarten, daß das Vorurtheil für Böhmerhopfen nunmehr über den Haufen geworfen ist. Für den Hopfenbau in Bayern ist nichts weiter zu thun, als gute Lehren über die richtige Behandlung des Hopfens zu verbreiten, und Handels-Vereine mit Niederlagen zu errichten.

Was unseren reichen Hopfenbau sichert, ist die nur unserm Vaterlande eigene wohlfeile Production in wohlfeiler Arbeit, und doch hohen Verkaufspreise. Wenn der Transport durch die Eisenbahnen erleichtert ist, so stehet sicher zu erwarten, daß der Hopfenbau noch mehr sich ausbreitet. Es sind zwar selbst auf allerhöchstem Befehl von Würtemberg, Sachsen und Baden von mir eine Menge Hopfensetzer bestellt worden, allein — so wohlfeil können diese Länder den Hopfen nicht bauen, als wir bei unseren gutgeordneten unentbehrlichsten Lebensbedürfnissen. Noch vor 25 Jahren bauten wir nicht unsern Bedarf an Hopfen und dermal ist der Hopfenbau der einzige landwirthschaftliche Zweig, welcher hohen reinen Gewinn bringt. — Dieses haben wir — man höre wohl! nur dem beharrlichen Wirken unsers General-Comités des landwirthschaftlichen Vereins zu danken!

4. Ganz befriedigend fand ich in Bayern den Flachsbau. Wir dürfen das Leinen allerdings zu den ersten Bedürfnissen des Lebens zählen. Doch trinkt Mancher mehr Bier, als er für Leinen ausgiebt, und trinkt eher Bier, als er sich ein Hemd schafft, und gar Viele trinken Bier, die kein Hemd auf dem Leibe haben. Wir bauen mehr Flachs als wir bedürfen. Wir würden noch weit mehr bauen, wenn wir unsern Flachs und Oel ausführen könnten. Unsere Nachbarn ringsum haben für

Linnen- und Oelproduction günstigere Verhältnisse. Die Speculationen mit bayerischer Leinwand haben sich schlecht bewährt.

Der Fehler liegt darin, daß die Produktion und Fabrikation hierin zu theuer zu stehen kömmt. Die Waare erheischt zu viele und zu harte Arbeit. So braucht ein Tagwerk Lein mehr Arbeit, als ein Tagw. Hopfen. Und dann entspricht der Preis der Aernte nicht. So lange wir das Rösten, Brechen und Spinnen auf dem Rade nicht durch Maschinen ersetzen können, in so lange wird sich dieser Zweig gegen die andern nicht lohnen. Daher bleibt diese Produktion in den weiblichen Händen — lediglich für den täglichen Bedarf. Selbst das Weben und Bleichen ist weit zurück. Die Verbesserung dieses Kulturzweiges hängt nur von der Erfindung ab, den Flachs so herzurichten, wie die Baumwolle, um ihn kartätschen und dann mittelst einer Maschine spinnen und weben zu können. Bei der Emsigkeit und der Fürsorge der bayer. Hausfrauen aber haben wir nicht zu fürchten, daß sich der Flachsbau vermindern dürfte. Die umsichtige Hausfrau benützt die langen Winterabende, und spinnt so viel Flachs, als zureicht, um das Bedürfniß an Leinen damit zu befriedigen, und der Ueberschuß gewährt, da die Befriedigung des Bedürfnisses nichts kostet, für jede Haushaltung einen bedeutenden Gewinn! Hiebei findet sich eigentlich nur der Fleiß bezahlt. Denn das Spinnen, Weben und Bleichen, so wie die Herrichtung des Flachses kosten mehr — als das landwirthschaftliche Produkt. In jedem Falle ist der Leinbau genügend.

5. Dagegen ist der inländische Tabakbau noch bei weitem ungenügend. Der Tabak ist ein Bedürfniß der ersten Art, ja Mancher braucht mehr Tabak als Brod. Unser Bedarf an Tabak ist gegen 30,000 Ztnr. Wir bauen aber nicht die Hälfte. Nur allein der Rezatkreis bauet gegen 5000 Ztnr., auch fast eben so viel der Rheinkreis. Sonst sah ich im Großen keine Tabakpflanzung. Wir könnten aber recht leicht unsern Bedarf an Tabak selbst bauen, ohne die übrigen Zweige beschränken zu müssen. Dagegen haben wir das Tröstliche, daß wir vom Auslande die rohen Tabaksblätter beziehen, solche fabriziren, und wieder in's Ausland schicken. Denn wir können nach unseren Nahrungsverhältnissen den Tabak weit wohlfeiler fabriziren, als alle unsere Nachbarn. Gerade dieses Verhältniß sollte uns aufmuntern, selbst recht viel Tabak zu bauen, solchen zu fabriziren, und in solcher Art uns zu bereichern. Denn der Tabaksbau, so wie die Tabaksfabrikation machen schnell reich. Wir könnten mit unserem wohlfeilen Tabak alle Nationen über-

flügeln. Dieses Verhältniß hält man für Pflicht, Einem hochverehrlichen General-Comité besonders ans Herz zu legen, um Hochdasselbe zu veranlassen, daß nochmals so viel Tabak als bisher angebaut werde. Hiezu scheint mir die obere Pfalz von Bamberg bis Creußen, ebenso die ganze Gegend von Neumarkt bis Regensburg nach deren dort gemachten Versuchen vorzüglich geeignet. In wenigen Jahren könnte dieser Kulturzweig mehrere Millionen ertragen. Ich habe mich 21 Jahre lang mit Tabakbau und Tabakfabrikation (im Kleinen) beschäftigt und auch meine Resultate kund gegeben. Ich habe nachgewiesen, daß wir vollkommen gute Tabaksblätter bauen können.

Die Mittel, die weitere Ausdehnung des reichen Tabaksbaues wären: Vor Allem die Kundgebung des Unterrichts im Tabakbau und der Tabakfabrikation, dann die unentgeldliche Vertheilung von Samen, so wie Aussetzung von Prämien, für solche Gegenden, wo der erste und wo der meiste Tabak gebaut wird, deren Erlassung des Zehents. Indem der Tabak gutes Land erheischt, so sollte die Prämie in dem Falle verdoppelt werden, wenn zum erstenmal auf der Brache Tabak angepflanzt worden.

Vorzüglich dürfte am zweckmäßigsten gewirkt werden, wenn die einzelnen Gemeinden durch ihre Pfarrer und Schullehrer gewonnen und aufgefordert würden, wenigstens 1 Tagw. mit Tabak anzupflanzen. Der Tabakbau müßte für Bayern bei den gar günstigen Verhältnissen hiefür eine reiche Geldgrube werden.

6. Der Weinbau ist vollkommen geordnet. Wir bauen nicht allein unser ziemlich starkes Bedürfniß hievon, sondern schicken noch für mehr als eine Million Weine in's Ausland. Somit bezahlt sich der Weinbau auch genügend. Allein hieraus läßt sich kein Schluß auf Erweiternng dieses einträglichen landwirthschaftlichen Zweiges machen, da der Wein nur von Eigenheiten des Bodens, der Lage und Witterung eigensinnig abhängt. In ungünstiger Lage wächst durchaus kein Wein. Daher ist im Gegentheile von weiterer Ausdehnung des Weinbaues abzurathen. Es geben auch die alten Weinberge zu Bamberg, Dörfleins, am Staffel- und Banzberg, bei Vorcheim und bei Regensburg, Neustadt ꝛc. nach und nach ein. Unsere Frankenweine steigen dagegen an Werth. Sie sind dem Auslande unentbehrlich, und zuverläßig die besten Weine der Erde. Leider haben unsere fränkischen Weinbauern durch die Kriege am meisten gelitten. Es dürfte ihnen mit unverzinslichen Vorschüssen wieder aufzuhelfen seyn. Bei unsern herrlichen Frankenweinen sollte man es freilich nicht glauben, daß noch fast für eine

Mission fremder Weine bei uns eingeführt werden! Eine Schande für uns, daß wir unser weit besseres Gut nicht zu schätzen wissen.

Wenn aber auch nicht zur Erweiterung des Weinbaues zu rathen ist, so ist doch der Weintraubenbau am Spalier allenthalben in Bayern zu empfehlen. Denn der Weinstock ist allenthalben ein Unkraut, dessen edle Früchte nur von der darauf verwendeten Pflege abhängen. Doch gedeihet die Weinrebe in allen Gegenden von Bayern, von Hof bis am Bodensee selbst in der Mitte des Fichtelgebirges. Die Anpflanzung der Reben hindert keine andere Nützung. Da die Rebe nur einen sonst ungenützt gebliebenen Platz einnimmt, deren Nutzen aber ist sehr bedeutend. Denn kein anderer Fruchtstrauch, kein Baum bringt so viele Früchte und zwar jährlich, als die Reben. Ich hatte in diesem Jahre an einem Spalierweinstocke 198 reife Trauben abgenommen. Vor jedem Hause, an jedem Gebäude, an jeder Mauer, in jedem Hofraume sollten Reben angepflanzt stehen. Das wäre sehr leicht zu machen. Die Setzreben kosten ja Nichts. Die Pflege ist gering, die Rebe braucht nicht einmal veredelt zu werden. Aufgraben, Düngen, Schneiden und Anheften — darin bestehet die ganze Arbeit. Nur Spielerei! Das Schneiden begreift Jeder. In vielen Orten sah ich Weiber das Beschneiden der Weinstöcke verrichten. Man pflanzt nur die ergiebigsten frühen, daher die gemeinsten Arten Weintrauben an. Die Pfarrer und Schullehrer sollten es sich zum Ziel setzen, alle Hofräume mit Reben besetzt zu sehen. Darin spräche sich deren Wohlwollen recht deutlich aus. Gewiß wäre hiedurch zur Verschönerung des heimischen Bodens Viel — sehr Viel beigetragen. In einigen größeren Ortschaften im Koburgischen und im Baireuthischen haben besonders würdige Pfarrer jedem Hause einen Weinstock verliehen. Man siehet schon 2 – 3 Seiten des Hauses kunstreich mit den Reben überzogen, und das ganze Ort hat dadurch ein unendlich freundliches Ansehen erhalten. Eine gründliche praktische Lehranweisung würde den Zweck schneller erreichen lassen.

7. Die größte Aufmerksamkeit widmete ich unausgesetzt der Befriedigung des Bedürfnisses an Zucker und Kaffee, durch inländische Surrogate: Wir dürfen dieses Bedürfniß wirklich ungeheuer groß annehmen. Denn es stehet obenan, und bestimmt in den meisten Orten die Nahrungsverhältnisse, vorzüglich in Städten. Es ist mehr, als nur Luxus. Kaffee und Kartoffeln machen dermal in unendlich vielen Haushaltungen die Nahrung aus. In Freud und Leid spielt der Kaffee eine Hauptrolle.

Kreise, eine Systembienenwirthschaft zu errichten. Mit 1000 fl. ließe sich in jedem Kreise eine solche Anstalt einrichten. Diese 1000 fl. wären aber nur Vorschuß, und müßen in 20 Jahren wieder zurückbezahlt werden. Die Nachweisung eines entsprechenden Standes von 25 Bienenstöcken werde mit einer goldenen Medaille belohnt. Die Bienenhaltung ist ein vorzügliches Mittel, dem herabgekommenen Landwirthe schnell wieder aufzuhelfen, und im Allgemeinen verbreitet die Bienenzucht schnell Wohlhabenheit und selbst Reichthum. Ein Revierförster im Forste bei Lichtenfels wies mir nach, daß seine Bienen (als er starb hatte er just 99 Stöcke auf dem Stand) — ihm gegen 2500 fl. baares Geld ertragen hätten. Ich selbst hatte von meinen Bienen stets mehr reinen Gewinn als vom Hopfenbau. Ich kenne recht viele Bienenzüchter, welche mir äußerten, daß ihre Bienen ihnen jährlich die Steuern und Abgaben bezahlen müßten rc. Ein Maurer in Hersbruck schaffte aus dem Gewinn seiner Bienen sich und seiner Familie alle Jahre die nöthigen Kleidungsstücke. In jedem Falle würde eine verbesserte Bienenzucht in Bayern den Wohlstand um einige Millionen Gulden erhöhen.

9. Mit Recht wird die Teichwirthschaft täglich mehr vermindert. Denn Teiche rentiren sich am schlechtesten. Mit Recht soll sich die Fischzucht nur auf die wilde Fischerei beschränken. In jedem Falle ist solche sicherer, und bringt nur reinen Gewinn, da sie nicht von Zufälligkeiten abhängt. Daher hat auch Bayern in seiner wilden Fischerei mehr Ueberfluß an Fischen, als sein Bedarf erfordert. Dieses beweisen die niedrigen Preise aller Fischgattungen. Zu wünschen wäre, daß man den größten Theil des Donaumooses zu Teiche einrichtete, und eine regelmäßige Fischzucht darin betriebe. Sie würde dann mehr reinen Ertrag liefern, als die theuere Kultur zu Ackerland rc. wie ich mich an Ort und Stelle zwischen Osterhofen und Plattling selbst überzeugt habe. Das Tagwerk natürlichen See's rentirt bei regelmäßiger Fischzucht wenigstens 7 fl. reinen Ertrag, was ich anderwärts nachgewiesen habe. Die einzigen bedeutenden aber nicht unverhältnißmäßigen Ausgaben wären jene für Anlegung von einigen starken und mehreren schwächern Dämmen. Ich fand die Unterlage haltend, daher ein sicherer Erfolg zu erwarten ist, wenn die Sache von einem Teichbauverständigen unternommen würde. Es liesse sich jene bedeutende Strecke unfruchtbaren Moofes in eine reiche Fischerei verwandeln.

10. Am schlechtesten stehet es mit der Oehlgewinnung. Wir bauen nur Leinöhl mehr, als wir brauchen. Das fette

Oel wird zwar erzeugt, aber nicht über unsern Bedarf. Dieser Oelbau paßt nicht vollkommen zu den übrigen landwirthschaftlichen Verhältnissen, daher dessen Erzeugung sich nicht genügend bezahlt.

11. Die Gewinnung der Seide hat dermal noch dasselbe Verhältniß als die Orangerie. In keinem Falle hat dieselbe einen Einfluß auf das Ganze der Landwirthschaft oder nur eines Zweiges derselben. *)

12. Die Viehzucht ist in den meisten Gegenden gut begründet. Man muß nämlich nicht aus den Augen verlieren, daß die Fruchtbarkeit des Bodens die Güte des Viehes bedingt, und die Wirthschaftsart, die Art des Viehes. Die landwirthschaftlichen Verhältnisse in Bayern im Ganzen sind der Viehzucht wenig günstig. Das spricht für hohe Benützung des Landes. Denn Viehzucht gewährt durchaus keinen reinen Gewinn. Daher kann von einer Ausführung von Zuchtvieh gar keine Sprache seyn. Wir finden allenthalben die Viehzucht nur auf das eigene Bedürfniß beschränkt. Daher erhalten wir Rindvieh, Pferde und Schweine vom Auslande. Daher ist diese Einführung von Rindvieh unbedeutend und mehr Luxussache als Bedürfniß, weil Mancher für eine Raçe besonders eingenommen ist. Der bayerische Landwirth dagegen sieht mehr auf den Zweck, wofür er das Vieh zu halten hat, und eine milchreiche Kuh, welche mit wenigem Futter sich begnügt, ist ihm lieber als eine ostfriesländische, voigtländische und Schweizerkuh, die auch nicht mehr Milch giebt, aber nochmals so viel Futter erheischt. Auch kennen Alle den wichtigen Unterschied zwischen Niederungs- und Bergraçen. Jede Gegend hat ihr Eigenes. Denn die schweren Kühe im Rieß, zu Hersbruck, im Mainthale und sofort würden durchaus in das Oberland von Baireuth und die obere Pfalz nicht passen. Wir finden daher überall genaue Würdigung dieser Verhältnisse der verschiedenen Rindviehraçen zu Grund und Boden, daher überall reiche Nutzung aus dem Viehstande. Weil aber die landwirthschaftlichen Verhältnisse in Bayern nur die selbstige Consumtion der Produkte aus der Viehhaltung bedingen, so können wir auch wenig Mastvieh ausführen. Vom Itzgrunde wird viel Mastvieh in den Obermainkreis eingeführt ꝛc. Doch hat dieses Verhältniß wenig Einfluß auf das Ganze.

Nur in denen gegen Oesterreich angränzenden Kreisen ist in manchem Jahre die Einführung des Zuchtviehes bedeutend. Solches hat aber ein gutes Verhältniß, da man das junge Vieh wohlseiler kauft, als man es selbst ziehet. Es haben bei

*) Darüber scheint der Verfasser sicher im Irrthume zu seyn.

uns die Produkte mehr Werth, somit auch der Grund und Boden. Aus diesem Grunde kömmt bei uns auch die eigene Consumtion der Viehnutzung theuer zu stehen, daher verwenden wir Nichts auf Käse, und kaufen solchen wohlfeiler vom Auslande. Die Fabrikation von Käse ist daher in Bayern ganz zurück. Natürlich können die bayerischen Käse mit Schweizern und Holländern durchaus nicht Konkurrenz halten, wenn auch im Einzelnen ein Schein hiefür vorhanden ist. Die allgemeine Fütterung des Rindviehes auf dem Stalle wird von den landwirthschaftlichen Verhältnissen erheischt, was einer ausgebreiteten Viehzucht natürlich entgegen ist. Bei allen Landwirthen aber ist ein besonderer Eifer für Austausch und Auffrischung der Raçen erkenntlich, was man auf den vielen sehr besuchten Viehmärkten, welche stets mit dem schönsten Rindvieh überführt sind, bemerken kann. Es wäre zum Behufe noch frequenteren Besuches dieser Märkte nichts weiter zu wünschen, als daß der Zoll aufgehoben würde.

Obschon ganz Bayern, die wenigen höheren Gebirgsgegenden ausgenommen, so wie auch das platte Land in der Nähe der Städte, die Feldarbeit durch Hornvieh bestreiten läßt, daher Ochsen-Anspann fast allgemein ist, so hat Bayern doch eine sehr bedeutende Pferdezucht, worunter sich der Rezatkreis am stärksten auszeichnet. Daher ist die Pferdezucht von den übrigen landwirthschaftlichen Verhältnissen ganz unabhängig. Wir führen viele Pferde, aber meist im Tauschhandel durch Juden gegen Rindvieh etc. aus, während unsere Märkte und und Messen mit den edelsten Pferden überfüllt sind. Wir lassen lediglich aus Luxus auch Pferde — doch nicht viele — vom Auslande bringen. München giebt ein böses Beispiel in Einbringung ausländischer Pferde. Unsere inländischen Pferde sind weit besser, und dauerhafter, als jene ausländischen, wie man an den Höfen der Reichsfürsten sonst deutlich wahrnehmen konnte. In den Landgerichten Sulzbach, Altdorf und Hersbruck findet man noch Pferde, welche mit 3–500 fl. bezahlt werden; für keinen Zweck braucht Bayern Pferde und Rindvieh vom Auslande einzuführen. Die Ausschliessung fremder Pferde, dürfte die einheimische Pferdezucht stark befördern.

Die Schweinezucht ist in Bayern weit zurück.*) Es rührt solches aber nicht von Indolenz oder Nichtkenntniß her, sondern davon, daß sich die Schweinezucht und Haltung nicht lohnet. Nur die Nahrungsverhältnisse bedingen die Schweinehaltung, und Mastung, weil der bayer. Landwirth, vorzüglich im Rezatkreise, ohne Schweinefleisch gar nicht leben kann. An Schweine-

*) Nicht überall.

mastung ist im Allgemeinen kein Gewinn, weil man das bessere Schweinefutter vortheilhafter in anderer Art verwenden kann. Ohne Körner geht die Mastung zu langsam, und von den gewöhnlichen Küchenabfällen erhalten die Schweine weder Speck noch Fleisch. Man muß daher immer die Vorräthe des Kellers und der Scheune zu Hilfe nehmen. In der Regel nimmt man an, daß die Mastung den halben Werth bezahle. Daher stellen die Schweintreiber im Rezat- Ober- und Untermainkreise die herbeigetriebenen Schweine bei Landwirthen, bei Bäckern, Müllern ein rc. Wenn sie gemästet sind, wofür man 3 – 4 Monate Zeit annimmt, dann erhält der Schweinetreiber von 2 abgegebenen dürren Schweinen, ein gemästetes zurück. Rechnet man nun, daß ein Schwein täglich nur für 3 kr. Nahrung erhält, so beträgt solches 5 bis 6 fl. Dann hat man einen Werth von 10 bis 12 fl. Die Plage hat man aber umsonst. Nach demselben Werthe kauft man sie dann auch auf dem Markte. Sonst werden auch auf Gütern und Höfen sehr viele Schweine angezogen. Vorzüglich die obere Pfalz liefert viele Schweine, wo mancher Landwirth 40 – 50 miteinander verkauft. Diese, so wie viele aus Böhmen, Mähren und Polen kommen nach Franken, und werden in obenbemerkter Art gemästet. Man rechnet, daß jährlich für 50,000 fl. Schweinevieh nach Bayern eingeführt wird. Daher giebt die Schweinemastung und Zucht nur unter besonderen ganz eigenen Verhältnissen einen immerhin geringen Gewinn.

Dieses ist der Stand, wenigstens der wichtigsten landwirthschaftlichen Verhältniße in Bayern — jedoch nur in einem Auszuge. Ich glaube nicht, daß sich solche noch irgendwo so anschaulich dargestellt finden. Ich glaube aber, daß doch diese kurze Darstellung einen Nutzen haben dürfte. Jeder, also auch die Regierung erhält eine deutliche, klare Einsicht von der ganzen Landwirthschaft, sie lernt ihre Vollkommenheit aber auch ihre Mängel kennen; es gehet aber hieraus sonnenklar die Ueberzeugung hervor, daß noch sehr, sehr Vieles zu geschehen habe, die Landwirthschaft auf jene hohe Stufe zu bringen, welche erforderlich ist, dem Staate selbst als Stütze zu dienen, die Sicherheit und Unabhängigkeit der bayerischen Nation zu begründen. Die Landwirthschaft kann die Regierung nicht entbehren, und diese die allgemeine Wohlhabenheit der Mehrzahl ihrer Staatsbürger nicht missen. Wie die Regierung sich verpflichtet fühlt, für Wissenschaft, Künste und Gewerbe zu sorgen, und den erforderlichen Auswand für dieselben zu machen, eben so kann das erste aller Gewerbe Anspruch auf Unterstützung machen. Keine Kunst und kein Gewerb aber verzinset die erhaltenen Vorschüsse so reich und so schnell, als die Landwirthschaft. Man hat am letzten Landtage 30 Millionen mehr Schuld gemacht. Würden solche gerecht für Wissenschaften, Gewerbe und Landwirthschaft vertheilt, somit nur ein Drittheil der Landwirthschaft zugewendet werden, so würde man die bayerische Nation um 50 Millionen jährlicher Rente reicher machen. Daß die Landwirthschaft keinen Vertreter findet, welcher für sie dieselbe Unterstützung, wie Gewerbe und Künste in Anspruch nimmt, ist eine Schande für unsere aufgeklärte Zeit, vorzüglich in Bayern, als einem rein ackerbauenden Staate, wo das Wohl der Regierung mit dem Wohle des gering geschätzten Bauern innigst verbunden ist. Es ist gewiß lobenswerther, gerecht zu Werke zu gehen, als ungerecht zu seyn, und statt zu geben, noch zu nehmen, daher selbst noch mitten im Frieden, die Abgaben einer Klasse der Staatsbürger zu erhöhen!! Gewiß wird eine Erinnerung deßhalb nicht nöthig seyn, denn die Zeit selbst mahnet — dringend, gerecht zu seyn!!!

Bamberg den 1sten Januar 1836.

Jakob Ernst von Reider,
practischer Oekonom als Vereinsmitglied.

---

40 Ueber das Wirken des verstorbenen Staatsgüter-Direktors Max Schönleutner.

Den 19. Juli 1831 starb Max Schönleutner, Vorstand der königl. Staatsgüter Administration zu Schleißheim, über dessen Wirken sowohl während seines Lebens als nach seinem Tode sehr verschiedene Urtheile gefällt worden sind. Da derselbe die Resultate seiner Forschungen als Gelehrter sowohl als die Erfolge seines Wirkens als Staatsdiener in den von ihm herausgegebenen Schriften niedergelegt und der Beurtheilung des Publikums unterstellt hat, so hat man es bisher unterlassen, durch die Zeitschriften, welche in der Regel nur für kürzere Nachrichten bestimmt sind, die Verdienste des Verstorbenen für des Vaterlands Kultur näher zu bezeichnen. Da unterdessen in den neuesten Zeiten z. B. in dem Wochenblatte des landwirthschaftlichen Vereins mehrmals von den Leistungen des Verstorbenen die Rede ist, so mag es nicht für ruhmredig oder parteilich betrachtet werden, wenn wir die wichtigsten Momente der Wirksamkeit des Verstorbenen in nachstehenden zwei Fragen einer kurzen Erörterung unterstellen.

I. Welches war die Bestimmung der königlichen Musterwirthschaften?

Sie ist in der landesherrlichen Verordnung vom 14. Oktober 1803, die Organisation der Forstschule betreffend, in folgenden Worten ausgesprochen: *)

„Wir wollen zugleich, daß mit dieser Forstlehranstalt zu Weihenstephan eine Musterlandwirthschaft in Verbindung gesetzt, und die dortige Klosterökonomie für die Erfahrungen und Ausübungen einer in der Bebauungsart und in den Geräthen veredelten Wirthschaft zu dem Ende benützt werden solle, damit die für diesen Zweck immer zu unfruchtbare Lehre und Spekulation einer Universität oder Gesellschaft durch anschauliche Beispiele und praktische Unterweisung und zwar für die eigentliche Klasse der Kultivatoren allmählig belebt, und unter diesen reinere Wirthschaftseintheilung, die besseren Samen der Getreidearten und Futterkräuter und der Gebrauch der verbesserten Ackerwerkzeuge auf dem jedes Kulturmandat hinter sich lassenden Wege des Beispiels und der Belehrung verbreitet werden können.“

Die landesherrliche Aufgabe für diese Anstalt war mithin, eine auf wissenschaftliche Grundsätze gestützte in Geräthen und Früchten verbesserte Ackerwirthschaft aufzustellen. Wie er diese Aufgabe durch den künstlichen Futterbau und den damit verbundenen Fruchtwechsel zu lösen suchte, hatte er in einer kleinen Schrift „Nachrichten über die Landwirthschaftsschule Weihenstephan (München 1810) dann in dem ersten Bande der Schleißheimer Jahrbücher München 1828 dargethan.“

Der Erfolg gewann das Zutrauen des Volkes und der vorgesetzten königl. Stelle. Die Musteranstalt zu Weihenstephan wurde nach dem Aufhören der dortigen Forstschule im Jahre 1807 nicht allein erhalten, sondern im Jahre 1811 mit der Verwaltung derselben auch noch die der bedeutenden Güter zu Schleißheim und Fürstenried verbunden. Die Aufgabe für diese vereinte Verwaltung blieb dieselbe, nur wurde ihr zur besondern Pflicht gemacht, daß die bedeutenden Zuschüsse, die diese Güter bis in die frühesten Zeiten **) zurück nothwendig hatten, aufhören sollen, wogegen ihr aber auch bewilliget wurde, alles Erwirthschaftete zur Melioration der Güter verwenden zu dürfen.

*) Regierungsblatt 1803. St. 45 Seite 899.

**) Die Gutsrechnungen Schleißheims reichen bis zum Jahre 1621.

Die Aufgabe war allerdings schwierig, von ihm aber nach den Grundsätzen, welche er im ersten Bande der Schleißheimer Jahrbücher ausgesprochen hat, glücklich gelöset. Die Steppen verminderten sich, lachendes Fruchtland zeigte sich im jährlich erweiterten Kreise; schönes Vieh lebte fröhlich in den geräumigen Stallungen, und das Ganze krönte ein entsprechender mit der steigenden Kultur im Verhältnisse stehender Reinertrag. Denn längst stand in ihm der Grundsatz fest: daß Musterwirthschaften, die es blos in der Produktion, nicht aber im Ertrage sind, nichts taugen, und sich nicht halten können.

Er benützte die erhaltene Erlaubniß, das Erwirthschaftete zur Verbesserung der Güter zu verwenden, in vollem Masse, weil hier die Anlage des Kapitals sicher und lohnend war, und der Gedanke der Möglichkeit, der landwirthschaftlichen Wissenschaft durch das bisher selten gesehene Beispiel eines großen öden aus seinen eigenen Quellen in Kultur und zum Ertrag gebrachten Grundes, den möglich höchsten Triumph und damit das möglich höchste Vertrauen zu verschaffen, in ihm jährlich lebendiger und überzeugender wurde.

Seinen Worten giebt wohl der Thatbestand Gewicht, daß auf dem Staatsgute Schleißheim die ihm im Jahre 1811 übergebene Ackerfläche in 18 Jahren von 500 Morgen auf 1500 Morgen erweitert worden ist. Die Fortschritte der Kultur auf den 3 Staatsgütern blieben nicht unbemerkt, und ihnen verdankten sie nicht allein ihre Erhaltung, sondern die Ehre, im Jahre 1819 in der ersten Ständeversammlung als Musterwirthschaften anerkannt worden zu seyn, und die Bestimmung zu einer landwirthschaftlichen Bildungsanstalt *) erhalten zu haben.

Im Jahre 1819 wurde demnach diese Anstalt eine förmliche Nationalanstalt, auf welcher der Ackerbau nicht allein wissenschaftlich betrieben, sondern auch wissenschaftlich gelehrt werden sollte.

Welche ihre Verpflichtung als Musterwirthschaft war, ist bereits angegeben.

Sie war keine andere als: eine in allen Theilen nach wissenschaftlichen Grundsätzen angeordnete, auf den möglich höchsten Ertrag berechnete Wirthschaft aufzustellen. Letztere Verpflichtung ist zwar in dem ersten Konstitutions-Rescripte vom Jahre 1803 nicht ausgesprochen, auch in dem Antrage der Stände nicht enthalten, sie liegt

*) Gesetzblatt 1819 Stück VI. Seite 44.

aber in dem Begriffe einer Musterwirthschaft. Nirgends ist die Verbindlichkeit zu einer unsichern Versuchs- oder tändelnden Prunkwirthschaft, oder zur Begünstigung des einen oder andern Zweiges des landwirthschaftlichen Betriebes z. B. der Viehzucht ausgesprochen.

Die landwirthschaftliche Lehranstalt, welche nach dem Wunsche der Stände schon im Jahre 1823 auf dem Staatsgute Schleißheim errichtet worden war, aber eine gesonderte mit der Administration der Staatsgüter nicht verbundene Stellung erhalten hatte, wurde erst am Schlusse des Jahres 1824 mit der Administration dieser Güter vereinet, und ihm die Leitung anvertraut.

II. Wie haben die Musterwirthschaften die ihnen gemachte Bestimmung in Erfüllung gebracht?

Diese Frage zerfällt in zwei Nebenfragen.

a) Was haben die Musterwirthschaften als landwirthschaftliche Gewerbe, und

b) Was haben sie als Lehranstalt geleistet?

A. Von den Leistungen der Musterwirthschaften in gewerblicher Beziehung.

Die Grundbestimmung der Musterwirthschaften bleibt immer die:

den Gebrechen des vaterländischen Ackerbaues durch Beispiel und Lehre abzuhelfen.

Das Grundgebrechen und die Heilmethode aufzufinden, und die lohnenden Erfolge im lebenden Bilde darzustellen, war die erste Aufgabe für den Ackerbaubetrieb der Musterwirthschaften. Man hat die Gebrechen des Ackerbaues in jüngster Zeit ganz allein in dem Unwerthe der Getreidfrüchte finden wollen, und deßhalb dem Landwirthe den kurzen Rath gegeben: baue Früchte, die mehr Geld eintragen — Handelsgewächse rc., und dir ist geholfen. Ob Handelsgewächse für sein Klima und seinen Boden passen, ob der Bauer hiezu den nothwendigen Dünger habe, um sie mit Vortheil bauen zu können, um die Beantwortung dieser Fragen bekümmerten sich die Rathgeber nicht.

Andere rufen, schafft euch besseres Vieh an, um reichhaltigere Milch und Butter, stärkeres Vieh, um besseres Fleisch zu erhalten, wieder andere, haltet Merino-Schafe, und wieder andere, nein! keine Merinoschafe, sondern haltet langwollige Marschschafe, und ihr werdet sehen, euch ist geholfen.

Dem Auge des Kenners fällt die Erforschung des Grundübels, woran der vaterländische Ackerbau leidet, nicht schwer. Es liegt im Mangel an zureichendem Dünger, daher im Mangel an dem zureichenden Vorrathe von gutem Futter. Auch die Frage: wie diesem Uebel abzuhelfen sey, ist schon manchmal zur Sprache gekommen. Die meisten rathen, die Wiesen durch Dünger zum höhern Ertrag zu bringen. Wer aber ökonomische Kalkule zu machen versteht, findet bald, daß die Vermehrung der Production auf gewöhnlichen Wiesen mehr Dünger in Anspruch nimmt, als durch vermehrte Futterproduction wieder erzeugt werden kann; also auch dieses Heilmittel ist scheinbar, mehr schädlich wie nützlich. Radikal heilt die Gebrechen des vaterländischen Ackerbaues nur der künstliche Futterbau. Jeder Boden, der des Klima's wegen zum Ackerbau sich eignet, und eines der vorzüglicheren Futtergewächse ohne viele Verbesserungsmittel hervorzubringen im Stande ist, trägt in sich das Mittel zum möglich höchsten Ertrag zu kommen, und giebt die Befähigung, die ökonomische Benützung des Bodens augenblicklich nach den Zeit- und Handels-Verhältnissen umzuändern. Dem künstlichen Futterbauer ist es ein Leichtes, statt Mehlfrüchten Handelsgewächse und umgekehrt zu bauen, oder in kurzer Zeit aus einem Ackerbauer ein Viehzüchter und aus einem Viehzüchter wieder ein Ackerbauer zu werden, oder in dieser Hinsicht jede beliebige Stellung anzunehmen, welche Zeitverhältnisse nothwendig machen.

In unmittelbarer Begleitung des künstlichen Futterbaues ist der Fruchtwechsel; aber nicht der Wechsel der Früchte, sondern der nach Bedarf der Umstände verschiedenartig gestaltete Futterbau ist es, der diese Wirthschaftsweise so berühmt gemacht hat, und der die Basis eines jeden rationell betriebenen Ackerbaues ist.

Wollten die Musterwirthschaften die ökonomische Aufgabe lösen, wollten sie ein Beispiel aufstellen, das zum Wohle des vaterländischen Ackerbaues Nachahmung verdiente, so mußten sie künstlichen Futterbau in Verbindung mit Fruchtwechsel treiben. Das geschah auch auf dem Staatsgute Weihenstephan schon im Jahre 1803 durch Einführung des rothen Kleebaues, auf dem Staatsgute Schleißheim im Jahre 1811 durch Einführung des Esparsettbaues, und in demselben Jahre auf dem Staatsgute Fürstenried durch Einführung des rothen Klee- und Esparsettbaues zugleich. Auf letzterem Gut hatte er den Beweis geliefert, daß eine große Wirthschaft ohne alle Wiesen bestehen könne. *) Der künstliche Futterbau hatte auf dem Staatsgute Weihenstephan den Grund zum gedeihlichen Anbau der für die dortigen Verhältnisse passenden Handelsgewächse z. B. des Repses ꝛc. gelegt, und der künstliche Futterbau ist es, der auf Schleißheims dürrem Boden Saaten erzeugte, die man nur auf den fruchtbarsten Gefilden zu sehen gewohnt ist, und der die Möglichkeit giebt, die grossen öden Strecken in gleich lohnendes Fruchtland umzubilden.

Der künstliche Futterbau und der damit in Verbindung stehende Fruchtwechsel wurde auf den Staatsgütern in grossen Beispielen aufgestellt und damit einer der Hauptverpflichtungen der Musterwirthschaften Genüge geleistet.

Der künstliche Futterbauer hat gutes Futter in jeder ihm beliebigen Menge, daher auch gut und reichlich genährte Hausthiere. Daß die Staatsgüter nach Begründung des künstlichen Futterbaues einen vorzüglichen Viehstand hatten, ist eine leicht erweisliche Sache. Sie hatten verschiedene Stämme von Rindvieh und von Merinoschafen, auch wurde bei Schleißheim Pferdzucht getrieben. Der künstliche Futterbau bildet in den Ackerbauländern die Basis einer guten Viehzucht. — Was nützten bisher alle Bemühungen des Staates in dieser Beziehung? Wie langsam es mit der Verbesserung der Pferdezucht, ungeachtet des großen Aufwandes von Seite des Staates und ungeachtet der grossen Vorliebe des gemeinen Landwirthes für diese Thiere, gehe, weiß Jedermann. Futterbau ist die Grundlage zum Besserwerden in der Pferde- und Rindviehzucht, und ohne denselben sind alle Unternehmungen schwankend, unsicher und ohne Erfolg.

Der Ertrag der Musterwirthschaften vom Jahre 1810/11 bis zum Schluß 1827/28 ist im zweiten Bande der Schleißheimer Jahrbücher von dem Verstorbenen angegeben, und bei Ausmittlung desselben in das kleinste Detail eingegangen worden, die Resultate, die ich im Auszuge gebe, sind folgende:

---

*) Im Februar 1829 wurden bei Ausantwortung dieses Gutes an den Pächter Frhrn. v. Sternburg übergeben ꝛc. 98, 21 Tagw. Esparsettfelder und 48, 62 Tagw. Kleefelder, zusammen 146,83 Tagw. Futterfelder und nur 28,09 Tagw. natürl. Wiesen. Alles, was früher Weide und Wiese war, hatte man zu Ackerbau gemacht, und im Fruchtwechsel bewirthschaftet.

a. Achtzehnjähriges Erträgniß des Staatsgutes Schleißheims.

aa. Ertrag der Landwirthschaft.

1. An baaren Kassaresten	67330 fl.	2½ kr.
2. An dem Mehrwerth der am Schlusse des Jahres 1827/28 geblienenen Kapitalien im Vergleiche mit ihrem Werthe beim Anfang der Verwaltung im Jahre 1810/11.		
α) beim Grundkapital	52284 fl.	— kr.
β) Viehkapital	3242 fl.	— kr.
γ) Geräthekapital	6562 fl.	29 kr.
δ) Produktenkapital	28958 fl.	5 kr.
Zusammen	158376 fl.	36½ kr.

bb. Ertrag der Forstwirthschaft.

Dieser war an baar Geld, nachdem Grund- Geräthe- und Produkten-Kapital in den Vergleichsperioden sich gleich geblieben sind	62063 fl.	13¼ kr.

cc. Ertrag der Bierbrauerei.

Dieser ist an baar Geld 106857 fl. 37½ kr.; da aber der Mehrwerth des Geräthe- und Produktenkapitals vom Jahre 1810/11 den vom Jahre 1827/28 um 1158 fl. 2 kr. übersteigt, so ist der Reinertrag	105699 fl.	35½ kr.

dd. Ertrag der gutsherrlichen Gefälle.

Dieser war bis zum Jahre 1827/28, wo sie inkammerirt und dem Administrationsfond entzogen worden sind, zusammen . . .	19125 fl.	57 kr.

ee. Die Brettermühle.

hatte ertragen

1) an Kassaresten	2289 fl.	22½ kr.
2) der Mehrwerth der Geräthe und Vorräthe war	252 fl.	50 kr.
Im Ganzen	2542 fl.	12½ kr.

ff. Die Tafern und Bäckerei.

waren verpachtet und haben baar eingetragen	5241 fl.	40 kr.

gg. Die Ackerwerkzeug-Fabrik

hat sich ein Geräthekapital von 820 fl. 44 kr. im Werthe erwirthschaftet.

Der 18jährige Ertrag des Gutes Schleißheim ohne Veranschlagung des durch Hagel und Seuchen verursachten bedeutenden Schadens ist mithin:

1) an Grundkapitalszuwachs	52284 fl.	—	kr.
2) an Mehrwerth der Vieh-Geräthe und Produkten-Vorräthe	38678 fl.	6	kr.
3) an Kassaüberschüssen	262907 fl.	52½	kr.
Zusammen	353869 fl.	58½	kr.

b. Ertrag des Staatsgutes Fürstenried.

Nach Abzug aller in der angegebenen 18jährigen Verwaltungsperiode erlittenen Unfälle durch Hagel und Viehseuche ist der Ertrag dieses Gutes 41095 fl. 8 kr.

Davon berechnen sich:

an Grundkapitalszuwachs	23620 fl.	—	kr.
„ Mehrwerth der Vorräthe . . .	4826 fl.	59½	kr.
„ baaren Gelde	12648 fl.	8½	kr.
Zusammen	41095 fl.	8	kr.

c. Ertrag des Staatsgutes Weihenstephan.

aa. Der Oekonomie.

1) An Kassaüberschüssen	31762 fl.	5½	kr.
2) Grundkapitalszuwachs vorzüglich durch Rodung einer Waldfläche von 150 Morgen und ihre Beurbarung zum Ackerbau	26019 fl.	—	kr.
3) an Mehrwerth des Viehes, der Geräthe und Vorräthe	8768 fl.	19	kr.
Zusammen	66549 fl.	24½	kr.

bb. Ertrag der Brauerei.

Der Ertrag dieses Gewerbes an baaren Kassaüberschüssen stellt sich auf 118638 fl. 14½ kr.; weil aber der Werth der Vorräthe und Geräthe zu Anfang der Verwaltung um 4304 fl. 58 kr. höher ist, wie am Schluße des Jahres 1827/28, so ist der Reinertrag nur 122943 fl. 12½ kr.

cc. Ertrag der Ziegleréi.

1) An Kassaüberschüssen	1075 fl.	22 kr.
2) Mehrwerth der Vorräthe	150 fl.	15½ kr.
Zusammen	1225 fl.	37½ kr.

dd. Die Schloßgärten

haben allein keinen Ertrag gegeben, sondern vom Erwirthschafteten in Zeit von 18 Jahren 5162 fl. 33 kr. aufgezehrt, und damit die Wahrheit des Satzes wiederholt bestätiget, daß die Bearbeitung des Bodens durch Menschenhände nur da lohnend anwendbar sey, wo diese wohlfeil zu haben sind, oder die Gartenerzeugnisse um sehr hohe Preise verwerthet werden können.

Ohne Abzug dieses bei den Gärten sich ergebenden Ausfalls ist der 18jährige Ertrag des Gutes Weihenstephan

1) An erhöhtem Grundkapitals-Werthe des landwirthschaftlichen Bodens	26019 fl.	— kr.
2) An dem Mehrwerthe der stehenden und beweglichen Kapitalien	13223 fl.	32½ kr.
3) An baaren Ueberschüssen	151475 fl.	42 kr.
im Ganzen	190718 fl.	14½ kr.

d. Außerordentliche aus dem Gewerbsbetrieb der Güter nicht geflossenen Einnahmen.

Diese waren folgende:

1) baares Betriebskapital am Anfange der vereinten Verwaltung im Jahre 1810/11	19673 fl.	21 kr.
2) Erhobene alte Ausstände	2296 „	39½ „
3) Erlös aus verkauften Realitäten . .	831 „	27 „
4) Erhobene Wittwenfondsbeiträge der Beamten	437 „	13 „
5) Veranschlagte Dienstwohnungen der Beamten	4300 „	— „
6) Zufällige Einnahmen	3451 „	—½ „
7) Ersatzposten des letzten Rechnungsjahres 1827/28	17 „	32½ kr.
Zusammen	31007 fl.	13¾ kr.

e. Gesammtertrag der Musterwirthschaften während ihrer 18jährigen vereinten Verwaltung.

Nach dem gegebenen Nachweis war der Ertrag

1) Beim Gute Schleißheim	353869 fl.	58½ kr.
2) „ „ Fürstenried	41095 „	8 „
3) „ „ Weihenstephan	190718 „	14¼ „
Zusammen	585683 fl.	20¾ kr.
4) Die außerordentlichen Einnahmen betrugen	31007 fl.	13¾ kr.
Das ganze Erträgniß war mithin	616,690 fl.	34½ kr.

Der bei weitem größte Theil der Verwendung des Erwirthschafteten ist aus revidirten Rechnungen gezogen, die glaublich legale Dokumente sind. Was nicht in der Geldrechnung nachgewiesen werden kann, ist: der Grundkapitalsanwachs der Güter und der Mehrwerth der Vieh- Geräthe- und Produkten, vorräthe am Schlusse des Jahres 1827/28 im Vergleiche mit ihrem Werthe zu Anfang des Jahres 1810/11. Die Beweise beruhen hier auf Kalkulationen, die im zweiten Bande der Schleißheimer Jahrbücher findig sind.

In der Rubrik der durch Kalkulation erweisbaren Ausgaben erscheint:

1) der erhöhte Bodenwerth der 3 Güter im Laufe von 18 Jahren mit . . .	101923 fl.	— kr.
2) der verglichene Mehrwerth der obenbezeichneten Kapitalien am Schluße des Jahres 1827/28 mit	56728 fl.	38 kr.
Zusammen die Summe von	158651 fl.	38 kr.

Durch die revidirten Rechnungen können folgende Verwendungssummen nachgewiesen werden:

1) der oben schon angeführte Zuschuß auf den Garten von Weihenstephan mit .	5162 fl.	33 kr.
2) die gesammten Verwaltungs- und Regie-Auslagen per	104863 „	57 „
3) die gewöhnlichen Bauerhaltungskosten mit	71327 „	19½ „
4) die Kosten der mit Bewilligung des k. Ministeriums geführten Neubaue	120673 „	41½ „

5) die Auslagen auf außerordentliche mit Bewilligung des k. Ministeriums vorgenommenen Versuche	16441 fl.	23½ kr.
6) die Kosten der Gerichtspflege bis zum Aufhören der hiesigen Ortsgerichtsbarkeit	3118 „	55 „
7) bezahlte Ausstände der früheren Verwaltung	5472 „	25¾ „
8) Militärquartierkosten	1545 „	57¾ „
9) Kosten des Gottesdienstes	5158 „	18 „
10) Kosten des Volks- und landwirthschaftlichen Unterrichts	4258 „	39 „
11) Bezüge des Arztes und der Hebame .	799 „	— „
12) Pensionen u. Alimentationen . . .	35633 „	21 „
13) Saatvorlehen in den Hungerjahren 1816 – 1817	18985 „	22 „
14) bezahlte Steuern	7849 „	34¼ „
15) baare Zahlungen zur k. Centralstaatskasse *)	55663 „	18½ „
16) dahin die Wittwenfondsbeträge vom letzten Jahre	34 „	— „
17) Werth der Baumaterialvorräthe am Ende 1827/28	1161 „	10¼ „
Zusammen	458038 fl.	56½ kr.
hiezu die obigen	158651 „	38 „
zeigt eine Gesammtausgabe von	616690 fl.	34½ kr.

daher die Summe, die zur Einnahme berechnet ist. Noch möchte die Erörterung der Frage gewunschen werden: welche Zinsen die Grund-stehenden und Betriebs-Kapitalien abgeworfen haben?

Sie folgt in der nachstehenden Berechnung:

Das Grundkapital der 3 Güter ist durch das königl. Ministerium bestimmt auf die Summe von	219925 fl.	20 kr.
der Werth sämmtlicher Vieh- und Geräthe-Vorräthe zu Anfang des Jahres 1810/11 berechnete sich zu	76623 „	16 „
das baare Betriebskapital ist im höchsten Anschlag	20000 „	— „
Die verzinsliche Summe ist mithin im Ganzen	316548 fl.	36 kr.

*) In den letzten 2 Jahren der Finanzperiode wurden noch 24704 fl. 20 kr. 2 pf. zur Centralstaatskasse eingesendet, so daß die Baarsendungen 80367 fl. 39 kr. betragen.

Der Ertrag der Güter nach Abzug der außerordentlichen auf 31007 fl. 13¾ kr. berechneten Einnahmen, dann des Passiv-Restes des Gartens zu Weihenstephan per 5162 fl. 33 kr. ist 580,520 fl. 47¾ kr.

Um den Reinertrag darzustellen, müssen hievon die Verwaltungskosten mit 104853 fl. 57 kr., dann die gewöhnlichen Baureparationskosten mit 71327 fl. 19¼ kr. zusammen per 176181 fl. 16¾ kr. in Abzug kommen, wodurch er sich auf die Summe von 404339 fl. 31 kr. stellt, und für das Jahr die Summe von 22463 fl. 18 kr. ausweiset. Die ihm mit den Gütern zur Verwaltung anvertrauten die Summe von 316548 fl. abwerfenden Kapitalien haben sich demnach jährlich etwas mehr als zu 7 Prozent verzinset.

B. Von den Leistungen der Musterwirthschaften in ihrer Eigenschaft als landwirthschaftliche Lehr-Anstalt.

Schon vor der Errichtung der landwirthschaftlichen Lehranstalt auf dem Staatsgute Schleißheim im Jahre 1822 hatten sich viele junge Leute zur Erlernung der Landwirthschaft bei der Staatsgüter-Administration eingefunden, und mehrere von ihnen erhielten sogar bei der Administrations-Kasse angewiesene Unterstützungen; die Verpflichtung zur Lehre lag nicht in der ersten Anstellung des Schönleutner; er hatte sie sich aus Liebe zum Fache freiwillig gemacht, und der Dank von Vielen, die hier ihre landwirthschaftliche Ausbildung erhalten haben, gab ihm die angenehme Ueberzeugung, daß sein Streben nützlich zu werden, nicht unbelohnt geblieben ist. Erst zu Anfang des Jahres 1825 wurde die landwirthschaftliche Schule mit der Administration der Musterwirthschaften vereiniget, und bis zu dieser Zeit befanden sich immerhin junge Leute bei derselben, weil nach der Errichtung der Lehranstalt das bei der Administration früher bestandene Institut der Praktikanten erhalten worden ist. Im Jahre 1825 als ihm diese übergeben wurde, waren nur 9 Zöglinge, 5 für die erste, und 4 für die zweite Klasse vorgemerkt; im Jahre 1825/26 hob sich der Besuch der ersten Klasse auf 10, in der zweiten Klasse auf 11 Zöglinge. Im Jahre 1826/27 waren in der ersten Klasse 4, in der zweiten Klasse 17 Zöglinge, im Jahre 1827/28 aber in der zweiten Klasse 21 Zöglinge vorhanden. Im Jahre 1828/29 zählte die erste Klasse 4, die zweite Klasse 17 Köpfe und im Unterrichtsjahre 1829/30 befanden sich in der ersten Klasse 3, in der zweiten Klasse 24 Zöglinge, darunter 2 Ausländer. Die Zahl der Praktikanten belief sich im Durchschnitte jährlich auf 10 Köpfe.

der Vorrede zum ersten Bande näher bezeichnet ist. Außer mehreren die Verhältnisse der Staatsgüter betreffenden Abhandlungen hat der Verstorbene im ersten Bande den Entwurf einer Theorie des Ackerbaues bekannt gemacht, welcher die Resultate seiner Beobachtungen und Erfahrungen enthält und von ihm als Leitfaden bei seinen Vorlesungen benützt wurde. Hr. Baron von Crud, Verfasser der Oeconomie d'agriculture äußerte sich in einem Briefe aus Massabombarda vom 29. Januar 1831 folgender Weise über jene Abhandlung von Schönleutner:

„J'ai lu avec autant d'attention que d'interêt les Jahrbü„cher von Schleißheim et jai trouvé non seulement une „grande reunion de science et de faits practiques, mais „encore une methode plus analytique sur la matière „agronomique, plus parfaite que dans aucun autre ouv„rage, que jai vu júsqu'à ce jour sur cette impuisable „science."

Zierl,
Universitäts-Professor.

Landwirthschaftliche Nachrichten u. Bücheranzeigen.

41. Die Nützlichkeit des Kartoffelbohrers.

Der in Nr. 12 des Central-Wochenblattes des landwirthschaftlichen Vereins in Bayern, vom 22. Dezbr. 1835 beschriebene und abgezeichnete Kartoffelbohrer entspricht allerdings ganz dem beabsichteten Zwecke.*) Das Ausheben der Augen mit demselben geschieht schnell, gleichförmig und vollständig. Die so ausgehobenen, und in einem Topfe im Zimmer eingelegten Augen entwickelten einen doppelten Trieb und setzten an der Schale die ersten Wurzelfasern an, so daß der Unterzeichnete keinen Anstand nimmt, heuer schon einen ausgedehnten Versuch im Großen zu machen, da bei weitem der größte Theil des Kartoffels dabey für die Fütterung oder die Brennerei erspart wird, was heuer, wo so viele Kartoffeln theils in der Erde blieben,

*) Es kann ein solcher Bohrer im Lokale des landwirthschaftlichen Vereins eingesehen werden.

theils schlecht geärntet, in den Gruben und Kellern verfaulten, von hohem Interesse ist. Der Unterzeichnete liess sich zwei solche Bohrer ganz nach der im Vereinsblatte zu findenden Zeichnung in der Sedlmayrischen Fabrike am Anger dahier, nur mit etwas stärkerm hölzernen Stiele machen, weil ihm der in der Zeichnung angegebene für die grossen Hände der Landleute etwas zu klein zu seyn schien.

München den 6. März 1836.

Ein Vereins-Mitglied.

---

42. Neue Entdeckung im Gebiete der Landwirthschaft.

Vor einigen Jahren machte ich eine Entdeckung, die, wenn sie meinen ferneren Versuchen und Erwartungen ganz entsprechen wird, im großen Gebiete der Landwirthschaft, in allen Beziehungen, von den günstigsten Folgen, für wiesenarme Gegenden vorzüglich erwünscht und nützlich, dann auch für die wichtigsten ökonomischen Verrichtungen zeitersparend werden dürfte.

Ich entdeckte nämlich, daß Winterweizen und Winterkorn biennisch sind, das heißt, daß derselbe Winterweizen und Winterkornsamen durch zwei Jahre nacheinander im Boden fortwirke und Frucht trage. Bei dieser Entdeckung suchte ich in den besten Werken über Agrikultur Belehrung hierüber nach, fand aber diesen Gegenstand nirgends berührt. — Ich schloß daher nach der naturgemäßen Folge, daß Samenkörner durch zwei Jahre im Boden, nothwendig stärkere Mutter und Saugwurzeln treiben, daher die Saat sich mehr bestocken, auch stärkere und kräftigere Halme und größere Aehren und Körner bilden müsse. Doch beschied ich mich, nach der Natur der Cerealien, daß, um die größere Kraft im zweiten Jahre zu erzwecken, die Saat im ersten Jahre nicht in Halme schiessen und nicht als Getreidfrucht benützt werden dürfe, sondern nothwendig als Gras behandelt und vor dem eigentlichen Gliedern abgemäht werden müsse.

Auf diese Basis machte ich folgenden Versuch:

Ich ließ von einem zur Sommerbrache bestimmten Felde eine Fläche von einem Tagwerke in vier gleiche Theile theilen, und im Frühjahre gegen Ende April den ersten Theil mit Win-

14

terweizen, den zweiten Theil mit Winterweizen und Sommergerste gemischt, den dritten Theil mit Winterkorn und den vierten Theil mit Winterkorn und Haber gemischt, breitwürfig anbauen. Nach Verlauf der gewöhnlichen Keimzeit giengen die Samen alle vier auf und wuchsen ziemlich gleich und üppig heran. Sobald sie aber die Höhe bis zum Gliedern erreicht hatten, ließ ich die ganze Fläche, gleich einer Wiese, abmähen und das davon gewonnene Gras, als vorzügliches Milchfutter grün verfüttern. Nach Verlauf von 2 Monaten konnte die Saat zum zweitenmale gemähet, und wieder als Grünfutter benutzt werden; dann fanden später die Schafe noch Nahrung auf dieser kleinen Strecke. Begierig war ich nun im nächsten Frühjahre auf den weiteren Erfolg. Ich fand mich nicht getäuscht, sondern Weizen und Korn erschienen üppig und dickbuschig, Haber und Gerste hingegen waren verschwunden. Diese Saat wuchs schnell heran und ungewöhnlich starke Halme, große Aehren und Körner waren das Resultat der Aernte des gewöhnlichen Winterweizens.

Im darauf folgenden Frühjahre machte ich mit Winterweizen und Winterkornsamen aus einer andern Gegend den zweiten Versuch, behandelte die Saat im ersten Jahre als Wiese, ließ Heu und Grummet machen und im zweiten Jahre entsprach die Aernte wiederholt meiner Erwartung. Fortgesetzte Versuche und die muthmaßliche Auffindung des Mittels, bei diesem Doppelbau, die Felder im zweiten Jahre von Unkraut rein zu halten, werden mich hoffentlich berechtigen, diese hier nur kurz berührte Entdeckung ausführlicher und sachdienlicher bekannt und gemeinnützig zu machen. Aber welcher Vortheil könnte erzielt werden, wenn bei dieser Entdeckung der beschwerliche Winterbau, wenn auch nur zum Theile, überflüßig werden würde und wenn die von der Bestellung der Winterfelder jährlich in Anspruch genommene Zeit auf Culturarbeiten verwendet werden könnte? und welcher Nutzen entstünde beim Milchvieh, wenn die theilweisen Wintersaaten gleich im Frühjahre, wo noch kein Gras und Grünfutter existirt und gewöhnlich Futtermangel besteht, gleich Wiesen abgemäht und als Grünfutter benutzt werden könnten? dann welcher Beschwerde entgiengen die Bewohner von Hochebenen, die beim Wiesenmangel in der Nähe, mit einmähdigen Wiesen in Stunden weiten Entfernungen sich plagen, wenn die berührte Entdeckung den Anforderungen der Landwirthschaft vollkommen entsprechen würde? Ich wünsche daher, daß sachkundige Landwirthe dieser Entdeckung ebenfalls ihre Aufmerksamkeit widmen, und sorgfältige Versuche damit anstellen möchten!

München im Monat März 1836.

v. Hessels.

---

43. Ueber Kartoffelkeime.

Der Pastor Härtel zu Karaschky macht in den Breslauer Zeitungen ein einfaches Mittel bekannt, den Samen zur künftigen Kartoffelsaat schon während des Winters zu ersparen. Daß man mit dem größten Vortheil die Keimaugen der Kartoffeln zum Ausstecken brauchen könne, ist erfahrnen Landwirthen schon längst bekannt. Kleinere Landwirthe stechen sie mit ihren Leuten im Frühjahr aus, legen sie in den bereiteten Acker und erhalten das übrige Fleisch der Kartoffeln zur Nahrung für Menschen und Vieh. Bei größeren Landwirthen hält man dieses Verfahren für zu schwierig in der Ausführung, weil mehrere Tage dazu gehören, die Keimaugen für eine Aussaat von 20 bis 40 und mehreren Morgen sich zu verschaffen. Der Pastor Migula zu Weigwitz bei Ohlau erwarb sich im Jahre 1812 das Verdienst, ein Mittel bekannt zu machen, wie man sich schon während des Winters, also nach und nach, mit den benöthigten Keimaugen versorgen kann. Dieses Mittel, welches schon einmal mit dem größten Vortheil versucht worden, ist folgendes: Man sticht entweder mit dem Messer oder einem eigenen, von gedachtem Pastor Migula erfundenen Werkzeuge *) den Kartoffeln, die man täglich zur Speise oder zum Viehfutter während des Winters verbraucht, die Keimaugen in der Größe einer starken Haselnuß heraus. An einem gegen den Frost geschützten Orte am besten in einem luftigen, nicht zu warmen Keller bedeckt man den Boden mit Sand, schüttet auf diesen eine mäßige Lage von Kartoffelkeimen, zwischen welche man, um sie gegen das Vermodern und Vertrocknen zu schützen, etwas Sand streut, und bildet so nach und nach einen breiten, viereckigen Haufen von mäßiger Höhe und fängt, wenn man eine große Kartoffelaussaat hat, einen neuen Haufen an. Im

---

*) Es besteht in einem Eisen, in der Form einer ausgehöhlten runden Muskatnuß, der Rand um und um scharf, hinten ein eiserner Stiel und hölzerner Griff. Es ist oben schon davon die Sprache gewesen.

Frühjahr, um das zu zeitige, immer nachtheilige Treiben der Augen zu verhüten, bringe man sie auf eine luftige Tenne, ziehe sie bisweilen mit einem Rechen auseinander, und suche sie vorsichtig gegen einen, vielleicht plötzlich kommenden Frost zu sichern, bis man den Acker zum Auslegen derselben vorbereitet hat. Man lege sie alsdann in das gegrabene Land oder in Furchen in der Entfernung von einander, wie man es bei ganzen oder geschnittenen Kartoffeln zu thun pflegt, und man darf bei gehöriger Bearbeitung und günstiger Witterung auf eine sehr reichliche Aernte rechnen. Im gegenwärtigen, für die Kartoffeln so nachtheiligen Jahre ärntete das Dominium Gaumitz bei Nimptsch auf 18 Morgen über 800 Sack der schönsten Kartoffeln nach diesem Verfahren.

---

44. Ueber die Wirkungsweise der Dünger.

Hr. Payen hielt in den vorjährigen Sitzungen der Société royale et centrale d'Agriculture in Paris Vorträge über die Versuche, welche er über die Theorie der Dünger und deren Anwendung in der Landwirthschaft angestellt hat. Er überzeugte sich hiebei gleich früheren Beobachtern auf unbestreitbare Weise, daß die Schwämmchen oder die aufsaugenden Enden der Wurzelfasern, die Narben, die Samen, die nicht entfalteten Blüthenknospen, und viele andere Pflanzentheile eine merkliche Quantität einer stickstoffhaltigen Substanz enthalten, die auch an der ganzen inneren Oberfläche der Gefäße und in dem Safte verbreitet ist. Er schließt hieraus, daß der Stickstoff ein zur Ernährung der Pflanzen nöthiges Element ist, und daß die thierischen Substanzen, die ihnen diesen Stoff liefern, nicht nur als Reizmittel für die Vegetation, sondern als wirkliche Nahrungsstoffe für die Pflanzen zu betrachten sind. Uebrigens faßte er die Resultate seiner Versuche folgender Maßen zusammen:

1) Die aus organischen Substanzen bestehenden Düngerarten wirken um so besser, je langsamer ihre freiwillige Zersetzung von Statten geht, und je mehr sie der allmählichen Entwicklung der Gewächse entspricht.

2) Die kräftigsten Düngmittel eben so gut, als jene, welche wegen der Hartnäckigkeit, mit der sie der Zersetzung widerstehen, beinahe unwirksam sind, können unter diese günstigen Umstände gebracht werden.

3) Wenn man die Düngmittel, deren Zersetzung am raschesten von Statten geht, in den geeignetsten Zustand versetzt, kann man deren Wirkung um das Vier- und Sechsfache erhöhen.

4) Das Muskelfleisch, das Blut, die verschiedenen thierischen Abfälle, so wie die verschiedenen Arten von Mist, die man ehemals solche Veränderungen eingehen ließ, daß 5/10 bis 9/10 ihrer Produkte verloren giengen, können gegenwärtig ohne allen solchen Verlust benutzt werden.

5) Die trocknende und desinficirende Wirkung der Kohlen kann zur Aufbewahrung der leicht zersetzbaren Substanzen und zur Lösung von Aufgaben benutzt werden, die für die Sanitätspolizei von höchster Wichtigkeit sind.

6) Verschiedene organische Substanzen, die in sehr geringer Menge in Wasser aufgelöst oder darin schwebend erhalten sind, können, in reichlicher Menge zur Bewässerung benutzt, die ausgezeichnetsten Wirkungen auf die Vegetation hervorbringen.

7) Die Düngmittel, deren faule Ausdünstungen nicht gehörig gemildert sind, können zum Theil ohne Assimilation in die Pflanzen übergehen, so daß deren Geruch darin bemerkbar bleibt. Ein direkter Versuch beweist überdieß, daß gewisse Riechstoffe auf diese Weise selbst bis in das Muskelfleisch jener Thiere gelangen können, die man mit Pflanzen, welche mit gewissen Düngmitteln gedüngt worden, fütterte. Diesen Nachtheilen läßt sich durch die angedeuteten Mittel abhelfen.

8) Die auffallendsten Anomalien in der Anwendung der Knochen als Dünger lassen sich vollkommen erklären und passen in die allgemeine Theorie.

9) In Hinsicht auf den Widerstand, den die Knochen in verschiedenem Zustande gegen die Zersetzung leisten, läßt sich folgende Ordnung aufstellen: die ganzen, unzerkleinerten, mit Fett durchdrungenen Knochen; die feucht aufbewahrten Knochen, in denen das Fett isolirt geblieben; die Knochen, denen eine immer größere und größere Quantität Fett entzogen worden; die Knochen, in denen das Fasergewebe durch Temperatur und Wasser verändert worden; dieselben Knochen, denen durch Auswaschen größere Portionen Gallerte entzogen worden ist. Die Knochen sind um so weniger wirksam, je weniger sie hievon enthalten; bei einem

von Pflanzen derselben Art ausüben, und dem man die Nothwendigkeit im Wechsel der Pflanzen bei der Bebauung eines und desselben Bodens zuschreibe. Hr. Payen äußerte in dieser Hinsicht, daß man diese Thatsache die er weder in Abrede stellen wolle noch erklären könne, übertrieben haben dürfte. Er wenigstens sah mehrere Beispiele, daß man bei gehöriger Düngung mehrere Jahre dieselbe Pflanze ohne Nachtheil auf demselben Boden bauen könne; er erinnere sich namentlich an ein Feld, welches seit 10 Jahren immer mit Runkelrüben bestellt war, ohne daß diese weniger Zucker geliefert hätten. Uebrigens hatte er bis jetzt noch nicht Gelegenheit die Existenz besonderer von den Wurzeln der Pflanzen in den Boden abgeschiedener Excretionen zu entdecken, mit Ausnahme einer wässerigen Ausdünstung, welche Statt findet, wenn der Boden sehr trocken ist. Aus einigen Beobachtungen möchte er jedoch glauben, daß die getrennten Wurzeln einiger abgestorbenen Pflanzen einen Ueberschuß an Stoffen, die der Vegetation nachtheilig werden könnten; enthalten dürften; als Beispiel hiefür erwähnte er den Gerbestoff in den Rosaceen. — Hr. Payen wird seine Beobachtungen, deren Resultate wir seiner Zeit gleichfalls andeuten werden, weiter fortsetzen. (Aus dem Recueil industriel, übersetzt im polytechn. Journal.

---

45. Berechnung über Runkelrübenbau und Zuckerfabrikation.

Die hier beigelegte Wirthschaftsberechnung weiset bis zum Ablaufe der Aernte eines Runkelrübenfeldes 27 fl. 22 1/2 kr. für ein bayerisches Tagwerk rohen Produktions-Aufwand nach.

Da auf eine Preis-Regulirung die mehr oder mindere Aufbewahrungsfähigkeit eines Produktes die Kosten, die mit einer längeren Verwahrung oder Vorbereitung zu technischen Zwecken verbunden sind, großen Einfluß äußern, so hat man diese Aufwandsgrößen sub literis e, f, g und h gleichfalls in Rechnung gebracht, wonach sich dann ein Gesammtkostenbetrag per 34 fl. 4 1/2 kr. für ein Tagwerk ergiebt. Wird angenommen, daß auf einer sehr seichten Ackerkrume die Aernte 100 Zentner rein geputzter Rüben per 1 Morgen betrage, und daß eine Fabrike von diesem Produkte der Wirthschaft wieder — nach den meisten Erfahrungen — an Trestern oder Preßrückständen 30 Zent-

ner zurückgiebt, so erhält man von der Hauptärnte per 100 Zentner Rüben à 12 kr. 20 fl.

und von der Nebennutzung der Trebern im halben Futterwerthe zu gutem Heu verglichen von 30 Zentner à 30 kr. 15 fl.

in Summa einen Geldertrag per 35 fl.

Es verbleiben daher zum Reinertrage, wenn man die Bestellungs-Kosten mit 34 fl. 4 1/2 kr. in Abschlag bringt — fl. 55 kr. 2 pf. per 1 Tagwerk, was sehr geringe ist; wenn man noch in Betracht zieht, daß Risiko, mögliche Unglücksfälle und Entrichtung der Staatsauflagen bei dem Anbau dieser Wurzel-Gewächse außer Rechnung blieben.

Der Zentner Runkelrüben kömmt nach vorstehendem Aufwande und Ertrage von einem bayerischen Tagwerke auf — fl. 21 kr. zu stehen, welches gegen andere Resultate gestellt, nicht zu hoch seyn dürfte, weil dabei schon die Vorarbeiten sub lit. f für die Fabrike in Ansatz gebracht sind, welches bei den hier nachfolgenden Ergebnissen anderer Orte und Wirthschaften nicht der Fall ist.

Die Fabrike Datschitz in Mähren berechnet sich den Zentner Rüben zu 16 kr. nach näheren Angaben in der Schrift:

„Die Runkelrüben-Zucker-Fabrikation nach eigener Erfahrung rc. von Thomas Grebner, Chemiker und Fabriks-Inspetor rc. Wien 1830 bei Johann Heubner, Seite 107.“

In dem neuern sehr gehaltvollen Werke, Darstellung der Fabrikation des Zuckers aus Runkelrüben in ihrem gesammten Umfange rc. von D. L. August Krause rc. Wien 1834 Fr. Becks Universitäts-Buchhandlung Seite 126 wird bei den niederen Taglöhnungen von 12 kr. für den Mann und 10 kr. für ein Weib, der Rübenpreis auf 12 kr. per Zentner roher Frucht angenommen.

Die Fabrike zu Hohenheim in Würtemberg berechnet sich die Produktionskosten eines Zentners roher Runkelrüben auf 15 kr., und es wird beigefügt, daß man sie um 18—20 kr. von Fremden kaufen kann.

Allgemeine Wochenschrift für Land- und Hauswirthschaft rc. herausgegeben von C. von Ladiges, Professor zu Darmstadt Stück Nr. 27. Seite 479.

Crespel in Arras, dessen Angaben fast allgemein angenommen werden, setzt sich bei seinem großen Etablissement den Preis der Rüben auf 16,87 Kreuzer per Zentner, und im 4n Bande der Jahrbücher der landwirthschaftlichen Lehranstalten ꝛc. zu Schleißheim heißt es Seite 248:

„wenn das Schäffel Kartoffel 1 fl. kostet, so muß bei ei„nem Ertrage von 100 Zentnern per Morgen der Land„wirth den Zentner Rüben um 18 verkaufen, wenn er „eine den Kartoffeln gleiche Einnahme von 30 fl. per Mor„gen erhalten will:

Aus diesen Angaben, so wie aus der beifolgenden Berechnung ergiebt sich, daß eine Wirthschaft für Fremde nur dann Runkelrüben mit Vortheil wird bauen können: wann

1) der Preis höher als 12 kr. per Zentner gestellt ist, und dabei die Vorbereitungs-Arbeiten für die Fabrik gänzlich hinwegfallen.

2) Muß sich eine höhere Produktion als 100 Zentner vom Tagwerk erzielen lassen, und

3) dürfen die Abfälle nur in unverdorbenem und brauchbarem Zustande der Wirthschaft zurückgegeben werden, daher alle Verarbeitungs-Methoden, welche die Qualität des Rübenbreies verderben, als die Extraktion durch Dämpfe, das Macerationsverfahren und dergleichen ausgeschlossen bleiben müssen.

---

47. Zucker aus Topinambours (Helianthus tuberosus).

Euer Wohlgeboren wollen versichert seyn, daß ich nichts angebe, was mit meiner Erfahrung nicht übereinstimmt, und daß ich nichts empfehle, wovon ich wenigstens nicht fest überzeugt zu seyn glaube, daß es praktisch ausführbar ist.

Allerdings muß es auffallen, wenn ich in meiner Abhandlung, in Nr. 44 S. 345 d. J. in den ökonom. Neuigkeiten, die Topinambours (S. 349) zur Zuckerfabrikation empfehle, indem Payen deren Zuckergehalt als unkrystallisirbar angegeben hat. Zu der Zeit als ich dieß erfuhr, nahm ich Gelegenheit, die weiße Zucker-Runkelrübe und die Topinambour zu vergleichen. Dem Ansehen nach war das Fleisch von beiden gleich, bleiglänzend, weiß und wässerig. Ein geschickter Analytiker in Pyrmont (der auch die letzte Analyse der dortigen Brunnen geliefert hat) konnte selbst in den Bestandtheilen weiter keinen Unterschied finden, als daß der Zuckergehalt der Runkelrübe höchstens 10 pCt., der der Topinambour aber über 18 pCt. war. Wenn wir die Vortheile erwägen, die für den Landmann daraus erwachsen können, zumal der Ertrag der Topinambours fast den Kartoffeln gleich ist,*) die Aernte sogar zu jeder Jahreszeit vor sich gehen kann rc., so dürfte es jedenfalls unrecht seyn, dem Ausspruche Payen's gleich blinden Glauben zu schenken. Ich unterhielt deßfalls sofort eine Correspondenz mit dem Grafen Chaptal in Paris. Er gestand mir, daß wegen der Krystallisirbarkeit der Topinambours noch Unsicherheiten vorhanden und die Abdampfungsversuche nächstens in luftverdünnten Räumen vorgenommen werden sollten. Hierüber ereilte ihn aber der Tod.

Die Unkrystallisirbarkeit dieses Gewächses scheint jedenfalls noch nicht völlig dargethan zu seyn, und also wird meine Empfehlung des Helianthus tuberosus zur Zuckerfabrikation wenigstens zu resultirenden Versuchen Anlaß geben.

So ein verehrungswerther Chemiker Payen auch immer ist, so sind doch seine Urtheile keine Orakelsprüche. Hiervon habe ich mich noch kürzlich in seiner Abhandlung über Diastase und Dextrin überzeugt, wo er den Einfluß erwähnt, den seine Entdeckungen auf die Verbesserungen der Bierbrauereien nach sich ziehen dürften. Uebrigens sind diese Entdeckungen von Payen und Persoz sehr wichtig und folgenreich.

List, vor Hannover den 16. Juni 1835.

F. E. v. Siemens.

---

48. Wieder ein einfaches Mittel den Rahm von der Milch zu sondern.

Aus den Blättern von New-York ist zu sehen, daß jüngst ein Amerikaner ein Patent darüber erhielt. Nach seiner Erfindung bringt man in das Milchgefäß ein Stück Zink oder wendet sogleich Milchgefäße von Zink an. Dadurch erhält man zugleich mehr und besseren Rahm und aus diesem eine angenehmer schmeckende Butter.

Deßwegen werden schon häufig auch in England Zinkgefäße für die Milch verkauft.

---

*) Ja in der Art weit übertrifft, weil die Topinambours überall selbst im schlechtesten Boden fortkommen. A. d. R.

49. Einfache Weise, die Reife des Obstes und der Weintrauben zu beschleunigen.

Schon öfters ist in diesen Blättern bemerkt worden, wie dieses die schwarzangestrichenen Wände bei den Bäumen und Reben an den Wänden bewirken. In Frankreich hat die weitere Erfahrung gezeigt, daß dieses mit von schwarzem Schiefer bedeckten Wänden in einem noch höheren Grade geschieht. Zugleich haben diese Versuche noch eine andere Entdeckung verursacht, daß man nämlich die jungen Früchte der Spalierbäume, welche von Würmern angegriffen wurden, damit retten kann, daß man dieselben Stellen mit einem spitzigen schneidenden Werkzeuge entferne. Diese Früchte erhielten wieder ihren vollen Wachsthum, wurden durchaus nicht steinig, und bekamen das volle schöne Aussehen. A — —

Katechismus

über Zucht, Behandlung und Veredlung der Rindviehgattungen, dann ihre landwirthschaftliche Benützung für große und kleine Landwirthe und landwirthschaftliche Schulen

von

Staatsrath von Hazzi,

in 8. mit 14 Holzschnitten. München bei E. A. Fleischmann.

Da der Verfasser als landwirthschaftlicher Schriftsteller ohnehin allgemein bekannt ist, so bedarf es zur näheren Würdigung dieser Schrift nur der Vorrede davon, des Inhalts:

„Schon vor 2 Jahren verfertigte ich diesen Katechismus als ein großes Bedürfniß im Vaterlande.

Zur größeren und gemeinnützigeren Verbreitung suchte ich ein anderes Unternehmen damit in Verbindung zu bringen. Aus sonderbaren Verhältnissen konnte ich dabei meine gute Absicht nicht erreichen. Ich entschloß mich daher, diese Blätter noch länger liegen zu lassen, und mittelst einer Reise nach Stuttgart und in die Schweitz diesen Katechismus in allen Theilen gleichsam an der Quelle nach den besten und neuesten Erfahrungen prüfend zu durchgehen und zu berichtigen.

Diese Reise unternahm ich im vorigen Sommer; und zu meiner großen Freude durfte ich nur wenige Abänderungen und Zusätze machen, so, daß ich nun diesen vollends ausgearbeiteten Katechismus mit vollem Vertrauen den Landwirthen in die

Hände geben kann, und zwar als den Inbegriff alles Beßten und Nützlichsten, was auf das Rindvieh Bezug hat.

Dieser Katechismus ist zugleich auf meine eigenen Erfahrungen seit etlich 30 Jahren gegründet. Schon in selber Zeit führte ich eine Land- und eine Milchwirthschaft in der Gegend von München, und gegenwärtig seit vielen Jahren besitze ich 2 Oekonomien auf meinen Landgütern, wobei zugleich überall eine Rindviehzucht besteht. Es finden sich dort die schönsten Exemplare von Kühen, Stieren und Jungvieh. Zum Beweise, daß man da die Rindviehzucht als ganz gelungen betrachten könne, ließ ich im Jahre 1834 einen Stier und eine Kuh zum Oktoberfeste nach München bringen.

Ganz auffallend nicht allein für das Preisgericht, sondern für Jedermann erklärte man sogleich beim ersten Anblick allgemein, daß sie die 2 schönsten Stücke seyen. Es wurde auch einstimmig, sowohl dem Stier als der Kuh, der erste Preis zuerkannt. *) Neben allen diesen eigenen und auf meinen vielen Reisen geholten Erfahrungen über diesen Gegenstand wurden nicht minder für diesen Katechismus die Lehren und Grundsätze der beßten Schriftsteller in diesem Fache benützt: als Burger, Trautmann, Thaer, Schwerz, Sturm, Schmalz, Ithen, Weißenbruch, Schönleutner, Weckherlin, Georg Baron von Aretin, Laudon, Franz, Pabst, Twanley, Dietrichs, Rohlwes, Franque, Wagenfeld, Merk ꝛc.

Den Preis dieses Katechismus suchte ich endlich so gering als möglich zu setzen, damit denselben nicht bloß der große, sondern auch der kleine Landwirth sich leicht verschaffen kann. Ich wünsche daher auch für diese Schrift vom verehrten Publikum eine gute Aufnahme.

München den 30. Januar 1836.

Der Verfasser."

Der Ladenpreis dieser Schrift ist 1 fl. Zur Erreichung obiger Absicht kann aber diese Schrift geheftet im farbigen Umschlage um 28 kr. im Hause des Verfassers in der Residenzstrasse Nr. 25 über eine Stiege abverlangt werden.

*) Sieh hierüber die Beschreibung des Oktoberfestes 1834 im Wochenblatte des landw. Vereins. Jahrg. XXV. S. 9.

B e r i c h t i g u n g.

Im Februarhefte Seite 78, Zeile 2 von unten lies statt 700 Fäden oder Ellen: 700 Fäden zu 2 Ellen.

Mittelpreise
auf den
vorzüglichsten Getreideschrannen in Bayern.

Wochen.	Getreids-Sorten.	Passau. fl.	kr.	Regensburg. fl.	kr.	Rosenheim. fl.	kr.	Speyer. fl.	kr.	Straubing. fl.	kr.	Traunstein. fl.	kr.	Vilshofen. fl.	kr.	Weilheim. fl.	kr.
Vom 3. bis 9. März 1836.	Weitzen	10	—	9	20	10	46	12	4	8	36	10	24	8	58	12	—
	Kern	—	—	—	—	—	—	—	—	—	—	—	—	—	—	12	—
	Roggen	—	—	6	44	7	3	7	4	5	55	6	36	6	34	8	6
	Gerste	5	24	7	36	6	32	6	59	6	55	6	36	—	—	6	36
	Haber	—	—	5	8	5	54	6	49	4	8	3	42	4	—	4	48
Vom 13. bis 19. März 1836.	Weitzen	—	—	9	25	10	38	11	46	8	22	10	30	8	49	11	36
	Kern	—	—	—	—	—	—	—	—	—	—	—	—	—	—	11	36
	Roggen	—	—	6	25	6	46	7	49	5	45	6	42	6	26	7	42
	Gerste	—	—	7	22	6	24	6	42	6	46	6	36	5	33	8	—
	Haber	—	—	5	—	4	4	6	4	4	9	3	12	—	—	4	50
Vom 20. bis 26. März 1836.	Weitzen	9	—	8	44	10	41	11	31	8	5	10	—	8	37	11	44
	Kern	—	—	—	—	—	—	—	—	—	—	—	—	—	—	11	44
	Roggen	6	12	5	58	6	37	6	4	5	53	6	12	6	16	7	24
	Gerste	—	—	7	3	6	35	7	8	6	30	6	30	—	—	8	20
	Haber	—	—	4	43	4	4	6	54	4	27	3	48	—	—	4	48
Vom 27. März bis 2. April 1836.	Weitzen	—	—	9	2	10	11	11	40	7	56	10	24	8	51	11	46
	Kern	—	—	—	—	—	—	—	—	—	—	—	—	—	—	11	46
	Roggen	—	—	5	40	6	27	6	54	5	24	6	36	6	13	7	4
	Gerste	—	—	7	5	6	38	6	6	5	51	6	36	5	40	8	30
	Haber	—	—	4	54	4	16	5	42	4	10	3	48	—	—	5	6

Centralblatt

des

landwirthschaftlichen Vereins in Bayern.

Jahrgang: XXVI.

Monat: April 1836.

Verhandlungen des General-Comité.

Bekanntmachung

der Wahlen der Kreis-Comités.

(Fortsetzung.)

V.

Kreis-Comité

des landwirthschaftlichen Vereins in Augsburg

für den

Oberdonau-Kreis.

I. Vorstand:

von Link, k. wirkl. geh. Rath, General-Commissär und Regierungs-Präsident.

II. Vorstand:

Graf von Pappenheim.

I. Sekretär:

Veit, Professor der Kreis Landwirthschafts- und Gewerbschule.

II. Sekretär:

Stiwel, k. Regierungssekretär.

Mitglieder:

Carron du Val, Dr. und I. Bürgermeister der Stadt Augsburg.

Deuringer, Fr. X., Gutsbesitzer zu Langwied.

Dingler, Dr. und Fabrikinhaber zu Augsburg.

Fischer, Dr. und k. Regierungsrath.

Grashey, k. Oberpoststallmeister und Magistratsrath.
Heres, k. Regierungsrath.
Perglas, Frhr. v., k. Regierungsrath und Stadt-Commissär.
Stetten, David von, Guts- und Gerichtsinhaber.
Zabuesnig, von, Gutsbesitzer.

Landwirthschaftliche Berichte und Aufsätze.

51. Die Fundamentalprinzipien aller Kultur-Gesetzgebung. Von Dr. Harl, k. Hofrath und Professor, Ritter der französischen Ehrenlegion.

> Die Agrikultur ist die Mutter und Erzieherin aller Gewerbe und Künste.
>
> Xenophon.

Das Grundkapital ist das erste Hauptkapital, von dem alle übrigen Kapitale abhängen. Die ausgedehnteste und vollkommenste Benützung des Grundeigenthums ist die eigentliche Grundlage aller übrigen Gewerbe und Unternehmungen, und folglich auch des Nationalreichthums. Dadurch ist auch die Erweiterung und Vervollkommnung der Manufakturen und Fabriken bedingt, die sich in jedem Lande in einem günstigern oder ungünstigern Zustände befinden, je nachdem daselbst der Landbau ausgedehnt und verbessert ist oder nicht. Ein blühender Ackerbau verschafft nämlich den inländischen Kunstgewerben und Fabriken die nöthigen Urstoffe oder Materialien nicht nur in hinlänglicher Menge und von erwünschter Güte, sondern auch wohlfeil. Zugleich liefert auch der ausgedehnte und verbesserte vaterländische Landbau den in den Manufakturen und Fabriken beschäftigten Arbeitern die Lebensmittel um billige Preise. Es ist ganz in der Natur der Sache gegründet und auch historisch richtig, daß die Erweiterung und Verbesserung der Urproduction das Gedeihen der Fabriken befördere, und diese wieder auf die erstere in doppelter Hinsicht einen günstigen Einfluß äußern. Die Geschichte verschiedener Zeiten und Länder liefert den Beweis von dem sehr merkwürdigen Phänomen, daß der Ackerbau in einem Lande schon eine hohe Stufe der Vollkommenheit erreicht haben müße, wenn in demselben Manufakturen und Fatreiben in bedeutender Anzahl und mit glücklichem Erfolge bestehen sollen, und daß dieses außerdem selbst in der längsten Zeit nicht gelinge. Die Fortschritte des Ackerbaues und das Erblühen der Kunstgewerbe und Fabriken stehen in dem Wechselverhältnisse von Ursache und Wirkung und sind die unerläßlichen Bedingungen der Belebung des Handelsverkehrs.

Die Urproduzenten bilden in Deutschland und besonders auch im Königreiche Bayern, das jetzt nach Oesterreich und Preußen der erste Staat Deutschlands ist, fast mitten in Europa liegt, und zwar größtentheils in den gesegnetsten und angenehmsten Gegenden, die große Mehrzahl der Bevölkerung. Ohne gleichmäßig fortschreitende Verbesserung und Erweiterung der Landwirthschaft ist in einem Lande keine sichere Versorgung der Städte und der zunehmenden Volksmenge, überhaupt kein sicherer Bestand der Manufakturen, keine feste Gründung des Nationalreichthums und keine Sicherheit gegen zerrüttende Unfälle, welche schnelle Handelsrevolutionen so leicht nach sich ziehen können, zu erwarten. Darum hat Mirabeau behauptet: „Der Staat ist ein Baum, wovon der Ackerbau die Wurzel ist, die Bevölkerung den Stamm bildet, und die Manufakturen, Fabriken und der Handel die Aeste sind."

Zweckmäßige Gesetze, das Wissenschaftliche der Landwirthschaft, die agricole Industrie, und besonders die Verbesserung der Düngerwirthschaft, vorzüglich durch das so productive Knochenmehl haben die Landeskultur in England auf einen hohen Grad gebracht, was um so merkwürdiger ist, da auch in England, so wie früher in Deutschland, Oedungen und Wälder das Land bedeckten. — Vergleicht man die Fortschritte des Ackerbaues in verschiedenen Ländern Europas, so bemerkt man, daß sie seit etwa 30 Jahren in Großbritanien bei weitem rascher gewesen sind, als in den übrigen Ländern. *) Ganz ausgezeichnet aber ist der Ackerbau in Schottland, so wie auch im französischen Flandern. Wenn von Deutschland die Rede ist, kann nicht geläugnet werden, daß Süddeutschland wenigstens im Ganzen bisher in der neuern und bessern Landwirthschaft hinter Norddeutschland zurückgeblieben sey.

Die Unbedingtheit des Grundeigenthums und die Freiheit der Industrie *) sind die beiden Hauptbedingungen der größten Erweiterung und Verbesserung der gesammten Landwirthschaft. Mit der Unbedingtheit des Grundeigenthums

*) Harl, Archiv für die gesammten Staats-, Kameral- und Gewerbswissenschaften, Bd. I. S. 157.

ist vollkommene freie Verfügung und uneingeschränkte, beliebige Benützung des Grundeigenthums aller Art verbunden, und es ist von Zehenten, Gilten, Handlohn, Bodenzins, Frohnden, Hut- und Triftgerechtigkeit u. s. w. keine Rede. Die wahre und vollkommene Unbedingtheit des Grundeigenthums findet aber nur dann Statt, wenn der Grundbesitzer für sein Gut nichts zu zahlen oder zu leisten hat, als die Steuern und Kommunalabgaben *) Nur dann, wenn das Streben der Einzelnen nicht gehemmt, wenn einem Jeden die sichere Aussicht auf den Genuß der Früchte seines Fleißes gelassen, und die Anwendung seines Eigenthums und seiner Arbeit nach eigener Wahl gestattet wird, schwingen sich Staaten, wie die Geschichte beweiset, selbst im Kampfe mit den größten Schwierigkeiten von Seite der Natur, wie Holland, und bei dem größten Bedarf von Seite der Regierung, wie England, zum Reichthum und zur Macht empor.

Freiheit des Eigenthums und Freiheit der Industrie sind diejenigen Fundamentalprincipien, welche der Kulturgesetzgebung zur Basis dienen und auf alle Abtheilungen und Gegenstände des Kulturgesetzes konsequent angewendet werden müßen.

Wie sehr hat sich nicht am Rhein die Landwirthschaft gehoben, wie prangen hier nicht auf allen Seiten die schönsten Fluren, wie mühsam wird nicht jeder Acker bearbeitet, wie viele Aernten bietet er nicht dar! — Sicher nähren 4 Tagwerke reichlicher eine Familie, als anderwärts 20. — Wem schreiben aber die Rheinbewohner diese Wirkungen zu? Sie sagen: herrschaftliche Forderungen und Frohnen gehören unter die veralteten Worte. **) Ueberall, wo das volle und folglich gänzlich uneingeschränkte Eigenthum und die vollkommene freie Benützung in Ansehung der Ländereien Statt findet, macht die Landwirthschaft die größten Fortschritte, wie die Erfahrung beweiset. Alle sogenannten Dominikalrenten oder Abgaben von dem Grundeigenthum — die keine Steuern sind — können und sollen Gegenstände der Ablösung seyn und zwar gegen billige Reluitionssummen. Heil der erleuchteten und wohlwollenden Regierung Bayerns, welche die Ablösung so sehr befördert und dadurch den wahren Grund zu der Verbesserung des Landbaues legt.

*) Harl, von der Leipziger ökonomischen Societät gekrönte Preisschrift über die Frage: welches sind die besten Ermunterungsmittel zur Aufnahme des Ackerbaues. S. 202—206.

**) Harl, über einige der wichtigsten Vortheile und Vorzüge der Verfassungsurkunde des Königreiches Bayern. S. 82.

Nur allein auf diese Weise kann in der That die so sehr
schenswerthe und allgemein hochwichtige Unbedingthei
Grundeigenthums überall bewerkstelligt werden. Blo
ter dieser Voraussetzung können freie Menschen freies Gru
genthum besitzen, und kann dasselbe auch auf das Vortheil
teste benützt werden. *)

Welche Fortschritte würde die Landes-Ku
gewinnen, und welcher Wohlstand des Landvo
würde von allen Seiten in die Augen fallen,
die schon bestehenden Fächer der Landwirthschaft überall
bedeutenden Grad der Vollkommenheit erreichten, wenn
landwirthschaftliche Industrie sich auch auf neue Fächer
dehnte, und wenn also nicht nur alle unangebauten Geg
und öden Plätze kultivirt würden, sondern auch die vo
menste Benützung aller Arten von Grundstücken Statt
und zwar mit vorzüglicher Rücksicht auf die Erweiterung
Verbesserung der Viehzucht durch den Futter-Pflan
bau. **)

Hr. Sinclair, der Gründer der königl. großbrittan
Gesellschaft des Ackerbaues, hat im ersten Bande seiner G
gesetze des Ackerbaues folgende Behauptung aufgestellt:

„Obschon sich der Ackerbau auf einfache Prinzipien z
„führen läßt, so fordert er doch im Ganzen eine um
„dere Mannigfaltigkeit von Kenntnissen, als irgend ei
„dere Kunst."

Wenn man über den Standpunkt der Landwirthsch
einem Lande oder in einer Provinz vorurtheilsfre
richtig urtheilen will, muß man erforschen:

1) ob überall alles kulturfähige Land auch kultivirt und
beurbare Erdstrich auch wirklich urbar gemacht sey un
nützt werde, sohin alle Oedungen und unbeurbartes
gänzlich verschwunden seyen?

---

*) Sendschreiben an Herrn *** über den Entwurf des G
für landwirthschaftliche Kultur von Staatsrath von H
München bei Fleischmann 1822. Dann Vortrag des Ab
neten Grafen von Drechsel, über die Landeskultur in B
München bei Franz 1832.

**) Harl, von der kaiserl. freien ökonomischen Societät z
Petersburg gekrönte Preisschrift über die zweckmäßigste
derung der Industrie.

2) ob das Land oder die Provinz alle Erzeugnisse, welche dasselbe oder sie bedarf, und nicht wohlfeiler vom Auslande beziehen kann, selbst erziele?

3) ob die sämmtlichen Grundstücke durch keine andern Naturprodukte und Viehaarten mehr ertragen können, als auch diejenigen, welche gebaut und unterhalten werden?

4) ob auch die übrigen Zweige der Oekonomieen in Thätigkeit gesetzt, und zu größtmöglichem reinem Ertrage gebracht sind.

Der vollkommenste Landbau bestehet darin: daß auf der kleinsten Grundfläche und mit den geringst möglichen Kosten der größte reine Ertrag gewonnen werde! Der größte reine Ertrag des Ackerbaues ist also bedingt durch den geringsten Aufwand von Boden, Kapital und Arbeit, und macht es möglich, daß alle Theilnehmer der Urproduction dabei gewinnen und mehr verdienen, als ihre Konsumtion fordert. —

Der freie und unbeschränkte Naturproductivhandel, und besonders der freie Getreidhandel ist dasjenige Beförderungsmittel der Landeskultur, ohne welches alle übrigen fast Palliativmittel sind, und nie eine durchgreifende Wirkung äußern können. *)

Je größer die Freiheit des Naturproductenhandels ist, desto größer ist auch der Absatz derselben; aus jeder Vergrößerung des Absatzes der agrarischen Producte entsteht auch eine Vergrößerung der Urproduktion. Der ausgedehnteste und vortheilhafteste Absatz der Erzeugnisse des Bodens ist das bewährteste Mittel zur Beförderung der agricolen Industrie und zum vollständigen Anbau allen urbaren Ländereien und zur möglichsten Verbesserung der bereits beurbarten.

A. Smith dringt nach seinen Grundsätzen, die größtentheils in der Natur der Sache liegen, und Resultate der sichersten Erfahrung sind, mit Recht auf eine unbedingte Freiheit des Getreidehandels, womit Reimarus, Thaer, Normann, Schmalz und andere Schriftsteller vollkommen einverstanden sind.

Young hat dargethan, wie sehr England gewonnen habe, als es die Getreideausfuhr frei gab. In England wurde der Ackerbau bis zu einer seltenern Vollkommenheit vermittelst großer, die Ausfuhr befördernder Prämien erhoben. Frankreich hingegen hat in seinem Ackerbau die Wunden gefühlt, welche

*) Harl, Entwurf eines vollständigen Polizei-Gesetzbuches, S. 387.

Kolbert ihm schlug, als er zum vermeintlichen Wohl der Fabriken den möglichst niedrigen Getreidpreis erzwang.

Das Theuerungsjahr 1817, das uns eine reiche Saat bitterer Erfahrungen brachte, hat in dieser Hinsicht wichtige Resultate geliefert, welche auch in Ansehung der Getreidpreise den Vorzug des freien Getreidehandels vor Sperre auffallend bestätigten. — Denn in den nicht gesperrten Ländern war der Schäffel Roggen verhältnißmäßig weit, mitunter um die Hälfte und noch wohlfeiler, als in denjenigen Gegenden, in welchen die Getreidsperre bestand. Am 5. Juli 1817, an demselben Tage, an welchem zu Bamberg, einer äußerst fruchtbaren Getreidegegend Bayerns, in welchem gerade Sperre bestand, der bayer. Schäffel Roggen zu 11,209 Par. Kub. Zoll 57 fl. rh. kostete, standen in den nicht gesperrten sächs. und thüringischen Landen, troß der vielen Ausfuhr, die in's Bayerische gegangen war und noch gieng, die Preise des Roggens:

a) zu Weimar, der Schäffel 4490 Par. K. Z. 6 Rth. 16 Gr., demnach verhältnißmäßig der bayer. Schäffel 15 Rthlr. 19 – 26 fl. 40 kr.

b) zu Arnstadt, das Maaß 9052 Par. Kub. Zoll, 15 Rth. 12 Gr. oder der bayer. Schäffel 19 Rth. 24 — 32 fl. 24 kr.

c) zu Gotha, das Viert. 2208 Par. Kub. Zoll 4 Rth. 12 Gr. oder der bayer. Schäffel 22 Rth. 15 – 38 fl. 2 kr.

d) zu Altenburg der Schäffel 7089 Par. Kub. Zoll 19 Rth. 13 Gr. oder der bayer. Schäffel 13 Rth. 22 – 26 fl. 52 kr.

e) zu Saalfeld, das Achtel 1154 Par. K. Z. 2 Rth. 12 Gr. oder der bayer. Schäffel 6 – 40 fl. 56 kr.

Die wahre Tendenz eines rationellen Kulturgesetzes ist die größt mögliche Erweiterung und Verbesserung der gesammten Landwirthschaft.

Wenigstens ein Drittheil (nach der Meinung eines rühmlichst bekannten landwirthschaftlichen Schriftstellers sogar 2 Drittheile!) der gegenwärtigen Bevölkerung Europa's verdankt man dem Anbau der Kartoffel und des Klee's, indem diese beyden Pflanzen die stets steigende Bevölkerung theils unmittelbar und theils mittelbar gegen Mangel und Hungersnoth gesichert haben. — Die Kultur der Futterpflanzen, vorzüglich des rothen Klee's, der Luzerne und der Esparsette ist für die Ausdehnung der Viehzucht und dadurch auch zugleich für die Erweiterung des Landbaues von allgemeiner und großer Wichtigkeit. Englands Reichthum an Vieh ist großentheils in dem Anbau seiner Rüben begründet;

Zum Schluße erlaube ich mir noch folgende, aus meiner innersten Ueberzeugung fliessende und durch verschiedene legislative Experimente mehrerer Länder bestätigte Bemerkung:

„Wer in irgend einem Fache der allgemein „hochwichtigen Legislation etwas Befriedigen„des, Gereiftes, Gediegenes und Haltbares lie„fern, und folglich nicht bloß fremde Gesetze abschreiben „oder übersetzen soll, dem muß unerläßig die Kenntniß der „Geschichte dieses Faches, der Doktrin und auch der „Kasuistik desselben zur Seite stehen. —

Opinionum commenta delet dies, naturae judicia confirmat.

Cicero.

Erlangen im November 1835.

Harl.

---

52. Ueber Doppelspinnerei.

Das
Gräfl. von Preysing'sche Herrschaftsgericht Hohenaschau in Prien
an das
General-Comité
des
landwirthschaftlichen Vereins in Bayern.

Die Empfehlung des Unterrichtes in der Doppelspinnerei durch das Vereinsblatt, und die Anrühmung derselben von Seite solcher Personen, welche sich im k. Landger. Rosenheim hievon überzeugt haben, veranlaßte das Herrsch. Gericht die Magdalena Mager aus Zepsenhan im Königreiche Würtemberg einzuladen, auch im hiesigen Bezirke Unterricht zu ertheilen.

Sie nahm die Einladung an, und man hat den ganzen Bezirk mit 14 Gemeinden und 6400 Seelen Behufs dieses Unterrichts in zwei Distrikte getheilt, Prien und Niederaschau.

Auf geschehene Aufforderung wählte jede Gemeinde 3 Mädchen zum Unterrichte aus, nur eine, die kleinste Gemeinde, konnte bei ihrer Abgelegenheit von hier nur ein Mädchen schicken.

Neben den ausgewählten 19 Mädchen meldeten sich für den hiesigen Distrikt noch 12 zur Theilnahme am Unterrichte dahier, und so werden von Magdalena Mager seit 16 Tagen 31 Mädchen im Doppelspinnen, Hecheln und bessern Zurichtung des Flachses, Feinspinnen, bessere Benützung des Werges und Behandlung des Garns dahier unterrichtet.

Die Fortschritte der Lernerinnen in der Doppel- und Feinspinnerei entsprechen allen Erwartungen und selbe sind ganz dafür eingenommen.

Die dem Distrikte Niederaschau zugetheilten 7 Gemeinden haben bereits 21 Mädchen zum Unterrichte ausgewählt und neben diesen haben sich daselbst noch 10 gemeldet, daß sie Antheil nehmen wollen. Wenn der Unterricht dort wirklich beginnt, werden sicher noch einige beitreten.

Im ganzen Bezirke werden sohin 62 unterrichtet, und es trifft beinahe auf 100 Seelen eine Spinnlernerin. Zahlreich wird die hiesige Spinnstube von Landleuten besucht, um sich vom Gange des Unterrichts und von den Vortheilen desselben zu überzeugen, und die Bewohner des Bezirkes nehmen den lebhaftesten Antheil.

Ein Drechsler von hier hat es übernommen, Doppelspinnräder zu verfertigen, und das von ihm bereits hergestellte entspricht vollkommen.

Ein Weber hat sich anheischig gemacht, zum Weben des feinen Gespinnstes seinen Zeug zu richten, und er findet baldige Nachahmer.

So fand dieser landwirthschaftliche Industriezweig auf diesseitige Anregung ausgebreitete Theilnahme, und um das erweckte Interesse noch mehr anzuregen, die Vortheile dieser verbesserten Behandlung des Flachses und der Spinnerei recht anschaulich zu machen, und letztere allgemein einzuführen, beabsichtiget man am 1ten Mai eine allgemeine Prüfung sämmtlicher Lernerinnen und zur Ermunterung letzterer eine Preise-Vertheilung zu veranstalten. Allein hiezu hat man keine anderen Mittel, als eine Sammlung freiwilliger Beiträge.

Es dürfte im Zwecke des landwirthschaftlichen Vereins liegen, durch gütige Mittheilung von Preisen, öffentlich zu erkennen zu geben, daß, und wie viel daran gelegen sey, die Leinwandfabrikation in Bayern zu befördern, und wie wichtig hiezu eine richtige Behandlung des Flachses und Garns, die Erzeugung eines feinen und guten Gespinnstes, und eine vortheilhafte Benützung oder Verarbeitung des Werges sey.

Eine solche Anerkennung würde das Interesse mehr beleben, und nach einmal gebrochener Bahn diesem landwirthschaft-Industriezweige Allgemeinheit und Dauer sichern.

Deßhalb erlaubt man sich die ergebenste Bitte, das verehrliche General-Comité möchte für die beabsichtigte allgemeine Prüfung mehrere Preise zusichern und verabfolgen lassen.

Mit ausgezeichneter Hochachtung

Prien den 16. März 1836.

Gigl.

---

53. Ueber Flachs- und Spinnmaschinen, so wie Spinnschulen.

(Vom dirigirenden jetzt verstorbenen Bürgermeister Delius zu Bielefeld in der landw. Zeitg. von Churhessen mitgetheilt.) *)

Man darf ohne Uebertreibung behaupten, daß der Hauptnahrungszweig unseres Landes durch kein Ereigniß jemals mehr gefährdet worden sey, als durch die Erfindung, Flachs auf Maschinen, gleich der Baumwolle zu spinnen.

Seit etwa 10 Jahren, wo die Flachsmaschinen zuerst bekannt wurden, und das Maschinengarn zuerst in den Handel gelangte, hat sich allmählig ein Kampf zwischen der Maschinen- und der Handspinnerei erhoben, der für die letztere mit jeder Vervollkommnung der Flachs-Spinnmaschinen mißlicher wird, und dessen Beendigung der Vaterlandsfreund mit sorgenvoller Erwartung entgegensehen muß.

Wir sind weit entfernt, die Abnahme unseres auswärtigen Absatzes an Garn, die mit jedem Jahre drückender wird, den Flachsspinnmaschinen allein zuzuschreiben; es ist vielmehr unbestreitbar, daß die Wohlfeilheit des Garns aus Baumwolle, und der baumwollenen Stoffe den Gebrauch der Zwirne und der Gewebe aus reinem Flachs oder mit einer Kette von Flachsgarn, bedeutend vermindert, und dadurch dem Absatz unsers Garns geschadet hat; indessen darf man mit Zuverläßigkeit annehmen, daß nächst diesem Umstande die Flachsmaschinenspinnerei, wenn gleich noch in ihrer Entwicklung begriffen, schon jetzt die Hauptursache unsers stockenden Garnhandels und der niedri-

*) Ein sehr interessantes Aktenstück auch für Bayern. Bielefeld ist bekannt die wichtigste Gegend in Deutschland über Flachs-Production und Leinwandfabrikation.

gen Garnpreise geworden sey. So viel bekannt, sind die ersten Flachs-Spinnmaschinen in England aufgestellt; die Zahl der gegenwärtig dort in Betrieb stehenden ist verhältnißmäßig gering, aber von desto größerem Umfange; man schätzt die Anlagekosten einer einzelnen auf 120,000 Pfd. Sterling. In Frankreich bestehen sie in kleinern, aber in weit vervielfältigteren Anlagen.

Aus einem uns vorliegenden Antrage der Flachsmaschinen-Inhaber und Maschinenbauer zu Lille an die dortige Handelskammer um Erhöhung der Eingangs-Abgabe auf deutsche Garne vom 31ten August v. J. geht hervor, daß in Frankreich damals 2000 Flachsspinnmaschinen im Gange waren, die täglich jede 20 Pfd. Garn spinnen, und mithin jährlich zusammen 7,200,000 Pfd. Garn aus Flachs liefern konnten. In der Stadt Lille allein befanden sich 20 dergleichen Maschinen, und noch 20 andere waren ihrer Vollendung nahe. — Deutschland besitzt gleichfalls mehrere große Anlagen dieser Art, worunter verschiedene in Sachsen, besonders aber die Spinnerei der Gebrüder Alberti zu Waldenburg in Schlesien durch die Güte ihres Gespinnstes sich auszeichnen.

Da die Maschinengarne sich bis jetzt weniger zum Verweben eignen, und hauptsächlich zu Zwirnen ꝛc. verwendet werden, so haben dieselben bis dahin auf die Preise des zum Verweben brauchbaren Handgespinnstes (Webergarn) keinen so nachtheiligen Einfluß, als auf die Preise des minder guten sogenannten Kaufgarns (Budengarn) geäußert, welches der Gegensatz unsers auswärtigen Absatzes ist, und den stärksten Nahrungszweig des Landes ausmacht.

Es ist bekannt, daß nicht der vierte Theil des Gespinnstes, welches unser Spinnland jährlich liefert, zu Leinwand verwebt werde. Zu den 40,000 Stücken Leinwand von 60 Ellen Länge, welche etwa durch den hiesigen Handel jährlich abgesetzt werden, sind, wenn man zu jedem Stück Leinen durchschnittlich 120 Stücke Garn zu 2400 Ellen rechnet, 4,800,000 Stücke Garn erforderlich; es dürfte also die Masse Garn, welche im Durchschnitt jährlich roh nach auswärts gesandt worden, auf 14,400,000 Stücke sich belaufen.

Man muß von der Art, wie diese Handspinnerei getrieben wird, genauer unterrichtet seyn, um die Größe der Gefahr zu begreifen, welche uns durch Ausdehnung der Maschinenspinnerei, und durch allmähliges Stocken einer so bedeutenden Ausfuhr bevorsteht. — Es ist nicht etwa eine bestimmte Klasse armer Einwohner, die sich mit Spinnen beschäftigt, nein, die ganze Masse der ländlichen Bevölkerung — Weber und Handwerker ausgeschlossen — nimmt daran Theil. Jung und Alt, vom fünfjährigen Kinde bis zum Greise, spinnt Garn; selbst der größere Ackerbauer, nimmt das Rad zur Hand, sobald die Feldarbeiten aufgehört haben. Im Winter findet man ihn, — ein erhebender Anblick — neben der fleißigen Hausfrau, im Kreise der Kinder und des Gesindes auf der Spinnstube nach patriarchalischer Weise den Vorsitz führen, nicht etwa, um Leinwand zum Bedarf der Haushaltung zu gewinnen, sondern um aus dem Garn das baare Geld zu seinen laufenden Ausgaben zu lösen. Die zahlreiche Klasse der Heuerlinge, der Spinner von Profession, bauet zwar ihren Bedarf an Kartoffeln, an Viehfutter, einen Theil des nöthigen Brodkorns und Flachses selbst, auf gemiethetem Lande, allein die Haus- und Landmiethe, Kleidung und Abgaben, muß das Spinnrad verdienen.

Schreiten die Spinnmaschinen in ihrer Vervollkommnung so raschen Ganges, wie seit den letzten Jahren, vorwärts, so werden die Garnpreise fortdauernd sinken, der Spinner wird zu jedem Preise verkaufen, so lange er noch Flachs hat; er wird von Kartoffeln und Salz leben, — (viele Familien sind schon jetzt dahin gebracht) — aber mit dem letzten Stück Garn, welches er zum Verkaufe bringt, wird er plötzlich ein nahrungsloser Mann. Es bleiben ihm keine andere Erwerbsmittel, denn mit Handarbeiten kann er nichts verdienen, weil keine verlangt wird. Er muß verhungern, oder von der Gemeinde unterstützt werden. Dieses Schicksal wird Tausende gleichzeitig treffen, und die Mittel der Gemeinde werden augenblicklich versiegen. Man möchte vor einem so schrecklichen Bilde die Augen verschließen!

Ist es aber so unwahrscheinlich, daß die Spinnmaschinen dahin gelangen, zu einem Preise zu fabriziren, wobei der Handspinner nicht mehr leben kann? — Als vor längern Jahren die ersten Wollspinnmaschinen in den Tuchfabriken des Regierungsbezirks Aachen eingeführt wurden, trat ein ähnliches Verhältniß, wie jetzt bei der Flachsspinnerei, ein. Sie waren Anfangs unvollkommen, und man hielt ihr Bestehen für unmöglich; je nachdem sie sich vervollkommneten, begann ein harter Kampf mit der Handspinnerei, der endlich den gänzlichen Untergang der letztern herbeiführte. — Dort aber fanden die nahrungslosen Spinner in den Tuchfabriken, welche sich mittelst der größern Wohlfeilheit des Fabrikats schnell hoben, allmählig Beschäftigung. Die Bedürftigen konnten für einen Erwerb, den sie aufzugeben gezwungen waren, einen andern ergreifen, der sie ernährte.

Wir dürfen uns nicht schmeicheln, daß etwas Aehnliches bei uns eintreten könnte. Der gänzliche Mangel an Fabrikanlagen und Kapital auf dem Lande steht diesem geradezu entgegen. Wir wollen uns aber durch so schwarze Bilder nicht zu sehr einschüchtern lassen, und uns lieber durch Erwägung der mannigfachen Schwierigkeiten ermuthigen, welche die Maschinenspinnerei im Kampfe mit der Handspinnerei zu überwinden hat. Sie bestehen hauptsächlich in folgendem:

1) Die Anlage und Unterhaltung der Flachs-Spinnmaschinen ist mit bedeutendem Kostenaufwande verknüpft.

2) Die dabei angestellten Arbeiter müssen mit verhältnißmäßig hohem Tagelohn bezahlt werden.

3) Die Maschinen verlangen Flachs von guter Qualität, haben aber bis jetzt nur in den gröberen Sorten vorzügliches Gespinnst, und überhaupt kein feineres Garn als das hiesige Stück, 1¼ Loth schwer, hervorbringen können.

4) Der Spinnereibesitzer muß seinen großen Flachsbedarf aus der dritten Hand, oft aus weiter Entfernung beziehen. Mag er den Flachs gereinigt kaufen oder in seiner Fabrik reinigen lassen, so muß er in beiden Fällen die Kosten der Reinigung theuer bezahlen.

Alle diese beträchtlichen Ausgaben sind bei der Handspinnerei von äußerst geringem Belange. Das Spinnrad ist mit wenigen Groschen jährlich unterhalten, und hat der Spinner mit emsigem Fleiß von früh Morgens bis spät in die Nacht 1, 2 bis 3 Sgr. (nach Verhältniß seiner Fertigkeit) verdient, so ist er zufrieden. Er zieht seinen Flachs zum Theil selbst, zum Theil holt er ihn vom nahen Flachsbauer zum billigsten Preise. Seine langjährige Erfahrung macht es ihm leicht, den Flachs so auszuwählen, wie er sich für sein Gespinnst eignet. Die Reinigung besorgt er selbst, und diese mühsame und langwierige Arbeit wird unglaublich gering angeschlagen.

Die Vortheile der Flachs-Spinnmaschinen müssen außerordentlich seyn, wenn, unerachtet dieser Schwierigkeiten, es ihnen gelingen sollte, zu Preisen zu fabriziren, bei denen die Handspinnerei nicht weiter bestehen könnte. Auch können wir zwei Umstände anführen, die nicht wenig geeignet sind, unsere Hoffnungen zu beleben.

In dem vorhin erwähnten Antrage an die Handelskammer zu Lille vom 31. August v. J. ist eine Erhöhung der Eingangs-Abgabe auf rohe ausländische Garne von 5 bis 10 pCt. des Werths in Anspruch genommen; seitdem sind aber die Preise unserer ins Ausland gehenden Garne um fast 20 pCt. gesunken. Fiel also den Maschinenspinnern damals die Konkurrenz mit unserm Handgespinnst schwer, so werden sie die jetzigen Preise noch viel weniger aushalten können.

Dann sind auch in den letzten Monaten nicht unbeträchtliche Garnbestellungen aus England eingegangen und es hat allen Anschein, als wenn die dortigen Maschinen eben so wenig, als die französischen, unsere Preise zu überwinden im Stande wären. Aber welchen Aufopferungen haben wir diesen scheinbaren, immer noch sehr zweifelhaften Vorzug zu danken? Ist nicht der Spinner schon gezwungen, sich auf Kartoffeln und Salz zu beschränken, und ist nicht vielleicht eine einzige Vervollkommnung der Maschinenspinnerei hinreichend, um alle unsere Vortheile zu vernichten? Eine ungeheuere Aufgabe hat der menschliche Geist durch Erfindung der Flachs-Spinnmaschine bereits gelöst, sollte er in Vervollkommnung derselben sich erschöpfen? Deßhalb wollen wir unserer Seits, in beständiger Erwägung der drohenden Gefahr, bei Zeiten auf Mittel denken, wodurch dieselbe abgewandt werden könne.

Auf den ersten Blick möchte die Einführung der Maschinenspinnerei in unserm Lande das nächste und sicherste Mittel scheinen. Allein zugegeben, daß sich hinreichend vermögende Unternehmer dazu fänden, würde die eigentliche Gefahr alsdann beseitigt seyn, würden die tausend und abermal tausend Hände bei den Maschinen Beschäftigung finden? Gewiß nicht! Es würde allerdings der Fabrikationsgewinn im Lande bleiben, aber die Maschinen würden in einzelnen Städten und Flecken errichtet werden, und mit den zerstreut in weiter Entfernung umherwohnenden Spinnern in keine Verbindung gesetzt werden können.

Zum Glück giebt es noch ein anderes Mittel, die Gefahr abzuwenden; zwar nicht unter allen Umständen ausreichend, aber doch geeignet, der Handspinnerei im Streite mit ihrem Feinde als mächtige Waffe zu dienen, und dem Lande einen unentbehrlichen Nahrungszweig wenigstens theilweise zu erhalten, ich meyne die planmäßige Vervollkommnung der inländischen Handspinnerei durch Spinnschulen.

Wir müssen hier auf den wichtigen Umstand zurückkommen, daß die Spinnmaschinen bisher kein Garn von so glattem und rnndem Faden darzustellen vermocht haben, wie ihn die hiesige Weberei erfordert. Verschiedene Versuche, die mit dem Verweben von Maschinengarn hier angestellt sind, ergeben, daß die Waare die Eigenschaft der hiesigen gänzlich verliert, und wegen der unendlichen Menge von Knötchen für den Handel nicht paßt. Eben so wenig können die Maschinen das feinere Garn unter 1½ Loth das Stück bis jetzt hervorbringen, und die gar zu große Gebrechlichkeit der Fäden läßt mit hoher Wahrscheinlichkeit annehmen, daß auch das Feld der Feinspinnerei den Maschinen gesperrt bleiben werde. Daraus erklärt sich, daß während die Spinner des sogenannten Budengarns nicht ihr Brod und Salz verdienen können, die Spinner des zum Verweben vorzüglich geeigneten Garns eines auskömmlichen Preises sich erfreuen. Daselbe wird fast noch einmal so theuer bezahlt, als das Budengarn, und dennoch bleibt es, da auch auswärtige Nachfrage Staat findet, selten, und es gehört zu den anerkannten Mängeln unserer Leinwandfabrikation, daß die Weber häufig nicht im Stande sind, ihren Bedarf an tauglichem Webergarn aufzutreiben und sich genöthigt sehen, Garn von verschiedener Güte zu einem und demselben Gewebe zu verwenden.

Nun muß es allerdings höchst auffallend erscheinen, daß eine an und für sich geringfügige und leicht zu erlernende Fertigkeit nicht allgemein verbreitet ist, da doch der mit ihr verknüpfte, augenfällige und allgemein bekannte Vortheil allein hinreichende Veranlassung dazu geben mußte. Dieser Vortheil ist jedoch schon in einer langen Reihe von Jahren, wo er, wiewohl in abwechselnder Bedeutung, bestanden hat, unwirksam geblieben; denn die Ortschaften, wo gutes und wo schlechtes Garn gesponnen wird, sind seit Menschengedenken dieselben, es möchten denn bei einzelnen Familien durch Umherziehen unbedeutende Ausnahmen vorkommen. Der Grund davon dürfte zum Theil in der allgemeinen Abneigung der niedern Volksklassen, den gewohnten Gang ihrer Beschäftigung zu ändern, liegen, gewiß aber hauptsächlich in dem Umstande, daß es in der Regel nur jungen Händen gelingt, sich die Manier der Gut- und Feinspinner anzueignen, und daß die Erwachsenen von der einmal angenommenen schlechten Gewohnheit sich selten, auch mit dem besten Willen, wieder entwöhnen können.

Die einzelnen, schlecht spinnenden Familien haben keine Mittel, ihren Kindern gute Unterweisung im Spinnen zu verschaffen, da in der Nachbarschaft gewöhnlich gleich schlecht gesponnen wird; man giebt zum Anfang mangelhafte Räder, schlecht bereiteten Flachs oder Heede, das sicherste Mittel, jede

Hand zu verderben; und sind die Kinder so weit herangewachsen, daß eine Unterweisung in geeigneten Ortschaften eintreten könnte, so hat die schlechte Gewohnheit bereits Ueberhand genommen.

Unter solchen Umständen scheinen Anstalten, worin Kinder durch vollkommen tüchtige Spinner im Spinnen unterrichtet, und zugleich in der besten Zubereitung des Flachses unterwiesen werden, das einzige Mittel zu seyn, um das Gutspinnen auf dem Lande schnell zu verbreiten.

Die Erfahrung hat über den Erfolg solcher Schulen bereits giltig entschieden. — Seit dem Jahre 1825 besteht eine Spinnschule in hiesiger Stadt, und noch 4 andere sind im Laufe dieses Jahres zu Dornberg, Werther, Jöllenbeck und zur Pottenau errichtet. Die dort im Spinnen unterwiesenen Kinder, welche beim Eintritt theils gar nicht spinnen, theils nur schlechtes Budengarn hervorbringen konnten, lieferten nach Verlauf von 6 Monaten fast ohne Ausnahme so haltbares, glattes und rundes Gespinnst, daß es der Weber zum Einschlag, einiges sogar zur Kette gebrauchen konnte, und es leidet somit keinen Zweifel, daß ein geschickter Spinnlehrer im Stande ist, seine Schüler nach Verhältniß der körperlichen Anlage, durch ein- bis zweijährigen Unterricht zu tüchtigen Spinnern auszubilden. — Gar bald würde ein herrlicher Erfolg für die Sicherung der Nahrungsquellen unseres Landes aus der allgemeinen Einführung solcher Spinnschulen hervorgehen.

Je besseres und wohlfeileres Garn für die Leinwandweberei gesponnen wird, desto besser und wohlfeiler wird das Fabrikat seyn, desto mehr wird sich unser Absatz ausdehnen.

Der hiesige Leinenhandel erstreckt sich über fast alle europäische Länder und einen großen Theil von Amerika; im Verhältniß zu dieser Ausdehnung ist der jährliche Absatz von etwa 40,000 Stücken zu 60 Ellen geringfügig zu nennen.

Das Fabrikat ist allenthalben beliebt, aber es ist zu theuer, und kann mit den viel wohlfeilern schlesischen und böhmischen Linnen, wenn sie gleich von geringerer Güte sind, nicht konkurriren. Niedrige Preise könnten, besonders da sich in Nordamerika das Zutrauen zu unsern Linnen wieder zu begründen anfängt, und die Verbindungen mit den südamerikanischen Staaten sich allmählig fester begründen, den Absatz sehr bald erstaunlich vergrößern, und alle Spinner, welche gegenwärtig Garn für den auswärtigen Absatz liefern, und durch weiteres Fortschreiten der Maschinenspinnereien nahrungslos werden, die dringendste Gefahr laufen, würden theils als Weber, theils indem die jüngern zum Spinnen von gutem, für die Weberei geeigneten Garn übergiengen, allmählig wieder Arbeit und Brod finden.

Wenn man diese Beziehungen, gehörig würdigend, überblickt, so sollte man sich einbilden, daß jeder wohldenkende Mann, jeder, dessen Gemüth zur Theilnahme an dem Nothstande seiner Mitmenschen gestimmt, und zu Aufopferungen für die Verbesserung dieses Zustandes fähig ist, seine Hand bieten würde, um in seinem Kreise die Angelegenheit der Spinnschulen zu befördern. Möchte diese Hoffnung gegründet seyn! *)

Es bleibt uns noch übrig, von den innern und äußern Verhältnissen dieser Schulen, und von den Kosten derselben nähere Nachricht zu geben.

Der Unterricht im Spinnen ist nur bei Kindern innerhalb des schulpflichtigen Alters von unzweifelhaftem Erfolg. — Haben sie das Alter von 12 Jahren überschritten, so sind die schlechten Gewohnheiten im Spinnen schon zu tief eingewurzelt; das Alter von 6 bis 8 Jahren ist das geeignete zum Lernen. Da nun der Morgen durch den Unterricht in der Schule besetzt ist, so kann die Unterweisung im Spinnen nur des Nachmittags Statt finden. — Im Winter aber sind die Wege auf dem Lande zu schlecht, als daß kleine Kinder während der Dunkelheit dieselben passiren könnten. Wo deßhalb die Spinnschule nicht in geschlossenen Dörfern eingerichtet wird, kann dieselbe nur während der Sommermonate bestehen. Die Zahl von 20 bis 30 Schülern möchte, je nachdem die Ortschaft zerstreuet liegt, für jede Schule hinreichen, auch den Kräften des Lehrers angemessen seyn, und mit diesen Voraussetzungen würden sich die Kosten belaufen:

---

*) Das, alles Gute kräftig fördernde Ministerium des Innern hat, wie wir mit gerechter Freude hinzufügen, sicherm Vernehmen nach, die nicht ganz unbedeutenden Kosten zur Errichtung von 6 neuen Spinnschulen außer den vier in der Abhandlung genannten, unlängst der königl. Regierung zur Disposition gestellt.

Da indessen dergleichen Stimmen täglich kühner auftreten, da sie durch ihre Scheingründe Manche täuschen könnten, und ihre Absicht offenbar dahin gerichtet ist, selbst die Gesetzgebung zu falschen Schritten zu verleiten, wodurch uns die durch weise Culturgesetze gegebene Freiheit im Verkehr der Grundstücke wieder entzogen würde, ist es nöthig, die Sache etwas näher, jedoch in möglichster Kürze zu beleuchten. *)

Betrachtet man den Gegenstand:

I. von Seite der Landwirthschaft, so findet man sogleich, daß

1) die Gebundenheit der Güter, die Arrondirung der Grundstücke, d. h. die Grundbedingung einer lohnenden und zweckmäßig eingerichteten Landwirthschaft schon zum voraus unmöglich macht.

2) Ist die jetzige zerstreute Lage der Grundstücke, höchst zeitraubend. Bis man nämlich von einem Acker zu dem andern kömmt, wäre man mit der Arbeit selbst viel weiter gekommen, wenn die Zeit des langsamen Hin- und Herziehens, des Plauderns unterwegs von den Ackerleuten und Schnittern zur Aerntezeit zur Arbeit wäre verwendet worden.

3) Manche Stunde geht auch darum verloren, wenn die Arbeit auf einem Felde eine halbe oder ganze Stunde vor der Mittags- oder Abendstunde vollendet wird (besonders da, wo man den Ackerbau mit Ochsen betreibt) weil man es da nicht mehr der Mühe werth findet, noch mit einem andern anzufangen. Zeit ist Gold, und doch wird sie häufig mehr getödtet, als möglich angewendet.

4) Bei großen nicht arrondirten Wirthschaften müssen daher wohl ein paar Dienstboten mehr, und einige Stücke Arbeitsvieh mehr gehalten werden, die sonst erspart werden könnten, und eben darum ist auch die Abnützung von Vieh, Ackerwerkzeugen und Geschirren um so viel größer.

5) Eben dieser zerstreuten Lage wegen entstehen viele Uneinigkeiten und Prozesse zwischen Nachbaren wegen Ein- und Ausfahrt, Ableitung des Wassers, Beschädigungen u. d. m.

*) Die Gebundenheit der Güter findet man vertheidigt in den bayerischen Annalen von 1834, und in den Münchner gelehrten Anzeigen herausgeg. von der bayer. Akademie der Wissenschaften 1836. Stück 47.

welche nicht nur oft die möglichste Kultur verhindern, sondern dem Landmann auch sein nothwendiges Betriebskapital schwächen oder verzehren.

6) Eben darum ist auch jeder Gutsbesitzer gezwungen, bei der Dreifelderwirthschaft der anstossenden Grundbesitzer zu beharren, wenn er auch gerne die Brache abschaffen, andere Produkte als Getreide bauen, oder eine andere Felderordnung einführen möchte.

7) Die Gebundenheit der Güter, indem sie die Vermehrung der Bevölkerung unmöglich macht, vertheuert die Löhnungen der Dienstboten, macht diese seltner und weniger arbeitsam.

8) Es giebt weit mehr Menschen, welche einer kleinen Oekonomie vorzustehen im Stande sind, als welche eine größere gehörig zu führen vermögen, wozu ein weit größeres Maaß von Fähigkeit, Betriebsamkeit und Kenntnissen erfordert wird. Fehlt es bei einem größeren Gutsbesitzer daran, so eilt er seinem Verderben schnell entgegen, wo er sich dagegen bei einer kleineren Besitzung wohl befinden könnte.

9) Das Betriebskapital der größeren Gutsbesitzer steht gewöhnlich mit dem Umfang ihrer Geschäfte in keinem Verhältniß. Daher werden sie von jedem Unfall stärker betroffen, bleiben mit ihren Abgaben eher in Rückstand, gerathen in Schulden, oder gehen zu Grunde, wenn ihnen nicht besonders günstige Umstände zu Hilfe kommen.

10) Daher sind die Besitzer von 20 – 30 Tagw. Feld und Wiesen gewöhnlich die Wohlhabendsten. Schon Rottmanner in Westenrieders Beiträgen macht diese Bemerkung, und giebt daher den damals sogenannten Viertelhöflern oder Söldnern mit ungefähr eben so großem Grundbesitz den Vorzug. Der bekannte Pastor Maier von Kupferzell bestätigt dasselbe; und jeder Landwirth, welcher die Verhältnisse seiner Gegend oder seines Wohnorts aufmerksam untersucht, wird zu dem nämlichen Resultate gelangen.

11) Es giebt in Bayern viele Bauernhöfe zu 100, 200 – 400 Tagw. und darüber. Ein großer Zuwachs von wohlhabenden Familien, von neuen Nahrungszweigen und von verbesserter Landeskultur würden entstehen, wenn diese übergroßen Güter unter mehrere Familien vertheilt werden wollten.

12) Der Ertrag der Grundstücke bei größeren Bauerngütern ist bei weitem nicht so groß, als bei kleinern, indem da jedem einzelnen Grund mehr Fleiß und Aufmerksamkeit zugewendet werden kann, als da, wo man immer nur suchen muß, fertig zu werden, und weil verhältnißmäßig bei den kleineren der Viehstand folglich auch die Dungmittel stärker sind, als bei jenen.

Viele wenden dagegen ein: „Was ist an der höheren Production gelegen, wenn die neuen Familien das wieder verzehren, um was sie mehr produciren? Die Summe der verkäuflichen Früchte wird darum doch nicht vermehrt.“ Allein bei einem Besitze von 20 – 30 Tagw. bleibt jedem Besitzer außer seinem eigenen Bedarf noch eine ziemliche Quantität zum Verkauf übrig. Und wer vermag es, die Gränzen der Produktion, die Verschiedenheit der Produkte und die Preise derselben, die Nebennutzungen, Nebenverdienste und Geschäfte des Landmanns so genau zu berechnen, um mit Bestimmtheit sagen zu können: „Bis hieher und nicht weiter.“ Großen Unterschied hierin machen die Nähe einer Stadt, die Nutzungen des Viehes, leichter Verdienst durch Fuhren oder Arbeiten, der Bau von Garten- oder Handelsfrüchten ꝛc. Von diesen letzten möchten bei uns die anwendbarsten seyn: Hopfen, Tabak, Reps, Weberkarden, Flachs, und bald auch Runkelrüben u. dgl. m.

13) Bei der Ungebundenheit der Güter vermehrt sich der Preis der Grundstücke um mehr als das zehnfache. Wenn jetzt ein ganzer Gutscomplex verkauft wird, kömmt bei einem Werthe von 100 – 300 fl. das einzelne Tagw. oft nicht auf 15 – 20 – 25 fl. In Baden und Würtemberg auf 600 – 800 – 1000 fl. und noch darüber. Schon bei uns sind die Grundstücke um die Städte und Märkte, weil sie schon immer im ungebundenen Zustande waren, stets viel theurer als auf dem Lande. Auch die sogenannten walzenden Stücke stehen höher im Preise. Man beherzige doch diese Erfahrungen, die täglich vor unseren Augen zu bemerken sind.

14) Die Gebundenheit der Güter stützt sich nicht auf einen festen Grundsatz, sondern auf reinen Zufall. Sie bindet die Güter in dem Zustand, wie sie eben dieselben findet. Sie mengt große und kleine Güter wild durcheinander, unbekümmert darum, ob einer mehr besitzt, als er mit

Vortheil übersehen kann, oder ob er gezwungen ist, lebenslänglich auch bei dem größten Fleiße lebenslänglich ein armer Taglöhner zu bleiben.

Auch in rechtlicher Hinsicht stehen der Gebundenheit der Güter wesentliche Hindernisse entgegen.

a. Sie steht allen Begriffen von Eigenthum überhaupt entgegen, indem man dasselbe nach eigenem Willen und Gutbefinden soll benützen dürfen.

b. Der ehemals bestandene sogenannte Hoffuß ist in Bayern längst aufgehoben; unsere Gesetze haben seit Langem zu Abtheilungen großer Güter, und zum Verkauf einzelner Grundstücke die Bewilligung ausgesprochen. Fast alle jetzigen Grundbesitzer haben mit Rücksicht hierauf ihre Güter gekauft, oder übernommen. Sie haben also ein jus quaesitum darauf, und können nun nicht plötzlich mit einem Federzug deterioris conditionis werden.

c. Nur bei herrschender Ungebundenheit der Güter ist die Führung ordentlicher Hypothekenbücher nach unserem Hypothekengesetz möglich, indem nur dadurch die Unterstellung von Specialhypotheken geschehen kann, und außerdessen nur Generalhypotheken gegeben werden könnten, welche dem Darleiher wie dem Empfänger gleich nachtheilig werden können.

Nicht vortheilhafter erscheint die Gebundenheit der Güter von Seite der Nationalwirthschaft. Denn

1) wo sie gesetzlich eingeführt ist, kann und muß Bevölkerung und Landeskultur Jahrhunderte hindurch immer auf der nämlichen Stufe stehen bleiben. Während dem können klügere Nachbarstaaten an innerer Kraft wohl um das Doppelte zunehmen, folglich den andern Staat in offenbaren Nachtheil setzen.

2) Nur die Provinz Bayern (um wie viel mehr also das Königreich) könnte etwa um die Hälfte stärker bevölkert seyn, und was hiebei das Auffallendste ist, diese stärkere Bevölkerung würde nicht, wie es gewöhnlich der Fall ist, auf Kosten des allgemeinen Wohlstandes gewonnen, sondern der Wohlstand der Unterthanen würde dadurch vermehrt werden.

3) Die Vermehrung der Grundbesitzer würde auch nothwendig die Vermehrung der Handwerker und Fabrikanten zum Dienste des Landmanns zur Folge haben.

4) Manche Fabrikanten würden dann nicht mehr Ursache haben, sich über Mangel an rohen Materialien zu beklagen,

welcher jetzt dem Aufschwunge mehrerer Fabriken im Wege steht.

5) Durch die Gebundenheit der Güter wird die Lust zur Kultur nicht aufgemuntert, sondern gewaltsam niedergeschlagen, da es keinem Einzelnen möglich ist, aus dem alten lang gewohnten Geleise herauszutreten.

Sie erzeugt daher Stumpfsinn, Widerstand gegen alles Neue und dumpfes Hinbrüten bei dem Landmanne, der öfters das Bessere einsieht, es aber nicht zu erreichen vermag.

6) Der Bauer kann mit allem Gelde, mit aller Industrie und Spekulation sein Gut nicht vergrößern, weil nirgends Grundstücke feil stehen, und weil er sein ererbtes Gut, das vielleicht seit Jahrhunderten im Besitze seiner Familie ist, nicht gerne verkauft. Welch anderen Genuß verschaffen sich aber meistens die rohen Kinder der Natur ohne Erziehung und Bildung als übervolle Befriedigung der Bedürfnisse des Magens? Hierin liegt also die vorzüglichste Quelle der Neigung zum Trunk, welche früher unser Landvolk charakterisirte. Und diese Neigung war wieder die Quelle anderer Uebel, worunter Zeitverlust, geringe Neigung zur Arbeit (weil es nicht so nothwendig war) Spiele, häufige, und sehr oft tödliche Raufhändel, Aufpassereien die gewöhnlichsten waren. Kommen dergleichen heut zu Tage weniger vor, so hat die Aufhebung des Hoffusses nicht den kleinsten Theil daran.

7) Die Inhaber größerer Güter kommen immer früher in Geldverlegenheiten als die von kleineren. In diesem Falle ist er gezwungen, immer sein ganzes Gut zu verkaufen, wo hingegen der Verkauf eines einzigen Ackers ihn retten und auf seinem Gute erhalten, ja in den Stand setzen könnte, bei glücklicheren Verhältnissen künftig wieder dasselbe Grundstück oder ein anderes wieder an sich zu bringen.

8) Die Ungebundenheit der Güter ist das einzige Mittel, Fabriken im Lande hervorzubringen. Wo der Landmann zu viele Grundstücke besitzt, ist es ihm unmöglich, ausser dem Getreide auch noch Handelsfrüchte zu bauen. Nur wenn es Taglöhnern möglich gemacht wird, sich auch Grundstücke zu erwerben, wenn übergroße Güter kleiner gemacht werden dürfen, kann dieses geschehen. Darum fehlen die rohen Materialien bei uns fast gänzlich, und das Wenige, was wir daran besitzen, ist erst seit Aufhebung des Hoffusses entstanden. Nur da, wo der rohe Stoff in der

Nähe erzeugt wird, können Fabriken am besten gedeihen. Während sich rings um Bayern die Zuckerfabriken täglich vermehren, bleibt Bayern hierin aus Mangel an Runkelrüben zurück.

Gleicher Mangel an rohen Stoffen, zeigt sich auch bei Tuch-, Zeug-, Seiden- und andern Fabriken, bei Färbereien, Oelmühlen und anderen Unternehmungen dieser Art, und läßt man das Material vom Ausland kommen, so können unsere Fabriken die Concurrenz mit den ausländischen nicht mehr ertragen, und gehen darum bald wieder zu Grund.

9) Bei der Gebundenheit der Güter kann die Volksmenge Jahrhunderte hindurch immer unverändert dieselbe bleiben. Immer kann nur Eines der Kinder das väterliche Gut übernehmen. Die übrigen sind meistens dem ehelosen Stande heimgefallen, indem sie sich nirgends mehr ansässig machen können. Da an vielen Orten die meisten Güter zu groß sind, und diese eine große Zahl von Dienstboten, da die Volksmenge in den größern Städten immer vom Lande her ergänzt werden muß, so ist die natürliche Folge, daß es der Dienstboten zu wenige giebt, und daß in Kriegszeiten der Mangel doppelt fühlbar wird. Die Dienstboten sind dann gleichsam Monopolisten, die alle Vortheile derselben zu benützen verstehen, nämlich theure Preise, und geringe Arbeit. Die Dienstherren aber sind von ihnen abhängig, und müssen manche Unannehmlichkeit stillschweigend ertragen, weil die Dienstboten wissen: daß ihre Dienstherren bei ihrem schnellen Austreten in große Verlegenheit gerathen, weil schwer wieder ein taugliches Subjekt zu bekommen ist. Diese Verlegenheit wird jedoch gegenwärtig wegen lange andauernden Friedensjahren weniger gefühlt.

In staatswirthschaftlicher oder finanzieller Hinsicht ist der Vortheil davon platterdings nicht zu berechnen.

1) Daß bei allgemeiner Ungebundenheit der Grundstücke der innere Werth und die Benützungsfähigheit derselben ungemein ja um weit mehr als die Hälfte sich vermehren müsse, wird wohl kaum einem Zweifel unterworfen seyn. Es ist natürlich: daß ein Tagw. Grund, das z. B. jetzt einen Reinertrag von 5 fl. liefert, und in Zukunft durch erhöhte Kultur und durch stärkeren Anbau von Handelsfrüchten 30 – 40 fl. rein ertragen wird (um welche Summe in unserer Nähe und selbst bei uns manches Tagw. sogar ver-

pachtet werden kann) die Steuerkräfte der Unterthanen sehr vermehren, und sichern kann. Im Fall der Noth wird es dann leichter seyn, ohne Bedrückung ein größeres Maß von Steuern einzufordern, oder, wenn dieser Fall nicht vorhanden ist, den jetzigen Steuerquotienten bei erhöhtem Steuerkapital zu vermindern.

2) Doch nicht allein die Grundsteuer würde dadurch einen ansehnlichen Zuwachs erhalten können, sondern auch die Gewerbe- Haus- und die Familiensteuer.

3) Die unaufhörlichen Veränderungen in dem Grundbesitze sind, wenn die Sache einmal recht in Gang gebracht ist, eine fortlaufende reiche Quelle von Einnahmen an Taxen und Sporteln. Es ist vielleicht nicht übertrieben, wenn man den Betrag derselben (sollten auch wie bisher Arrondirungen ganz taxfrei behandelt werden) auf mehrere hunderttausend Gulden anschlägt.

4) Auch der Betrag der Laudemien oder Handlohnsgefälle würde da, wo sie noch bestehen, sich im ähnlichen Verhältnisse vermehren.

Diese beiden letzten Einnahmen würden nicht Zwang und harten Druck, sondern begleitet von Segenswünschen, Dank und erhöhtem Wohlstand der Unterthanen in die Staatskassen fließen, weil sie freiwillig und nur dann bezahlt werden, wenn die Betheiligten ihren Vortheil dabei finden.

5) Ein großer Vortheil für die Finanzen wird sich auch durch die Vermehrung vieler anderer Staatseinnahmen ergeben, die überall die natürliche Folge einer größeren Bevölkerung ist. Der erhöhte Ertrag der Salinen, Bergwerke, des Zollwesens, des Malzaufschlags, der Post, der Stempel-Gefälle würde ohne Vermehrung der gewöhnlichen Abgaben den Finanzen sehr zu Statten kommen, oder neue Quellen zur Staatsschuldentilgung öffnen, und kleinlichte oder ungerechte Plusmachereien auf lange Zeit entfernt halten.

Selbst in politischer oder in Hinsicht auf auswärtige Verhältnisse ist die Ungebundenheit der Güter äusserst wichtig. Die Bevölkerung wird dadurch dichter zusammengedrängt und zur Vertheidigung geschickter. Eine größere Zahl von Landes-Vertheidigern würde dadurch entstehen, und während alle benachbarten Staaten an inneren Kräften zunehmen, würde auch Bayern mit ihnen gleichen Schritt halten.

Es ist auffallend, als Grund für die Gebundenheit der Güter den jetzigen Zustand der Gebäude anführen zu hören.

Einige nämlich sagen: wenn ein grosser Bauernhof abgetheilt wird, so wird ein grosser Theil der vorhandenen Gebäude entbehrlich, und dem neuen Besitzer des verkleinerten Gutes lästig. Kaum sollte man es der Mühe werth finden, darauf zu antworten; denn gewöhnlich bedienen sich unsere Landleute sehr einfacher Mittel, um sich dieser Last zu entledigen. Bei Hofsabtheilungen können die entbehrlichen Gebäude leicht zur Bewohnung und zum Gebrauche der neuen Familie verwendet und selbst abgetheilt werden. Bei dem Verkaufe einzelner Grundstücke ist der Unterschied gewöhnlich nicht sehr bedeutend. Sollte es aber doch der Fall seyn, so werden die überflüssigen Gebäude demolirt, die Materialien verkauft, und der Platz zu Anlegung oder Vergrösserung eines Gartens, oder sonst vortheilhaft benützt. Kurz von allen Gründen für die Gütergebundenheit ist der Zustand der eben vorhandenen Gebäude der unbedeutendste; denn nicht die Grösse der Oekonomie, muß sich nach den eben vorhandenen Gebäuden richten, sondern die Gebäude nach der Grösse der Oekonomie.,

Die übrigen Behauptungen der Vertheidiger der Gebundenheit sind größtentheils leere Hypothesen, welche, so fein sie auch ausgesponnen sind, im praktischen Leben doch nicht vorkommen, und nur als Spekulationen von Gelehrten betrachtet werden können. Immer vermischen Sie die Vortheile des freien Güterhandels, dem doch Bayern fast Alles zu verdanken hat, was es von eigentlicher Landwirthschaft besitzt, mit zu weit getriebenen Gutsabtheilungen, und mit zu liberal ertheilten Bewilligungen zu neuen Ansiedlungen. Allein die zweite ist keine nothwendige Folge der ersten, und kann ganz unabhängig von derselben gedacht werden. Sie steht allein in der Macht der Regierung, welche ohne die Umstände, Bedürfnisse und Wünsche der Gemeinden gehörig zu würdigen, diese Bewilligung nicht ertheilen wird. Immer schreiben sie das auf Rechnung der Ungebundenheit, was allein solchen Abtheilungen und Bewilligungen zuzuschreiben ist.

Verdanken wir es also der Weisheit der Regierung: daß sie die Aufhebung der Gütergebundenheit längst ausgesprochen hat. *) Sie trägt fortwährend köstliche Früchte; denn Gebunheit der Güter ist Gebundenheit des menschlichen Verstandes und die unübersteigliche Schranke einer vernünftigen Landwirthschaft und das Todesurtheil aller Landwirthe, die vielleicht nur

*) Im Herzogthume Neuburg bereits im Jahre 1799, und in Bayern in den Jahren 1805 und 1806.

aufgekratzt wird. Auch fehlt es unter der höhern Klasse von Landwirthen nicht an solchen, welche dieses Vorurtheil noch nicht besieget haben.

Eine todte Erde ist eine moralische Unmöglichkeit. Gott hat die Welt erschaffen zu seiner Verherrlichung und für den Menschen, nämlich zu dessen Nutzen und Vergnügen; eine todte Erde aber verherrlichet weder die Werke Gottes, noch gewährt sie dem Menschen Nutzen und Annehmlichkeit. Etwas unnützes in der Natur annehmen, heißt die Weisheit Gottes und den Endzweck der Schöpfung verkennen.

Eine todte Erde ist eine physische Unmöglichkeit. Wenn diese Erde todt ist, so muß sie einmal gelebt haben; denn was nie gelebt hat, konnte auch nie sterben, was nie Leben hatte, konnte auch nie eines verlieren. Jedes Geschöpf, jedes Gewächs lebt eine Zeit und stirbt, geht in Verwesung über, und nimmt eine von ihrer vorigen ganz verschiedene Gestalt an; es wird etwas ganz anderes als es vorher war. Welche Gestalt hatte denn die todte Erde vorher, und was war sie in ihrem Leben, in ihrem Wirken?

Wenn die unter der Pflugtiefe liegende Erde todt, das heißt, unfruchtbar und unnütz wäre, so könnten in der Schöpfung keine andern Gewächse bestehen, als solche, welche ihre Wurzeln nicht weiter als auf Pflugtiefe treiben, und alle andere, die doch in so großer Menge vorhanden sind, müßten uns gänzlich unbekannt seyn; so z. B. würden wir die Wohlthaten, welche uns die Luzerne und die Esparsette gewähren, entbehren müßen, weil sie ihre Wurzeln sehr tief treiben.

Wenn die unter der Pflugtiefe liegende Erde todt wäre, so hätten wir keine Wälder; wie könnte die nützliche Eiche wachsen und gedeihen, da sie ihre Nahrung 6 bis 8 Fuß tief in der Erde sucht und findet. Wenn die unter der Pflugtiefe liegende Erde todt wäre, so hätten wir keine Bergwerke, denn wie könnte sie Erze, Metalle, Steine, Mineralien aller Art erzeugen? Die Natur ist überall geschäftig, und äußert bis in ihre tiefesten Eingeweide die wirksamste Zeugungskraft. Selbst der Flugsand kann gebunden und zur Fruchtbarkeit und Erzeugung fähig gemacht werden.

Der Wahn, daß diese Erde todt sey, hat wohl seinen Ursprung in der Bemerkung, daß die Fruchtbarkeit des Ackers abnahm, nachdem man von solcher Erde herauf geackert hatte. Man muß sich aber belehren lassen. Die Fruchtbarkeit nimmt nicht ab, weil jene Erde todt ist, sondern weil sie mit der alten oben liegenden Erde nicht gleich vollkommen vermischt werden kann. Jene Abnahme besteht daher nur bis ins zweite oder dritte Jahr, je nachdem die gänzliche Mischung beider Erdarten geschwind oder langsam bewirkt wird, und die Einflüsse der atmosphärischen Kräfte geschwind oder langsam ihre Wirkung äußern. Haben diese ihre Vollkommenheit erreicht, so ist nicht nur die alte Fruchtbarkeit wieder hergestellt, sondern auch sicher so vermehrt, daß der geringe Verlust dem geduldigen Landwirthe mit hohen Zinsen ersetzt wird.

v. Nagel.

---

57. Die Kultur in der Gegend von Wemding betr.

Euer Hochwohlgeborn *)

erlauben mir diese Zuschrift, die ich überzeugt von Ihrer gütigen Aufnahme und aufgemuntert durch Ihre bekannte Theilnahme und Interesse an allem, was das gemeine Wohl fördern kann, zu thun wage.

Nach einem mehr als fünfzigjährigen Aufenthalt in Frankreich, besonders im Elsaß und Straßburg, und einer beinahe vierzigjährigen Anstellung als Lehrer der Naturgeschichte an den verschiedenen sich folgenden Unterrichtsanstalten und seit Errichtung der französischen Universität an der Akademie und der Apothekerschule in Straßburg, nöthigte mich meine, durch viele Arbeiten geschwächte Gesundheit mich von den öffentlichen Geschäften zurückzuziehen, und seit 4 Jahren lebe ich hier, in der Nähe meines Vaterlandes Franken, mit meinem Sohne auf einem Gute, das wir Gelegenheit hatten, anzukaufen.

Hier nun an meinem stillen, schönen und gesunden Ruhe-Ort, fand ich volle Gelegenheit, die gemachten Erfahrungen meines Lebens, vielleicht auch zum Besten meiner Mitmenschen anzuwenden, meinem Trieb zur Thätigkeit auf eine meiner Gesundheit vortheilhafte Weise Genüge zu thun, und auch meinem Sohn einen seiner Gesundheit und seinen Kräften angemesseneren Wirkungskreis zu geben. Auch ist meine Gesundheit Gott sey Dank, wieder so stark, als sie in meinem 74. Jahre nur immer seyn kann.

*) An Hrn. Staatsrath von Hazzi gerichtet.

sten angeregten Verkehrsmittel durch Strassen, woran wir grossen Mangel haben, durch Eisenbahnen, Kanäle, Dampfschiffarth — wohlthätig auf Produktion, Fabrikation und Konsumtion der Naturgüter einwirken.

Freilich drückt auch noch der Landbauer manche Beschwerden und Hindernisse besserer Kultur. Auf vielen Gütern, so wie auf unseren, lasten, außer den ordinären Steuern, zu große Gilten, von ehemaligen steuerfreien Besitzern, z. B. Klöstern, die nur diese Gilten bezogen, herrührend. Eine andere Beschwerde sind die Weidgerechtigkeiten benachbarter Schäfereibesitzer, welche die Benützung der Brache hindern, ferner, und im hohen Grade ist das Wild eine Plage unserer Felder, Gärten und Wälder. Obgleich meistens nur aus Hasen bestehend, verursachen sie doch auf unsern Wintersaatfeldern großen Schaden, besonders am Weitzen, an der Wintergerste und meinen Versuchen mit fremden Getreidesorten, die sie vorzugsweise aufsuchen, und an dem Reps. Die Runkelrüben, gelben Rüben, Kohlpflanzen leiden sehr durch sie, und so gerne ich manche Kohlarten, wie den Rosenkohl, den Baum- oder Staudenkohl, welche unsere nicht zu strenge Winter aushalten, als Futter- und Oelpflanzen im freien Felde bauen möchte, ist es doch der Hasen wegen unmöglich. Am meisten aber leiden durch sie unsere Obstbaumpflanzungen, indem sie die nicht zeitig genug verwahrten oder zu verwahren übersehenen jungen Bäume und die jungen Aufschößlinge von Zwetschken, Kirschen und anderen so wie die zu Hecken gesäeten und gepflanzten Akazien und andere ausländische, die man nicht alle verwahren kann, zernagen und abfressen, was die Verwahrungsmittel kostbar und mühsam macht.

Ich bitte nochmal Euer Hochwohlgeborn, die Mittheilung dieser Beobachtungen und Bemerkungen nicht als aus unedlen Beweggründen gethan, aufzunehmen, sondern als Beweis meines Wunsches und Zweckes, zum gemeinen Besten, und dem Bessern auch der hiesigen Gegend so viel und so lang ich noch kann, und etwa auch wie Sie erachten, für gut finden und glauben, beizutragen und zu wirken, und in dieser Rücksicht einige Früchte unserer Opfer und Mühen zu ärnten.

Auch bitte ich um Nachsicht mit meinem nicht gewohnten deutschen Schreiben, und die Versicherung meiner vollkommensten Hochachtung zu genehmigen, mit welcher ich die Ehre habe zu seyn

Euer Hochwohlgeboren

Ingershof bei Wemdingen
im Rezatkreise,
den 10. Februar 1836.

gehorsamer Diener,
J. L. Hammer.

58. Welchen Einfluß hat ein ausgedehnter Kleebau auf die Getreide=Erzeugung?

Von J. G. Elsner.

In früheren Zeiten herrschte allgemein das Vorurtheil: es sauge der Klee die Aecker aus, und man käme, wenn man ihn sehr stark anbaute, in der Bodenkraft zurück. Dieses Vorurtheil ist hier und da, besonders bei dem gemeinen und kleineren Landwirthe, noch nicht ganz ausgerottet; obgleich sich ein Jeder, welcher seine Oekonomie nur mit einiger Aufmerksamkeit betreibt, sehr bald vom Gegentheile überzeugen kann. — Wenn ich nun hier von dem Einflusse sprechen will, welchen der Anbau des Klee's auf die Erzeugung des Getreides äußert, so sehe ich davon ganz ab, daß er den Boden aussaugen, und denselben zur Hervorbringung einer reichen Aernte unfähig machen solle; und fasse die Sache bloß aus dem Gesichtpunkte auf, auszumitteln, ob die Menge und Güte des Getreides, welches unmittelbar nach Klee folgt, gewinne oder verliere.

Man hat hier und da schon die Bemerkung gemacht, daß vorzüglich der Weizen nach Klee mancherlei Nachtheilen ausgesetzt sey. Worin diese Nachtheile bestehen sollen, das werde ich bald genauer angeben. Auch in England und Frankreich will man gleiche Bemerkungen gemacht haben, und es ward unlängst von einem landwirthschaftlichen Vereine des südlichen Frankreichs das Thema, welches ich hier eben abhandeln will, als Preisaufgabe gestellt. Ich werde sorgfältig Alles anführen, was ich hierüber sowohl aus eigener Erfahrung, als aus fremden Mittheilungen kenne.

Eine Bemerkung, welche man zum Nachtheile des nach Klee folgenden Weizens gemacht hat, ist die, daß selbiger besonders dem Befallen oder dem Roste mehr ausgesetzt sey, als anderer, welcher in die Brache, oder nach einer Vorfrucht gebaut worden ist.

Dieser Rost, welcher in keiner Art mit dem Brande zu verwechseln ist, befällt die Frucht gewöhnlich alsdann, wenn sie im üppigsten Blattwuchse ist, und wenn gerade die Aehre aus der Blattscheide hervorschießen will. Er legt sich, wie der Staub des Eisenrostes (Eisenoxyd), auf die Blätter, färbt diese rothbraun, und hindert ihr Wachsthum, und zwar dergestalt, daß sie sogar vertrocknen, wenn er sehr stark ist. Dadurch nun werden die Weizenpflanzen krank, und es entwickelt sich die Aehre nur langsam, ja sie bleibt in vielen Halmen ganz in der

Blattscheide stecken, und bildet ihre Körner nur unvollkommen aus. Dieß bringt dann einen empfindlichen Nachtheil, und es erleidet der Körner-Ertrag nicht allein einen großen Rückschlag in der Menge, sondern das Korn selbst verliert auch in seiner Güte.

Ehe ich nun weiter untersuche, ob der vorhergegangene Klee diese Krankheit besonders veranlasse, will ich erst noch ein Paar Worte über diesen Rost im Allgemeinen sagen.

Es unterliegen aber demselben fast alle Getreidefrüchte, und zwar diese nicht allein; sondern noch eine Menge anderer Pflanzen und Gewächse. Denn man findet ihn nicht allein auf Gräsern und Kräutern, sondern auch auf Bäumen. Daß er seiner Natur nach mit dem Eisen verwandt sey, ist wohl kaum zu bezweifeln. Ob man sich davon durch chemische Untersuchungen überzeugt habe, ist mir nicht bekannt. Die Farbe desselben, so wie der Geruch und Geschmack, ist mit dem von oxydirtem Eisen überaus ähnlich. Da nun bekannt ist, daß bei der Vegetation der Pflanzen das Eisen eine nicht unwichtige Rolle spielt; so wäre auch wohl schon daraus eine Verwandtschaft des Pflanzenrostes mit dem des Eisens zu erklären, und anzunehmen.

Ich habe nun bei meiner Abhandlung zunächst die Frage aufzuwerfen und zu beantworten: ob der Rost eine gewöhnliche Krankheit der Pflanzen sey, und unter welchen Umständen er sich erfahrungsmäßig besonders zeige?

Es giebt wenig Jahrgänge, wo nicht der Pflanzenrost wenigstens die eine oder die andere Getreideart befiele. Am meisten sind ihm aber der Weizen und der Hafer ausgesetzt. Den Winterroggen befällt er nur äußerst selten, öfters aber den Sommerroggen. Die Gerste bleibt am öftesten von ihm verschont. Ob nun gerade die ersten beiden am meisten Eisen enthalten oder sich vom Boden aneignen, ist mir unbekannt. Die Ursache davon, daß sie am meisten dem Roste ausgesetzt sind, liegt aber wohl, der Analogie nach, in ihren breiten Blättern, die bei ihnen bekanntlich sich vor den andern Getreidearten auszeichnen.

Vergleicht man diesen Blattrost mit dem Brande, welcher das Weizenkorn angreift, und untersucht man beides unter dem Microscope, so findet man insofern eine Aehnlichkeit zwischen ihnen, daß sie beide aus einer kryptogamischen Pflanze (Schwamme oder Pilze) bestehen und als Schmarotzer sich die eine an's Blatt die andere an's Korn saugen.

Hier aber habe ich es hauptsächlich mit der Praxis und Erfahrung zu thun, und zu untersuchen und nachzuweisen, wann und unter welchen Umständen der Rost sich entwickle, welches sich daraus am besten nachweisen läßt, wenn wir aus Beispielen entnehmen, nach welchen unter gewißen Verhältnissen der Rost sich mehr wie sonst gezeigt hat.

Eigene Erfahrung und die Mittheilungen aufmerksamer und genau beobachtender Landwirthe haben mir die Ueberzeugung gegeben, daß Boden und Witterung gleichmäßig auf die Entstehung des Rostes wirken. Ich werde von jedem einzeln sprechen.

Zunächst bewirkt die Witterung den Rost. Wenn z. B. ein oftmaliger schneller Wechsel der Temperatur, besonders bei nicht unbedeutender Feuchtigkeit vorkommt, so lehrt die Erfahrung, daß alsdann der Rost am Getreide sowohl, als an andern Pflanzen und Gewächsen häufiger wie gewöhnlich vorkommt. Wer mit Aufmerksamkeit mehrere Jahre hindurch praktische Oekonomie getrieben hat, dem ist diese Erscheinung gewiß nicht entgangen, so wie er auch ebenfalls bemerkt haben wird, daß bei trockenen Jahrgängen, in welchen sich noch überdieß die Temperatur der Luft immer ziemlich gleich bleibt und der Wechsel nur allmählig erfolgt, diese Krankheit höchst selten vorkommt, und wenn sie auch bemerkt wird, dieß doch nur auf äußerst wenigen Gewächsen Statt findet. — Man kann daher behaupten, daß der Rost eine Erkältung der Pflanzen sey. Nun könnte man analog vom Menschen auf diese schliessen. Menschen, welche entweder fettleibig, oder leicht zum Schwitzen geneigt sind, erkälten sich in der Regel leichter, als magere und zum Schwitzen weniger geneigte. Die Ursache hievon liegt ziemlich nahe. Bei Ersteren öffnen sich die Poren der Haut mehr und schneller, als bei Letzteren, daher wirkt auch eine schnelle Abkühlung der Luft, wenn sie sich derselben aussetzen, stärker und nachtheiliger auf sie, weil sie in die Poren eindringt, sie für den Augenblick schließt, und die Ausdünstung stört, welche nunmehr zum Nachtheile des Organismus sich mit dem Blute mischt und Krankheiten erzeugt. Ganz so ist es aller Wahrscheinlichkeit nach mit den Pflanzen, und zur Bestätigung desselben erzeugt auch gerade eine Erkältung bei den Pflanzen Krankheiten antiphlogistischer Art, wogegen ein völliges Erfrieren phlogistische hervorbringt, was gerade beim Menschen derselbe Fall ist.

Wenn nun eine dergleichen Erkältung bei den Pflanzen vorkommen soll, so muß die Witterung dazu geeignet seyn. Ist sie eine Zeitlang warm, dann öffnen sich alle Poren der Pflanzen, was, je üppiger sie vegetiren, in um so höheren Grade der Fall ist. Wechselt alsdann die Temperatur plötzlich, und stimmt sie sich besonders nach heissen Tagen des Nachts tief herab, so müssen die in allen ihren Poren geöffneten Pflanzen, welche sich nicht so schnell zusammenziehen können, als wie die Wärme auf Kälte herabsinkt, gewaltsam angegriffen, und in einen fieberhaften Zustand versetzt werden. Ist dann dabei noch der Niederschlag der Luft stark, so dringt mit der Kälte zugleich die Feuchtigkeit in die geöffneten Poren, und vermehrt jene noch. Der entstandene fieberhafte Zustand stört die Circulation der Säfte augenblicklich, und dieß macht, daß diese verderben, was denn nunmehr eine völlig entwickelte Krankheit ist. Die Ausschwitzungen, welche die Pflanzen während ihrer ganzen Vegetationsperiode haben, zeigen an, wann diese Säfte verdorben sind, und es siedeln sich augenblicklich Schwämme an deren Blättern an, ähnlich dem Gange bei thierischen Körpern, welche in Fäulniß übergehen, auf denen sich sogleich Schmarozerthiere (Fliegen und andere Insekten) einnisten.

Die Erfahrung hat bis jezt diese Theorie noch allezeit bestätigt. Denn jeder praktische und aufmerksame Landwirth weiß, daß bei einer schnell wechselnden Witterung immer mehr Krankheiten bei seinen Feldfrüchten Statt finden, als wie bei einer beständigen. Eine ziemlich augenfällige Bestätigung liegt in dem, was der gemeine Landwirth einen Sonnenthau oder auch bösen Thau nennt. Es herrscht nämlich bei ihm der Glaube, der zur vollen Ueberzeugung geworden ist, daß, wenn bei einem Regen die Sonne scheint, ein giftiger Thau auf die Pflanzen falle. Die Erfahrung bestätigt in den meisten Fällen diesen Glauben dadurch, daß nach einem solchen Regen sich Krankheiten am Getreide und zum Theile auch an den Bäumen und am Grase zeigen. Ursache und Wirkung sind hier dieselben, wie ich sie eben von dem plötzlichen Abkühlen der Luft angegeben habe. Denn durch den Sonnenschein werden die Poren der Pflanzen geöffnet, die sich nun durch den darauf fallenden Regen plötzlich schliessen, und jene Krankheiten erzeugen. Aber auch vom Ackerboden aus kann die Ursache des Rostes auf dem Getreide, und namentlich auf dem Weizen kommen. Nach der eben aufgestellten Theorie werden die Pflanzen in dem Maße, daß ihre Blätter größer und geiler gewachsen sind, auch leichter von jener Erkältung und den daraus folgenden Krankheiten befallen. Wie ich schon angeführt habe, beruht die Sache auf den mehr geöffneten Poren. Zu diesem geilen Wuchse aber trägt der Boden, auf welchem sie stehen, am meisten bei. Auf moorigem, sehr humosem Lande findet dieß in sehr hohem Grade Statt; daher wird auch Hafer, der auf solchem angebaut ist, in der Regel am ersten und meisten vom Roste befallen. Weizen bringt man in der Regel nicht auf solches Land, weil es im Winter zu stark aufzieht und die Saat zu leicht ausgeht. Wo man es aber thut, da lehrt die Erfahrung, daß sich hier der Rost allemal zuerst einfindet.

Ich komme nun näher zu dem Hauptpunkte meines Thema's. Läßt sich darthun, daß der Boden durch den Klee in einen Zustand versetzt wird, welcher solchem modrigen und humosen Acker ähnlich ist, so wäre mit einem Male die Erscheinung erklärt und der Beweis geführt, daß nach Klee der Weizen mehr und häufiger dem Befallen durch Rost ausgesetzt ist, als nach irgend einer andern Frucht oder nach Brache. Sehen wir unter andern auf den Umstand, daß nach dem Klee der Hafer ganz besonders wuchert, und in der Ueppigkeit dem gleich kommt, welcher in solchem Moorlande angebaut wird: so hätten wir schon einen einseitigen Beweis, daß diese Futterpflanze den Acker in einen ähnlichen Zustand versetze, wie jenes Land. Dieser Zustand hat zwei Haupteigenschaften, nämlich besondere Lockerheit (Porosität) und viel Reichthum an Humus (Pflanzennahrungsstoff). In der That lehrt uns auch die Erfahrung, daß durch den Klee diese beiden Eigenschaften im Acker erhöht werden. Ein für allemal will ich bemerken, daß ich einstweilen hier vorzugsweise nur vom rothen Klee spreche. Folgern wir nun weiter, so ergiebt sich, daß auf Kleelande, d. i. auf Aecker, welche das Jahr vorher Klee getragen haben, diejenigen Früchte, welche einen lockern und humosen Boden besonders lieben, auch ganz vorzüglich wuchern müssen. Dieses finden wir auch in der Erfahrung bestätigt. Denn behandeln wir solches Kleeland wie Brache, d. h. geben wir ihm eine mehrmalige Bestellung und düngen wir es noch nebenbei: so zeichnet sich auf demselben der Weizen jederzeit vor dem nach Brache in der Ueppigkeit des Wuchses aus. Wie geil aber insbesondere der Hafer wächst, wenn man ihn in Felder baut, welche das Jahr zuvor Klee trugen, und die im Herbste gestürzt wurden, das weiß jeder Landwirth, der dieses nur irgend einmal versucht hat. Auch Gerste erfreut sich auf solchem Lande eines besondern Gedeihens, und sie ist in der Regel allemal besser, als diejenige, welche vor dem Klee wuchs, obgleich sie da mehr Bodenreichthum hätte vorfinden sollen.

Es kommt aber bei solchem Kleelande noch ein Umstand hinzu, nämlich der, daß in demselben der Humus nicht ganz zersetzt, d. h. aufgelöst ist, um schnell in die Pflanzen überzugehen. Daher bemerkt man auch, daß der Weizen auf demsel-

Wo demnach der Klee einen nachtheiligen Einfluß auf den Getreidebau äußert, da liegt dieses lediglich in der Art und Weise, wie man seinen Feldbau ordnet, und in den Prinzipien, nach welchen man dabei verfährt.

Aber nicht überall und in allen Fällen äußert der Klee einen nachtheiligen Einfluß auf den nach ihm folgenden Weizen. Auf Bodenarten, welche von Natur mild sind, und in denen der Wärmestoff sich bald im Frühjahre thätig zeigt, wornach dann die Vegetation der Pflanzen gleichmäßig fortgeht, äußern sich jene nachtheiligen Wirkungen, Rost, und die daraus folgenden Uebel viel seltener, als auf sehr starkem gebundenen Boden. Auf solchen kann man daher ohne Bedenken die gewöhnliche Folge, d. h. Weizen nach rothem Klee beibehalten. Der weiße Klee äußert gar keinen nachtheiligen Einfluß auf den ihm folgenden Weizen, und wenn man nur das Land nicht zu spät umbricht, und ihm die gehörige Vorbereitung giebt, so gedeiht diese Frucht gerade so gut, wie nach Brache. Bedenkt man nun, welch' eine Masse von Futter der Klee in den Oekonomien liefert, und wie er auf diese Weise mittelbar zur vermehrten Düngererzeugung überschwenglich wirkt; fügt man hierzu die wenige Aussaugung des Bodens, die auf manchen, besonders sehr gebundenen Arten desselben eher in eine Bereicherung übergeht: so ergiebt sich, daß der Kleebau dem Getreidbaue nicht allein gar keinen Eintrag thut, sondern ihm vielmehr auf alle Weise förderlich ist. Mithin ist für denselben in keiner Art irgend eine Besorgniß zu hegen, auch wenn der Kleebau noch weiter ausgedehnt würde, wie es bisher geschieht. Nur für diesen selbst dürfte hieraus am Ende der Nachtheil erwachsen, daß man sich allmählig damit aushaute, d. h., daß die Aecker in einen Zustand versetzt würden, in welchem sie dem Klee nicht mehr günstig wären, und wo dieser wenig mehr lohnen würde. Daß dieses den Oeconomien auf dem Fuße, nach welchem sie jetzt eingerichtet sind, sehr schaden und sie bedeutend herabsetzen würde, davon werden wir im gegenwärtigen Jahre schon eine lebhafte Vorstellung bekommen, wo diese wohlthätige Futterpflanze durch die vorjährige Trockenheit zum Theile ausgegangen ist. Der Gegenstand ist von hoher Wichtigkeit, und ich werde daher nächstens Veranlassung nehmen, über das Ausbauen des Klees etwas zu sagen.

---

59. Ueber eine zweckmäßige Methode, den Klee zu ärnten.

Hr. Bardonnet-Desmartel giebt im Journal des connaissances usuelles folgendes Verfahren an, nach welchem er den Klee zu ärnten und aufzubewahren pflegt. Er bereitet an der Stelle, an welcher er den Klee aufschichten will, eine Unterlage aus Holzreisig von 48 F. Länge und 18 F. Breite, belegt diese mit einer dicken Schicht frischen Weizenstrohes, und legt dann hierauf abwechselnd eine Schicht Klee und eine Schicht Haferstroh, mit der Vorsicht jedoch, daß beide Theile so gleichförmig als möglich ausgebreitet und aufgeschichtet werden, damit sich die Gährung in der ganzen Masse regelmäßig entwickle. Wenn der Haufen auf diese Weise eine Höhe von 12 Fuß erreicht hat, so macht man die Lagen schmäler, damit er einen dachförmigen Abhang von 40° erhält. Nach wenigen Tagen entwickelt sich in der ganzen Masse eine Gährung, welche auf eine bedeutende Entfernung einen angenehmen Geruch verbreitet; der Haufen sinkt dadurch auf $\frac{2}{3}$ seiner Höhe ein, und wird, um ihn gegen Regen und Schnee zu schützen, mit einer Art von Dach mit Stroh bedeckt. Dieses Verfahren hat, wie Hr. Bardonnet versichert, das Gute, daß das Hafer- und Gerstenstroh durch die Gährung in ein dem Klee ähnliches Futter verwandelt und von dem Vieh sehr gierig gefressen wird, und daß sich die aufgeschichtete Masse den ganzen Winter über und länger vortrefflich hält. — Nach einem andern Korrespondenten desselben Journales soll man auf den gemähten Klee eine beinahe gleiche Menge Stroh streuen, beides dann mit Heugabeln ausbreiten. So wie das Stroh wieder trocken geworden, soll man dann aus der ganzen Masse große Schober von 400 bis 500 Gebünden bilden, welche man 6 bis 8 Tage ruhen läßt, ehe man Bunde daraus verfertigt. Der Klee verliert auf diese Weise sein Feuer, wird weich und zerfällt dann, wenn er in trocknen Scheunen aufbewahrt wird, wie zu Pulver. Das Stroh, welches sich sehr leicht mit dem Klee vermengen läßt, benimmt dem Klee die Feuchtigkeit, verhindert die Erhitzung desselben und wird, indem es seinen Geruch und Geschmack annimmt, ein sehr gutes Viehfutter. In Ermanglung von Stroh kann man auch altes Heu, welches das Vieh nur mit Widerwillen frißt, hiezu verwenden.

60. Die Liverpool=Kartoffel.

In mehreren Blättern kömmt vor, daß übereinstimmende Erfahrungen die Resultate gegeben haben, daß diese Sorte wohl die tragbarste aller bis jetzt angebauten Kartoffeln ist, indem sie unter günstigen Verhältnissen einen vierzigfachen Ertrag giebt. Gewiß sehr wundervoll! Auch reift sie schneller im Herbste, und, was aber bemerkenswerth ist, wird hingegen zum Genuß erst dann gut, wenn die Knollen einige Monate im Keller gelegen haben. Das General=Comitè hat sich diese Kartoffel verschrieben, wird sie in seinem Felde anbauen, und am Herbste die Resultate liefern, auch können dann im künftigen Jahre Portionen davon verehrlichen Mitgliedern zu gleichen Versuchen mitgetheilt werden.

61. Das Fallen oder Legen des Flachses.

Gewöhnlich tritt dieses bei guten Leinfeldern ein, und bringt großen Nachtheil. In der Schweiz giebt es ein leichtes Mittel dagegen fast allgemein in Anwendung. Man zieht nämlich Schnüre von Stroh oder Faden in kleinen Entfernungen von einander durch das ganze Flachsfeld, und spannt sie mittelst beigesteckter dünner Stäbe fest an. Besonders häufig kann man diese Methode im Emmenthal sehen, wo bekanntlich die schönste Leinwand bereitet wird und sich der Feldbau überhaupt auf eine hohe Stufe der Kultur erhoben hat.

62. Sicheres Mittel gegen Mäuse in Gärten und bei jungen Obstbäumen, auch Maulbeerbaumhecken.

Da die Mäuse mir besonders bei den jungen Obstbäumen und Maulbeerbaumhecken schon so großen Schaden anrichteten, so versuchte ich schon allerlei Mittel dagegen. Keines entsprach mehr als folgendes: man legt nämlich beim Umgraben des Gartens an verschiedenen Orten, besonders bei den wahrgenommenen Mäusegängen kleine wollene Läppchen in Terpentinöl getaucht und steckt auch solche in die Scheiben der jüngern Bäume und so auch zwischen den Hecken, und bald werden die Mäuse verschwunden seyn.

A. —

63. Inkarnatklee (Trifolium incarnatum Lupinella.)

Das General-Comité hat nach geäußertem Wunsche in kleinen Portionen ein Sortiment der vorzüglichsten Getreidearten von dem Verfasser des trefflichen Werkes, europäische Cerealien, (Heidelberg 1824 Fol. mit Abbild.) dem Großherz. Badenschen Hrn. Garten-Inspector Metzger in Heidelberg erhalten, um sie im Vereinsgarten zu vermehren.

Bei dieser Veranlassung war es demselben Hrn. Gartenbau-Inspektor gefällig, folgende vielfach interessante Nachricht in dessen Schreiben vom 21. März l. J. mitzutheilen: „achtzehn Morgen Inkarnatklee, am 1. September gesäet, haben den langen und strengen Winter gut ausgehalten, und versprechen vorzügliche Aernte, was für unsere Gegend künftig von Wichtigkeit werden kann.“

Allerdings ist ein so großartiger Versuch mit diesem köstlicheren Futterkraute, welches die berühmte Toskanische Landwirthschaft mit der Benennung Lupinella bekanntlich auszeichnet, noch nie in Deutschland angestellt worden, daher die Nachricht über das gute Bestehen der Saat im heurigen Winter um so interessanter. Von der Vortrefflichkeit unsers mehr ausdauernden Wiesenklees durch unzählige Erfahrungen überzeugt, war man nicht geneigt, auf den heimischen Anbau einer bloß jährigen Futterpflanze große Hoffnungen zu gründen. Um so belehrender würden weitere Mittheilungen über die bisherigen Kultur- und Saat-Verhältnisse, so wie über das fernere Verhalten hinsichtlich des Zeitpunktes der Benützung, der Größe des Ertrages, der Qualität des erlangten Futters ꝛc. seyn. Vielleicht ist es dem Hrn. Gartenbau-Inspector gefällig, auch hierüber seine vielfach belehrenden Nachrichten gefällig mittheilen zu wollen.

64. Ueber Hopfenbau.

Den richtigen Bemerkungen des Hrn. Landwirthschaftslehrers Hornstein im Januarhefte zu dem Aufsatze Nr. 50 mögen noch einige Zeilen zur Erledigung des Gegenstandes folgen.

In Böhmen wird der Hopfenbau ganz gewöhnlich, mehr oder weniger sorgfältig und rationel, wie bei uns in Bayern betrieben. Der Saazer Hopfen ist dort, was bei uns der Spalter ist. Es giebt in Böhmen wie in Bayern schweren und leichten Hopfen, welche Verschiedenheit aber in beiden Ländern nicht sowohl der Qualität und Gattung der Hopfenfechser, als vielmehr dem Boden, der Kultur, der mehr oder weniger günstigen Lage und dem Klima zuzuschreiben seyn dürfte. In Böhmen ist deßwegen in Bezug auf den Hopfenbau wenig zu sehen, was in Bayern nicht schon bekannt, und hie und da in Uebung wäre. Daß auch ausser Spalt, Neustadt, Herrieden ꝛc. in mehreren Gegenden Bayerns ein eben so guter und reichhaltiger Hopfen, als in Böhmen, selbst um Saaz, erzeugt werde und der böhmische Hopfen bereits entbehrlich geworden seye, ist längst bewährt. Dieser Industriezweig hat in Bayern schon so tief gewurzelt, daß er keiner besondern Anregung mehr bedarf, da dermalen schon mehr Hopfen jährlich erzeugt wird, als unser großer Bedarf im Lande erfordert und ohne Zweifel je nach der Nachfrage und den rentirlichen Preisen die Erzeugung noch steigen wird. Nur wäre sehr zu wünschen — daß bei dem beinahe allgemeinen Mangel an geräumigen Trockenböden die bereits bekannte einfache Trocken-Maschine durch Verbreitung von Modellen mehr bekannt werden möchte!

In Hinsicht auf die Bier-Erzeugung läßt sich in Böhmen so wenig, als in jedem andern Lande, England ausgenommen, für Bayern Nützliches sehen und lernen. In Böhmen wird wie in der Regel in der ganzen Oestreichischen Monarchie das Bier auf die Obergähre erzeugt, das ganze Jahr hindurch braunes Gerstenbier gesotten (wie beinahe allenthalben ausser Bayern) welches bei der Unlust gegen bitteres Bier weniger Hopfen in Anspruch nimmt, während in Bayern, in mehreren Kreisen wenigstens, ein ganz anderes Sudwesen auf die Untergähre, betrieben nur in den kältesten Monaten des Jahres, mit Ausscheidung von Winter und Sommer oder Lager-Bier, besteht.

Daß übrigens in Böhmen das Bier gewöhnlich malzreicher ist als in Bayern, ist nicht zu läugnen, aber dieses hat ohne Zweifel seinen natürlichen Grund in dem schon lange eingeschlichenen Mißbrauche, daß der Bräuer in Bayern alle seine Wirthe ernähren und ihnen das Bier um drei Pfennige, ja einen Kreuzer per Maaß unter dem jedesmaligen Gantersatz abgeben muß, wenn er Abnehmer haben und behalten will. Wenn dieser Mißbrauch fortbesteht, wird und muß das Bayerische Bier nothwendig seinen hergebrachten guten Ruf verlieren.

Von einem Mitgliede.

65. Vorrath von Salmiakgeist bei jedem Gemeinde-Vorsteher zur Rettung der Kühe und Kälber gegen Aufblähung.

Wie das grüne Kleefutter mehr überhand nimmt, da kommen auch wieder die vielen Aufblähungen des Rindviehs vor, die so manchem Landwirthe schon die schönsten Stücke von Kühen ꝛc. tödteten. Denn jeder Landwirth weiß, daß wenn nicht schnelle Rettung in einem solchen Falle eintritt, der Tod ohne weiters erfolgt. Daher kamen im Wochenblatte des landw. Vereins schon so viele Rettungsmittel dagegen vor. Das schnell wirksamste ist immer der Salmiakgeist, ihn schnell einer solchen Kuh oder Kalb auf einem Löffel eingegeben, wie es auch in besagten Blättern bemerkt wurde. Hierüber kömmt nun weiters im neuesten Wochenblatt des landw. Vereins in Karlsruhe eine sehr nachahmungswürdige Verordnung vor: nämlich der Amtsverein in Rastatt hat als Vorbild nach dem Vorschlage des Hrn. Apothekers Strauß die Einrichtung getroffen, daß bei jedem Bürgermeisteramte 6 Gläschen mit Salmiakgeist je zu 1 Loth hinterlegt, und an solche, welche dessen für den bemerkten Zweck bedürfen, zu 5 kr. per Stück abgegeben, diese aber gleich wieder zur Ergänzung des Vorraths ersetzt werden müßen. Diese Fläschchen sind jedoch an einem kühlen dunklen Orte stets gut zu verwahren. Würde diese Anstalt auch in Bayern allgemein eingeführt, sohin jeder Gemeindevorsteher mit solch einem Vorrath von 6 Gläschen versehen seyn, so kann man annehmen, daß wenigst hundert ja sicher 300 Kühe jährlich gerettet werden können. Bis hierüber eine allgemeine Verordnung auch in Bayern erscheint, möchte es sehr verdienstlich seyn von den Gemeinde-Vorstehern, wenn sie sich solche Fläschchen selbst sogleich anschaffen würden. A — — . —

---

66. Ueber Rigaer Leinsamen.

Rigaer Leinsamen wurde seit Jahren mit beßtem Erfolge von Seite des landw. Vereins, und in den letzten Jahren nach Bewilligung der Landräthe von mehreren k. Regierungen an die Landwirthe vertheilt. Wo der Nutzen davon nicht vollkommen entsprochen hat, liegt die Schuld ganz allein in der Art des Anbaues und in der ganzen Feldbehandlung, vielmehr den Mängeln und Vernachläßigung dabei. In Ansehung der ganzen Feldbehandlung, Saat und Pflege muß man sich auf die klare Anweisung des neuesten Katechismus des Feldbaues vom Staatsrath v. Hazzi

München 1828 3e Auflage. S. 191 bis 199 berufen, zugleich aber auch bemerken, daß schon größtentheils von den Landwirthen beim Anbau zuerst 2 Hauptfehler begangen wurden, und zwar

1) daß sie den Leinsamen wieder auf ein Feld brachten, wo vor ein Paar Jahren schon Lein stand, während man 6 bis 7 Jahre auf das nämliche Feld nicht mehr Lein bauen sollte, und

2) daß sie frischen Samen aussäeten, während jeder und besonders auch der Rigaer Leinsamen 3 Jahre alt seyn muß. Diese 2 Punkte sollen also die Landwirthe wenigst heuer besonders beherzigen.

A — — —

---

67. Noch was über Nutt's neue Bienenzucht und dahin gehörige Literatur.

So wie alle bisherigen Methoden der Bienenzucht und jede Modification derselben ihre Freunde und Gegner hatten, so wird natürlich auch die von Nutt begründete Lüftungs-Bienenzucht Widerspruch erfahren; um so mehr, da sie ihrem Prinzipe nach von allen früheren Methoden verschieden ist, indem sie auf die Lüftung oder Abkühlung der Stöcke durch Ventilation sich gründet, welche den bisher des größten Publikums sich erfreuenden Schriftstellern über Bienenzucht als eine lächerliche Abgeschmacktheit erschien, wenn hie und dort schon lange auf dieselbe hingedeutet worden ist. Dennoch kann derjenige, welcher diese neue Methode unbefangen prüfte, und, wie ich, praktisch ausübte, nichts Anderes erwarten, als daß dieselbe sich allgemein verbreiten, daß durch das Princip der Lüftung eine gänzliche Reform der Bienenzucht herbeigeführt werden wird, mag nun diejenige Art von Bienenstöcken, welche bisher zur Anwendung der Lüftung diente, dieselbe bleiben, oder später noch gänzlich verändert werden. In Haidegegenden, wie im Lüneburgischen und einigen Ostseeländern, und auf den Buchweizenfeldern im Marchfelde und der Neustädter Haide in Oesterreich finden die Bienen eine so ausgezeichnet reiche Nahrung, daß dort die Nothwendigkeit einer Abweichung von der hergebrachten Weise sich weniger aufdrängt. Allein in den meisten Gegenden ist nur die sogenannte Gartenbienenzucht möglich, welche den Bienen nur während 4 bis 6 Wochen im Juni und Juli gestattet, Vorrath für das ganze übrige Jahr und Ueberschuß für ihren Herrn einzutragen. Hier kommt Alles darauf an, daß jedes Hinderniß, welches die Bienen in jener kritischen Zeit im Bauen und Eintragen stört und hemmt, beseitigt werde. Jeder Unbefangene muß eingestehen, daß zu den Haupthindernissen dieser Art gehört:

1) Das Zusammenfallen der Schwarmzeit mit der regsten Honigtracht;

2) die Einrichtung der Stöcke, daß Brutraum und Honig- oder Vorrathsraum derselbe ist;

3) die erstickende Hitze im Innern eines starken und reichen Stockes, die, wenn sie auch nicht oft so hoch steigt, daß das Wachsgebäude zerschmilzt, doch die Bienen zwingt, unthätig vorzuliegen, so daß sehr volkreiche Stöcke, die nicht schwärmten, oft nicht den nöthigen Wintervorrath eingesammelt haben, während junge Schwärme den reichsten Ausstand eintrugen;

4) das Aufthürmen von Kasten zu einer Höhe, die den beladen heimkehrenden Bienen höchst beschwerlich fällt. —

Daneben sollte jeder Bienenzüchter bemüht seyn, die Produkte der Bienen, Honig und Wachs, in der besten Qualität zu erzielen. Honig ist ein Produkt der Bienen, welches Viele gar nicht kennen, obgleich sie lange die Bienenzucht trieben. Honig ist rein und klar, von hellgoldgelber Farbe, von rein süßem Geschmacke und von den schätzbarsten Eigenschaften in medicinischer und diätetischer Hinsicht; jenes trübe, braune Erzeugniß der gewöhnlichen Bienenzucht, von rauhem, unangenehmem, brennendem Geschmacke und leicht verfälschbar, ist ein eckelhaftes, der Gesundheit nachtheiliges Gemenge von Honig, Blüthenstaub (Bienenbrod), Bienenexcrementen u. A. — Lüfterstöcke liefern nur reinen Honig, und da die obengenannten Hindernisse alle durch sie beseitigt werden, so liefern sie den Honig in so großer Menge, als nur möglich ist. — Bei solcher Wichtigkeit des Gegenstandes in ökonomischer und medicinischer Hinsicht wird es nothwendig, das betheiligte Publikum mit der betreffenden Literatur bekannt zu machen.

Es ist zu bedauern, daß Nutt's Schrift (Humanity to Honey-Bees. Wisbech. 1832.) so wenig praktische Anleitung zur Ausübung seiner Theorie giebt. Diesen Mangel suchte Hr. Pastor Mussehl schon in seiner Schrift:

„Anweisung zur Lüftungs-Bienenzucht, nach dem Engl. des
„Th. Nutt. Mit Abbildungen. Neustrelitz. 1834. 1 Rthlr.“

der ersten deutschen Bearbeitung von Nutt's Schrift, zu beseitigen. — Derselbe Uebelstand findet in gleichem Grade bei der bald nöthig gewordenen zweiten Auflage von Nutt's Schrift Statt, die fast unverändert 1834 erschien. Deshalb ist auch die nach dieser von M. Fr. W. Thieme angefertigte Uebersetzung:

„Th. Nutt's Lüftungsbienenzucht oder Menschlichkeit gegen
„Bienen. Nach der 2ten Original-Ausgabe übersetzt. Mit
„Abbildungen. Leipzig. Wigand. 1836. 21 gGr.“

für den Praktiker unbrauchbar, um so mehr, da sie sehr flüchtig gearbeitet ist, und der Uebersetzer durch die auffallendsten Ungereimtheiten seine gänzliche Unkenntniß der Bienenzucht offenbart. — Der praktische Bienenzüchter, der Th. Nutt's Methode ausüben will, verlangt eine vollständige praktische Anweisung, um nicht Gefahr zu laufen, Zeit und Geld unnütz zu verlieren und nach mehreren Jahren erst zu dem Punkte zu gelangen, von welchem er hätte ausgehen können und sollen. Auf diesen Punkt führt folgende Schrift:

„Bericht über die Einträglichkeit der Lüftungs-Bienenzucht,
„nebst Mittheilung wichtiger Erfahrungen in derselben
„und Beschreibung eines vereinfachten und verbesserten
„Flügelstockes. Von W. Ch. L. Mussehl Neustrelitz. 1835.
„1/3 Rthlr.“

Hr. Mußehl hat nicht nur das Verdienst, Nutt's Methode unter dem bezeichnenden Namen der Lüftungs-Bienenzucht bei uns eingeführt, sondern auch so weit vervollkommnet zu haben, daß Nutt selbst zurückbleibt. Die genannte Schrift giebt in Verbindung mit der früheren (Anweisung zur Luft-Bienenz.) desselben Verf. eine vollständige Anleitung für den Praktiker, und Jeder, der schon Nutt's Methode ausübte, wird sie nicht nur mit dem größten Interesse lesen, sondern auch die lebhafteste Freude empfinden über die hier mitgetheilten Verbesserungen des Flügelstockes (Nutt's collateral-box), der nun fast nichts mehr zu wünschen übrig läßt, indem er zugleich möglichst vereinfacht worden ist. Besonders dankenswerth ist die Klarheit und Deutlichkeit, mit welcher Hr. M. seine Beobachtungen, Resultate, Ansichten und Verbesserungen vorträgt, indem sie dadurch auch dem weniger Gebildeten klar werden. Da hier nicht Raum ist, auch nur eine Uebersicht des reichen Inhalts dieser lehrreichen Schrift zu geben, so müssen wir einem Jeden um so mehr anrathen, sie selbst zu lesen.

Hr. Dr. Karl Hoyer hat in einer kleinen Schrift:

„Grundzüge einer auf Natur und Erfahrung gegründeten „Bienenzucht, in möglichster Kürze dargestellt. Nebst 4 „Abbild. (auf einem Quartblatte). Minden 1836 1/6 Rthlr.“

ebenfalls auf die Vorzüge der Lüftungsbienenzucht aufmerksam gemacht. „Die vierte Art der Bienenwohnungen (sagt er S. 23), die allen die Krone aufsetzt, ist der Lüftungsstock.“ Da aber seine Beschreibung des Stockes und Anweisung zur Lüftungsbienenzucht nur 5 Seiten füllt, so ist schon hieraus zu entnehmen, daß er dem Praktiker nicht genügen kann. Der Verf. stimmt mit Hrn. Mussehl darin überein, daß die Schwarmbienenzucht von nun an nicht mehr zur Honigproduktion, sondern daß die Schwarmstöcke nur als Zucht- und Brutstöcke zur Rekrutirung und Verstärkung der Honigstöcke benutzt werden müssen.

Eine andere Schrift, deren Verf. es scheuet, sich zu nennen, verdiente hier nicht erwähnt zu werden, wenn es nicht nöthig wäre, davor zu warnen. Der Titel:

„Goldkörner für Bienenhalter. Enthaltend eine ausführliche (?) „Belehrung von neuen Lager-, Lüftungs- und Schwarmkörben 2c. Ulm und Leipzig. J. Ebner'sche Buchhandlung“ (ohne Jahreszahl).

ist lediglich darauf berechnet, Käufer anzulocken, täuscht aber. Der hier beschriebene Lüftungskorb hat durchaus keine Einrichtung, die nur einigermassen die Lüftung gestattete. Jeder also, der sich durch diese Schrift mit dem Wesen der Lüftungsbienenzucht bekannt zu machen gedächte, würde seinen Zweck verfehlen und gänzlich irre geführt werden.

Greifswald, im Januar 1836.

Dr. Hornschuch, Professor.

---

68. Wichtige Anzeige über Kartoffelmehl.

Aus der österreichischen Gesundheits-Zeitung, einem Blatte, welches sich durch gemeinnützige Aufsätze in jeder Nummer auszeichnet.

Die Familie eines Apothekers besaß durch eine lange Reihe von Jahren das Geheimniß, ein gewisses Pulver zu verfertigen, welches in angemessenen speciellen Fällen, z. B. bei nervösen Schwindsuchten ohne Eiterung, oder bei sonst abgemagerten, der Dürrsucht ergebenen Menschen angewendet, sich sehr wirksam zeigte, und daher der im Besitze des Geheimnisses befindlichen Familie einen reichlichen Gewinn verschaffte. Dieses Pulver hat die Eigenschaft, daß es, einige Monate hindurch gebraucht, die Ernährung des dahin schwindenden Körpers unglaublich befördert, und durch seinen milden Nahrungsstoff die Reizbarkeit im Allgemeinen günstig herabstimmt. Fälle dieser Art haben bei Unterzeichnetem den Wunsch lebhaft erregt, sich das erwähnte Pulver zu verschaffen, um die Analyse desselben, die man mehrfach schon, aber immer fruchtlos versucht hatte, unternehmen zu lassen, und zugleich wurde, um desto gewisser in den Besitz des Geheimnisses zu kommen, auch der pekuniäre Weg versucht. Beides hatte den gewünschten Erfolg, und zwar die Analyse durch den sehr thätigen Hrn. Franz Ringer in Wien, (Apotheker zum heiligen Leopold in der Spiegelgasse) welchem es mit vieler Mühe und Aufwand an Zeit gelang, die dem Pulver zur Erschwerung der etwaigen Nachahmung beigemischten fremdartigen Ingredienzien richtig auszuscheiden, und den eigentlichen wirksamen Bestandtheil desselben rein darzustellen. Das auf diesem Wege entdeckte Arcanum wird zum Wohle der Menschheit hiermit bekannt gemacht, und zugleich erklärt, daß das geheimnißvolle Pulver zur Hauptsache aus Kartoffelmehl besteht, dessen Bereitung Hr. Ringer, der bereits mit einem hinlänglichen Vorrathe des erwähnten Pulvers versehen ist, auf folgende Art angiebt:

Um das aus Kartoffeln zu erzeugende nahrhafte Mehl in möglichster Ergiebigkeit zu gewinnen, wähle man die rothen Kartoffeln vor den andern Sorten um so mehr, da sie dasselbe in größerer Menge enthalten, und auch zum medicinischen Gebrauche, zumal Behufs des, durch einen Zusatz von Wasser oder Milch, womit es einmal aufgekocht wird, zu erzeugenden höchst nahrhaften Brustmittels, welches als Kartoffelsulze (Gelée) bekannt ist, besonders empfohlen werden.

Das Verfahren bei Erzeugeng dieses Mehles ist folgendes: Will man eine eben nicht sehr große Quantität von diesem Mehle gewinnen, so bürstet man die Kartoffeln im Wasser sorgfältig ab, oder man schält sie vielmehr, um alles Fremdartige zu beseitigen, und um den Mehlstoff in höchster Reinheit und Weiße darzustellen. Arbeitet man im Großen, so wäre diese Methode wegen des dazu nöthigen Aufwandes von Zeit und Mühe keineswegs zu empfehlen. Man bedient sich einer Reibmaschine oder eines gewöhnlichen Reibeisens (hierorts Riebeisen genannt), um die bloß auf's Reinste gewaschenen Kartoffeln auf's Feinste zu reiben, indem man einen bis zur Hälfte mit Wasser gefüllten Kübel oder eine Wanne vor sich hinstellt, welche, sobald die zur Verarbeitung bestimmten Kartoffeln alle gerieben, und darein gethan sind, vollauf mit Wasser gefüllt werden. Es ist zweckmäßig, große Gefäße hierzu zu wählen, um viel Wasser den geriebenen Kartoffeln beisetzen zu können, damit das gebildete Kartoffelmehl sich leichter heraussetzen könne. Das Geriebene wird sodann, vermengt mit dem umgebenden Wasser, auf ein Haarsieb über einem Kübel oder Faß ausgerieben. Die auf dem Siebe zurückbleibenden Fasern sind als Viehfutter zu benützen.

Das durchgeriebene Kartoffelmehl läßt man zum Absetzen durch einige Stunden ruhig stehen, und nachdem es sich zu Boden gesetzt hat, wird das darüber stehende Wasser, durch an der Seite des Kübels oder Fasses angebrachte, mit Zapfen versehene Löcher abgelassen.

Es werden darauf die Löcher wieder geschlossen, und frisches Wasser unter Aufrühren des Kartoffelmehls in das Faß gebracht. Wenn es sich wieder gesetzt hat, so wird das Ablassen des Wassers und das Daraufbringen eines reinen Wassers unter abermaligem Aufrühren des Mehles wiederholt, und man fährt damit so lange fort, bis das Wasser völlig klar und farblos abläuft.

Es wird darnach das Kartoffelmehl aus dem Fasse (Kübel) genommen, und entweder auf Leinwand oder Papier gegeben, an der Luft, oder auf Siebe gebracht in einen Trocken-Ofen bei mäßiger Wärme getrocknet.

Das getrocknete Kartoffelmehl besteht sodann aus fest zusammenhängenden, kleinen etwas länglich geformten Stücken, das man dadurch wieder in Pulverform bringen kann, wenn man selbes bloß durch ein Haarsieb reibt; will man selbes aber in Form eines sehr feinen Pulvers erhalten, so muß solches früher entweder gestossen oder in steinernen Mörsern gerieben, und sodann durch Leinwand gebeutelt werden.

Die Ausbeute ist gewöhnlich: zehn Theile Kartoffeln geben drei Theile des Kartoffelmehles, und somit dreißig Pfund drei Pfunde. Es ist dabei zu bemerken, daß zu dem Gewinnen einer größeren Ausbeute die Herbstzeit sich am Besten eignet, so wie dieses auch wesentlich von der Güte und Qualität der Kartoffeln abhängt.

Die so eben beschriebene Bereitung des äußerst feinen Pulvers ist bloß für den medicinischen Gebrauch bei gewissen Krankheiten, z. B. bei der Schwindsucht, dem Zehrfieber, der Rückenmarkdürre, bei Entkräftung, nach großem Blutverlust u. s. w. überhaupt bei Abmagerungen, Austrocknungen und Dürrsuchten mit oder ohne Eiterung eines Organs. Es ist gewiß das specifische, am leichtesten verdauliche, reizloseste, mildeste Nahrungsmittel, daher, wie es scheint, zugleich das homogenste Nahrungs- und Arzneimittel in ähnlichen Fällen. Man bereitet es zum Genusse, wenn man es mit etwas kaltem Wasser zu einem Brei abrührt und salzt, dann mit halb Milch und Wasser oder auch mit Milch allein abkocht, während des Sudes aber fleißig umrührt. Will man es für den Gaumen noch angenehmer machen: so giebt man etwas Zucker, für fieberlose Kranke auch wohl Vaniglia, Zimmt, Caffee, Chocolade u. s. w. dazu. Es giebt Familien in Wien, welche sich dieser Bereitung, mit halb Milch und Wasser, zum Frühstück mit bestem Erfolge bedienen. Andere benützen es, wie die beste Sahne (Schmette) zum Caffeh. Man kann dieser Nahrung auch eine andere Gestalt geben, z. B. eines Getränkes, wenn dieselbe mit Wasser so dünne vermischt wird, daß dieses nur trüb erscheint; dann eines schleimigen Thee's wie auch einer wohlschmeckenden Brühe (Suppe, Panadels, Breies, Koches), oder einer kalten auch warmen Sulze. Zum Maßstabe hiezu diene Folgendes: Auf ein Seitel bayerische halbe Maß (1 Pfund) Flüßigkeit nehme man 1 Quentchen (einen Caffeelöffel voll) von dem feinen Pulver, lasse es bei stetem Umrühren 2 bis 5 Minuten lange aufkochen, so erhält man die Consistenz einer dicken Sahne.

Mehr Pulver und eine längere Zeit beim Aufkochen giebt immer der Masse eine veränderte Gestalt, so auch umgekehrt.

Zum allgemeinen Gebrauch, besonders bei Mangel an anderen Lebensmitteln, ist das feine Pulver nicht nothwendig; jedoch die Bereitungsart auch des gröberen Pulvers ist eben dieselbe, welche oben für das feinste schon angegeben wurde, doch mit dem Unterschiede, daß selbes auf dem halben Wege der Abwaschung oder Reinigung schon vollendet ist. Auf diese Weise gewinnt man also ein graulisches, gröbliches Pulver, wovon man aber auch eine bei Weitem größere Ausbeute von der Masse der Erdäpfel erhält. Bemerkenswerth ist es, daß gerade die von Menschen mit Unrecht verschmähten, und daher bloß zum Viehfutter verwiesenen rothen Kartoffel hiezu am Meisten taugen. Das auf diese Art gewonnene gut getrocknete Pulver ist leicht an Gewicht, und läßt sich an einem trockenen Orte ohne Nachtheil Jahre lang aufbewahren.

Auch dieses gröbere Pulver wird mit kaltem Wasser zu einem Brei aufgelöst, gesalzen und beim Kochen mit Wasser umgerührt, dann aber als Suppe, Brei oder Sulze verwendet. Um demselben einen besondern Geschmack zu geben, kann man individuel oder nach Landessitte, entweder grünes Gewürz, z. B. Sellerie, Zwiebel u. s. w. oder andere Gewürze, wie Pfeffer, Paprika, dazu geben; auch wird diese Nahrung wohlschmeckender, wenn man ein wenig Fett, besonders Rindsfett, Abschöpffett, Butter u. s. w. zusetzt. Für Menschen ist dessen Genuß so ergiebig, daß man mit einem Pfunde bei zwei Mahlzeiten in 24 Stunden gesättiget ist, und ist dabei gewiß die gesundeste und wohlfeilste Nahrung; demnach ist es in Festungen, Spitälern, Instituten, Strafhäusern, auf Seeschiffen und zur Zeit einer Hungersnoth von außerordentlicher Wohlthat.

In medicinischer Hinsicht kommt es dem theuren englischen Arow-Root ähnlich.

Von einem praktischen Arzte in Wien.

---

69. Kultur des feinsten Hanfes.

Solchen besitzt jetzt wohl das Großherzogthum Baden, theils in der ehemaligen Rheinpfalz auf Mittelboden, theils in dem niedrigen Anschwemmungsboden um Kehl. Der Hanf kann keinen Boden leiden, der von stagnirenden Gewässern in der Oberfläche oder 2 bis 3 Fuß im Unterboden besitzt, aber eben so wenig einen trockenen nicht tiefen Boden.

Am besten gedeihet der Schleißhanf nach Klee in der Menge, aber in der Güte besser nach Weizen, Raps oder Bohnen.

Der Kleeacker mit Hanf zur Nachsaat wird einmal im Herbst, und wiederum im Winter, sobald es die Witterung erlaubt, gepflügt, nach andern Früchten nur im Herbst, aber der Hanf leidet niemals Schollen. Gewöhnlich giebt man dem Hanf im Frühjahre drei Pflügungen, ist aber der Boden unkrautig und schollig, vier bis fünf: denn der Boden muß wie Gartenland seyn, und der Oldenburger im Stedingerlande (Marschland) bauet ihn stets im Garten beim Hause.

Gar sehr ist der Hanfbau in der Nähe von Mooren zu empfehlen, und die obere zur Feuerung fast werthlose Torferde in die Ställe statt der Streu zu bringen, damit sie die Jauche und dadurch den Torf in die trefflichste Düngung verwandelt. *)

*) Auf einem solchen Moor- oder Moosgrund baue ich selbst jährlich den schönsten Hanf. A. d. R.

Kein magerer Boden taugt für den Hanf, und selbst die beste Düngung kann er sich in trocknen Jahren nicht aneignen. Man giebt im Winter der künftigen Hanfsaat den Dünger, aber erst wenn er 6 – 8 Monate alt ist, und heißen Pferdedünger nie allein.

Man säet den Brech- oder Spinnhanf dicker als den Schleißhanf. Jäten bedarf aller Hanf zur Entfernung des Unkrauts, aber nur so lange er noch biegsam ist. Schleiß bedarf wegen wenigerer Saat noch mehr eine gute Jätung, als anderer Hanf.

In Baden bestimmt der Vorstand der Gemeinde, wann der Hanf gezogen werden soll, was zum allgemeinen polizeilichen Nutzen dient.

Aller Hanf wird geröstet in hellem stillstehenden Wasser, denn der im Thau geröstete ist hellgrau und weniger fest. Man röstet ihn gemeiniglich in 5 bis 6 Tagen und trocknet ihn auf Getreidestoppeln, auf frisch gemäheten Wiesen und Klee- oder Weideäckern. *) Nasse Jahre bringen ihm und dem Weine stets Mißwachs. Er muß, um die Mühe zu bezahlen, wenigstens 10 Fuß hoch seyn. Der Hanf kann sich bis 6 Jahre im nämlichen Boden halten, wird aber je älter desto weniger weiß. Baden mag wenigstens 50,000 Centner Hanf ausführen.

Jede viel Hanf bauende Gemeinde hat ihre eigene Hanfwage, und jeder Ballen hält 2 bis 3 Centner, und wird mit dem Zeichen des Erbauers versehen, so wie mit einer besondern Nummer auf einer aufgehängten Tafel. Das Gewicht und die Nummer mit dem Namen des Käufers und Verkäufers werden im Register eingetragen, um Betrug zu verhindern. Gemeiniglich wird der Hanf in Gegenwart des Käufers eingebunden. Der Centner Schleißhanf kostet 13 Gulden bis 30 Gulden 33 Kreuzer; der Brech- und Spinnhanf ist bisweilen 2 – 3 Gulden wohlfeiler.

Alle den Hanfbau treibende Gemeinden führen etwa 3/4 des Hanfs in's Ausland und da sie stets eine ganz vorzügliche Landwirthschaft treiben, so haben alle ihre Produkte bei In- und Ausländern einnn guten Preis.

Die Engländer haben jetzt entdeckt, daß man den Hanf ohne die, die Luft in der Nähe verpestende Wasserröste zum Spinnen benutzen kann. Der Hanf wird zwischen zwei Platten gebracht, welche Federn gegen einander in Bewegung setzen, und durch Reibung den Kleber fortschaffen. Demnächst wird aus

*) So ist das Verfahren auch meistens in Bayern, wenigstens bei mir. A. d. R.

dem Hanf ein so feiner Faden gezogen, daß er sich eben so wie die Flachsfäden verarbeiten läßt.

Das Dingler'sche polytechnische Journal (LV. 2.) hat von einer neuen Hechelmaschine den Abdruck, und im Vorspinnen Spinnen und Dubliren aller Spinnstoffe haben die Britten so wichtige Entdeckungen gemacht, daß deßwegen solche jetzt die vorhin verschmähete Hede theuer bezahlen, und daß deren Ausfuhr steigt.

Ueberhaupt fehlt bei der Uebertreibung, welche wir einigen Zweigen der Landwirthschaft großer Landgüter widmen, der Sinn, Gewerbe, die bei uns ihrer Natur nach mehr den Landmann kleiner als großer Landgüter beschäftigen, mehr zu heben, damit auch sie durch Vervollkommnung ihrer Produkte, ehe sie in den Handel kommen, mehr Menschenhände und weniger Thiere beschäftigen, und damit der Kaufmann sie ohne neue Reinigung oder Veredlung in den Handel bringen kann.

Nichts ist aber auffallender, als daß das englische Volk seine Maschinerie immer weiter treibt, und zugleich die Produktionen seiner Landwirthschaft in einem schönen Klima bei vielem Regen aber weniger Kälte und drückender Hitze und seltenem Schnee so wenig vervielfältiget.

Es ist dieses aber die Schuld seiner Kornbill und des übertriebenen Bestrebens, Getreide zu erbauen. Es schaffe muthig seine Kornbill ab, und baue dagegen mehr Flachs und Hanf, Tabak, Oelsaaten u. s. w., so verschwindet in diesem Punkt seine Abhängigkeit von Rußland. Dieses ist eine höhere Politik, als alles Streben seiner und der französischen Regierung, schon heute die unbedingte Durchfahrt der Kriegsschiffe nach dem schwarzen Meere für seine Flagge erlangen zu können. Dem schwarzen Meere fehlen zwar keine Häfen, aber Produkte, die das Ausland schätzt, oder den Küsten jenes Meeres Einwohner und Geld, um fremde Produkte zu kaufen. Will Rußland in seinem Ausschließungssystem vom Handelsverkehr mit andern Völkern beharren, so beharre es dabei, aber man biete alles auf, um seine Stapelwaaren zu entbehren. Der erste Weg dazu ist wenigstens eine Umbildung der Kornbill, sie wird erfolgen in dem Jahre, wo die Nation das Recht erlangt haben wird, aus dem Körper der Pairsfamilien die würdigsten in's Oberhaus zu wählen. Jahrhunderte lang wählte das Oberhaus die meisten Volksrepräsentanten im Unterhause, es ist aber weiser, daß eine Auswahl der Pairs, wie in Schottland und in Irland, auch in England, dessen Adel nicht patriotischer ist als der britische oder schottische, vom Volke oder wenigstens aus ihrem Stande von ihnen selbst gewählt wird. — Wäre die Volkrepräsentation in den Schweizer Kantonen früher allgemeiner gewesen, so würde sich die patrizische Städteregierung und Beamtung in den Landvogteien nicht so verhaßt gemacht haben! Aber ich bleibe dabei, was ich immer gesagt habe, die Aufhebung der englischen Kornbill wird für Deutschland sehr wichtig im Getreidebau werden, aber uns dagegen in der Viehzucht und dem Absatz ihrer Produkte eben so viel Schaden zufügen. Aber der Wechsel mancher unerschütterlich geglaubten Zustände ist jetzt an der Tagesordnung.

Rüder.

---

70. Ueber die Blitzableiter, ihre Vereinfachung und die Verminderung ihrer Kosten. Nebst Anhang über das Verhalten der Menschen bei Gewittern. Gemeinfaßliche Belehrung für die Verfertiger der Blitzableiter und für Hausbesitzer. Im Auftrage der k. Centralstelle des landw. Vereins in Würtemberg von derem Mitgliede und wissenschaftlichen Sekretär Prof. Dr. Plieninger. Mit drei lithographirten Tafeln. Stuttgart und Tübingen bei Cotta. 1835. 8. 114 S.

Bereits der Titel des Buches spricht die löbliche Absicht des Verfassers, worüber die Vorrede umständlicher handelt, aus, durch wohlfeilere Vorrichtungen die Bewaffnung der Gebäude gegen den Blitz allgemeiner zu machen, welcher früher deren kostspieligere Construktion sehr entgegen war.

Ueber die Eigenschaften des Blitzes, den Nutzen der Blitzableiter, so wie über die Anfertigung derselben nach der im Würtembergischen üblichen Art, ist in mehreren Abtheilungen alles Erforderliche sehr gut und faßlich beschrieben. Statt den ehemals zu Blitzableitern verwendeten Eisenstäben sind sehr richtig die bei weitem zweckmäßigeren Eisenschienen empfohlen, und zu mancherlei Ersparungen, unbeschadet der Sicherheit für die Gebäude weitere Anweisungen gegeben.

Warum aber in dem Buche nur allein das Eisen als verwendbares Material, und warum nicht auch z. B. Drahtseile aus Messing oder Kupfer, und ihre Anwendung vorgeschlagen wurden, das dürfte auf lokalen Verhältnissen beruhen. Vielleicht haben die Preise des Messingdrahtes und die des gewalzten Eisens eine größere Verschiedenheit in Würtemberg als bei uns in Bayern.

Ein Blitzableiter aus entsprechendem Messingdrahtseile kömmt dahier nicht höher zu stehen, als wenn gewalztes Eisen nach der vorgeschriebenen Qualität, wovon in den Kostenbeispielen der laufende Schuh mindestens zu 6 kr. erscheint, dazu verwendet würde, indem vom Messingdrahtseile der laufende Schuh höchstens 7 kr. kostet. Dagegen dürfen bei Anwendung des letzteren, bei dessen geringerer Neigung zum Roste, nicht nur die bei der eisernen Bodenleitung nicht überflüßig erscheinenden Versenkungskosten und Lager ꝛc. wegbleiben, sondern es erfordert auch jedenfalls die Aufstellung eines Ableiters aus einem Stücke biegsamen Drahtseiles nur so viele Stunden als halbe Tage zu einem Ableiter aus zusammengesetzten Eisenschienen oder Stangen nöthig sind.

Allen eingezogenen Nachrichten zu Folge gehört Bayern zu den Ländern, in welchen im Verhältnisse die mehrsten Gebäude gegen den Bliß versichert sind; es bedarf daher nur mehr der Nachhilfe der Regierung, welche darin besteht, daß für jeden Kreis ein Individuum aufgestellt, und ihm die regelmäßige Visitation der Ableiter auf Staats- und öffentlichen Gebäuden, so wie die Kontrolle der neu zu errichtenden Ableitungen übertragen werde, und daß den mit Ableitern versehenen Gebäuden bei der Konkurrenz zu den Brandschäden eine billige Berücksichtigung zukomme.

Bogenhausen bei München.

Georg Mayer.

Mittelpreise
auf den
vorzüglichsten Getreideschrannen in Bayern.

Wochen.	Getreid-Sorten.	Aichach.		Amberg.		Ansbach.				Augsburg.		Baireuth.		Erding.		Kempten.	
		fl.	kr.	fl.	kr.	fl.	kr.	fl.	kr.	fl.	kr.	fl.	kr.	fl.	kr	fl.	kr.
Vom 3. bis 9. April 1836.	Weitzen	9	8	10	37	10	—	10	20	10	13	13	18	9	—	—	—
	Kern	—	—	—	—	9	30	10	28	10	31	—	—	—	—	12	42
	Roggen	5	28	6	36	6	47	6	49	6	—	8	39	5	12	8	6
	Gerste	7	57	7	35	—	—	—	—	8	58	10	—	7	33	8	3
	Haber	4	12	5	29	5	10	5	38	4	20	6	39	4	24	5	20
Vom 10 bis 16. April 1836.	Weitzen	10	10	10	18	9	56	10	30	10	9	13	23	9	6	—	—
	Kern	—	—	—	—	9	58	10	5	10	15	—	—	—	—	12	37
	Roggen	5	29	6	34	6	36	6	40	6	3	8	36	5	12	8	17
	Gerste	7	43	7	53	9	11	9	—	8	24	10	30	8	—	8	—
	Haber	4	15	5	17	5	21	5	16	4	18	6	45	4	—	5	12
Vom 17. bis 23. April 1836.	Weitzen	10	8	10	37	9	53	9	58	10	28	13	18	9	12	—	—
	Kern	—	—	—	—	9	55	9	42	10	6	—	—	—	—	12	24
	Roggen	5	32	6	29	6	41	6	37	6	—	8	38	5	15	8	9
	Gerste	7	48	7	26	—	—	9	39	8	23	10	23	8	24	8	57
	Haber	4	28	5	16	5	20	5	23	4	16	6	54	4	—	5	29
Vom 24. bis 30. April 1836.	Weitzen	9	56	10	17	9	42	9	39	10	3	—	—	9	—	—	—
	Kern	—	—	—	—	9	32	9	53	10	—	—	—	—	—	12	21
	Roggen	5	21	6	30	6	35	6	29	5	49	—	—	5	15	8	2
	Gerste	7	47	8	1	—	—	10	—	8	5	—	—	8	—	8	—
	Haber	4	14	5	17	5	21	5	25	4	26	—	—	4	—	5	10

Mittelpreise
auf den vorzüglichsten Getreideschrannen in Bayern.

Wochen.	Getreid-Sorten.	Landsberg fl.	Landsberg kr.	Landshut. fl.	Landshut. kr.	Lauingen. fl.	Lauingen. kr.	Memmingen. fl.	Memmingen. kr.	München. fl.	München. kr.	Neuötting. fl.	Neuötting. kr.	Nördlingen. fl.	Nördlingen. kr.	Nürnberg. fl.	Nürnberg. kr.
Vom 3. bis 9. April 1836.	Weitzen	—	—	8	45	9	9	—	—	10	32	8	52	—	—	—	—
	Kern	10	49	—	—	10	5	11	32	—	—	—	—	—	—	—	—
	Roggen	5	55	4	52	6	37	7	6	6	3	5	9	—	—	—	—
	Gerste	8	10	7	7	7	50	9	—	8	22	6	24	—	—	—	—
	Haber	4	15	3	54	4	28	4	37	4	13	3	36	—	—	—	—
Vom 10. bis 16. April 1836.	Weitzen	—	—	8	45	—	—	—	—	10	52	8	32	—	—	10	3
	Kern	—	—	—	—	9	47	12	3	—	—	—	—	9	54	—	—
	Roggen	—	—	4	52	6	30	7	5	6	3	5	31	7	—	6	5
	Gerste	—	—	6	52	7	56	9	—	8	22	—	—	8	6	8	5
	Haber	—	—	3	52	4	22	4	34	4	13	3	39	5	21	3	4
Vom 17. bis 23. April 1836.	Weitzen	—	—	8	—	—	—	—	—	10	36	8	36	—	—	10	2
	Kern	10	40	—	—	9	56	11	34	—	—	—	—	10	12	—	—
	Roggen	6	23	4	45	6	31	7	—	6	5	5	30	7	15	6	5
	Gerste	7	40	7	—	7	52	9	—	8	39	—	—	8	11	9	[illegible]
	Haber	4	22	3	48	4	27	4	39	4	34	3	36	5	6	5	4
Vom 24. bis 30. April 1836.	Weitzen	—	—	8	37	—	—	—	—	10	32	8	24	—	—	10	[illegible]
	Kern	11	4	—	—	9	25	11	28	—	—	—	—	10	24	—	—
	Roggen	6	18	4	45	6	17	7	—	6	3	5	20	7	23	6	[illegible]
	Gerste	8	15	6	15	7	43	9	15	8	40	—	—	8	15	8	[illegible]
	Haber	4	36	3	45	4	25	4	41	4	33	3	53	5	15	5	[illegible]

Mittelpreise
auf den
vorzüglichsten Getreideschrannen in Bayern.

Wochen.	Getreid-Sorten.	Passau. fl.	Passau. kr.	Regensburg. fl.	Regensburg. kr.	Rosenheim. fl.	Rosenheim. kr.	Speyer. fl.	Speyer. kr.	Straubing. fl.	Straubing. kr.	Traunstein. fl.	Traunstein. kr.	Vilshofen. fl.	Vilshofen. kr.	Wellheim. fl.	Wellheim. kr.
Vom 3. bis 9. April 1836.	Weitzen	9	—	9	—	9	36	—	—	8	30	10	—	8	46	11	48
	Kern	—	—	—	—	—	—	—	—	—	—	—	—	—	—	11	48
	Roggen	—	—	5	43	6	19	6	53	5	26	6	12	6	—	7	36
	Gerste	6	—	6	39	6	26	6	54	6	—	6	36	—	—	7	48
	Haber	4	—	4	56	3	58	6	23	4	11	3	48	—	—	5	15
Vom 10. bis 16. April 1836.	Weitzen	9	—	9	1	9	18	—	—	8	13	9	48	8	45	11	30
	Kern	—	—	—	—	—	—	—	—	—	—	—	—	—	—	11	36
	Roggen	—	—	5	38	6	10	—	—	5	18	6	12	6	8	7	—
	Gerste	6	—	6	44	6	20	—	—	5	52	6	36	5	47	8	—
	Haber	—	—	4	54	3	57	—	—	4	19	3	42	—	—	4	52
Vom 17. bis 23. April 1836.	Weitzen	8	20	8	42	9	31	11	33	7	57	9	42	8	36	11	3
	Kern	—	—	—	—	—	—	—	—	—	—	—	—	—	—	11	3
	Roggen	—	—	5	30	6	14	7	42	5	15	6	12	5	20	7	20
	Gerste	—	—	6	34	6	24	6	56	5	56	6	30	5	20	7	44
	Haber	4	7	4	39	3	48	5	13	4	—	3	36	4	2	4	20
Vom 27. bis 30. April 1836.	Weitzen	9	—	8	49	9	25	11	24	7	37	9	36	8	14	11	18
	Kern	—	—	—	—	—	—	—	—	—	—	—	—	—	—	11	18
	Roggen	6	12	5	45	6	14	7	47	5	15	6	12	5	44	7	12
	Gerste	5	45	6	18	6	22	6	59	5	32	6	24	5	12	8	26
	Haber	4	24	4	24	3	50	5	25	4	—	3	36	—	—	5	4

Centralblatt

des

landwirthschaftlichen Vereins in Bayern.

Jahrgang: XXVI.

Monat: Mai 1836.

Landwirthschaftliche Berichte und Aufsätze.

72. Ueber die Spekulation, die Arbeit bei der Landwirthschaft im richtigsten Maße anzulegen, von J. G. Elsner.

Wer sie verschwendet, der macht unnöthige Ausgaben, hat dadurch Schaden und spekulirt also falsch; wer sie da spart, wo sie unumgänglich nöthig ist, dem bleibt vieler Nutzen aus, er erhält sich einen Groschen und verliert darüber einen Thaler, und er spekulirt ebenfalls falsch. Ein Gleiches gilt von dem, welcher sie nicht zur rechten Zeit und am rechten Ort anlegt. Hieraus ergeben sich denn wieder mehrere Unterabtheilungen, auf welche man bei Anlegung der Arbeit zu achten hat.

a) Man muß die Arbeit nicht verschwenden. In manchen landwirthschaftlichen Verhältnissen kommt dieß ganz besonders vor. Ich erinnere nur an die Frohne. Weil es bei dieser eine bekannte und hergebrachte Sache ist, daß diejenigen, welche sie leisten, müßig gehen, so fügt man sich ins Unvermeidliche und ist zufrieden, wenn man von einem Fröhner nur halb so viel geleistet bekommt, wie von einem mittelmäßig fleißigen Arbeiter. Ein spekulativer Landwirth findet aber auch hier ein Aushilfsmittel. Er sucht das Zutrauen der ihm verpflichteten Fröhner zu gewinnen, stellt ihnen die verlorne Zeit vor, welche durch ihren Müßiggang vergeudet wird und findet sich, weil es ihm auch um das Wohl der Fröhner zu thun ist, mit ihnen dahin ab, daß er ihnen entweder ein gewisses Pensum aufgiebt, nach dessen Vollendung sie abziehen und in ihre Oekonomien zurückgehen können, oder daß er ihnen einen fleißigen Arbeitstag für einen und einen halben, ja wohl auch für zwei Frohntage (nach Maßgabe der Menge und Güte der geleisteten Arbeit) zu Gute rechnet. Wer an die Möglichkeit und die Ausführbarkeit eines solchen Verfahrens nicht glaubt, der mache nur einmal den Versuch. Er muß jedoch nicht gleich ermüden, wenn er auch nicht sobald sämmtliche Fröhner überzeugt und zu ihrem eigenen Besten aus trägen zu fleißigen Arbeitern macht. Bedenken muß er stets, daß sie in geistiger Bildung weit unter ihm stehen und daher auch nicht sogleich einsehen, wie gerade sie den größten Vortheil bei einer solchen Einrichtung haben. Ich könnte ein recht treffendes Beispiel aus meiner eigenen Erfahrung anführen, wo recht verwöhnte und zum Theil sehr böswillige Fröhner, die durch fortwährenden Druck hartnäckig und aufsäßig geworden waren, es doch recht bald begriffen, daß ich bei einer solchen Einrichtung nur ihr Bestes wollte, und sich in allem fügten, wodurch sie denn ihre Frohne meistentheils in der halben Zeit abthaten und die übrige zur Bestellung ihres eigenen Hauswesens gewannen.

Wer eine solche Einrichtung durchsetzt, der spekulirt ohne alle Frage klug und glücklich. Denn er bekommt seine Arbeit in der halben Zeit gethan; sie wird besser verrichtet, weil allemal ein Arbeiter, welcher mit Lust und Freudigkeit an's Werk geht, dasselbe auch besser vollbringt als ein träger und widerspenstiger, und er hat noch außerdem den großen Vortheil, daß er keine unnöthige Aufsicht zu führen braucht, welche er in der ersparten Zeit auf etwas Anderes verwenden kann.

Aber auch keine freie und bezahlte Arbeit, und diese gerade am allerwenigsten, darf man verschwenden. Wer mit der Arbeit, welche er z. B. mit einem Thaler bezahlt, so viel durchsetzt, wie ein Anderer, der für 1½ Thaler deren nöthig hat, der macht ohne alle Frage ein besseres Geschäft, wie dieser. Wo besonders sehr viele Arbeiter angestellt sind, da kann man es eine kluge Spekulation nennen, wenn der Landwirth bei der nöthigen Aufsicht streng und bis ins Kleinliche pünktlich ist. Man rechne nur z. B., es seyen 30 Arbeiter angestellt, und es versäumen diese bei den gewöhnlichen Feierstunden jeder 5 Minuten, und dieses dreimal des Tages, so macht dieses für jeden eine Viertelstunde, und für alle zusammen 7½ Stunde, was beinahe einen Arbeitstag für einen austrägt, so daß er bei guter Aufsicht mit 29 eben so viel hätte ausrichten können, wie in dem gegebenen Falle mit 30. Und wie unbedeutend erscheinen fünf Minuten, und wie häufig werden sie versäumt? —

b) Man muß die Arbeit nicht zur Unzeit sparen. Es kann kein thörichteres und nachtheiligeres Verfahren gedacht werden, als das, welches manche Landwirthe zuweilen beobachten. Sie haben eine Art von Entsetzen vor allen Ausgaben, und huldigen einzig und allein dem Grundsatz: ein ersparter Groschen ist auch ein verdienter. Damit aber fügen sie sich in der Regel den größten Schaden zu. Ich will nur auf einige einzelne Fälle aufmerksam machen. Wer z. B. zur Zeit der Saat die Arbeiter, deren er bedarf, spart und damit in Bedrängniß geräth, die bestellten Felder gehörig aufräumen zu lassen, dem kann es leicht begegnen, daß ihn ein Platzregen überrascht und ihm seine Aecker, weil die Wasserfurchen nicht gehörig geöffnet sind, überfluthet und die Saat, noch ehe sie aufgehen kann, verdirbt. Einen noch weit größeren Nachtheil erleidet derjenige, welcher in der Aernte, sey es die des Heues oder des Getreides, mit der Arbeit geizt. Wie viel hängt da nicht oftmals von einem einzigen Tage ab! Und wie groß ist der Gewinn, den er macht, wenn er seine Aernte bei schönem Wetter rasch hintereinander unter Dach bringt! — Nicht minder erleidet der Landwirth großen Schaden, welcher die Arbeit bei zu machenden Verbesserungen allzu sehr spart. Wer z. B., bloß weil er die Ausgabe scheut, seine Wiesen versumpfen läßt, anstatt sie durch Ziehung von Gräben trocken zu legen; wer Moder und Mergel, den er zur Disposition hat, bloß darum nicht benutzt, weil er den Arbeitslohn sparen will; wer beim Dreschen zu einer Zeit, wo gerade das Getreide, oder andere Früchte, als Raps und Kleesamen, guten Preis haben, nicht mehr, als seine gewöhnlichen Arbeiter anlegen mag, weil er denen, die er außer der Ordnung anwerben müßte, auch einen höheren Taglohn zu bezahlen hätte, der spekulirt doch in der That auf eine unbegreifliche Weise thöricht. — Denn in allen solchen Fällen kommt ihm seine Auslage vielfach wieder ein, und es ist so gut, als verschwendete er den Gewinn, welchen er sich thörichter Weise entgehen läßt.

So unklug es nun aber auch ist, eine solche Sparsamkeit zu üben, eben so tadelnswerth ist es auch hinsichtlich des Ganzen. Durch die Arbeit, welche der Landwirth den ärmeren Volksklassen auf dem Lande verschafft, gewährt er ihnen die Mittel zu ihrem Lebensunterhalt, und entledigt sich damit zugleich einer drückenden Bürde, nämlich der Bettelei. Er kann den Erwerb, welchen er ihnen giebt, als ein Almosen betrachten, welches ihm wuchernde Zinsen trägt. Daneben vermehrt er auch den Verbrauch landwirthschaftlicher Erzeugnisse, indem die Menschen, welche Arbeit und Erwerb haben, auch die Mittel bekommen, sich besser zu nähren und also mehr von Landesprodukten zu kaufen und zu verzehren. *)

c) Man muß die Arbeit aber auch zur rechten Zeit und am rechten Orte anlegen.

Das Anlegen davon zur rechten Zeit ist die erste Nothwendigkeit; die zweite ist, daß man auch die rechte Tageszeit zu jeder Arbeit wähle. Ich will nur bemerken, wie wichtig es z. B. beim Mähen des Grases zu Heu ist, wenn solches, besonders bei trockenen und heißen Tagen, recht früh geschieht. Ein Mäher kann alsdann in einer Stunde mehr als das Doppelte leisten, als wenn er in den heißen Mittagsstunden heuen soll. Denn außer dem, daß es früh kühl ist, und er also viel weniger ermüdet, kommt ihm noch der Thau zu gute; denn es ist bekannt, daß feuchtes Gras sich viel leichter mäht, wie trockenes. Von selbst versteht es sich übrigens wohl, daß man in einer klug und wohl geordneten Oekonomie nicht diejenigen Arbeiten, welche für den Winter gehören, bis in den Sommer hinein verschleppen werde, da der Natur der Sache nach jede Jahreszeit ihre Arbeiten hat. Doch dieß sind alles so bekannte Sachen, daß ich nicht länger dabei verweilen darf.

Jede Arbeitskraft am rechten Orte anzuwenden, gehört aber auch ganz besonders zu einer klugen Führung der Oekonomie. Es giebt Landwirthe, denen es hierin durchaus an richtigem Sinn und Tact fehlt. Während sie alle Kräfte auf den Aeckern verwenden sollten, legen sie dieselben auf den Wiesen, oder anderwärts an; und während sie alles aufbieten möchten, recht viel auszudreschen, ist niemand in der Scheuer. Dadurch nun wird nirgends mit der angewandten Arbeit der rechte Erfolg bewirkt, und so viel deren auch verbraucht wird, so wenig trägt sie zur Einträglichkeit der Oekonomie bei.

2) Die Arbeit muß auch zu dem wohlfeilsten Preise beschafft werden. Man pflegt gewöhnlich zu sagen, wohlfeil und gut ist selten beisammen. Auch von der Arbeit kann dieß gelten. Denn es ist wahr, man kann, besonders auf dem Lande, mitunter die Arbeiter recht wohlfeil, d. h. für einen sehr niedrigen Taglohn haben, aber damit ist gewöhnlich sehr wenig gewonnen. Denn was nützt der niedrige Tagelohn, wenn der Arbeiter nur wenige und dabei noch schlechte Arbeit leistet. Wer seinen Vortheil im Auge zu behalten versteht, der

*) Ausführlich wird hievon gehandelt in dem Buche: Politik der Landwirthschaft von J. G. Elsner, Stuttgart und Tübingen, J. G. Cotta'sche Buchhandlung.

wird nicht in der vermehrten Zahl der Arbeiter, sondern in der Menge und Güte dessen, was sie leisten, den Gewinn suchen, den er zu machen beabsichtigt. Denn es ist ein Quantum von Arbeit, welches von zehn Personen geleistet wird, eben so viel werth, als ein anderes, was zwölf verrichten. Und am Ende ist das erste dem letzten noch vorzuziehen, weil zehn Arbeiter leichter zu übersehen sind, als zwölf.

Bei der Wohlfeilheit der Arbeit aber kann zuweilen der Arbeiter, welcher sie leistet, über die Gebühr bedrückt werden, und er kann sich bloß aus Noth in den niedrigen Lohn fügen. Der spekulative Landwirth kann hiernach freilich nicht fragen, und muß immer annehmen, daß theils sich so leicht niemand zur Uebernahme einer Arbeit um allzu geringen Lohn versteht, theils aber auch dieser für alle diejenigen schon eine Wohlthat ist, welche sonst ganz müßig gehen und darben müßten. Indeßen wird der Menschenfreund die eiserne Nothwendigkeit, welche jenen zwingt, für jeden Lohn, sey er auch noch so niedrig, zu arbeiten, nicht durch geflissentliche Härte noch unerträglicher machen, sondern vielmehr, soweit er es nur ohne eigenen Nachtheil thun kann, ihn so ablohnen, daß er doch dabei, wenn auch nur nothdürftig, leben kann.

Ein Mittel, sich seine Arbeit auf die wohlfeilste Art zu verschaffen, ist dieß, mit seinen Arbeitern so wenig als möglich zu wechseln. Denn einmal können solche mit einem niedrigeren Taglohne deßhalb zufrieden seyn, weil ihnen ihr Erwerb für alle Tage gesichert ist, was z. B. diejenigen, so nur mit Unterbrechung Beschäftigung haben, nicht so leicht können, und zum Zweiten leisten solche immer angestellte Arbeiter, wegen ihrer erworbenen Fertigkeit, auch mehrere und bessere Arbeit. Alle diejenigen Landwirthe, welche diesem Grundsatze huldigen, werden mir hierin gewiß unbedingt beipflichten.

Am wohlfeilsten ist überall da die Arbeit, wo die Bevölkerung am dichtesten ist. Weil nun derselbe Umstand auch das Bedürfniß landwirthschaftlicher Erzeugnisse vermehrt, so sollte man meinen, es müsse eine so dichte Bevölkerung dem Landbau überhaupt förderlich seyn. Diesem ist aber nicht völlig also. Die Ursachen, warum es nicht so ist, liegen wohl unstreitig darin, daß eine allzu dichte Bevölkerung gewöhnlich mehr Laster und Verbrechen erzeugt und daher das Eigenthum des Landwirthes und seine Ruhe gefährdet. Machte es sich jedoch jeder für sich zur besondern Pflicht, den unbeschäftigten Händen so viel als möglich Beschäftigung und Erwerb zu geben, so würden der gezwungene Müßiggang und die damit verbundene

Mittelpreise
auf den
vorzüglichsten Getreideschrannen in Bayern.

Wochen.	Getreid-Sorten.	Aichach. fl.	Aichach. kr.	Amberg. fl.	Amberg. kr.	Ansbach. fl.	Ansbach. kr.	Ansbach. fl.	Ansbach. kr.	Augsburg. fl.	Augsburg. kr.	Baireuth. fl.	Baireuth. kr.	Erding. fl.	Erding. kr.	Kempten. fl.	Kempten. kr.
Vom 3. bis 9. April 1836.	Weitzen	9	8	10	37	10	—	10	20	10	13	13	18	9	—	—	—
	Kern	—	—	—	—	9	30	10	28	10	31	—	—	—	—	12	42
	Roggen	5	28	6	36	6	47	6	49	6	—	8	39	5	12	8	6
	Gerste	7	57	7	35	—	—	—	—	8	38	10	—	7	33	8	3
	Haber	4	12	5	29	5	10	5	38	4	20	6	39	4	24	5	20
Vom 10 bis 16. April 1836.	Weitzen	10	10	10	18	9	56	10	30	10	9	13	23	9	6	—	—
	Kern	—	—	—	—	9	58	10	5	10	15	—	—	—	—	12	37
	Roggen	5	29	6	34	6	36	6	40	6	3	8	36	5	12	8	17
	Gerste	7	43	7	53	9	11	9	—	8	24	10	30	8	—	8	—
	Haber	4	15	5	17	5	21	5	16	4	18	6	45	4	—	5	12
Vom 17. bis 23. April 1836.	Weitzen	10	8	10	37	9	53	9	58	10	28	13	18	9	12	—	—
	Kern	—	—	—	—	9	55	9	42	10	6	—	—	—	—	12	24
	Roggen	5	32	6	29	6	41	6	37	6	—	8	38	5	15	8	9
	Gerste	7	48	7	26	—	—	9	39	8	23	10	23	8	24	8	57
	Haber	4	28	5	16	5	20	5	23	4	16	6	54	4	—	5	29
Vom 24. bis 30. April 1836.	Weitzen	9	56	10	17	9	42	9	39	10	3	—	—	9	—	—	—
	Kern	—	—	—	—	9	32	9	53	10	—	—	—	—	—	12	21
	Roggen	5	21	6	30	6	35	6	29	5	49	—	—	5	15	8	2
	Gerste	7	47	8	1	—	—	10	—	8	5	—	—	8	—	8	—
	Haber	4	14	5	17	5	21	5	25	4	26	—	—	4	—	5	16

Mittelpreise
auf den
vorzüglichsten Getreideschrannen in Bayern.

Wochen.	Getreid-Sorten.	Landsberg fl.	Landsberg kr.	Landshut fl.	Landshut kr.	Lauingen fl.	Lauingen kr.	Memmingen fl.	Memmingen kr.	München fl.	München kr.	Neuötting fl.	Neuötting kr.	Nördlingen fl.	Nördlingen kr.	Nürnberg fl.	Nürnberg kr.
Vom 3. bis 9. April 1836.	Weitzen	—	—	8	45	9	9	—	—	10	32	8	52	—	—	—	—
	Kern	10	49	—	—	10	5	11	32	—	—	—	—	—	—	—	—
	Roggen	5	55	4	52	6	37	7	6	6	3	5	9	—	—	—	—
	Gerste	8	10	7	7	7	50	9	—	8	22	6	24	—	—	—	—
	Haber	4	15	3	54	4	28	4	37	4	13	3	36	—	—	—	—
Vom 10. bis 16. April 1836.	Weitzen	—	—	8	45	—	—	—	—	10	52	8	32	—	—	10	32
	Kern	—	—	—	—	9	47	12	3	—	—	—	—	9	54	—	—
	Roggen	—	—	4	52	6	30	7	5	6	3	5	31	7	—	6	52
	Gerste	—	—	6	52	7	56	9	—	8	22	—	—	8	6	8	56
	Haber	—	—	3	52	4	22	4	34	4	13	3	39	5	21	3	45
Vom 17. bis 23. April 1836.	Weitzen	—	—	8	—	—	—	—	—	10	36	8	36	—	—	10	27
	Kern	10	40	—	—	9	56	11	34	—	—	—	—	10	12	—	—
	Roggen	6	23	4	45	6	31	7	—	6	5	5	30	7	15	6	52
	Gerste	7	40	7	—	7	52	9	—	8	39	—	—	8	11	9	9
	Haber	4	22	3	48	4	27	4	39	4	34	3	36	5	6	5	48
Vom 24. bis 30. April 1836.	Weitzen	—	—	8	37	—	—	—	—	10	32	8	24	—	—	10	34
	Kern	11	4	—	—	9	25	11	28	—	—	—	—	10	24	—	—
	Roggen	6	18	4	45	6	17	7	—	6	3	5	20	7	23	6	52
	Gerste	8	15	6	15	7	43	9	15	8	40	—	—	8	15	8	18
	Haber	4	36	3	45	4	25	4	41	4	33	3	53	5	15	5	45

Mittelpreise
auf den
vorzüglichsten Getreideschrannen in Bayern.

Wochen.	Getreid-Sorten.	Passau. fl.	Passau. kr.	Regensburg. fl.	Regensburg. kr.	Rosenheim. fl.	Rosenheim. kr.	Speyer. fl.	Speyer. kr.	Straubing. fl.	Straubing. kr.	Traunstein. fl.	Traunstein. kr.	Vilshofen. fl.	Vilshofen. kr.	Weilheim. fl.	Weilheim. kr.
Vom 3. bis 9. April 1836.	Weitzen	9	—	9	—	9	36	—	—	8	30	10	—	8	46	11	48
	Kern	—	—	—	—	—	—	—	—	—	—	—	—	—	—	11	48
	Roggen	—	—	5	43	6	19	6	53	5	26	6	12	6	—	7	36
	Gerste	6	—	6	39	6	26	6	54	6	—	6	36	—	—	7	48
	Haber	4	—	4	56	3	58	6	23	4	11	3	48	—	—	5	15
Vom 10. bis 16. April 1836.	Weitzen	9	—	9	1	9	18	—	—	8	13	9	48	8	45	11	36
	Kern	—	—	—	—	—	—	—	—	—	—	—	—	—	—	11	36
	Roggen	—	—	5	38	6	16	—	—	5	18	6	12	6	8	7	—
	Gerste	6	—	6	44	6	20	—	—	5	52	6	36	5	47	8	—
	Haber	—	—	4	54	3	57	—	—	4	19	3	42	—	—	4	52
Vom 17. bis 23. April 1836.	Weitzen	8	20	8	42	9	31	11	33	7	57	9	42	8	36	11	3
	Kern	—	—	—	—	—	—	—	—	—	—	—	—	—	—	11	3
	Roggen	—	—	5	30	6	14	7	42	5	15	6	12	5	20	7	20
	Gerste	—	—	6	34	6	24	6	56	5	56	6	30	5	20	7	44
	Haber	4	7	4	39	3	48	5	13	4	—	3	36	4	2	4	20
Vom 27. bis 30. April 1836.	Weitzen	9	—	8	49	9	25	11	24	7	37	9	36	8	14	11	18
	Kern	—	—	—	—	—	—	—	—	—	—	—	—	—	—	11	18
	Roggen	6	12	5	45	6	14	7	47	5	15	6	12	5	44	7	12
	Gerste	5	45	6	18	6	22	6	59	5	32	6	24	5	12	8	26
	Haber	4	24	4	24	3	50	5	25	4	—	3	36	—	—	5	4

Centralblatt

des

landwirthschaftlichen Vereins in Bayern.

Jahrgang: XXVI.

Monat: Mai 1836.

Landwirthschaftliche Berichte und Aufsätze.

72. Ueber die Spekulation, die Arbeit bei der Landwirthschaft im richtigsten Maße anzulegen, von J. G. Elsner.

Wer sie verschwendet, der macht unnöthige Ausgaben, hat dadurch Schaden und spekulirt also falsch; wer sie da spart, wo sie unumgänglich nöthig ist, dem bleibt vieler Nutzen aus, er erhält sich einen Groschen und verliert darüber einen Thaler, und er spekulirt ebenfalls falsch. Ein Gleiches gilt von dem, welcher sie nicht zur rechten Zeit und am rechten Ort anlegt. Hieraus ergeben sich denn wieder mehrere Unterabtheilungen, auf welche man bei Anlegung der Arbeit zu achten hat.

a) Man muß die Arbeit nicht verschwenden. In manchen landwirthschaftlichen Verhältnissen kommt dieß ganz besonders vor. Ich erinnere nur an die Frohne. Weil es bei dieser eine bekannte und hergebrachte Sache ist, daß diejenigen, welche sie leisten, müßig gehen, so fügt man sich ins Unvermeidliche und ist zufrieden, wenn man von einem Fröhner nur halb so viel geleistet bekommt, wie von einem mittelmäßig fleißigen Arbeiter. Ein spekulativer Landwirth findet aber auch hier ein Aushilfsmittel. Er sucht das Zutrauen der ihm verpflichteten Fröhner zu gewinnen, stellt ihnen die verlorne Zeit vor, welche durch ihren Müßiggang vergeudet wird und findet sich, weil es ihm auch um das Wohl der Fröhner zu thun ist, mit ihnen dahin ab, daß er ihnen entweder ein gewisses Pensum aufgiebt, nach dessen Vollendung sie abziehen und in ihre Oekonomien zurückgehen können, oder daß er ihnen einen fleißigen Arbeitstag für einen und einen halben, ja wohl auch für zwei Frohntage (nach Maßgabe der Menge und Güte der geleisteten Arbeit) zu Gute rechnet. Wer an die Möglichkeit und die Ausführbarkeit eines solchen Verfahrens nicht glaubt, der mache nur einmal den Versuch. Er muß jedoch nicht gleich ermüden, wenn er auch nicht sobald sämmtliche Fröhner überzeugt und zu ihrem eigenen Besten aus trägen zu fleißigen Arbeitern macht. Bedenken muß er stets, daß sie in geistiger Bildung weit unter ihm stehen und daher auch nicht sogleich einsehen, wie gerade sie den größten Vortheil bei einer solchen Einrichtung haben. Ich könnte ein recht treffendes Beispiel aus meiner eigenen Erfahrung anführen, wo recht verwöhnte und zum Theil sehr böswillige Fröhner, die durch fortwährenden Druck hartnäckig und aufsäßig geworden waren, es doch recht bald begriffen, daß ich bei einer solchen Einrichtung nur ihr Bestes wollte, und sich in allem fügten, wodurch sie denn ihre Frohne meistentheils in der halben Zeit abthaten und die übrige zur Bestellung ihres eigenen Hauswesens gewannen.

Wer eine solche Einrichtung durchsetzt, der spekulirt ohne alle Frage klug und glücklich. Denn er bekommt seine Arbeit in der halben Zeit gethan; sie wird besser verrichtet, weil allemal ein Arbeiter, welcher mit Lust und Freudigkeit an's Werk geht, dasselbe auch besser vollbringt als ein träger und widerspenstiger, und er hat noch außerdem den großen Vortheil, daß er keine unnöthige Aufsicht zu führen braucht, welche er in der ersparten Zeit auf etwas Anderes verwenden kann.

Aber auch keine freie und bezahlte Arbeit, und diese gerade am allerwenigsten, darf man verschwenden. Wer mit der Arbeit, welche er z. B. mit einem Thaler bezahlt, so viel durchsetzt, wie ein Anderer, der für $1\frac{1}{2}$ Thaler deren nöthig hat, der macht ohne alle Frage ein besseres Geschäft, wie dieser. Wo besonders sehr viele Arbeiter angestellt sind, da kann man es eine kluge Spekulation nennen, wenn der Landwirth bei der nöthigen Aufsicht streng und bis ins Kleinliche pünktlich ist. Man rechne nur z. B., es seyen 30 Arbeiter angestellt, und es versäumen diese bei den gewöhnlichen Feierstunden jeder 5 Minuten, und dieses dreimal des Tages, so macht dieses für jeden eine Viertelstunde, und für alle zusammen $7\frac{1}{2}$ Stunde, was beinahe einen Arbeitstag für einen austrägt, so daß er bei guter Aufsicht mit 29 eben so viel hätte ausrichten können, wie in dem gegebenen Falle mit 30. Und wie unbedeutend erscheinen fünf Minuten, und wie häufig werden sie versäumt? —

b) Man muß die Arbeit nicht zur Unzeit sparen. Es kann kein thörichteres und nachtheiligeres Verfahren gedacht werden, als das, welches manche Landwirthe zuweilen beobachten. Sie haben eine Art von Entsetzen vor allen Ausgaben, und huldigen einzig und allein dem Grundsatz: ein ersparter Groschen ist auch ein verdienter. Damit aber fügen sie sich in der Regel den größten Schaden zu. Ich will nur auf einige einzelne Fälle aufmerksam machen. Wer z. B. zur Zeit der Saat die Arbeiter, deren er bedarf, spart und damit in Bedrängniß geräth, die bestellten Felder gehörig aufräumen zu lassen, dem kann es leicht begegnen, daß ihn ein Platzregen überrascht und ihm seine Aecker, weil die Wasserfurchen nicht gehörig geöffnet sind, überfluthet und die Saat, noch ehe sie aufgehen kann, verdirbt. Einen noch weit größeren Nachtheil erleidet derjenige, welcher in der Aernte, sey es die des Heues oder des Getreides, mit der Arbeit geizt. Wie viel hängt da nicht oftmals von einem einzigen Tage ab! Und wie groß ist der Gewinn, den er macht, wenn er seine Aernte bei schönem Wetter rasch hintereinander unter Dach bringt! — Nicht minder erleidet der Landwirth großen Schaden, welcher die Arbeit bei zu machenden Verbesserungen allzu sehr spart. Wer z. B., bloß weil er die Ausgabe scheut, seine Wiesen versumpfen läßt, anstatt sie durch Ziehung von Gräben trocken zu legen; wer Moder und Mergel, den er zur Disposition hat, bloß darum nicht benutzt, weil er den Arbeitslohn sparen will; wer beim Dreschen zu einer Zeit, wo gerade das Getreide, oder andere Früchte, als Raps und Kleesamen, guten Preis haben, nicht mehr, als seine gewöhnlichen Arbeiter anlegen mag, weil er denen, die er außer der Ordnung anwerben müßte, auch einen höheren Taglohn zu bezahlen hätte, der spekulirt doch in der That auf eine unbegreifliche Weise thöricht. — Denn in allen solchen Fällen kommt ihm seine Auslage vielfach wieder ein, und es ist so gut, als verschwendete er den Gewinn, welchen er sich thörichter Weise entgehen läßt.

So unklug es nun aber auch ist, eine solche Sparsamkeit zu üben, eben so tadelnswerth ist es auch hinsichtlich des Ganzen. Durch die Arbeit, welche der Landwirth den ärmeren Volksklassen auf dem Lande verschafft, gewährt er ihnen die Mittel zu ihrem Lebensunterhalt, und entledigt sich damit zugleich einer drückenden Bürde, nämlich der Bettelei. Er kann den Erwerb, welchen er ihnen giebt, als ein Almosen betrachten, welches ihm wuchernde Zinsen trägt. Daneben vermehrt er auch den Verbrauch landwirthschaftlicher Erzeugnisse, indem die Menschen, welche Arbeit und Erwerb haben, auch die Mittel bekommen, sich besser zu nähren und also mehr von Landesprodukten zu kaufen und zu verzehren. *)

c) **Man muß die Arbeit aber auch zur rechten Zeit und am rechten Orte anlegen.**

Das Anlegen davon zur rechten Zeit ist die erste Nothwendigkeit; die zweite ist, daß man auch die rechte Tageszeit zu jeder Arbeit wähle. Ich will nur bemerken, wie wichtig es z. B. beim Mähen des Grases zu Heu ist, wenn solches, besonders bei trockenen und heißen Tagen, recht früh geschieht. Ein Mäher kann alsdann in einer Stunde mehr als das Doppelte leisten, als wenn er in den heißen Mittagsstunden heuen soll. Denn außer dem, daß es früh kühl ist, und er also viel weniger ermüdet, kommt ihm noch der Thau zu gute; denn es ist bekannt, daß feuchtes Gras sich viel leichter mäht, wie trockenes. Von selbst versteht es sich übrigens wohl, daß man in einer klug und wohl geordneten Oekonomie nicht diejenigen Arbeiten, welche für den Winter gehören, bis in den Sommer hinein verschleppen werde, da der Natur der Sache nach jede Jahreszeit ihre Arbeiten hat. Doch dieß sind alles so bekannte Sachen, daß ich nicht länger dabei verweilen darf.

Jede Arbeitskraft am rechten Orte anzuwenden, gehört aber auch ganz besonders zu einer klugen Führung der Oekonomie. Es giebt Landwirthe, denen es hierin durchaus an richtigem Sinn und Tact fehlt. Während sie alle Kräfte auf den Aeckern verwenden sollten, legen sie dieselben auf den Wiesen, oder anderwärts an; und während sie alles aufbieten möchten, recht viel auszudreschen, ist niemand in der Scheuer. Dadurch nun wird nirgends mit der angewandten Arbeit der rechte Erfolg bewirkt, und so viel deren auch verbraucht wird, so wenig trägt sie zur Einträglichkeit der Oekonomie bei.

2) **Die Arbeit muß auch zu dem wohlfeilsten Preise beschafft werden.** Man pflegt gewöhnlich zu sagen, wohlfeil und gut ist selten beisammen. Auch von der Arbeit kann dieß gelten. Denn es ist wahr, man kann, besonders auf dem Lande, mitunter die Arbeiter recht wohlfeil, d. h. für einen sehr niedrigen Taglohn haben, aber damit ist gewöhnlich sehr wenig gewonnen. Denn was nützt der niedrige Tagelohn, wenn der Arbeiter nur wenige und dabei noch schlechte Arbeit leistet. Wer seinen Vortheil im Auge zu behalten versteht, der

*) Ausführlich wird hievon gehandelt in dem Buche: Politik der Landwirthschaft von J. G. Elsner, Stuttgart und Tübingen, J. G. Cotta'sche Buchhandlung.

wird nicht in der vermehrten Zahl der Arbeiter, sondern in der Menge und Güte dessen, was sie leisten, den Gewinn suchen, den er zu machen beabsichtigt. Denn es ist ein Quantum von Arbeit, welches von zehn Personen geleistet wird, eben so viel werth, als ein anderes, was zwölf verrichten. Und am Ende ist das erste dem letzten noch vorzuziehen, weil zehn Arbeiter leichter zu übersehen sind, als zwölf.

Bei der Wohlfeilheit der Arbeit aber kann zuweilen der Arbeiter, welcher sie leistet, über die Gebühr bedrückt werden, und er kann sich bloß aus Noth in den niedrigen Lohn fügen. Der spekulative Landwirth kann hiernach freilich nicht fragen, und muß immer annehmen, daß theils sich so leicht niemand zur Uebernahme einer Arbeit um allzu geringen Lohn versteht, theils aber auch dieser für alle diejenigen schon eine Wohlthat ist, welche sonst ganz müßig gehen und darben müßten. Indeßen wird der Menschenfreund die eiserne Nothwendigkeit, welche jenen zwingt, für jeden Lohn, sey er auch noch so niedrig, zu arbeiten, nicht durch geflissentliche Härte noch unerträglicher machen, sondern vielmehr, soweit er es nur ohne eigenen Nachtheil thun kann, ihn so ablohnen, daß er doch dabei, wenn auch nur nothdürftig, leben kann.

Ein Mittel, sich seine Arbeit auf die wohlfeilste Art zu verschaffen, ist dieß, mit seinen Arbeitern so wenig als möglich zu wechseln. Denn einmal können solche mit einem niedrigeren Taglohne deßhalb zufrieden seyn, weil ihnen ihr Erwerb für alle Tage gesichert ist, was z. B. diejenigen, so nur mit Unterbrechung Beschäftigung haben, nicht so leicht können, und zum Zweiten leisten solche immer angestellte Arbeiter, wegen ihrer erworbenen Fertigkeit, auch mehrere und bessere Arbeit. Alle diejenigen Landwirthe, welche diesem Grundsatze huldigen, werden mir hierin gewiß unbedingt beipflichten.

Am wohlfeilsten ist überall da die Arbeit, wo die Bevölkerung am dichtesten ist. Weil nun derselbe Umstand auch das Bedürfniß landwirthschaftlicher Erzeugnisse vermehrt, so sollte man meinen, es müsse eine so dichte Bevölkerung dem Landbau überhaupt förderlich seyn. Diesem ist aber nicht völlig also. Die Ursachen, warum es nicht so ist, liegen wohl unstreitig darin, daß eine allzu dichte Bevölkerung gewöhnlich mehr Laster und Verbrechen erzeugt und daher das Eigenthum des Landwirthes und seine Ruhe gefährdet. Machte es sich jedoch jeder für sich zur besondern Pflicht, den unbeschäftigten Händen so viel als möglich Beschäftigung und Erwerb zu geben, so würden der gezwungene Müßiggang und die damit verbundene

Nahrlosigkeit, so wie alle aus denselben hervorgehenden Laster und Verbrechen an der Tagesordnung seyn. Denn man kann es auch dann noch zu den klugen und glücklichen Spekulationen zählen, wenn ein Landwirth durch mehr verwandte Arbeit jährlich z. B. für hundert Thaler mehr Produkte als sonst erzeugt, und wenn auch dieser ganze Betrag auf mehr Arbeitslohn aufgienge. Denn er hat sich die Freude verschafft, Menschen, die ohne Brod waren, solches zu geben, dem Elend abzuhelfen und dem Laster und Verbrechen zu steuern. Das, was er sich nebenbei an Almosen erspart, die er nothgedrungen hätte geben müssen, ist noch ein sehr beachtenswerther Nebengewinn.

Doch ich habe mich nur an den eben abzuhandelnden Satz der möglich wohlfeilsten Beschaffung der Arbeit zu halten.

Wo die Bevölkerung noch weniger dicht ist, Menschenhände also rarer sind, da ist die Arbeit auch theurer, und es wird zur Aufgabe für den Landwirth, auf welche Art und Weise er sich dieselbe wohlfeiler verschaffen könne? Neben der Theurung kann es auch vorkommen, daß sie zu manchen Zeiten gar nicht zu haben ist, und daß also der Gewinn, welchen man durch Anlegung derselben hätte machen können, gänzlich verloren geht. In diesem Falle helfen die Maschinen aus. Sie können einen vorzüglichen Gegenstand der Spekulation abgeben, weil gerade bei ihnen eine genaue Rechnung über Anstrengung und Erfolg angelegt werden kann. In volksarmen Gegenden, oder in solchen, wo viele Manufacturen und Fabriken eine Menge von Händen in Anspruch nehmen, sind sie zuweilen die einzigen Aushilfsmittel, wenn man nicht einen offenbaren Gewinn, aus Mangel arbeitender Kräfte, aus den Händen lassen will. Wenn man überhaupt von Maschinen spricht, so meint man nicht allein damit jedes zusammengesetzte Werkzeug, dessen einzelne Theile zu einem Ganzen vereinigt sind, und auf einen Hauptpunkt hinwirken, sondern vorzugsweise auch solche, welche mannichfach zusammengesetzt und durch sinnreiche Erfindungen und wiederholte Verbesserungen schon zu einer großen Vollkommenheit gediehen sind. Diejenigen, welche durch Dampf in Thätigkeit gesetzt werden, behaupten fast unter allen den Vorzug. Solche aber sind für die Landwirthschaft noch wenig vorhanden, und wenn wir diejenigen, welche man bei den mit derselben verbundenen technischen Gewerben anwendet, ausschließen, so hat sie nur solche, welche durch die Kraft von Thieren oder des Wassers getrieben werden.

Wir können zu den ersten dieser Art die Ackerwerkzeuge zählen. Vermittelst derselben wird eine Menge menschlicher

Arbeit erspart, und durch ihre Vervollkommnung sind sie dahin gediehen, daß sie diese eben so gut machen und sie also in vielen Fällen vollkommen ersetzen.

Besondere Ackermaschinen, welche mit der bei unsern gewöhnlichen Pflügen angewandten Zugkraft einen viel größeren Erfolg hervorbringen, zu erfinden, hat bis jetzt, trotz aller Versuche noch nicht gelingen wollen. Etwas glücklicher ist man mit Dreschmaschinen gewesen, obgleich auch diese noch nicht zu der Vollkommenheit gediehen sind, bei welcher sie allen Forderungen, die man an sie macht, genügen könnten. Diese Forderungen aber erstrecken sich hauptsächlich auf schnell verschaffte und wohlfeil gelieferte Arbeit. Ersteres ist fast immer noch leichter zu bewerkstelligen, wie letzteres. Denn wenn ich ausmitteln will, wie theuer die Arbeit einer Dreschmaschine in Vergleich zu derjenigen komme, welche durch Menschenhände geleistet wird, so muß ich dazu auch Zinsen und Abnutzung des Capitals rechnen, während der Zeit, wo die Maschine nicht arbeitet. Indeßen ist dabei nicht zu übersehen, welche Neben-, Vor- und Nachtheile mit denselben verbunden sind. Es giebt Zeiten, wo der Landwirth mit aller Anstrengung und mit Aufgebot aller disponiblen und aufzubringenden Menschenkräfte nicht im Stande ist, eine bestehende günstige Conjunctur in ihrer ganzen Ausdehnung zu seinem Vortheile zu benutzen. Ich weise beispielsweise darauf hin, daß nicht selten in kurzen Zeitperioden das Getreide einen höhern Preis hat, als im Laufe des ganzen Jahres. So unter andern giebt es Gegenden, aus denen man vorzugsweise Getreide zur Saat sucht, und wo während dieser Periode dasselbe einen bedeutend höhern Preis behauptet, wie nachher. Wer nun in derselben recht viel ausdreschen und an den Markt bringen kann, der hat großen Gewinn. Bekannt ist es jedoch, daß gerade zu dieser Zeit sich die Arbeiten in den Oekonomien so drängen, daß Viele mit sich selbst zu thun haben, und es auch beim besten Willen nicht durchzusetzen vermögen, etwas zum Verkauf aufzubringen. Eine Dreschmaschine würde in solchem Falle aushelfen, und würde sich gut auszahlen, selbst wenn auch ihre Arbeit, weil man sie nur kurze Zeit in Thätigkeit erhalten könnte, theurer käme, als die von Menschenhänden. Ein kleines Exempel wird die Sache anschaulich und klar machen. Gesetzt, es hat jemand 500 Schäffel Weizen zum Verkauf aus dem Ertrage seiner Aernte, und er könnte, wenn er ihn während der Zeit der Aussaat zum Verkaufe zu bringen im Stande wäre, denselben zu 2 Thlrn. anbringen. Nach der Saat gienge er auf 1⅔ Thlr. herab und behauptete durchschnittlich diesen Stand das ganze

Jahr hindurch, so hätte er dadurch, daß er ihn während der Saat verkaufte, 166⅔ Thlr. gewonnen. Wenn er nun auch zu diesem Endzweck eine Dreschmaschine hätte brauchen müssen, so würde ihn dieselbe überhaupt kaum so viel kosten, als was dieser Gewinn beträgt, und es wäre sonach für die Zukunft dieselbe umsonst in der Oekonomie und könnte jedes Jahr ihren Vortheil stiften. Wie mit dem Getreide, geht es mit andern Cerealien. Ich nenne nur den Kleesamen. Wir wissen aus vieljähriger Erfahrung, daß immer nur eine kurze Periode zu dessen Verkauf besonders günstig ist. Diese trifft in die Monate August und September. In beide aber fällt in allen nördlichen Gegenden die Aernte und die Herbstsaat, welche beide viel Arbeit erfordern und in vielen Oekonomien dermaßen alle Kräfte in Anspruch nehmen, daß man für Nebensachen, wozu im vorliegenden Falle der Kleesamen gehört, rein keinen Arbeiter übrig hat. Der Unterschied im Preise dieser Waare ist jedoch so groß, daß er nicht selten 50 Proc. beträgt, die man verliert, wenn man zu spät damit an den Markt kommt. Gesetzt nun, es erzeugt jemand für 400 Thlr. Kleesamen, so würde sich eine Dreschmaschine in einem einzigen Jahre mit 200 Thlr. bezahlen. Bei demselben ist jedoch auch eine Ausreibemaschine, eine sogenannte Kleesamenmühle nöthig, damit man den Samen auf eine rasche und zweckmäßige Art aus den Hülsen bringe. Man hat auch dergleichen, und beide lassen sich für den gedachten einjährigen Gewinn anschaffen. Welch kluge und glückliche Spekulation es aber sey, wenn ein Landwirth, der solchen Samen erzeugt, sich beide anschafft, ist klar genug, da er, wenn er nun dieselben in einem einzigen Jahre durch den gemachten Gewinn angeschafft hat, sie auf lange Jahre hinaus gebrauchen und gegen geringe und unbedeutende Reparaturkosten jedes Jahr eben so hoch benutzen kann.

Nachtheile, welche man solchen Dreschmaschinen vorwirft, sind unter andern das Verderben des Strohes. Ist auch nicht ganz in Abrede zu stellen, daß dasselbe beim Dreschen mit Menschenhänden mehr geordnet und zum wirthschaftlichen Gebrauche geschickter bleibt, so ist dieser geringe Nachtheil wohl leicht zu übersehen und schlimmsten Falls die Sache dadurch leicht auszugleichen, daß man einen Theil der Früchte mit der Hand und den andern mit der Maschine ausdreschen läßt.

Ein wichtigerer Nachtheil ist aber wohl der, daß durch die Anlegung von dergleichen Maschinen eine Menge von Handarbeit entbehrlich wird, und dadurch viele Menschen um ihren Erwerb kommen. Wo es sich jedoch um so wichtige Interessen handelt, da muß das Kleinere dem Größern nachstehen.

Ueberdieß läßt sich wohl die ausfallende menschliche Arbeit anderweitig wieder einbringen. Der rationelle Landwirth, und nur ein solcher spekulirt scharfsinnig und klug, welcher solche Maschinen anlegt, betreibt seine ganze Oekonomie auf eine kräftige Art, und macht Verbesserungen überall, wozu er der Menschenhände bedarf. Er beschäftigt daher diese, wenn er sie auch bei'm Dreschen überflüssig macht, anderweitig und in größerer Anzahl, als der beschränkte Schlendrianist, der ruhig immerfort sein Getreide durch Menschen ausdreschen läßt.

Bei der Anlage von Dreschmaschinen ist noch auf einen nicht unwichtigen Umstand aufmerksam zu machen; es ist der, daß bei denselben viele Feuersgefahren vermieden werden. Wer auf dem Lande bekannt ist, der weiß, wie im Winter vielfach, besonders in den kleinen Oekonomien, bei Licht gedroschen und damit so unvorsichtig umgegangen wird, daß sehr häufig Brandunglück entsteht. Diesem würde durch Anlegung von Dreschmaschinen abgeholfen, weil solche, vermöge ihrer viel rascheren Arbeit, auch in den kürzesten Tagen viel leisten, und also keine Nachtarbeiten mit Beleuchtung dabei nöthig sind.

Nun kann man freilich sagen, die Anschaffung solcher Maschinen ist nur in großen Oekonomien möglich, wo sie sich durch die Menge der abzudreschenden Früchte leichter auszahlen. Ich sehe indeßen nicht ein, warum man sie nicht auch in kleinern sollte anschaffen können, da ja auch in diesen die angeführten Vortheile, wenn schon in geringerem Grade, doch schon gewiß in dem Maße zu erreichen wären, daß die Zinsen gedeckt und das Anlagekapital allmählig getilgt würde. Zudem ließen sich ja dergleichen, da sie transportabel sind, auch von mehreren zugleich anschaffen, wodurch man denselben Gewinn, wie in großen Oekonomien, mit ihnen erreichen könnte. *)

Vielleicht liegt darin allein der Grund, daß man mit den Dreschmaschinen noch zu keiner größeren Vollkommenheit gelangt ist, und sie gerade deßhalb noch so wenig allgemein eingeführt hat, weil man sich darüber noch nicht klar genug Rechnung ablegte, wie ihre Vor- und Nachtheile gegeneinander stehen. Es wäre ohne Zweifel für den Betrieb der Oekonomie von nicht unbedeutendem Einfluße, wenn man der Sache überhaupt mehr Aufmerksamkeit zuwendete, mit Einem Worte sie mehr zu einem Gegenstande der Spekulation machte.

---

*) So ist es in England, wo ein Dorf eine solche transportable Dreschmaschine hat. Eine solche Meschine ist im Locale des landw. Vereins zu sehen.

Ich habe nun hier im Allgemeinen noch zu bemerken, daß der wahrhaft spekulative Landwirth stets darauf Bedacht nehmen muß, die nöthigen Arbeitskräfte, seyen es die der Menschen oder der Maschinen, immer zur rechten Zeit zur Disposition zu haben, um sie mit Nachdruck und Erfolg in Thätigkeit setzen zu können; denn darin ruht der Hauptgewinn, und das ist die Hauptaufgabe bei der Erzeugung, daß man die Produkte jederzeit so zur Hand habe, daß wenn sie, so wie der Begehr darnach sich zeigt, auch augenblicklich in die Hände des Begehrenden, d. i. des Käufers liefern kann. Es kann sonach ein Landwirth in der Hervorbringung derselben überaus glücklich seyn und dennoch wenig Vortheil dabei haben, wenn er gegen diese Regel sündigt.

---

75. Ansicht des Landwirthschaftsrathes in Paris hinsichtlich des inländischen Zuckers.

(Uebersetzt aus dem Moniteur. Nr. 49. 1836.)

Bevor er die an ihn gerichtete Frage beantwortet, glaubt der Rath darauf aufmerksam machen zu müssen, wie sehr es in dem Interesse unsers Ackerbaues liege, daß sich die Fabrikation des inländischen Zuckers ausdehne, und eines glücklichen Fortganges erfreue.

Die bei uns sonst wenig angebaute Runkelrübe, die ehemals nur in sehr geringer Quantität als Futter für das Vieh benützt wurde, ist seit einigen Jahren für die Landwirthschaft eines der in dem Pflanzenreiche kostbarsten Erzeugnisse geworden; nicht allein, weil die Industrie daraus eine dem Rohrzucker gleiche Substanz gewinnt, die sich in nichts von dem Rohrzucker unterscheidet, sondern auch, weil die markigen Trester (le résidu pulpeux, der fleischige Rest oder Satz) nach der Operation dem Viehe eine kräftige, leicht aufzubewahrende Nahrung darbietet.

Dieses doppelte Produkt giebt der Runkelrübe einen ausgezeichneten Vorzug vor allen anderen Futterkräutern, vermittelst deren es zu oft ohne Erfolg vorgeschlagen worden ist, der alten hergebrachten und ärmlichen Cultur eine mannigfaltigere, vernünftigere, durchdachtere an die Stelle zu setzen.

Jetzt, Dank der Fabrikation des inländischen Zuckers, vermehrt sich die Runkelrübe, und sie fängt an, in der Wechselwirthschaft eine Stelle einzunehmen. Von dem Fabrikanten gesucht, sichert sie dem Landwirthe einen desto vortheilhafteren Absatz, als er um einen mäßigen Preis die Trester zur Fütterung und Mästung einer beträchtlicheren Anzahl von Thieren wieder zurückkaufen kann. Wir erblicken daher in einer nahen Zukunft den Augenblick, wo wir für diesen so wichtigen Theil unserer Consumtion der fremden Einfuhr nicht mehr bedürfen werden.

Im Interesse des Fabrikanten liegt es, sich so viel wie möglich dem Landwirthe zu nähren. Es leuchtet ein, daß in jeder ackerbautreibenden Gegend, wo Fabriken errichtet werden, mehr Geld in Umlauf kommt, daß es mehr Arbeit giebt, mehr Gewerbefleiß, eine größere Consumtion und einen größeren Wohlstand.

Ohne Zweifel werden solche Resultate den glücklichen Einfluß auf die Entwickelung des öffentlichen Wohles ausüben. Damit aber dieser Einfluß dauernd sey und jede wünschenswerthe Ausdehnung erhalte, dazu muß keine unzeitige Maßregel die Fabrikation des inländischen Zuckers hemmen oder auch nur verzögern.

Gesetzt, der Zucker, welcher auch dessen Ursprung sey, soll unter die steuerbaren Substanzen klassifizirt werden, so ist es dennoch wahr, daß unter den gegenwärtigen Umständen eine Steuer auf den inländischen Zucker diesen wichtigen Zweig der Industrie gefährden würde, und daß in keiner Zeit dieselbe die Erhebung par exercice einer Auflage ertragen dürfte.

Den Rath erfreut es, anerkennen zu müssen, daß die Kunst Vorschritte gemacht hat, daß Fabrikanten (leider in sehr kleiner Anzahl) die neuen Entdeckungen und Erfindungen zu benutzen gewußt haben, um mit geringerem Kostenaufwande reichlichere und vollkommnere Produkte zu erhalten, und daß ein schöner Gewinn die wohlverdiente Belohnung ihrer Bestrebungen war. Er hütet sich aber wohl, nach wenigen Ausnahmen den Zustand der Industrie zu beurtheilen. Man muß es wohl sagen, bei den meisten Producenten ist die Fabrikation noch im Entstehen. Nicht etwa als ob nicht alle wüßten, was erforderlich wäre, um ihre Fabriken in den Zustand der blühensten zu erheben; weil sie aber ihre sämmtlichen Kapitalien, oder einen großen Theil davon zur Errichtung der nöthigen Gebäude, zur Herbeischaffung von Maschinen, Geräthschaften rc. verwendet haben, so können sie nicht gleich die kostspieligen Veränderungen treffen, welche die Annahme der neuen Verfahrungsarten erfordern würde. Würden sie nun in dieser schwierigen Lage von einer neuen Auflage belastet werden, so müßte ihr Untergang unstreitig erfolgen. Der Anblick dieser Privatunfälle würde der Fabrikation des inländischen Zuckers einen Stoß versetzen, von welchem sie sich lange nicht würde erholen können.

Diese Betrachtungen bestimmen den Rath, zu Gunsten der eingebornen Fabrikanten die fernere Enthebung von jeder Auflage während ungefähr drei Jahren zu verlangen. Der Rath war nicht abgeneigt, die einfache Vertagung (l'ajournement pur et simple) zu verlangen; er fürchtete aber, daß eine unter dieser Form ertheilte Warnung, weit entfernt, den Fabrikanten nützlich zu seyn, ihnen im Gegentheile eine gefährliche Sorglosigkeit einflößen möchte, und daß viele unter ihnen, sich zu wenig beeilend, ihre Fabriken auf den Fuß zu setzen, wo jene sind, welche sich sowohl durch die Sparsamkeit, als die Vorzüge ihres Verfahrens auszeichnen, und unversehens von der neuen Auflage betroffen würden.

Die Lage der Produzenten des Rohrzuckers ist sehr verschieden von jener der Produzenten des Runkelrübenzuckers. Letztere fabriziren zu geringern Preisen; dieser Vortheil wird aber durch die Steuer aufgehoben, welche ihnen das Mutterland (Metropole) auferlegt, darum auch verlangen sie Gleichheit der Auflagen für sie und die eingebornen Fabrikanten. Nun, diese angebliche Gleichheit hätte, so lange unsere Verfahrungsweise bei der Fabrikation unter dem Grade bleibt, welchen die schnellen Vorschritte der Kunst versprechen, kein anderes Resultat, als einerseits den Colonisten das Monopol zu sichern, und anderseits die inländische Industrie zu vernichten; was unserm Ackerbaue die Hoffnung einer bessern Zukunst rauben würde. Sonderbare Lösung, bei der die Interessen des Mutterlandes denen der Colonien aufgeopfert werden dürften!

Die Colonisten haben im Jahre 1835 den Absatz ihres Zuckers nicht nur in Frankreich gefunden, sondern auch im Auslande, in Folge des Vortheils, welcher ihnen durch die letzten Ereignisse vor den englischen Colonien erwachsen ist, und nichts bisher läßt fürchten, daß sich in diesem Jahre oder in den nächsten ihr Schicksal verschlimmern sollte. Bei uns bis heute hat die Consumtion fortwährend mit der Fabrikation zugenommen. Dennoch hätte der Rath vielleicht die Verminderung der Auflagen auf den Colonialzucker verlangt, hätte ihn nicht ein überwiegender Beweggrund davon abgehalten.

Der Schatz zeigt ein Deficit in der Einnahme; er meldet, daß der Zucker weniger im Jahre 1835 als in einem der vorhergehenden abgeworfen hat. In diesem Zustande der Dinge ist nichts zu thun.

Dieß ist das Ganze der Thatsachen und der Beweggründe, deren gründliche Untersuchung die Ansicht des Rathes bestimmt hat.

Demzufolge bittet er inständig, daß keine Steuer auf den inländischen Zucker vor dem 1. Oktober 1838 festgesetzt werde, und daß in keinem Falle die Erhebung eines solchen nach der Verfahrungsweise par exercice geschehen möge.

Was die Steuer auf den Colonialzucker betrifft, meint der Rath, daß jede Verminderung vertagt werden soll.

---

74. Anleitung zu einem zweckmäßigen Verhalten in Ansehung der Schafheerden.

Vorkehrungen im Stalle.

a) Zulänglicher Stallraum.

Zehn Quadratfuß auf das erwachsene Schaf pro Stück, acht Quadratfuß für die Zuzucht.

b) Zureichender Luftzug durch Luftlöcher in den äußeren Mauern zwischen den Balken; Oeffnung gegenüber stehender Fenster, und Durchbrechung großer Thüren gegen Mittag, damit man selbst im Winter in der Mittagsstunde den Sonnenstrahlen Eingang verschaffen kann.

c) Anschaffung zweckmäßiger Futterraufen, damit nicht Futter verloren geht, und die Wolle möglichst rein bleibt.

d) Vollständige Bewahrung des auf dem Schafboden befindlichen Futters gegen das Verderben, in Folge des aus dem Stalle heraufdringenden Dunstes, und den Einwirkungen der Feuchtigkeiten des Daches, durch

Anlegung der Bodentreppen außer dem Stalle, im Falle dieß aber nicht möglich ist, durch verschlagene Treppen im Stall, deren Bretterfugen, nachdem sie mit Moos ausgestopft sind, mit Latten auf beiden Seiten beschlagen werden. Doppelthüren an diese Treppen, eine unten im Stalle, und eine oben im Boden mit Gewichten, daß sie von selbst wieder zufallen. Durchbrechung der Giebel mit Luftlöchern, die blos durch Drathfenster gegen Flugfeuer gesichert sind, damit die Dünste, die sich

Wirkung nach ein Futter mehr, da sich das Vieh mit der zum Wiederkäuen erforderlichen Zeit so zuversichtlich einrichtet, daß die Verdauung (dieses Lebensprinzip der Ernährung und thierischen Produktion) weit vollkommener Statt findet.

k) Ueberlassung des Gebrauchs des Salzes dem Instinkt der Schafe, indem es nie in den Ställen fehlen darf, außer bei anhaltenden Regenwettern.

Disciplinar-Anordnungen der Trift.

a) Die Schafe nie vor Abtrocknung des Thaues, des Nebels oder des Regens auszutreiben, mit Beobachtung des langsamen Aus- und Eintreibens, ohne sie mit den Hunden zu hetzen.

b) Den Schafen bei jeder feuchten Witterung vor dem Austreiben ein trockenes Futter zu geben.

c) Bei anhaltender Feuchtigkeit durch angemessene Gaben von Wachholdern oder Senf, den nachtheiligen Wirkungen der Nässe auf die Gesundheit der Schafe vorzubeugen, wobei sie jedoch einige Tage von der Tränke abzuhalten sind.

d) Bei starker Hitze Kupferwasser in die Tränktröge zu mischen, damit sie nicht zu stark saufen, und doch die Schnelligkeit des Blutumlaufs gemindert, und ihr Durst gelöscht wird.

e) Bei nasser Witterung die Höhen, und

f) bei trockener Witterung die Niederungen vorzugsweise zu behüthen; und muß der Schäfer immer da stehen, wo die Schafe nicht hin sollen.

g) Verdoppelte Vorsicht bei dem Hüthen im Herbste im Vergleich des Frühjahres, wenn nicht noch der Mißbrauch Statt findet, die Wiesen im Frühjahre zu behüthen; wo sie denn auch freilich leicht verhüthet werden können.

h) Alle Stellen sorgsam zu vermeiden, die eine geile Vegetation durch Feuchtigkeit oder starke Düngung hervorbringen.

i) Ganz besonders alle Ausschlagsweiden frisch gedüngter Brachen nie zu behüthen.

k) Die bestaubten Stellen in der Nähe der Straßen oder anderer Räume so lange zu meiden, bis sie wieder vollkommen durch Regen abgespült sind.

l) Verschlämmte Stellen der Trift gleich dem gewissen Tode der Schafe zu fliehen.

m) Wo die Getreide- und Holzblüthen die Triften bedeckt haben, nicht eher hin zu treiben, als bis der Regen sie abgespült hat, und sich in der Blüthenzeit des Roggens und der Kiehnen möglichst mit der Heerde über und nicht unter dem Winde zu halten.

n) Den Mehlthau und die Gifte zu meiden.

o) Alle Stoppeln, die so lange dem freien Luftzuge entzogen worden sind, je dichter das Getreide gestanden hat, je länger mit dem alten Vieh zu behüthen, ehe die Jährlinge darauf kommen dürfen, und

p) Alle Haferstoppeln erst nach einem so kräftigen Frost zu behüthen, wenn der aufgeschossene Ausfall seine zu saftreiche Schädlichkeit verloren hat, und gilt ein Gleiches unter Modificationen von dem Gersten-Ausschlag.

Leitende Grundsätze.

a) Die Aufgabe des Schäferei-Besitzers ist nicht, die Schafe zu mästen, sondern sie in einem stets gleichen angemessenen Nahrungs-Zustande zu erhalten. Im Winter bewirkt dieß eine gleichmäßige angemessene Futterung, im Sommer jedoch wirkt der Wechsel der Witterung oft so nachtheilig ein, daß man die Ausfälle in der Nahrhaftigkeit der Weide nothwendig durch Vorlegung von grünem oder trockenen Futter im Stalle auszugleichen bemüht seyn muß. Ungleicher Nahrungszustand veranlaßt einen ungleichen Wuchs der Wolle.

b) Jeder Krankheitszustand des Schafes, selbst wenn er kurativ glücklich beseitiget wird, verlangt, als Ersatz der durch die Krankheit verloren gegangenen Kräfte, außerordentliche Zuschüsse an Futter. Daher bedürfen, durch Vorsorge und Umsicht stets gesund erhaltene Heerden das wenigste Futter, und liefern zugleich die meiste Wolle, weil die Vorschritte des Wollwuchses nicht gestört worden sind.

c) Die Organisation des Schafes ist so wassersüchtig und schwach, daß es selten gelingt, eingerissenen Krankheiten kurativ Gränzen zu setzen.

Eher gelingt es präservativ, durch rege Aufmerksamkeit und entsprechendes Verhalten der völligen Ausbildung des Krankheitszustandes entgegen zu wirken, daher wird es unerläßlich, jedes krepirte Schaf in Gegenwart des Wirthschafters zu öffnen, um seinen inneren Zustand zu prüfen, ob es Andeutungen giebt, daß sich in der Heerde ein allgemeiner Krankheitszustand bildet.

d) Die größte Schwierigkeit in dem vollkommen zweckmäßigen Verhalten unserer Schafe begründet sich auf die große Zahl der Individuen, bei welcher so leicht der abweichende Gesundheits-Zustand eines oder des andern Stückes übersehen wird.

Mit einem Gange durch den Rindvieh- oder Pferdestall ist es leicht, sich zu versichern, daß kein Stück krank ist und der Hilfe oder Vorsorge bedarf.

Nicht so mit den Schafen; die Schwachen und Kranken verbergen sich in den Winkeln des Stalles, oder unter den Raufen und an den Hinterwänden des Stalles, wo sie die Ruhe finden, die sie bedürfen.

Wer sie dort nicht regelmäßig aufsucht, beachte das Heraustreiben beim Futtern sorgsam und oft, ob sein Auge keine im Nahrungszustande zurückgebliebene Stücke bemerke.

Landwirthschaftlicher Verein des Oberschlesischen linken Oder-Ufers.

---

75. Ungewöhnliche Fruchtbarkeit des Weinstockes nebst der Behandlung desselben.

Von Oberhofgärtner Bosch zu Stuttgart.

Unter den in neuerer Zeit angelegten Weinrebenpflanzungen hat sich das in dem königlichen Park auf dem Rosenstein angelegte Rebfeld, in Absicht des hohen Ertrages und der Güte des Weinmostes, im Jahre 1835 vorzüglich ausgezeichnet. Obschon diese Rebpflanzung wegen ihrer niedrigen und flachen Lage und des Einflusses der Winde, denen es von allen Seiten preisgegeben ist, für den Weinbau ganz ungünstig liegt, so beweist solche indessen dennoch, wie viel selbst in ungünstigen Lagen für die Verbesserung des Weinbaues durch zweckmäßige Behandlung und Bestockung noch geleistet werden kann. Der ganze, mit Weinreben besetzte Flächenraum beträgt einen Morgen und ist mit 974 Rebstöcken von 42 früh- und spätreifenden Traubensorten besetzt, wovon theilweise bis jetzt mehrere Gattungen noch wenig oder gar keinen Ertrag abgeworfen haben.

Der Ertrag berechnete sich im Jahre 1835 von 80 Stöcken, mit Einschluß der noch nicht im Ertrag stehenden, auf einen Eimer Most, indem die ganze Pflanzung von 974 Stöcken über 12 Eimer lieferte. In der Regel rechnen die Weingärtner in guten Jahrgängen, nach ihrem gewöhnlichen Betrieb des Weinbaues, 3 bis 400 Stöcke auf einen Eimer Ertrag.

Das Gewicht der, am 19. September gelesenen, frühen Clevner war 82° und das der etwas später gelesenen Traubensorten unter einander 75°, ein Gewicht, welches in diesem Jahre nur wenige der besten Lagen gewährten.

Die Entfernung der in's Gesünfte (Quincunx) gesetzten Stöcke von einander beträgt 6 Fuß. Die Reihen stehen nicht in geraden Linien, sondern sind bogenförmig, wobei der äußere Theil oder die Wölbung des Bogens der Sonne zugekehrt, also südlich liegt.

Das Bepfählen geschieht nicht senkrecht, sondern schief, wozu siebenschühige Pfähle verwendet werden, und zwar in der Art, daß stets von zwei Reihen die Pfähle, einer dem andern gegenüber, so in den Grund gebracht werden, daß die Spitzen derselben und somit beide Reihen zusammen einen Winkel bilden, welcher 38 bis 40° nicht übersteigt. Je auf zwei dieser, nach obiger Weise errichteten Dreiecke, welche wegen des Verbandes der Endspitzen der Pfähle nicht ganz auf die Länge eines siebenschühigen Pfahls zu stehen kommen, werden nun 7 Pfähle in horizontaler Richtung spalierartig angebracht, wovon zuerst einer dieser Pfähle oben in die Gabeln der Dreiecke, wo sich der Winkel durchschneidet, zu liegen kommt, und die übrigen je 3 an jeder Seite der schiefen Flächen mit Weiden befestiget werden, an welchen sodann die Schenkel und Ruthen der Weinstöcke gleichförmig vertheilt, und an diesen ganz geschlossen fortlaufenden Geländen an den beiden schiefen Seiten angeheftet werden.

Diese schiefen Wände gewähren den Vortheil, daß dem Weinstocke durch die erhaltene vergrößerte, horizontale Fläche mehr Licht und Luftfeuchtigkeit zugeführt werden kann, die Trauben unter dem Schutze des Laubes gegen den Sonnenbrand ganz gesichert, in ihrem Wachsthum weniger einer Störung bei trockener Witterung unterworfen sind, und deßhalb auch früher reifen, daß ferner jene Bepfählung weniger Pfähle erfordert und solche zugleich eine längere Dauer erhalten, weil nur der wenigste Theil derselben in den Boden zu stehen kommt; auch bildet die angegebene Verbindung der Pfähle einen sichern Widerstand gegen die Stürme und gewährt noch den weitern Vortheil, daß jede nöthige Verrichtung stets unbeschadet des Weinstockes mit aller Bequemlichkeit vorgenommen werden kann.

Was das Beschneiden des Weinstockes betrifft, so geschieht solches in der Regel jedesmal sogleich, nachdem die Trauben abgenommen worden sind. Tritt ein Fehljahr ein, oder erfriert der Weinstock im Frühjahr, so wird das Beschneiden, sobald derselbe seine Wachsthums-Periode vollendet hat, und zwar schon den 25. bis 30. September vorgenommen; gleichzeitig geschieht solches bei jungen Stöcken, welche noch keinen Ertrag gegeben haben. Je früher das Beschneiden im Herbste nach der Wachsthumsperiode erfolgt, um so früher und kräftiger treiben solche im darauffolgenden Frühjahre. Wird nun geschnitten, so erhält jeder Stock zwei Schenkel mit dem nöthigen Beiholz für den Fall, daß einer oder der andere Schenkel wieder ersetzt werden müßte. Auf Ruthen zu Bögen wird nie geschnitten, sondern auf Zapfen von 2 bis 5 Augen, je nach Verhältniß der Stärke des Holzes.

Tritt sodann Frost ein, so wird der Weinstock niedergelegt, und zwar nie theilweise, sondern ganz mit Erde bedeckt, so daß kein Zweig mehr sichtbar ist; denn eine theilweise Bedeckung wirkt auf den Weinstock viel nachtheiliger, als wenn solcher unbedeckt stehen geblieben wäre. Die Rebe wird so lange unter der Erdenbedeckung erhalten, bis im Frühjahre wenig mehr vom Froste zu befürchten ist. Der Weinstock wird zwar durch das längere Liegenbleiben unter der Erde in seiner Vegetation etwas verzögert, er entwickelt sich aber nur um so schneller und kräftiger, sobald im Frühjahre günstige Witterung eintritt. Hat im Frühjahre der Weinstock seine Zweige getrieben, so wird alles junge Holz, das für den künftigen Bedarf nicht nöthig ist und keine Trauben angesetzt hat, sogleich abgenommen, wodurch die stehenbleibenden Zweige im Wachsthum mehr unterstützt und verstärkt werden.

Zeigen sich die Winkeltriebe (oder Aberzangen), so werden solche auf 1, 2 bis 3 Laub, nach Verhältniß des schwächeren oder üppigeren Wuchses der Reben, eingekürzt, nie aber ganz hinweggenommen, weil in diesem Fall das danebenstehende schlafende Auge, welches erst im künftigen Jahre zu treiben hat, dadurch zum Auswachsen veranlaßt wird, wodurch die Hauptruthen geschwächt werden.

Laub wird dem Weinstocke keines abgenommen, je belaubter der Weinstock ist, um so vollkommener werden die Trauben. Haben die Reben oder Leitzweige ihre gehörige Länge erreicht, so werden die Endspitzen derselben sofort abgenommen, ohne auf die Zeit, in welcher solches gewöhnlich allgemein geschieht, Rücksicht zu nehmen, wodurch den Trauben und dem stehenbleibenden Holze die Säfte zugeführt und zurückbehalten werden, während solche bei der überflüssigen Verlängerung der Zweige nur unbenützt verloren gehen.

Wenn bei dieser Darstellung gemachter Erfahrungen über die Behandlung des Weinstockes, von der Beschneidung der Wurzeln und dem Abwerfen der Krone desselben nichts berührt wurde, so geschah dieses aus dem Grunde, weil ein solches verderbliches Unternehmen am Weinstocke nie, selbst beim Versetzen desselben nicht vorgenommen wird; es sey denn, daß bereits verletzte Theile der Wurzeln zu entfernen wären.

Noch herrscht zwar allgemein unter den Weingärtnern die irrige Ansicht, daß das Beschneiden der Wurzeln vom ersten bis sechsten Jahre nach dem Versetzen eine unerläßliche Bedingung sey, und daß derjenige, welcher solches unterläßt, keine Kenntniß von der Kultur des Weinstockes besitze.

Das Abschneiden der Wurzeln am Weinstocke, was die Weingärtner Ausräumen nennen, wird gewöhnlich im Frühjahre, ehe der Weinstock noch zu treiben anfängt, in der Art vorgenommen, daß sie die Erde um den Stock herum so tief hinwegnehmen, als erforderlich ist, um die zunächst unter der Erde liegenden Wurzeln am Stock auf 3 bis 4 Gelenke ganz abnehmen zu können, welches Geschäft dieselben jedes Jahr, bis der Weinstock 5 bis 6 Jahre alt geworden ist, erneuern.

Im dritten Jahre nach dem Versetzen wird nun auch noch der Kopf oder die Krone des Stockes bis unter die Erde ganz abgeworfen. Als Grund dieser äußerst schädlichen, unnatürlichen Behandlungsweise wird angeführt, daß der Weinstock hiedurch gleichsam gezwungen werden müsse, seine Wurzeln tiefer in den Boden einzusenken, um solche dadurch gegen das Erfrieren zu sichern, demselben mehr Nahrung aus der Tiefe der Erde zuzuführen und zugleich dem Stocke eine längere Dauer zu verschaffen.

Daß keiner dieser Zwecke durch eine solche gewaltsame Operation erreicht werden kann, lehrt nicht allein die Erfahrung, sondern auch schon die Organisation der Pflanze läßt dießfalls einen günstigen Erfolg nicht erwarten. Es wird vielmehr durch das öftere Beschneiden der Wurzeln und durch das Thränen an den verwundeten Stellen unter der Erde die Vegetation nicht allein sehr geschwächt und verzögert, sondern der Stock zugleich auf's Neue veranlaßt, an derselben Stelle, an welcher solcher der Wurzeln beraubt wurde, frische Wurzeln zu treiben. Ist der Untergrund nahrhaft, so ziehen sich die Wurzeln von selbst dahin; ist dieses aber nicht der Fall, so nehmen solche ihre Richtung ohnehin nur dahin, wo die meiste Nahrung für sie vorhanden ist, welche sich mehr in der Oberfläche des Grundes, in Folge des nicht tief eindringenden Düngers vorfindet.

Die tiefe Lage der Wurzeln hat noch den weitern Nachtheil, daß die Reife der Trauben verzögert wird, weil die Wurzeln der Einwirkung der warmen Luft zu sehr entzogen sind und die Düngung auf jene Tiefe unwirksam gemacht wird.

Eine der nachtheiligsten Verrichtungen für den Weinstock ist das Abwerfen des Kopfes oder Abschneiden der Krone desselben, wodurch der Weingärtner seine üppigsten, jungen Pflanzungen theilweise ganz zerstört und es niemals mehr dahin zu bringen vermag, die dadurch entstehenden Lücken wieder vollständig zu ergänzen. Daß er seine Stöcke durch das Abwerfen selbst zu Grunde richte, glaubt er nicht, eben so wenig weiß er sich die Ursache hievon zu erklären, sondern er behauptet mit ruhiger Selbstentschuldigung, wenn dieser schlimme Fall eintritt, daß solche im zu guten Boden zu mast gestanden, nämlich üppig aufgewachsen und daher auf das geschehene Abwerfen im Saft erstickt seyen, was bei denjenigen Stöcken, welche magerer stehen, nicht Statt gefunden habe; dessen Schuld somit nicht er, sondern der gute Boden tragen muß.

Der Grund, warum der Weinstock im mageren Boden durch das Abwerfen weniger leidet, liegt nämlich darin, weil solcher aus Mangel an Nahrung nur schwach bewurzelt, der Druck der Säfte daher minder stark ist, und deßhalb auch um so weniger Saftabgang bei einer Verwundung Statt findet, während unter gleichen Umständen im nahrhaften Boden durch die verstärkte Bewurzelung zugleich der Saftandrang vermehrt wird, in Folge desselben der Weinstock bei dem Abwerfen der Krone sich gänzlich entleert und unter der Erde zu todte thränt.

---

76. Die Prüfung und Preisvertheilung über Doppel- und Feinspinnerei zu Prien betr.

Das gräfl. von Preysing'sche Herrschaftsgericht Prien
an das
General-Comité des landwirthschaftlichen Vereins
in Bayern.

Die mit Schreiben vom 6. dieß zur Preisevertheilung an die Lernerinnen der Doppel- und Feinspinnerei so gütig übersendeten 48 fl., dann die Schriften: als 20 Exemplare des praktischen Unterrichtes zum Leinbau von Heinrich von Nagel, ferner 5 Exemplare der Morgenroth'schen Schrift und 3 Exemplare, kurze Anleitung zur Erkenntniß und Heilung des aufgeblähten Viehes, hat man erhalten, und erstattet hiefür den verbindlichsten Dank.

Die öffentliche Prüfung und Preisevertheilung hat am 3. Mai Nachmittags halb 2 Uhr in Wildenwart Statt, wobei öffentlich alle Manipulationen in der Zubereitung des Flachses und der Spinnerei gezeigt, und dann an die besseren Schülerinnen die Preise vertheilt werden.

Man hat 10 Doppelspinnräder, welche hier sehr entsprechend und vorzüglich gut verfertiget werden, und bei größeren Abnahmen auf 5 fl. zu stehen kommen; dann 10 neue, einfach, aber ziemlich geschmackvoll und recht gut gearbeitete Schneller-Haspel ad 1 fl. 12 kr., ebenfalls hier verfertiget, zu Preisen bestimmt.

Diese Haspel sind unter dem Volke bisher nicht in Uebung, und die Vertheilung derselben dürfte zu ihrer so nothwendigen Einführung beitragen.

Ueberzeugt, daß junge Leute und ihre Aeltern nichts mehr freut, als wenn erstere wegen irgend einer Leistung auf eine spielende Weise Unterhaltung und Belohnung verschafft wird, daß viele Jahre herzlich und ohne Argwohn einer Partheilichkeit davon erzählt, und die Veranlassung hiezu geehrt wird, soll nach geendeter Preisevertheilung den sämmtlichen Spinnlernerinnen ein Glückshafen eröffnet werden, an dem nur sie Theil nehmen dürfen, und aus welchem jede derselben zum Andenken an diesen Tag und die Veranlassung, dann zur Erinnerung für eifrige Fortsetzung der erlernten Spinnerei etwas erhalten muß, was ihr nützlich ist und Freude machen kann.

Um in dieser Ausdehnung die Spinnerinnen belohnen und ermuntern zu können, hat auch der Inhaber des Majorats, Herr Max Graf von Preysing-Hohenaschau, 50 fl. auf dießseitiges Ansuchen beigetragen.

Von den mitgetheilten Schriften hat man jeder Gemeinde ein Exemplar Unterricht hinausgegeben, und die übrigen werden an die besseren und empfänglichern Landwirthe vertheilt.

Ueber die Leistungen in der Spinnerei wird man nach geendeter Prüfung weitere Nachricht ertheilen.

Mit ausgezeichneter Hochachtung empfiehlt sich

Prien, den 16. April 1836.

Gigl.

Landwirthschaftliche Nachrichten u. Bücheranzeigen.

77. Ueber Runkelrübenbau.

Nach der Beschaffenheit des Bodens in Triesdorf bei Ansbach und nach erträglichstem Absatz der Produkte wurde seit vielen Jahren der Roggen und Haber als Hauptbau betrachtet, und daher stehen die Grundstücke nicht so gereinigt, als in der nächsten Umgebung, wo die Grundbesitzer einen größeren Fruchtwechsel, und besonders den Hackfrüchtenbau betreiben. Der Kraut- und Rübenbau der angränzenden Ortschaften, Merkendorf, Hirschlach, Neuses, Ornbau, hat die Felder jener Fluren in höheren Nahrungsstand gesetzt, und daher ist es auch wünschenswerth, daß auch in Triesdorf Hackfrüchte gebaut werden, um die Felder in reinern Zustand zu bringen.

Wenn schon erwiesen ist, daß der Runkelrübenbau nicht aller Orten mit gleichen Vortheilen betrieben werden kann, daß häufig die Baukosten kaum gedeckt werden, so offen liegt am Tag, daß die Vor- und Nachtheile dieses Baues in der Wahl und Behandlung des Bodens liegt. Wer auf einem Dammerdenarmen, seichten, nicht gehörig tiefgehenden, zu trockenen, brennenden Kies- oder Sandboden, oder zu nassen, dann zu bindenden Boden Runkelrüben zu bauen gedenket, wird die Nachtheile dieses Baues, und erfahren, daß nicht allein kein Erträgniß, sondern auch das Feld in seiner Verbesserung nicht gewinnt. Dagegen in einer Krautlandgegend ist der Rübenbau gewiß auf der rechten Stelle, und es ist erweislich, daß bei guten Jahren von einem Morgen auf geringem Boden 250 bis 300, und bei gutem Grunde 400 Zentner Rüben gebaut werden.

Die Baukosten eines Tagwerks oder Morgens berechnen sich folgend:

Die Herstellung des Feldes betr. Da die Rüben in dem Jahre nach der Düngung gebaut werden, überhaupt die Felderdüngung alle 3 Jahre wiederholt wird, so ist auch nur ⅓ derselben zu berechnen.

Aus 8 Fuhren Dung à 2 fl., $\frac{1}{3}$ mit . . .	5 fl.	20 kr.
Das Umpflügen im Vorherbst, im Frühjahr das Ebenen, zweimal Pflügen	7 „	— „
Die Kosten auf Pflanzen selbst	1 „	52 „
Das Setzen der Pflanzen, dann Begießen .	2 „	30 „
Nachpflanzen ꝛc.	— „	45 „
Im Laufe der Wachszeit 3mal zu fretten . .	4 „	30 „
Das Ausblatten	— „	40 „
Das Ausziehen der Rüben selbst	— „	20 „
Das Reinigen derselben	2 „	— „
Kapital-Interesse des Grundstücks à 3 % . .	6 „	— „
Baukosten-Summe	30 fl.	57 kr.

Auf einem Morgen werden nach dem Zustande des Bodens 10 bis 16000 Rüben gebaut.

Im Durchschnitte 13000, das Stück mindestens 2 ℔, giebt 260 Ctr. à 10 kr. .	43 fl.	20 kr.
Die Blätter sind auf 10 Ctr. im Verhältniß des Heues zu $\frac{1}{5}$, somit als Heu 2 Ctr. zu 45 kr.	1 „	30 „
Der Rückstand von den Rüben zu $\frac{1}{3}$, giebt aus 260 Ctr. 86 Ctr. Diesen als Futter à 4 kr.	5 „	44 „
Ertrag aus einem Morgen zu Geld . . .	50 fl.	34 kr.
Der Aufwand wie vorgesagt	30 „	57 „
Gewinn per Morgen . .	19 fl.	37 kr.

Jedoch ist zu berücksichtigen, daß die Felder gereinigt, und in dem Wachsthume der Nachfrucht ein großer Gewinn steht.

Hier zur Vergleichung eine Berechnung, wenn auf 1 Morgen Roggen gebaut wird.

Düngung auf $\frac{1}{3}$	5 fl.	20 kr.
Das Feld 2mal ackern und 2mal eggen . .	7 „	— „
Samen 2 Metzen à 1 fl.	2 „	— „
Schneiden und Sammeln ꝛc.	1 „	— „
Das Ausdreschen aus 1¾ Schober à 1 fl. .	1 „	45 „
Kapitals-Interessen aus 200 fl. zu 3 % . .	6 „	— „
Aufwand	23 fl.	5 kr.

Erlös aus dem Bau 1½ Schober Stroh à 6 fl.	10 fl.	30 kr.
Aus dem Schober 1½ Schaff Korn, daher 2 Schäffel 3½ Metzen à 6 fl.	15 „	45 „
Summa	26 fl.	15 kr.
Den Aufwand ab mit	23 „	5 „
Gewinn	3 fl.	10 kr.

Das Verhältniß der Erträgniß des Runkelrübenbaues gegen den Kornbau haben die Grundbesitzer der benachbarten Orte bestimmt, bereits 60 Morgen Runkelrüben zu bauen, und den ganzen Ertrag bei unentgeltlicher Rückgabe der Abfälle den Zentner zu 10 kr. der Zuckerfabrike zu liefern, und erklärt, wenn dieselbe sich bewährt, in den nächsten Jahren diese Zahl zu verdoppeln.

78. Knochenmehl-Düngung.

Sehr sonderbar und zugleich traurig ist es, daß es mit der so wichtigen Knochenmehl-Düngung in Bayern nicht vorangehen will, ja daß sie schon früher zahlreicher in Anwendung war, und jetzt wieder sich vermindern will. Da sahen einige nicht schon über Nacht den Klee hoch wachsen, und fiengen dagegen zu schreien an. Mehrere gewahrten deßwegen nicht die entsprechende Wirkung, weil sie das Mehl nicht dick genug ausstreuten. Wer nur immer von der Knochenmehl-Düngung die gehörige Anwendung machte, und besonders frische Knochen dazu wählte, der wird von ihrer Wirkung Wunder erzählen müssen. Genug! giebt uns England dafür nicht ein großes Vorbild, indem es in Norddeutschland ganze Schiffsladungen von Knochen jährlich aufkauft, und zu Haus zu Mehl für das Bestreuen der Saaten macht? In England ist es sogar zum allgemeinen Sprichwort geworden: **Ein Bushel Knochen giebt 20 Bushel Weizen.**

Kann man von dem Nutzen des Knochenmehls wohl einen größeren Beweis führen?

Wahrlich, während in Bayern höchstens 2—3 Knochenmühlen sich befinden, sollte man solche Stämpfe und Niederlagen von Knochenmehl in jedem Flecken und Städtchen antreffen, damit die Knochenmehl-Düngung sich wohlthätig überall verbreiten könne!! *)

X — — —

79. Neue Verbesserungen in der Fabrikation des Zuckers.

(Aus der allgem. polytechn. Zeitung.)

Die Zuckerfabrikation, und zwar sowohl die aus Runkelrüben, als die aus Stärkmehl, erhält jedes Jahr nicht blos in Frankreich, wo sie durch den hohen Zoll auf Colonialzucker sehr begünstiget ist, sondern auch in Deutschland eine größere Ausdehnung **), und daher wird eine kurze Angabe der neuen Entdeckungen, die auf sie Bezug haben, hier an ihrem Platze seyn ***).

Wirkung der Säuren auf den Zucker. Bisher wußte man, daß Salpetersäure den Zucker in Kleesäure, verdünnte Schwefelsäure den Rohrzucker in der Kälte in Traubenzucker, in der Wärme in Humussäure verwandele, verschiedene organische Säuren ihm aber die Eigenschaft, zu kristallisiren, benehmen. Schon diese Thatsachen mußten darauf aufmerksam machen, wie gefährlich freie Säuren im Zuckersafte seyen, indem durch sie der Rohrzucker die Hälfte seiner Süßigkeit verlieren (zu Traubenzucker werden), der kristallisirbare seine Kristallisationsfähigkeit einbüßen, oder ganz in Humussäure †) sich umändern und somit allen Werth verlieren konnte. Daß dieß bei dem bisherigen Verfahren der Zuckersieder nur zu oft geschah, ist gewiß.

---

*) Sieh über diesen Gegenstand das noch Ausführlichere in der Schrift: Ueber den Dünger, München bei Fleischmann, 1836, 6te, neuerdings sehr vermehrte Auflage.

**) In Böhmen wurden 1835 schon 20000 Centner Runkelrübenzucker gewonnen. Auch bestehen Fabriken in Kärnten, Ungarn, Bayern, Quedlinburg und an mehreren andern Orten.

***) Beaujeu's Verfahren, die zerschnittenen Rüben durch kochendes Wasser (ohne Pressen) auszuziehen, sehe man in der polytechn. Ztg. 1834. S. 94. 126.

†) Humussäure oder Ulmin ist bekanntlich der braune Stoff, der den Hauptbestandtheil des Moders, Torfes und der mit dem Namen Humus bezeichneten, aus verwesenden Pflanzentheilen entstandenen Erde ausmacht.

Sie zersetzten, indem sie freien Säuren die Einwirkung auf den Saft verstatteten, den kristallisirbaren Zucker, den sie bearbeiteten, zum Theil in Schleimzucker, und in braunen, Humussäure haltigen Sirup. Auch zeigte Malaguti kürzlich durch unmittelbare Versuche *), daß die verdünnten Säuren (er versuchte Salpeter-, Schwefel-, Salz-, Phosphor-, Arsenik-, Klee-, Wein-, Trauben-, Citronensäure) den Rohrzucker bei einer Wärme, die 95 ° C. nicht übersteigt, bei abgehaltenem Luftzucker stets in Humussäure **), bei gestattetem in Humussäure und Ameisensäure zersetzen, wobei im ersten Falle sich blos Wasser, im zweiten auch Sauerstoff mit dem Zucker verbindet; daß diese Umänderung erst erfolgt, wenn der Rohrzucker durch die Säuren in Traubenzucker umgeändert ist; daß sie bei Traubenzucker daher sehr schnell Statt findet; daß sie auch in der Kälte, wenn gleich langsamer geschehe, und daß selbst das bloße Wasser den Rohrzucker, wenn man ihn sehr lange damit kocht, in Traubenzucker umändere. Hieraus geht hervor, wie schädlich es ist, Zuckersaft lange mit Wasser zu erhitzen, und wie noch gefährlicher, wenn er zugleich eine freie Säure enthält.

Bouchardat ***) hat durch weitere Versuche gefunden, daß Rohrzucker 1) durch mehr als 60stündiges Sieden mit blossem Wasser ganz unkristallisirbar wurde, 2) daß schon ein Sieden von wenigen Minuten hinreiche, dieß zu bereiten, wenn die Lösung von 1 Th. Zucker und 3 Th. Wasser $\frac{1}{800}$ Salpeter- †), Salz- oder Schwefelsäure enthalte; 3) daß der unkristallisirbare Zucker, der sich zuerst bildet, süßer ist, als der Rohrzucker, (dieser Umstand würde die oft bemerkte Thatsache erklären, daß manche Siruparten süßer schmecken, als der kristallisirte Zucker); 4) daß bei weiterer Einwirkung ††) der Säuren sich (kristalli-

*) Annales de Chemie, August 1835. Dinglers Journal, Bd. 59. S. 62.

**) Polytechn. Ztg. 1836. S. 34.

***) Journal de Pharmacie, Dez. 1835. S. 625.

†) Jeder Rübensaft, der Salpeter enthält, enthält freie Salpetersäure, so wie sich eine andere freie Säure in ihm findet, und diese sich mit dem Kali des Salpeters verbindet, und die Salpetersäure frei macht. Daher werden salpeterreiche Rüben besonders der Gefahr ausgesetzt seyn, Trauben- oder unkristallisirbaren Zucker zu liefern.

††) Bei dem angestellten Versuch wurde der durch die vorherige Behandlung erhaltene unkristallisirbare Zucker 4 Stunden mit $\frac{1}{125}$ Schwefelsäure einer Wärme von 48 Grad R. ausgesetzt.

sirbarer) Traubenzucker bilde, der, wie bekannt, beträchtlich weniger süß als der Rohrzucker ist; 5) daß der entstandene Traubenzucker bei längerer Einwirkung der Säuren, oder stärkerem Säurezusatz *) einen braunen, nicht kristallisirbaren, bitter und süß schmeckenden Sirup bilde, der aber als schwarzer, zersetzter Sirup, nicht als eine Lösung von Humussäure in Zucker zu betrachten sey.

Hinsichtlich der Stärkzuckerfabrikation mittelst Schwefelsäure zeigen diese Beobachtungen, wie wichtig es ist, das Kochen zu unterbrechen, sobald der Zucker gebildet ist **), da man durch längeres Kochen in Gefahr kommt, ihn braun und minder süß zu machen, oder gar in Humussaure zu zersetzen.

Wirkung des Kalkes auf den Zucker. Wenn nun die Säuren nach Obigem so nachtheilig auf den Zucker wirken, so ist es wesentlich, sie bei der Zuckerfabrikation aus dem Safte zu entfernen. Es kann dieß wohl nicht anders, als durch Sättigen mit Kalien oder kalischen Erden geschehen ***), und es ist daher wichtig zu wissen, ob diese und namentlich der Kalk, den man bis jetzt häufig in den Zuckerfabriken gebraucht, nicht ihrerseits eine nachtheilige Wirkung auf den Zucker haben. Bouchardat ließ 1 Th. Rohrzucker mit 4 Th. Wasser und gebranntem Kalk in Ueberschuß acht Wochen in einem verschlossenen Gefäße bei 48 Grad R. stehen; er ward nicht zersetzt. Verfuhr er aber mit Traubenzucker ebenso, so färbte er sich schon nach wenigen Tagen, und zersetzte sich binnen obiger Zeit in ein braunes, nicht mehr süßes, sondern bitteres Extrakt, das sich (durch Sättigen des Kalks mit Kohlensäure, Seihen und Eindunsten rein erhalten) leicht in Wasser und Weingeist löste, mit Hefe nicht in Weingährung kam, und schon in geringer Menge viel Trauben- und Rohrzucker unkristallisirbar machte. Er vermuthet, daß dieß derselbe Stoff ist, der sich bei Einwirkung der Säuren auf Traubenzucker vor der Humussäure bildet.

Uebrigens erfolgt die Umänderung auch in der Kälte, aber langsam.

*) Man nahm $\frac{1}{12}$ Schwefelsäure und erhitzte bis zum Kochen.

**) Kennzeichen der vollkommenen Umwandlung des Stärkmehls ist, wenn 1 Th. der Flüssigkeit, mit 3 Th. Alkohol versetzt, keinen Niederschlag mehr bildet.

***) Da Süßholzzucker mit Säuren eine unlösliche Verbindung bildet, so verdient versucht zu werden, ob er sie nicht aus dem Zuckersaft entfernt.

Hienach würde der Kalk nicht nachtheilig auf den Rohrzucker wirken, aber sehr nachtheilig auf den Trauben- (oder Stärk-) Zucker, was ein weiterer Grund wäre, mit aller Sorgfalt die Bildung des letzteren im Zuckersafte zu verhindern, sowie ein Grund, bei der Sättigung der Säure des mittelst Schwefelsäure bereiteten Stärkzuckers, ja nicht Kalk in Ueberschuß anzuwenden; und ebenso bei dem Klären desselben keine Kohle, die freien Kalk oder freies Kali enthält.

Wirkung des Traubenzuckers auf den Rohrzucker. Kocht man eine Lösung von Traubenzucker (Stärk-) und Rohrzucker zusammen, so scheint nach Bouchardat der Rohrzucker in Traubenzucker zersetzt zu werden. Es ist daher nicht vortheilhaft, ersteren auf diese Art mit letzterem zu verfälschen, da Verlust an Süßigkeit dabei Statt findet.

Wirkung der Kalien auf den Zucker. Wenn aber auch nach Obigem Kalk unschädlich zu seyn scheint, so zersetzen doch nach andern Versuchen die Kalien den Zucker in einen humusartigen Stoff. Und sowie der Runkelrübensaft pflanzensaure Kalisalze enthält, werden diese bei Zusatz von Kalk zersetzt, ätzendes Kali wird frei und muß dann schädlich auf den Zucker wirken. Es hat daher die Anwendung des Kalkes auch ihre schlimme Seite. Indessen kennt man bis jetzt keine Mittel, sie zu entbehren. Doch würden wir empfehlen, zu versuchen, ob nicht ein geringer Zusatz von Oel oder Fett der nachtheiligen Wirkung des entstehenden Kali's begegnen könnte, indem es dieses, ehe es schädlich auf den Zucker wirken würde, zur Seife neutralisirte.

Ueber die Umwandlung des Stärkmehls in Zucker durch Diastase. Die früheren Angaben über diesen Gegenstand, die man theils in dieser Zeitung, theils vollständig in der zweiten Auflage von J. C. Leuchs Zuckerfabrikation (Nürnberg 1835, 1½ fl.) findet, haben durch neuere Beobachtungen mehrere Berichtigungen erhalten. Payen und Persoz hatten behauptet, das Stärkmehl verzuckere sich leichter, wenn es nicht als Kleister der Wirkung der Diastase ausgesetzt wird, und diese bewirke das Zerplatzen der Stärkmehlkügelchen. Nach Guerin-Varry *) verzuckert es sich aber dann gar nicht, und blos die Hitze bewirkt das Zerplatzen der Kügelchen, und blos der Kleister wird durch Diastase oder Malz verzuckert. Mit Wasser abge-

*) Annales de Chemie, Sept. 1835. p. 32. Dingl. Journal Bd. 59, S. 205.

rührtes Stärkmehl wurde binnen 62 Tagen bei 20—25 Grad nicht verzuckert. Eben so wenig brachte Diastase das Stärkmehl zum Zerplatzen, selbst wenn man das Wasser, in dem es zertheilt war, bis nahe zu dem Punkte erhitzte, wo Wasser es zum Zerplatzen bringt. Kochte man dagegen das Stärkmehl vorher zu Kleister, so verzuckerte es die Diastase selbst in der Kälte (bei der Wärme des schmelzenden Eises), und machte es selbst bei einer Kälte, die unter dem Gefrierpunkte war, flüssig, wenn gleich sich hier kein Zucker bildete. Am günstigsten zeigte sich eine Wärme von 60—65° C. (48—53° R.) und 52 Theile Wasser auf 1 Theil Stärkmehl.

Es gaben Theile

	Stärkmehl	Wasser	Diastase	gelöst in Wasser	an Zucker
a)	100	3900	6'13	40	86'91
b)	100	1393	12'25	367	77'64
c)	100	1393	12'25	367	11'82

Bei a wurde die Masse eine Stunde lang 60 bis 65° C. (48—52° R.) warm erhalten.

Bei b wurde sie 24 Stunden auf 20° C. (16° R.) erhalten.

Bei c wurde sie zwei Stunden in der Wärme des schmelzenden Eises erhalten.

Guerin-Varry fand ferner: 1) daß die Diastase das Stärkmehl sowohl im luftleeren Raum als bei Luftzutritt in Zucker verwandle, daß dabei weder Luft eingezogen, noch entbunden werde; 2) daß die gummige Substanz, welche sich dabei bildet, durch Diastase auch in Zucker verwandelt wird, wenn sie von dem dabei gebildeten Zucker getrennt ist, nicht aber, wenn sie zuckerhaltig ist. Dieß zeigt, daß es wesentlich ist, die Umwandlung in Zucker so schnell und vollkommen als möglich zu bewerkstelligen; denn bildet sich viel Gummi zugleich mit dem Zucker, so kann die Diastase ersteres nicht mehr in Zucker umändern; 3) daß der durch Diastase erhaltene Zucker dem durch Kochen mit Schwefelsäure erhaltenen ganz gleich ist. Beide sind in reinem Zustande weiß, geruchlos, wenig süß, krachen unter den Zähnen, lassen sich leicht zerbrechen, kristallisiren in Prismen mit rhomboidalen Seitenflächen, werden durch Erhitzen zuerst weich, dann teigig und strupartig, später zersetzt; in allen Verhältnissen in kochendem Wasser löslich, in Wasser von 23° C. jedoch nur zu 63½ pCt.

Abscheidung des Rübensaftes ohne Pressen. Schon früher dachte man daran, das kostspielige Vorrichtungen erfordernde und dabei umständliche Pressen der Rüben zu ersetzen, besonders da dieses auch bei wirksamen Pressen stets noch 27, zuweilen bis 40 pCt. Saft in dem Rübenmark zurückläßt *), und versuchte nach und nach folgende Verfahrungsarten.

Durch Abseihen. Die zerrieben Rüben wurden auf Filtrir- oder Seihbottiche gebracht, wo man den Saft ablaufen ließ, und später kaltes Wasser aufgoß, um den noch zurückgebliebenen Saft, nebst den ihm anhängenden Zuckertheilen ebenfalls durchseihen zu lassen. Dieses Verfahren gieng aber so langsam von Statten, daß das Rübenmark dabei in Gefahr kam, in nachtheilige Gährung zu gerathen. Auch erhielt man aus dem Saft nur wenig kristallisirbaren Zucker, was man damals nicht erklären konnte, was sich aber jetzt leicht dadurch erklären läßt, daß durch das kalte (luftreiche) Wasser die Säurebildung in den Rüben sehr befördert, und dadurch der kristallisirbare Zucker zersetzt wurde.

Durch Ausziehen der zerschnittenen Rüben, nach Mathieu de Dombasle **). Man schneidet die Rüben in dünne Scheiben, bringt sie in Bottiche oder Filtrirbeutel, und läßt hier heißes Wasser durch sie seihen, nachdem es vorher jedesmal eine halbe Stunde mit ihnen in Berührung war. Dieß wird 7 bis 8mal wiederholt, wobei man das abgelaufene Wasser jedesmal wieder erwärmt und aufgießt, bis es nur $\frac{1}{2}$ Grad schwächer ist, als der ursprüngliche Rübensaft. Dieß Verfahren war gut, da das heiße Wasser die Zellen, in denen der Saft enthalten ist, sprengte, und somit das Reiben ersetzte; aber die viele Handarbeit und Feuerung, die es erforderte, machte es verwerfen. Auch mußte sich bei der Berührung mit heißem Wasser bald viel Säure in den Rüben bilden, und das öftere Erhitzen des säurehaltigen Saftes nothwendigerweise viel Schleimzucker zersetzen. Aus diesem Grunde erhielt Dombasle auch nur $8\frac{1}{2}$ Zucker, während er doch die Rüben so lang auszog, bis sie $\frac{11}{12}$ ihres Zuckergehaltes abgegeben hatten, und demnach fast 10 pCt. Zucker hätte erhalten sollen. Der Saft hat

*) Die Rüben enthalten 97 pCt. Saft. Durch Pressen erhält man aber aus ihnen nur 50 — 60, höchstens 70 pCt.

**) Dessen Premier Bulletin du procédé de maceration. Paris 1832. Oestreichische Zeitschrift für den Landwirth, 1834, S. 97. Marggraf soll dieses Verfahren schon angegeben haben.

weniger Eiweiß, da der größere Theil des Eiweißstoffes, durch das heiße Wasser geronnen, in dem Mark zurückblieb. Eben daher soll das Mark gut mästen, obgleich es weniger Zucker enthält, als das durch Pressen erhaltene.

Beaujeu's Abänderung dieses Verfahrens *). Er verminderte die Handarbeit, indem er neben einander stehende Seihbottiche so durch Röhren verband, daß ein immerwährendes Seihen und Einweichen Statt fand; und die Feuerungskosten durch Erwärmung der Aufgüsse mit Dampf. Auch wurde sein Verfahren 1833, 1834 und 1835 in mehreren französischen Fabriken angenommen, gab aber schlechte Resultate, bis Legavriand und später auch Demesmay darauf kamen, der hierbei Statt findenden Säurebildung durch Zusatz von Kalk zu begegnen, den sie in großer Menge gleich zu Anfang der Maceration dem Rübenmarke zusetzten. Dieser Kalkzusatz schien den Thieren, die das Mark frassen, keinen Nachtheil zu bringen, und man ersparte Pressen, Reibmaschinen, Säcke, Weidengeflechte und hatte keinen weiteren Nachtheil, als daß der Saft $\frac{1}{12}$ — $\frac{1}{15}$ mehr Wasser enthält, als der durch Auspressen erhaltene, also mehr einzudunsten kostete.

Abänderung von Martin und Champonois. Sie suchten die Handarbeit bei obigem Verfahren dadurch zu vermindern, daß sie die Rüben in eine Art Noria (Eimer mit durchlöchertem Boden) brachten. Die Noria wurde in einem umgekehrten, mit Wasser gefüllten Heber bewegt, das Wasser erneuert sich fortwährend, indem es einen der Bahn der Rüben entgegengesetzten Lauf befolgt, und tritt endlich gesättigt aus. Auf diese Art geschieht die Arbeit weit schneller, als auf die vorhergehende, aber der Saft ist wässeriger, und kostet daher mehr Feuerungsaufwand beim Eindunsten.

Auspressen des mit Dampf erweichten Rückstandes. Clemandot schlug 1834 vor, die zerriebenen Rüben zuerst wie gewöhnlich zu pressen, wobei 70 pCt. Saft erhalten werden, dann den ausgepreßten Rückstand in Weidengeflechten 12 — 15 Minuten in siedendes Wasser zu tauchen, dabei umzurühren und nachher wieder auszupressen. Man erhält bei diesem Verfahren von 20,000 ℔ Rüben durch das erste Auspressen 14,000 ℔ Saft, der 1200 ℔ Zucker giebt; durch das zweite noch 2700 ℔ Saft, der 231 ℔ Zucker liefert. Dagegen braucht man bei den Bottichen (jeden zu 3 Hektoliter), die mit Wasser gefüllt und mit Dampf geheizt werden, 4 Arbeiter und einige

*) Abgebildet in Dingl. Journal, Bd. 51. S. 449.

Brünn 1834," enthält Vorschläge, durch Baumwuchs und Holzerzeugung die allenthalben vorfindlichen und bisher noch gar nicht, oder nur sehr schlecht benützten, vielen Flächenräume und Plätze auf der der Feldwirthschaft angehörigen produktiven Erdoberfläche fruchtbar zu benützen, welche mir die Aufmerksamkeit der Gemeinden und einzelner Landwirthe zu verdienen scheinen. Der Verfasser hält zu solcher Verwendung die Seiten der Straßen und Wege, die Ufer der Flüße, der Bäche, der Kanäle, die Seiten der Gräben, der Dämme, die Gränzen der Feldgemarkungen, die Wasserrisse und Schluchten an Bergen, die Sand- und Schlottergeschiebe, Viehtriebe, Hutweiden, Wiesen und Gärten geeignet, und will dazu Obst- und wilde Bäume verwendet wissen. Auf die Zucht wilder Holzarten mache ich hier vorzüglich aufmerksam, weil sie für jene Gegenden besondere Beachtung verdient, wo die Holzpreise sehr hoch sind, und eine Erweiterung des Holzwuchses dadurch möglich wird, ohne dem Feldbaue Flächen zu entziehen. Gerade die fruchtbarsten Gegenden in Bayern sind zum Theil in diesem Falle. Als Beyspiel kann der Ochsenfurter Gau im Untermainkreise dienen. Diese Vorschläge verdienen in jenen Gegenden eine besondere Aufmerksamkeit, wo Stellen sind, denen wegen freier Lage, wegen trockenen Bodens die Hemmung austrocknender oder rauher Winde und einige Beschattung für Felder, Wiesen und Weideplätze sehr vortheilhaft seyn würde. Oefters wurden schon Klagen vernommen, daß nach Hebung der Versumpfung der Moorflächen in Bayern ein jeden Pflanzenwuchs störender Grad der Trockne eintrete; könnte diese Erscheinung nicht durch Baumreihen, welche in angemessenen Entfernungen durch diese Felder an den dieselben durchschneidenden Straßen und Wegen, oder auch sonst, wo es angemessen gefunden wird, hindurch ziehen, gemildert werden? Auf dem Wege von Casendorf nach Weismain im Obermainkreise kommt man über eine völlig baumlose, allen Winden Preis gegebene Gebirgsebene; Baumpflanzungen an Feldwegen, auf einzelnen öden Stellen müßten hier für den Feldbau entschieden vortheilhaft wirken. Die Straße von Lengfurt nach Würzburg, von Ochsenfurt nach Uffenheim zieht an mehreren Stellen über solche Höhen, wo Reihen von Bäumen an den Strassen den angränzenden Gemarkungen vielen Schutz gegen austrocknende Winde gewähren würden. Das Besetzen derselben mit Bäumen ist ohnedieß in Bayern angeordnet und im Intelligenzblatte des Isarkreises, 1835, Nro. XLI., darüber eine Belehrung gegeben worden, wonach auch wilde Holzarten an geeigneten Orten angepflanzt werden können. Diese werden auch da zu empfehlen seyn, wo der Obstbau an Straßen noch nicht den zureichenden Schutz findet, daher häufig erneuert werden muß, was man vielfach bemerken kann. Ist derselbe besonders in obstarmen Gegenden doch selbst an den Wohnungen nur schwer zu erhalten. Sollte bei der Anpflanzung von wilden Bäumen eine starke Kronenverbreitung den Feldern, den Wiesen oder den Weiden etwa nachtheilig werden können, so wird durch die Behandlung derselben als Kopfholz, wo ihre Kronen, wenn sie eine Nachtheil bringende Ausdehnung erhalten haben, abgehauen werden, leicht zu helfen seyn; auch kann durch gedrängteren oder entfernteren Stand der Holzpflanzen ihr Einfluß in dieser Beziehung den örtlichen Verhältnissen entsprechend beliebig geordnet werden. Viele Sorgfalt bemerkte ich im Jahre 1830 auf die Bepflanzung einer Weidefläche im Distrikt Vorwald am Wasen auf dem Revier Röllbach im Untermainkreise verwendet. Daß solche Pflanzungen durch Wurzelverbreitung und Ueberhang manchen Nachtheil bringen, ist wohl allgemein bekannt, und darum werden sie oft verworfen, oder wo sie bestehen, verdorben; aber der Vortheil verbreitet sich häufig weiter als der Schaden, und indem durch Vernichtung des Holzwuchses der kleinere Schaden beseitiget werden soll, führt man den oft grösseren Nachtheil der freien Wirkung austrocknender oder rauher Winde und der versengenden Sonnenwärme herbei. Der Vortheil an Holz, an grünem Laube zur Fütterung, an dürrem Laube zur Streu, an Früchten (z. B. Eicheln, wilden Kastanien) an Rinde von Eichenkopfholz möchte, besonders in holzarmen Gegenden, den Schaden an Feldfrüchten nicht nur ersetzen, sondern oft überwiegen. Tausende von Holzpflanzen könnten so in manchen Gemarkungen an deren Gränzen und an anderen geeigneten Stellen erwachsen und solche Vortheile geben. Durch eine gute Feldpolizei, durch Unterricht in Schule und Kirche müßte aber auf eine bessere Schonung des Holzwuchses überhaupt hingearbeitet werden, als dermalen an vielen Orten zu bemerken ist.

Papius.

---

84. Die Schonung nützlicher Thiere.

Von Oberlehrer Seyferle in Wolfach.

Es giebt eine Menge Thiere, (heißt es im landw. Wochenblatte für das Großherzogthum Baden) welche mit Unrecht in einem nachtheiligen Rufe beim Landmanne stehen, und welche von ihm ohne Rücksicht auf ihren Nutzen oder Schaden verfolgt, mißhandelt und getödtet werden. Würde er jedoch ihre Lebensart sorgfältiger prüfen und sich richtige Begriffe von dem bedeutenden Nutzen, welchen wir ihnen verdanken, und welcher gar oft den Schaden, der ihnen zugeschrieben wird, überwiegt, verschaffen, so würde er sie eher schützen, als verfolgen.

Eine vorzügliche Aufmerksamkeit und Rüge verdient daher die absichtliche Verfolgung und Vertilgung aller der Thierarten, welche zur Erhaltung der allgemeinen Wohlfahrt unläugbar beitragen, und wodurch die verzehrende Thierklasse mit der ernährenden so weislich abgewogen ist. Zu wenig mit der Natur und ihren Geheimnissen überhaupt, wie insbesondere mit der Oekonomie der Thiere bekannt, berechnet man oft zu flüchtig ihren Einfluß auf den allgemeinen Nutzen, und verfolgt so oft die unschädlichen, gleich den schädlichen; daher denn wohl manchmal der Verlust einer vielversprechenden Obst-, Gemüse- oder Getreide-Aernte kommen mag.

Keine Thiere sind z. B. geschäftiger, fähiger und schneller in Vertilgung schädlicher Kerbthiere (Insekten) und ihrer Larven, namentlich der Raupen, als die Vögel; es giebt deren eine Menge, die fast einzig und allein von schädlichen Insekten leben. Die Meise, der Fliegenschnäpper, das Rothkehlchen, der Baumläufer, der Staar und andere mögen wohl in einem Tage Hunderte, ja Tausende schädlicher Insekten, ihrer Larven und Eier verzehren. Welchen Vortheil gewähren nicht erstere drei Vogelarten den offenen Getreideböden, wo sie den sogenannten schwarzen und weißen Kornwurm *) verzehren. Wie nützlich sind ferner der Rabe, die Rabenkrähe, die Dohle, die Nachteule durch Vertilgung der Feldmäuse!

Die Vögel sind die natürlichsten Feinde und Verfolger der Insekten in allen Lebensperioden, indem sie dieselben bald als Ei, bald als Larve (Raupe, Made, Wurm) und Puppe, bald im Zustande ihrer vollkommenen Ausbildung aufsuchen, sie in allen Schlupfwinkeln und zu allen Jahreszeiten, sowohl im Winterschlafe, als in ihrer Wirksamkeit, in der Ruhe und auf der Wanderschaft zu verfolgen wissen, was zur Erhaltung des Gleichgewichtes und der Ordnung höchst wichtig ist.

Von den Garten- und Waldvögeln lebt ein großer Theil blos von Insekten, so namentlich die dünnschnäbeligen Singvögel, wie z. B. die Nachtigall, die Grasmücken, die Rothschwänzchen u. s. w., und selbst die körnerfressenden Vögel,

*) Der schwarze Kornwurm ist ein kleiner Rüsselkäfer, der weiße Kornwurm ist die Larve der Kornmotte.

welche meistens dickere, kegelförmige Schnäbel haben, wie z. B. die Finken und Ammern, vertilgen zur Zeit des Heckens viele Insekten, indem sie ihre Jungen blos mit Insekten und Würmern ätzen.

Fast jede Vogelart scheint in dieser Beziehung ihren eigenen Wirkungskreis, ihre besondere Neigung zu gewissen Gattungen von Insekten zu haben. Ganz natürlich stören wir daher den Gang der Natur durch das unaufhörliche Nachstellen und zwecklose Wegfangen, Martern und Tödten so vieler Wald- und Gartenvögel mittelst des Vogelherdes, der Maisenhütten, Leimruthen u. s. w. Das natürliche Gleichgewicht wird dadurch aufgehoben, die zweckmäßige Einrichtung der Natur gestört. Geschähe der Vogelfang mit mehr Einschränkung, nur zu bestimmten Jahreszeiten, namentlich nicht vor dem Herbste, so würde weniger Nachtheil daraus entstehen können.

I. Uebersicht derjenigen Vögel, welche durch Vertilgung schädlicher Insekten in Gärten, Wäldern, Wiesen und Feldern, oder auch durch Vertilgung anderer schädlicher Thiere, z. B. Mäuse, nützlich sind.

Hierher gehören die Grasmückenarten, die Nachtigall, die Braunelle, die Rothschwänzchen, Steinschmätzer, Bachstelzen, Fliegenschnapper, das Rothkehlchen, Blaukehlchen, der Zaunkönig, das Goldhähnchen, die Meisen-Arten, die Baumlerchen, die Spechtmeise oder der Blauspecht, der Baumläufer, der Wiedehopf, die verschiedenen Arten des Spechts; ferner der Staar, der Dorndreher, der Holzheher, die Schwalben, die Nachtschwalbe oder der sogenannte Ziegenmelker, der Kukuk. Alle diese leben fast ausschließlich von Insekten; der Schaden, der einigen zugeschrieben wird, scheint nicht im Verhältniß zu ihrem Nutzen zu stehen. Der Specht kommt zuweilen in die Gärten, um Weintrauben und andere süße Früchte zu verzehren. Auch der Staar besucht nicht selten die Weinberge, um Traubenbeeren zu verzehren, und fügt auch den Krautfeldern oft Schaden zu. Die Lerche, die Goldammer, der Buchfink ernähren sich zwar zum Theil von Körnern oder Samen, scheinen aber dennoch eher nützlich als schädlich zu seyn. Alle diese Vögel verdienen also vom Landmann in Ehren gehalten, und, wo nicht besondere Umstände dagegen sind, geschont zu werden.

Außer den genannten sind noch manche größere Vögel zu den nützlichen zu zählen, welche nicht blos Insekten, sondern selbst größere Thiere vertilgen. So verzehren namentlich die Rabenkrähe, Saatkrähe, die Dohle, die Elster auf den Feldern nicht blos die Larven des Maikäfers (die Engerlinge), die Werren oder Maulwurfsgrillen und andere schädliche Insekten, sondern auch zahlreiche Feldmäuse; ein Nutzen, der im Ganzen wohl bedeutender ist, als der Schaden, den die genannten Krähen oder (wie man sie gewöhnlich nennt) Rabenarten dem Mohn durch Abknikung der Köpfe zufügen. Zu den Vögeln, welche zur Verminderung der Feldmäuse mitwirken, gehören ferner noch Tagraubvögel, ferner die Nachteulen, welche im Fluge auch zahlreiche schädliche Nachtschmetterlinge vertilgen, und die Rohrdommel.

II. Verzeichniß von Säugethieren und Amphibien, welche in den Gärten, Wiesen, Feldern, Wäldern, Scheunen und Ställen Nutzen schaffen, indem sie dieselben von einer Menge lästigen und schädlichen Ungeziefers reinigen.

Manche dieser Thiere hat man von jeher mit Unrecht als gehässige oder gefährliche, der Oekonomie nachtheilige Geschöpfe verachtet und verfolgt.

Zu diesen Thieren gehören namentlich:

1) Die Fledermaus, welche in gewandtem Fluge in der Abenddämmerung unzählige Nachtschmetterlinge, Maikäfer, Mücken u. s. w. erhascht, auch den Kornwurm verzehrt.

2) Die Spitzmäuse sind gleichfalls nächtliche und sehr gefräßige Thiere, die blos von Würmern und Insekten leben.

3) Der Maulwurf. Er vertilgt eine Menge schädlicher, unter der Erde lebender Insektenlarven (Engerlinge, Maden), und ist ein Hauptfeind des Regen- und des Reitwurms. Ob er gleich von der andern Seite, besonders in Gärten, durch das Aufwühlen der Erde und Losstoßen der Gewächse ein unangenehmer Gast ist, so verdient er doch wohl nicht die allgemeine Verfolgung, die ihm fast allenthalben zu Theil wird.

3) Der Igel. Dieser stellt den Haus- oder Feldmäusen nach, und frißt außerdem eine Menge Insekten, namentlich Maikäfer, ferner Würmer, Schnecken und anderes Ungeziefer; selbst Schlangen greift er an und frißt sogar die giftige Kreuzotter. Es ist daher sehr zu bedauern, daß dieses nützliche und merkwürdige Thier so oft muthwilligerweise verfolgt und getödtet wird, so daß es in vielen Gegenden fast ganz ausgerottet ist. Als Hausthier gehalten, vertilgt der Igel die Mäuse eben so gut, wie die Hauskatze. Die wenigen abgefallenen

Baumfrüchte, die er neben seiner übrigen Nahrung verzehrt, darf man ihm zum Lohne für seine anderweitige nützliche Thätigkeit wohl gönnen.

5) Der Iltis. Er ist vielleicht an manchen Orten mehr nützlich als schädlich, denn er vertilgt Hamster, Ratten, Mäuse, Maulwürfe, Heuschrecken, Schnecken und Käfer. In der Nähe menschlicher Wohnungen jedoch kann er nicht wohl geduldet werden, weil er dem Federvieh sehr nachstellt.

6) Das Wiesel ist, als der ärgste Feind aller Wald- und Feldmäuse, Ratten und Hamster, gleichfalls ein nützliches Raubthier, von der andern Seite jedoch eben so schädlich, indem es aller Orten junge Vögel und Vogeleier, selbst Hühnereier raubt.

Endlich könnte wohl auch der Dachs noch angeführt werden, der als ein Haupt-Mäusefeind nützlich ist, durch Verzehrung von Früchten, namentlich der Weintrauben, dagegen beträchtlichen Schaden anrichtet.

Von nützlichen Amphibien sind vorzugsweise anzuführen:

1) Der Frosch, namentlich der Laubfrosch, welcher Fliegen, Mücken, Heuschrecken, Käfer und andere Insekten, auch Würmer und Schnecken verzehrt.

2) Die Kröte. Auch sie stiftet vielen Nutzen in Gärten, Feldern 2c., da sie in der Dämmerung das Ungeziefer verfolgt, wie der Frosch. Die Kröte sollte daher gleichfalls mit mehr Nachsicht behandelt und weniger verfolgt werden.

3) Die Eidechse, eines der unschuldigsten Thierchen, das unter Gebüschen und Hecken kleine Insekten, Würmer und Schnecken zu ihrer Nahrung aufsucht, und deßwegen blos als nützlich betrachtet werden kann.

4) Die Blindschleiche, gleichfalls ein ganz unschuldiges Thierchen, das mit Unrecht so oft grausam gemartert und getödtet wird, ernährt sich, wie die Eidechse, von Insekten und andern kleinen Thierchen.

5) Die Nattern, namentlich die gemeinen Ringelnattern, werden, indem man sie mit den bei uns weit seltenern Vipern oder Ottern verwechselt, mit Unrecht oft für giftig gehalten. Sie leben von Mäusen, Fröschen, auch wohl von Insekten, und sind daher gleichfalls nicht zu den schädlichen, sondern eher zu den nützlichen Thieren zu rechnen.

86. Ueber den thierischen Dünger, seine Vermehrung und vollkommnere Gewinnung vermittelst Einstreuen mit Erde in die Viehstallungen, beschrieben und empfohlen von Albrecht Block, Besitzer des Gutes Schierau, k. preuß. Amtsrath, Ritter des rothen Adlerordens vierter Klasse und Mitglied mehrerer landw. Gesellsch. Breslau. W. G. Korn. 1835. 8. 31 S. (Preis 45 kr. C. M.)

Wir glauben, es ist hinreichend den, allen gebildeten Landwirthen rühmlichst bekannten Namen des verehrten Herrn Verfassers zu nennen und den Titel seines Schriftchens mitzutheilen, um allen Lesern dasselbe bestens zu empfehlen. Den Inhalt noch näher, als es der Inhalt bereits thut, mitzutheilen, ist kaum möglich, da wir sonst den größten Theil des Inhalts abschreiben müßten.

Der Herr Verf. hat völlig Recht, wenn er sagt: das Einstreuen mit Erde in die Viehstallungen sey das beste Mittel, alle thierischen Excremente auf das Vollständigste zu sammeln und zu erhalten, und eine solche Düngergewinnung sey zugleich das kräftigste Mittel zur Verbesserung der Felder. Dabei ist das ein so einfaches und wohlfeiles Mittel zur Emporbringung der Wirthschaft, daß es jedem thätigen Landwirthe zu Gebote steht.

Ehe ich noch besagtes Schriftchen kannte, habe ich bei Eintritt der Winterfütterung mich blos der Erde als Einstreumittel in meinen Stallungen bedient. Herr Block bestreut den ganzen Stand des Thieres mit Erde und bedeckt diese mit etwas kurz gemachtem Stroh. Ich beobachte folgendes Verfahren:

1) Im Rinderstall gebe ich eine Schicht Erde in die Urinrinne, welche längs des Standes hinter den Thieren durch die ganze Länge des Stalles hinläuft. Der Urin läuft von selbst in die Erde, die festen Excremente werden in die Rinne hineingezogen. Täglich wird diese Schicht Erde erneuert und dann der so gesammelte Dünger alle Mittwoch und Sonnabende aus dem Stalle auf die Düngerstätte gebracht. Stroh wird aber gar keines gestreut, so wie auch unter das Thier weder Stroh noch Erde kommt. Das Rind liegt auf dem trockenen Stande, und wird, wenn es sich beschmutzt, abgeputzt und nöthigenfalls gewaschen. Alles Stroh wird daher nur zur Fütterung verwendet. — So geht auch nicht Ein Tropfen des so fruchtbaren Urins verloren; und da von Zeit zu Zeit auch die Düngerstätte

mit Erde befahren wird, auf welche wieder der Erddünger aus dem Stalle gebreitet wird, so theilt sich auch dieser untern Erde die Kraft des Düngers mit, und das Ganze wird so nothwendig eine recht kräftige Düngermasse werden. Der Vortheil dabei ist:

a) Ersparung des Streustrohes, wodurch die Futtermittel wieder äußerst ansehnlich vermehrt werden;

b) vollkommen vollständige Auffangung und Gewinnung aller Excremente; und

c) außerordentliche Vermehrung des besten, kräftigsten Düngers.

Meine Erdhaufen habe ich nicht, wie Herr B., mit Pferdemist bedeckt, sondern einen Theil davon unter Dach gebracht, um bei nassem Regenwetter trockene Erde in den Stall bringen zu können. Bei trockenem und Frostwetter wird vom großen Haufen die Erde, und oft in Stücken wie ein Kopf groß, in den Stall geschafft. Hier thaut die Erde auf, zerfällt, nimmt alle Excremente vollständig auf u. s. w.

2) In die Schafställe lasse ich gleich die Erde ½ bis 1 Schuh hoch auf einmal einfahren, und stelle die Schafe unmittelbar darauf, ohne in der Regel auch nur eine Hand voll Stroh zu streuen. Nur wenn es nöthig, wird etwas ganz weniges Stroh auf die Erde gezettelt. Selbst jetzt im halben Dezember lasse ich Erde einfahren; bei dem starken Froste ist die Erde in sehr große Stücke gebrochen; diese liegen wie bei einer Pflasterung neben und auf einander im Stalle, thauen in 1–2 Tagen durch die Stallwärme auf, zerfallen, und kommen dann die Schafe darauf zu stehen, so wird das Ganze eben und fest getreten, der Urin und alle flüssigen Theile der Excremente ziehen sich in die Erde, und die Thiere haben einen trockenen Stand und ein trockenes Lager, wobei die Wolle nicht im Geringsten verunreinigt wird.

Die Erde wird nur immer in die eine Hälfte des Stalles geführt, während die Schafe in der andern Hälfte etwas zusammengedrängt stehen. So wie der neue Vorrath an Erde es wieder erlaubt und die früher eingeführte Erde bereits größtentheils gesättigt ist ꝛc., wird auf's Neue Erde eingefahren, und das so oft wiederholt, als es die Verhältnisse nur erlauben.

Also auch im Schafstalle erspare ich das Streustroh fast gänzlich; denn das ganz wenige, das dazu verwendet wird, ist nicht der Rede werth.

reichliche Milch; die Pachterin wurde seitdem so klug, nur diese Raçe als Stamm ihres Milchviehes fortzupflanzen; aber dessen ungeachtet spannte sie nicht junge Ochsen dieser veredelten Raçe, sondern die ungestalteten inländischen Norfolker Ochsen vor den Pflug.

Alle Pächter, und selbst die Besitzer seiner kleinen Taglöhnerlandstellen, können von ihm wohlfeil Thiere seiner veredelten Rindviehraçe erhalten, denn er giebt jede junge Kuh den eigenen und fremden Pächtern für 12 Pfund Sterl. = 80 Rthlr., und erstattet ihnen, wenn sie es wollen, für das erste Kalb, es sey welchen Geschlechts es wolle, 20 Rthlr. zurück, nimmt auch jede Kuh zurück, welche dem Käufer nicht genug Milch liefert. Daher haben alle seine reichen Taglöhnerfamilien das ausgesuchteste Milchvieh. Für diese fleißigen Arbeiter sorgt er väterlich in der Jugend und im Alter. Wir sahen einen solchen Greis, dessen einzige Pflicht war, darauf zu achten, daß die Pflüge gerade so giengen, als Herr Coke es vorgeschrieben hatte.

Zum Pflügen braucht Herr Coke 20 Paar Süd-Devon-Ochsen, die etwas stärker sind, als seine Nord-Devon-Kühe, gröbere Knochen, tiefe Ribben und kurze Beine haben. Er benützt solche einige Jahre zur Pflugarbeit und mästet sie später.

Unter den Kuhheerden der Pächter des Hrn. Coke fanden wir eine ausgezeichnet schöne Devon Heerde des Hrn Blomfield. Er ist berühmt wegen seiner gelungenen Versuche zum Behuf immerwährender Viehweiden edler Art, indem er von ganz vorzüglichen Weiden die Rasenstücke nach andern Gegenden versetzte.*) Die Kühe dieses Herren waren sehr milchreich, und

---

*) Dieß gelingt vortrefflich, indem man den Rasen eines Anschwemmungsbodens auf einen Lehm- oder Sandboden versetzt. Ich habe einen solchen fetten Marschrasen nach einer sandigen Grasweide versetzen sehen. Jene Transportation der Rasen geschah, um einem schönen Park einen der vorzüglichsten Rasen zu verschaffen, und gelang so sehr, daß dort immer die Lämmer und Schafmütter eine ganz vorzügliche Weide fanden. Da der Unterboden, wohin der reiche Rasen versetzt wurde, etwas knickerig war, so wurde er zuvor rajolt und stark gedüngt, aber 10 Jahre nachher war das Gras ausgezeichnet durch dunkles Grün und durch die Dichtheit des Rasens. Auch glaube ich, daß man Marschweiden noch verbessern würde, wenn man auf den Kanälen von der Geest Märgelerde kommen ließe, und jene damit düngte. Anm. d. Red.

ihr Bau, besonders im Vordertheil, sehr schön. Er versicherte, daß jedes Nößel Milch eine Unze Butter liefere, auch daß er auf der nämlichen Weide, welche drei Norfolkkühe ernähre, vier Devonkühe weiden lasse, und doch verschmähen bisher die meisten Norfolker die edlere Raçe.

Immer größer, milch- und wollreicher wird Hrn. Coke's Süd-Down-Raçe der Schafe zu Holkham. Sobald er dort sein großes Gut eingerichtet hatte, schaffte er die schlechte inländische Schafraçe ab, welche sich mit den Kaninchen um das spärlich aufschlagende Gras stritt. In der Zeitfrist, wo Bakewell sich eifrig beschäftigte, die Landesschafe durch vorsichtige Paarung und gesunde Nahrung in Größe, Wolle, Fleisch und Gesundheit zu verbessern, besuchte Bakewell oft Herrn Coke, welcher, wie er selbst gesteht, ihm manche richtige Idee über Viehveredlung verdankt.

Immer noch genügen die jüngsten Geschlechter der Süd-Down-Schafe der Idee der Vollkommenheit nicht, welche Hr. Coke gern erzielen möchte, weil die Fabrikanten so häufig andere Eigenschaften von der Wolle zu neumodischen Zeugen bedürfen. Die Schafe wurden zu fett, und ihr dürres Fleisch war nicht saftig genug. Die Hammelkeulen wurden zu kurz, und ihre Constitution zum Nachtheil ihrer Gesundheit zu zart. Die schwachen Lämmer starben häufig, und die Schafmütter waren zu wenig milchreich für ihre Lämmer. Endlich entdeckte er, daß die Schafe der Grafschaft Hump die beste Stammschäferei lieferten. Seitdem sind seine Schafe frühe zur Schlachtbank reif, und seine Lämmer sehr gesund, nähren sich gut, sind stark und ertragen die feuchte Winterkälte Englands besser als früher. Er hat auffallend die Schwere und den Fleischreichthum der Schafkeulen verbessert, und Holkhams Wolle ist jetzt nach dem Zeugnisse des Fabrikanten Waller die beste in England. Die 16 — 18 Monat alten, einschürigen Lämmer verkaufte er mit der Wolle das Stück im Durchschnitt zu 50 Sh. = 16⅔ Rthlr. Der große, gesunde Körperbau dieser Schafe liefert viele und eine edle lange Wolle, auch eine größere Zahl Pfunde Fleischgewichtes pr. Acker, eine Folge der zweckmäßigen Paarung. Die Weide ist aber auch ganz vorzüglich.

Unter den Pächtern des großen Gutes Holkham lernte ich Herrn Rendle kennen, welcher schon überzeugt war, daß er durch Hrn. Coke's Böcke seine Schafart sehr verbessern werde, weil die Nachkommenschaft mehr Fleisch und Talg der Schlachtbank liefere, ohne darum mehr Weide zu bedürfen, und berechnete den Gewinn auf 15 bis 20 Prozent. Zugleich fand er den Gewinn beträchtlich, daß er die Jährlinge schon an die Schlächter verkaufen könne.

Auffallend war mir, daß ich auf dem Norfolker Schafmarkt 20,000 langbeinige Landschafe und keine von der besseren Holkham Raçe antraf, und folgende Ursache vernahm: Die Schlächter sind gewohnt, die für die Schlachtbank schlecht gebauten Schafe wohlfeil einzukaufen und beim Fleischverkauf darauf ansehnlich zu gewinnen. Weil sie zugleich davon große Massen einkaufen können: so finden sie ein Interesse darin, ihre Kunden nicht mit dem besseren aber theureren Fleische der veredelten Holkhamschafe bekannt zu machen. Deswegen wollen sie für die verbesserten Lämmer, Schafe und Hammel der Holkham- und Süddünenschafe nicht mehr Geld geben, als sie für die schlechteren Norfolkschafe zahlen, und die Norfolkpächter ziehen von ihrem vorzüglichen Turnipsbau und der Getreidesaat in Linien lange nicht die ihnen gebührenden Vortheile, *weil sie ihre schlechten Mastschafe so wohlfeil verkaufen müssen*. Endlich werden aber die Norfolker so klug werden, sich mit einer nützlicheren Schafraçe zu versehen, die unter andern Vorzügen bei gleichem Alter pr. Stück 1¼ Pfund Wolle, und obendrein bessere liefert. Allerdings wird dazu künftig nun auch die jetzt freigelassene Wollausfuhr aus England beitragen.

Die Turnips lieferten im Jahre 1833 im Allgemeinen in England eine mißrathene Aernte, aber dennoch standen die Turnips des Hrn. Hillyard und des Hrn. Coke vortrefflich. Dieß rührt her von der sehr sorgfältigen Behandlung des Bodens vor der Saat und von der Vorsicht, gerade in der geeignetsten Jahreszzeit die Saat zu beschaffen. Diese können beide Herren bei der Menge ihres Zugviehes richtiger als andere wählen, und wie vorsichtig sind sie in der Auswahl ihrer Saat? Bekanntlich ist die schwedische Rübe zu hart und unverdaulich für junge Schafe. Daher schneidet ein sehr einfaches Instrument diese Rüben fein, und zwar in der Minute zwei Bushel. Dieß Futter erhalten die Schafe in Trögen oder Mulden, welche man oft verrückt, damit die Felder für die folgende Bestellung mit Gerste nicht zu fest getreten werden. Mit dieser Vorsicht ernährte Herr Coke im Jahre 1832 mit 40 Acker Rüben 400 Schafe drei Monate lang.

Ein anderer sehr verständiger Pachter, Hr. Garwood, bemerkte, daß in dortiger Gegend mit einem schwarzen Boden man vermeiden müsse, während der Sprung- und Lammzeit auf solchem Boden die Mutterschafe und die Lämmer auf Rübenfeldern weiden zu lassen, sonst befiele diese Thiere eine Schwäche im Hintertheile, obgleich sie sonst gesund wären, also eine Art englischer Krankheit. Er jagt daher auf diesem Boden die Schafe und Lämmer nicht in die Turnipsweide, und versorgt sie in solcher Zeit mit Gras.

Nichts kann für den Bewohner bequemer seyn, als die Pächterhäuser und Wirthschaftsgebäude, die Hr. Coke für solche aufführen ließ. Er erbaute 52 neue von Grund aus. Sie haben alle Bequemlichkeiten, welche sich ein Landmann des Mittelstandes wünschen kann, der auch im Hause sich es wohl seyn lassen will. Die Mauern sind stets beworfen und haben Abtheilungen durch eingedrückte Muschelschalen oder bunte Steine, welche man am Meerstrande findet, und jeder Giebel hat eine freundliche Verzierung, so einfach auch der Baustyl ist. Die Ziegelerde hat das Gut selbst. Ueberall sah ich aber auch im Innern die höchste Reinlichkeit.

Das Dorf Holkham wird ganz bewohnt von Gesinde und Tagelöhnern des Hrn. Coke, oder von allen treuen Arbeitern, die er nicht Noth leiden läßt, und leicht aber doch nützlich beschäftigt. Alle diese kleinen Häuser haben ein freundliches Ansehen und sind gemächlich im Innern, besonders aber die von Lady Anna Coke gebaute Dorfschule.

Unter allen von Hrn. Coke im rohesten Zustande gekauften Landgütern zeichnete sich aus die Pachtung des Hrn. Garwood von 1000 Ackern. Dort war ein sehr sumpfiges Moor von etwa 50 Ackern, wo man Torf grub, daß Menschen und Thiere darin versinken konnten. Jetzt ist der trocken gelegte Moor eine schöne wohlbewässerte Wiese, die gleich dem übrigen Lande pr. Acker 3 Pf. Sterling Pacht giebt. Nie war daselbst die Aernte einträglicher durch Bewässerung, als gerade in dem dürren Sommer 1832, denn diese Wiese ernährte damals mehr als 600 Schafe, 20 vier- bis sechsjährige Ochsen und 10 Pferde, und ungeachtet dieses großen Erfolges einer klugen Ab- und Zuwässerung trifft man in Holkhams Nähe noch manchen wilden Moor an, der die nämliche Bequemlichkeit der Be- und Entwässerung anbietet, und dennoch ungenutzt liegt. So sehr bedürfen die besten Culturen eine polizeyliche Staatsaufsicht. Wären Englands Aecker überall wie in Holkham bestellt, so würde Großbritannien keine Getreide-Einfuhr der Ausländer bedürfen. Lange zögerte Herr Garwood, ehe er die Devonkühe einführte, welche, wie ihn die Erfahrung lehrte, weniger Futter brauchen, als die Norfolk-Raçe, und doch im Sommer pr. Kopf wöchentlich 4 Pfund Butter liefert.

88. Ueber Licht und Wärme in Bezug ihrer Wirkungen auf die Baukunst. Von C. A. Menzel in Greifswald.

Dinglers polytechnisches Journal theilt im 1sten Novemberhefte d. J. in einem größeren Aufsatze über den, in der Ueberschrift genannten Gegenstand viele Bemerkungen mit, welche für manchen unserer Leser vielleicht noch neu sind und in vorkommenden Fällen zur praktischen Anwendung sehr berücksichtigt zu werden verdienen. Wir heben vorzüglich nur das aus, was für die Berücksichtigung der Wärme und des Lichtes bei Errichtung von Gebäuden im Allgemeinen, und für die landwirthschaftlichen insbesondere von Wichtigkeit ist.

Licht und Wärme äußern ihre nächste Beziehung zur Baukunst zuvörderst in sofern, als sie die Stellung bewohnter Gebäude gegen die Himmelsgegenden bedingen. In unserm nördlichen Klima ist die Lage bewohnter Räume gegen S. und SO. die gesundeste, besonders derjenigen Zimmer, welche man zum Aufenthalt während des Tages wählt. In der kalten und gemäßigten Jahreszeit steht die Sonne so niedrig, daß sie ihre Strahlen durch das ganze Zimmer wirft und eine höchst wohlthuende Wärme und Trockenheit hervorbringt, während sie bei dem hohen Stande im Sommer nur wenige Schuhe tief in das Zimmer eindringt, und also den Raum weit weniger unangenehm erhitzt, als dieß bei Zimmern, die gegen SW. und W. liegen, der Fall ist. Doch wird man solche Stuben immer noch denjenigen vorziehen, die gegen N., NNW. und NNO. liegen, folglich stets mit einer immer feuchten und kalten Luft erfüllt und daher der Gesundheit sehr nachtheilig sind.

Wohnzimmer liegen demnach am besten gegen S. und SO., Schlafzimmer gegen O., Arbeitszimmer gegen O. oder SO., Küchen, Speisekammern und Abtritte gegen N., NO. auch NW. Diese Räume vermeide man gegen die heißeren Himmelsgegenden zu legen; denn in den Küchen entsteht sonst im Sommer eine unerträgliche Hitze, in den Speisekammern verderben aus derselben Ursache die Vorräthe, und die Abtritte verursachen in dieser Lage einen weit unangenehmeren Geruch, als wenn man dieselbe zu vermeiden sucht. Ebenfalls dürfen Keller nicht gegen heiße Weltgegenden liegen, weil die Vorräthe verderben, und die Hitze weit schwerer abzuhalten ist, als die Kälte. Weinkellern muß man sogar möglichst das Licht entziehen und nur für Luftzug sorgen, da die Erfahrung lehrt, daß der Wein in finstern Kellern sich ungleich besser hält, als in hellen. Räume zur Aufbewahrung von Kleidern, namentlich wollener und von Pelz, dürfen eben so wenig heiß liegen, und zwar der Motten wegen; auch muß für hinlänglichen Luftzug gesorgt seyn. Badezimmer, wo man sie haben kann, liegen am besten gegen O., Eßzimmer gegen O. oder NO., da im Sommer die mäßig kühlen Zimmer weit mehr den Appetit reizen, auch der mannigfaltige Geruch der Speisen darin bei weitem nicht so widerlich ist, als in den warmen.

Ställe für Rindvieh und Pferde liegen am besten gegen O., da sie mit den Thüren gegen N. gekehrt, zu kühl, gegen S. und W. aber zu warm sind, auch verursachen, daß das Vieh zu sehr von den Fliegen geplagt wird, besonders bei eingeführter Stallfütterung. Schafställe legt man gern gegen S., da die Schafe im Sommer den Tag über auf der Weide sind, im Winter aber, wo sie sich im Stalle aufhalten, der wärmenden Sonne sehr bedürfen. Schweineställe müssen mit ihren Thüren gegen O. liegen; das Schwein ist ein hitziges Thier und verlangt Kühlung im Sommer. Bienenhäuser und Treibhäuser stehen am besten gegen SO.; Kornböden mit den langen Seiten wo möglich gegen NO. und SW., denn zu große Hitze befördert den Wurm. Scheunen liegen am besten so, daß der Wind von O. nach W. durch die Tennen streifen kann, weil aus diesen Himmelsgegenden die meisten Winde wehen, und der Luftzug bei dem Dreschen und Werfen des Getreides vortheilhaft ist. Ställe für Federvieh dürfen nicht zu heiß liegen, weil das Ungeziefer sonst die Thiere sehr plagt, welches ihrer Entwickelung schädlich ist.

Wir wollen die Mittel, über Licht und Wärme bei Bauanlagen willkührlich zu gebieten, näher betrachten.

Die beständige Abwechslung unsers Klima's von circa — 20° bis + 30° R. erfordert eine Construction, welche diesen entgegengesetzten Einwirkungen gleich gut widersteht. Hieraus folgt, daß Wände und Dächer aus möglichst schlechten Wärmeleitern bestehen müssen. Man verfährt aber meistens diesen Bedingungen gerade entgegen. Die vorwaltende Bauart aller ökonomischen Gebäude ist das sogenannte Fachwerk mit Lehm oder Stein ausgefüllt. Abgesehen von der Mangelhaftigkeit und Verbrennlichkeit so errichteter Gebäude, sind die Wände unter allen Umständen viel zu dünn, um lange einer fortgesetzten Einwirkung von Kälte und Hitze, ja selbst des Regens zu widerstehen. Da man die Kälte in solchen Ställen zur Winterszeit aus Erfahrung kennt, so sucht man das Vieh dagegen dadurch zu schützen, daß man die Räume möglichst niedrig macht, wodurch aber im Sommer unerträgliche Hitze und zu jeder Jahreszeit ein ungesunder Dunst erzeugt wird, welcher weder Menschen noch dem Vieh zuträglich ist.

Die mit Lehm ausgefüllten Fächer sind, abgesehen von ihrer Vergänglichkeit, immer noch den mit Mauersteinen ausgefüllten vorzuziehen, da Lehm und Stroh schlechtere Leiter sind, als gebrannte Steine. Allein auch sie sind mit 6 Zoll Stärke zu dünn, um die äußere Temperatur abzuhalten, und bedürfen wenigstens einer Hinterlage von Lehmsteinen, um leidlich zu seyn. Also stärkere Umfangswände wären ein Haupterforderniß für das Gedeihen des Viehes, welches unsere Vorfahren sehr wohl einsahen und bei ihren Viehställen berücksichtigten; in jetzigen Zeiten wird es aber, der Ersparung der Kosten wegen, fast durchgängig vernachlässigt.

Da die Temperatur im Laufe des Jahres sehr wechselnd bei uns ist, so dürfen die Fenster auch nur für den nöthigen Zutritt von Licht und Luft eingerichtet seyn, weil die gläsernen Scheiben der Kälte wie der Wärme gleichen Spielraum lassen, in die Gebäude zu dringen.

Die Bedachung trägt wesentlich zur Stimmung der Temperatur in den Gebäuden bei. Stroh und Rohr, beide schlechte Wärmeleiter, gewähren die größte Gleichmäßigkeit derselben, sind aber fast überall als Bedachungsmaterial verboten. Gebrannte Dachsteine erzeugen dagegen unter dem Dache eine eben so unerträgliche Hitze als Kälte, wenn nicht besondere Vorsichtsmaßregeln angewendet werden, als: eine förmliche Deckenconstruction im Kehlgebälke, Maurung senkrechter Wände an der schrägen Dachseite bis zur Brüstungshöhe, wodurch zwischen der schrägen Dachseite und der senkrechten Brüstungswand ein Luftraum entsteht, welcher schlecht leitet; ferner Ausfütterung der noch übrigbleibenden schrägen Dachfläche, von der senkrechten Brüstungswand bis zur Decke, durch gestaakte Felder (gewöhnliche Lehmfelder), welche Hilfsmittel doch nicht ganz die äußere Temperatur zu mildern im Stande sind. Damit nun die im Dache befindliche Temperatur, namentlich die Kälte, sich den untern Räumen nicht mittheilen kann, ist es unter allen Umständen gut, die Bodentreppe durch Verschläge und Thüren abzusondern. Damit ferner die Temperatur des Dachbodens sich nicht den unmittelbar darunter liegenden Zimmern durch die Decke mittheile, ist es gut, sogenannte halbe Windelbodendecken andern Constructionen vorzuziehen, da bei diesen Decken der, zwischen den Deckenschaalbrettern und den Einschiebebrettern eingeschlossene Luftraum ein schlechter Leiter ist und die obere Temperatur nicht eindringen läßt. — Das einfachste Mittel gegen Zugluft, welche (nebenbei gesagt) schlechte Zähne, rheumatische Schmerzen und Erkältungen aller Art bewirkt, ist Absperrung der Stockwerke in den Treppenhäusern durch Verschläge, oder wenn man das Licht braucht, durch Glaswände.

Eine besondere Berücksichtigung verdient die Verbesserung unserer Küchen. Die gewöhnlichen Feuerherde und offenen Schornsteine derselben verursachen einen immerwährenden Zug, folglich Circulation der Luft und Veränderung der Temperatur.

Um diesen Uebeln vorzubeugen, wäre bei den Küchen nothwendig, mehr und mehr sogenannte verdeckte Kochherde einzuführen, oder wenigstens die Schornsteine mit eisernen Klappen zu versehen, um sie willkührlich öffnen und schliessen zu können, damit man, wenn kein Feuer auf dem Herde brennt, dem Zuge wehren kann. So angenehm die bedeckten Kochherde im Winter sind, weil alsdann die Küche gleich einer Stube erwärmt wird, so unangenehm sind sie aus demselben Grunde im Sommer, und für diese Jahreszeit ist es vortheilhafter, die Schornsteinklappe offen zu erhalten, um die Wärme entweichen zu lassen. Am vortheilhaftesten ist es, mit dem bedeckten Heerde noch einen kleinen offenen zu verbinden, damit man Kleinigkeiten kochen kann, ohne den ganzen Herd feuern zu müssen.

Die Keller werden schon jetzt gewöhnlich durch Verschläge abgesperrt, um ihre Temperatur gleichförmiger zu erhalten, und es ist unbegreiflich, warum man nicht dasselbe höchst einfache Mittel anwendet, um auch jedes einzelne andere Stockwerk gegen Veränderung der Temperatur zu schützen. Allein die Kosten werden häufig zum Nachtheil der Gesundheit zu sehr berücksichtiget.

Ferner trägt es bei einem Hause wesentlich zur Erhaltung gleichmäßiger Temperatur bei, wenn die Haupteingangsthüre nicht unmittelbar der sogenannten Hinterthüre gegenüber steht, sondern diese Hinterthüre entweder an die Seite des Gebäudes verlegt wird, oder daß man in der durchgehenden Hausflur mindestens eine Trennungswand anlegt.

Die Erfahrung lehrt weiter, daß diejenigen Zimmer die wärmsten sind, welche nicht an den Seiten des Hauses und nicht an der Flur, sondern in der Mitte zwischen andern liegen: eine Erscheinung, die sich jeder leicht selbst erklärt. Bei freistehenden Häusern, wo die Giebelseiten der untern Stockwerke gewöhnlich wenig Fenster haben, und bei solchen Gebäuden, wo breite Fensterpfeiler statthaft sind, würde man bei mäßig starken massiven Wänden die Einwirkung der äußern Temperatur am besten durch folgende Mittel abhalten.

Man lasse in der Mitte der Wände einen hohlen, etwa 1 bis 2 Zoll breiten Luftraum, welcher von allen Seiten geschlossen, als schlechter Leiter die Temperatur der äußeren Athmosphäre dem Innern des Hauses wenig oder gar nicht mittheilen wird. Das höchst lästige Durchglühen der Mauern im Sommer und das Ableiten der Stubenwärme durch dieselben im Winter wird alsdann nicht Statt finden. Ein solcher Luftraum wird ferner das Durchnässen derjenigen Umfassungswände verhüten, welche gegen die Wetterseite gekehrt sind. Damit aber die, auf solche Weise construirten Mauern Stabilität genug bekommen, müssen hinlänglich Streckersteine durch den Luftraum von der äußern Seite der Wand nach der innern hindurchgehen. Bei Kellermauern, die ohnehin immer stark sind, würde obiges Mittel besonders dazu dienen, die Feuchtigkeit der Wände abzuwenden. Auch in dem Erdgeschosse würde das Heraufziehen der Nässe von Außen vermieden werden. Bei Pferdeställen endlich, beiläufig gesagt, wird diese Art zu construiren außer der Wärme noch den wesentlichen Vortheil haben, dem so lästigen Durchschlagen der innern Feuchtigkeit nach der Außenfläche, welches die äußern Mauern stets verdirbt, mit einem Male besser abzuhelfen, als alle bisher angewendeten Mittel. Wollte man in diesem Falle auch das Eindringen der Feuchtigkeit in die Mauern von unten herauf besiegen, so dürfte man nur auf die abgebrochene Plinte zerbrochene Glasscheiben so legen, daß sie etwas überstehen, wodurch es der unterhalb sich erzeugenden Feuchtigkeit unmöglich gemacht wird, in die oberen Mauern zu dringen. Zinkplatten als Beleg der Plinten würden bei Pferdeställen nicht helfen, da der Urin den Zink zerstört.

Das Bekleben der Wände mit doppeltem Papier ist sehr zweckmäßig, indem das Papier ein schlechter Wärmeleiter ist. In dieser Hinsicht ist auch das Verblenden mit Brettern gut, hat aber Kostspieligkeit und leichtes Einnisten von Ungeziefer gegen sich.

Zur Erhaltung einer angenehmen Temperatur im Winter empfiehlt der Verf. die in Rußland sehr üblich gewordene Luftheizung, wodurch man die Hausflur, die Treppenhäuser und mit einem Worte alle Räume des Hauses gleichmäßig zu erwärmen im Stande ist, so daß man, nachdem die Hausthüre geschlossen ist, sich in einer ganz andern Atmosphäre befindet, als außerhalb des Hauses. Dach und Kellerraum müssen aber sorgfältig gegen die übrigen Räume des Hauses abgesperrt seyn. Für landwirthschaftliche Gebäude dürfte diese Heitzungsart, wenige Herrenhäuser abgerechnet, schwerlich einzurichten seyn, da man die offenen Hausräume, bei dem lebhaften Verkehr im Hause, gegen die äußere Luft selten gehörig wird absperren können.

Was der Verfasser über Fußbodenbekleidung, über die, für unser Klima unzweckmäßige italienische Bauart und die Einrichtung der Beleuchtung von oben herab sagt, übergehen wir, da es theils bekannt ist, theils bei landwirthschaftlichen Wohnhäusern selten Anwendung finden wird.

89. Einige Bemerkungen über Polizei-Maßregeln bei Viehseuchen.

Unter den mancherlei Hemmnissen, welche die Landwirthschaft und insbesondere die Viehzucht auf ihrem Weg zur fortschreitenden Entwicklung der darin liegenden staatswirthschaftlichen Kräfte findet, treten als vorzugsweise verderblich die Viehseuchen hervor, nicht so sehr hinsichtlich ihres bald mehr, bald minder bösartigen Charakters und der darauf beruhenden grossen Schwierigkeit, ihnen ärztlich jederzeit mit Erfolg begegnen zu können, als vielmehr hinsichtlich der polizeilichen Maßnahmen zu ihrer vermeintlichen Beschränkung und Tilgung. Diese sind nämlich mehrentheils von lediglich individuellen Ansichten abhängig, und so sieht man denn oftmals auf eine vage Zeitungsnachricht hin, die strengsten Anordnungen treffen; Häuser- und Orts-Sperren, ja Grenzsperren treten bei Krankheiten ohne Spur eines Ansteckungsstoffes mit derselben Härte ein, wie wenn die Rinderpest unter den Heerden wüthet. Die Aufhebung des Verkehrs lastet nicht allein schwer auf den betheiligten Ortschaften und Distrikten, sie macht nicht nur die Leute verdrossen und widerspenstig, sondern auch den Sanitäts-Behörden abgeneigt; daher die Verheimlichung der Erkrankungs- und Todesfälle, daher die Verschleppung des Fleisches und mit demselben bisweilen auch die Verschleppung von wirklichen Ansteckungsstoffen, oder doch von Krankheitskeimen für solche Personen, welche krankes Fleisch genießen. — Man darf ohne Uebertreibung behaupten, daß die Viehseuchen an sich eine viel mindere Fessel für die landwirthschaftliche Viehzucht sind, als es die polizeilichen Maßnahmen gegen die meisten jener Krankheiten sind. — Die Redaktion des Centralblattes, immer eifrig in

Lösung ihrer Aufgabe, wird ohne Zweifel die nachfolgenden Bemerkungen, als aus der Natur der Sachverhältnisse hervorgegangen, von der Art finden, daß sie sich zur Bekanntmachung eignen, und vielleicht die Bahn brechen, auf welcher Gedeihliches zu Tage gefördert werden kann.

Die s. g. Viehseuchen sind theils ansteckende, theils nicht ansteckende. Jene führen einen eigenthümlichen Krankheitsstoff (Ansteckungsstoff) mit sich, welcher von einem gegebenen Mittelpunkte aus sich langsamer oder schneller der Umgegend mittheilt, und durch Sperranstalten aufgehalten werden kann; die nicht ansteckenden entstehen entweder aus Schädlichkeiten, welche die Jahrszeiten und Witterungszustände mit sich führen, oder sie gehen aus Fehlern in Wart und Pflege hervor, hören daher mit der Jahreszeit und Witterungsbeschaffenheit, mit besserer Wart und Pflege wieder auf, und machen folglich keine Sperranstalten nöthig.

Die s. g. Rinderpest (Löserdürre, Uebergälle 2c.) geht nicht allein ansteckend von dem kranken auf die zunächst stehenden noch gesunden Rinder über, ihr Ansteckungsstoff hängt sich auch an vielerlei Gegenstände (Wolle, Baumwolle, Hanf, Flachs, Heu, Stroh 2c.) und kann dadurch sehr leicht in weit entfernte Gegenden verschleppt werden. Hier sind demnach Sperranstalten der strengsten Art unerläßlich, um so mehr, als wir zur Zeit noch kein verläßiges Heilmittel gegen diese Krankheit kennen. Allein von dieser Krankheit werden wir glücklicher Weise nur selten bedroht, da sie bis jetzt blos in Kriegszeiten zum Ausbruch kam, und unser Handels-Verkehr mit Ungarn und Polen (wo diese einigen, jedoch nicht bewiesenen Annahmen zu Folge, einheimisch seyn soll) nicht von solcher Art ist, daß er eine Verschleppung des Ansteckungsstoffes nach sich zu ziehen vermöchte. Wahr ist es, die Zeitungen von 1834 und 1835 berichteten zu wiederholten Malen, daß die Rinderpest in Mähren 2c. fürchterlich wüthe, daß 20,000 Stücke und mehr daran zu Grunde gegangen seyen, daß sie in Ungarn auch auf die Pferde sich ausgebreitet habe 2c. — und viele, nicht genugsam unterrichtete Personen geriethen in nicht geringe Sorge ob ihres Viehstandes; von manchen Seiten erfolgten sogar öffentliche Mahnungen zur unverweilten Errichtung von Sperranstalten; — daß diese unterblieben, hat nirgends Nachtheil gebracht, und es ist eine reine Thatsache, daß jene Krankheit die Rinderpest nicht, sondern eine andere, lediglich aus Witterungszuständen und enormen Futter- auch Wasser-Mangel entstandene Krankheit gewesen.

Die Schafpoken sind, wie die Rinderpest, ansteckend. — Noch vor Kurzem behaupteten unsere Schäfer, jene Krankheit kommt unter unsern Schafen nicht vor; dieser Widerspruch beruhete darauf, daß sie dieselbe mit der Räude verwechselten. Besser nunmehr unterrichtet, legen sie der Inoculation der Pocken (als dem wirksamsten Mittel zur Verhütung großer Verluste) weniger Hindernisse mehr in den Weg, und es ist zu hoffen, daß die Schafzucht (von dieser Seite betrachtet) einem bessern Gedeihen entgegen gehen werde.

Die Milzseuche (Milzbrand, gelber Schelm ꝛc.) ist ein Erzeugniß gewisser Witterungs-Verhältnisse, mit deren Aufhören sie daher auch erlischt, und aller Sperranstalten spottet. Sie führt keinen Ansteckungsstoff mit sich, allein dafür ein thierisches Gift, welches, zumal dem Menschen lebensgefährlich und tödtlich werden kann. Es gleicht in allen seinen Wirkungen ungemein dem Schlangengifte, und ist wohl am stärksten im Blute enthalten, doch sind auch alle übrigen Säfte gefährlich, nicht minder das Fleisch und die Eingeweide. — Erfordert auch die Milzseuche keine Sperranstalten zur Verhütung ihrer Weiterverbreitung, so macht sie doch die äußerste Sorgfalt nothwendig hinsichtlich der Verwendung des Fleisches ꝛc. als Nahrungsmittel für Menschen oder für Thiere.

Die Maulseuche ist eine Witterungs-Krankheit, und scheint nicht selten zunächst auf der Beschaffenheit der Weiden zu beruhen; Nebel, Thau und Reif haben, wenn sie auch das Uebel nicht für sich allein erzeugen, doch Antheil daran, insbesondere dürften gewisse Insekten und deren Ausleerungen ebenfalls an Entstehung von Blasen und Geschwürchen im Maule manchmal Schuld seyn. Jedenfalls ist die Maulseuche eine nicht ansteckende Krankheit, woraus von selbst erhellt, daß sie keine andere Polizei-Maßregel nöthig macht, als etwa die der Aufhebung oder Beschränkung des Weidetriebs in so lange, als die dem Uebel günstige Witterungsbeschaffenheit anhält.

Die Klauenseuche kann auf der Weide und im Stalle entstehen. In jenem Falle ist sie entweder durch die Witterung oder durch die Beschaffenheit der Weideplätze veranlaßt, im zweiten Falle beruht sie auf Fehlern in Wart und Pflege. Ansteckend ist sie nicht, und macht daher weder Sperre, noch andere polizeiliche Anstalten nothwendig.

Die Lungenseuche (des Rindviehes), diese große Plage vieler Gegenden, entsteht überall entweder aus Witterungs Verhältnißen oder aus übler Beschaffenheit der Weiden, häufig aus beiden zugleich; mitunter geht sie auch, bei der Stallfütterung, aus großen Fehlern in Wart und Pflege hervor. Sie führt nie einen Ansteckungsstoff mit sich; erfordert also auch keine Sperre, welche zu allen Zeiten und an allen Orten nur dazu gedient hat, die ohnedieß schon große Plage des Landmanns zu vermehren. Der Grund, warum man bei dieser Krankheit mit Arzneimitteln verhältnißmäßig nicht viel ausrichtet, liegt durchaus nicht in einem Ansteckungsstoff, sondern in dem Baue der Lungen, dem gemäß die Lungen-Entzündung des Rindviehes weit häufiger einen ungünstigen als günstigen Ausgang nimmt. Es soll hiemit keineswegs behauptet werden, als wäre der Athem von Lungenkranken den Gesunden nicht nachtheilig, das ist er allerdings; alles dasjenige, was aus kranken Lungen ausgeathmet wird und andere krank machen kann, das ist kein Ansteckungsstoff, es wirkt blos, wie andere in der Atmosphäre enthaltene Schädlichkeiten, z. B. Ausdünstungen aus stehenden faulen Wässern, aus Kloaken, Sümpfen, Morästen rc.

Aus diesen kurzen Bemerkungen geht hervor, welche von den s. g. Seuchen ansteckend und welche es nicht sind. Weitere Ausführungen erscheinen für den gegenwärtigen Zweck entbehrlich, der kein anderer ist, als Abwendung solcher polizeilicher Maßnahmen gegen Viehseuchen, welche mit der Natur derselben im Widerspruch stehen und daher als eine wahre Last und Fessel für die Landwirthschaft überhaupt und für die Viehzucht insbesondere betrachtet werden müssen.

Anhang

zu den

Verhandlungen des General-Comité.

Bekanntmachung.

Von mehreren Seiten laufen Klagen wegen verspäteter oder mangelhafter Zustellung der Centralblätter des landw. Vereins hierorts ein; — es diene hiemit zur Nachricht, daß der Bedarf an Monatsheften für den Isarkreis, wie ehemals die Wochenblätter, einzeln unter den besonderen Addreßen der Behörden, Gemeinden und übrigen Mitglieder; jener der übrigen Kreise aber an die betreffenden Kreis-Comités in Masse von der dießseitigen Expedition (jedesmal gleichförmig, und unverzüglich nach vollendetem Abdrucke und Heftung) an die hiesigen königl. Hauptpostanstalten abgegeben werden.

München, den 11. Mai 1836.

General-Comité des landwirthschaftlichen Vereins in Bayern.

Bekanntmachung
der Wahlen der Kreis-Comités.
(Fortsetzung.)

VI.
Kreis-Comité
des landwirthschaftlichen Vereins in Würzburg für den Untermain-Kreis.

I. Vorstand:

Graf von Rechberg und Rothen-Löwen, k. Kämmerer, General-Commissär und Regierungs-Präsident zu Würzburg, Ritter des Civil-Verdienstordens der bayer. Krone.

II. Vorstand:

Stöhr, Rechenkammer-Direktor.

I. Sekretär:

Geier, Dr. Peter Philipp, k. Professor an der Universität zu Würzburg.

II. Sekretär:

Ungemach, Peter, Rentbeamter des Bürgerhospitals zu Würzburg.

Mitglieder:

Katzenberger, Nikolaus, k. Appellationsgerichtsrath.

Horn, Dr. Franz, k. Rektor an der Kreislandwirthschafts- und Gewerbsschule.

Blaß, Oekonom zu Proselsheim.

Schlier, Joseph, Schweizerei-Pächter.

Gätschenberger, Franz Anton, Handelsmann, zugleich Cassier des Vereins.

Weinbach, von, k. Regierungs-Direktor.

Euslin, Joseph, Staatsgüter-Inspektor zu Waldbrunn.

Stauffenberg, Franz, Freiherr von, Reichsrath.

Faber, Franz von, Gutsbesitzer.

Ersatzmänner:

Bauch, Michael, Oekonom.

Benkert, Sebastian, I. Bürgermeister.

Schmitt, k. Kreisforstrath.

Lobkowitz, Freiherr von, k. Forst-Inspektor.

Roth, Georg, Oekonom.

Schierlinger, k. Kreisbaurath.

Mittelpreise

auf den vorzüglichsten Getreideschrannen in Bayern.

Wochen.	Getreid-Sorten.	Aichach. fl.	Aichach. kr.	Amberg. fl.	Amberg. kr.	Ansbach. fl.	Ansbach. kr.	Ansbach. fl.	Ansbach. kr.	Augsburg. fl.	Augsburg. kr.	Baireuth. fl.	Baireuth. kr.	Erding. fl.	Erding. kr.	Kempten. fl.	Kempten. kr.
Vom 1. bis 7. Mai 1836.	Weitzen	9	49	10	9	9	28	—	—	9	54	13	21	9	12	—	—
	Kern	—	—	—	—	9	59	9	51	9	54	—	—	—	—	12	20
	Roggen	5	10	6	28	6	27	6	34	5	53	8	32	5	24	8	3
	Gerste	7	34	7	9	9	15	9	—	8	11	10	6	7	24	8	9
	Haber	4	13	5	17	5	19	5	17	4	13	7	8	4	—	5	14
Vom 8. bis 14. Mai 1836.	Weitzen	9	58	9	46	9	34	9	51	10	31	12	54	9	12	—	—
	Kern	—	—	—	—	9	56	10	—	10	27	—	—	—	—	12	30
	Roggen	5	35	6	38	6	36	6	30	6	29	8	36	6	30	8	22
	Gerste	7	42	7	51	9	36	9	15	8	32	10	—	8	—	8	24
	Haber	4	4	5	19	5	16	5	21	4	26	7	8	4	—	5	15
Vom 15. bis 21. Mai 1836.	Weitzen	10	48	10	39	9	49	10	11	11	21	12	48	9	15	—	—
	Kern	—	—	—	—	10	15	10	28	10	44	—	—	—	—	12	54
	Roggen	6	25	7	22	6	41	6	48	6	39	8	45	5	37	8	22
	Gerste	8	8	—	—	—	—	—	—	8	40	—	—	6	45	8	17
	Haber	4	21	5	32	5	24	5	23	4	40	6	57	4	7	5	13
Vom 22. bis 28. Mai 1836.	Weitzen	10	41	11	12	9	34	9	54	11	13	13	18	9	15	—	—
	Kern	—	—	—	—	10	16	10	13	11	6	—	—	—	—	12	48
	Roggen	6	6	8	7	6	27	6	43	6	58	8	59	5	48	8	31
	Gerste	8	10	8	12	9	—	9	54	8	23	—	—	8	—	8	9
	Haber	4	30	5	43	5	23	5	26	4	46	7	14	4	42	5	9

Mittelpreise
auf den
vorzüglichsten Getreideschrannen in Bayern.

Wochen.	Getreid-Sorten.	Landsberg fl.	Landsberg kr.	Landshut fl.	Landshut kr.	Lauingen fl.	Lauingen kr.	Memmingen fl.	Memmingen kr.	München fl.	München kr.	Neuötting fl.	Neuötting kr.	Nördlingen fl.	Nördlingen kr.	Nürnberg fl.	Nürnberg kr.
Vom 1. bis 7. Mai 1836.	Weitzen	—	—	9	—	—	—	—	—	10	29	7	54	—	—	10	24
	Kern	10	53	—	—	9	15	11	31	—	—	—	—	10	7	—	—
	Roggen	6	17	5	—	6	10	7	2	6	10	5	3	7	8	6	48
	Gerste	7	45	6	15	7	21	8	36	8	15	—	—	8	9	8	30
	Haber	4	24	3	45	4	25	4	38	4	36	3	43	5	10	5	43
Vom 8. bis 14. Mai 1836.	Weitzen	—	—	9	22	—	—	—	—	10	32	8	27	—	—	—	—
	Kern	11	32	—	—	9	33	12	2	—	—	—	—	10	21	—	—
	Roggen	7	24	6	7	6	37	7	29	6	14	5	16	7	22	—	—
	Gerste	8	2	7	—	7	37	8	50	8	11	—	—	8	6	—	—
	Haber	4	54	3	48	4	21	4	47	4	37	3	31	5	5	—	—
Vom 15. bis 21. Mai 1836.	Weitzen	—	—	—	—	—	—	—	—	10	53	9	6	—	—	10	35
	Kern	11	19	—	—	10	20	12	—	—	—	—	—	10	26	—	—
	Roggen	7	15	—	—	7	5	7	46	7	3	5	54	8	—	6	56
	Gerste	7	50	—	—	7	54	9	4	8	31	—	—	8	18	9	12
	Haber	4	43	—	—	4	40	4	59	4	53	3	36	5	6	5	51
Vom 22. bis 28. Mai 1836.	Weitzen	—	—	—	—	10	—	—	—	10	46	9	7	—	—	—	—
	Kern	11	53	—	—	10	30	11	49	—	—	—	—	10	49	—	—
	Roggen	7	46	6	15	7	20	7	32	6	31	6	31	8	9	—	—
	Gerste	8	30	6	30	8	26	9	12	8	19	—	—	8	29	—	—
	Haber	4	50	4	37	4	51	5	4	5	1	4	9	5	27	—	—

Mittelpreise
auf den
vorzüglichsten Getreideschrannen in Bayern.

Wochen.	Getreid-Sorten.	Passau.		Regensburg.		Rosenheim.		Speyer.		Straubing.		Traunstein.		Vilshofen.		Weilheim.	
		fl.	kr.	fl.	kr.	fl.	kr.	fl.	kr.	fl.	kr.	fl.	kr.	fl.	kr.	fl.	kr.
Vom 1. bis 7. Mai 1836.	Weitzen	8	57	8	41	9	25	11	22	8	—	—	—	8	14	10	36
	Kern	—	—	—	—	—	—	—	—	—	—	—	—	—	—	10	36
	Roggen	—	—	5	37	6	20	7	27	5	15	—	—	5	54	7	24
	Gerste	—	—	6	12	6	18	5	59	5	34	—	—	5	10	7	—
	Haber	—	—	4	18	4	10	5	27	4	—	—	—	3	15	5	—
Vom 8. bis 14. Mai 1836.	Weitzen	9	—	8	13	9	25	11	24	7	48	10	—	8	44	11	12
	Kern	—	—	—	—	—	—	—	—	—	—	—	—	—	—	11	12
	Roggen	—	—	5	38	6	20	7	37	5	18	6	18	5	56	7	15
	Gerste	—	—	6	34	6	18	7	28	5	33	6	36	5	36	8	24
	Haber	—	—	4	40	4	10	5	49	3	51	3	36	3	19	5	—
Vom 15. bis 21. Mai 1836.	Weitzen	—	—	9	4	10	10	10	33	8	31	10	12	8	57	11	53
	Kern	—	—	—	—	—	—	—	—	—	—	—	—	—	—	11	53
	Roggen	—	—	5	59	7	24	7	36	5	34	6	48	6	22	7	42
	Gerste	—	—	6	34	6	31	6	8	5	50	6	6	—	—	—	—
	Haber	4	—	4	38	4	4	5	33	4	9	3	36	3	15	5	14
Vom 22. bis 28. Mai 1836.	Weitzen	—	—	9	32	10	10	11	38	8	47	10	—	9	7	12	6
	Kern	—	—	—	—	—	—	—	—	—	—	—	—	—	—	12	6
	Roggen	—	—	6	34	6	53	7	47	6	3	6	36	6	51	7	36
	Gerste	—	—	6	53	6	29	8	9	6	22	6	36	5	—	6	24
	Haber	—	—	4	56	4	15	5	42	4	57	3	48	3	15	5	10

Centralblatt

des

landwirthschaftlichen Vereins in Bayern.

Jahrgang: XXVI.

Monat: . Mai 1836.

Angelegenheiten des Vereins.

90. Die Sitzung des General-Comités des landw. Vereins betr.

Unter den gewöhnlichen Gegenständen, welche in jeder Wochensitzung des General-Comités des landw. Vereins vorkommen: als Beantwortungen der Anfragen und Berichte, Anregungen über vorzügliche landw. Verhältnisse, Prüfungen besonderer landwirthschaftlicher Erfahrungen und Entdeckungen, dann der erscheinenden literarischen Schriften, Anträge an das Ministerium oder verlangte Gutachten davon über wichtige Artikel der Land- und Staatswirthschaft, Vorträge über die Materialien zu den Heften des Centralblattes, ferner über die innere Verwaltung des landw. Vereins so anders, war jedoch der in der Sitzung vom 20. April 1836 vorgekommene besonders bemerkenswerth. Es ist nämlich im Oberdonaukreise eine Dorfsgemeinde mit einem benachbarten Bauer über Weidgerechtigkeit, ihre Auslegung und Anwendung so anders in Streit gerathen. Bei ihrem ersten Zusammentritt beim k. Landgericht zur Instruktion des Prozesses verinigten sich die zwei Partheyen zur Vermeidung der Prozeßkosten und des Zeitverlustes auf ein Compromißgericht zur Entscheidung der ganzen Sache, und wählten dazu das General-Comité des landw. Vereins. Das k. Landgericht schickte demnach die Akten am 25ten März dieses Jahres zum General-Comité ein mit dem Ersuchen der Ertheilung des Compromiß-Spruches darüber. Das General-Comité war sogleich bereit, diesem Ersuchen mit Vergnügen entgegenzukommen. Es wurden 2 Herren Referenten darüber aufgestellt, und der Spruch am besagten 20ten April dieses Jahres erlassen.

Landwirthschaftliche Berichte und Aufsätze.

91. Ueber den Bau des Luzerner und Esparsette Klee.

Nach mehreren Anzeigen ist erfreulich zu vernehmen, daß sich so manchem Bauer die Ueberzeugung aufgedrungen hat, daß vom Futterbau der bessere Viehstand, und davon der ganze glücklichere Feldbau, sohin der ganze Wohlstand eines Gutes abhängt. Da der Bau des gewöhnlichen spanischen oder rothen Klees nicht alle Vortheile dabei gewährt, so ist bei vielen auch schon die Lust nach dem Luzerner und Esparsettbau erregt worden, da sie hörten und in der Nachbarschaft oft selbst sahen, welch' ganz anderes Futter diese 2 Kleearten abwerfen, und wie sie schon öfters allein ganze Dorfschaften in bessere Vermögensumstände versetzten, ja reich machten.

Aber wie das angehen, wie müssen diese 2 Kleearten gebaut und behandelt werden? heißt es nun von mehreren Seiten, und es wurde zugleich der Wunsch ausgedrückt, daß im Centralblatt des landw. Vereins ein faßlicher Unterricht ertheilt werden möge.

Diesem Wunsche zu entsprechen, folgt hier ein Auszug aus dem neuesten Katechismus des Feldbaues vom Staatsrath von Hazzi 5te Auflage, da darin alles genau nach bayerischem Maße eines Tagwerkes und bayerischem Gewichte angegeben, und kurz und deutlich alles zusammengestellt ist. *)

234.

„Frage: Was fordert der Bau der Luzerne?

Antwort: Diese veilchenblau blühende Kleeart ist die wichtigste Futterpflanze und heißt auch ewiger Klee, weil sie 10 bis 15 Jahre aushält, um 14 Tage früher als andere Kleearten und Gräser Futter verschafft und immer reichliche Aernte giebt. Sie kömmt aber nur in einem warmen Klima, unter-

---

*) Dieser Katechismus ist noch gebunden in farbigem Umschlage um den äußerst wohlfeilen Preis von 18 kr. in der Wohnung des Hrn. Staatsraths von Hazzi (Residenzgasse Nr. 25 über eine Stiege) zu haben. Jeder Landwirth erhält darin vollständigen Unterricht nach den besten neuesten Erfahrungen über Getreidebau, Wiesen, Futterbau, Kartoffel- und Rübenbau, dann den der Handelspflanzen, Oelpflanzen, Gespinnstpflanzen, Färbe- und Gewürzpflanzen u. s. a.

dessen in Bayern außer den Gebirgsgegenden überall in einem mürben, trockenen und gutgedüngten Boden, eigentlich Weizenboden gehörig fort. Die Saatzeit ist im Mai oder Anfangs Juni. Doch kann die Saat auch später geschehen, selbst im Oktober noch; doch muß man sie da, um sie gegen Frost zu sichern, mit Dünger bedecken.

Man nimmt 14 Pfd. auf's Tagwerk. Der Same wird dünne gestreut, da die Pflanzen sich sehr bestocken, und nur etwas eingeeget. Besser ist, Haber mit auszusäen, um Anfangs die jungen Pflanzen zu schützen. Ist der Klee ein Schuh hoch, dann benützt man ihn zum Grünfutter.

Es darf in der Folge auch das Jäten nicht übersehen werden. Wie immer ein Schnitt geschehen ist, muß man die Gülle oder Odel zur Hälfte mit Wasser gemischt darüber führen, oder diesen Platz mit Gyps, oder Dungsalz überstreuen, welches man auch thun soll am Anfange, wenn die Pflanzen 1 Zoll hoch sind.

235.

Frage: Wie ist die Aernte?

Antwort: Auf dieselbe Weise wie beim gewöhnlichen rothen Klee. Wie die Blumen erscheinen, ist die Mähzeit oder theilweise zum Grünfutter oder zu ganz zu Heu. Das erste Jahr giebt es höchstens einen Schnitt, in der Folge 3, oft auch 4 – 5. Man rechnet 60 bis 130 Zentner Kleeheu als jährliche Aernte. Im letzten Jahre läßt man das Kleefeld zu Samen stehen, und erhält 3 Zentner. Der Preis davon ist per Zentner 40 bis 60 fl. gewöhnlich in Bayern.

236.

Frage: Was ist bei der Esparsette zu bemerken?

Antwort: Auch sie ist eine vortreffliche Futterpflanze mit rosenrother Blüthe. Sie nimmt mit einem weniger günstigen Klima, mit einem geringeren Kalk- oder Sandboden, dann geringerer Düngung vorlieb, und braucht auch weniger Vorbereitung und Pflege; der Kalkboden ist ihr aber am zuträglichsten. Beinahe dauert sie eben so lange wie die Luzerne, und verschafft auch früher Futter als andere Kleearten. Gewöhnlich wird jedoch die Esparsette nach 6 Jahren umgeackert. Das Jäten muß ebenfalls auch in Anwendung kommen, wie nicht minder die beim Luzerner bemerkte Gülle und das Ueberstreuen.

Die Zeit der Aussaat ist am besten im Julius, und man braucht 2 Metzen oder 12 – 15 Pfd. Samen. Auch später oder früher kann die Saat geschehen. Sie wird oft auch mit dem Haber, wie gewöhnlich der andere Klee, im März oder April ausgebaut, und dann mit ihm eingeeget; sie zeigt sich aber erst im nächsten Jahre im gehörigen Wuchse. Ist der Haber nach der ersten Art der Aussaat, im Julius nämlich, einen Schuh hoch, dann nimmt man ihn zum Grünfutter weg. Alles übrige verhält sich wie bei der Luzerne; nur ist der Ertrag etwas geringer, nämlich 30 bis 60 Zentner, aber im 3ten und 4ten Jahre ist er besser. Der Same giebt 2 Zentner. Der Zentner gilt in Bayern gewöhnlich 14 bis 18 fl. Um den Samen zu erhalten, soll man aber die Schweitzerart nachahmen. Wie der Same in den Blumen reif ist, werden die Pflanzen nicht abgeschnitten, sondern da schickt man alle Mägde mit weissen Schürzen auf die Esparsettfelder, welche nun den Samen mit der Hand aus den Blumen zupfen oder streifen, ihn in die Schürze nehmen, und so sammeln. Zu bemerken ist zugleich, daß die Schweitzer fast keinen andern Klee oder Grasart bauen als Esparsette, und diesem Klee ihren Wohlstand vorzüglich verdanken.

Zugleich ist weiter zu bemerken, daß sich sowohl in dem Luzerner als im Esparsettfelde oft leere Plätze zeigen, weil oft der Same nicht ganz gut war, oder der Winter Schaden brachte rc. Da muß man sogleich diese Räume auflockern, und wieder besäen, damit kein anderes Gras aufkömmt."

---

92. Runkelrüben-Zuckererzeugung in Steiermark. — Hrn. Linbergers Unterrichtsanstalt zur häuslichen Zuckererzeugung aus Rüben in Pesth.

Den Herren Ständen Steiermarks wurde im September 1835 von der allerhöchsten Behörde der Auftrag ertheilt, die in Böhmen auf eine erfreuliche Weise gedeihende Erzeugung des Zuckers aus Runkelrüben auch in Steiermark möglichst zu befördern.

Die Maßregeln, welche Böhmens hochgebildete und reiche Besitzer ergreifen und mittelst welchen sie jene große Fortschritte und günstige Resultate bei der Erzeugung des Rübenzuckers erzielen, sind in Steiermark nicht erreichbar. Unter mehreren Hindernissen, die hier entgegenstehen, bezeichne ich nur als ein vorzügliches, daß der Grundbesitz hier sehr zerstückt ist. Dieser Umstand schon giebt uns die Weisung, daß wir den wohlthätigen und weisen Absichten der allerhöchsten Regierung nur dann mit bedeutendem Erfolge entsprechen können, wenn auch der kleinere Grundbesitzer in Stand gesetzt wird, Zucker aus Runkelrüben auf eine einfache, wenig kostspielige Weise zu erzeugen.

So wichtig die großen Rübenzuckerfabriken für Länder sind, wo die Verhältnisse entsprechen, so wäre doch die Meinung, daß der Rübenzucker nur im fabriksmäßigen Betriebe mit Vortheil gewonnen werden könnte, ein Irrthum. Die Hindernisse und Schwierigkeiten, welche ein solcher Fabriksherr zu besiegen hat, sind zu bekannt, als daß sie einer näheren Aufzählung bedürften. Diese Schwierigkeiten aber fallen ganz weg, wenn der kleinere Grundbesitzer mit Geräthen, die sich beinahe in jedem Haushalte befinden, durch Mitwirkung seiner Familie oder seines Dienstpersonals zu einer Zeit, wo ohnedieß keine Feldarbeit ist, den Rübenzucker erzeugen kann; er wird hier beinahe kostenlos gewonnen, der Erzeuger kann mit dem großen Fabrikanten mit den Zuckerpreisen concurriren, und es können Fälle eintreten, wo der Grund und Boden im niedern Werthe steht, daß der Zucker noch mit Nutzen um den dermal bestehenden Preis des Kochsalzes gestellt werden kann. Wollte Steiermark seinen Zuckerbedarf von 12,000 Zntr. nur im Fabrikswege gewinnen, so würden viele Jahre vergehen, bis dieses erreicht würde; wohl aber dürften einige hundert Gutsbesitzer, größere Insassen ꝛc. sich finden, die sich mit der häuslichen Rübenzuckererzeugung beschäftigen werden. Wenn jeder derselben im Durchschnitte 4 Joch Aecker dem Rübenbaue widmet, reicht es hin, da 800 Joch Feld beiläufig genügen, um oben besagten Zuckerbedarf zu decken. So wird die Rübenzuckererzeugung zum landwirthschaftlichen Gewerbe, und Geldgewinn und die ökonomischen Vortheile, nämlich: vergrößerter Viehstand, erhöhte Kultur des Grundes und Bodens sich allgemeiner verbreiten. Es entspricht also diese Art, den Rübenzucker zu erzeugen, nicht allein dem Interesse des Producenten und Consumenten, sondern sie verdient auch in staatswirthschaftlicher Hinsicht volle Berücksichtigung.

Der Ausführbarkeit meines Vorschlags liegt gar kein Hinderniß im Wege; ich übergehe meine eigenen Versuche, die ich gemacht habe, um Rübenzucker mit einfachen Geräthen zu erzeugen, und weise nur auf jene bereits schon bedeutenden Leistungen des Hrn. J. G. Linberger in Pesth, der mit eben so viel Sachkenntniß als Eifer diesen Gegenstand betreibt, und durch seinen Unterricht, den er ertheilt, sich wirklich Verdienste erwirbt. Die beiliegenden Zuckermuster dienen als Beweise. Nicht minder lobenswerth ist seine Bereitwilligkeit, verlangte Auskunft über sein Verfahren zu ertheilen. Als die Gemeinnützigen Blätter vom September 1836 die Anzeige enthielten: Hr. Linberger in Pesth ertheile Unterricht: wie man mit Geräthen, die sich fast in jeder Haushaltung befinden, auf eine einfache Weise den Zucker aus Runkelrüben bereiten könne, glaubte ich es nothwendig, vorher genauere Nachweisungen haben zu müssen; ich stellte dem Hrn. Linberger folgende Fragen, die er auch sogleich beantwortete, wie folgt:

1ste Frage. Genügt eine einfache Reibmaschine, Wein- oder Obstpresse, Kessel und Bottich, um z. B. die von einem Joch Acker gewonnenen 300 Zntr. Rüben zu verarbeiten? Bedarf es keiner andern Geräthe dazu, und welche? Wie hoch können sie zu stehen kommen?

1ste Antwort. Um die Aerhte von einem Joch Acker von 300 Zntr. Rüben zu verarbeiten, bedarf es keiner andern Geräthe, als: eines Reibeisens von weißem Blech, im Preise von 1 fl. 36 kr. C. M., auf welchem zwei Personen täglich 8 Zntr. Rüben verkleinern können. Zur Auspressung des Rübenbreies kann jede Gattung Presse angewendet werden, und selbst jene, die ich bei meinen Lectionen verwende, ist nur eine große Serviettenpresse. Zur Klärung und Verdampfung des gereinigten Rübensaftes dient jeder Waschkessel, er sey aus Kupfer oder Eisen. Zum Zuckersud selbst ist jedes flache Gefäß, als: Casserolle, Tiegel, (Reindel), Pfanne aus Eisen, Kupfer oder Thon, brauchbar, und ist von hinlängilcher Größe vorhanden, wo die Haushaltung aus 10 bis 12 Menschen besteht. Die obige Quantität Rüben kann in 1 1/2 Monaten, daher 600 Zentner in 3 Monaten durch zwei Menschen verrieben werden. Außer diesen erwähnten Gegenständen sind nothwendig: hölzerne Geschirre, Weinfässer, Ständer, Sechten (Gelten), Büttel (Wasserbutten) und Gefäße zum Herumtragen des Saftes, zum Abreinigen und Sedimentiren desselben, dann eines Thermometers, um die Wärme-Grade zu beobachten; eines Sacharometers, um den Zuckergehalt in der Rübe, so wie die Dichtigkeit der Syrupe zu prüfen. Ersterer kostet von 2 bis 10 fl., letzterer von 0 bis 50 Graden in zwei Stücken 3 fl. C. M. Zuckertöpfe sind nicht nöthig, indem sich die Zuckermasse in Gartengeschirren, Spargeltöpfen u. dgl., wenn nur am Boden ein Loch zur Entweichung der Melasse angebracht ist, mit Vortheil verwenden lassen.

2te Frage. Wenn diese Rüben einen Zuckergehalt von 8 0/0 zeigen, wie viel Rohzucker wird daraus gewonnen, und wie viel entfällt an Syrup?

2te Antwort. Der Zentner Rüben, deren Saft 8 0/0 wägt, giebt in der häuslichen Zuckerfabrikation gewöhnlich 4 Pfd. krystallinischen und 2 Pfd. Schleimzucker, und zwar aus dem Grunde so wenig, weil die häuslichen Pressen nie den Druck, wie jene großen Fabrikspressen, ausüben; übrigens wird auch wegen beschränktem Raum Manches vergeudet, durch Genäschigkeit der Kinder und des Gesindes verschleppt u. s. w.

3te Frage. Ist Ihr Verfahren so sicher, daß, wenn man genau nach ihrer Anleitung verfährt, das gänzliche Mißlingen nicht zu besorgen sey?

3te Antwort. Mein Verfahren ist so sicher, daß, wenn die Rübe nicht durch Frost, Fäulniß, Erhitzung gelitten, die Grade des Sacharometers und Thermometers genau beobachtet werden, kein Verunglücken des Sudes Statt findet, die Krystallisation vor sich gehen und die Melasse abfliessen muß.

4te Frage. Gehören besondere Vorkenntnisse dazu, um Ihre Manipulation zu erlernen und mit gutem Erfolge auszuüben? Oder kann jeder sonst verständige und des Unterrichts fähige gewöhnliche Landwirth Alles erlernen und bei Befolgung Ihrer Anleitung mit einiger Sicherheit ausüben?

4te Antwort. Zur Erlernung der häuslichen Zuckerfabrikation sind keine Vorkenntnisse nothwendig; die Einfachheit ist so groß, daß jeder, der auf einer Kaffeemaschine sich selbst seinen Kaffee machen kann, die Zahlen auf dem Sacharometer kennt, die Manipulation der häuslichen Zuckererzeugung binnen zwei Tagen vollkommen erlernen kann.

5te Frage. Bis zu welchem Grade kann das Raffiniren des Zuckers mit einfachen Geräthen geschehen und von dem Landwirthe mit Nutzen ausgeübt werden? Ist Ihnen das Verfahren, gedeckte Rohzucker zu erzeugen, bekannt? In wie fern kann dieses von Einzelnen ausgeübt werden?

5te Antwort. Wenn es sich um das Raffiniren des Zuckers handelt, so benöthigt man eigener Zuckerformen, wie man sie in Raffinerien hat; und die Weiße kann, wenn die Stubenöfen nicht rauchen, in der Stube nicht Tabak geraucht und nicht stark herumgestäubt wird, zur höchsten Vollkommenheit gebracht werden, bedarf aber, bis das Brod ganz bis zur Spitze weiss geworden (nett ist), 4 – 5 Wochen. Weit vortheilhafter, als das Raffiniren, ist, wenn man gerade keinen festen Zucker haben will, das Weißmachen des Zuckermehls durch Terriren, Clarisiciren und Wassergeben, indem durch diese Methode, die ich vorzüglich Jedem empfehle und lehre, weniger krystallinischer Zucker in Schleimzucker verwandelt, und weniger Achtsamkeit erfodert wird, in 3 – 4 Tagen der Zucker weiß und getrocknet ist, das Kapital schneller umgesetzt und jedes häusliche Geräth, sey es aus Holz- oder Töpferarbeit, wenn es an seiner untern Seite eine Oeffnung hat, verwendet werden kann.

6te Frage. Welches ist das kleinste Quantum Zucker, das man nach Ihrer Methode erzeugen kann? und was für Veränderungen und Zusätze bedürfen die Geräthe, wenn die Erzeugung im Größern zu geschehen hat, z. B. die gewonnenen Rüben von fünf Joch Ackerland auf Zucker verarbeitet werden sollen?

6te Antwort. Um die Rüben eines Joch Feldes zu verarbeiten, reichen die Geräthe einer gutbestellten Hauswirthschaft aus. Soll eine größere Quantität Rüben auf Zucker verarbeitet werden, so sind schon mehrere Reibeisen oder eine einfache Reibmaschine, wovon man Muster bei mir sehen kann, nothwendig; zum Verdampfen des Saftes und zum Eindicken des Syrups sind dann schon eigene bequeme Pfannen, von denen man ebenfalls Muster bei mir sehen kann, nöthig.

Im Anhange folgt ein Schreiben vom Hrn. Linberger mit dem Namens-Verzeichnisse jener Personen, welche seit Anfang dieses Jahres die häusliche Zuckerfabrikation erlernt haben.

Ein wichtiger, meines Wissens noch gar nicht in Anregung gebrachter Vortheil der Rübenzuckererzeugung ist für die Weingärtenbesitzer zu erwarten. Die Qualität des Weins hängt von dem richtigen Verhältnisse des Zuckergehalts zu den andern Bestandtheilen desselben ab. Wenn nun in kalten und nassen Sommern der Zuckerstoff in der Weinbeere nicht gehörig ausgebildet wird, so kann diesem nachgeholfen werden, wenn man dem Weinmoste gleich nach der Presse ein gewisses Quantum Rübenzucker zusetzt. Durch die langsame Zersetzung des Zuckerstoffes bildet sich im Weine der Alkohol, und dieser wird dadurch besser und haltbarer. Durch diese Behandlung werden auch alle jene Mittel, welche man anwendet, um saure und geringe Weine trinkbarer zu machen, die oft der Gesundheit der Menschen nachtheilig sind, überflüssig. Da aber bei der Gährung des mit Zucker versetzten Weines auch Kohlensäure sich entbindet, so werden verständige Weinerzeuger dieses durch ein zweckmäßiges Verfahren benützen können, um leichtere Weine mehr oder weniger moussirend zu bereiten, die im Sommer als erfrischendes, der Gesundheit zuträgliches Getränk ihren Werth haben werden.

Der Nutzen eines jeden Gewerbes steigert sich in dem Verhältnisse, als es folgende Bedingnisse zu erfüllen vermag, nämlich: einfach und sicher, mit den geringsten Kosten die größte Ausbeute zu erlangen. — Hrn. Linbergers Verfahren der häuslichen Zuckerbereitung entspricht den ersten beiden Bedingnissen. Obwohl die geringere Zuckerausbeute bei dieser Methode nicht so entscheidend wirkt, wie bei einer Zuckerfabrik (wegen der beinahe kostenlosen Erzeugung), so sind doch weitere Versuche und Verbesserungen, unbeschadet der Einfachheit des Verfahrens, nothwendig. Ueber die Zuckerbildung in der Rübe selbst sind jene Erfahrungen sehr belehrend, welche die Zuckerfabrikanten Rußlands gemacht haben, die in einer eigenen Abhandlung im Journal für praktische Chemie 4. Bd. 6. Heft (von Erdmann und Schweigger) erschienen sind. Für diese Wissenschaft wäre es eine Aufgabe, eine befriedigende Aufklärung auszumitteln über die Thatsache, daß Wurzeln und Knollengewächse, wenn sie abwechselnd einer Temperatur von 4–6° R. unter dem Gefrierpunkte, und dann wieder 6–12° R. über denselben gebracht werden, einen sehr erhöhten Grad von Süße erhalten. Was bewirkt diese Erscheinung? Wie zeigt sich der Zuckergehalt des Saftes von den so behandelten Rüben gegen den gewöhnlich behandelten? Wenn sich das mäßige Frieren der Rüben vortheilhaft zeigt, wie wäre das Verfahren selbst bestimmt und sicher zu regeln? Oder, wenn die Wirkung der Kälte auf die Zuckerentwicklung der Rüben erklärt ist, wäre dieses nicht auf anderem Wege zu erreichen?

Da das Auspressen des Rübenbreies durch kleine Pressen nur mangelhaft geschehen kann, so sind selbe möglichst zu beseitigen. Der Herr Fabriksdirektor Zdeborsky zu Dobrawitz hat ein Verfahren angezeigt, mittelst einer Anzahl Bottiche und kaltem Wasser den Rübenbrei vollständig auszusüßen. Dieses Verfahren ist mit einiger Abänderung für die häusliche Rübenzuckerbereitung gut anwendbar.

bekannt wurde, giengen endlich den Fabrikanten die Augen hierüber auf; und zwar um so mehr, als die Wiederbelebung der thierischen Kohle, zu der man in Folge der von der Société d'encouragement ausgeschriebenen Preise gelangte, eine reichlichere Anwendung dieser Substanz möglich machte.

Diese Wiederbelebung wurde jedoch an vielen Orten schlecht betrieben und war immer noch kostspielig, bis Hr. Derosne endlich ein neues Verfahren erfand, wonach diese Wiederbelebung nicht nur leicht von Statten geht, sondern auch eine Kohle von constanter und außerordentlicher Güte liefert. Die wiederbelebte Kohle kommt überdieß nur auf 30 bis 40 Zntr. per 50 Kilogr. zu stehen, während dieselbe Quantität frischer Kohle 12 1/2 bis 13 Fr. kostet. Dieses Verfahren besteht darin, daß man die Kohle nach und nach auf Platten aus Eisenblech erhitzt, und daß man sie endlich über eine zum Rothglühen gebrachte gußeiserne Platte laufen läßt. Die Kohle wird hierdurch einer Hitze ausgesetzt, welche zur Zersetzung der vegetabilischen und vegetabilisch-thierischen Substanzen genügt, ohne daß sie selbst deßhalb zum Rothglühen erhitzt zu werden brauchte. Die Arbeit wird in geschlossenem Raume und unter beständigem Umrühren der Kohle vollbracht. Man erkennt deren Beendigung daran, daß die Kohle keine sichtbaren Dämpfe mehr ausstößt, und daß sich entweder gar kein oder nur ein sehr schwacher ammoniakalischer Geruch aus derselben entwickelt. Alle Fabrikanten und Raffineurs können diese höchst leichte Arbeit selbst vollbringen; und sie macht es ihnen möglich, die Kohle in solcher Menge anzuwenden, daß sie gleich auf das erste Mal sehr schönen Zucker zu erzielen im Stande sind. Diese Quantität beläuft sich gegenwärtig in manchen Fabriken auf 100 und selbst bis auf 150 Proc. des zu erzeugenden Zuckers. Nach Hrn. Deros'nes Ansicht liegt in diesem Verfahren eine der wichtigsten Verbesserungen für die Rübenzuckerfabriken eben so gut wie für die Rohrzuckerraffinerien. Die ganze Fabrikation hat seit der Erfindung des Dumont'schen Filters und seit der gegebenen Möglichkeit, eine größere Menge Kohle anzuwenden, ein ganz anderes Aussehen gewonnen. Rechnet man hiezu noch die Eindickung des Saftes im luftleeren Raume mit einfachem, doppeltem und dreifachem Nutzeffekte, so wie den Macerationsprozeß, den man in Anwendung brachte, um den Runkelrübensaft von der Holzfaser zu scheiden, so erhält man einen Begriff von dem unermeßlichen Schritte, den diese Fabrikation in einem Jahre vorwärts that, und der sie von nun an in Stand setzt, mit der Zuckerfabrikation aus Zuckerrohr vollkommen Concurrenz zu halten. Alle diese neueren Verbesserungen mit einziger Ausnahme der Maceration kann man in der Runkelrübenzucker-Fabrik in Melun, die eine der größten und schönsten Anstalten dieser Art ist, in voller Anwendung sehen.

94. Bericht des Hrn. Payen über die neuere Abhandlung des Hrn. Mathieu de Dombasle, die Runkelrübenzuckerfabrication in Frankreich betreffend. *)

Aus dem Bulletin de la Société d'encouragement, Januar 1836 S. 26, übersetzt im polytechnischen Journale.

Die Gewinnung des Zuckerstoffes aus den Runkelrüben ist für das Gedeihen der Landwirthschaft in Frankreich von höchstem Interesse; sie hat bereits in mehreren Fabriken bedeutende Fortschritte gemacht, und verspricht in einer wohl nicht sehr fernen Zeit den inländischen Markt, auf welchem das Wohl unseres Handels hauptsächlich beruht, auf eine sehr ansehnliche Weise zu erweitern.

Hr. M. de Dombasle, eben so weise als Landwirth, wie als Fabrikant, konnte und mußte sogar in jeder Beziehung sein Augenmerk auf diesen so schönen Gegenstand richten. Ich will versuchen zu zeigen, von welchen Gesichtspunkten er hiebei ausgieng und welche Motive seine Meinung fixirten; ich brauche übrigens wohl kaum zu erinnern, daß man die ganze Abhandlung lesen muß, um einen vollen Begriff von dem Wichtigen und klar Erwiesenen, welches darin enthalten ist, zu bekommen.

Der Verfasser erinnert zuerst an die ersten Fortschritte, welche der fragliche Industriezweig seit der von Markgraff gemachten Entdeckung zeigte; an die erste von Achard errichtete Fabrik; an den großen Impuls, den die Fabrikation unter dem Kaiserreiche mitgetheilt bekam; und an den allgemeinen Mißcredit, in welchen sie verfiel, weil man glaubte, sie sey nur zum Behufe der Aufrechthaltung des Continentalsystems durch künstliche Mittel angeregt und unterhalten. Nur bei ei-

*) Die Abhandlung des Hrn. Mathieu de Dombasles erschien unter dem Titel: Du sucre indigène, de la situation actuelle de cette industrie en France, de son avenir etc. du droit, dont on se propose de la charger."

nem einzigen der gewandtesten Fabrikanten, bei Hrn. Crespel-Dellisse, blieb das heilige Flämmchen dieser so schönen, damals aber noch so wenig gekannten Fabrikation glimmend.

Dieser Mißgunst ungeachtet, troß des fortwährenden Sinkens der Zuckerpreise und gegen zahlreiche Hindernisse und Fesseln machte sie nach und nach neue und sicherere Fortschritte: immer noch unbeachtet bleibend, bis sie endlich 25 bis 30 Proc. des jährlich consumirten Zuckers in den Handel warf, und zugleich den Verbrauch an Zucker selbst erhöhte Jeßt erst zog sie die allgemeine Aufmerksamkeit auf sich, und bald hielt die Verwaltung sie auch für so kräftig geworden, daß sie dieselbe mit einer Auflage bedachte: mit einer Auflage, welche Hr. D. mit Recht für unzeitig und als dem allgemeinen Interesse nachtheilig erklärt.

Der Verfasser deutet hier in dieser Hinsicht auf den unausbleiblichen, in den englischen Colonien in Nordamerika begonnenen Sturz des Colonialsystems, der durch die Sklaven-Emancipation nur beschleunigt werden wird, und aus welchem vielleicht eine Vernichtung der Zuckerfabrikation in den Colonien hervorgehen dürfte. Er hält es unter diesen Umständen für ein großes Glück, daß wir nunmehr im Stande sind, auf unserem Grund und Boden ein ganz gleiches Produkt zu gewinnen; und zwar um so mehr, als der Runkelrübenbau gleichsam als Basis der besten der Bewirthschaftungsmethoden ohne Brache anzusehen ist, indem die künstlichen Wiesen allein in dieser Hinsicht nicht genügen.

„Die Entdeckung des Runkelrübenzuckers, sagte Hr. Morel de Vindé in einer vor 12 Jahren erschienenen Schrift, gehört zu jenen glücklichen und seltenen Revolutionen in der Staatswirthschaft, deren Werth zwar von den Zeitgenossen nicht immer erkannt wird, denen jedoch in künftigen Zeiten der ihr gebührende Platz unter den ergiebigsten Quellen der Wohlfahrt der Landwirthschaft und des Handels angewiesen werden wird." So unterliegt es bereits gegenwärtig keinem Zweifel, daß eine in irgend einem Bezirke angelegte Runkelrübenzucker-Fabrik einen Mittelpunkt bildet, um welchen sich das unmittelbare Interesse angezogen Verbesserungen in der Cultur anreihen, aus deren Erweiterung die möglich größte Masse von Viehfutter und mithin eine Vermehrung des Düngers mit der daraus folgenden Zunahme der Aernten und der Kapitalien nothwendig erwächst.

Ungeachtet der zahlreichen und großen Katastrophen, welche die ersten Rübenzucker-Fabrikanten trafen, hat doch noch nie irgend ein anderer Industriezweig mehr Eifer und Enthusiasmus unter den auf Verbesserung der Landwirthschaft bedachten Fabrikanten hervorgebracht, als die Gewinnung des Zuckers aus den Runkelrüben. Ungeachtet der Fortschritte, die man machte, und ungeachtet die Fallimente immer seltener werden, befindet sich von den 400 gegenwärtig in Frankreich bestehenden Fabriken aber doch nur der dritte Theil in einem blühenden Zustande; und selbst von diesen dürften nicht alle jener verderblichen Erschütterung entgehen, die eine auf sie gelegte Besteuerung, wie klein sie auch seyn möchte, hervorbringen würde. Ein Drittheil unserer Fabriken ist im Stande, seine Kosten zu decken, und ein Drittheil verliert bei dem jetzigen Preise des Zuckers; so daß die Hoffnungen dieser beiden letzteren Drittheile nur in Verbesserungen, welche neue Opfer erheischen, und in einer länger fortgesetzten Lehrzeit beruhen.

Hr. Dombasle zeigt, wie schwer es ist, sich hier in dieser Sache jenen Fabriktakt zu erwerben, der unumgänglich nothwendig ist, um sich einigen Gewinn zu sichern; und wie wenig Stätigkeit selbst dieser darbietet, da man, um später der Concurrenz widerstehen zu können, zu zahlreichen Modificationen der Apparate gezwungen seyn wird. Es giebt Fabriken, welche gegenwärtig 15 bis 20,000 Frc. gewinnen, und welche 10 Jahre zu arbeiten haben, um das aufgewendete Kapital zu tilgen, ohne dabei gegen mancherlei kostspielige Veränderungen geschützt zu seyn. Kaum der zwanzigste Theil der französischen Runkelrübenzucker-Fabriken hat bereits seine Auslagen und die Interessen der Fonds zurück erstattet bekommen.

Man irrt sich sehr, wenn man glaubt, daß der Productionspreis und der Gewinn bereits fixirt sind, und daß man folglich hienach jetzt schon den Zoll berechnen könnte, der auf dieses Fabrikat gelegt werden kann, ohne die Zukunft des Fabrikationszweiges selbst und seinen Einfluß auf die Wohlfahrt des Staates in Zweifel zu stellen. Der Preis der Runkelrüben läßt sich in der Nachbarschaft der Fabriken beiläufig zu 16 Fr. per 100 Kilogr. anschlagen; bei Vervollkommnung der Kultur dürfte er aber wahrscheinlich niedriger sinken. Ehemals gewann man nur 3, dann 4 Proc. Rohzucker aus den Runkelrüben; gegenwärtig ist der Ertrag allgemein auf 6 und in einigen Fabriken selbst auf 6 1/2 Proc. gebracht; so daß also 1000 Kilogr. Runkelrüben gegenwärtig 60 Kilogr. schönen Zucker geben, wovon das Kilogr. abgesehen von den Fabrikationskosten auf 27 Cent. zu stehen kommt. Da aber 10 Proc. krystallisirbarer Zucker in der Runkelrübe enthalten sind, und da man hoffen darf, bis au

8 Proc. fabrikmäßig daraus zu gewinnen, so berechnet sich der innere Werth auf 20 Cent.

In wenigen Fabriken, deren Auslagen bereits getilgt sind, betragen die Fabrikationskosten nicht über 12 Fr. per 100 Kilogr. Runkelrüben. Rechnet man hievon den Werth der Rückstände (nämlich der Blätter, des Markes, der Melassen) mit einem Betrage von mindestens 4 Fr. ab, so ergiebt sich, daß sich die Fabrikationskosten auf 8 Fr. reduciren.

Nimmt man demnach an, daß sich aus den Rüben 6 Proc. Zucker gewinnen lassen; schlägt man den Preis der 100 Kilogr. Runkelrüben auf 16 Fr. und die Kosten auf 8 Fr. an, so ergiebt sich, daß man für 24 Fr. aus 1000 Kilogr. Runkelrüben 60 Kilogr. Zucker herstellen kann, und daß folglich das Kilogr. auf 40 Cent. oder das Pfund auf 4 Sous zu stehen kommt: ein Preis, für den man aus keinem Theile der Welt Zucker nach Frankreich stellen kann. Kommt es vollends erst zu einem Ertrage von 8 Kilogr. Zucker per 100 Kilogr. Runkelrüben; und nimmt man an, daß die Gewinnungskosten hiebei um so Vieles gemindert wurden, daß der geringere Werth, den die mehr erschöpften Rückstände nothwendig bekommen müssen, vollkommen ausgeglichen wird, so erhält man für 24 Fr. 80 Kilogr. Zucker: so daß das Kilogramm nur 30 Cent. kosten würde, oder daß das Pfund rohen, für die minder wohlhabenden Klassen jedoch vollkommen genügenden Zuckers für 3 Sous geliefert werden könnte.

Die Zunahme, deren der Verbrauch in Folge einer solchen Preiserniedrigung fähig wäre, läßt sich zum Theil aus der Zunahme, die bereits jetzt bei dem Sinken der Zuckerpreise erfolgte, theils aber auch daraus berechnen, daß gegenwärtig auf einen Franzosen jährlich nur 1 Kilogr. 5 Decagr. Zucker kommen, während auf einen Engländer jährlich 8 Kilogr. und auf einen freien Bewohner auf Cuba 60 Kilogr. gerechnet werden! Es unterliegt demnach keinem Zweifel, daß die Zuckerconsumtion außerordentlich zunehmen wird, sobald der Zucker ein Mal in allen Gegenden Frankreichs selbst für einen so äußerst niedrigen Preis erzeugt werden wird. Hieraus würde aber nothwendig ein allgemein behaglicherer Zustand für die Bevölkerung, eine Zunahme dieser letzteren, und vermehrte Absatzwege für unsere Fabriken, die gewiß vortheilhafter seyn werden, als die Deckung des Bedarfes der Arbeiter auf den Colonien folgen. Eben so wird auch der Absatz an Wein zunehmen; und an eine Verminderung der Getreideärnten ist vollends gar nicht zu denken, indem der Runkelrübenbau die Brachen verdrängt und den Boden fruchtbarer macht.

Warum sollte der Zucker, wenn er ein Mal allgemein im Inlande erzeugt wird, eine Substanz seyn, die sich besser bestimmen läßt, als viele andere unserer Fabrikate? Damit dieses möglich wäre, müßte einerseits aus der Erhöhung des Preises, welche die Besteuerung nothwendig mit sich bringt, keine Verminderung der Consumtion erwachsen; und andererseits müßte die Erhebung der Auflage auf leichte Weise geschehen können. Daß gerade das Gegentheil hievon der Fall ist, zeigt die Erfahrung; obwohl wir allerdings zugeben wollen, daß die Consumtion des Salzes sehr wenig schwankt, ungeachtet dessen Preis innerhalb gewisser Gränzen steigt oder fällt; und obwohl es sich mit den geistigen Getränken und dem Tabake eben so verhält. Man ist gegenwärtig überdieß von den großen Nachtheilen einer auf ein landwirthschaftliches Produkt gelegten Steuer so sehr überzeugt, daß jeder Verständige den Tabakbau in Frankreich ganz unterläßt, so lange man die darauf gelegte Steuer beibehält.

Man darf ferner nicht vergessen, daß für die Wohlfahrt der minder bemittelten Klassen namentlich solche Modificationen der Lebensweise, wodurch der Gebrauch des Zuckers unter den Nahrungsmitteln immer mehr verbreitet wird, sehr wünschenswerth sind. Man darf nicht übersehen, daß keine gleichmäßige Vertheilung der Auflage möglich ist, so lange nicht wenigstens die Mehrzahl der Fabrikanten unter gleichen Verhältnissen arbeitet: denn sonst werden die einen durch die Auflage ruinirt, während andere nur sehr wenig dadurch belastet sind.

Daß die Staatseinnahme durch die Freiheit der Zucker-Fabrikation keinen Ausfall erleiden wird, läßt sich mit Zuversicht aus der größeren Entwicklung, welche die damit im Zusammenhange stehenden Industriezweige bekommen werden, und aus der Vermehrung verschiedener Consumtionen erwarten. Wenn aber auch die Mautregister wirklich, ungeachtet der vermehrten Einfuhr von Kaffee, Cacao und Thee, die mit dem Sinken der Zuckerpreise nothwendig eintreten wird, eine verminderte Einnahme zeigen sollten, wird man hiefür nicht eine wichtigere Entschädigung in jenen Auflagen finden, die im Innern von allen jenen Individuen, die in der Runkelrübenzucker-Fabrikation Beschäftigung finden, entrichtet werden? Eine ganz neue Bevölkerung wird ja dafür beitragen helfen, die auf das Salz, die Getränke, den Tabak und so viele andere mit den Colonien nicht in Beziehung stehende Gegenstände gelegten Auflagen reichlicher zu machen. Kurz die Auflage, womit man die Rüben-Zuckerfabrikation bedroht, und in Folge deren bereits jetzt mehrere Fabriken, welche hätten errichtet werden sollen, vor ihrer Vollendung geschlossen wurden, wäre ein wirklich sehr großes Uebel, während der gefürchtete Ausfall in den Erträgnissen der Mauth sehr problematisch ist, und vielleicht gar nie eintreten dürfte. Dazu kommen endlich noch die außerordentlichen Schwierigkeiten, womit die Erhebung der Auflage verbunden ist, zu berücksichtigen, um das Ungeeignete einer solchen vollends herauszustellen.

Die Abhandlung des Hrn. Mathieu de Dombasles, deren Grundzüge wir hier dargelegt haben, ist unserer Ansicht von so außerordentlicher Wichtigkeit und solcher Gediegenheit, daß wir sie der Aufmerksamkeit von Jedermann, Landwirthen sowohl als Fabrikanten und Staatsökonomen dringend empfehlen. *)

---

*) An diese Abhandlung des Hrn. M. de Dombasles reiht sich eine ausgezeichnete Denkschrift, die von einem der größten Zucker-Fabrikanten, Hrn. Crespel-Dellisse, vor dem wissenschaftlichen Congresse in Douai vorgetragen wurde, und die sich ausführlich über die Unzweckmäßigkeit der Maßregel verbreitet, welche man im Interesse der Colonien von der französischen Regierung gegen die inländischen Zucker-Fabrikanten ergriffen zu sehen befürchtete. Wir können auf diese Denkschrift, da sie hauptsächlich nur das französische Interesse betrifft, hier nur aufmerksam machen. Von allgemeinerem Interesse scheint uns jedoch folgende Stelle, die wir ausziehen zu müssen glauben, um die bei uns rege gewordene eifrige Theilnahme an diesem Industriezweige allenfalls noch mehr zu steigern.

»Das Sinken der Getreidpreise, sagt C. D, zwingt den Landwirth, sich neue Hülfsquellen zu schaffen; denn man denke sich den Zustand der Landwirthschaft, wenn ein noch weiteres Sinken dieser Preise einträte. Wird es unter diesen Umständen nicht ein wahres Glück seyn, wenn die durch den Betrieb eines mit der Agrikultur innig verbundenen Industriezweiges zu erzielenden Vortheile die anderweitigen Verluste ausgleichen? Um die volle Wichtigkeit des Runkelrübenbaues und der Wohlthaten, die er verbreitet, noch besser würdigen zu können, sind einige Worte über diesen Bau nicht ungeeignet. Die Rüben werden im Mai gesäet; im Junius und Julius gejätet, im Oktober und November geärntet; die Fabrikation dauert den ganzen Winter hindurch bis zum Herbste. Hiebei ergiebt sich als ein nicht genug zu beachtender Umstand, daß dieser Bau gerade zu jenen Zeiten Beschäftigung gewährt, wo sonst wenig auf dem Felde zu thun ist. Im März und April, wo die Fa-

95. Briefwechsel aus Handelsnachrichten in Wahlverwandtschaft mit der Landwirthschaft.

Bremen, im März 1836.

So wie früher in England *), errichtet man nun auch zu Gent in Belgien eine mechanische Flachsspinnerei, wozu auch Deutschland schreiten muß, wenn das in Südwestdeutschland eingeführte Doppelspinnen die deutsche Linnenfabrikatur nicht genug unterstützen kann. Seitdem kann England nicht mehr so viel rohen und feinen Flachs mit Hede aus Belgien wie vormals beziehen, und erhöhet daher in Deutschland die Flachspreise, zum Vortheil unserer Production, wie diese Blätter mehrmals bemerkt haben. Hätte Belgien sich nicht zur Maschinenspinnerei seines feinen Flachses entschlossen, so würde es die lange Ausfuhr seiner Leinwand nach dem Auslande gänzlich verloren haben.

Jede Verbesserung der Maschinen, besonders bei der Veredlung inländischer Erzeugnisse, vermehrt die Beschäftigung der arbeitenden Klassen, und durch dieses Veredeln sogar fremder Produkte für das Bedürfniß der Heimath oder gar des Auslandes, steigt die Herrschaft der civilisirten Völker über die uncivilisirten in allen Welttheilen, und die Nahrung der ärmeren Bevölkerung, welche von der Cholera nicht so vermindert wird, als man anfangs vermuthete. Die Hauptkunst der Regierungen wird künftig darin bestehen, den ärmeren Klassen eine ihnen und dem Staate nützliche Beschäftigung zu verschaffen, wodurch freilich künftig die Thronen, besonders bei mehr verbreiteten Ver-

brikation zu Ende geht, kehren die Arbeiter aus der Fabrik zur Landwirthschaft zurück; in den Junius, wo der Feldbau sonst wenig Beschäftigung bietet, fällt das Jäten; im Julius und August werden die Arbeiter wieder der Beschäftigung bei den Aernten zugewendet, und im Spätherbste treten sie wieder in die Fabrik, so daß sie nie müßig bleiben.«

»Um eine Idee von den ungeheueren Hülfsquellen zu geben, welche die Zucker-Fabrikation der arbeitenden Klasse schafft, glaube ich nichts Besseres thun zu können, als zwei Tabellen vorzulegen, von denen die eine den Arbeitslohn und die Producte eines nach der gewöhnlichen Methode betriebenen Landgutes von 150 Hectaren Ackerland, und die andere den Arbeitslohn und die Producte eines gleich großen, aber mit einer Zuckerfabrik in Verbindung gebrachten Gutes angiebt.«

*) Heißt es in der allg. landw. Zeitung.

fassungen weniger gesucht werden dürften. Im volkreichnn England fehlt es weder an Maschinen noch an Arbeitern, aber oft an Material, um beide zu beschäftigen.

Die Hoffnung von Absatz des deutschen Mehls in fernen Welttheilen wird unsere Mahlmühlen verbessern, die Einführung des Dinkels und der Hirse unter das bei uns angebauete Getreide befördern, die Theuerung der Seide uns reizen, durch Maulbeerhecken unsere Felder einzufassen, und dann selbst sich die nöthige Seide zu verschaffen.

Nachrichten aus Holstein bestätigen, daß dort und in Schleswig für englische Rechnung Speck, Butter, Käse, Brot u. s. w. stark ausgekauft wird. Daraus folgert man sehr irrig die Verproviantirung einer engl. Flotte in der Ostsee; das Wahre ist aber, daß alle diese Artikel zur Verproviantirung der Kriegs- und Handelsschiffe in England viel theurer sind als in Holstein, zumal die Neufoundlandfischerei-Depots zur Verproviantirung der Schiffe beim Brande in Newyork gänzlich verzehrt sind. Speck besonders ist jetzt schon seit 6 Monaten in England ausnehmend theuer.

In mehreren Ländern beschäftigt man Hunderte von Feldmessern zur Regulirung des noch häufig fehlerhaften Katasters. Ein großer Theil wird hernach, mit mehr Bodenkenntniß als andere Landleute ausgerüstet, Eigenthümer oder Pächter von Landgütern werden. Jede Staatsbeamtenbeschäftigung, die auch nur indirekt die Landwirthschaft berührt, ist der letzteren vortheilhaft. Im Handel kann der Staat durch seine Beamten hierin leicht zu viel thun, aber nicht leicht in der Landwirthschaft, besonders da es System wird, die Abgaben und Belastungen der Landwirthschaft eher zu vermindern als zu vermehren, und auch mehr Landleute ansässig zu machen.

Sollte der amerikanische Bürger Grew in Cincinnati wirklich entdeckt haben, daß man wohlfeiler als durch Dampf, durch verdichtete Luft, Wagen auf den Straßen, und Schiffe auf Flüssen und Kanälen sollte fortbewegen können, so könnte der Dampf seine neue Ehre allgemeiner Revolutionen wieder verlieren und den Eisenbahnen wohl auch manche Umbildung bevorstehen. Im regen Geiste unserer steigenden Kenntnisse der Naturkräfte ist eine solche Erscheinung nichts Unmögliches.

Will man doch jetzt aus dem Mais für die Menschen Mehl, Zucker und Syrup, und für die Thiere ein gesundes Heu und Winterfutter ziehen, und doch vermehrt Norddeutschland diesen Anbau nicht.

Einst zogen die alten Athener aus Kolchis über das schwarze Meer ihr Getreide, jetzt ziehen die neuen Griechen mit schwacher Kontinentalbevölkerung ihr Getreide zum Theil von Odessa; also erscheint doch einmal in der Geschichte die Herstellung eines früheren aber verschwundenen Verkehrs, was sonst selten der Fall ist.

Die Getreidepreise bessern sich in England, was sich voraussehen ließ, aber sie scheinen nicht auf die Vermehrung neuer Getreide- und Hülsenfrüchte zu wirken. Der Brite verfolgt seine Hauptzwecke stets als ein großer Kaufmann, mit Vernachlässigung alles dessen, was den Hauptzweck nicht fördert; jetzt beschäftigt ihn die Nationalunabhängigkeit im Verbrauch inländischen Getreides. Es ist möglich, daß ein reformirtes Parlement auch hierin die Vorurtheile der Toris aufgiebt, aber unmöglich, daß der Kontinent dadurch nicht um eine starke Einfuhr von Fettwaaren, Fleisch, Käse u. s. w. zum Theil kommen sollte. Der Erfurter, der Bamberger und der Gärtner um Lübeck bauet wenig Getreide; ist darum das Getreide dort theuer? Eben so wird es in England auch gehen, möglich wird ein freier Getreidehandel die Renten der Gutsherren herunter bringen, aber auch das ist keinesweges gewiß. Holland aß im Ganzen immer wohlfeiles Brot und kauft fast alles Getreide vom Auslande, und verarmte dadurch nicht. England führte bald viel Klee aus, bald ein, und soll sogar nach der fremden Saat, aus bekannten physischen Ursachen mehr Klee als vom inländischen erzielen, was wiederum für die Vermehrung des freien Völkerverkehrs spricht! Wer dachte vor Jahren aus Deutschland Lein- und Rapskuchen nach England zu schicken, und jetzt ist das etwas Gewöhnliches. Noch immer schickt Montmartre bei Paris seinen Gyps nach Amerika, um damit dort die Felder zu düngen; und Paris gewinnt dadurch mehr Raum für Gärten und Gebäude, auch Nahrung für die armen Steinbrecher. Aus Holstein und Schleswig wächst immerfort die Getreide- und Oelsaaten-, Butter- und Knochenausfuhr, obgleich sich die Menschen vermehren, und sogar gemeine Arbeitspferde schickt man nach England; die Preise sind nicht hoch, aber darum geht in einem Lande so entschiedener landwirthschaftlicher Freiheit die Bodenkultur nicht unter; und begeht man auch die Thorheit, nicht zum zweiten Male zu märgeln, so gehen doch Flottbeck's und Voght's landwirthschaftliche Versuche fort, und werden nachgeahmt, aber früher von kleinen Gutsbesitzern, als von Gutsherren und von deren Pächtern; niemand denkt an eine Geschichte der früheren Landwirthschaft, deren Unzweckmäßigkeit man begriffen hat, wohl aber an eine Statistik der jetzigen dortigen Landwirthschaft in Vorzügen und Fehlern. Viel Raps ist in Hamburgs Nähe erfroren wegen der mangelnden Schneedecke, Insektenfrasses und mangelnder Verpflanzung der Oelpflanzen, und Anhäufen von Erde vor dem Winter, wenn man das Verpflanzen zu kostbar findet. Doch unterläßt man dieses nicht mehr in Böhmen *) Solche Unfälle sind ärgerlich, aber bei einem ackerbautreibenden Volke sind auch Unfälle in Folge begangener Fehler oft lehrreich und nützlich.

Nur eine Sache begreift man von den Engländern nicht, sie tragen ungern die Last, viele Erzeugnisse zur Schiffsausrüstung, Oelsaaten, Talg u. s. w. aus Rußland beziehen zu müssen, und fahren dennoch fort, dort einzukaufen, in der ideallschen Meinung, vieles, und sogar den Tabak, sich nicht liefern zu können zu so billigen Preisen als Rußland, so lange sein Papiergeld so niedrig steht; sobald aber der Preis dieser Landesmünze steigt, so wird Nordamerika, Deutschland, und vor allem England selbst, in solchen Lieferungen in Konkurrenz treten. So wie sich der Goldsand am Ural vermehrt und daneben die Fabrikatur, kann dieser Erfolg nicht ausbleiben, es sey denn, daß Rußland seine Maschinerie Großbritanien gleichstellt. Das ist aber unmöglich, so lange Rußland weder so reich, noch so technisch gewerbfleißig als England seyn wird. Durch die Kornbill wird Englands allgemeiner Wohlstand in allen Klassen nicht vermehrt, sondern vermindert. Die Toris dachten nur zuerst an sich und dann an ihr Vaterland in ihrer Gesetzgebung; jetzt spricht die Reform: voran geht das Interesse des Vaterlandes, und das Interesse der Toris muß dem Interesse des Vaterlandes nachstehen. Wir werden die berüchtigte Kornbill allmählig untergehen sehen, aber der Kontinent wird dadurch weniger gewinnen, als Kurzsichtige erwarten. Wenn ein so gewerbfleißiges Volk, als die Briten sicher sind, einen Produktionsartikel vermindert, so vermehrt es dagegen, da die Vernunft und Industrie es dazu zwingt, eine andere oder mehrere andere sich zweckmäßiger darstellende Produkte. Das ist ja Welt- und Handelslauf, und solche Regeln gelten überall. Ungeheuer viel Wolle führt England ein, und ungeheuer viel ver-

*) Im Erzgebirge soll auch der Raps erfroren seyn, ist er aber frühe gesäet, so wird er bei kräftiger Wurzel noch wieder ausschlagen, nur giebt dieses eine spätere Aernte und freilich weniger Stämme, aber wenn diese viel Licht, Luft und Sonne haben, so kann solcher Raps dennoch vielleicht am meisten scheffeln. A. d. Red.

verarbeitet und unverarbeitet führt es dagegen von seinen Schafen mit vieler groben Wolle aus. Giebt einst England die höchste Anstrengung im Getreidebau auf, so sind Versuche über Versuche, die Wolle seiner grossen Schafe oder wenigstens einzelner Arten zu verfeinern, das Erste, was geschehen wird. Bisher unterblieb das nur aus Vorliebe des Parlaments für die australischen Kolonieen und wegen der hohen Fleischpreise und Vielheit der Lämmer seiner verbesserten Schafzucht. Sinken einmal die Fleischpreise, so bieten die Briten alles auf, in sechs Generationen eine beliebige Tuch- oder lange Wolle zu produziren. Die Industrie wird immer mehr Gemeingut des Menschenverkehrs, und je allgemeiner solche wird, desto mehr gewinnt das industrie-fleißigste und reichste Volk. Diese Wahrheiten setzen wir Denen entgegen, die von einer Ewigkeit irgend eines Productions-Monopols träumen. Wie schnell haben die Briten, was freilich nur wenig Gewinn bringen mag, die schnelle Enthülsung des Reiß angenommen, die schon in eigenen Mühlen Hamburg u. Bremen nachahmten! Jährlich nimmt aus Rußland die Tabaksausfuhr zu, das schreckt aber Niemand, so lange die Güte nicht mit Amerika sich messen kann.

England hatte vormals das Vorurtheil, die sogenannten Fabrikgeheimnisse und Maschinenhülfe für sich allein benutzen zu können, jetzt hat ein Erfinder nur das Monopol einiger Jahre das oft nach einem Jahre ein neuer Verbesserer unnütz macht.

Vergleicht man die durchschnittlichen Weizenpreise in unsern Haupthäfen in den letzten fünf Jahren, so ergiebt sich, daß ungeachtet des starken Depots an fremdem Weizen in Großbritannien, dennoch der Weizen nur unbedeutend nach England ausgeführt werden konnte, und den Spekulanten, die daselbst solderten, mehr Schaden als Gewinn brachte. Gegen Weizen und Erbsen waren die Preise der anderen Getreidearten wenigstens nicht schlecht, wenn auch nicht gerade hoch. Die Gerechtigkeit der Vorsehung fügt es, daß, wenn ein Produkt durch den Fleiß der Menschen höhere Aernten liefert, dieses Mehr nicht bloß dem Produzenten, sondern auch dem Konsumenten durch wohlfeilere Preise zu Gute kömmt. Die Engländer haben durch die vielen aus allen Welttheilen zugeführten Knochen und durch ihren trefflichen Fruchtwechsel, verbunden mit Leinsaat, den Weizenbau in grossen Massen durchgesetzt, und können ihre Weizen essende starke Bevölkerung fast immer füglich ernähren von den Erzeugnissen ihres eigenen Bodens. Deutschland muß keineswegs in seinen Produktionen stille stehen, und nach einander die Seidegewinnung, den Bau der Runkelrüben auf Zucker und zur Ernährung des Viehes, den Obstbau, die Mählen wie Wald und Wiesen verbessern. Wie lange hat Königsberg schon große Weizen- und Hafervorräthe? und wird man nicht endlich den Getreidebau in jenem östlichen Theile der Monarchie verringern und dagegen die Viehzucht nnd den Flachs-, Hanf- und andern Oelsaatenanbau vermehren, was die Umstände dringend zu fordern scheinen?

So großmüthig auch das Parlement mit 20 Millionen Pfund Sterling die sämmtlichen Neger seiner Kolonieen freigekauft hat, so schwierig stellt sich doch das Nahrungs-Verhältniß der vielen Tausend Schwarzen nach den vollendeten Lehrjahren, zumal wegen des wohlfeileran Zuckermarkts in Bengalen und wegen der nahen allgemeinen Einführung des Runkelrübenbaues auf Zucker in ganz Europa; daher sieht auch die vorsichtige Regierung die starke Einwanderug weißer Arbeiter ungern. Der Kopf schwindelt, wenn man bedenkt, wie wenig die Tropenländer nach Europa Produkte ausführen können, wenn einmal kein Zucker, und vielleicht auch kein Indigo oder Rum mehr nach Europa ausgeführt werden kann. Wie werden dann die Plantagen im Werthe fallen, und wie wollen die wenigen Weißen die große Zahl der Neger in Ordnung erhalten, wenn diese auf Zutheilung von Land zum Eigenthum oder zur Erbpacht bestehen? In den spanischen Kolonien ist das ganz anders als in dan englischen, denn in diesen sind die Weißen den Negern an der Zahl gleich oder sogar überlegen. Wie wird künftig der Absatz der Fabrikate des Mutterlandes in den ärmer gewordenen Kolonieen sinken? Mit Westindien werden künftig die Verkehr-Verhältnisse unserer Hansestädte viel schwieriger werden, dagegen sich hoffentlich mit den vormals kontinentalen spanischen Kolonien, jetzt Republiken, verbessern, sobald die leidigen Bürgerkriege dort aufhören werden.

Wenn sich Großbritonniens Ausfuhr an Wollenwaaren im vorigen Jahre vermehrte, so kommt das doch meistens den inländischen Wollen zu Gute, die in der That treffliche Waaren für die Bekleidung der Bewohner der Tropenländer in den kühlen Abendstunden und für Seefahrer in nordischen Meeren sind.

Wie eifrig die nordamerikanische Industrie jeden neuen Ausfuhrartikel nach dem Kontinent nach Europa fördert, sah man in der letzten Braunschweiger Messe, wo zum ersten Male über Hamburg nordamerikanische Glaswaaren, und besonders starke wohlgeschliffene Teller gegen billige Preise feil geboten wurden. Also hat Böhmen und Hannover auch hierin künftig eine neue Konkurrenz zu fürchten.

Das Gerücht, daß Preußen die Zollvereins-Staaten veranlassen dürfte, nur zwischen den großen Handelsplätzen Eisenbahnen anzulegen, findet wohl allgemeinen Beifall, da man sich hüten muß, eine neue großartige wohlfeile Transport-Erfindung in den leidigen Agiotagehandel mit Aktien übergehen zu lassen, wo das Publikum nicht ganz sicher gestellt ist, daß die Sache wirklich so viel oder mehr werth ist, als der Aufwand beträgt. So sehr man Ursache hat, die Nahrung der untern Klassen landesväterlich zu verbessern, so sehr muß man auch streben, nach Preußens Beispiel, daß die Eisenbahnen nicht bloß den Spekulationen weniger Reichen tributbar werden, sondern besonders der Nahrung der arbeitenden Klassen zu Gute kommen. Wenn Englands Polizei auch noch jetzt nicht daran denkt, so darf man doch hoffen, daß auch dort bald der Staat nicht mehr dulden wird, daß sich ganze Kompagnieen von Unternehmern durch übertriebene Vermehrung dieses Transportmittels ruiniren. Es wird überhaupt, wie es den Anschein hat, bald Staatspolizeisache werden müssen, daß nicht die Erfindungen, statt dem Publikum im Ganzen zu nutzen, ein Börsenspiel werden, was Wenige bereichert und Viele verarmt. Die Eisenbahnen werden sicher wohlthätige Erfolge haben, aber mehr durch wohlfeilen Waaren- als durch Personentransport. Der letztere ist Neben- und nicht Hauptsache, als wenn etwa bei Luxusbahnen, wie zwischen Fürth und Nürnberg.

Es muß in Großbritannien die Schweinezucht sich zufällig, ohne daß man sich die Ursache erklären kann, sehr vermindert haben, denn seit fast einem Jahre steigt der Preis des Specks und weniger der Schinken, oder man braucht zu irgend einer Fabrikatur jetzt Speck, wo man früher Fett benutzte. Man möchte also den niederdeutschen Landwirthen großer Landgüter die Mastung großer und alter Schweine sehr anrathen, und die Handelsherren ersuchen, die Ursache des stärkeren Verbrauchs von Speck oder der geringeren Produktion in England selbst, zu ergründen. Die k. Marine hat die dießfällige Konsumtion nicht sehr vermehrt, und kein Land hat, so viel bemerkt werden kann, die Speck-Einfuhr nach Großbritanien vermindert, ja die Ausfuhr dieses Artikels aus Holland hat sich vergrößert.

---

96. Ueber die Baumaterialien am Lande.

Sehr weise war die Verordnung im Anfange des gegenwärtigen Jahrhundertes in Bayern, nach welcher die Monopole der Kalk- und Ziegelöfen zur Beförderung der Baulichkeiten auf dem Lande aufgehoben, sohin die Errichtung von Kalk- und Ziegelöfen Jedermann frei gegeben wurde.

Diese wohlthätige Verordnung ist aber in der neueren Zeit zu einem grössern Mißbrauch ausgeartet, und dadurch in Ansehung der landwirthschaftlichen Gebäude eine allgemeine Benachtheiligung und Betrügerei entstanden. Da man in neuerer Zeit strenge, ja beinahe zu strenge auf Ziegeldächer, selbst bei landwirthschaftlichen Gebäuden von Seite der Oberpolizei dringt; da weiters die Feuer-Asseruranzen die Feuersbrünste äußerst zahlreich, in unsern Tagen jetzt, bewirkten, so suchten auch desto mehr die Ziegelöfen-Unternehmer davon Nutzen zu ziehen, lieferten in größter Eile schlechtes Materiale, und liessen es sich doch sehr theuer bezahlen. Auf allen Seiten hört man nun jetzt Klagen und Jammer darüber, daß 2 – 3jährige Gebäude schon wieder mit Einsturz drohen, und die Ziegel von den Dächern fallen, gleichsam als wäre mit Kanonen darein geschossen worden. Wahrlich, dieses Uebel gehört jetzt unter die allgemeinen Landesplagen!!

Schreiber dieses könnte aus eigener Erfahrung Beispiele darüber anführen, wie er in dieser Hinsicht seit 6 Jahren um einige hundert Gulden gefährdet wurde. Man gehe nur auf das Land, und durch Dörfer und Flecken, wo solche neue Gebäude stehen, und jeder wird darüber staunen. Ja, möchte Jeder fragen, besteht denn darüber gar keine Polizei-Aufsicht? Sollten nicht die Maurermeister selbst auf besseres Baumateriale genaue Aufmerksamkeit haben, und das Untaugliche sogleich zurückweisen. Weit gefehlt. Die Maurermeister besitzen meistens selbst Kalk- und Ziegelöfen, nehmen die Gebäude in Accord, und hintergehen so mit ihrem schlechten Materiale die Eigenthümer der Gebäude, denen dann zu spät erst über ihr gehegtes Vertrauen die Binde von den Augen fällt.

In der Vorzeit herrschte im Allgemeinen mehr Aufsicht, mehr Polizei auf dem Lande. Jetzt ist beinahe nirgends mehr davon was anzutreffen. Es existiren ältere Verordnungen als die vom 22. Oktober 1769 und die vom 18ten Juli 1795, nach welchen über das Maß und die Güte der Ziegelwaaren genaue Visitation vorgenommen, die unrichtigen Ziegel zerschlagen und die Ziegler nebenbei zur Strafe gezogen werden sollen.

Ich erinnere mich auch, wie in München die vorhin bestandene unmittelbare k. Bau-Commission hierbei sehr strenge verfuhr, und alle Ziegelöfen um die Stadt durch einen eigenen Inspektor genau visitiren ließ. Es ereignete sich gar oft, daß ganze Brände zerschlagen wurden, wie dieses z. B. einem benachbarten Pfarrer unerbittlich widerfuhr, der auch einen Ziegelstadel baute, und schlechte Waare lieferte.

Die Sicherheit der Gebäude ist eine Nationalangelegenheit, und die oberste Polizeibehörde darf sie nicht aus den Augen verlieren, da die Benachtheiligungen dabei nicht allein den Eigenthümer der Gebäude, sondern den ganzen Staat interessiren.

Leicht ist auch bei den Ziegelwaaren die Aufsicht: denn wenn sie nicht klingen, war theils der Lehm nicht gehörig zubereitet, theils fehlte es an hinlänglichem Ausbrennen ꝛc.

Das Ziegel Verfertigen ist auch eben so leicht. Es sind darüber kurze ganz faßliche Anleitungen in Menge vorhanden. Selbst im landw. Wochenblatte finden sich mehrere derlei Anweisungen. Wenn Aufsicht und strenge Strafen bestehen, wird jeder Ziegelofen-Unternehmer schon von selbst sich um nähern Unterricht bewerben.

Uebrigens, nachdem das General-Comité diesen Gegenstand auch bei dem k. Ministerium des Innern in Anregung gebracht hat, so darf man zuversichtlich bald auf entsprechende Maßregeln hoffen. Unterdessen sollen bis dahin die Bauunternehmer selbst auf die Baumaterialien mehr Aufmerksamkeit richten, die untauglichen sogleich zurückweisen, und sich so vor größerem Schaden zu bewahren suchen.

A — — —

Landwirthschaftliche Nachrichten u. Bücheranzeigen.

---

97. Einige Worte über den Weinbau, als Beitrag zur Veredlung der Weinkultur.

Schon so vieles Gute ist (heißt es in der landw. Zeitschrift für Churhessen) zur Verbesserung der Cultur eines so wichtigen Zweiges der Landwirthschaft geschrieben worden, aber noch Manches bleibt, besonders hinsichtlich der Behandlung des Weinstocks, bei Anlage und Bau desselben, zu erörtern übrig; und alte eingerostete Vorurtheile und Gewohnheiten müssen endlich den, der Natur der Pflanzen gemäßen, und durch Erfahrung begründeten erspießlichen Neuerungen Platz machen.

Ein Hauptfehler bei der gewöhnlichen Anlage eines Weinbergs, hat schon beim Rotten statt, indem nach altem Herkommen die Tiefe des Rottgrabens genau auf Kniehoch eingehalten wird, wegen der irrigen Behauptung, der Weinstock müsse unten einen festen Satz haben. Wenn man aber in Anschlag bringt, daß bei jeder Pflanze das Wurzelvermögen und dessen Ausdehnung genau mit den Trieben und Verästungen derselben im Verhältniß steht, daß demnach der Weinstock, als Rankenpflanze seine Wurzeln, ohne bestehendes Hinderniß, auf 6 – 8, ja noch mehrere Fuß Tiefe zur Nahrungssammlung entsendet, daß jede Pflanze, je weniger Widerstand sie bei Ausbreitung ihrer Wurzeln findet, desto freudiger wächst, desto dauerhafter und fruchtbarer wird, so erscheint obige Verfahrungsart als ganz widernatürlich und ungereimt und verdient zur Abhülfe die ernsteste Berücksichtigung des Landwirths.

Der zweite, nicht minder erhebliche Fehler findet beim Setzen der Reben statt, wo man nämlich dieselben in ein, mit einem glatten Setzholze ein- und auseinander gedrücktes Loch, vermittelst der eingerieselten trockenen feinen Erde, durch kräftiges Stoßen mit einem Pfahle gleichsam einmauert, dadurch die untersten Augen der möglichen Vegetation beraubt und die Pflanze schon im ersten Zeitraume kränklich und schwächlich macht. Man bediene sich zum Setzen eines spitzen, der Länge und Dicke der Setzrebe gleichen Eisens, steche dieses in die Erde, stecke die, mit einem Rehfußschnitte unten versehene Rebe nach und drücke die Erde sanft an, so kann man sich des sicheren Anschlagens und freudigen Fortkommens des Setzlings versichert halten.

Der dritte Fehler bei Anlage eines Weinberges ist die Bepflanzung der Rottfelder mit Kraut, Runkelrüben und anderen aussaugenden Pflanzen, aus dem Beschönigungsgrunde, dadurch der jungen Rebe Schatten und Kühle zu verschaffen, anstatt das Gedeihen derselben durch fleißiges Jäten und Anhäufen der Erde zu bezwecken.

Der vierte Fehler liegt in dem zu kleinen Zwischenraume der Zeilen, wodurch den Weinstöcken der Zugang der Sonne und Luft, des Hauptlebensprincips einer jeden Pflanze, erschwert oder entzogen wird, was, wo noch gar die Winzer auf das im Schatten wuchernde Gras zur Nahrung ihres Viehes angewiesen sind (wie noch großentheils im Rheingau), zum größten Nachtheile für Pflanze und Frucht ist.

Der fünfte Fehler im Bau eines Weinberges besteht in den ungeeigneten Werkzeugen. Man bedient sich vielfach, besonders im Rheingau, der langen, schmalen und spitzen Kärste, womit durch das zu tiefe Eindringen den sogenannten Tagwurzeln eine bedeutende Verletzung und dem Weinstocke eine lang dauernde Kränklichkeit zugefügt wird, besonders in Thon- oder Lettenboden, wo durch das Herausbrechen der Schollen das

Wurzelvermögen des Weinstockes empfindlich gekränkt, das Eindringen der Hitze und Luft in den Boden veranlaßt und das Zurückgehen des Weinberges verursacht wird, weßwegen man oft noch ganz kräftige Weinstöcke auf einmal gelb werden sieht.

Endlich besteht ein Hauptfehler in der Nachlässigkeit, womit man den Weinstock, wenn er uns durch seine schöne Frucht Vergnügen und Nutzen gebracht hat, nach der Weinlese des rauhen Winters feindseligen Anfällen erbarmungslos Preis giebt; ich spreche nämlich vom Unterlassen des Winterbaues, der nach meiner vieljährigen Erfahrung und ganzer Ueberzeugung der Hauptbau genannt zu werden verdient.

Dieser Bau, welcher nach der Weinlese und unmittelbar nach Eintragung des Düngers Statt hat, besteht in Zuhäufung der Weinstöcke bis über die Schenkel, so daß in der Mitte der Zeilen eine Furche von der Tiefe entsteht, wovon die Anhäufung den Gegensatz bildet. Durch diesen Bau ergeben sich manche wesentliche Vortheile:

1) wird das Eindringen der Winterfeuchtigkeit erleichtert, so zwar, daß dieselbe durch das beim Raumen des Stockes im Frühjahr Statt findende Zuwerfen der Furche, in der Tiefe erhalten, und besonders bei sehr trockenen Sommern, wie z. B. des dießjährigen, für das Fortkommen der Frucht von größerem Einflusse wird, was sich dieses Jahr auf meinem Gute bei Hahnheim augenscheinlich bethätigte;

2) wird durch diesen Bau die Verbesserung der Erde, durch die dadurch zur Beschwängerung durch die Luft geschaffene verdoppelte Fläche bezweckt;

3) wird jegliches Unkraut gänzlich ausgerottet und ein leichter Bau auf das folgende Jahr erzielt;

4) wird der Weinstock gegen die zerstörenden Wirkungen einer starken Kälte geschützt, so zwar, daß ich im Jahre 1827, wo bekanntlich im Februar die bis zu 24° Reaum. gestiegene Kälte viele hundert Morgen Weinberge zum Aushauen brachte, noch das Vergnügen hatte, an sehr vielen Weinstöcken Bogreben zu sehen und eines nicht unbedeutenden Ertrages mich zu erfreuen.

Mit dem Wunsche, durch diese Mittheilungen gemeinnützig zu werden, werde ich fortfahren, meine Erfahrungen und daraus hergeleitete Ansichten seiner Zeit zu veröffentlichen.

Wahlheimer Hof bei Hahnheim, im Herbste 1835.

Ph. Du Mont.

98. Empfehlung zweier Oelfrüchte für Sandgegenden.

Die Aeußerung, welche der Verfasser dieses Aufsatzes oft gehört hat, daß seit mehreren Jahren der Anbau von Raps- und Mohnsamen im Badischen, seinem Vaterlande, nicht mehr gehörig lohne, und Leindotter eine Glücksärnte sey, veranlaßte ihn, verschiedene Versuche mit der Gartenkresse anzustellen, zu deren Empfehlung für Sandgegenden er etwas gelesen hatte.

Es wurden in einem Garten, auf einer schlechten sandigen Stelle, nachdem im Winter mit etwas Mistjauche gedüngt worden, ein Platz von 315 □ Fuß am 4. März dieses Jahres mit gefüllter Kresse angesäet. Am 11. Juli wurde sie schon abgeschnitten und ausgekörnt, und nachdem der Same noch 14 Tage lang zum Eintrocknen gelegen hatte, wog er 6 Pfd. 4 Lth. und füllte 2 badische Mäßlein 8½ Becher. Wenn nun nach dem landwirthschaftlichen Wochenblatte des Großherzogthums Baden (1834 Nr. 28.) 100 Pf. Samen nur 56 Pf. Oel geben, so würde der Ertrag von jenem Samen 3 Pf. 13 Lth. Oel, und hienach von ¼ Morgen mit 10,000 □ Fuß circa 194 Pf. Samen, oder 9 Sester und an Gewicht 108 Pf. Oel betragen. Ueberdieß ist das Stroh, wenn es auch kurz ist, doch als eine Zugabe in stroharmen Gegenden mitzunehmen. Was die Gartenkresse als Oelfrucht empfiehlt, ist Folgendes:

Sie ist gegen ungünstige Witterung gar nicht empfindlich. So z. B. wurde eine kleine Aussaat Anfangs Oktober v. J. gemacht, die den Winter sehr gut aushielt, indessen nur wenige Tage früher als die im März gesäete zur Reife kam. Insekten stellen ihr wenigstens nicht mehr nach, wie andern cultivirten Gewächsen; ob sie aber nicht vom Mehlthau befallen werde, wie Ref. zu glauben scheint, darf wohl bezweifelt werden. Die Vögel sollen ihr nicht nachstellen, und obwohl zur Zeit der Reife der obigen Probe häufige Regen fielen und heftige Winde wehten, so war doch nicht zu bemerken, daß der Same ausgefallen wäre. Da er mit dem Roggen reift, so kann das Land nachher wenigstens noch zu weißen Rüben benutzt werden. Ref. theilt für diejenigen, welche es mit der Kresse versuchen wollen, noch einige Erfahrungen über ihren Anbau mit.

1) Die Kresse verlangt einen leichten, klaren und von Unkraut reinen Boden; auch soll der Same wo möglich eingewalzt oder auf andere Art fest eingedrückt werden. Es wurde ein kleiner Acker von schwerem Boden Anfangs März damit besäet, und weil man glaubte, daß der kleine Samen durch Eineggen zu tief unterkommen möchte, nur auf

das geeggte Feld gesäet und liegen gelassen. Er ging aber nur in den Fußstapfen des Säemans auf. Am besten wird man sie mit der umgekehrten Egge einschleifen, dann einwalzen, oder mit einem Brettstücke festschlagen; ja es möchte wahrscheinlich rathsam seyn, sie selbst noch einigemal nach dem Aufgehen mit der Walze zu überwellen. Auffallend war es, daß jene Stöcke, die in dem betretenen Fußwege aufgegangen waren, und über welche, weil man sie nicht achtete, später noch sehr oft gegangen wurde, weit kräftiger und ausgebreiteter waren, auch viel mehr und vollkommneren Samen trugen, als die im Lande.

2) Die Kresse darf nicht zu dick gesäet werden. Zu dem oben beschriebenen Stücke wurden 4 Lth. genommen; es wäre aber weniger als die Hälfte hinlänglich gewesen, denn sie stellte sich so dick wie Hanf, blieb dünnstenglig, und der Same klein, daher er auch nicht so reichlich ausfiel. Ein einzeln stehender Stock dagegen bekam einen fingerdicken Stengel und trug 4 Lth. sehr vollkommenen Samen. Wieviel Samen etwa auf eine gewisse Fläche nöthig ist, kann aus Mangel an Erfahrung nicht angegeben werden, Der Saatbedarf möchte sich dem des Dotters gleichstellen. Die Stöcke breiten sich etwas mehr aus wie der Dotter, sollen sich aber berühren wie der Raps.

Die Beschaffenheit des Oeles müssen Versuche erst kennen lehren. Zwar hat der frische Same einen starken Geruch und scharfen Geschmack; allein an manchen Orten wird selbst das Oel aus Senf zu Salat gebraucht. Ueberdieß wäre noch der Versuch zu machen, ob dem Kressenöle, wenn es wirklich eiuen scharfen und strengen Geschmack erhält, diese üblen Eigenschaften nicht ebenso benommen werden können, wie dem Dotteröle, von dem man sagt, daß es seinen widrigen Geschmack verliere, wenn man es in Krügen einige Tage in den Boden eingrabe. Jedenfalls wird es zu Brennöl und zu anderem Gebrauche anzuwenden seyn, und wo keine andern Oelfrüchte gerathen, wäre auch dieses schon ein schätzbarer Vortheil.

Die zweite zu empfehlende Oelfrucht ist der Samen des gewöhnlichen Gartensalates, welcher das feinste und wohlschmeckendste Oel giebt, dem ächten Baumöl in Nichts nachstehend. Man wird nun freilich keinen Acker bloß mit Salat anpflanzen wollen; allein in Gegenden, wo viel türkischer Weizen gebaut wird, würde es wohl lohnend seyn, den Salat dazwischen zu säen, der nicht so gar wenig Samen trägt, als man dem ersten Anscheine nach glauben möchte. So ist dem Einsender ein

Fall bekannt, wornach auf einem einzigen, freilich nicht kleinen Spargelstücke, ein halbes Malter Salatsamen erzogen wurde. Das Ausmachen und Reinigen desselben mag zwar seine Schwierigkeiten haben. Lassen sich aber doch die fleißigen Haardtbewohner in Rheinbayern die Mühe nicht verdrießen, im Winter Kürbiskerne zu schälen, um daraus ein wenig Oel, das noch dazu einen widrigen Geschmack hat, zu gewinnen; um so weniger wird man anstehen, den Salatsamen zu reinigen, wenn man einmal überzeugt ist, daß er ein vortreffliches Oel giebt. Wenn jede Haushaltung berechnet, wieviel sie jährlich für Brenn- und Salatöl ausgiebt, so zweifelt Ref. nicht, daß sich viele entschliessen werden, auf Sandäckern Kresse, und auf Welschkornäckern Salat zu pflanzen, um dadurch einen so unentbehrlichen Artikel sich selbst auf wohlfeilem Wege zu verschaffen.

Die Redaktion der untengenannten Zeitschrift macht zu Vorstehendem noch folgende Bemerkungen.

Was der Herr Einsender über den Anbau der Gartenkresse und des Salats als Oelpflanzen gesagt hat, stimmt ganz mit den, auch anderswo darüber gemachten Erfahrungen überein. Wir haben diesem Aufsatze nichts weiter hinzuzufügen, als daß sich die Reife des Samens der Kresse daran erkennen lasse, wenn sich Blätter, Stengel und Samenschoten weißgelb färben und daß man anderswo das Oel derselben dem Rapsöle weit vorziehe, ja daß es sogar dem Sonnenblumenöle nicht viel nachstehen soll. Doch müssen und werden auch wohl von mehreren Landwirthen noch mehrere Versuche gemacht werden, um über die Benutzung jener Pflanzen zu dem fraglichen Zwecke noch mehr Aufklärung zu erhalten. (Landwirthschaftl. Wochenbl. f. d. Großherzogth. Baden. 1835. Nr. 31.)

---

99. Zweckmäßige Garnbereitung.

Eine zweckmäßige Behandlung des Garns sichert und erleichtert ganz besonders den guten und schnellen Bleicherfolg. Deßhalb soll hier eine Anleitung zu zweckmäßiger Vorbereitung des Garns mitgetheilt werden.

Man legt das Garn Strang vor Strang, wie zum Bauchen, in einen tanenen Zuber ein. Zu 12 Pfund Garn nimmt man eine gute Hand voll Roggenmehl, knetet es mit Sauerteig (Taubenei groß) und etwas Wasser untereinander, und bereitet daraus, unter Zugießen von noch etwas mehr Wasser, einen gleichförmigen dünnen Brei. Dieser Brei wird durch ein Tuch gedrückt, die durchgedrückte Mischung unter einen halben Zuber warmes Wasser gerührt und über das in dem andern Zuber eingelegte Garn geschüttet.

Nach einigen Stunden, wenn diese Flüssigkeit das Garn ganz durchdrungen hat, wird letzteres mit tannenen Brettchen und einem aufgelegten Steine so beschwert, daß die Flüssigkeit drei Finger hoch über dem Garn steht, und ja nichts davon über derselben zum Vorschein kommt.

Fehlt noch Flüssigkeit, so wird warmes Wasser bis zur nöthigen Höhe zugegossen. So bleibt das Ganze, ohne darin zu rühren, 3 Tage lang (im Winter in einer warmen Stube) stehen, und wird der sauren Gährung überlassen. Den 4ten Tag ist gewöhnlich diese Gährung hinreichend eingetreten. Sie giebt sich zu erkennen durch sauren Geruch und ein schäumiges Häutchen, welches sich auf der Oberfläche der Flüssigkeit gebildet hat. Jetzt darf das Garn nicht länger mehr in der Flüssigkeit bleiben.

Ehe man es aber herausnimmt, muß das schäum'ge Häutchen von der Oberfläche der Flüssigkeit rein abgenommen werden. Das Garn wird nun in fliessendem Wasser fleißig und ganz rein ausgewaschen, aufgehängt und getrocknet.

Die getrockneten Stränge werden, wie das erstemal, in einen tannenen Zuber eingelegt, der mit einem Zapfloche versehen seyn muß. Ueber das Garn wird ein Tuch gebreitet. 1 Pfd. calcinirte Potasche *) in sechs Schoppen warmes Wasser eingeweicht, ist in 12 Stunden aufgelöst. Diese Flüssigkeit wird durch ein Tuch geseiht und der dritte Theil davon — also 2 Schoppen — mit so viel reinem Flußwasser verdünnt, als nöthig ist, das Garn damit zu bauchen; womit dann auch sogleich der Anfang gemacht wird.

Die Potaschenlauge, wenn sie übergeschüttet ist, braucht dabei nur in gleicher Höhe mit dem Garne zu stehen. Die Lauge darf nie kochend angewendet werden, sondern in einer Temperatur von 50 bis 60° Reaumur, also etwas heißer, als das Wiesbader Mineralquellenwasser.

---

*) In einem Malter guter Holzasche sind 5 Pfund Potasche enthalten.

Nachdem so drei Stunden lang gebaucht worden, die Lauge also mehrmals in der angegebenen Temperatur überschüttet und wieder abgelassen worden war, läßt man die zum Bauchen gebrauchte Flüssigkeit aus dem Zapfloche ablaufen, und gießt gleich darauf so lange helles, heißes Flußwasser über das Garn, bis es am Zapfloche größtentheils helle wieder abläuft. Wenn dieses Wasser ausgeronnen ist, wird, wie das erstemal, das zweite Drittheil der Potaschenauflösung — also wieder 2 Schoppen — mit der zum Bauchen nöthigen Menge Wasser vermischt und abermals wie das erstemal 3 Stunden lang bei etwas höherer Temperatur (60 bis 70° Reaumur) gebaucht. Die fernere zum Bauchen gebrauchte und nun untauglich gewordene Flüssigkeit wird abermals am Zapfloche abgelassen und mit dem Ueberschütten von hellem, heißem Wasser und Auslaugen des Garns in dem Zuber gerade so wie das erstemal verfahren.

Nun wird das Garn mit dem letzten Drittheil Potaschenauflösung — den letzten zwei Schoppen — und der nöthigen Menge Wasser 4 bis 5 Stunden lang kochend gebraucht. Nach beendigtem Geschäfte, am Abend, läßt man das Garn über Nacht in der Lauge liegen, nimmt es des andern Morgens heraus, wäscht es im fliessenden Wasser wohl aus, trocknet es unter mehrmaligem Ausschwenken an der Luft, und übergiebt es dem Weber.

Tuch von, auf solche Art, zubereitetem Garne bleicht sich sehr schnell und sehr weiß.

Wehen, im Februar.

Dr. Reuter.

(Landwirthschaftl. Wochenblatt v. Nassau, 1834, Nr. 8.)

---

100. Bericht über die vorzüglichsten Wollmärkte in Preußen, Sachsen, Bayern und den sächsischen Herzogthümern. *)

Die Wollerzeugung und überhaupt die Schafzucht machen jetzt in der Landwirthschaft durch die so sehr gedrückten Getreidepreise einen höchst wichtigen Gegenstand aus, und sind fast die

*) Aus den ökonom. Neuigkeiten.

einzige Quelle, aus der der bedrängte Landwirth noch einige Resourcen schöpfen kann, weßwegen eine gedrängte Uebersicht über den öffentlichen Verkauf dieses Artikels nicht uninteressant erscheinen kann.

Den Anfang macht in unserer Gegend der erst seit zwei Jahren bestehende Wollmarkt zu Dessau, der sich dieses Jahr (1835) schon bedeutend gehoben hat, da er von vielen Niederländern und auch einigen Engländern, die ihn auf der Tour nach Breslau gelegentlich mit besuchen, frequent wird, und da dort die Mittelwollen, als der gesuchteste Artikel der Zeit prädominiren, schnell die dort aufgespeicherten Wollen vergreifen ließ. Man meldet von dorther: „Wenn schon der erste hiesige Wollmarkt (1834) sehr befriedigend ausfiel, so war dieses noch viel mehr der Fall mit dem dießjährigen, am 26. u. 27. Mai abgehaltenen, der Fall; denn ungeachtet der vorangegangenen rauhen regnerischen Witterung, die die Flüsse anschwellte und trübte, die Schur der Heerden aber überall erschwerte u. theilweise unmöglich machte, und troß des in der Nacht vor dem Markte herabgestürzten Regens fanden sich doch an beiden Wollmarktstagen über 13,000 Stein Wolle wirklich, und mehrere Tausend Stein in Proben hier ein, die an den zahlreich anwesenden achtbaren, englischen, niederländischen und deutschen Großhändlern und Fabrikanten bereitwillige Käufer fanden. 11,000 Stein wurden nach abgeschlossenem Kaufe hier an den Ablieferungsorten Magdeburg, Cöthen ꝛc. verwogen, und es blieb daher wenig Wolle unverkauft. Die Preise stellten sich durchgängig von 1 1/2 bis 2 Thlr. niedriger, als im vorigen Jahre.“

Ihm folgte der Torgauer, ein in Zukunft sich vielleicht hebender Markt, wo aber bis jetzt nur kleine Posten zugegen waren, und die Fabrikanten sächsischer und preußischer nahe gelegener Orte die Haupteinkäufer machten. Der in der k. preuß. Staatszeitung darüber erschienene Bericht sagt:

„Am 4. und 5. des Monats Juni wurde zu Torgau der dießjährige Wollmarkt abgehalten. Derselbe war sehr lebhaft besucht. Die Verkäufer hielten auf vorjährige Preise, wodurch der Handel Anfangs schwierig war; er belebte sich aber nach einiger Nachgiebigkeit derselben, und da sich außer den inländischen Tuchfabrikanten und Händlern auch viele Käufer aus dem angränzenden Königreiche Sachsen und dem Altenburgischen (auch ein Fabrikant aus Lennep) eingefunden hatten, so wurden die auf circa 700 Zntr. zu berechnenden Wollen, einige wenige Partien ausgenommen, wo die Verkäufer von ihren Preisen nicht abgehen wollten, sämmtlich geräumt, Landwolle von 62–65 Thr., veredelte mit 70–80 Thlr., und die von den besten Schäfereien mit 85–90 Thlr. per Zntr. bezahlt, bei welchen Preisen man gegen das vorige Jahr eine Verminderung von durchschnittlich circa 6 Thlr. per Zntr., und bei einigen Wollen, die damals zu sehr hohen Preisen verkauft worden, bis 10 Thlr. per Zntr. annehmen kann."

Auch aus Spremberg berichtet man: „Der Frühlings-Wollmarkt, welcher in diesem Jahre am 25. Mai abgehalten wurde und der von auswärtigen Käufern mehr als gewöhnlich besucht war, zeigte das Resultat, daß zusammen 476 Zntr. 82 Pfd. Mittelwolle Absatz fanden. Anfänglich blieben die Produzenten bei den vorjährigen Preisen stehen, späterhin ließen sie jedoch einen Abschlag von 1–2 Thlr. per Stein sich gefallen, und ist daher zu den Preisen von 65–95 Thlr. der Zeutner verkauft worden."

Ueber den am 25. und 26. Mai in Schweidnitz in Schlesien abgehaltenen Wollmarkt schreibt man unterm 26. (also vor Beendigung des Wollmarktes):

„Wenn unsere Wollmärkte seit einigen Jahren schon einen zunehmenden Verkehr zeigten, so hat der dießmalige Frühlingsmarkt unsere Erwartungen dennoch übertroffen. Namhafte Quantitäten Wolle sind hier aufgelagert, und schon am ersten Wollmarktstage größtentheils verkauft worden. Käufer und Verkäufer sind mit dem Resultate des Marktes zufrieden gewesen, und dieses giebt uns Gewähr dafür, daß unsere Wollmärkte sich noch ferner mehr und mehr heben werden. Mehrere Dominien der Umgegend und die kleineren Gutsbesitzer, sowohl des hiesigen Kreises, als der benachbarten, insbesondere der Gebirgskreise, haben ihre Wollen hier abgesetzt, und beläuft sich die Gesammtzahl des Absatzes auf 2200 Zntr. 35 Pfd. Von den einschürigen ist der Zentner mit 80, 82, 85, 88, 90, 95, 98, 100 und 102 Thlr., von der zweischürigen mit 65, 68, 70, 75, 80, 84 bis 86 Thlr. bezahlt worden. Einige Engländer, besonders aber eine große Anzahl rheinländischer Kaufleute, haben bedeutende Einkäufe gemacht."

Auf dem am 21. Mai abgehaltenen Frühlingsmarkte zu Brieg wurden überhaupt 181 Zntr. 19 Pfd. Rusticalwolle abgewogen, und die bessere mit 72 Thlr. 25 Sgr. bis 64 Thlr. 5 Sgr., die mittlere mit 62 Thlr. 10 Sgr. bis 60 Thlr. 15 Sgr., und die geringere mit 56 Thlr. 25 Sgr. bis 51 Thlr. 10 Sgr. bezahlt. Der Durchschnittspreis für den Zentner betrug hiernach 59 Thlr. 21 Sgr. 5 pf., d. i. gegen den vorjährigen Frühlings-Wollmarkt der Zentner 6 Thlr. 16 Sgr. 5 pf. mehr. — Der einzige diesjährige Wollmarkt, wo eine Preiserhöhung Statt fand.

Aus Breslau, dem eigentlichen Hauptmarkte in Deutschland, berichtete man schon unterm 2. Juni:

„Unser Wollmarkt soll heute beginnen, er ist aber schon halb geendet. Käufer strömten seit 8 Tagen reichlich zu und begannen seit dem 27. Mai einen lebhaften Verkehr. Von circa 50,000 Zntr., welche auf dem Platze seyn dürften, sind wohl bereits an 30,000 Zntr. verkauft. Ueber die Preise haben wir zu bemerken, daß sie diejenigen von 1833 fast vollständig erreichen, und dennoch wohl befriedigend sind. Dieselben scheinen sich für hochfeine Wollen von 110—140, für Mittelwollen von 80—100, für ordinäre Wollen von 70—75 Thlr. zu stellen. Electoralen scheinen weniger gesucht, obschon die berühmtesten Schäfereien zur Zufriedenheit ihrer Besitzer rasch verkaufen. Der lebhafteste Begehr zeigt sich nach Mittelwollen; es ist fast außer Zweifel, daß nach wenigen Tagen Alles geräumt seyn wird. Allgemein ist die Anerkennung auch in diesem Jahre, daß der Breslauer Markt Vortreffliches liefert, und daß schlesische Electoralen die gesteigerten Ansprüche der Fabrikation vollständig befriedigen."

Die Breslauer Zeitung vom 7. Juni enthält über den Verlauf des Wollmarktes folgenden Bericht:

„Zu dem diesjährigen Breslauer Frühlings-Wollmarkte sind nach den geführten Controllen in Summa 51,102 Zntr. 98 Pf. Wolle anher gebracht worden, und zwar aus Schlesien

	Zntr.	Pfd.
aus Schlesien	35,797	27
dem Großherzogthume Posen und dem Königreiche Polen	13,406	36
aus Oesterreich	132	—
aus Galizien	1,767	35

Wird das vorjährige Quantum der zum Markte gekommenen schlesischen Wolle von 32,748 Zntr. 44 Pfd. mit dem diesjährigen von 35,797 Zntr. 27 Pfd. verglichen, so erweist sich ein Plus von 3048 Zntr. 93 Pfd.; und wird der vom Beginn der Marktzufuhr hier gelagerte Bestand von circa 1200 Zntr. zu dem diesjährigen eingebrachten Quantum aller Wollen von 51,102 Zntr. 98 Pfd. hinzu gerechnet, so ergiebt sich eine Totalsumme aller an diesem Markte zum Verkaufe hier gelagerten Wollen von 52,302 Zntr. 98 Pfd. Die Preise haben sich nachstehender Art gestellt: Schlesische Einschur, feine Electoral 140 – 150 (eine Post 160), zweite Sorte 120 – 125, feine 105 – 110, hochmittelfeine 95 bis 100, mittlere 85 – 90, ordinäre 78 – 80 Thlr.; schlesische Zweischur, extrafeine 80 – 84, feine 73 – 75, mittlere 63 – 68, ordinäre 58 – 60 Thlr. Polnische Einschur, Primasorte 90 – 95, feine 80 – 88, mittelfeine 65 – 75, ordinäre 55 – 60 Thlr.; polnische Zweischur, feine 68 – 70, mittlere 60 – 63, ordinäre 53 bis 58 Thlr.; polnische Zackel- oder Leistenwolle, weiße 20 – 22, dgl. schwarze 17 – 18 Thlr.; Sterblingswolle, feine 75 – 82, mittlere 68 – 74, ordinäre 55 bis 57 Thlr. Lammwolle, hochfeine 120 – 125, mittelfeine 100 – 105, mittlere 85 – 90, ordinäre 75 bis 80 Thlr. Schlesische Ausschußwolle 60 – 70, polnische 55 – 60 Thlr.

Bis heute sind verladen und abgegangen zur Achse 12,403 Zentner, zu Wasser 4872 Zntr. Was die Fremden anbetrifft, so befanden sich auf hiesigem Wollmarkte 215 englische Großhändler (im vorigen Jahre waren deren nur 193), 137 jüdische Wollhändler aus dem Großherzogthume Posen, 29 dergleichen aus Schlesien, und 370 Fabrikanten und Tuchmacher aus den Fabrikstädten der Marken Schlesiens und der Lausitz."

Ein anderer Bericht eines Handelshauses in Breslau beleuchtet den Wollmarkt folgendermassen:

Der heute beendigte Wollmarkt hat die Erwartungen der Verkäufer und Einkäufer getäuscht; letztere kamen mit der Hoffnung zu kaufen, sehr billig zu kaufen, herein, und erstere waren darauf gefaßt, niedrigere Preise als voriges Jahr annehmen zu müssen. Die Einkäufe begannen indessen in den beliebtesten Sorten noch vor Anfang des Marktes rasch, und in der Qualität von 80 bis 100 Thlr. à Zntr. 4 bis 5 Thlr., in den feinen Sorten 5 bis 10 Thlr. niedriger als voriges Jahr. Bald aber steigerten sich bei wachsendem Vertrauen der Verkäufer die Forderungen rasch, und die Fabrikanten, denen man ansehen konnte, daß sie von Wolle ganz entblößt waren, bewilligten höhere Preise, so daß zu Anfang des eigentlichen Marktes vollkommen die Preise des vorigen Jahres für Wollen bis 100 Thlr. gezahlt wurden; die feinen Sorten hielten sich einige Thaler niedriger. Als das hauptsächlichste Bedürfniß gestillt war, konnte man in den letzten Tagen, besonders Wollen von 80 bis 90 Thlr., die anfänglich am meisten gesucht waren, 2 bis 3 Thlr. billiger kaufen; dagegen wurden ganz feine Wollen noch gesucht und eher besser bezahlt. Ueberhaupt sprach sich ein weit lebhafterer Begehr nach feinen Wollen aus, als man erwartet hatte."

Gleichzeitig mit dem Breslauer Wollmarkte fand der zu Bautzen in Sachsen Statt. Man schreibt von dort unterm 5. Juni:

„Die Ergebnisse des dießjährigen hiesigen Frühlings-Wollmarktes gestalten sich nicht allein im Ganzen erfreulich, sondern beweisen auch, daß sich derselbe bedeutend erweitere; denn während am Frühlingsmarkte 1834 nur 5199 Stein 12 Pfd hier anlangten, wurden dießmal 3367 Stein 15 Pfd. sächsische, und zwar 895 Stein 1 Pfd. einschürige, 1726 Stein 9 Pfd. zweischürige von Rittergütern und 746 Stein von Bauerngütern, 2284 Stein 7 Pfd. preußische, und zwar 89 Stein 17 Pfd. einschürige, 2194 Stein 12 Pfd. zweischürige von Rittergütern und 1605 Stein böhmische Wolle durch Wollhändler eingebracht, in Summa 7257 Stein, und davon auf hiesiger Rathswage 5994 Stein 6 Pfd. verwogen.

Ferner wurden 3155 Stein 11 Pfd. sächsische, 2077 Stein 13 Pfd. preußische und 1235 Stein 6 Pfd. böhmische an inländische Fabrikanten verkauft; 114 Stein 4 Pfd. sächsische, 104 Stein 16 Pfd. preußische und 369 Stein 16 Pfd. böhmische Wollen, zusammen 588 Stein 14 Pfd. Wolle hier deponirt, und 98 Stein sächsische, 102 Stein preußische Wolle zusammen 200 Stein unverkauft zurück geschickt.

Obschon zu dem dießjährigen Frühlingsmarkte über 1000 Stein Wolle mehr, als zu dem vorjährigen eingebracht worden waren, so waren gleichwohl die Verkaufsgeschäfte schon am 2. Markttage beendigt, und am schnellsten vergriff sich vorzüglich die gesuchte einschürige Wolle. Der Preis stellte sich zu dem im vorigen Frühjahrsmarkte bestandenen ziemlich gleich, indem die feine Wolle im Durchschnitte 17 bis 20 Thlr., die mittlere 14 bis 16 Thlr., und die geringe 11 bis 13 Thlr. der Stein bezahlt wurde. Hoffentlich werden sich sonach die hiesigen Wollmärkte bei der geographischen Lage von Bautzen, den zur Bequemlichkeit der Verkäufer getroffenen Einrichtungen und bei der möglichsten Erleichterung des Verkehrs künftig mehr heben."

Am 9., 10. und 11. Juni war der Wollmarkt zu Dresden, den ich selbst als Käufer besuchte.

Unstreitig sind in Dresden die Anstalten zum Wollmarkte, in Hinsicht der Verkaufslokalitäten, die vorzüglichsten mit. Auch dieses Jahr sprach sich auf's Neue die besorgliche Umsicht der Regierung für einen thätigen Verkehr aus, indem sie auf Bitten einiger Wollproduzenten das herrliche Parterre-Local des Zeughauses zur Auflagerung von Wollen hergab, und darin auf numerirten Plätzen in □ gegen 90 Posten Wolle abgelegt waren, wo sie sich allerdings im vortheilhaftesten Lichte, für den Verkaufenden von allen Seiten zugangbar, dem Käufer offen darboten. — Eben so lagerte auf 2 Böden des Gewandhauses eine große Masse Wollen im hellsten Lichte, und auf der Moritz-Strasse und dem Neumarkte standen zu verschließende Buden dem Verkäufer zur Benutzung bereit, so daß nur wenig Wolle auf Wägen, die für den Käufer ungünstigste Art sie zu besehen und zu prüfen, zu stehen übrig blieb.

Die gesammte Wolle, die sich in Dresden zum Verkaufe fand, kann beiläufig 35 bis 40,000 Stein gewesen seyn. An Kauflustigen fehlte es nicht. Es waren Engländer, viele Niederländer und inländische Fabrikanten und Wollhändler aus Sachsen und Preußen da. Die Wollen mittlerer Gattung entbehrten dieses Jahr der blendend weißen Wäsche, wodurch sich sonst die Dresdner Marktwollen immer auszeichnen; selbst bei einigen hochfeinen Wollen bemerkte man dieses Jahr die ungünstige Witterung zur Zeit der Schur.

Das Verkaufsgeschäft begann schon am ersten Tage, und vergriffen sich zuerst die hochfeinen Wollen, die zu 29, 28, 27 bis 24 Thlr. herab bezahlt wurden; ein Beweis, da diese größtentheils Engländer und Niederländer kauften, daß sie in Breslau nicht Befriedigung in diesem Artikel fanden. Um die Preise in ein gleiches Verhältniß der Betrachtung stellen zu können, muß man wissen, daß in Sachsen keine Sortirung auf dem Schurplane vorfällt, sondern Ausschuß, Locken und Alles mit in die Bündel kommt, daher die schlesische Mode, die Preise nur von den ersten Sorten anzugeben, hier nicht Statt findet. Nur wenige Schäfereien lassen ihr Gelbes und Schmutzlocken ausser den Bündeln. Sortirt kommt nur eine Schäferei zu Markte; daher bei uns nur eine Heerde 150 Thlr. für den Zntr. Wolle, zwei andere aber 145, wenn die eine aber außer den Schmutzlocken noch 24 Bockvließe ungewaschen zu gleichem Preise mit verkauft, welches sicher die Preise gegen die schlesischen um mehr denn 10 pCt. erhöht. Gegen die Preise vom vorigen Jahre stellten sich im Allgemeinen die hochfeinen Wollen 2 Thlr., die mittelfeinen 1 bis 1 1/2 Thlr. niedriger. — Am 2. Tage Abends waren alle Posten, die sich nicht durch übertriebene Forderung und deren festes Erwarten unverkäuflich machten, verkauft.

Im Berichte Hrn. Raskels giebt er Wollen zu 12 Thlr. an; Wollen dieser Gattung sind mir aber auf dem ganzen Markte nicht vorgekommen, auch unter 16 Thlr. keine sächsische verkauft worden.

Eine große Partie böhmische ordinäre Wolle war von einem jüdischen Wollhändler zu Markt gebracht, die sich an einen niederländischen Fabrikanten bald verthat. —

Möge die Einrichtung, daß auf 5 Wagen, wovon zwei im Zeughause, zwei in einer großen Bude bei der Frauenkirche und überdieß noch die Rathswage im Gange waren, fortbestehen.

Die Haupteinkäufer waren Engländer und Niederländer; deutsche Fabrikanten und Wollhändler kauften weniger.

Der darauf folgende Wollmarkt fand in Leipzig am 14. bis mit dem 17. Juni dauernd, Statt. Noch nie sah man in Leipzig so viel Wollen zu Markte, und dießmal fühlte man doppelt die Beschwerde der schlechten Marktanstalten, da der Markt unter freiem Himmel, auf einen offenen Platz gewiesen ist, wo zwar ein großer mit Brettdach versehener Schuppen steht, welcher aber kaum 1/5 der zum Verkaufe gebrachten Wollen zu fassen vermochte, aber alle Wolle auf den Wägen besehen werden muß, welches ein großer Uebelstand ist, und nie den Kauflustigen genügen kann. Man berichtet darüber aus Leipzig: daß er die gleichfalls so erfreulichen Resultate wie anderwärts darbot. Der Verkehr war so lebhaft, daß der darein fallende Sonntag ihn nicht im Geringsten unterbrach, und Handeln und Wägen fortgesetzt wurde.

Nach amtlichen Angaben sind in Leipzig anwesend gewesen 33,135 Stein, also 14,490 Stein mehr als im vorigen Jahre, Man zählte bei der Wage 25,455 Bunde und 170 Säcke. Die Wollen wurden mit wenigen Ausnahmen fast sämmtlich verkauft.

Die Preise stellten sich im Durchschnitte etwas niedriger als im vorigen Jahre, namentlich war das bei den feineren Qualitäten der Fall, die um 2 bis 3 Thlr., Mittelwollen um 1 bis 1 1/2 Thlr. wohlfeiler verkauft wurden, indem die ordinären sich gleich blieben, so daß die ordinären zu 14 1/2 bis 16 Thlr., mittlere von 16 bis 20 Thlr., hochfeine und feine 24 bis 29 Thlr. bezahlt wurden. Nur die Wollen aus der Muldengegend zeichneten sich durch gute Wäsche aus, hingegen die Delitzscher und Halle'schen Wollen grau und schwarz zum Theil waren; eine hochfeine Wolle, die des Herrn Oberamtmann Behmer aus Merzien bei Cöthen, war leider durch ihre schlechte Wäsche nicht der Gegenstand großen Begehrs. Er gab sie einem englischen Hause in Leipzig in Commission, und soll nach spätern Nachrichten sie auf 27 Thlr. verwerthet haben.

mittel	"	82½ — 95	95 — 92½
gut ordinäre	"	60 — 75	62 — 72½
ordinäre	"	40 — 50	42½ — 47

Einige Posten außerordentlich feiner und gut behandelter Wolle giengen zu 150 bis 170 Thlr. der Zntr. weg. Die meiste Frage war anhaltend nach fein mittel, mittel und gut ordinär, weshalb auch die übrig gebliebenen, an circa 4000 Ztr., die sich größtentheils in zweiter Hand befinden, aus extrafeiner, feiner und ordinärer Wolle bestehen, wovon etwas im Laufe dieser Woche verkauft werden möchte."

Ueber die Resultate des letzten Wollmarktes zu Stettin geht uns folgende Mittheilung von dort zu:

„Die Lokalveranstaltungen hatten bereits am 9. d. Monats begonnen und waren am 10. beendigt, und in eben diesen Tagen wurden schon einige Wollpartien aufgefahren, obgleich der eigentliche Anfang des Marktes erst auf den 14. festgesetzt war. Die Hauptanfuhr fand am 11. und 12. Statt, und mit letzterem Tage begann bereits das Verkaufsgeschäft, welches am 13. am lebhaftesten war. Am 15. war der Markt beendigt und die sämmtliche Wolle, bis auf etwa 500 Zntr., die nach Berlin giengen, verkauft. Nach Ausweis des Thorrapports sind im Ganzen 20,656 Zntr. 7 Pfd. Wolle angekommen, worunter jedoch circa 3900 Zntr. begriffen sind, die theils schon vor dem Markte verkauft waren, theils wegen verspäteter Wäsche nicht mehr zur rechten Zeit angekommen, zum Durchgange declarirt und nicht auf den Markt gebracht wurden. Das ganze, zum Verkaufe gestellte Quantum belief sich demnach, mit Hinzurechnung einer Post von 585 Zntr., welche früher am Orte gelagert war, auf 17,339 Zntr. 7 Pfd. Daß dieses Quantum das vorjährige nicht erreichte, hatte seinen Grund darin, daß früher Einkäufe von Wollen auf Schafen Statt gefunden hatten, welche entweder gar nicht zu Markte gebracht oder nur durchgeführt wurden. Auch hat in Folge des gelinden Winters und unergiebiger Fütterung die Schafschur einen geringern Ertrag gegeben, als in dem verflossenen Jahre. Von den oben genannten Wollen lieferte

	fein		mittel		ordinäre		Totalsumme	
	Zntr.	℔	Zntr.	℔	Zntr.	℔	Zntr.	℔
Alt-Vorpommern	1191	23	2142	61	27	103	3361	77
Hinterpommern	3640	63½	9975	15½	42	26½	13637	105½
Neu-Vorpommern	416	102	1777	91	2	—	2096	83
Uckermark . .	103	72	304	17	—	—	407	89
Neumark . . .	266	15	665	101½	—	—	932	6½
Westpreußen . .	18	52	42	89	—	—	61	31
Meklenburg . .	20	58	—	—	—	—	20	58
Oberschlesien . .	—	—	17	107	—	—	17	107
Summa	5657	55½	14926	42	72	19½	20656	7

Die Preise stellten sich für feine Wolle erster Klasse pr. Zntr. 95 – 105 Thlr., für geringere Sorte 85 – 90 Thlr., für Mittelwolle 70 – 85 Thlr., für ordinäre 60 – 60 Thlr.

Am meisten begehrte man Mittelwolle, und darunter besonders auch die Kammwolle. Mit der Qualität der Wolle war man im Allgemeinen zufrieden, wie denn überhaupt ein Vorschreiten in der Verbesserung der Pommerschen Wollproduction unverkennbar hervorleuchtet. *)

Wolle mit guter Wäsche war sehr begehrt, und fand schnell Käufer; die Zahl der Käufer betrüg nach polizeilichen Listen 356, unter welchen 70 Großhändler aus England, Sachsen, den Rheinlanden, Hamburg

*) Eine Folge der zweckmäßigen Thierschau und Schafausstellung in Pommern.

und auch aus Wien. Eigentliche Wollhändler kauften wenig, und als die bedeutendsten Käufer traten die deutschen Fabrikanten und nach diesen die englischen auf. An Geldmitteln fehlte es nicht. Die Summe der Wollverkaufspreise kann unbedenklich auf 1,400,000 Thlr. angenommen werden. Die ritterschaftliche Bank machte allein einen Umsatz von 7 – 800,000 Thlr. Mit den Lokalanstalten bezeigte man sich zufrieden, und sämmtliche bei der Wollcommission zur Sprache gebrachten Differenzen wurden bis auf eine einzige, welche dem richterlichen Ausspruche anheim gestellt blieb, zur Zufriedenheit der Interessenten auf der Stelle ausgeglichen."

Der Wollmarkt in Weimar, im Großherzogthume gleichen Namens fiel am 16. und 17. Juni. Die weimarsche Zeitung erwähnt in Nr. 47, daß die Aussichten auf hiesigem Wollmarkte sich sehr günstig gestaltet hatten.

Das Resultat desselben hat sich aber, eben so wie beim Dresdner, noch weit vortheilhafter herausgestellt, als Anfangs behauptet wurde. Mit einem Worte, seit seinem Bestehen ist der dießjährige der frequenteste gewesen. So viel man hat erfahren können, sind an der städtischen Wage gegen 10,000 Stein verwogen, im Ganzen aber mehr als 20,000 Stein auf dem Platze verkauft, also die Hälfte in Lieferungsplätzen verwogen worden. Die Preise waren, wie man vorausgesehen, niedriger als im vorigen Jahre, im Durchschnitte 1 Thlr. pr. Stein, und es ist sonach die geringe Wolle mit 14 Thlr., die mittlere mit 16 – 18 Thr., die feinere mit 20 – 21 Thlr. preuß. Courant bezahlt worden. Käufer und Verkäufer waren zufrieden, weil Alles, begünstigt durch treffliche Witterung, schnell von Statten gieng, indem die Käufer eilten, auch auf dem neu errichteten Wollmarkte zu Gotha, der den 18. und 19. fiel, Geschäfte machen zu können. Man hegt die Meinung, daß dieser in der Folge dem weimarischen Wollmarkte Abbruch thun und somit denselben überwiegen werde, besonders darum, weil der dortige Handelsstand die Summe von zwei Millionen Thaler zur Benutzung für die mit Creditbriefen versehenen Käufer subscribiet habe, was hier, wo dergleichen Geschäfte nicht ganz zur Zufriedenheit gemacht worden sind, zu keiner Zeit der Fall seyn würde. Doch dürfte diese Meinung dadurch zu widerlegen seyn, daß

1) Weimar schon an und für sich den geeignetsten Centralpunkt für Wollproducte Thüringens, und zwar für die bessern Sorten bildet, weshalb auch ihn immer vorzüglich fremde Fabrikanten und Kaufleute zu ihren Geschäften benutzen werden, daß

2) nach Gotha weniger feine und gute Mittelwolle gebracht werden wird, da in der Umgegend noch das sogenannte Schmierzvieh existirt; und da

3) schon während des jetzigen Wollmarktes bekannt worden ist, wie auf höchsten Befehl die herrschaftlichen Kassen, welche stets mit Baarvorräthen versehen, autorisirt worden sind, im Falle des Bedarfs das Nöthige baar vorzuschiessen. Der diessjährige Markt, wo wirklich bedeutende Geschäfte gemacht worden sind, hat bereits bewiesen, daß es hier niemals an den nöthigen Geldmitteln fehlen wird.

Noch füge ich den Bericht über einen kleinen Markt in Sachsen bei, der aber den Beweis führt, daß selbst Hindernisse, die Oertlichkeit und Zeit mit sich bringen, das Resultat eines Wollmarktes nicht zum ungünstigen zu gestalten vermögen.

Es ist dieses der Wollmarkt der Stadt Döbeln in Sachsen. Die Verhältnisse, unter denen dieser noch im Entstehen begriffene Wollmarkt abgehalten werden mußte, waren leider nicht günstig; denn abgesehen von den im Allgemeinen etwas gedrückten Preisen, so war es besonders die Zeit, in welche dieser Markt fiel, welche die Erwartungen sehr herabstimmen mußte. Die städtische Behörde hatte die für das Gedeihen des hiesigen Marktes unerläßliche Erlaubniß zu dessen Abhaltung sogleich nach dem Dresdner und vor dem Leipziger nicht erlangen können. Es war daher der hiesige der letzte in Sachsen, und daher kam es, daß ein großer Theil der Wollproduzenten dortiger Gegend, dem Erfolge dieses Marktes nicht vertrauend, es vorzog, seine Erzeugnisse den größern Märkten in Dresden und Leipzig zuzuführen; die Wollkäufer dagegen, denen der Besuch des Döbeln'schen Marktes, auf ihrer Tour von Dresden nach Leipzig, auch nicht einmal einen Umweg verursachen würde, bereits durch den Berliner angezogen, es nicht der Mühe werth finden, dem hiesigen ihr Augenmerk zu widmen. Zugleich kam auch noch das Zusammentreffen der Naumburger Messe, deren Besuch einen großen Theil der Tuchfabrikanten hiesiger und benachbarter Städte abhielt, ihre Wollbedürfnisse auf hiesigem Markte zu befriedigen. Ungeachtet dieser höchst ungünstigen Conjunctur hat doch dieser Markt alle Erwartungen übertroffen und einen Beweis geliefert, daß er — als wahres Bedürfniß einer Gegend, in welcher die Wollproduction selbst unter den kleinern Landbesitzern bis zu einer erfreulichen Höhe der Vollkommenheit gediehen ist — auch unter widerstrebenden Verhältnissen sich auszubilden vermag, und bei zweckmäßiger Unterstützung bald sich heben möchte.

Schon am ersten Tage war mehr Wolle auf dem Platze, als im vorigen Jahre an beiden Markttagen, und ihr Gesammtbetrag bestand aus 200 Stein. Der Umsatz gieng rasch von Statten. In Ansehung der Preise hat hiesiger Markt mit andern in so fern gleichen Schritt gehalten, als hier im Durchschnitte die Wolle um 1 Thaler pr. Stein billiger gekauft wurde.

Der Wollverkehr in Bayern steht zwar noch sehr im jugendlichen Alter, und es beweisen die Preise, daß auch die Behandlung ihrer Wollen noch mit sehr weniger Umsicht geschehen muß, weßhalb dieses Land auch bei weitem nicht seine Bedürfnisse in diesem Artikel erzeugt, und eine bedeutende Ausgabe für Tücher und Wollenwaaren nöthig hat, so günstig seine Lage für Schafzucht auch ist.

Der am 6. Juli zu Nürnberg abgehaltene Wollmarkt gab folgendes Resultat, wie darüber der Nürnberger Correspondent berichtet:

„Er wurde am 6. Juli eröffnet und schloß sich mit dem 8. Wenn dießmal schon die Marktzeit ziemlich vorgerückt war, und die bereits abgehaltenen Märkte zu Schweinfurth, Augsburg, Donauwörth u. s. w. bei dem bloß auf inländische Wolle beschränkten Absatze keine günstige Aussichten zu erfreulichen Resultaten eröffnet hatten, so betrug doch die Gesammtzufuhr 58,741 ℔, wovon verkauft wurden 38,042 ℔, und am Schluße des Marktes 20,699 ℔ unverkauft geblieben sind. — Der größte Theil der Zufuhr bestand aus feiner und Mittelwolle. Die Electoral fand bei dem Preise von 125 – 138 fl. rhein. (à 13 gr. 4 pf.) raschen Absatz. (Der bayerische Zentner = dem Wiener, also 69 Thlr. 10 gr. 8 pf. bis 77 Thlr. 5 gr. 4 pf., — ein geringer Preis.) Von feiner spanischer Wolle stellten sich die Preise auf 100 – 112 fl., von Bastard auf 80 – 95 fl., von deutscher 55 – 70 fl., von Rauswolle auf 47 – 84 fl. und von Lammwollen auf 45 – 80 fl.; im Allgemeinen aber waren die Preise 10 – 12 pCt. niedriger als voriges Jahr. Die Wolle der gräflich von Schönborn'schen Stammschäferei zu Geybach, und jene des Freiherrn von Dietforth zu Obertheeres waren, als die feinste und reinste Wolle, die Zierde des Marktes, und giengen daher zu guten Preisen rasch ab. Bei Mittel- und ordinärer Wolle zeigte sich abermals der Mangel an Wäsche, und es wäre im Interesse der Schafzüchter sehr zu wünschen, daß in der Folge die Wäsche sorgfältiger durchgeführt und die Wolle überhaupt reiner gehalten werden möchte, wodurch nicht nur der Verkauf erleichtert, sondern auch der

Fleiß der Produzenten und die Sorgfalt derselben sich durch bessere Preise lohnen würde."

Ueber den Ausfall des Magdeburger Wollmarktes, der vom 25. bis 27. Juni gehalten wurde, berichtet die preußische Staatszeitung von dort her:

„Nach dem Thorregister sind überhaupt 8452 Zntr. Wolle zu Markte gebracht; unverkaufte vorjährige Bestände kamen hinzu 400 Zntr., in Summa 8852 Zntr. Davon sind als verkauft declarirt 7534 Zntr., und unverkauft sind geblieben 1318 Zntr. Was die bezahlten Preise anbelangt, so haben sich solche für den Einkauf günstig gestellt, weil es an Käufern sehr fehlte; besonders vermißte man die inländischen Fabrikanten, welche auf den andern Märkten die Preise aufrecht erhalten haben. Am ersten Tage des Marktes wurde wenig verkauft, was aber Käufer fand, wurde beinahe mit den vorjährigen Marktpreisen oder doch nur um 1/2 Thlr. pr. Stein (unter vorjährigen Preisen) geringer bezahlt. Am 2. Tage gieng der Handel noch träger; die Käufer boten 2 – 3 Thlr. pr. Stein unter den vorjährigen Preisen, und nur erst als die Produzenten sich am 3. Tage zu einem Abschlage zu 1 1/2 bis 2 Thlr. gegen die Preise vom vorigen Jahre entschlossen hatten, wurde lebhaft gekauft. Die Durchschnittspreise können etwa pr. Zntr., wie folgt, angegeben werden: Extrafein 115, fein 90 bis 100, mittelfein 80 – 90, gut mittel 75 – 80, mittel 70 – 74, ordinär 55 – 65 Thlr."

Gewöhnlich hört man die Klage, daß der Magdeburger Wollmarkt schlechte Preise macht. Woran mag das wohl liegen? Ich suche es in der Natur der dortigen Wollen, die auch wohl wegen des schwarzen Bodens und der fetten Weiden schlechte Wäsche haben, was die Fabrikanten abhält, als Käufer zu erscheinen.

Der letzte Wollmarkt in den preußischen Staaten war der zu Paderborn, welcher am 30. Juni bis 2. Juli Statt fand. Wir können darüber Folgendes mittheilen:

Während im vorigen Jahre die Quantität der zu Markte gebrachten Wolle nur 870 Zntr. betrug, belief sich solche in diesem Jahre

1) an wirklich verwogener Wolle auf 1995 Zntr.;
2) an Wolle, wovon Proben ausgelegt waren, 201 Zntr.;
3) an Wolle, welche gleich vom Wagen verkauft und abgefahren wurde, circa 200 Zntr., zusammen 2396 Zntr.;

worunter sich 1125 Zntr. feine, 457 Zntr. Mittel- und 814 Zntr. ordinäre Wolle befanden. Sämmtliche Wolle ist bis auf 49 Zntr. 99 Pfd., welche theilweise wegen zu hoch gestellter Preise keine Abnehmer fand, verkauft worden. Die Durchschnittspreise waren: der Zntr. feine Wolle 75 – 95 Thlr. (ein Posten wurde zu 105 Thlr. verkauft), Mittelwolle zu 60 – 72, ordinäre Wolle 40 – 55, beste Landwolle 30 – 37, schlechte Landwolle 26 – 30 Thlr.

Die Wolle war durchgängig gut gewaschen, was allgemein anerkannt wurde. Am 3. Markttage war der Marktverkehr besonders lebhaft.

Aus dem Auslande wurden eingebracht und auch verkauft: Aus dem Lippeschen 97 Zntr. 4 Pfd., aus dem Waldeckschen 22 Zntr. 69 Pfd. Käufer und Verkäufer haben im Allgemeinen den Markt, rücksichtlich des merkantilischen Verkehrs, zufrieden verlassen, und die Einrichtung des Locals ist überall mit Beifall aufgenommen worden."

In Breslau wurde der Herbst-Wollmarkt in den ersten Tagen des Oktobers gehalten, und die dortigen Briefe darüber lauten im Allgemeinen, wie nachstehender vom 10. Oktober:

„Nachdem wir, wie gewöhnlich, nach den Märkten in den Juni- und Juli-Monaten eine Stille im Wollgeschäfte hatten, wurde es im August etwas lebhafter; man suchte und bezahlte besonders Lamm- und Sterblingswollen sehr hoch; der erste Artikel war fast vergriffen, und der Begehr gieng nach und nach auf die andern Wollgattungen über. Der Wollverkehr wurde mit jedem Tage lebhafter, und gewann durch die guten Berichte aus allen Gegenden, so wie durch die Anwesenheit mehrerer englischen Käufer immer mehr an Bedeutsamkeit.

Demnach wurden zu den vom Julimarkte übrig gebliebenen	5500 Zntr.
In der Zwischenzeit zugeführt circa	8000 „
Summa	13500 Zntr.
Hiervon wurden bis kurz vor dem Markte verkauft circa	6600 Zntr.
verblieben Rest	6900 Zntr.
Nach amtlichen Berichten zu Markte gebracht circa	8900 Zntr.
also im Ganzen zum Verkaufe gestellt	15800 Zntr.
Im Jahre 1834 waren am Markte	19272 Zntr.
also dieses Mal ein Quantum geringer von circa .	3472 Zntr.

Sommerwollen wurden, inclusive der polnischen, circa 3400 Zntr. eingebracht, das übrige waren polnische Einschuren.

Die Preise der Wollen waren: schlesische Einschur, extrafeine pr. Zntr. 90 – 99, ganz feine 80 – 88, mittelfeine 75 – 80, geringere 70 – 74 Thlr.; schlesische Mittelwolle, feine 75 – 85 mittelfeine 60 – 70 Thlr.; schlesische Sommerwolle, feine 78 – 85 mittelfeine 70 – 75, geringere 60 – 68 Thlr.; polnische Einschur, feine 70 – 85, mittelfeine 60 – 65, ordinäre 45 – 50 Thlr.; polnische Winterwolle, feine 62 – 65, mittelfeine 55 – 58, ordinäre 42 – 45 Thlr.; polnische Sommerwolle, feine 66 – 70, mittelfeine 55 – 60, ordinäre 45 – 48 Thlr.; österreichische Einschur, hochfeine 90 – 98, mittelfeine 80 – 85 Thlr.; schlesische Lammwolle, feine 90 – 105, mittelfeine 80 – 85 Thlr.; polnische Lammwolle, feine 70 – 80, mittelfeine 60 – 68 Thlr.; Sterblingswollen 70 – 85 Thlr.; Gerberwollen 48 – 60 Thlr.; Ausschuß 40 – 60 Thlr.; Zackelwollen 18 – 22 Thlr.

Gesucht waren feine Wollen, deren nur sehr wenig am Markte waren, am begehrtesten jedoch die Wollen von 70 – 80 Thlr. Die Engländer kauften viel von den besten Gattungen, aber auch einige inländische Fabrikanten legten hohe, ja sogar die höchsten Preise an. Sommerwollen wichen gegen Ende des Marktes um 3 – 5 Thlr. pr. Zntr., was wohl daher kommen mochte, da dieses Mal weit weniger inländische Fabrikanten als sonst anwesend waren, und viele derselben die billigern und zweckmäßigeren Einschuren und Winterwollen vorzogen. Am gedrücktesten waren die geringen polnischen Einschuren, wovon ein großes Quantum unverkauft geblieben.

Von schlesischen, österreichischen und polnischen Electoral-Wollen sind bis heute noch mehrere bedeutende Posten unverkauft, und man kann darüber keine Preisbestimmung angeben."

Wie hier die Uebersicht vieler deutschen Wollmärkte von einiger Bedeutung beweist, ist die Wolle in denjenigen Ländern, wo die Schafzucht mit großer Sorgfalt behandelt wird, auch zu den höchsten Preisen bezahlt worden. Daher eine Aufforderung für Bayern darin liegt, auch an seiner Wollproduktion nach Regeln zu arbeiten, und den alten Schlendriansweg zu verlassen. Jedes Land hat seinen Lichtstern in dieser Beziehung; Preußen, so wie die ganze Schafzucht Deutschlands, Thaer; Böhmen seinen Dr. Löhner, einen Mann mit festem und gutem Willen; Bayern seinen Hazzi, möge er ein segensreiches Wirken hervorbringen!

Sehr zu bedauern ist es, daß man aus dem größten, Wollen produzirenden Staate Deutschlands, im Verbande mit noch auswärtigen Königreichen und Provinzen, keine solchen sichern Nachrichten über die Wollproduction und deren Verwerthung mittheilen kann. Es ist dieses die österreichische Monarchie. Dort ist das Geschäft noch im Dunkeln, und es wird, durch die Speculation jüdischer Handelsleute, bald zu ihrem Vortheile, bald zu ihrem Nachtheile im Voraus bedungen, ohne die vielen Changen, den ein derartiges Geschäft noch bis zur Zeit der Schur unterworfen, zu berücksichtigen, also auf's Gerathewohl hin das werthvollste Produkt der Landwirthschaft weggegeben. Da man keinen Metzen Weizen gern unter dem Werthspreise verkauft, muß es auffallend seyn, daß Hunderte von Zentnern Wolle so dem Ungefähr preis gegeben werden. Den Produzenten erwächst aber hieraus kein reeller Nutzen. Besser wäre es für ihr pecuniäres und auch um ihr schafzüchterisches Interesse, wenn sie sich dazu entschlössen, ihre Wollen auf großen Plätzen zu freiem Markte zu bringen, wozu sich Wien, Prag, Brünn und in Ungarn vielleicht einige Städte eignen würden. Sie hätten

1) den Gewinn, eine größere Concurrenz der Käufer eintreten zu sehen, und ihre Wollen würden von sachkundigen Fabrikanten und selbst sortirenden Wollhändlern nach wirklichem Werthe beurtheilt und gekauft werden.

2) Eine gute, brauchbare Wolle würde, wenn sie ein großer Fabrikant als solche bei der Bearbeitung erkannt hat, an ihm immer einen sichern Abnehmer auch in der Folge finden, und wenn dieses Treubleiben einer Wolle von andern Fabrikanten bemerkt wird, deren Concurrenz zuziehen und dadurch Preissteigerung für diesen Posten zu Wege bringen.

3) Auch würde die Schafzucht dadurch einen neuen Hebel bekommen, indem der sorgsame und rationelle Züchter durch Anerkennung seines Strebens Lohn dafür durch bessere Preise, der nachlässige, nichts an seiner Heerde thuende, Strafe durch schlechte Preise erhalten würde; denn der contrahirende Israelit (daß es Ausnahmen giebt, versteht sich) ist selten Wollkenner, kauft auf gutes Glück, bringt die Wolle in die Hauptstadt, wo später Wollkäufer aus England, den Niederlanden und Deutschland ankommen, verkauft sie an solche, ohne ihren innern Gehalt kennen gelernt zu haben, die sie nun zwar durch Sortirung kennen lernen, aber den Namen des produzirenden Ortes nicht erfahren, daher sie nicht wieder zu suchen wissen, wenn sie sich ihnen empfehlungswerth zeigte, und so geht dem Produzenten aller Vortheil verloren, wenn er gute Wolle erzeugt,

und mit diesem das Streben nach Vervollkommnung seines Produktes. Nur mußte auf diesen Märkten auch der von den dortigen Zwischenhändlern getriebene Mißbrauch des Einmischens gehemmt werden, die, wenn ein auswärtiger Käufer auf eine ihm convenirende Wolle ein Gebot gelegt hat, sich gleich eindrängen, den Kauflustigen sagen: sie wollen ihm die Wolle dafür schaffen, er dürfe sich aber nicht mehr darum bemühen, wie ich dieses einmal in Prag mit ansah; es betraf damals die unter Leitung des Direktors Liska stehende Wolle, wodurch der Produzent gedrückt wird. Das ist nur zu vermeiden, wenn viele Wollen da sind, und die Concurrenz der Käufer größer ist, die gewiß zu erwarten wäre, wenn sie wüßten, auf den österreichischen Märkten Wolle zu finden, die sie aus erster Hand kaufen könnten, da die Wiener Primen in Frankfurt a. M. einen Hauptartikel des Wollhandels zur Messe und in die gewerbfleißigen preußischen Rheinprovinzen und Belgien bilden, also es an Bekanntschaft der Wolle nicht fehlen kann.

Da andere Staaten Oesterreichs Provinzen hierin vorgeeilt sind, so würden folglich die Wollmärkte in diesen Gegenden vor dem Monate Juli nicht eintreten dürfen, damit die Käufer die ihnen schon bekannten Wollmärkte besuchen können.

Würden sich die Wollmärkte in Oesterreich, da sie größtentheils in Mittelwollen bestehen, nicht den lebhaftesten Verkehr zu bilden vermögen, da diese Sorte auf allen großen Märkten den stärksten Begehr hatte, und dadurch den Produzenten der Verdienst zufließen, den jetzt die Spekulanten hatten? Möge Herr von Ehrenfels, der Veteran der österreichischen Schafzüchter, ein Schriftsteller hierüber, noch einmal zu schreiben belieben.

Am Schlusse meines Briefes gebe ich noch ein raisonnirendes Urtheil über den zu erwartenden Geschäftsgang in Wolle für die nächste Schur mit.

Unter dem 12. November v. J. schrieb man aus Leipzig:

„Es dürfte bei Beurtheilung des nächstjährigen Wollgeschäftes wesentlich nöthig und nicht ohne Interesse seyn, noch einen Rückblick auf das Wollgeschäft in den Jahren 1833 und 1834 und seine Folgen zu thun, zumal aus den letzten Jahren der gegenwärtige Stand dieses sehr wichtigen Geschäftszweiges hervorgegangen ist. Im Jahre 1833 war die Kaufwuth in Wolle so groß, daß jeder Kenner oder Nichtkenner, der seine Kapitalien nicht sicherer anzulegen wußte, als wenn er Wolle kaufte. Ganz natürlich, daß hiedurch die Solidität dieses sonst sämmtliche Landwirthe brauchen würden, zu liefern im Stande sind, sondern es leben auch die mehrsten Landwirthe entfernt von Oelraffinerien, die gemeiniglich nur in großen Städten befindlich sind. Es können demnach nur die Landwirthe von dem empfohlenen Mittel Gebrauch machen, die in der Nähe derselben wohnen. Es muß daher nützlich seyn, auf einen Oelniederschlag aufmerksam zu machen, den man so zu sagen in jeder Stadt und jedem Städtchen haben kann, wo man mit Oel Handel treibt.

Weit öfter ist daher die alte Methode, wie erfahrene Landwirthe Oelrückstände zur Abhaltung der Erdflöhe von den Krautpflanzen sich zu verschaffen wußten, und solche anwandten.

In jeder kleinen Stadt sind Materialhandlungen vorhanden, in welchen unter andern auch gewöhnliches Brennöl im Detail verkauft wird. Dieses Oel befindet sich in der Regel in einem zinnernen oder sonstigen größeren Gefäße, und wird jedesmal, wenn dessen Inhalt durch den Detailverkauf leer geworden ist, aufs Neue gefüllt. In diesen Gefässen bildet sich ein Oelsatz oder Niederschlag, welcher so übel riecht, oder so arg stinkt, daß derselbe von Zeit zu Zeit aus jenen Gefässen entfernt werden muß, wobei die letzteren gereinigt werden. Nun bezieht aber jeder Landwirth aus einer Material-Waaren-Handlung seinen Bedarf an Kolonialwaaren. Wenn derselbe nun in die Stadt gelegentlich kommt, so giebt derselbe in der Material-Waaren-Handlung, mit welcher derselbe in Verbindung steht, ein leeres Gefäß ab, und ersucht den Kaufmann, in solches den stinkenden Oelrückstand bei Reinigung der Gefässe füllen zu lassen. Dieses findet um so weniger Anstand, da jener Rückstand gewöhnlich als unbrauchbar weggeworfen wird. Ist das Gefäß auf diese Weise gefüllt, so läßt der Landwirth solches bei Gelegenheit durch seine Leute aus der Stadt mitbringen, und hat das Mittel gegen die Erdflöhe ohne alle Kosten und Mühe erlangt. Auf diese Weise kann jeder Landwirth solches sich umsonst und leicht verschaffen.

Dieses Mittel wurde nun schon seit langen Jahren auf eine doppelte Art angewendet, und zwar:

1) man thut entweder den zu säenden Kappsamen in ein Gefäß und schüttet so viel stinkenden Oelrückstand darüber, daß der Samen davon sämmtlich befeuchtet wird, läßt solches 24 bis 48 Stunden stehen, damit jenes Oel in den Samen eindringe, und säet sodann den letzteren, oder
2) man besprengt mit dem Oelrückstande die aufgegangenen und aufgehenden Pflanzen.

Ich habe beide Methoden versucht und dabei Folgendes beobachtet.

Hat man den Samen auf obige Weise angefeuchtet, gesäet, und es geht selbiger bei warmer fruchtbarer Witterung bald auf, so verschonen die Erdflöhe die Pflanzen; fällt dagegen, wie solches zu der Zeit nicht selten der Fall ist, entweder Kälte oder sehr nasse kalte Witterung ein, so daß der Same längere Zeit in der Erde liegt, ehe derselbe aufgeht, so verliert sich jener stinkende Geruch, zumal wenn sogenanntes Aprilwetter mit Regengüssen vorherrscht. Tritt hernach warmes Wetter ein, so beschädigen, jenes Einweichens des Samens in stinkendes Oel ungeachtet, zuweilen die Erdflöhe die Pflanzen. Dieses unterbleibt jedoch, wenn die letzteren erst nach ihrem Aufgehen mit jenem Oelrückstande benetzt werden. Daher ich denn dieser letzteren Methode den Vorzug gebe.

Uebrigens ist wohl ausser allem Zweifel, daß dieser Oelrückstand auf die Pflanzen auch düngend wirkt. Darauf ist jedoch nicht viel zu geben, da man das im Frühjahre mit Kappsamen zu besäende Pflanzenbeet bereits im Herbste gehörig düngen und umgraben läßt, und das zu geile Wachsen der Pflanzen eher zu vermindern als zu befördern ist. Denn sogenannte kernigte Pflanzen mit festem Schafte sind, wie jeder aus Erfahrung weiß, den zu saftig und weich emporgeschossenen Pflanzen bei weitem vorzuziehen. Jene gedeihen im freien Stande auf dem Felde bei weitem besser, und ertragen die Unbilden, denen selbige durch die Witterung oder sonst ausgesetzt sind, viel leichter, als die letzteren.

Jeßnitz, am 15. Februar 1836.

---

102. Aus dem französischen Journal der „Fortschritte“ (le temps) vom 19. Juni 1836.

Valenciennes den 13. Juni.

Unserer Ackerbaugesellschaft wurde in der letzten Sitzung ein Bericht des Hrn. Devred über neue Erfahrungen mitgetheilt die dieser geschickte Landwirth so eben gemacht hat. Um Johannis vorigen Jahres säete er Landroggen; als der Roggen 2 Schuh Höhe erreicht hatte, machte er im September und Oktober 2 reichliche Schnitte Grünfutters. In diesem Augenblicke hat er Hoffnung zu einer bewunderungswerthen Aernte in wenn man sich einmal eigene Capitalien dazu erworben hat, vorher aber das Capital auf Beischaffung von Dünger und fleißige Bearbeitung des Feldes zu verwenden u. s. w.

Ueberhaupt giebt er Lehren, welche wünschen ließen, daß dieses Werkchen in aller Landwirthe Hände zur Befolgung sich befände. Vorzüglich ist sein Zweck, mit den verhältnißmäßig geringsten Mitteln anhaltend den möglichst größten Ertrag zu bewirken.

Die zweite Abtheilung giebt eine neue Methode der Feldbestellung an. Das Feld wird abwechselnd in Reihen von 20 bis 24 Zollen so bearbeitet, daß 20 bis 24' breite Furchen und eben so breite Erhöhungen, die der Verf. Balken nennt, entstehen; in die Furche wird dick gesäet. Wenn die Saat 2 bis 3 Zoll hoch gewachsen ist, werden die Balken nieder gewalzt und später geeggt, dann während der Zeit des Wachsthums mit der Rechenegge bearbeitet.

Nach einiger Zeit, wenn das Winter- oder Sommergetreide so weit herangewachsen ist, daß man noch, ohne es zu beschädigen, (Verfasser meint 3 bis 4 Wochen vor der Aerndte) zwischen den Reihen sich bewegen kann, besetzt er die bisher immer gelockerten Erhöhungen (Balken) mit neuen Pflanzen, als Kartoffeln, Mais, Möhren, Heidekorn, Rüben ꝛc., nach Auswahl, und hofft demnach zwei Aerndten auf demselben Felde, welche durch die bessere Bearbeitung so ergiebig ausfallen werden, als wenn das Feld, wie gewöhnlich mit breitwürfiger Saat bestellt worden wäre.

---

106. Verkauf von Zuchtwiddern der Merinos und englischen langwolligten Schafraçe.

Von der Nachzucht des im Jahre 1834 für die Großherzoglich Badische Landesstammschäferei in England angekauften und indessen rein fortgezüchteten langwolligen Schafstammes der Dishley oder Neuleicester'schen Raçe kann bereits eine Parthie Jährlingsböcke abgegeben werden. Auch findet sich in jener Schäferei eine schöne Auswahl von Merinosböcken, die sich neben Wollfeinheit durch Körpergröße sehr vortheilhaft auszeichnen.

Indem wir das Publikum hierauf aufmerksam machen, bemerken wir, daß die Verkäufe aus freier Hand geschehen.

Carlsruhe, den 25ten April 1836.

Centralstelle des landwirthschaftlichen Vereins
als
administrirende Behörde der Großh. Bad. Landes-Stamm-Schäferei.

107. Ankündigung.

In der C. F. Müller'schen Hofbuchhandlung in Karlsruhe ist erschienen:

Die
landwirthschaftliche Buchhaltung
mit Rücksicht
auf die Führung der Grundbücher, Viehstamm-Register und Wirthschafts-Inventarien,
bearbeitet
nach den am Königl. Würtemb. land- und forstwirthschaftlichen Institut zu Hohenheim bestehenden Einrichtungen,
von
C. Zeller,
Secretär des Großherzogl. Badischen landwirthschaftlichen Vereins, auch mehrerer anderer wissenschaftlichen Vereine theils Ehren-, theils correspondirendem Mitglied.

Mit Tabellen und 1 lithographirten Tafel. gr. 8. 13 Bogen.
Preis: 1 Rthlr. sächs. — 1 fl. 48 kr. rhein.

Wenn es auch keineswegs an Schriften über die landwirthschaftliche Buchhaltung fehlt, so lehrt doch die Erfahrung, daß deren allgemeinere Anwendung in der Regel weit mehr an der Weitschichtigkeit der empfohlenen Rechnungsformen als dem Mangel eines ernsten Willens oder der Ueberzeugung von dem Nutzen der Sache zu scheitern pflegt. Diese Lücke in einem so wichtigen Hilfsmittel des landwirthschaftlichen Betriebes auszufüllen, ist der Zweck vorliegender Schrift. Eine besondere Zugabe erhielt diese durch die Anleitung zu Führung landwirthschaftlicher Grundbücher, Viehstamm-Register und Wirthschafts-Inventarien, die von um so höherem Werthe seyn dürfte, als jene, ihrer Wichtigkeit ungeachtet, bis jetzt doch wenig beachtet worden sind; — dabei ist das Ganze so gehalten, daß sich selbst der Anfänger ohne weitere Anleitung in die Führung der landwirthschaftlichen Buchhaltung einzuüben vermag.

Das Bedürfniß seines Publikums mußte freilich der Herr Verfasser um so schärfer aufzufassen wissen, als er selbst während seiner Verhältnisse an der Hohenheimer Anstalt nicht nur die Buchhaltung der dortigen Wirthschaft geführt, sondern auch den Studierenden jener Anstalt theoretischen und praktischen Unterricht darin ertheilt hat.

Mittelpreise
auf den
vorzüglichsten Getreideschrannen in Bayern.

Wochen.	Getreide-Sorten.	Passau.		Regensburg.		Rosenheim.		Speyer.		Straubing.		Traunstein.		Vilshofen.		Weilheim.	
		fl.	kr.	fl.	kr.	fl.	kr.	fl.	kr.	fl.	kr.	fl.	kr.	fl.	kr.	fl.	kr.
Vom 29. Mai bis 4. Juni 1836.	Weitzen	9	32	—	—	10	1	12	41	8	48	12	—	10	2	11	—
	Kern	—	—	—	—	—	—	—	—	—	—	—	—	—	—	11	—
	Roggen	—	—	—	—	6	52	7	59	6	4	—	—	7	30	7	22
	Gerste	—	—	—	—	6	24	7	13	6	41	6	36	—	—	8	24
	Haber	4	20	—	—	4	14	5	37	4	30	4	—	—	—	5	12
Vom 5. bis 11. Juni 1836.	Weitzen	10	—	10	1	10	43	13	5	9	—	10	30	9	9	11	58
	Kern	—	—	—	—	—	—	—	—	—	—	—	—	—	—	11	58
	Roggen	—	—	6	58	7	25	8	30	6	30	6	36	7	23	7	56
	Gerste	6	19	6	48	6	34	5	53	7	—	6	24	—	—	6	20
	Haber	—	—	4	44	5	—	6	54	4	38	3	48	4	—	5	4
Vom 12. bis 18. Juni 1836.	Weitzen	—	—	9	5	10	45	12	39	8	28	10	—	9	4	12	—
	Kern	—	—	—	—	—	—	—	—	—	—	—	—	—	—	12	—
	Roggen	7	30	6	25	6	57	8	50	6	27	6	30	6	57	7	52
	Gerste	6	24	7	—	6	32	6	54	6	—	6	24	5	30	—	—
	Haber	—	—	4	50	4	16	5	14	4	28	3	36	4	12	5	15
Vom 19. bis 25. Juni 1836.	Weitzen	9	36	9	34	10	6	12	51	8	36	10	—	9	7	12	14
	Kern	—	—	—	—	—	—	—	—	—	—	—	—	—	—	12	14
	Roggen	—	—	6	26	6	28	8	30	5	52	6	12	6	33	7	19
	Gerste	—	—	—	—	6	10	7	28	5	30	6	24	5	48	—	—
	Haber	—	—	4	47	4	18	5	51	4	30	3	48	3	50	—	—

Centralblatt

des

landwirthschaftlichen Vereins in Bayern.

Jahrgang: XXVI.

Monat: Juli 1836.

Landwirthschaftliche Berichte und Aufsätze.

108. Ueber die nöthigen Vorbilder der rationellen Landwirthschaft auf herrschaftlichen Gütern in Bayern als großes Bedürfniß.

Ja wirklich ist dieses ein großes Bedürfniß, sowohl für diese Güterbesitzer selbst, als für den allgemeinen Wohlstand des Reichs.

Mit Recht heißt es in den neuesten österreichischen Blättern der k. Landwirthschafts-Gesellschaften als Haupthindernisse des allgemeinen Vorwärtsschreitens galten bisher folgende:

1) die größten herrschaftlichen Güter waren bisher fast alle verpachtet, und zwar schlecht ja sehr schlecht. Und doch fand man zuträglicher, sie schlecht zu verpachten, als sie selbst zu bewirthschaften. Es fehlte also das von solchen Körpern ausgehende Beispiel.

2) Die Macht des Vorurtheils und der Gewohnheit wirken auf den größten Theil der Landwirthe, denen es auch meistens an Betriebskapital gänzlich gebricht. Dieser größte Theil der Landwirthe läßt es also beim Alten, bis er durch Beispiel einen andern Nutzen gewahrt.

3) Die Schwierigkeit, fleißige, redliche und brauchbare Verwalter, eigentlich wahre Wirthschaftsbeamte zu finden, setzte auch bisher viele grosse Güterbesitzer in die traurige Lage, alles nur den gewöhnlichen Gang gehen zu lassen.

Nun habe sich aber in fast allen österreichischen Staaten das Blatt gewendet, und ein allgemeines Vorwärtsschreiten ist rege und an der Tagesordnung, da fast überall die grossen Gutsbesitzer anfangen, sich die nöthigen landwirthschaftlichen Kenntnisse zu erwerben, die Verpachtung aufzugeben, die Güter selbst zu bewirthschaften, und dadurch Muster eines bessern landwirthschaftlichen Betriebes für die ganze Gegend aufzustellen, die auch nach und nach allgemeine Nachahmung finden."

Leider ist in Bayern dieser Zeitpunkt noch nicht gekommen und daher will es troz der so angestrengten Bemühungen des landw. Vereins und einzelner Vaterlands-Freunde nicht viel Vorwärts gehen. Auf allen Seiten fehlt es an Kenntnissen in der Landwirthschaft. Die adelichen Gutsbesitzer haben deßwegen auch eine grosse Scheu gegen Selbstbewirthschaftung, lassen alles den Pächtern oder den nur für die Gerichtspraxis einstudirten Verwaltern über. Sie werden dabei in ihren Einkünften auf allen Seiten verkürzt oder gar betrogen. Die Pächter bleiben nach und nach in Bezahlung der Pachtschillinge zurück, und lassen in den letzten Jahren der Pachtzeit die Felder veröden. Die Verwalter machen meistens Hinterstände, und richten so ihre Herrschaften zu Grund. Der Gutsbesitzer kömmt höchstens nur zur Jagdzeit auf sein Schloß, belustigt sich mit Gästen und dem Wilde, und glaubt Anfangs, es gehe alles gut, so lange noch der Verwalter Gelder einliefert, und der Pächter Abschlagszahlungen macht, bis nach und nach alles ausbleibt, und die Binde jämmerlich von den Augen fällt, sohin Jagd und Gut verloren gehen. Man sehe sich nur um, und wird gar viele solch traurige Beispiele gewahren. Unterdessen giebt es auch Ausnahmen, freilich nur sehr wenige. Darunter steht oben an einer der ersten Staatsmänner Bayerns, Sr. Durchlaucht der General-Feldmarschall Fürst Wrede. Man sehe seine Landwirthschaften an, und wird staunen über seine grossen Leistungen auch in diesem Fache. Er stellt den wahren Cincinnatus in Deutschland vor.

Die meisten Gutsbesitzer machen gegen eigene Bewirthschaftung ihres Besitzthumes hauptsächlich 2 Einwendungen.

Sie sagen, die Bauern können in allen Kleinigkeiten mehr sparen und Vortheile ziehen, was ein grosser Gutsbesitzer nicht kann. Das ist auch allerdings richtig; aber auf der andern Seite ist auch richtig, daß ein grosser Gutsbesitzer im Grossen weit bedeutenderen Gewinn sich verschaffen kann. Die Kenntniß der Landwirthschaft ist ja für einen schon gebildeten Mann sehr leicht sich anzueignen, da es über alle derlei Gegenstände so klare und ausführliche grössere und kleinere Schriften giebt. Indem er also dadurch befähigt wird, die Landwirthschaft wissenschaftlich — das ist rationell — zu führen, und ihm zugleich ein grösseres Betriebskapital zu Gebot steht, was ist natürlicher, als daß er dadurch schnell ein Uebergewicht über den gemeinen Bauern erlangt, und durch zweckmäßigeren Früchtenbau aller Art, und zeitgemessene Spekulationen dreifach das gewinnt, was der gemeine Bauer in seinem alten Schlendrian nur in kleinen Verhältnissen zu benutzen weiß.

Die zweite Einwendung war immer die, daß man keinen eigentlichen Wirthschafts-Beamten findet. Doch diese Einwendung fällt wohl gegenwärtig größtentheils hinweg. Kein Mangel ist mehr an diesen Leuten, da stets solche im landw. Institute in Schleißheim und in andern Schulen gebildet werden, und wirklich schon ausgezeichnete Subjekte daraus hervorgiengen. Diese klagen aber auch, daß man sie zur Zeit noch wenig sucht. Es möchte daher für Bayerns Wohl sehr zu wünschen seyn, daß die bayerischen großen Gutsbesitzer nunmehr auch das Beispiel derer in Oestreich und England nachahmen. Nach einem frühern Aufsatze in diesen Blättern (Siehe Wochenblatt des landw. Vereins Jahrg. XXIV. S. 10.) ward umfassend dargethan, wie auch England den so großen Aufschwung seiner Kultur nur dem Umstande dankt, daß der erste Adel Englands sich stets auf seinen Gütern aufhält, die Landwirthschaft genau studirt, sich selbst in Allem unterrichtet, einen Theil der Güter auch bewirthschaftet, und den übrigen Pächtern die genauesten Anweisungen zum höhern Betriebe des landw. Gewerbes giebt.

Werden nun auch in Bayern bald diese edlen und zugleich großen Reichthum verschaffende Gefühle erwachen, so werden diesen Vorbildern der Landwirthschaft von Seite der größern Gutsbesitzer bald auch alle großen und kleinen Bauern folgen, und so dem Vaterlande in seinem wichtigsten Gewerbe den glücklichsten Umschwung geben.

Ein Beobachter am Lande.

Ferner finden wir auf den Wiesen eine grosse Anzahl Kräuter mit breiten Blättern, besonders aus dem Geschlechte Trifolium, Vicia, Ranunculus, und noch viele dergleichen vorzüglich aus der siebenzehnten Klasse des Linne'schen Systems.

Wenn man nun weiß, mit welcher Vorsicht der Landwirth das Kleeheu trocken macht, um die Blätter davon nicht auf dem Acker zu lassen; so wird es wohl einem Jeden, der bei dem Heumachen gewesen ist, sofort in die Augen fallen, daß von den unter dem Wiesenheu befindlichen Blättergewächsen, wohl nichts als die holzigen Stengel auf den Heuboden kommen werden, indem das Wiesenheu von den Arbeitern beim Dürrmachen auf der Wiese und beim Auf- und Abladen so unbarmherzig und schonungslos herumgepoltert wird, daß wohl selten ein Blatt an dem Stengel bleiben kann. Kräuter mit breiten Blättern eignen sich also mit wenigen Ausnahmen, für sich allein mehr für den Feldbau, als zu einem Gemenge unter die Gräser auf den Wiesen, wie der Klee, Trifolium pratense. die Esparsette, die Luzerne, welche auf den Aeckern gebaut werden, hinlänglich beweisen.

Was endlich die jetzt auf den Wiesen vorkommenden Gräser, welche doch die wahren Wiesenpflanzen sind, anbelangt, so erblicken wir auch nur ein unvollkommenes Gemisch, wie es der Zufall herbeigeführt hat. Wenn der Mäher die Sense ansetzt, so sind schon längst mehrere der Gräser, welche ein zeitiges Wachsthum haben, abgestorben, und haben nur einen vertrockneten, dürren Halm hinterlassen, und wieder andere sind erst im vollen Wachsthume begriffen und bedürfen noch längere Zeit bis zu ihrer Vollkommenheit, können also auch nur weniges und unkräftiges Heu liefern.

Das ist ungefähr das Bild unserer meisten und selbst bessern Wiesen; nur wenige oder fast gar keine machen davon zur Zeit eine Ausnahme. Wenden wir uns nun zu den schlechteren, den sogenannten sauern, einschürigen Wiesen, so gewähren diese mehrentheils einen überaus traurigen Anblick. Die ganze Fläche ist oft mit einer Moosdecke überzogen, worauf einzeln einige dürftige Kräuter, aber selten gute Gräser stehen; oder sie sind mit Seggen, Binsen, Riedgräsern, Disteln und andern Unkräutern bestanden, welche nur ein kurzes, hartes, saures und schlechtes Futter geben. Man sieht alle Jahre diese Pflanzen auf den Wiesen wachsen, fühlt es auch wohl, daß sie größtentheils nichts taugen und nicht dahin passen, allein bessere an ihre Stelle zu schaffen, dieses hat, so viel bekannt, wohl noch Niemand bei uns unternommen.

Zu bewundern ist es allerdings, wie so viele Jahrhunderte haben vergehen können, ohne daß man sich bemüht hat, die Wiesen in dieser Hinsicht in bessere Kultur zu nehmen, die Pflanzen zu ordnen, und jede, wie bei dem Feldbau, an ihren passenden Ort zu bringen. Alles ist hier dem blinden Zufall überlassen. Das rohe Material, Pflanzen und Boden sind wohl vorhanden, es fehlt nur, daß sie mit Kenntniß bearbeitet werden. Ein gleiches Beispiel lieferten einst unsere Forsten. Vor 100 Jahren hätte man dieses auch für ein Mährchen gehalten, wenn Jemand gesagt hätte, man müsse das Holz in den Wäldern ansäen und anpflanzen; man glaubte früher, Alles nur allein der Natur und dem Zufall überlassen zu müssen, wenn auch der halbe Forst voller Blössen oder mit unpassenden Hölzern bestanden war. Hiervon ist man aber durch Erfahrung zurückgekommen; die Forsten werden jetzt von dem Forstbeamten mit eben der systematischen Ordnung behandelt, als wie der Acker vom Landwirthe; sollten denn die Wiesen, Lehden und Triften nicht auch einer gleichen Behandlung fähig seyn?

Es haben sich zwar in neuerer Zeit Mehrere große Verdienste dadurch erworben, daß sie die Wiesen in ihrem jetzigen Zustande in gewisse Klassen brachten, wobei die Beschaffenheit des Bodens, Lage, Feuchtigkeitszustand, und die Qualität der Pflanzen, wie selbige die Natur lieferte und der Zufall auf die Wiesen brachte, berücksichtigt worden sind. Allein diese Klassifikation, besonders hinsichtlich der Pflanzen kann für die Zukunft jetzt nicht mehr genügen. Wir dürfen diesen Theil der Landwirthschaft gegen andere nicht zurücklassen, selbst die Noth dringt dazu. Denn was helfen große Wiesenflächen, wenn darauf doch nur wenig und noch dazu schlechtes Heu gewonnen wird?

Die Unkräuter, Seggen, Binsen und Riedgräser müssen von den Wiesen verschwinden und bessere Pflanzen diese Stelle einnehmen.

Sachsen hat viele gute Gräser und Kräuter, die hier und da zerstreut wild wachsen, selbige dürfen nur gesammelt, zusammen geordnet, und wie unsere Getreidearten, die auch nur wildwachsende Gräser in Asien sind, der Kultur unterworfen und dann die Wiesen damit besaamt werden. Es ist auch gar nicht zu bezweifeln, daß in früheren Zeiten noch mehrere ganz vorzügliche Wiesenpflanzen vorhanden waren, die nach und nach bei schlechter Behandlung verschwunden sind. Wer hat dieses vorher beobachtet? So finden wir Pflanzen beschrieben, die in manchen Gegenden vor nicht zu langer Zeit sich noch vorfanden, jetzt aber dort nicht mehr zu treffen sind; und wer steht uns dafür, wenn nicht mehr Aufmerksamkeit auf die Wiesenpflanzen verwendet wird als jetzt, daß vielleicht mehrere der vorzüglichsten, die wir jetzt noch haben, für die Zukunft ein ähnliches Loos trifft? Das Schlechte verdrängt ja gewöhnlich das Gute. Will man es hier anders?

Die Wiesenpflanzen sollten mehrentheils nur aus Gräsern und den vorzüglichsten Kräutern bestehen, und in Klassen getheilt seyn. Um die Möglichkeit dieser Ansicht anschaulich darzustellen, habe ich daher mit vieler Mühe die Pflanzen auf ihren Standorten aufgesucht und beobachtet, und dabei gefunden, daß vorzüglich die Gräser, wenn von selbigen der Same gesammelt und dieselben in gehörige Kultur genommen würden, sich in folgende Klassen können eintheilen lassen.

1) in zeitig blühende Gräser, wo bei günstiger Witterung die Aernte noch im Monat Mai fallen würde.

2) in später blühende, die Aernte im Juni, und

3) in ganz spät blühende, mit der Aernte im Monat Juli.

Diese Gräser würden dann wieder in solche abzutheilen seyn, welche

a) einen hohen, trocknen,

b) einen feuchten, und

c) einen nassen Boden und Standort lieben oder vertragen.

ad 1. Zu den zeitig blühenden Gräsern würden ungefähr folgende zu rechnen seyn, und zwar, a) auf einen hohen trockenen Boden: Poa bulbosa und angustifolia, Anthoxanthum odoratum, letztere ist dasjenige Gras, welches dem Heue den angenehmen, aromatischen Geruch giebt, blüht bis zum Juli, und wächst auf jedem Boden, nur nicht im losen Sande, ferner Melica nutans und uniflora, Avena pubescens, Phleum Boehmeri, Bromus tectorum. b) auf feuchten Boden Bromus mollis und racemosus, Holcus avenaceus, wächst auf günstigem Boden über 4 Fuß hoch, Alopecurus pratensis, Poa pratensis, Milium effusum, Koeleria cristata und glauca, Dactylis glomerata etc.

ad 2. Zu den später blühenden, wo die Aernte im Juni fallen würde, gehören folgende Gräser, und zwar a) auf hohem trockenen Boden wachsende. Alopecurus agrestis, Arundo varia und acutiflora, Melica ciliata, Festuca sylvatica und pratensis, Bromus arvensis etc. b) auf feuchten Boden: Holcus lanatus und avenaceus, Hordeum pratense, Poa distans, trivialis und capillaris, Dactylis glomerata, Briza media, Cynosurus cristatus, Antoxanthum odoratum, Bromus sterilis, Avena flavescens und pratensis etc.

c) auf sehr nassem Boden wachsen: Poa aquatica, fluitans, palustris und compressa, Phalaris arundinacea, Festuca elatior, Arundo epigeios etc.

ad 3. Spät blühende und reifende Gräser, und zwar a) auf hohem trockenen Boden. Holcus mollis, Phleum nodosum, Agrostis Spica venti, vulgaris, capillaris, stolonifera, canina und gigantea, Arundo arenaria, Hordeum murorum, Andropogon Ischaemum, Aira flexuosa, Festuca pinnata und heterophylla. b) Auf feuchten Wiesen: Phleum pratense, Trichodium caninum, Aira cespitosa, Agrostis alba, Arundo sylvatica und calamagrostis, Poa nemoralis, vulgaris, firmula und tenella, Bromus asper und inermis. c) Auf nassen Wiesen: Léersia oryzoides, Arundo pseudophragmides, Aira aquatica, Melica coerulea, Poa aquatica und serotina, Bromus giganteus etc.

Keineswegs soll aber behauptet werden, daß die gedachten Gräser sämmtlich als vorzügliche Wiesenpflanzen anzuempfehlen seyn möchten. Alle eignen sich zwar zum Anbau auf Wiesen, aber immer hat eine Pflanze mehr Vorzüge vor der andern, und die bessern müssen erst durch anzustellende Untersuchungen erst recht ermittelt werden. So wird z. B. des Honiggras, Holcus lanatus, von Mehreren als eine vorzügliche Grasart auf Schafweiden empfohlen, von Andern wieder das Gegentheil behauptet. Es giebt aber aus diesem Geschlechte bei uns zwei Arten, welche im Aeußern viele Aehnlichkeit miteinander haben, nämlich Holcus mollis und Holcus lannatus. Ersteres H. mollis hat lange, gerade Grannen, stets kriechende Wurzeln, eine Rispe, deren Farbe in's Grünliche fällt, und wächst mehr auf Anhöhen und Bergen, blühet auch einen Monat später als H. lanatus, welches zasserige Wurzeln, kurze gekrümmte Grannen und eine ausgebreitete Rispe von röthlicher Farbe hat, und in der Ebene auf trocknen und feuchten Orten wächst. Es bleibt nun allerdings erst noch zu untersuchen übrig, ob vielleicht H. mollis vom Vieh lieber genossen wird als Holcus lanatus, und ob vielleicht der Irrthum nicht hierin liegt, daß Einer Holc. mol. empfahl, während er die Pflanze nicht genau kannte, und der Andere Holc. lan. verwarf. Ob aber dieses Honiggras, welches nur grün als Weidepflanze von den Schafen nicht gern angenommen wird, zum Heu als Wiesenpflanze mehr Vorzüge haben möchte, dieses ist eine andere Sache, worüber noch Erfahrungen fehlen. Die Pflanze ist sehr weich und blätterich, wächst auch schnell wieder nach, wenn selbige gemähet ist.

Noch giebt es mehrere Grasarten, die sich wegen ihrer kurzen Hälme und harten, buschartigen und borstenartigen Untergrases, welches bei der Heufütterung im Winter den Schafen in die Wolle kommt und Bocksbart genannt wird, mehr auf Schafweiden und trockene und unfruchtbare Sandplätze, um diese in eine gute Weide zu verwandeln und den losen Sand fest zu machen, als zum Heubau auf Wiesen eignen würden. Hierzu gehören, und zwar, 1) auf ganz trockenem Sandboden, Festuca ovina, glauca, pungens, duriuscula und rubra, Aira canescens und caryophylla, Nardus stricta, Avena praecox, Scirpus maritimus und acicularis, Juncus maximus und albidus, Carex praecox, hirta, ciliata, pilulifera, tomentosa, fulva, pallescens und arenaria, Elymus arenarius, Bromus nanus; 2) auf feuchten Sandboden: Festuca, Myurus und Agrostis diffusa, und 3) auf etwas thonigen Boden: Festuca bromoides, Poa annua und decumbens; Syntherisma vulgare, Lolium perenne etc.

Aus den Klassen der Kräuter giebt es nun noch viele Pflanzen, die sich theils wegen ihrer schwachen und nicht zu holzigen aber hohen Stengel und nicht zu breiten Blätter, die sie auch nicht zu leicht verlieren, zum Anbau unter die Gräser auf den Wiesen eignen würden. Dieselben sind ebenfalls zeitig- und spätblühend, und wachsen auf trocknem und feuchtem Boden. Zu den frühblühenden auf trockenem Boden würden ungefähr folgende zu rechnen seyn: Trifolium procumbens, montana und alpestre, Vicia pisiformis und cassubia, Anthyllis vulneraria etc.; auf feuchtem, nassem, thon- und humushaltigem Boden gedeihen folgende vorzüglich: Trifolium campestre und coeruleum, Phyteuma nigrum, spicatum, orbiculare und Scheuchzeri, Vicia dumetorum etc. Später blühende auf trocknen, hohen Wiesen sind folgende: Medicago lupulina und procumbens, Lotus corniculatus, Trifolium striatum, flexuosum und agrarium, Vicia sylvatica, tenuifolia und angustifolia, Achillea millefolia, Lathyrus tuberosus, sylvestris und latifolius, Potentilla recta, ferner auf feuchten und nassen Wiesen: Medicago sativa und falcata, Lotus uliginosus, Trifolium fragiferum, hybridum, ochroleucum und spadiceum, Melilotus officinalis und vulgaris, Lathyrus pratensis und palustris, Vicia cracca, segetalis, articulata und sepium, Ervum detraspermum und hirsutum, Astragalus cicer etc.

Sämmtliche hier aufgeführte Gräser und Kräuter bedürfen aber noch einer ganz genauen Untersuchung hinsichtlich ihrer Lebensdauer, ob selbige ein-, zwei- oder mehrjährig oder perennirend sind, denn bei vielen derselben wissen wir immer noch nicht recht genau, wie die Fortpflanzung Statt findet, ob durch ausgefallenen Samen, oder durch kriechende oder zasserige, perennirende Wurzeln. Wahrscheinlich ist es, daß viele der Grasarten dieselbe Eigenschaft besitzen, wie unser Getreide. So lange wir bei diesem den Halm nicht hoch wachsen und zur Reife kommen lassen, sondern selbigen, wie er in die Höhe kommt, abschneiden, wird dasselbe das ganze Jahr frische Schosse treiben; lassen wir aber den Halm reife Körner tragen, welches eigentlich der Zweck beim Getreidebau ist, so stirbt dann die Pflanze ab, und wenn bei den Gräsern auch nicht allemal die Pflanze eingeht und abstirbt, da die meisten perennirend sind, so wird selbige aber nachher doch, wenn ihr erster Halm zur Reife gekommen ist, Samen getragen und dadurch den Stock erschöpft hat, nach dem Abmähen keinen neuen Halm treiben. Es ist also sehr wichtig, die rechte Zeit des Mähens der Gräser zu ermitteln, um den Nachwuchs neuer Halme zu sichern. Daß die Grummetärnten oft so dürftig ausfallen, hat seinen Grund wahrscheinlich mit darin, daß die Heuärnte so spät vorgenommen wird, wo die Gräser mehrentheils schon reifen Samen angesetzt und sich also ohne allen Nutzen im Wachsthum erschöpft haben, und daher keinen neuen Halm wieder nachtreiben können. Also eine hinlängliche Anforderung, die Gräser auf den Wiesen zu sondern, und nicht zeitig und spät blühende unter einander zu lassen.

In der Flora um Dresden, in welcher die vorverzeichneten Pflanzen vorkommen, und anderwärts wahrscheinlich ebenfalls auch, giebt es mehrere Pflanzen, die noch gar nicht auf unsere Wiesen gelangt sind, und an Rändern, in Waldungen, Sümpfen, Thälern und Feldern noch wie verlorne Schafe sich verborgen halten, und vorzügliche Wiesenpflanzen abgeben würden, wenn man sie aufsuchte, den Samen sammelte und selbigen anbaute. Hierunter zeichnet sich besonders aus: Agrostis gigantea, welche auf hohen Bergen über 4 Fuß hoch wird, Aira aquatica, Festuca sylvatica, Alopecurus agrestis und fulvus, Phleum Boehmeri, Poa Eragrostis und compressa, Avena pubescens, Arundo sylvatica und varia, Bromus asper, Melica etc.

Von der sehr großen Zahl der in der Natur vorhandenen Wiesenpflanzen und besonders Gräser, besitzt Sachsen nur einen kleinen Antheil. So hat das Geschlecht Poa über 50 Species und in Sachsen sind höchstens 16 bis 20 bekannt, Agrostis enthält über 30 Species, und hier werden etwa 8 bis 10 vorkommen, Briza hat bis 10, und Cynosurus über 15 Species, in Sachsen sind aber von jedem Geschlecht nur 1 oder 2 vorhanden, Trifolium hat über 50 Species, bei uns sind aber höchstens 20 einheimisch, und so ist es durchgehends mit allen Geschlechtern. Daß von diesen Pflanzen, wovon ein großer Theil noch in Europa wild wächst, sich die meisten zur Kultur auf die Wiesen eignen würden, daran ist nicht zu zweifeln, und es wäre sehr zu wünschen, daß künftig hin dieser Gegenstand von Naturforschern und wissenschaftlich gebildeten Reisenden mehr berücksichtigt und unsere Flora und besonders die Wiesenpflanzen durch Sämereien aus andern Gegenden noch mehr bereichert würden; denn eine oft unbedeutend scheinende Grasart hat zuweilen weit mehr Werth als ein Cactus und eine Menge anderer Zierpflanzen aus heißen Ländern, worauf viel Geld verwendet wird, von denen wir aber weiter keinen Nutzen haben, als zu Zeiten eine schöne Blume zu sehen.

Viele Gewächse, die jetzt angebaut werden, sind von unsern Wiesen aus dem wilden Zustande, wo wir sie heute noch finden, in unsere Gärten und auf die Felder gewandert und in Kultur genommen worden, namentlich der Klee, der Spark, die Möhren, der Kümmel, die Pastinaken, der Spargel, die Rapünzchen, die Cichorie ꝛc. Nur mit wenig Samen wurden die ersten Versuche der Kultivirung unternommen, nur einzelne Kartoffeln erhielten wir zuerst aus Amerika, in einem Briefe kam vor ungefähr 40 bis 50 Jahren (1781) der erste Raps aus Belgien nach Deutschland, und doch haben sich diese sämmtlichen Gewächse ins Unendliche vermehrt *) Wenn also von den vorzüglichsten Wiesenpflanzen, die hie und da zerstreut wachsen, der Same gesammelt und auf Aeckern angebauet würde, so könnten binnen wenig Jahren eine große Anzahl Wiesen, die gegenwärtig schlechten Ertrag geben, wie sich gehört, angebauet, wozu wir doch eine Menge passender Pflanzen haben, so eine passende Auswahl getroffen und viele bisher wenig benutzte Plätze in schöne, fruchtbare Grundstücke verwandelt werden, die

*) Jede hat der Landwirthschaft eine neue nützliche Richtung gegeben. Das Neue hat jederzeit eine Erweiterung zur Folge. Was wäre jetzt unsere Landwirthschaft, wenn der Klee, die Rüben, Raps und die Kartoffeln nicht da wären? Gegen jede dieser Pflanzen hat man sich eben so gesträubt, als jetzt gegen die Zuckerfabrikation. Die Geschichte sollte und könnte belehren aber man vermeidet sie, um sich das Rothwerden zu ersparen. D. H.

zum Theil dann noch ein oder mehrere Mal so viel und besseres Heu als bisher liefern würden.

Da die Wiesengräser zum Theil eine weit größere Menge Samen enthalten, als unser Getreide und andere Pflanzen, so kann auf einer geringen Fläche eine große Masse erbaut werden.

Dieses Geschäft, der Samenbau, gehört allerdings zu dem mühsamsten, erfordert Anstrengung und Ausdauer und setzt Kenntniß der Pflanzen voraus, welches Alles wohl bisher Veranlassung gewesen seyn mag, daß dieser Gegenstand so sehr vernachläßigt worden ist. *) Ausführbar ist es, unsere Wiesen und Weiden dem blinden Ohngefähr zu entreissen, und selbige eben wie unsere Aecker in ein gewisses System zu bringen. Der Landwirth weiß recht gut, daß er auf dürrem Sandboden keinen Weizen bauen kann, er säet auch nicht Gerste und Roggen durcheinander, weil er weiß, daß jede dieser Früchte eine andere Zeitperiode zum Wachsthum und zur Reife hat, und auf gleiche Weise sollten auch unsere Wiesenpflanzen geordnet seyn, jede Grasart sollte auf den für sie passenden Boden gebracht werden, und alle Ränder, Grasplätze, Weiden, deren es in allen Orten eine Menge giebt, und die wir gewöhnlich mit Disteln und andern Unkräutern prangen sehen, könnten die schönsten Gräser tragen, wenn man selbige kultivirte, und damit besäete. Wenn wir kein Getreide auf unsere Felder aussäen, wird natürlich auch keines wachsen, sondern Unkräuter werden die Fläche überziehen, wie es bei den Wiesen der Fall ist, bei den bisher Alles dem Zufall überlassen blieb; so mußte es dann in Ermangelung guter Gräser so weit kommen, daß die oben bemerkten Unkräuter jetzt die Wiesen bedecken. **)

Daß übrigens beim Wiesenbau, wer gute Aernte machen will, dieselben Grundsätze wie beim Feldbau: „dem Acker die durch die Früchte entzogene Kraft durch Dünger wieder zu er-

---

*) Ist so schwer nicht, man lehrt den armen Leuten und Kindern die Pflanzen kennen, weist sie zur rechten Zeit zum Sammeln des reifen Samens an, übernimmt diesen jeden Abend, damit sich kein Irrthum einschleicht. Einer meiner Freunde ließ, um die geschäftslosen Kinder zu bethätigen, jährlich viele Zentner Wiesengesäme sammeln, die eine hiesige Samenhandlung kaufte. Nur Kenntniß und guter Wille und es geht. D. H.

**) Ich gestehe, mir es von jeher aufgefallen, daß man sich eher und muthiger zum Futterbau auf dem Acker gewandt hat, als an die viel leichtere Wiesenkultur dahier. D. H.

tember, ehe es zu schlossen anfängt, wird die Wiese abgemäht, und sonst nichts gethan.

Geht da nicht alles nach der gewöhnlichen Bewirthschaftung des Landmannes? — er erhält Brache, und braucht sie als Wiese, ohne dem Acker an Getreidbau hinderlich zu seyn, und das abgemähte Korn giebt vielmehr die beste Aernte, da es sich viel besser vor dem Winter bestockt, und eine Härte und Dauer dadurch erhält; es ist viel weniger dem Mißwachs unterworfen, als ein spät gesäetes Korn, das der Frühfrost oft im Milchsaftröhrchen zersprengt.

Wird da nicht die Ursache so vieler Mißjahre in der Winterfrucht gänzlich vermieden? Man hat den Vortheil, daß die Bestellzeit schon im Brachmonate vollendet ist; man hat nebst dem abgematteten Vieh mehr Zeit, die noch übrige Aernte an Kraut, Rübensamen, Hanf, Flachs, Rüben ꝛc. zu vollbringen. Ja man gewinnt an Zeit, das Grumet mit Gemächlichkeit zu behandeln, und einzubringen, und ist nicht genöthiget bei größter Hitze des Sommers erst Samenkorn zu dreschen. Endlich bekömmt man für das künftige Jahr eine viel frühere Aernte, und fährt überall so gut, ohne von seinem lieben Brauche abzuweichen.

---

111. Ueber die Benützung todter Pferde.

Veranlaßt durch den Aufsatz S. 95 im Februar-Hefte des Central-Blattes.

Der Verlust eines Pferdes trifft den Landwirth, noch mehr aber den bloßen Fuhrmann weit härter, als man gewöhnlich glaubt. Abgesehen von dem oftmals mehrstündigem Zeitverluste, womit die Anzeige des Falls beim Wasenmeister verbunden ist, und der Gebührleistung entweder in baarem Gelde, oder durch Ueberlassung der Haut nach einer Schätzung, welche nicht von dem Eigenthümer, sondern von dem Cafiller ausgeht, so geht jenem alles Uebrige verloren, was zusammen weit mehr werth ist, als die größte und beste Haut.

Es dürfte dem Zwecke des oben genannten Aufsatzes förderlich seyn, die Leser des Centralblattes von dem Inhalte eines Berichtes *) in Kenntniß zu setzen, welcher durch eine

*) Der Titel dieses Berichtes ist: Récherches et considerations sur l'enlevement et l'emploi des chevaux morts. Paris 1827.

Special-Commission dem Polizei-Präfecten zu Paris i. J. 1827 über den dortigen Haupt-Schindanger (zu Montfaucon) erstattet worden, und worin insbesondere auch angegeben ist, wie die einzelnen Theile der Pferde verwendet werden, und noch besser verwendet werden könnten.

Alle Theile eines Pferdes können benützt werden.

1) die Haare, namentlich die Schweif- und Mähnenhaare; ihr Verbrauch ist bekannt.

2) die Haut liefert bekanntlich ein gutes Leder, und Abfälle davon lassen sich zu Leim versieden.

3) Das Fleisch. Eine sehr große Quantität desselben wird an die Menagerie des kgl. Pflanzengartens abgeliefert; Hunde, Schweine, selbst Hühner werden damit gefüttert, auch kann es zur Gewinnung des Fettwachses, des Ammoniaks und des Berlinerblau's verwendet werden. — Aus allen Umständen geht hervor, daß die zu Paris so zahlreiche Klasse der Armen sich häufig mit Pferdefleisch nährt; die Arbeiter zu Montfaucon essen es, und befinden sich wohl dabei, und wie oft hat nicht der Soldat, in schwierigen Lagen, zu dieser Speise seine Zuflucht nehmen müssen? — In Copenhagen wird das Pferdefleisch wie anderes verkauft, und wenn auch in neuerer Zeit dasselbe nicht mehr so häufig wie früher gegessen wird, so liegt der vornehmste Grund hievon in dem gegenwärtig höheren Preise der Pferde; die Gefangenen erhalten noch jetzt kein anderes Fleisch.

4) Die Flechsen sind nach den Haaren und der Haut am meisten gesucht. Sie werden getrocknet, kommen so in den Handel, und werden nicht selten in großen Parthieen selbst in's Ausland versendet. Sie geben bekanntlich einen vortrefflichen Tischlerleim.

5) Eingeweide. Die dünnen Gedärme können von den Saiten-Fabrikanten benützt werden. Gewöhnlich werden alle Eingeweide als Dünger verbraucht, und die Landleute der umliegenden Dörfer bezahlen für die Ladung eines zweispännigen Wagens 5, 6 bis 7 Franken. Aus den Eingeweiden kann auch Fettwachs (für die Lichterzieher) bereitet werden.

6) Das Fett. Der Abdeker zieht, nach der Haut und den Flechsen den größten Vortheil aus dem Fett, es wird daher auch mit aller Sorgfalt gesammelt. Der Kessel,

worin es ausgelassen wird, wird nicht mit Holz, sondern mit Knochen geheizt. — Die Schmelzarbeiter ziehen das Pferdefett jedem Oele vor, weil es nicht dick wird, eine gleiche Flamme und weit größere Hitze giebt; die Bereiter des ungarischen Leders bearbeiten damit die Häute, und die Geschirrmacher geben dem Leder dadurch die gehörige Geschmeidigkeit.

7) Die Hufe werden von den Hornarbeitern zu Kämmen, gepreßten Dosen rc. verarbeitet; sie dienen auch zur Fabrikation des Leims, des Salmiaks und des Berlinerblaus.

8) Knochen. In der Umgegend von Paris und selbst in der Stadt gab es ehemals Mauern, wo Thierknochen die Stelle von Steinen vertraten. Die Chemie lehrte von diesen, an animalischen Substanzen so reichen Theilen einen andern Gebrauch; sie sind für verschiedene Künste so wichtig geworden, daß man sogar Mangel daran hat. Was auf den Feldern zerstreut umher lag, wurde eifrig gesammelt, sogar jene Mauern verschwanden, und Knochen gehören jetzt unter die Einfuhr-Artikel aus Spanien und Italien. — Knochen werden verarbeitet vom Drechsler, Fächermacher und Messerschmied, sie werden zur Gewinnung des Tischlerleims, zur Bereitung der Frankfurter Schwärze und des Ammoniaks gebraucht; zerstoßen oder gemahlen geben sie einen vorzüglichen Dünger.

Die Verwaltung der Hospitäler zu Paris erlöste aus dem Verkaufe der (Thier-) Knochen jährlich ungefähr 1800 Franken. Im Jahre 1821, wo dieser Verkauf durch öffentliche Versteigerung zum ersten Mal Statt hatte, betrug der Erlös 9,026, im Jahre 1822 8478, und i. J. 1823 6182 Franken.

9) Die Maden, welche sich bekanntlich in Menge und schnell aus Fleisch und Eingeweiden entwickeln, sind ein vorzügliches Futter für Hühner, Kapaunen, Fasanen rc., alle werden davon in kurzer Zeit sehr fett; in einer Zeit von 14 Tagen sollen sie um das Doppelte und Dreifache an Gewicht zunehmen.

112. Ackerbau-Versammlung *) der Departements der Seine und Oise. Konkurs von Mortières.

Aus dem französischen Journale der »Fortschritte« (le temps) vom 22. Mai 1836.

Mit größter Aufmerksamkeit vernehmen wir die ausführliche Mittheilung des Hrn. Charbonneau, Abgeordneten der Zuckerfabrikanten der Drôme und Isère Departements.

Die Einführung dieser Versammlungen in Frankreich hat den Zweck, eine unermeßliche Lücke in unsern Einrichtungen verschwinden zu machen. Der Ackerbau hatte bei uns niemals seinen gesetzlichen Vertreter; er konnte daher zu keiner Zeit seine Rechte geltend machen, den Beschwerden Abhilfe verschaffen, und die Staatsgewalt über den Gang aufklären, den sie zu verfolgen habe, um die Landwirthschaft in beständige Bewegung zu setzen, und in selber zu erhalten.

Wer sollte wohl zweifeln, daß die Einführung solcher Kongresse nicht eine große Wohlthat für unsere Landwirthschaft ist; diese Versammlungen werden auf allen Punkten des Gebietes Gesellschaften von ausgezeichneten Männern bilden; sie werden ächte Landwirthe vereinigen, deren kräftige Hand täglich den Pflug führt und leitet, und deren gesunde Vernunft und vieljährige Erfahrungen die Entscheidung über Anfragen, welche Bezug auf die Landwirthschaft haben, zu erleichtern im Stande sind.

Dieses sind die Ideen, die uns während der ganzen Zeit des Konkurses, welchen die Versammlung der Seine und Oise zu Mortières am 8. dieses Monats auf dem schönen Landgute des Hrn. Tenard den Landwirthen dargeboten hat, unaufhörlich beschäftigten.

Die Versammlung war zahlreich, und gewährte einen um so feierlicheren Anblick, als man nur wenige Männer dabei fand, welche mit der Landwirthschaft nicht vertraut waren: bei dem Anblicke dieser Landleute, die ihre ehrenvolle Existenz bloß dem Grund und Boden verdanken, bei dem Anblicke, mit welch' gewissenhafter Aufmerksamkeit sie ihre Nachforschungen anstellten über alles, was sie in Ansehung des Verdienstes eines jeden Konkurrenten aufklären konnte; im Hinblicke, wie sie ihre be-

*) In Bayern Kultur-Kongresse genannt. Die neuesten Bestimmungen hierüber sind in den revid. und allergnädigst genehmigten Satzungen des landw. Vereins vom 1. Oktbr. 1835, §. 13 enthalten.

urtheilenden Bemerkungen, ihre Kritiken, und fast immer richtigen Beobachtungen über die Vortheile und Nachtheile der Einführung vervollkomneter Instrumente vortrugen, konnten wir nur ihre Einsicht und zugleich die Redlichkeit, Unbefangenheit und Offenheit bewundern, mit welchen sie von ihrer Meinung abstanden, wenn man ihnen ihren Irrthum beweisen konnte.

Die Vertheilung der Preise brachte die beste Wirkung hervor; der richterliche Ausspruch wurde von allen anwesenden Zusehern als gewissenhaft und nachgewiesen anerkannt; kriegerischer Trompetenschall erfolgte jedesmal, wenn der Name des Preisträgers ausgerufen wurde. Die goldene Medaille wurde einer Säemaschine des Hugues zuerkannt, und diese von alten praktischen Landwirthen einem neuen Instrumente ertheilte glänzende Auszeichnung war für uns eine günstige Vorbedeutung für unsere künftigen landwirthschaftlichen Verhältnisse.

Was wir zu Mortières gesehen haben, hinterläßt in uns einen lebhaften und mächtigen Eindruck, den wir in unsere mittäglichen Departements mitnehmen. Wir werden bei den Lokalbehörden und Ackerbaugesellschaften das Ansuchen stellen, ähnliche Kongresse einzuführen. Wir werden auch die vervollkomneten Ackerwerkzeuge und Instrumente einführen, welche unser eifriges Landvolk zu würdigen nicht ermangeln wird; wir werden die als zuverlässig anerkannten Methoden verbreiten, und zur Nachahmung aufmuntern; auch haben wir um so mehr Hoffnung des Gelingens, als die Zuckerfabrikation bei uns schon den Sinn für diesen Industriezweig vorbereitet hat: dieser wendet die Kapitalien dem Ackerbau zu, und ruft die hiezu tauglichen Männer herbei. Wir wollen geloben, zu trachten, daß dieser Industriezweig, welcher in unserem schönen Lande kaum begonnen hat, sich frei darin entwickele und die Losung gegeben werde, daß unsere Kultur aus dem tiefen Geleise hervortrete, in welchem sie zurückgehalten ist.

---

118. Ein Beitrag zur Ausbildung junger Gärtner.

Allgemeine Klage herrscht in Bayern über das Gärtner-Personale. Wichtig möchte der nachstehende Aufsatz aus der allgemeinen Gartenzeitung für diesen Gegenstand seyn.

Der Gegenstand dieses Aufsatzes schien mir wichtig genug zu seyn, meine Gedanken und Erfahrungen jungen angehenden

Kunstgärtnern mitzutheilen, die Geschick, Versatz und guten Willen genug haben, sich so auszubilden, um einst der Gärtnerei Ehre zu machen, und Dem vollkommen zu entsprechen, für was sie (nämlich für gute Kunstgärtner) gehalten seyn wollen. Leider! giebt es nur zu viele, die bloß des Lehrbriefes wegen Kunstgärtner seyn wollen; aber nichts weniger sind als das, sondern im Gegentheile der Gärtnerei mehr zur Schande als zur Ehre den Namen eines Kunstgärtners führen.

Ich kenne und schätze das Fach eines guten und akkuraten Küchengärtners; allein heut zu Tage verlangt man weit mehr von einem guten Gärtner, er soll und muß seine Kunst durch alle Zweige theoretisch und praktisch verstehen.

Vor Allen muß er zuerst haben

1.

Fortdauernde Lust und Liebe zu seiner Kunst, und zwar durch alle Zweige der Gartenkunst und Gärtnerei in ihrem ganzen Umfange! Er muß, daß ich mich so ausdrücke, schon im Voraus mit Leib und Seele Gärtner seyn. Manche stellen sich bei dem Antritte der Gärtnerei immer nur einen Zweig derselben, und zwar nur den vor, zu welchem sie die meiste Lust und Neigung haben, entweder die Blumenkultur, Treiberei, oder schöne Gartenkunst, Küchengärtnerei u. s. w. Sie werden in diesen Zweigen der Gärtnerei allenfalls geschickt, aber, wenn sie einen Posten bekommen, wo alle diese Zweige zusammen betrieben werden, dann fehlt es ihnen hier und da. Wieder Andere stellen sich blos den Genuß des Angenehmen, das diese Kunst nur erst nach Mühe und Arbeit darbietet, vor, und träumen, wenn sie sich die Sache bildlich vorstellen, nur vom Paradiese. Dergleichen Subjekte scheuen jede mühsame Arbeit, Wetter und Beschwerlichkeiten, mit welchen der praktische Gärtner sehr oft kämpfen muß, erkalten sehr bald und werden sehr selten brauchbar zu diesem Geschäfte. Der beharrliche, einen festen guten Willen und ausdauernde Lust habende Gärtner achtet nie auf dergleichen Beschwerlichkeiten und Mühe, sein Vorsatz muß ausgeführt werden, es mag biegen oder brechen. Ein solcher Gärtner, der bei Allem selbst mit gewesen ist, und an Alles Hand angelegt hat, weiß dann auch überall eine richtige Berechnung und Benützung der Zeit zu machen, um Alles mit Ordnung zur rechten Zeit zu beendigen. Sein Garten zeichnet sich gewöhnlich durch Sauberkeit, Ordnung, treffliche Pflanzungen und Benützung aus. Er macht dieses mit der möglichsten Ersparniß der Ausgaben und wenig Taglöhnern; er weiß, wie viel er von diesen verlangen kann, und wird selten von ihnen hintergangen werden können. Er wird ferner auch seine ihm übrig bleibenden Nebenstunden dazu benützen, um sich aus guten Büchern in der Botanik, schönen Gartenkunst, und andern unten angegebenen Hilfs-Wissenschaften zu belehren, und mit dem Gange der Zeit fortschreiten, alle neuen Entdeckungen und Verbesserungen in seinem Fache kennen lernen und versuchen.

2.

Muß er körperliche Abhärtung haben, und fleißig und thätig seyn. Ein weichlicher und unthätiger Mensch schickt sich selten zu Etwas, am Allerwenigsten aber zum Gärtner! Fleiß und Thätigkeit sind aber die erhabenen Tugenden eines jeden nützlichen Menschen, einem guten Gärtner dürfen sie aber durchaus nicht fehlen! Kommt der Nachläßige mit den Geschäften einmal in's Stocken, so ist das Kostbarste in der Welt, die Zeit, dahin, und manche nothwendige Arbeit bleibt nun, wegen eben vorfallender noch dringenderer, ganz liegen; an Verbesserungen oder neuen Anlagen ist dann gar nicht zu denken; er wird in Allem der Letzte seyn, und seiner Herrschaft die frühen Produkte seiner Kunst erst dann liefern, wenn sich seine Nachbarn schon lange damit völlig übersättigt haben. Am Meisten tritt dieser Fall auch ein, wenn der Gärtner die schönen und reizenden Morgenstunden verschläft.

3.

Muß er die Gärtnerei in einem grossen Garten, wo mehrere Zweige derselben betrieben werden, unter der Aufsicht eines vernünftigen, geschickten und braven Lehrherrns erlernet haben. Er muß sich sodann auch im Auslande umsehen und in schönen berühmten Gärten, besonders aber in holländischen, eine Zeitlang Arbeit zu bekommen suchen; hier wird er sich bald belehren, wie man die Zeit benützen müsse; er wird arbeiten lernen, wenn er es noch nicht kann, und erfahren, was ein Gärtner durch kluges Anstellen, Fleiß und Mühe erzwingen kann. Hier kann er sich, wenn es ihm wirklich Ernst ist, etwas Gründliches zu lernen, den Grund zu seiner Kunst im ganzen Umfange legen, und einen Schatz von praktischen Erfahrungen sammeln, der ihm zeitlebens unendlich nützen wird, und wo er sich bei jeder Gelegenheit Rathes erholen kann.

Dieser Schatz besteht in einem Tagebuche, in das er unter dem jedesmaligen Datum alle Erfahrungen in der Kultur fremder Bäume und Pflanzen, jeden Versuch und dessen Erfolg und alle Nebenumstände, Ort, Wetter, Erde u. dgl. aufzeichnet. Am Schlusse jeden Jahres macht er dann ein Register darüber. Dieses Tagebuch setzt er sein ganzes Leben hindurch fort. So viel er auch sonst aus guten Büchern lernen kann, so wird ihm doch in der Welt keines so viel Nutzen gewähren, wie dieses, welches seine eigenen Erfahrungen enthält; er sieht hieraus, wie sich eine Sache in dieser oder jener Lage hier oder da verhält. Er ist dann im Stande, immer im Voraus die Woche, sogar den Tag zu bestimmen, wenn er dieses oder jenes Produkt zu liefern fähig ist.

4.

Von den Hilfs-Wissenschaften muß ein guter Gärtner sich folgende anzueignen suchen; sie sind ihm so nützlich, als irgend eine der vorigen; sehr oft kann er sich durch sie helfen, ja es giebt Fälle, wo er ohne sie nicht fortkommen kann. Ich rechne hieher die Kenntniß der Geographie und Kenntniß der Klimate aller Länder. Wir haben täglich mit fremden Samen, Pflanzen und Bäumen zu thun, und nicht selten hilft uns die Kenntniß der Lage, des Klimas und des Bodens eines Ortes, wo die Gewächse herstammen, aus aller Verlegenheit. So wissen wir zum Beispiel, die Magnolia grandiflora wachse in feuchtem niedrigen Boden in Kentukie, und einem so milden Klima, daß wir uns in Deutschland nicht einfallen lassen dürfen, dieselbige an das unserige im Freien zu gewöhnen.

Die Magnolia glauca wächst zwar auch hier, aber sie wird auch in Pensylvanien gefunden, wo die Winter oft heftige Kälte mit sich bringen; wir wissen, daß sie besonders freudig in verwester Moorerde wächst und sehen sie bei geschütztem Stande und Bedeckung im Winter, im Sommer unsere ästhetischen Pflanzungen mit ihren äußerst wohlriechenden Blumen zieren. In eben diesem Landstriche von Pensylvanien, wo die Kälte im Winter oft heftiger als bei uns ist, finden wir auch das Rhododendron maximum, die schönsten Azaleen und Kalmien, und doch erfrieren diese schönen Sträucher oft in unsern Gärten; allein das ist ganz natürlich: denn die Kenntniß dieses Landes sagt uns, daß während der heftigen Winterkälte daselbst diese Sträucher unter dem tiefsten Schnee, den wir außer der Schweiz und andern Gebirgen nie haben, vor Kälte und Frost gesichert stehen.

Botanik. Der Gärtner muß seine Pflanzen richtig zu benennen, zu analysiren und nach dem eingeführten Linnéschen

Systeme zu ordnen wissen. Wie unschuldig, und mit welchem reinen Vergnügen kann hier der gute Gärtner nicht seine Spaziergänge des Sonntags in der schönen und freien Natur benützen, wo ihm jeder Schritt genug Stoff zu Beobachtungen darbietet! — Sodann muß die Lehre von den wirksamen Kräften der Natur in physikalischer Hinsicht, Pflanzen-Physiologie, über die Ernährung und deren Stoffe, und Agrikulturchemie kennen. Ferner muß er Geometrie, Zeichnen und lateinische Sprachkenntniß besitzen. Mit diesen Hilfswissenschaften bekannt, wird er sich in jeder Lage forthelfen und wohl befinden; er wird den guten oder schlechten Gehalt des Bodens leicht erkennen, und zweckmäßige Mittel zu seiner Besserung, wo sie nöthig sind, in dem gehörigen Grade anwenden können.

5.

Muß sich ein guter Gärtner bei seinen Untergebenen im gehörigen Respekt zu halten wissen: nicht etwa durch Aufbrausen und stolzes brutales Wesen, nein, durch Festigkeit und genaue Pünktlichkeit in allem seinen Thun und Lassen! Er muß über jede Nachlässigkeit und nicht pünktliche Erfüllung seiner Befehle von denselben ernstlich Rechenschaft fordern; denn sobald er sich zu tief mit ihnen einläßt, mit ihnen während der Arbeit schwäzt oder gar scherzt, dann ist es schon um die gute Pünktlichkeit geschehen! Der Gärtner ist dann selten ganz Herr, und die Leute thun meistens nur, so viel sie wollen; will er ja durchgreifen, um sich den verlornen Respekt wieder zu verschaffen, so geht es selten ohne Grobheiten für ihn ab. Die Leute merken sich dieses nur gar zu bald, und betrügen den Gärtner an Zeit und Arbeit, so oft sie können.

6.

Muß der Gärtner seine Leute, so wie sich selbst, anzustellen wissen; d. i., wenn eine Arbeit fertig ist, schon eine andere in Bereitschaft haben, die nun an der Reihe ist, oder die vorzüglich gemacht werden muß. Er darf nicht erst fragen: „seyd ihr fertig, habt ihr dieses nun beendigt?“ die Leute möchten sonst glauben, sie wären zu schnell fertig geworden, oder denken: er wisse die Arbeit nicht richtig zu beurtheilen“ und nehmen sich bei der ersten Gelegenheit schon besser Zeit. Auch muß er jeden Abend überlegen und in Ordnung bringen, was er Alles den morgenden Tag über vornehmen will, damit die Leute, wie die Glocke schlägt, jeder seine Arbeit weiß. Ganz erbärmlich ist es mit anzusehen, wenn der Gärtner die Taglöhner zusammen nimmt, mit ihnen in den Garten herumziehet und die nöthigste Arbeit erst aufsuchet, dann an Ort und Stelle mit ihnen überlegt: „welches wohl nöthiger und was wohl am Füglichsten zuerst vorzunehmen sey," nun anstellt, und in ein Paar Stunden sich wieder anders besinnt, die Leute wegnimmt und was Anderes anfängt. Ein solches Beispiel findet man nicht weit von hier in einem Garten, wo auch Lehrbursche gelernt werden! (Die ganze Kultur besteht hier für das Gewächshaus in Rosmarin und Winterlevkojen, und in der Wartung der gewöhnlichsten Gemüse für die Küche!)

7.

Es giebt eine Art Gärtner, die sich für sehr geschickt halten, die aber nicht überlegen, daß man in diesem Fache so leicht nicht auslernet: sie widersprechen ihrer Herrschaft, so oft es Gelegenheit dazu giebt, ohne zu bedenken, daß sie die tiefste Arroganz dadurch an den Tag legen, und die Herrschaft nicht selten den feinsten Geschmack in allen ihren Anordnungen verräth; diese Menschen werden aber sehr oft durch ihre eigene Unwissenheit überführt und beschämt. Der vernünftigere, mit den bemerkten guten Eigenschaften ausgerüstete Gärtner vollzieht gerne Dasjenige, was seine Herrschaft ausgeführt zu haben wünscht, wenn er findet, daß die Sache ihren Werth hat, ohne leeres Widersprechen. Sieht er sich veranlaßt, seine Meinung darüber zu sagen, oder der Herrschaft andere Vorschläge machen zu müssen, so thut er es mit Bescheidenheit; behauptet aber nie seinen Kopf eigensinnig. Die Herrschaft sieht am Ende über lang oder kurz doch ein, wer Recht hatte. Er wird überdieß seine ihm übergebene Gärtnerei in jeder Hinsicht nicht nur äußerst wohl einrichten, sondern auch seine Treibereien, Küchengarten, Baumschulen, Lustgärtnerei, Blumen und Gewächse, zu jeder Zeit im besten Wohlstande haben. Mit Vergnügen werden Garten- und Pflanzenfreunde bei ihm verweilen, sie werden sich durch ihn, und er durch sie, in manchen Fällen belehren. Wie manches schöne und nützliche Buch wird er von ihnen zur Einsicht erhalten, und sich dadurch Veredlung und neue Belehrung verschaffen können.

Seine Herrschaft, wenn sie human ist, wird ihn so wenig als möglich fühlen lassen, daß sie sein Gebieter ist; sie wird ihn mit Achtung und Wohlwollen behandeln. Er hingegen wird sich täglich bemühen, sich dieser guten Gesinnungen und Liebe immer würdiger zu machen. F. M.

114. Ueber das Fangen der Singvögel.

Ein schöner und wichtiger Aufsatz in Ansehung der Landwirthschaft, der Obstbaumzucht und des Gartenwesens ist wegen dem Fangen der Singvögel im Maiheft des Centralblattes des landw. Vereins enthalten.

Ja wirklich ein großes Uebel liegt in diesem so überhandnehmenden Fangen der Singvögel und Abnehmen ihrer Nester sammt den Jungen. Die Polizei-Direktion von München verkündet zwar alljährlich dieses Verbot bei Strafe, wie dieses Zeug des Polizeianzeigers vom 19ten Junius dieses Jahres wieder geschah. Aber was fruchtet es? Nichts. Man sieht stets junge Leute im englischen Garten, welche die Nester abnehmen, und jedes Jahr fühlt man mehr diesen Mangel der Singvögel, die für diesen Zaubergarten in jeder Hinsicht größtes Bedürfniß wären. Am Lande ist es noch ärger, da kann vor den muthwilligen Knaben fast gar kein Vogel mehr aufkommen. Es giebt doch in Bayern die strengste Verordnung dagegen, So macht das Generalmandat vom 4ten März 1750 (Siehe Generallien-Sammlung Bd. I. S. 7) einen gewaltigen Lärm dagegen, und verhängt große Strafen. Es heißt da: „als befehlen wir all und jedem unserer Beamten und andern Obrigkeiten, wer diese seynd, bei unserer höchsten Ungnad und anderm ernstlichen Einsehen, auf die Betretene nicht nur genaue Obsicht und Spech halten zu lassen, sondern den Uebertretern sogleich und zwar die Manns- mit Stock-, die Weibs-Personen aber Geigenschlagung das erstemal anzusehen; das zweitemal hingegen nebst Karbatsch-Streichen sowohl ein- als den andern Theil in das Arbeitshaus auf ein so andere Wochen zu liefern, und das drittemal auf weiteres Betretten, das Mannsvolk nacher Ingolstadt in die Schanz oder zur Arbeit auf die Landstrassen auf eine längere Zeit, die Weibsbilder duplicata poena in das Arbeitshaus transferiren zu lassen.“ Noch strenger gebietet hierüber die Verordnung vom 17. Febr. 1758 (Sieh General.-Sammlung loco cit. S. 26) und sagt, daß man bei Vorfällen die ausgesetzten Strafen unnachlässig wahr machen soll.“ Es heißt weiter: „Wessentwegen dann, und damit sich mit der Unwissenheit Niemand entschuldigen möge, ist dieses unser gnädigstes Gebot und Verbot bei jedem unserm Pfleg- und Landgericht, auch Hofmarksorten jährlich den ersten Mai öffentlich kund machen und publiziren zu lassen, mit dem Anhange, daß dem Aufbringer bei verificirlicher That eine Recompens zu Theil werden solle.“ Wohl ist in derselben Zeit viele Jahre hindurch dieser Verordnung Folge geleistet worden, aber in der neuern Zeit, wo ohnehin alle Polizei auf dem Lande in Vergessenheit kam, denkt kein Mensch mehr daran; höchstens hält man die Gemeinden zum Abraupen der Obstbäume an, und übersieht dabei, daß man die Hauptabrauper, die Singvögel, zuerst vertilgen ließ! — Wie sollen aber obige Verordnungen nur einigen Erfolg haben können, da die Vollzieher der Verordnungen davon selbst in ihren Wohnungen Vögel in Menge halten. Sehe man z. B. nur in München in allen Strassen umher, und man wird überall an und in den Häusern Vogelhäuser gewahren. Alle Sonntag ist sogar ein eigener Vogelmarkt. Es giebt förmliche Concessionen zur Unterhaltung von Vogelheerden rc.

Ist das nicht wohl ein förmliches Pasquill auf obige Verordnungen? — Können wohl bei solchen Verhältnissen auch alle diese Verbote und Strafen was helfen? Ich glaube nicht. Denn gäbe es nicht so viele Vogelkäufer, so würde es natürlich auch wenige Vogelabnehmer oder Stehler geben. Am zweckmäßigsten sollte man daher einen Mittelweg zwischen der natürlichen Freiheit, einen Vogel in der Wohnung zum Vergnügen zu halten, und der Forderung der Land- Obstbaum- und Garten-Wirthschaft, sohin der allgemeinen Wohlfahrt einschlagen.

Ich kenne ein Land, wo dieses seit Jahren mit bestem Erfolge geschehen ist; das ist im ehemaligen Herzogthume Berg. Das Nachtigall fangen z. B. war zwar nicht verboten. Wer aber in seinem Hause eine hatte, mußte jährlich eine Abgabe von 30 fl. zahlen. Selten fand man daher eine Nachtigall in einer Wohnung, aber in Menge im Freien in allen Gegenden des Landes. Ein schöneres Concert von Hunderten von Nachtigallen konnte man nicht hören, als im Hofgarten und in allen Gärten um Düsseldorf.

Es möchte also sicher auf jeden Fall das beste Mittel seyn, für das Vögelhalten eine jährliche Abgabe zu Gunsten des Polizeifonds nach einer Klassification der Vögel von 10 – 8 – 6 – 4 2 – 1 zu bestimmen. Bald würden sich die wohlthätigsten Folgen davon zeigen.

Im Junius 1836.

A —

115. Belehrung, alle Fleischgattungen zu jeder Jahreszeit schnell, leicht und wohlfeil, ohne Feuer und Rauch zu selchen (räuchern).

Nach Sanson's und nach eigenen Versuchen bearbeitet und vereinfacht von Adolph Pleischl, Doktor der Heilkunde und Professor der Chemie. Eigens abgedruckt in dem böhmischen Wirthschafts-Kalender v. J. 1836.

Von jeher ist der Landmann gewöhnt, Schweinefleisch zu räuchern, um es als Selchfleisch für längere Zeit aufbewahren zu können. Dieses konnte man aber auf dem Lande, wo eigene Rauchkammern und andere Vorrichtungen fehlen *), bisher nur im Winter vornehmen, und war dabei noch von so mancherlei Umständen abhängig, so zwar, daß das Fleisch bei derselben Behandlung, an demselben Räucherungsorte, bei aller Mühe und Sorgfalt nicht immer nach Wunsch ausfiel. Von andern Uebelständen, Diebereien z. B. gar nichts zu erwähnen.

Bei so bewandten mißlichen Umständen wird Jedermann gerne zugestehen, daß ein Verfahren, mittelst welchem man zu jeder Jahreszeit — ohne große Kosten und ohne alle andere Vorrichtungen als ein oder höchstens zwei hölzerne Gefäße (Schaffel, Kübel) zu benöthigen, in jeder Haushaltung sich selbst Selchfleisch bereiten, und dabei mit Sicherheit auf einen guten Erfolg rechnen kann — gewiß sehr vortheilhaft, nützlich und wünschenswerth sey. Und ein solches Verfahren, diesen Zweck zuverlässig und sicher zu erreichen, wird gerade durch gegenwärtige Belehrung auf Anordnung der hohen Landesstelle zur allgemeinen Kenntniß gebracht.

Diese Nützlichkeit wird noch einleuchtender, wenn man bedenkt, daß der Landmann zuweilen gezwungen ist, ein Stück Rindvieh mitten im heißen Sommer zu schlachten, und das Fleisch zu verschleudern, weil er es nicht lange genug aufzubewahren versteht. Noch schlimmer ist es, wenn Futtermangel eintritt, und der Viehstand vermindert werden muß, wo dann das Vieh tief unter seinem wahren Werthe im Preise herabsinkt.

*) In den früheren Wochenblättern des landw. Vereins ist auch die Räucherungs Methode in Westphalen sammt den Rauchkammern ausführlich beschrieben worden. A. d. R.

Durch das hier mitgetheilte, und durch mehrfache Versuche erprobte Verfahren ist man im Stande, jede Fleischgattung sehr lange aufzubewahren, und zum Genusse sehr wohlschmeckend erhalten zu können.

Vorbereitung des Fleisches.

a) Kalbfleisch, b) Ochsenzungen, c) Rindfleisch, d) Schinken und anderes Fleisch von Schweinen.

Alle genannten Fleischgattungen werden der Hauptsache nach gleich behandelt.

Das Kalbfleisch wird gleich nach dem Schlachten aus dem Felle genommen, sollte es verunreinigt seyn, so muß es vorher gereinigt werden, etwa durch Waschen mit kaltem Wasser; man läßt es dann an einem kühlen Orte durch 4 Stunden liegen, um selbes auskühlen zu lassen.

Ochsenzungen werden gehörig gereinigt.

Das Rindfleisch wird in Stücke von etwa 8 Pfund zertheilt, man schneidet die großen Knochen heraus, eben so auch beim Kalbfleisch und Schweinefleisch.

Die Schinken reiniget man, wenn sie verunreinigt seyn sollten, vorher; den Knochen aus dem dicken Fleische kann man herausnehmen oder auch darin lassen. Letzteres ist sogar besser.

Alles Fleisch wird jetzt gleich zu dem späteren nothwendigen Aufhängen auf irgend eine Art schicklich vorbereitet.

Man richtet ein reines, hölzernes Gefäß (Stander, Schaffel, Kübel) zu, und reibt es mit Knoblauch und Majoran gut ein.

Einsalzen des Fleisches.

Auf 25 Pfund Fleisch nimmt man:

Salpeter	4 Loth.
Kochsalz	1 Pfund.
Reife zerstossene Wachholderbeeren .	1½ Loth.
Knoblauch fein zerschnitten . .	1 – 2 Loth.
Majoran	2 Löffel voll.
Koriander (zerstossen)	2 Löffel voll.

½ Citronenschale fein zerschnitten.
Fein zerstossenen Pfeffer etwas weniges.
Einige Lorbeerblätter.

Mit diesen Dingen reibt man das Fleisch gut ein, und beginnt mit dem Salpeter, dann folgt Kochsalz, hierauf Wachholderbeeren, dann Citronenschalen und endlich Knoblauch; mit dem Majoran, Pfeffer und Lorbeerblättern wird zum Schlusse das eingeriebene Fleisch bestreut.

Sollte Jemand die Gewürze nicht gut vertragen können, oder zu theuer finden, der kann sie auch weglassen; Salpeter, Kochsalz, Wachholderbeeren und Knoblauch sind jedoch nothwendig, und sind auch überall zu haben, und Majoran wächst auf jedem Fleckchen der Erde, wo er nur angebaut wird; den kann man sich also auch leicht verschaffen. Die übrigen oben angegebenen Gewürze tragen allerdings zum Wohlgeschmacke des eingelegten Fleisches bei, und können unmöglich viel kosten, so, daß man in jeder Haushaltung die wenigen Kreuzer dafür leicht aufbringen wird.

Beim Einlegen in das hölzerne Gefäß sorgt man dafür, daß keine leere, hohle Zwischenräume entstehen, indem man sie mit kleineren Fleischstücken ausfüllet. So läßt man das Fleisch bedeckt über Nacht stehen, wo die Salze zerfliessen, und recht in das Fleisch eindringen können.

Was vom Kochsalz beim Einreiben übrig blieb, löst man in warmen weichen Wasser (Flußwasser, Teichwasser, oder in abgekochtem Brunnenwasser) auf, von dem man so viel nimmt, daß das Fleisch damit überdeckt werde, wozu etwa 8 Seidel Wasser nothwendig seyn dürften, und setzt neuerdings noch 1 Seidel Kochsalz hinzu. Dieses Salzwasser gießt man auf das Fleisch im hölzernen Gefässe, breitet ein Tuch darüber, damit kein Staub und dergleichen hineinfalle, und läßt es so durch 4 Tage an einem kühlen Orte stehen. Am 5. Tage beschwert man das Fleisch mit einigen vorher durch Waschen gereinigten Steinen, und legt bis zum 10. oder 12. Tage von Zeit zu Zeit einige hinzu, um den Druck zu vergrößern; kann man eine Schraubenpresse anwenden, so ist es noch besser und bequemer. Am 12. Tage nimmt man die Steine alle hinweg, oder läßt die Schraube nach, damit die Salzbeitze wieder recht in das Innere der Fleischstücke eindringen kann, und läßt es so durch 2 Tage stehen, worauf man den Druck nochmals auf 24 Stunden anwenden kann, wenn man will.

Das Fleisch bleibt in dieser Salzbeitze:

Im Sommer (im Keller oder an einem andern kühlen Orte).

Kalbfleisch	8 bis 12	Tage.
Ochsenzungen	8 — 12	—
Rindfleisch	14 — 18	—
Schinken	14 — 18	—

Im Winter:

Kalbfleisch	14 bis 18	Tage.
Ochsenzungen	14 — 18	—
Rindfleisch	20 — 24	—
Schinken	20 — 24	—

Räuchern des Fleisches.

(Auf nassem Wege)

Etwa 3 Tage vorher, ehe man nach der oben angegebenen Zeit das Fleisch aus der Salzbeitze herausnimmt, bereitet man sich die

Räucherungs-Flüßigkeit

auf folgende Weise:

Man sucht in der Küche oder dem Kamine den Glanzruß (Kaminpech) auf, (der lockere Flugruß taugt nicht) und kratzt ihn so vorsichtig ab, daß kein Kalk, Mörtel (Malter) oder Lehm mit abgekratzt werde; diesen reinen Glanzruß *) läßt man zu feinem Pulver zerstossen, und nimmt auf 25 Pfund Fleisch 1 Pfund Glanzruß, übergießt ihn mit 4 Maß Flußwasser oder abgekochtem Brunnenwasser, dem 1 Seidel guten Essigs beigemischt worden ist, und läßt das Ganze unter oft wiederholtem Umrühren durch 60 Stunden stehen, und setzt gegen das Ende (2 Stunden vor dem Gebrauche) 4 Loth Kochsalz hinzu, rührt alles gut durch einander, und läßt es ruhig absetzen.

Ist die Rußlauge nun so vorbereitet, so nimmt man das Fleisch aus der Salzbeitze, reiniget es von den allenfalls anhängenden Kräutern, und reiniget auch das Gefäß, in welchem die Salzbeitze war, gut aus, und legt das Fleisch wieder hinein; oder was besser ist, man legt das Fleisch in ein zweites

*) So viel bisher bekannt ist, findet man dort, wo bloß Steinkohlen gebrannt werden, keinen Glanzruß; wo nur zuweilen Steinkohlen gebrannt werden, kann der vorhandene Glanzruß in Ermanglung eines bessern von bloßem Holze herrührenden immerhin gebraucht werden.

reines Gefäß, und übergießt es darin mit der Rußlauge. Sollte die Rußlauge nicht alles Fleisch bedecken, so gießt man auf den Ruß nochmals so viel Wasser, als man zur vollständigen Bedeckung des Fleisches braucht, rührt fleißig um, und schüttet diese zweite Rußlauge, nachdem sie vorher durch Absetzen klar geworden ist, zur ersteren auf das Fleisch. In dieser Rußlauge läßt man das Fleisch nun 24–48 Stunden liegen, und wendet es während dieser Zeit einigemal um, damit die Flüssigkeit überall gut eindringen kann.

Zu lange darf das Fleisch in der Räucherungsflüssigkeit nicht bleiben, weil es sonst einen unangenehmen Pechgeruch annehmen könnte.

Das aus der Rußlauge genommene Fleisch hängt man an einem luftigen Orte so auf, daß es mit Kalkwänden in keine Berührung kommt.

Nach 2–3 Tagen ist das Fleisch schon genießbar, läßt sich aber auch sehr lange aufbewahren. Die Rußlauge kann öfters, und so lange benützt werden, bis sie ganz erschöpft ist.

Es versteht sich übrigens von selbst, daß man die oben angegebene Menge aller nothwendigen Dinge in dem Maße vermehren muß, in welchem man mehr Fleisch so zubereiten will. Will man z. B. 50 Pfund Fleisch einlegen und selchen, so muß von allen angegebenen Körpern die doppelte Menge genommen werden, die Zeit bleibt aber dieselbe.

Das auf vorstehende Weise (auf nassem Wege) geselchte Fleisch hält sich recht lange gut und saftig. Nach einiger Zeit zeigt sich wohl hie und da ein weißer Schimmel an demselben, welcher aber bloß auf der Oberfläche bleibt, und nicht in das Fleisch eindringt, nicht den geringsten Nachtheil verursacht, und vor dem Kochen mit Wasser abgewaschen wird.

Jedermann, der nach der hier gegebenen Vorschrift sein Fleisch zubereitet, wird sich durch eigene Erfahrung von der Haltbarkeit und von dem Wohlgeschmacke desselben überzeugen.

Sollte man auch noch andere Fleischgattungen, als z. B.

e) Spanferkel, f) Geflügel und g) Fische selchen wollen, so verfahre man nach Sanson (da ich mit diesen Fleischgattungen noch keine Versuche angestellt habe) auf folgende Weise:

Aus dem Spanferkel (jungen Schweinchen), Geflügel und Fischen nimmt man zuerst die Eingeweide heraus, und reibt dann das Innere fleißig mit Salz ein.

Bei Gänsen, Enten, Truthühnern (Indianen), Hühnern und Fischen kann man zum Ausreiben der Bauchhöhle dem Salze etwas Pfeffer zusetzen.

Alle diese Fleischgattungen werden dann, wie oben gesagt wurde, behandelt, nur mit dem Unterschiede, daß sie nur 1 Stunde in der vorgeschriebenen Salzbeitze bleiben, und bei ihnen kein Druck angewendet wird. (Ich würde jedoch rathen, sie einige Stunden in der Salzbeitze liegen zu lassen, damit sie von ihr gehörig durchdrungen werden können. P—l.)

Nach dieser Vorbereitung legt man diese Fleischgattungen in die

Rußlauge,

und läßt sie nach der verschiedenen Größe 1 bis 2 Stunden darin liegen, worauf man sie herausnimmt, und auf die bereits erwähnte Art (nämlich frei hängend und entfernt von Kalkwänden) aufhängt. (Auch hier möchte ich zum mehrstündigen Liegenlassen in der Rußlauge rathen, weil dieses zum bessern Eindringen derselben in das Fleisch nothwendig ist. P—l.)

Zum Schlusse glaube ich noch die Versicherung hier beifügen zu müssen, daß nach dem oben mitgetheilten Verfahren zubereitetes Rindfleisch und Schinken der k. k. mediz. Fakultät, und der k. k. patr. ökon. Gesellschaft in Prag zur Prüfung vorgelegt, und beide Fleischgattungen von beiden Behörden als sehr brauchbar und sehr wohlschmeckend befunden und anerkannt wurden.

Würste

lassen sich ebenfalls durch die Räucherungsflüßigkeit zum längeren Aufbewahren geschickt machen.

Man kann bei der Anfertigung der Würste auf folgende Weise verfahren:

Man nimmt 5 Pfd. Schweinefleisch vom Schinken und Bratenstück (die Knochen werden vorher schon entfernt), zerhackt es wie gewöhnlich, giebt dazu:

3 Loth Kochsalz,
1 Quentchen Salpeter,
1 Kaffeelöffel voll Majoran, }
30 Körner Pfeffer, } alle 3 Dinge zu Pulver gestossen.
1 Muskatnuß, }
1 Zehe Knoblauch klein zerschnitten und zerquetscht,

knetet alles mit den vorher rein gewaschenen Händen gut durch einander, und füllt die Masse in dünne wohlgereinigte Rindsdärme, welche 1½ – 2 Zoll im Durchmesser haben.

Das Füllen geschieht mittelst eines Trichters aus Horn, oder eines eisernen Ringes, oder eines Schlüssels, wie ohnehin bekannt ist. Majoran, Pfeffer und Muskatnuß tragen zum Wohlgeschmacke der Würste wesentlich bei; wer aber das eine oder das andere dieser Gewürze nicht mag, oder zu theuer findet, kann es auch weglassen.

Die so zubereiteten Würste bleiben durch 48 Stunden an einem kühlen Orte liegen, damit die Salze und Gewürze recht in das mit Fett vermengte Fleisch eindringen können: sie kommen hierauf in die Rußlauge, (in welcher vorher schon Schinken geselcht worden seyn können,) und bleiben durch 12 Stunden darin. Man beschwert sie mit einem hölzernen Teller, damit sie nicht oben aufschwimmen, sondern untergetaucht werden; sie werden dann herausgenommen, und auf einer Stange frei in der Luft schwebend aufgehängt.

Sind die Würste dünner, wie man sie aus Schweinsdärmen erhält, so wird es hinreichen, sie 6 – 8 Stunden in der Rußlauge zu lassen. Die ganz dünnen, etwa fingerdicken, bleiben höchstens 3 Stunden darin.

Damit die Räucherungsflüssigkeit besser in das Innere der Würste eindringe, kann man die dicken Würste einigemal mit einer Steck- oder Nähnadel durchstechen, bei den dünnen aber kann dieses füglich unterbleiben.

Daß die so zubereiteten und geselchten Würste sehr wohlschmeckend sind, und sich lange gut erhalten lassen, mag man mir vor der Hand auf's Wort glauben; Jedermann aber, der sich dabei nach der hier gegebenen Vorschrift richtet, wird hievon durch eigene Erfahrung die volle Ueberzeugung erhalten.

---

116. Ueber das Einpöckeln und Einlegen des Schweinfleisches in England.

Der Körper des geschlachteten Thieres wird in Stücke zerschnitten, und in eigene Gefässe eingelegt, welche so groß sind, daß sie zwischen ein und zwei Hundert Pfund aufnehmen können. Man bereitet eine Salzauflösung mit Wasser, die so stark ist, daß ein Ey darin schwimmen kann; diese Auflösung wird dann gekocht, und wenn sie ganz ausgekühlt ist, über das Fleisch geschüttet. Hierauf wird der Schlußdeckel eingefügt, und das Gefäß auf den Marktplatz verschifft. In der unten stehenden Anmerkung fügen wir noch die neuesten Erfahrungen eines Schriftstellers über die anerkannt beste Methode zum Räuchern des Speckes bei. *)

---

*) Nachdem der ganze Körper des geschlachteten Thieres die ganze Nacht hindurch hängen blieb, lege man ihn mit dem Rücken auf einen starken Tisch oder eine Bank; man schneide den Kopf knapp an den Ohren ab, und ebenfalls die Hinterfüße so weit unter der Kniekehle, daß die Form der Schinke nicht entstellt wird, und an derselben bequem aufgehangen werden kann; hierauf nehme man ein Spaltmesser und im Erforderungsfalle ein Handbeil, theile den Körper nach der Mitte des Rückgrades, und lege ihn in zwei gleiche Hälften; ferners löse man die Schinken am zweiten Gliede des Rückgrades, welches bei der Theilung des Körpers erscheinen wird, aus, und gebe ihnen durch Wegschneiden der überflüssigen Theile, so wie des anhängenden Fettes, die gehörige Zurichtung. Der Selcher wird nun die vorstehende scharfe Kante des Rückgrades mit einem Messer und einem Beile entfernen, die erste, zunächst der Schulter stehende Rippe auslösen, daselbst ein Blutgefäß bemerken, und dieses herausnehmen müssen; denn bliebe dieses darin, so könnte jener Theil leicht in Fäulniß übergehen. Die vorstehenden Ecken müssen nach abgeschnittenen Schinken ausgeglichen werden.

Bei dem Schlachten mehrerer Schweine müssen die am ersten Tage zugerichteten Theile auf Tafeln oder Bretes gelegt, kreuzweis über einander geschichtet, jedes einzelne Stück mit Salpeter bestreut, und das Ganze dann mit Salz bedeckt werden. Auf die nämliche Art verfährt man mit dem Schinken selbst; nur darf man nicht übersehen, auch diese mit etwas Salpeter zu bestreuen, weil er die Poren des Fleisches für die Aufnahme des Salzes öffnet, dem Schinken einen angenehmen Geschmack verschafft, und sie auch saftiger macht. In diesem Zustande läßt man sie ungefähr eine Woche liegen, legt dann die obersten Stücke zu unterst, und salzet sie aufs Neue ein. Nachdem sie zwei bis drei Wochen so gelegen haben, können sie zum Trocknen in einen Schornstein oder in einer Rauchkammer aufgehangen werden; oder wenn es dem Selcher gefällt, läßt er die einzelnen Stücke noch einmal umlegen, ohne

117. Von Anlegung lebendiger Hecken und Zäune.

Die lebendigen Zäune, welche nach den verschiedenen deutschen Provinzen, in welchen man sie anlegt, verschiedentlich benennt werden, nämlich grüne Hecke, Knick, grüner Haag, Paatwerk, Gehagezaun, lebendige Einbefriedigung — gehören zu den nützlichsten, ökonomischen Erfindungen. Jemehr wir sie anlegen, desto beßer vermehrt sich die Menge des im Lande vorhandenen, lebenden Nutzholzes, wogegen das Anlegen todter Zäune zur Verminderung des im Lande befindlichen Holzes gereicht. Nichts desto weniger schicken sich die lebendigen Zäune nicht an alle und jede nur denkbare Orte, vielmehr haben zu manchen Behufsarten die todten Zäune wirkliche Vorzüge. Wenn man z. B. ein nur kleines Revierchen einzäunen wollte, so wäre ein lebendiger Zaun nicht wohl angewandt; denn, eben weil er lebt und wächst, so saugt er das kleine Land, welches

---

sie neuerdings einzusalzen; in diesem Zustande können sie einen oder zwei Monate liegen bleiben, werden keinen Nachtheil erfahren, und mögen dann nach Bequemlichkeit zum Trocknen aufgehangen werden. Mehrere Jahre hindurch war ich gewohnt, meine Schweinfleischstücke und Schinken in dem ganzen Lande zu mehreren Landwirthen zu verführen, wo ich sie in die Kamine und andere Orte des Hauses zum Trocknen aufhieng und manches Jahr wohl an 500 Schweine so vertheilte. Allein ich fand, daß dieses Verfahren mit Unannehmlichkeiten verbunden war, obwohl es gegenwärtig noch in Diemfriesshire üblich ist.

Vor ungefähr zwanzig Jahren ließ ich mir ein kleines Rauchgebäude von sehr einfacher Construction errichten. Es ist zwölf Quadratfuß groß, und die Wände gegen sieben Fuß hoch. Eines dieser Gemächer hat sechs Aufhängebalken nothwendig, wovon an jeder Wand einer, und die übrigen in angemessenen Entfernungen angebracht sind. Um fünf Reihen von Speckseiten aufzunehmen, müssen sie an den oberen Theil der Wand gelegt werden. Ein Stück Holz, stark genug, um das Gewicht einer Speckseite zu tragen, muß durch die Bauchgegend der Speckseite gesteckt, und durch zwei Stricke befestiget werden, während der Theil des Halses herabhängt. Das Holzstück muß länger seyn, als die Dicke der Speckseite beträgt, damit die beyden Enden auf einem Balken ruhen können. Man bringt sie so nahe an einander, daß sie sich nicht berühren. Die Breite des innern Raumes nimmt in einer Reihe 24 Speckseiten auf, und da es fünf Reihen giebt, so enthalten sie 120 Speckseiten. Von Schinken kann man zu gleicher Zeit über

er umgeben soll, selbst gar merklich aus, und es ist dann nicht viel besser, als hielte man das Land um des Zaunes willen. Zudem werden auch lebendige Zäune alljährlich breiter, und so wie sie unter sich immer ärger saugen, ebenso nehmen sie auch über der Erde immer mehr an Breite zu, fangen also an, immer mehr den Platz dieses ohnehin engen Gärtchens oder Feldstücks zu schmälern und zu überschatten. Um die Gärten herum taugen überhaupt die lebendigen Zäune eigentlich gar nicht, weil sie doch nicht leicht so dicht werden, daß nicht Hasen, Hunde, Schweine, Federvieh rc. gar häufig hindurchzukriechen Gelegenheit fänden, welches ja allemal zum Schaden dessen geschieht, was man in den Garten gesäet und gepflanzet hat. Nach meinem Urtheile schicken sich um Gärten herum lediglich Mauern, oder wo diese zu kostbar sind, Erdwände oder auch gutgemachte todte Zäune. Die lebendigen Hecken hingegen gebühren sich zur Einzäunung solcher Felder, Wiesen, Gehölze

---

die Speckseiten eben so viele aufhängen, als sich nur unterbringen lassen. Das untere Ende der Speckseiten wird 2½ bis 3 Fuß vom Fußboden entfernt seyn, und dieser muß 5 bis 6 Zoll dick mit Sägespänen bedeckt werden, welche man dann auf zwei Seiten anzündet. Diese brennen ohne Flamme, und verursachen dem Specke keinen Nachtheil. Die Thüre bleibt fest geschlossen, und das Gemach muß an der Decke eine kleine Oeffnung haben, um dem Rauche den Ausgang zu gestatten. Die ganze auf einmal eingelegte Quantität Speck und Schinken wird zur Verpackung und Versendung nach acht oder zehn Tagen oder höchstens nur einige Tage später bereit seyn, ohne dabei viel am Gewichte zu verlieren. Nach dem Einsalzen kann der Speck in dem dazu gewidmeten Gemache auf die angegebene Art längere Zeit liegen bleiben, bis man es angemessen findet, ihn aufhängen zu lassen.

Ich fand, daß dieses Rauchgemach mit großer Ersparung nicht allein in Rücksicht der Kosten und der Bemühung der zur Verführung im Lande und bei der Vertheilung unter den Landwirthen verwendeten Personen herbeiführte, sondern auch mit einem geringeren Gewichtverluste verbunden war. Noch muß bemerkt werden, daß bei der Verschiffung nach London, oder sonst wohin, Speck sowohl als Schinken in Zuckertonnen oder ähnliche Gefäße von 1000 Pfund Inhalt zu verpacken und recht fest zusammenzupressen sind. Das Einsalzen und Räuchern des Speckes kann nur von der Mitte des Septembers bis halben April geschehen. „Henderson's Treatise on Swina, pag. 39.

und Weinberge, die zu groß sind, als daß man sie ohne Verschwendung gewaltig vielen Holzes mit einem todten Zaune einbefriedigen könnte, und welche gerade eine solche Einzäunung haben müssen, die nicht eben undurchdringlich zu seyn braucht, wohl aber gegen den ersten Anlauf des vorbeigetriebenen Viehes rc. vollkommen sichert. Auf solchen Plätzen sollte man wirklich nichts als lebendige Zäune pflanzen. Auch an Heerstrassen könnten sie sehr wohl stehen.

Auch an Strassen sind lebendige Hecken von Nutzen. In Holstein und Mecklenburg, wo die sogenannte Koppelwirthschaft üblich ist, hat man eine sehr bequeme Art, mit diesen lebendigen Zäunen zu verfahren. Das als Wiese gelegene, zur Korn-Wintersaat bestellte Land wird nämlich zugleich mit einem lebendigen Zaune umgeben, welcher, so lange das Land zum Getreidebau benutzt wird, Zeit hat zum Wachsen, und mithin in dieser Zeit so erstarkt, daß er alsdann durch die Beschädigung des Viehes nicht mehr leidet. Nach Verlauf der Zeit, welche zum Getreidebau bestimmt ist, wird das Land wieder als Wiese benutzt und nach Verlauf dieser Zeit abermals zum Getreidebau, in demselben Jahre aber wird die Hecke abgeholzt und hat sodann wieder 7 – 9 Jahre Zeit zum neuen Wachsthum, nach welcher Zeit das Land wieder als Wiese benutzt wird.

Die beste Zeit zur Anpflanzung lebendiger Zäune ist der Monat Oktober. Alle Holzarten, welche niedrig und strauchartig wachsen, sind zu Hecken tauglich, wenn sie außerdem noch folgende Eigenschaften haben:

1) müssen sie an unser Klima gewöhnt seyn;

2) daß sich ihr Holz beschneiden und verstutzen läßt, ohne dadurch zurück zu trocknen;

3) daß sie die Eigenschaft besitzen, nach dem Abholzen aus der Wurzel wieder auszuschlagen. Untauglich oder wenigstens minder gut zu Hecken sind folgende Holzarten:

1. Alle Weiden-Arten, Salix;
2. Pappeln und Espen, Populus;
3. Kirschen, Prunus Cerasus;
4. Vogelkirschen, Prunus Padus;
5. Hollunder, Sambucus;
6. Schneeball, Viburnum;
7. Haselnuß, Corylus Avellana;

8. Faulbaum, Rhamnus frangula;
9. Johannisbeer, Ribes;
10. Spiräen, Spiraea;
11. Syringe, Syringa;
12. Jasmin, Philadelphus;
13. Hagebutten, Rosa canina;
14. Waldrebe, Clematis;
15. Geisblatt, Lonicera; u. a. m.

Die vorzüglichsten zu Hecken tauglichen Holzarten sind folgende:

1. einige Obstbaumarten;
2. Rothbuchen, Fagus sylvatica;
3. Hainbuchen, Carpinus Betulus;
4. Rüstern, Ulmen, Ulmus campestris;
5. Eichen, Quercus robur;
6. Linden, Tilia;
7. Maulbeeren, Morus;
8. Taxus, Taxus baccata;
9. Wachholder, Juniperus communis;
10. Stechpalme, Ilex aquifolium;
11. Reinweide, Ligustrum vulgare;
12. Weißdorn, Crataegus;
13. Spindelbaum, Euonymus;
14. Sauerdorn, Berberis vulgaris;
15. Kreutzdorn, Rhamnus catharticus.

Unter den Obstbaum-Arten, welche zu Hecken tauglich sind, bemerke ich folgende: Tauben-Apfel, Pigeon, Goldpeppin, Reinette, August-Apfel, Passe pomme rouge; — ferner mehrere Pflaumen-Arten und Quitten. Man pflanzt diese im November ½ Schuh weit auseinander und schneidet die Stämmchen im Frühling 6 Zoll hoch über der Erde ab. Alljährlich wird die Hecke bis auf 4 Augen zurückgeschnitten; im Herbste jedes Jahres muß die Erde an den Obsthecken umgehackt und alle 3 Jahre gedüngt werden. Nach Befolgung dieser Vorschrift wird man eine sehr dichte und schöne Hecke erhalten und von derselben später auch noch schöne und reichliche Früchte ärnten können.

Weißdornhecken werden am besten durch den Samen angelegt, wenn man nämlich die völlig reifen Beeren, welche zu der Aussaat vorbereitet worden sind, dahin säet, wo die Hecke angelegt werden soll. Diese Beeren sammelt man nämlich zur Zeit der Reife, vermischt sie mit etwas Holzäsche und vergräbt sie 2 Schuh tief in die Erde. Den Winter hindurch muß der Platz, an welchem die Kerne liegen, vor dem Frost verwahrt werden, im folgenden Frühling werden sie gesäet. Die Heckenlinie muß 2 Schuh breit und eben so tief im Herbst umgegraben oder rigolt werden. Es ist übrigens besser, die Beeren auf besondere Beete auszusäen und im folgenden Jahre die Linie zu pflanzen, weil dadurch die Hecke gleichmäßiger gebildet wird. Sind die Pflanzen 2 Schuh hoch gewachsen, so bindet man sie kreuzweise und schneidet sie über der Stelle, an der sie gebunden sind, auf 4 Augen zurück, so wird das Binden und Flechten alljährlich erneuert.

Der weiße Maulbeerbaum, wie die Weißdornen behandelt, giebt sehr gute Hecken und hat sodann durch die Benutzung seiner Blätter zum Futter für Seidenraupen einen doppelten Werth.

Hecken von Ilex aquifolium sind in geschützten Lagen sehr zu empfehlen, in rauhen und hohen Lagen erfrieren dieselben hingegen sehr oft. Die Anpflanzung wird im August vorgenommen und die Pflanzen müssen immer feucht erhalten werden.

---

118. Einiges zur Fabrikation von Cider oder Aepfelwein.

Man findet im Journal des connaissances usuelles, November 1834, übersetzt im poln. Journale, zwei den Cider oder Aepfelmost betreffende Fragen von einem der ausgezeichnetsten Oekonomen der Normandie folgender Massen beantwortet.

1. Fr. Aus welchen Gründen bekommt der der Luft ausgesetzte Cider oft eine sehr dunkelbraune Farbe?

Antw. Unser Cider schwärzt sich nie, indem wir ihn immer auf dem Geläger und in großen Fässern lassen; gewöhnlich schwärzt er sich aber sogleich, wenn er abgezogen, und des leichtern Transportes wegen in kleineres Geschirr gefüllt wird. Wenn ja zufällig einige Fässer einen Cider geben, der schwarz wird, so hängt dieses sehr oft von deren Lage und Reinheit ab. Man steigt daher in der Normandie zum Behufe des Reinigens bei einem Loche in die Fässer, und verschließt dieses Loch dann von Aussen mit einer kleinen Eisenstange, und mit Keilen, die man dazwischen treibt. Jährlich wird auch bei uns Schwefeleinschlag gegeben.

2. Fr. Warum wird der Cider sauer?

Antw. Dieses rührt von verschiedenen Ursachen her.

1) giebt es Orte, die immer einen mageren Cider geben, welcher schon im ersten Jahre verbraucht werden soll, und welcher, wenn man ihn länger aufbewahrt, einen harten und unangenehmen Geschmack bekommt, und endlich sauer wird. Bei einem Gewächse dieser Art dürfen die Aepfel nicht eher zerquetscht werden, als bis wenigstens ⅔ davon gefault sind; dabei muß man aber Acht haben, daß die Aepfel weder schwarz noch schimmelig werden, indem sich der Schimmelgeschmack sehr schnell dem Cider mittheilt.

2) Hängt dieses aber noch von der Jahreszeit ab. Wenn nämlich die Hitze während der Aernte groß ist, so darf man die Aepfel nicht in großen Haufen aufschütten, indem sie sich sonst erhitzen, und einen Cider geben, der schon, wenn er aus der Presse kömmt, säuerlich ist. In heissen Herbsten soll man daher die Aepfel lieber unter den Bäumen liegen lassen, bis die Hitze abgenommen hat, anstatt sie früher zu sammeln.

Seit einigen Jahren befolgen jene Grundeigenthümer, deren Boden nur magern und leichten Cider giebt, folgendes Verfahren, um denselben milder zu machen und länger trinkbar zu erhalten. Sie setzen nämlich auf ein Faß Cider von 5 bis 600 Liter wenigstens 40 Liter süßen Cider, in welchem sie ein Kilogramm Alaun auflösen, und den sie eine Stunde lang sieden lassen, zu. Diese Auflösung wird noch warm in das für den Cider bestimmte Faß gebracht; man läßt sie in diesem gut zugespundet abkühlen, und füllt dann erst das Faß mit dem mageren Cider auf. — Sehr verbessern kann man den Cider und viele Jahre haltbar kann man ihn machen, wenn man ihm im Februar auf 100 Liter 3 Kilogramm gute Cassonade zusetzt, und ihn dann im März in Flaschen abzieht. — Noch bemerken wir, daß die Nordamerikaner ihren Cider, der eine sehr schöne Farbe und einen sehr angenehmen Geschmack hat, und wovon die Bouteille selbst zu 5 Frc. verkauft wird, mehr oder weniger lang kochen, je nach dem Grade von Mildheit, den sie ihm geben wollen.

119. Ueber ein Insekt, welches die Runkelrübenpflanzungen verheert,

giebt der 23ste Band der Annales des sciences naturelles Seite 93 eine Nachricht von Macquart folgenden Inhalts.

Die Ausdehnung, welche der Anbau der Runkelrüben im nördlichen Frankreich zum Behufe der Zuckergewinnung erreicht hat, gab Veranlassung zu Beobachtung eines kleinen Käfers, welcher zuweilen große Beschädigung dieser Culturen herbeiführt, indem er sich an die jungen, im Anfang der Entwicklung befindlichen Pflanzen in großen Schaaren setzt und sie verzehrt; schon ganze Felder sind dadurch verheert worden. Im Jahre 1829 zeigte sich dieses Käferchen bei Béthune, Dept. Pas de Calais so schnell, daß die Saat dreimal wiederholt werden mußte, bis sie gelang. Dieses Insekt übt (hauptsächlich) im Larvenzustande seine Verwüstungen aus. Die Ursachen seines Aufkommens in gewissen Jahren, während es in andern sich nicht zeigt, liegen noch sehr im Dunkeln, und es läßt sich nur im Allgemeinen vermuthen, daß dasselbe auf einer, der Entwicklung dieses Insektes günstigen Beschaffenheit der Witterung beruhen möge. Da man erst, seitdem diese Cultur im Großen betrieben wurde, merkliche Beschädigungen durch dieses Insekt bemerkt, so ist es wahrscheinlich, daß dasselbe Anfangs nur in geringer Zahl in jenen Gegenden sich gefunden haben möge, mit Zunahme der Rübenkultur hingegen sich vermehrt habe, zumal, da dort die nämlichen Felder bis an 7 oder 8 Jahre nacheinander zu dieser Culturart verwendet werden.

Als ein Mittel gegen dieses Insekt wird dort das Verfahren der Einwohner des Kantons Laventie, Pas de Calais, vorgeschlagen, welches diese anwenden, um ihre Leinsaaten vor den Verheerungen der Haltica (Erdfloh) zu sichern. Die Nachbarn kommen nämlich überein, auf denselben Tag zu säen, so daß die Wirkungen dieses Insekts, auf eine große Fläche vertheilt, unmerklich werden, während die vereinzelt gemachten Saaten sehr häufig zerstört werden.

Dieser kleine Käfer scheint noch nicht beschrieben zu seyn, besonders da die Bestimmung desselben wegen seiner Kleinheit schwierig wird, namentlich konnte der Berichterstatter nicht erkennen, ob er 4 oder 5 Tarsus-Glieder (Fußgelenke) habe. Aus dem Umstand, daß die drei letzten oder obersten Glieder der Antennen (Fühlhörner) dicker sind, als die übrigen, ließe sich etwa schliessen, daß er der Familie Xylophaga (Holzkäfer) oder Nitidula (Glanzkäfer) angehöre. Seinem Aeußeren nach könnte er der Gattung Silvanus angehören, doch ist seine Körperform weniger länglicht. Auch mit der Gattung Cryptophagus hat er Aehnlichkeit, zu welcher ihn Latreille zählen will, nur ist derselbe schmäler. In Hinsicht der Lebensart unterscheidet er sich von der Gattung Silvanus, da die Arten des letztern sich von der innern Substanz gewisser Samenkörner nähren, oder unter den Baumrinden hausen. Auch mit denjenigen Cryptophagen hat er nichts gemein, welche sich in den Häusern, auf den Schwämmen und manchmal auf den Blumen finden. Dennoch wird er Cryptophagus betae genannt. Seine Länge beträgt ⅓ par. Linien, die Farbe ist dunkelbraun, etwas glänzend; die Antennen braunfahl, Kopf und Brustschild schwarz, glatt oder sehr fein punktirt, die Seiten des Brustschildes etwas abgerundet, Flügelschilde bald röthlichbraun, bald schwarzbraun, glatt oder fein punktirt, die Füße braunfahl.

Obgleich diese Plage in unsern Gegenden noch nicht einheimisch ist, so machen wir hiemit doch auf dieselbe aufmerksam, sofern die Cultur der Runkelrübe im Zunehmen begriffen zu seyn scheint; die Verwüstungen dieses Insekts scheinen denen der Erdflöhe sehr ähnlich, und es dürften diejenigen Mittel gegen dasselbe gleichfalls gelten, welche gegen die Erdflöhe Dienste thun. Da es wahrscheinlich ist, daß die Eier dieser und anderer Insekten an die Samen gelegt werden, so dürfte eine Einweichung der Samen in Salzwasser ein Mittel werden, diese wie andere, ähnliche Insekten abzuhalten.

---

120. Neue Futterpflanze für Seidenraupen.

Die bis jetzt nur in botanischen Gärten gehaltene, jedoch, wie die großen Exemplare in dem Pariser Pflanzengarten beweisen, sehr gut im Freien ausdauernde

Maclura aurantiaca

liefert nach den in Frankreich gemachten Erfahrungen ein, von den Seidenraupen gerne gefressenes, saftiges Laub, welches noch zarter ist, als das des weißen Maulbeerbaumes und gegen Frühlingsfröste weniger empfindlich seyn soll.

---

121. Warnung vor der Leinfütterung.

Hr. Apotheker A. Voget hat in der pharmaceutischen Zeitung (1836 Nr. 5 S. 75) folgende Beobachtung bekannt gemacht:

Ein Bauer zu Karken im Kreise Heinsberg (am Niederrhein) hatte auf einem Felde Acker-Spark (Spergula arvensis) mit Flachs (Linum usitatissimum) vermengt, was zusammen abgemähet, mit kochendem Wasser angebrüht und dem Rindvieh als Grünfutter gegeben wurde, worauf sämmtliche Thiere in kurzer Frist tödtlich erkrankten, zum Theil krepirten oder geschlachtet werden mußten.

Die Thiere lagen in einem gelähmten Zustande auf der Erde, mit aufgeblähtem Bauche, stieren Augen, ohne sich aufrichten zu können. Drei Tage nach der Fütterung krepirte zuerst das jüngste Rind. Bei der Obduction desselben fanden sich die Flachsfasern wie ein Knäuel zusammengeballt im Magen; vermuthlich war dadurch eine gänzliche Störung der Verdauungs-Function herbei geführt worden.

Nachdem ein zweites Rind und eine Kuh troß aller angewandten Mittel 14 Tage lang darnieder lagen, und durch das Liegen bereits brandige Flecken zu bekommen anfiengen, blieb nichts übrig, als Kuh und Rind zu schlachten.

Bei der Oeffnung dieser Thiere fand man ebenfalls unverdaute Flachsballen, pfropfartig die Communikations-Kanäle der Mägen verstopfend, wogegen die dünnen Gedärme leer befunden wurden. Hr. Voget glaubt, daß die Schädlichkeit des erwähnten Grünfutters durch die Behandlung mit kochendem Wasser verursacht worden sey, indem die von der grünen Oberhaut durch das kochende Wasser befreiten Flachsfasern wie Garn ganz unverdaulich geworden seyen. Zu bemerken ist noch, daß ein Ochs, welcher von demselben Futter bekommen hatte, und darauf gleichfalls erkrankt war, sich wieder erholte, wahrscheinlich in Folge seiner stärkeren Constitution. Hr. V. sagt schließlich noch, daß schon im vorigen Jahre mehrere Kühe in verschiedenen Dörfern seiner Gegend aus ähnlicher Ursache krepirt seyen, und daß es wünschenswerth sey, den Landmann auf die Gefährlichkeit der Leinfütterung aufmerksam zu machen.

Es frägt sich, hat man anderwärts so etwas auch schon beobachtet? Eine Belehrung hierüber durch das Centralblatt des landw. Vereins in Bayern wäre gewiß nicht ohne Nutzen.

Ein Vereinsmitglied.

122. Benutzung der Maikäfer auf Oel.

In der Gegend von Quedlinburg (heißt es in der polytechnischen Zeitung) haben sich in diesem Jahre die Maikäfer in so ungeheurer Anzahl gezeigt, daß sich, um die durch ihre Gefräßigkeit zu befürchtenden Verheerungen möglichst abzuwenden, daselbst ein Verein zur Verminderung ihrer Unzahl gebildet hat. Dieser Verein hat zu dem erwähnten Zwecke eine Sammlung von Geldbeiträgen veranstaltet, und die eingelieferten Maikäfer den Schäffel Anfangs mit 5 Sgr., später mit 4 Sgr. bezahlt. Bis zum 18. Mai waren an Geldbeiträgen eingegangen 191 Thlr. 12 Sgr., und aus diesem Gelde bereits 44 Wispel 3 Schäffel 11 Metzen Maikäfer mit 156 Thlr. 27 Sgr. 8 Pf. angekauft worden. Nach einem ungefähren Ueberschlage enthält die eingelieferte Wispelzahl gegen 19 Millionen Maikäfer, welche an 160 Mill. Engerlinge hätten erzeugen können, und hierdurch läßt sich der Schaden leicht ermessen, welcher durch die Vernichtung jener ungeheuern Massen abgewendet worden ist. Uebrigens muß bemerkt werden, daß der Maikäfer ganz in der Nähe seines Entstehungsortes seine Nahrung sucht und daß daher die Einwohner jeder von Maikäfern heimgesuchten Gegend für die Vertilgung Sorge tragen müssen, um sich vor den Verheerungen durch dieselben und ihre Brut zu schützen.

Diese Maikäfer könnte der Verein bei dem billigen Preise, zu dem er sie erhielt, mit großem Vortheil auf Oel benutzen. Nach J. C. Leuchs „Oel- und Fettkunde" (S. 198) bringt man sie zu diesem Zweck in irdene Töpfe, deren Mündung mit Stroh oder einem Drahtgitter verschlossen wird, die man dann umgekehrt über ein Auffanggefäß stellt. Hat man so mehrere Töpfe neben einander gestellt, so macht man ein Feuer von Reisig oder Hobelspänen darüber an. Das Oel fließt ab und tropft in das Auffanggefäß. In der Neogroder Gespannschaft in Ungarn erhielt man so aus 8 Maß Maikäfern drei Maß Oel, und benutzte es zu Wagenschmiere. Da bei diesem Verfahren ohne Auspressen wohl noch ein großer Theil Oel in den Käfern zurückbleibt, so ist klar, daß die Maikäfer an Oelgehalt den reichsten Oelsamen übertreffen, und bei obigem Einkaufspreise möchte dieses Oel selbst billiger als Thran kommen. Durch Destillation der auf Oel benutzten Käfer liesse sich noch gutes Gas, wie das aus Talg, gewinnen, und man erhielte zuletzt eine zur Bereitung des Berlinerblaues brauchbare Kohle.

Mitglied des Conseil général des Indre- und Loire-Departements. Der Blitz zerbrach einige Aeste des Gipfels und fuhr längs des Stammes auf der Nordseite, ohne die Rinde zu beschädigen, in die Erde, welche einen Fuß vom Stamme entfernt in zwei großen Schollen aufgehoben wurde. Dieser Pappelbaum war damals einen Fuß dick, und nun nach 9 Monaten, hat er bereits eine Dicke von zwei Fuß erreicht, während die übrigen nahe stehenden Pappelbäume sich gleich geblieben sind. Der so schnell dick gewordene Baum hat jetzt (April dieses Jahres) einen Riß in der Rinde, woraus viel Saft fließt. (Aus den Verhandlungen der Pariser Akad. d. Wissenschaften vom 25. April 1836).

---

128. Neue landwirthschaftliche Nachrichten aus England; oder Auszug aus einem Schreiben des Herrn Consul Kreeft in London, vom 12. Januar 1836, an den Herausgeber der neuen Meklenburg. Annalen.

In allen Grafschaften Englands sind seit Kurzem Agricultural Associations gestiftet, und hier in London sogar eine Royal Agr. Ass. entstanden; ihr Zweck ist jedoch lediglich politisch, und die Highland Society in Schottland die einzige, welche gegenwärtig im Reiche zur wirklichen Verbesserung und Aufmunterung des Wissenschaftlichen und Practischen im Gebiete des Ackerbaues und der Viehzucht existirt. (Bei dieser Gelegenheit melde ich Ihnen die Nachricht, daß Sir John Sinclair am 21. Dezember im 82. Jahre seines Lebens gestorben ist.)

Hinsichtlich der australischen Schafwolle habe ich vermöge meiner frühern kaufmännischen Verhältnisse Gelegenheit, Ihnen zuverlässige Nachricht zu ertheilen. Ich habe den Gegenstand durch Berichte und Proben an dortige Behörden wiederholt erschöpft; unterdessen sind Jahre verflossen und ich habe keine Ursache gehabt, deshalb meine Ansichten zu verändern, nämlich: daß vorerst kein Grund zu Befürchtungen für den deutschen Wollhandel vorhanden sey. Zahlen sind hartnäckige Dinger, und ich ziehe sie allen Argumenten vor. Einliegend finden sie eine Abschrift der offiziellen Listen der Woll-Importen von 1827–34 inclusive (S. Tabelle A.) so aufgemacht, daß

Sie ihre eigenen Folgerungen daraus ziehen können. Wenn gleich die Anfuhr australischer und Cap-Wollen sich bedeutend vermehrt, so ist eben so gewiß anzunehmen, daß es diese Gattung nicht ist, die mit dem jährlich zunehmenden Bedarfe Schritt halten könne. In dem Grade, wie es den jungen Colonieen immerfort an Arbeitern abgeht, eben so wird ihre Wolle auch noch lange Jahre unrein, unsortirt und zwirnartig an den Markt kommen. Für die mecklenburger Wolle ist überdieß aus einem andern Grunde weniger zu besorgen, und zwar, weil sie sich nach der Walke für den sogenannten tenish (Appretur) ungleich besser macht, wie die schlesische, sächsische oder österreichische, und dieserhalb in Leeds immer gesucht und besser bezahlt ist, wie jene Sorten.

Unsere Schafzüchter dürfen deßhalb ohne Sorge seyn und ruhig fortfahren, ihre Heerden zu vergrößern, denn unabgesehen auch von der Qualität und dem kürzeren Haar der Cap- und australischen Wolle, welches selbige nur für gewisse Zwecke tauglich macht, darf man wohl annehmen, daß, so lange der Abzug von englischen Fabrikwaaren mit solchen Riesenschritten zunimmt, wie die zweite Liste — vide die Tabelle B. — (bloß Export) darthut, an keinen Abfall in dem Bedarfe deutscher Wolle zu denken ist. Ich halte es für unnöthig, in Details deßhalb einzugehen, da jedem Geschäftsmanne die Ueberzeugung davon klar vorliegt.

Die Haupt-Gegend Englands für den Bau von Raps für Saat ist Yorkshire, wo der Boden sich am besten dafür eignet, besonders der östliche Theil, in der nämlichen Breite belegen, als Mecklenburg. Seitdem jedoch der Zoll auf fremdes Saat von 10 *L* pr. Last aufgehoben ist, und die Marktpreise des Artikels sich bedeutend niedriger gestellt haben, hat der Anbau — ausser für grünes Futter — hier fast aufgehört. Raps für Saat wird hier gemeiniglich auf Land, welches einen Winter und Frühling Brache gelegen hat, in den Monaten Juni oder Anfang Juli, ½ Viertel Saat auf den Morgen (half a Peck of Seed per Acre) breit gesäet (broad cast). Auf den Nachbau der Saat wird wenig Sorgfalt verwendet, obgleich etwas Behauen derselben zuträglich ist. Schießt die Saat zu geil auf, so schadet es ihr selten, wenn man sie durch die, von den Mutterschafen entwöhnten Lämmer leicht abweiden läßt. Die Saat wird, wenn sie reif ist, in der Scheune durch die Dreschmaschine abgedroschen und das Stroh und die Hülsen hernach auf den Hof geworfen, wo es, von Vieh und besonders von Schweinen überlesen, einen bedeutenden Zutrag an Dünger liefert. Vier Quarters Saat, à 8 Bushel der Qu., pr. Acre wird in Yorkshire als guter Ertrag geschätzt.

Die Kultur des Rapses als grünes Futter, einzig für Schafe hingegen ist im Zunehmen, und es wird in diesem fleischfressenden Lande viele Mühe darauf verwendet, weshalb Knochendüngung auf kalkigtem und leichtem Boden häufig angewandt wird, und auch auf schwerem Boden, wo die Witterung eine gute Pulverisirung desselben gestattet hat, wohlthätig einwirkt. Die Zubereitung des Bodens für grünen Futterraps nimmt, sobald die Weizen-Saat bestellt ist, schon ihren Anfang. Die Hafer- und Weizen-Stoppel werden tief genug gepflügt, um den Boden gehörig dem Froste bloszustellen. Mit dem Ersten im Frühjahre wird dann durch mehrmaliges Pflügen und öftere Anwendung der Eisen-Egge (Droog harrow) das Land vollkommen gereinigt und alles Wurzel-Unkraut sorgfältig abgesucht und verbrannt. Darauf wird es der ganzen Breite nach mit altem, gut gerottetem Dünger leicht abgedüngt und derselbe frühe untergepflügt. Eine Mischung von 14 Schfl. gemahlenen Knochen (Mühle ½ zöllig ajustirt), ferner 45 Schfl. Dünger, bestehend aus feingesiebter Kohlenasche und Abtritt-Dünger und 25 Schfl. trockner vegetabilischer Asche zu 4 ℔ Saat pr. Acre, wird nun zubereitet, und nachdem das Feld, gleich wie bei Getreide, fein geebnet worden ist, folgt die Drillmaschine dem Pfluge und säet zugleich die obige Mischung. Die Pflanze fordert gutes und wiederholtes Hacken oder Behauen zwischen den Reihen, vornämlich gleich nachdem sie aufschießt, weil dieses das einzige bisher entdeckte Mittel wider die Fliege ist. Um sich eine Reihefolge von Futter zu versichern, säet man zu verschiedenen Perioden, zwischen Mitte Mai's und Ende Juni's. Man jagt gewöhnlich die Schafe nach 3 Monaten, nachdem gesäet ist, darauf. Ein außerordentliches Quantum des allerbesten Futters wird auf diese Weise erlangt, zu einer Jahreszeit, wo es an dem meisten andern grünen Futter abgeht. Gleich nach der Entwöhnung der Lämmer ist dieses Futter vom höchsten Werthe, so wie auch für die 1½jährigen Hammel, welche um diese Zeit beinahe fett sind und die nahrhafteste Fütterung verlangen. Es ist der Stengel oder das Mark der Pflanze, welches die Nahrung enthält.

Man besäet das Land hernach mit Weizen und es ergeben sich daraus in der Regel schwere Einschnitte.

Aus dem Vorhergehenden werden Sie entnehmen, wie sehr es bei dem Bau des Rübsamens auf den Boden und die Zubereitung, Reinigung und gute Düngung desselben, so wie auch auf das Behacken ankommt, obgleich es sonst, als bezüglich auf grünes Futter für Schafe allein, von wenigem Interesse für Mecklenburg ist.

Die Drill-Maschine ist sehr einfach construirt und billig. Sie besteht aus einer 11 oder 12 Fuß langen, quer über einen leichten Schiebkarren befestigten Lade für die Saat oder den Compost, worin sich 21 Löcher mit Stellschiebern befinden, die so abgerichtet werden können, daß sie genau das Gewichts-Quantum Saat, welches pr. Morgen erforderlich ist, aussäen. Die Saat wird vermittelst einer Reihe von Rund-Bürsten, 3 zu 3 in einem Behälter auf einer Spindel angebracht, die längs durch die Lade läuft, und die das Rad des Schiebkarrens in Umlauf setzt, durch die Säelöcher getrieben. Die Maschine kostet 4 L. 14 ſ. 6 d. und könnte dort sehr leicht angefertigt werden, wenn der Verein sich eine dergleichen als Vorbild verschriebe.

Nachschrift des Herausgebers.

Die Ansichten des Hrn. Kreeft über die australische Wolle sind sehr verschieden von dem, was Herr Henry Hughes dem Parlamente über diesen Gegenstand berichtet hat und was wir im vorigen Hefte unsern Lesern mittheilten. Die Wahrheit mag auch hier, wie gewöhnlich, in der Mitte liegen. Daß Australiens Wollproduktion künftig einmal bedeutenden Einfluß haben werde auf den europäischen Wollverkehr, ist nicht bloß möglich, sondern sogar wahrscheinlich. Indessen mag Herr Kreeft doch wohl darin Recht haben: daß vorerst kein Grund zu Befürchtungen für den deutschen Wollhandel sey. Denn wenn auch die Natur Australiens die Vermehrung der Schäfereien und die Produktion der Wolle begünstigt, so wissen wir doch, ohne daß besondere Berichte es uns erst sagen, daß es dort noch an Menschenhänden zu einer richtigen und zweckmäßigen Behandlung der Wolle fehlt. Die Vermehrung der Menschen erfolgt aber nicht so schnell, wie die der Schafe; wenn aber wirklich allmählig und vielleicht rascher, wie sonst, die Bevölkerung wächst, so tritt mit der steigenden Bevölkerung das Bedürfniß des Ackerbaues ein, wodurch wieder die Vermehrung der Heerden beschränkt wird. Können aber die Australier jetzt ihre Wolle nur schlecht behandelt verpacken, so muß solche Wolle durch den Transport noch mehr verschlechtert werden und kann daher gewiß nicht in gleicher Qualität mit der sorgfältig behandelten deutschen Wolle auf den Markt kommen. So lange daher Käufer und Fabrikanten noch auf eine gut behandelte Wolle Rücksicht nehmen, wird gewiß die deutsche Wolle vor der australischen noch lange den Vorzug behalten.

Was Herr Kreeft über den Bau des Rapses als Grünfutter für die Schafe sagt, widerspricht hier gemachten Erfahrungen. Einige mecklenburgische Landwirthe haben bereits den Versuch gemacht, Raps zur Weide für die Schafe in die aufgebrochene Rockenstoppel zu säen; aber die Schafe haben so wenig im Herbste, als im Frühlinge, den Raps fressen wollen. Es wäre daher zu wünschen, daß mehrere mecklenburgische Landwirthe darüber etwanige Erfahrungen mittheilen wollten. Sollte Herr Kreeft wohl Raps als grüne Düngung und Rüben zum Grünfutter verwechselt haben? Die angegebene starke Düngung läßt dieses fast vermuthen.

Auch in den Maschinen findet wohl eine Verwechslung Statt; die größere Drillmaschine, die den Compost mit ausstreuet, kostet circa 40 *L.*; die kleine Maschine für Raps und Klee streuet keinen Compost, sie ist auch in Mecklenburg bekannt und schon sehr beliebt, und wird auch bereits in Güstrow nach englischen Mustern angefertigt.

Anlage.

Der seel. Sir John Sinclair.

(Aus dem Edinburgh Advertiser.)

Wir ergreifen gerne die uns jetzt dargebotene Gelegenheit, dem Andenken eines Mitbürgers, so ausgezeichnet wegen seiner öffentlichen Leistungen, so schätzbar wegen seines Werthes als Privatmann, den Tribut der Hochachtung zu zollen.

Sir John Sinclair ward geboren zu Thurso-Castle, in der Grafschaft Caithneß, am 10ten Mai 1754; er empfieng die Grundlagen einer klassischen Bildung auf der Hochschule zu Edinburgh, und nachdem er seine Studien auf den Universitäten Edinburgh und Glasgow fortgesetzt hatte, vollendete er sie zu Oxford. Zu Glasgow war er der Lieblingschüler des berühmten Adam Smith, der ihn in seinen häuslichen Zirkel zog, und durch dessen Unterredungen und Lehren er Geschmack an politischen Gegenständen gewann.

Bei den beiden ersten Gelegenheiten, welche seine Talente als Schriftsteller hervorriefen, machte er es sich zum Gegenstande, die sinkende Energie des Landes in Zeiten großer Noth und Bedrängniß emporzuheben. Am Schlusse des amerikanischen Krieges verbreitete sich unter dem Einflusse des Dr. Price und Lord Stair der Verdacht, daß die Finanzen des Landes unrettbar verwickelt wären und ein National-Bankerott unvermeidlich sey. Auf diese gefährliche Versicherung antwortete Sir John durch eine Abhandlung unter dem Titel: „Gedanken über den Zustand unserer Finanzen", welche wesentlich dazu beitrug, den Credit Großbritanniens auf dem Continente wieder herzustellen. „Es verdient Buchstaben von Gold", war der starke Ausdruck des brittischen Gesandten im Haag, um seinen Begriff von deren Wichtigkeit auszudrücken." Im Jahre 1780 schrieb Sir John seine „Rechtfertigung der brittischen Seemacht." Während einer langen Periode war kein großer Seesieg gewonnen, und so allgemein war durch die erwartete Vereinigung der französischen und spanischen Flotte der Schrecken verbreitet, daß selbst Lord Mulgrave, obgleich ein Lord der Admiralität, im Strome der Muthlosigkeit fortgerissen seyn konnte. Durch eine Abhandlung, betitelt: „Gedanken über die Seemacht des brittischen Reiches", belebte Sir John Sinclair das öffentliche Vertrauen so wirksam, daß Lord Mulgrave selbst für eine so mächtige und zeitgemäße Vertheidigung unserer Marine ihm dankte.

Es war in demselben Jahre 1780, als Sir John zuerst zum Repräsentanten der Grafschaft seiner Geburt erwählt wurde, und mit Ausnahme eines kurzen Zwischenraumes blieb er im Unterhause bis zum Jahre 1811, über 30 Jahre lang.

Während eines Besuches auf dem Continente 1785 und 1786 wurde Sir John durch seine Thätigkeit und Beharrlichkeit befähigt, Aufschlüsse über verschiedene Gegenstände von großem nationalen Nutzen zu erhalten, besonders über das Münzwesen und die Verfertigung von Thonwaaren und Schießpulver. Er beschrieb die letzte dieser Verbesserungen seinem Freunde, Bischof Watson, Professor der Chemie zu Cambridge, ehe er sie der Artillerie-Behörde mittheilte, und so wichtig war der, dem Publikum erwiesene Dienst, daß der Bischof in seinen Memoiren auf seinen untergeordneten Antheil daran seine größten Ansprüche auf die öffentliche Dankbarkeit begründete.

Unter die frühesten und mühsamsten literarischen Unternehmungen Sir John Sinclair's gehörte seine Geschichte des öffentlichen Einkommens von der frühesten Zeit bis zum Frieden von Amiens, — ein Werk, welches die nothwendigen Data lieferte, um verschiedene nothwendige Verbesserungen in unserm Finanzwesen zu bewirken, besonders zur Einführung der Einkommentare, ohne welche der Krieg nie zu einem glücklichen Ende hätte geführt werden können.

Es war auf Sir John Sinclair's Vorschlag, daß Pitt im Jahre 1793 im Parlamente die Ausgabe von Schatzkammerscheinen zur Aushilfe des commerziellen Interesses, welches damals in großer Noth war, vorschlug. Alle Kaufleute, die alt genug sind, um sich der Krisis zu erinnern, müssen es bereitwillig und manche unter ihnen dankbar anerkennen, wie bald und wirksam durch diese politische Maßregel der Kredit wieder hergestellt wurde. Ebenso wenig war Sir John's Eifer, seinen Plan auszuführen, seiner Weisheit ihn anzurathen, untergeordnet; viel hieng davon ab, daß eine große Summe Geldes Glasgow vor einem bestimmten Tage erreichte; indem er alle Agenten möglichst anspornte, gelang es ihm, diese wichtige Sache auszuführen, die Erwartungen sanguinischsten Freunde übertreffend. Als er an demselben Abend dem ersten Minister im Unterhause begegnete, fieng er an, ihm seinen Erfolg auseinander zu setzen, als Pitt ihn unterbrach: „Nein, nein, Ihr kommt zu spät nach Glasgow, das Geld kann in zwei Tagen noch nicht abgehen.“ — „Es ist schon abgegangen“, war Sir Johns triumphirende Antwort, „es gieng diesen Nachmittag mit der Post.“ Als die Schreckenszeit vorüber war, schlug er Pitt vor, unmittelbare Maßregeln zu ergreifen, um die Wiederholung desselben Unglücks zu verhüten und das Ganze unsers Banksystems zu untersuchen, um die zu große Verbreitung von Papiergeld zu verhüten, welche er als eine Folge der Restrictions-Acte voraussah. Pitt erwiederte, daß andere Gegenstände seine ganze Aufmerksamkeit in Anspruch nähmen, und so blieb, ungeachtet der Warnung, die Entwerthung des Geldes ungehindert und unbeaufsichtigt. Die Dankbarkeit des Ministers stand im Verhältniß zur Größe des Verdienstes. Er wünschte, daß Sir John eine Gunst nennen möge, die ihm die Regierung gewähren könne. Dieses war eine schätzbare Gelegenheit, persönliches Interesse oder Familien-Ehrgeiz zu befriedigen, aber die Gunstbezeugung, welche dieser treue Patriot erbat, war eine Wohlthat für sein Vaterland. Er bat um die Unterstützung der Regierung für seinen beabsichtigten Vorschlag zur Begründung eines Board of agriculture. Dieser großen National-Institution, von welcher das Interesse der Landwirthschaft ihn als den Stifter anerkannte, präsidirte er ohne Emolumente viele Jahre lang. Der Wirksamkeit dieses Board verdankt das Land in einem hohen Grade die schnellen Verbesserungen in der Landwirthschaft. Ein Geist für Unternehmung und Erfindung war in der Klasse der Landleute erregt und der Landbau zu einer Würde erhoben, die er nie vorher besessen hatte. Landwirthschaftliche Verbindungen wurden schnell an allen Orten gestiftet, Berichte bekannt gemacht, welche 50 Oktavbände füllen und eine genaue Beschreibung jeder Grafschaft des vereinigten Königreichs liefern. Die auf diese Weise gesammelte Masse von Erfahrungen wurde von Sir John selbst in seinem Code of agriculture verarbeitet; ein Werk, welches nun die fünfte Auflage erlebt hat, in Amerika nachgedruckt und in alle Hauptsprachen Europas übersetzt ist.

Es reicht hin, den hohen Grad von Energie, der durch die Arbeiten des Board of agriculture unter den Eignern und Pächtern von Landgütern verbreitet ist, einleuchtend zu machen, wenn wir erwähnen, daß während der 20 Jahre, die der Begründung des Board vorangiengen, obgleich Friede und Krieg, Gedeihen und Unglück wechselweise geherrscht hatten, nur 749 Gesetzvorschläge zu Separationen gemacht wurden, wogegen während der 20 auf seine Gründung folgenden Jahre, deren Zahl sich auf 1833 belief, welches einen Zuwachs von 1134 Bills giebt, wodurch nach den genauesten Berechnungen 2,268,000 Acres Land für die Kultur gewonnen wurden. Die Nothwendigkeit dieser vielen und kostbaren Bills hätte durch eine durchgreifende Maßregel vermieden werden können, und es war dem Sir John zu einer Zeit möglich, den beiden rivalisirenden Staatsmännern dieser Zeit einen solchen Eifer für Staatswirthschaft einzuflößen, daß beide versprachen, wenn der Andere einwillige, an einer Commission zum Zweck des Entwurfs eines allgemeinen Separations-Gesetzes Theil zu nehmen, der Sir John präsidirte. Dieses war vielleicht der einzige Fall, in welchem diese hartnäckigen Gegner vermocht wurden, zu einem Zwecke zu wirken. Unglücklicherweise wurde Fox, nachdem der ganze Plan zur Reife gediehen war, von seinem Freunde Burke überredet, seine Einwilligung zurückzunehmen, und so wurde ein gemeinnütziger Plan zu der einzigen Zeit vereitelt, wo sein Gelingen möglich schien.

Die schwierigste und vielleicht die glücklichste der Arbeiten, welche Sir John Sinclair unternommen hat, war „die Statistik von Schottland.“ So wenig war dieser Gegenstand damals beachtet, daß selbst das Wort Statistik seine Erfindung war (s. Walkers Dictionair). Kein damals gebräuchliches Wort konnte seine praktische Ausführung von dem Grundsatze des großen römischen Staatsmannes ausdrücken: „ad consilium de republica dandum, caput est nosse rempublicam. *) Das Werk wurde 1790 angefangen, ununterbrochen 7 Jahre hindurch fortgesetzt, während welcher Zeit eine Correspondenz mit der ganzen Geistlichkeit der schottischen Kirche, deren Zahl sich fast auf 1000 belief, geführt wurde, und es ward durch die successive Publicirung von 21 starken Octavbänden, in welchen über jedes Kirchspiel in Nord-Brittannien besonders Auskunft gegeben wird, glücklich beendigt. Es sind in verschiedenen Ländern Europa's, in Spanien 1575, Schweden 1630, Deutschland, England und besonders in Frankreich, sowohl unter Louis XIV. als unter den Auspicien des Kaisers Napoleon, Versuche gemacht, ein Werk gleicher Art zu schreiben, aber nirgends bis jetzt mit der geringsten Annäherung an einen gleichen Erfolg. Deßwegen bezeugt der berühmte Graf Hauterive in seinen „Anfangsgründen des Staatshaushalts“, daß Schottland das Land ist, in welchem der Geist statistischer Forschung die der Wahrheit am nächsten kommenden Resultate geliefert hat. Die Dienste der schottischen Geistlichkeit bei dieser Gelegenheit wurden von dem ehrenwerthen, geschickten und hochbegabten Veranlasser und Leiter ihrer Arbeiten der Krone so eindringlich vorgestellt, daß der Gesellschaft zum Nutzen ihrer Familien ein k. Geschenk von 2000 *L* überreicht, und außerdem ihnen sehr ausgedehnter parlamentarischer Beistand zur Verbesserung der kleinen Pfründen bewilligt wurde. Sir John machte selbst nicht den Versuch, durch den Verkauf seines Werks eine theilweise Schadloshaltung für seine ungeheure Ausgabe zu erhalten, sondern überwies großmüthig das ganze Werk dem oben erwähnten Collegium (der Geistlichkeit). Eine neue Ausgabe unter ihrer Direktion ist jetzt im Werke. Wir wollen hoffen, daß in den letzten Theilen derselben dem Vater der statistischen Philosophie diejenige Anerkennung werden möge, welche bis jetzt unverantwortlich zurückgehalten ist. Wir können bemerken, daß der glückliche Erfolg eines Individuums, die Verhältnisse zu erforschen, Lord Colchester's Haupt-Ermuthigung war, das große National-Unternehmen, den allgemeinen Census, vorzuschlagen.

Zu gleicher Zeit mit seinen landwirthschaftlichen und statistischen Nachforschungen beschäftigte Sir John Sinclair sich

*) Um einen Rath zum Besten des Staates zu geben, ist es Hauptsache, den Staat zu kennen.

von Zeit zu Zeit mit der Ausbreitung der brittischen Fischereien. Da er Ursache hatte zu glauben, daß jährlich eine große Menge Häringe an die Küste von Caithneß kommt, so schoß er eine Summe Geldes vor, um gewisse unternehmende Leute in den Stand zu setzen, die Frage zu entscheiden. Ihr Bericht war so günstig, daß er die brittische Fischfang-Gesellschaft vermochte, in jener Grafschaft eine Niederlassung zu gründen. Zum Beweise seiner eigenen Uneigennützigkeit führen wir an, daß er einen Ort wählte, der von seinem eigenen Grundbesitz entfernt war, und von dem er keinen persönlichen Vortheil ziehen konnte. Durch seine Bemühungen wurden auch 7500 *L* von den eingezogenen schottischen Besitzthümern bewilligt, um einen Hafen in der Bai von Wick anzulegen, wo Fischerfahrzeuge Schutz finden konnten. Die so in's Leben gerufene und beförderte Fischerei ist seitdem immer wichtiger geworden. Sie beschäftigt allein an der Küste von Caithneß ungefähr 14,000 Personen; sie liefert jährlich etwa 150,000 Tonnen Häringe, und da sie sich seitdem auf die benachbarten Grafschaften ausgedehnt hat, ist sie die einträglichste Fischerei in Europa geworden.

Die älteren Freunde Sir John Sinclair's werden sich seiner wohl erinnern, als einer großen athletischen Figur in einem militärischen Anzuge. Seine Ansprüche an diese Kleidung gründeten sich auf eine dem Publikum gewordene wichtige Wohlthat, die der Gründung eines Landwehr-Regiments im Jahre 1794. Corps von dieser Art beschränken sich im Allgemeinen auf die Vertheidigung Schottlands; aber Sir John's erstes Bataillon, aus 600 Mann bestehend, diente auch in England, und das zweite, 1000 Mann stark, in Irland. Das letztere Corps lieferte zu der Expedition nach Egypten über 200 Freiwillige.

Unter diejenigen Maßregeln, welche von Sir John Sinclair im Parlamente empfohlen wurden, legte er selbst immer besondern Werth auf die Bewilligung, Brücken, Landstrassen und Häfen in ganz Schottland anlegen zu dürfen. Der Erfolg dieser Maßregel mag einem Vorschlage von ihm beigemessen werden, daß nämlich aus öffentlichen Fonds kein Zuschuß gegeben werden solle, wenn nicht die dabei interessirten Privatpersonen gehalten wären, die Hälfte der Kosten zu tragen. Zur Ehre des Lord Register (William Dundas) erwähnen wir, daß, obgleich derselbe im Unterhause auf die Erwählung einer Commission für diesen Gegenstand antrug, er doch das ganze Verdienst dieses edlen Werkes zur Verbesserung dem sehr ehrenwerthen Baronet, der zuerst den Gedanken dazu gefaßt hat, zuschrieb.

Zu den übrigen Verdiensten des Sir John Sinclair um das allgemeine Beste gehört, daß er die Gesellschaft zur Verbesserung der britischen Wolle stiftete und derselben lange präsidirte, so wie auf seine eigene Gefahr die Cheviot-Race von Schafen im Norden von Schottland einführte, von der in Folge dessen so viele Millionen auf den Hügeln unseres Hochlandes geweidet haben; ferner, daß er durch seine Rede und Schrift als Antwort für die Schatz-Committeen denjenigen Verwickelungen unserer Finanzen während des Krieges vorbeugte, welche, wie man es später zugab, aus der vorgeschlagenen Rückkehr zu baaren Zahlungen unvermeidlich hätten entstehen müssen, die er immer nicht nur für sehr zerstörend während des Krieges, sondern selbst in Friedenszeiten für sehr unpolitisch und schädlich hielt, indem er eben so sehr der schadenbringenden Ueberwerthung des Geldes entgegen war, als er sich zuvor gegen die beunruhigende Entwerthung desselben ausgesprochen hatte; und endlich, daß er im Unterhause die Erwählung einer Committe zur Berathung über die Hungersnoth in den Hochlanden beantragte, und indem er dasselbe vermochte, den Mangel ähnlicher früherer Fälle unberücksichtigt zu lassen, und ohne Verzug Unterstützung zu bewilligen, bewirkte er die Errettung Tausender vom Hungertode.

Der Werth der verschiedenen Dienste, die wir oben aufgezählt haben, ist von allen Seiten durch die competentesten Richter anerkannt. König Georg III. beehrte ihn mit freundlicher Beachtung und Zuschriften, übertrug ihm die Würde eines Geheimen Raths und soll ihm weitere Zeichen Königlicher Gunst zugedacht gehabt haben. Verschiedene landwirthschaftliche Vereine überreichten ihm Silbergeschirre. Viele Grafschaften Schottlands votirten ihm nicht weniger als 25 Dankbezeugungen. Der Magistrat von Thurso, einer seinem Wohnsitze angränzenden Stadt, erkannte öffentlich und dankbar an, daß die Verbesserung seiner Geburts-Grafschaft, unter andern Projekten von ausgebreiteter Tendenz, der besondere Gegenstand seiner Sorgfalt und Aufmerksamkeit gewesen sey; und die Freisassen von Caithneß beschlossen, ihm dafür zu danken, daß er Maßregeln durchgesetzt habe, welche einen soliden Grund zum künftigen Wohlstande der Grafschaft gelegt hätten.

Der Ruf Sir John Sinclair's ist nicht nur brittisch, sondern im strengsten Sinne europäisch. Diplome sind ihm von philosophischen und landwirthschaftlichen Gesellschaften in einer

Menge überdeckt, die beinahe beispiellos ist, sie belaufen sich in Allem auf 25. Darunter war auch eines des landw. Vereins in Bayern.

Wir haben von Sir John Sinclair als unserm Mitbürger gesprochen, weil er seine letzten Tage in unserer Mitte in literarischer Zurückgezogenheit zugebracht hat. Zu Zeiten redete er an das Publikum über politische Gegenstände, aber seine Zeit war besonders durch sein häusliches Leben in Anspruch genommen oder durch die Vorbereitung zu einem Werke über Religion, welches er lange beabsichtet hatte, ausgefüllt. Er war der Meinung, daß die Abhandlung eines Laien über die Wahrheit des Christenthums sowohl im Lande als ausserhalb viel günstiger aufgenommen werden würde, als die Reden eines Geistlichen, und er beschloß, da sein langes Leben im Dienste seines Vaterlandes hingebracht wäre, seine letzten Tage seinem Erlöser und seinem Gott zu widmen. In dem so fromm entworfenen und so eifrig fortgesetzten Werke hatte er bedeutende Fortschritte gemacht, als der Vollendung desselben der Tod zuvorkam. Talia agentem atque meditantem mors praevenit.*)

Das Leichenbegängniß des ehrwürdigen Baronets fand in der Kapelle im Holyrood-Pallast am 30sten Dezember Statt, und obgleich es der Wunsch der Familie war, daß die Ceremonie strenge privatim seyn solle, baten dennoch der Lord-Provost, die Magistrats-Personen und der Stadtrath in ihrer Amtstracht, und eine Deputation der Hochlands Gesellschaft von Schottland, deren ausgezeichnetes Mitglied Sir John war, um Erlaubniß, sich dem Zuge anschliessen zu dürfen, wenn derselbe in den Umkreis des Pallastes träte. Dieses war ein unerwarteter Beweis von Hochachtung, welchen die Freunde des Verstorbenen, wie wir glauben, nicht ablehnten, und welcher deutlich das Gefühl bezeichnet, welches sein Verlust in der Hauptstadt von Schottland erregt hat. Sir George Sinclair, das jetzige Mitglied für Caithneß, folgt Sir John in seinem Titel und Besitz.

---

*) Als er Solches betrieb und erwog, überraschte ihn der Tod.

129. Ueber Vertilgung des Getreidewurms.

Ich will nicht säumen, das General-Comité über eine für die Landwirthschaft besonders nützliche gemachte Erfahrung zu benachrichten.

Schon mehrere dreißig Jahre litt ich großen Schaden wegen des Kornwurms auf dem Getreidkasten, so daß es nicht wohl möglich war, reines Getreide bis über die Aernte aufzubewahren. Alle möglichen und von verschiedenen Seiten her angepriesenen Mittel wurden angewendet, aber immer ohne anhaltenden Erfolg. Daher wie jeder andere Rath war mir auch willkommen jener in dem Centralblatte des landwirthschaftlichen Vereins für den Monat Januar 1836 S. 58 über Vertilgung des Getreidewurms. Demselben zu Folge ließ ich am 4. Juni d. J. einen großen Ameishaufen in zwei vollen Getreidsäcken auf den Kasten bringen, und an zwei entgegengesetzten Seiten aufschütten, erwartend den Erfolg. Gleich in den ersten Tagen schienen sich die neuen Ansiedler hier eine bleibende Stätte verschaffen, und eine Vorrathskammer bilden zu wollen, indem sie auf ihre Haufen und um dieselben her sehr viele Körner von Korn und Weizen zusammentrugen; allein bald wanderten viele derselben wieder aus, und später sah man einzelne auf dem Getreide und dem Gebälke herumkriechen, aber bald todt niederliegen, so wie auch der fliegende Wurm im Korne getödtet war.

Nach 14 Tagen begab ich mich wieder auf den Kasten, und zum vollen Erstaunen fand ich das ganze Schlachtfeld gereinigt, und weder Freund noch Feind war mehr zu sehen; die Ameisen sammt den Würmern waren dahin, und es war eine überraschende Freude, jetzt reines ganz unbeschädigtes Getreide an Korn und Weizen zu sehen, da in früheren Jahren um solche Zeit schon viel davon angefressen und zermalmt war.

Wenn dieses Mittel sich so auffallend auf meinem Kasten erprobte, so wird es wohl das Nämliche auch auf anderen Plätzen, und deßwegen wohl der Mühe werth seyn, solche freudige Erfahrung ferners zur Nachahmung und zum allgemeinen Nutzen bekannt zu machen.

Hohenkammer im Juni 1836.

G. M. Egger.

130. Etwas über die Benützung des schwarzen Erdtorfs.

Dem Apotheker Hrn. Herrmann zu Baldohn (in Liefland) ist es gelungen, aus schwarzem Erdtorfe sowohl Coaks, welche sehr lange brennen, als ein treffliches brennbares Gas, das eine weiße und sehr helle Flamme giebt, zu erzeugen. Auch Theer und Ammoniak aus Torf glaubt der genannte Chemiker gewinnen zu können, dem bei seinen Versuchen nur sehr mangelhafte Apparate zu Gebote standen, weßhalb diese Experimente, die für die Land- und Hauswirthschaft einen neuen sehr wichtigen Gewinn versprechen, von größeren Anstalten wohl noch mit mehr Vortheil wiederholt werden dürften.

---

131. Ein Mittel, daß die Hühner das ganze Jahr hindurch Eier legen.

Die Bäuerinnen in der Gegend von Lüttich wenden dazu mit ganz entsprechendem Erfolge nachstehende Fütterung an. Sie trocknen Leinsamenschalen im Ofen, lassen sie auf der Mühle mahlen und dann im Wasser sieden. Die so zur Verdauung vorbereitete Masse vermengen sie mit ⅓ Weizenmehl und ⅓ Eichelmehl, feuchten sie mit Wasser oder Bier an, daß es einen dicken Teig giebt, aus welchem sie längliche Kugeln von der Größe einer Bohne formen, und diese den Hühnern zu essen geben.

Es wäre sicher der Mühe werth, über dieses Mittel gleichfalls Versuche anzuwenden.

Zu Netschkau bei Reichenbach im Voigtlande wird eine Runkelrüben-Zuckerfabrik — nunmehr die vierte in Sachsen — angelegt.

Mittelpreise
auf den
vorzüglichsten Getreideschrannen in Bayern.

Wochen.	Getreid-Sorten.	Aichach.		Amberg.		Ansbach.				Augsburg.		Baireuth.		Erding.		Kempten.	
		fl.	kr.	fl.	kr.	fl.	kr.	fl.	kr.	fl.	kr.	fl.	kr.	fl.	kr	fl.	kr.
Vom 26. Juni bis 2. Juli 1836.	Weitzen	10	47	10	18	9	30	9	58	10	56	—	—	9	45	—	—
	Kern	—	—	—	—	10	17	9	54	11	5	—	—	—	—	13	34
	Roggen	5	40	7	9	6	48	0	48	6	—	—	—	5	15	8	19
	Gerste	6	25	—	—	8	—	—	—	7	6	—	—	7	24	8	35
	Haber	4	44	5	33	4	43	4	36	4	50	—	—	4	30	5	15
3. bis 9. Juli 1836.	Weitzen	10	13	10	34	9	—	10	4	10	46	12	56	9	15	—	—
	Kern	—	—	—	—	9	45	9	54	10	25	—	—	—	—	12	52
	Roggen	5	8	7	8	6	58	7	24	5	47	9	12	5	18	8	17
	Gerste	6	33	—	—	9	15	—	—	7	37	—	—	7	4	7	12
	Haber	4	29	5	40	4	59	5	9	4	45	6	59	4	30	5	15
Vom 10. bis 16. Juli 1836.	Weitzen	9	59	10	9	9	27	—	—	10	47	12	52	9	24	—	—
	Kern	—	—	—	—	10	10	10	14	10	4	—	—	—	—	12	34
	Roggen	5	12	6	58	6	34	6	43	5	48	9	—	5	15	8	7
	Gerste	6	30	—	—	—	—	8	30	7	—	8	47	6	40	7	39
	Haber	4	37	5	19	5	22	5	14	4	50	7	12	4	40	5	40

Mittelpreise
auf den
vorzüglichsten Getreideschrannen in Bayern.

Wochen.	Getreid-Sorten.	Landsberg. fl.	kr.	Landshut. fl.	kr.	Lauingen. fl.	kr.	Memmingen. fl.	kr.	München. fl.	kr.	Neuötting. fl.	kr.	Nördlingen. fl.	kr.	Nürnberg. fl.	kr.
Vom 26. Juni bis 2. Juli 1836.	Weitzen	—	—	9	15	—	—	—	—	11	2	9	—	—	—	10	34
	Kern	11	6	—	—	10	47	12	31	—	—	—	—	11	—	—	—
	Roggen	6	9	5	—	6	50	7	22	6	18	5	34	7	21	7	7
	Gerste	7	40	6	7	7	52	9	—	7	33	—	—	6	44	8	15
	Haber	4	44	4	12	4	43	5	13	4	50	3	45	5	14	5	49
Vom 3. bis 9. Juli 1836.	Weitzen	—	—	8	45	—	—	—	—	10	52	8	57	—	—	10	40
	Kern	11	15	—	—	10	33	12	17	—	—	—	—	10	43	—	—
	Roggen	6	16	4	37	6	41	7	19	6	5	5	21	7	5	7	2
	Gerste	8	—	6	—	7	28	8	42	7	30	—	—	7	12	7	30
	Haber	4	36	4	12	4	59	5	14	4	55	3	40	5	19	5	43
Vom 10. bis 16. Juli 1836.	Weitzen	—	—	8	52	—	—			10	37	9	—	—	—	10	39
	Kern	10	54	—	—	10	26			—	—	—	—	10	43	—	—
	Roggen	5	57	4	45	6	13			5	53	5	11	7	4	6	47
	Gerste	7	32	5	37	7	9			7	41	—	—	7	—	6	45
	Haber	4	44	4	18	4	52			5	8	3	21	5	27	5	39

Mittelpreise
auf den
vorzüglichsten Getreideschrannen in Bayern.

Wochen.	Getreid-Sorten.	Passau.		Regensburg.		Rosenheim.		Speyer.		Straubing.		Traunstein.		Vilshofen.		Weilheim.	
		fl.	kr.	fl.	kr.	fl.	kr.	fl.	kr.	fl.	kr.	fl.	kr.	fl.	kr.	fl.	kr.
Vom 26. Juni bis 2. Juli 1836.	Weitzen	—	—	9	31	9	55	12	24	8	46	10	—	9	14	11	30
	Kern	—	—	—	—	—	—	—	—	—	—	—	—	—	—	11	30
	Roggen	—	—	6	14	6	7	8	21	5	45	6	12	6	26	7	—
	Gerste	—	—	6	12	5	51	7	18	6	—	6	24	—	—	6	30
	Haber	4	24	4	54	4	2	5	44	4	24	3	48	4	12	5	12
Vom 3. bis 9. Juli 1836.	Weitzen	9	30	8	45	9	50	12	10	8	15	9	30	8	29	12	4
	Kern	—	—	—	—	—	—	—	—	—	—	—	—	—	—	12	4
	Roggen	—	—	5	39	6	2	7	35	5	11	5	36	6	7	7	8
	Gerste	—	—	—	—	6	—	6	54	—	—	6	12	5	34	7	24
	Haber	4	19	4	42	3	52	—	—	4	45	3	36	4	35	5	18
Vom 10. bis 16. Juni 1836.	Weitzen	8	30	8	45	—	—	11	10	—	—	9	24	8	51	11	53
	Kern	—	—	—	—	—	—	—	—	—	—	—	—	—	—	11	53
	Roggen	—	—	5	39	—	—	7	30	—	—	5	12	6	5	7	10
	Gerste	5	30	—	—	—	—	6	34	—	—	6	12	5	44	7	30
	Haber	4	30	4	42	—	—	5	39	—	—	3	36	—	—	5	27

von Wolle [...]land in den Jahren

	℔	℔
Deutsch[...]	[...]8,799,661	10,545,232
Austral[...]	323,995	1,106,302
Total	[...]3,816,966	21,516,649

Werth der i[...]ottischen Produkte und

1820	52,797,455 *L* 2 s. 1 d.	
1821	56,213,041 „ 15 „ 8 „	
1822	61,140,864 „ 15 „ 10 „	
1823	60,683,933 „ 8 „ 4 „	
1824	65,026,702 „ 11 „ — „	
1825	69,989,339 „ 13 „ 8 „	
1826	73,496,535 „ — „ — „	
1827 . .		

[...]n englischer Manufakturen ꝛc. sich den [...]ern.

Diese Liste sch[...]t mit ein.

Centralblatt

des

landwirthschaftlichen Vereins in Bayern.

Jahrgang: XXVI.

Monat: August 1836.

Landwirthschaftliche Berichte und Aufsätze.

---

132. Ueber Aufbewahrung des Getreides durch Trocknung mittelst erwärmter Luft.

Obgleich schon sehr vieles und tüchtiges über das längere Aufbewahren des Getreides geschrieben und projektirt wurde, noch nie aber zum allgemeinen Besten in Bayern Anwendung gefunden, so kann ich nicht umhin, hier meine Ansichten, zum Theil auch Erfahrungen, die ich mir durch angestellte Versuche eigen machte, dem Publikum mit der Ueberzeugung zu übergeben, daß nur durch zweckmäßiges Trocknen das Getreide von den schädlichen Einflüssen als: den Wurm und das Dumpfigwerden durch geringe Vorrichtung und Kosten, befreyt, und ohne Nachtheil für das Getreide selbst zur längeren Aufbewahrung geeignet wird.

Im Frühjahr 1834 sah ich mich veranlaßt, bei einem Vorrathe von circa 300 Schäffel Gerste der warmen Witterung halber das Malzmachen einzustellen, und diesen Vorrath zur Aufbewahrung auf meiner Malzdörre bei gelinder Wärme zu trocknen. Im künftigen Herbste wurde wieder Malz daraus bereitet, und ich fand, daß jedes Körnchen noch dieselbe Keimkraft besaß, wie neue Gerste, während wie bekannt, von Gerste, die im gewöhnlichen Zustande dasselbe Alter erreicht, sehr viele Körnchen gar nicht mehr, und die andern höchst ungleich keimen. Es lag mir also klar am Tage, daß durch die in der Gerste enthaltene Feuchtigkeit das Ersticken des Keimstoffes verursacht wird. Dasselbe wird auch bei andern Getreide-Gattungen der Fall seyn. — Das Trocknen wird aber nicht nur den Keimstoff und alle zum Brodbacken gehörigen Eigenschaften eines guten Getreides bewahren, sondern auch den dumpfigen Geruch verhindern und den so schädlichen Kornwurm vom Getreide abhalten, dem es, so lange es noch in einem gewissen Grade zäh und feucht, leichter zugänglich ist, als wenn es durch das Trocknen eine fast hornartige Härte erlangt, die schwerlich das Insekt anzugreifen noch im Stande wäre. Den Beweis davon haben wir beim Malze, das, aller Feuchtigkeit beraubt, nie vom Wurme angegriffen wird, ausser die äußersten Schichten eines Haufens, die aus der Luft Feuchtigkeit anziehen, zähe und so für den Wurm eindringlicher gemacht werden, dasselbe mag auch bei jeder andern getrockneten Greideart durch längeres Liegen vorkommen, jedoch, wie gesagt, nur an den äußersten Schichten kaum ¼ Zoll tief hinein, zu den innern hat schon die Luft also auch die Feuchtigkeit nicht mehr so viel Zutritt. Bei einem solchen Erscheinen soll selbes ganz ruhig, ohne es umzuwenden, liegen bleiben, damit nicht das zähe unter das Trockene gemischt, und eine andere Schicht der Luft ausgesetzt wird.

Das Trocknen wird immer Grundbedingung zur Aufbewahrung des Getreides bleiben; denn wir wissen aus Erfahrung, daß alle Vegetabilien durch gänzliche Entfernung der Feuchtigkeit am längsten dem Zahn der Zeit und seinen Einflüssen widerstehen, und gerade im fraglichen Punkte giebt uns wieder die Erfahrung den schönsten Fingerzeig; denn Getreide bei nasser Witterung eingeärntet ist dem Verderben mehr ausgesetzt, als jenes, das bei gutem Aerntewetter schon auf dem Felde trocknet, also trockener in die Scheune gebracht wird; wenn wir also durch künstliche Mittel auch noch die Feuchtigkeit im trocknen Getreide (und selbst im vermeintlich trockenen ist, wie wir später sehen werden, noch eine bedeutende Quantität) entfernen können, muß es nicht die Aufbewahrungs-Fähigkeit desselben noch erhöhen? Dergleichen Ideen und sehr schöne Vorschläge fand ich beim Nachlesen früherer Wochenblätter des landwirthschaftlichen Vereins in Bayern, Dinglers Journal rc., die mich aneiferten, auch Versuche über diesen Gegenstand anzustellen.

Die Beschreibung der Vorrichtung auf weiter unten versparend, bemerke ich hier nur, daß das Trocknen mittelst erwärmter Luft heuer im Frühjahre geschah; die dabei angewandte Hitze überstieg nie 30–36° R., welcher Temperatur das Getreide an heißen Tagen schon auf dem Felde durch die Sonnenhitze ausgesetzt war, also unmöglich nachtheilig auf die Bestandtheile des Getreides einwirken konnte, was auch die spätere Anwendung desselben zu Brodbacken und Malzmachen bewies.

Jede Getreideart, Weizen, Korn ꝛc. Gerste von der Aernte 1835, wurde innner 24 Stunden in obiger Temperatur erhalten und verlor, nachdem es gehörig abgekühlt war, im Durchschnitte den 12ten Theil sowohl seines Gewichtes als seines Volumens also pr. Schffl. ½ Metzen.

Hr. Bäckermeister Dallmayer von hier, der die Gefälligkeit hatte, sowohl aus 1 Schffl. Weizen als aus 1 Schffl. Korn, beide auf dieselbe Art getrocknet, Brod zu backen, erklärte, daß es durch das Trocknen nicht im Mindesten ungeeigneter zum Brodbacken wird, jedoch muß es vor dem Mahlen mehr als gewöhnlich genetzt werden. Alle drei Sorten Getreide keimten nach dem Trocknen, nachdem sie wieder bis zu einem gewissen Punkte im Wasser geweicht waren, ganz gleichmäßig, nicht mehr aber das nachbeschriebene 17 Jahr alte Korn.

Ich hatte Gelegenheit von einem Vorrath von mehreren hundert Schffl. Korn, das schon 17 Jahre durch außerordentlichen Fleiß und geschickte Entfernung des Wurmes sehr rein erhalten wurde, ein Schffl. zu erhalten; dieses unterwarf sich der Trocknung auf oben erwähnte Art, und es ergab sich, daß in 283 ℔ Korn noch 16 ℔ Feuchtigkeit enthalten waren, aber zu meinem Erstaunen verlor es an Volumen in Verhältniß mehr als an Gewicht nämlich 1/2 Metzen. Im Verhältniß zu neuem Korn hatte es 1/3 weniger Feuchtigkeit in sich, ein Zeichen, daß es durch das lange Aufbewahren und Bearbeiten schon so weit von der Luft aufgetrocknet wurde.

Ein anderes neues aber zähes Korn verlor durch das Trocknen mehr als den 12ten Theil seines Gewichtes und Volumens und erhielt dasselbe gute und gesunde Aussehen, wie eines der besten Qualität, woraus hervorgeht, daß Getreide bei nassem Wetter geärntet, durch gehöriges Trocknen ebenso zur Aufbewahrung tauglich und vor Verderben geschützt wird.

Ein weiterer Beweis dafür ist der: Ein Freund von mir hatte voriges Jahr zu seiner Gersten-Aernte nasses Wetter, die Gerste bekam im Stocke durch die Nässe, nach 4 Wochen langem Liegen einen üblen dumpfigen Geruch, und war so zäh, daß es zum Bierbrauen ja vielleicht zum Viehfutter ganz ungeeignet gewesen wäre.

Auf mein Anrathen trocknete er es auf seiner Malzdörre, wodurch es allen üblen dumpfigen Geruch verlor; nach diesem wurde es wieder durch Einweichen und Keimen zu Malz gemacht, wobei es keinen Wunsch übrig ließ.

Auffallenderweise zeigte sich bei nachherigem Dörren bei Entweichung der Feuchtigkeit noch vieler dumpfiger Geruch, aber gedörrt war keine Spur mehr davon vorhanden und das Malz zum Bierbrauen tauglich. Von 41 Schffl. solcher zäher Gerste erhielt er 36 Schffl. Malz. —

Die Heitzung mit erwärmter Luft verdanken wir dem verdienstvollen Hrn. P. J. Meißner, Professor der technischen Chemie am k. k. polytechnischen Institute in Wien; von ihm erschien die 3te Auflage einer Schrift über diesen Gegenstand i. J. 1827.

Erst seitdem Meißner uns lehrte, die Luft viel oder wenig zu erwärmen und in jeden Theil des Hauses nach Belieben einzuleiten, ist jeder Oekonom groß oder klein im Stande, Getreide auf das Einfachste und Wohlfeilste zu trocknen. Jeder Ofen wird dazu brauchbar; man umgiebt ihn mit einem gemauerten Mantel 8 bis 10 Zoll vom Ofen entfernt, der eine Oeffnung von einem Quadratfuß von unten hat, wodurch die kalte Luft einströmt, sich um den Ofen herum erwärmt, und so durch einen Kanal nach Oben, an das, auf einem groben Tuche oder einer durchlöcherten metallenen Platte, ausgebreitete Getreide, geführt wird. Der Rauch wird durch eigene Röhren in den Kamin abgeführt: kömmt also nie mit dem Getreide in Berührung. Auf solche Art ist auch meine Vorrichtung, der Ofen ist zu ebener Erde, die erwärmte Luft wird durch einen Kanal in einem, im ersten Stockwerke des Gebäudes, gemauerten 4eckigen Kasten 3 Fuß hoch und 6 Fuß im Quadrat geführt, auf diesen ist ein hölzerner Aufsatz, aber nur einen Fuß hoch, darin befinden sich von 3 zu 3 Zoll Latten und auf diesen ist ein grobes Tuch ausgebreitet, worauf das Getreide zu liegen kömmt. Bei dieser Größe läßt sich bequem 1 Schffl. auf einmal trocknen. Wollte man die Vorrichtung so viel vergrößern, daß 10 oder 20 Schffl. auf einmal getrocknet werden, so müßte die Feuerung anders eingerichtet seyn, so werden z. B. zwei statt einen Ofen gute Dienste leisten, damit einer nicht zu sehr überfeuert, und die Wärme gleicher vertheilt würde.

Da ich bei meinen Proben nicht Holzersparniß oder die zweckmäßigste Art der Feuerung im Auge hatte, sondern nur das Resultat der Eintrocknung ꝛc., so mögen allerdings in der Construktion des Ofens Verbesserungen vorgenommen werden, aber von dem Prinzipe der Lufterwärmung darf niemals abgewichen werden. Die erwärmte Luft muß durch das zu trocknende Getreide gleich einem Luftzuge durchstreichen, durch die Wärme die Feuchtigkeit entwickeln und durch den Zug dieselbe fortführen. Wärme und Luft müssen nothwendig zusammenwirken, wenn eine zweckmäßige Trocknung vor sich gehen soll; denn wirkte die Wärme allein ohne ein Mittel die entwickelte Feuchtigkeit hinwegzuschaffen, so wird nicht nur die Trocknung sehr erschwert, sondern es hat auch nachtheilige Folgen für das Getreide selbst, wie wir den deutlichsten Beweis bei schlechten Malzdörren haben.

Da die neueren Malzdörren in den Bräuereien in München und auch einige auf dem Lande nach denselben Grundsätzen konstruirt sind, daß also kein Rauch mehr durch das zu dörrende Malz, sondern nur Wärme und Luft strömt, und hinsichtlich ihrer Güte ziemlich an Vollkommenheit gränzen, so könnten dieselben füglich zum Trocknen des Getreides auch verwendet werden, und da in den Sommermonaten immer eine Pause im Malzmachen eintritt, so könnten mittelst derselben in dieser Zeit viele 1000 Schffl. in München allein getrocknet werden.

Die Wohlthat und die Vortheile, die durch die Möglichkeit, das Getreide im guten Zustande auf längere Zeit und auf eine für jeden leicht ausführbare nicht kostspielige Art, aufzubewahren, für die Menschheit und das Vaterland gewährt werden, sind schon zu sehr erkannt und zu vielseitig besprochen worden, als daß sie hier noch einer fernern Erwähnung bedürften, nur glaube ich noch auf die speziellen Vortheile bei Aufbewahrung des Getreides im getrockneten Zustande aufmerksam machen zu müssen nämlich: daß jeder trockene Raum zu dessen Lagerung benützt werden kann, auf Speicher, Getreidekästen in großen Haufen aufgeschüttet, oder in Säcken, Kisten, Fässern oder Gruben rc. rc. in großen oder kleinen Quantitäten, nur die Mäuse und Ratten, die noch einzigen Feinde, müßte man durch bisher bekannte Mittel zu beseitigen suchen; — daß man keine Mühe mehr mit Umarbeiten hat, und die Kosten dafür und der Schwand sich im Voraus ergeben; — daß es jedem Privatmanne leicht wird, sich einen beliebigen Vorrath von Getreide anzuschaffen, indem er sich bei irgend einem Oekonomen oder Bräuer, oder vielleicht später bei eigens darauf spekulirenden Personen, welches trocknen läßt, oder solches zur Aufbewahrung getrocknetes Getreide kauft; — daß eben durch die Leichtigkeit und Sicherheit der Aufbewahrung viele, die jetzt nicht daran denken, bestimmt werden,

Mittelpreise
auf den
vorzüglichsten Getreideschrannen in Bayern.

Wochen.	Getreids-Sorten.	Passau. fl.	Passau. kr.	Regensburg. fl.	Regensburg. kr.	Rosenheim. fl.	Rosenheim. kr.	Speyer. fl.	Speyer. kr.	Straubing. fl.	Straubing. kr.	Traunstein. fl.	Traunstein. kr.	Vilshofen. fl.	Vilshofen. kr.	Weilheim. fl.	Weilheim. kr.
Vom 26. Juni bis 2. Juli 1836.	Weitzen	—	—	9	31	9	55	12	24	8	46	10	—	9	14	11	30
	Kern	—	—	—	—	—	—	—	—	—	—	—	—	—	—	11	30
	Roggen	—	—	6	14	6	7	8	21	5	45	6	12	6	26	7	—
	Gerste	—	—	6	12	5	51	7	18	6	—	6	24	—	—	6	30
	Haber	4	24	4	54	4	2	5	44	4	24	3	48	4	12	5	12
Vom 3. bis 9. Juli 1836.	Weitzen	9	30	8	45	9	50	12	10	8	15	9	30	8	29	12	4
	Kern	—	—	—	—	—	—	—	—	—	—	—	—	—	—	12	4
	Roggen	—	—	5	39	6	2	7	35	5	11	5	36	6	7	7	8
	Gerste	—	—	—	—	6	—	6	54	—	—	6	12	5	34	7	24
	Haber	4	19	4	42	3	52	—	—	4	45	3	36	4	35	5	18
Vom 10. bis 16. Juni 1836.	Weitzen	8	30	8	45	—	—	11	10	—	—	9	24	8	51	11	53
	Kern	—	—	—	—	—	—	—	—	—	—	—	—	—	—	11	53
	Roggen	—	—	5	39	—	—	7	30	—	—	5	12	6	5	7	10
	Gerste	5	30	—	—	—	—	6	34	—	—	6	12	5	44	7	30
	Haber	4	30	4	42	—	—	5	39	—	—	3	36	—	—	5	27

von Wolle gland in den Jahren

	℔	℔
Deutsch	8,799,661	10,545,232
Austral	323,995	1,106,302
Total	3,816,966	21,516,649

Werth der ihottischen Produkte und

1820	. . . .	52,797,455 L 2 s. 1 d.
1821	. . . .	56,213,041 „ 15 „ 8 „
1822	. . . .	61,140,864 „ 15 „ 10 „
1823	. . . .	60,683,933 „ 8 „ 4 „
1824	. . . .	65,026,702 „ 11 „ — „
1825	. . . .	69,989,339 „ 13 „ 8 „
1826	. . . .	73,495,535 „ — „ — „
1827	. .	

n englischer Manufakturen 2c. sich den
ern.

Diese Liste ſ mit ein.

Centralblatt

des

landwirthschaftlichen Vereins in Bayern.

Jahrgang: XXVI.

Monat: August 1836.

Landwirthschaftliche Berichte und Aufsätze.

132. Ueber Aufbewahrung des Getreides durch Trocknung mittelst erwärmter Luft.

Obgleich schon sehr vieles und tüchtiges über das längere Aufbewahren des Getreides geschrieben und projektirt wurde, noch nie aber zum allgemeinen Besten in Bayern Anwendung gefunden, so kann ich nicht umhin, hier meine Ansichten, zum Theil auch Erfahrungen, die ich mir durch angestellte Versuche eigen machte, dem Publikum mit der Ueberzeugung zu übergeben, daß nur durch zweckmäßiges Trocknen das Getreide von den schädlichen Einflüssen als: den Wurm und das Dumpfigwerden durch geringe Vorrichtung und Kosten, befreyt, und ohne Nachtheil für das Getreide selbst zur längeren Aufbewahrung geeignet wird.

Im Frühjahr 1834 sah ich mich veranlaßt, bei einem Vorrathe von circa 300 Schäffel Gerste der warmen Witterung halber das Malzmachen einzustellen, und diesen Vorrath zur Aufbewahrung auf meiner Malzdörre bei gelinder Wärme zu trocknen. Im künftigen Herbste wurde wieder Malz daraus bereitet, und ich fand, daß jedes Körnchen noch dieselbe Keimkraft besaß, wie neue Gerste, während wie bekannt, von Gerste, die im gewöhnlichen Zustande dasselbe Alter erreicht, sehr viele Körnchen gar nicht mehr, und die andern höchst ungleich keimen. Es lag mir also klar am Tage, daß durch die in der Gerste enthaltene Feuchtigkeit das Ersticken des Keimstoffes verursacht wird. Dasselbe wird auch bei andern Getreide-Gattungen der Fall seyn. — Das Trocknen wird aber nicht nur den Keimstoff und alle zum Brodbacken gehörigen Eigenschaften eines guten Getreides bewahren, sondern auch den dumpfigen Geruch verhindern und den so schädlichen Kornwurm vom Getreide abhalten, dem es, so lange es noch in einem gewissen Grade zäh und feucht, leichter zugänglich ist, als wenn es durch das Trocknen eine fast hornartige Härte erlangt, die schwerlich das Insekt anzugreifen noch im Stande wäre. Den Beweis davon haben wir beim Malze, das, aller Feuchtigkeit beraubt, nie vom Wurme angegriffen wird, ausser die äußersten Schichten eines Haufens, die aus der Luft Feuchtigkeit anziehen, zähe und so für den Wurm eindringlicher gemacht werden, dasselbe mag auch bei jeder andern getrockneten Greideart durch längeres Liegen vorkommen; jedoch, wie gesagt, nur an den äußersten Schichten kaum ¼ Zoll tief hinein, zu den innern hat schon die Luft also auch die Feuchtigkeit nicht mehr so viel Zutritt. Bei einem solchen Erscheinen soll selbes ganz ruhig, ohne es umzuwenden, liegen bleiben, damit nicht das zähe unter das Trockene gemischt, und eine andere Schicht der Luft ausgesetzt wird.

Das Trocknen wird immer Grundbedingung zur Aufbewahrung des Getreides bleiben; denn wir wissen aus Erfahrung, daß alle Vegetabilien durch gänzliche Entfernung der Feuchtigkeit am längsten dem Zahn der Zeit und seinen Einflüssen widerstehen, und gerade im fraglichen Punkte giebt uns wieder die Erfahrung den schönsten Fingerzeig; denn Getreide bei nasser Witterung eingeärntet ist dem Verderben mehr ausgesetzt, als jenes, das bei gutem Aerntewetter schon auf dem Felde trocknet, also trockener in die Scheune gebracht wird; wenn wir also durch künstliche Mittel auch noch die Feuchtigkeit im trocknen Getreide (und selbst im vermeintlich trockenen ist, wie wir später sehen werden, noch eine bedeutende Quantität) entfernen können, muß es nicht die Aufbewahrungs-Fähigkeit desselben noch erhöhen? Dergleichen Ideen und sehr schöne Vorschläge fand ich beim Nachlesen früherer Wochenblätter des landwirthschaftlichen Vereins in Bayern, Dinglers Journal rc., die mich aneiferten, auch Versuche über diesen Gegenstand anzustellen.

Die Beschreibung der Vorrichtung auf weiter unten versparend, bemerke ich hier nur, daß das Trocknen mittelst erwärmter Luft heuer im Frühjahre geschah; die dabei angewandte Hitze überstieg nie 30 – 36° R., welcher Temperatur das Getreide an heißen Tagen schon auf dem Felde durch die Sonnenhitze ausgesetzt war, also unmöglich nachtheilig auf die Bestand-

theile des Getreides einwirken konnte, was auch die sp
Anwendung desselben zu Brodbacken und Malzmachen bew

Jede Getreideart, Weizen, Korn ꝛc. Gerste von der A
1835, wurde immer 24 Stunden in obiger Temperatur e
ten und verlor, nachdem es gehörig abgekühlt war, im D
schnitte den 12ten Theil sowohl seines Gewichtes als seines
lumens also pr. Schffl. ½ Metzen.

Hr. Bäckermeister Dallmayer von hier, der die Gele
heit hatte, sowohl aus 1 Schffl. Weizen als aus 1 Schffl. K
beide auf dieselbe Art getrocknet, Brod zu backen, erklärte,
es durch das Trocknen nicht im Mindesten ungeeigneter
Brodbacken wird, jedoch muß es vor dem Mahlen mehr
gewöhnlich genetzt werden. Alle drei Sorten Getreide kei
nach dem Trocknen, nachdem sie wieder bis zu einem gew
Punkte im Wasser geweicht waren, ganz gleichmäßig, nicht
aber das nachbeschriebene 17 Jahr alte Korn.

Ich hatte Gelegenheit von einem Vorrath von mehr
hundert Schffl. Korn, das schon 17 Jahre durch außeror
lichen Fleiß und geschickte Entfernung des Wurmes sehr
erhalten wurde, ein Schffl. zu erhalten; dieses unterwarf
der Trocknung auf oben erwähnte Art, und es ergab sich,
in 283 ℔ Korn noch 16 ℔ Feuchtigkeit enthalten waren,
zu meinem Erstaunen verlor es an Volumen in Verhä
mehr als an Gewicht nämlich 1/2 Metzen. Im Verhäl
zu neuem Korn hatte es 1/3 weniger Feuchtigkeit in sich,
Zeichen, daß es durch das lange Aufbewahren und Bearb
schon so weit von der Luft aufgetrocknet wurde.

Ein anderes neues aber zähes Korn verlor durch das T
nen mehr als den 12ten Theil seines Gewichtes und Volu
und erhielt dasselbe gute und gesunde Aussehen, wie eines
besten Qualität, woraus hervorgeht, daß Getreide bei na
Wetter geärntet, durch gehöriges Trocknen ebenso zur A
wahrung tauglich und vor Verderben geschützt wird.

Ein weiterer Beweis dafür ist der: Ein Freund von
hatte voriges Jahr zu seiner Gersten-Aernte nasses Wetter,
Gerste bekam im Stocke durch die Nässe, nach 4 Wochen
gem Liegen einen üblen dumpfigen Geruch, und war so
daß es zum Bierbrauen ja vielleicht zum Viehfutter ganz
geeignet gewesen wäre.

Auf mein Anrathen trocknete er es auf seiner Malzd
wodurch es allen üblen dumpfigen Geruch verlor; nach di

wurde es wieder durch Einweichen und Keimen zu Malz gemacht, wobei es keinen Wunsch übrig ließ.

Auffallenderweise zeigte sich bei nachherigem Dörren bei Entweichung der Feuchtigkeit noch vieler dumpfiger Geruch, aber gedörrt war keine Spur mehr davon vorhanden und das Malz zum Bierbrauen tauglich. Von 41 Schffl. solcher zäher Gerste erhielt er 36 Schffl. Malz. —

Die Heitzung mit erwärmter Luft verdanken wir dem verdienstvollen Hrn. P. J. Meißner, Professor der technischen Chemie am k. k. polytechnischen Institute in Wien; von ihm erschien die 3te Auflage einer Schrift über diesen Gegenstand i. J. 1827.

Erst seitdem Meißner uns lehrte, die Luft viel oder wenig zu erwärmen und in jeden Theil des Hauses nach Belieben einzuleiten, ist jeder Oekonom groß oder klein im Stande, Getreide auf das Einfachste und Wohlfeilste zu trocknen. Jeder Ofen wird dazu brauchbar; man umgiebt ihn mit einem gemauerten Mantel 8 bis 10 Zoll vom Ofen entfernt, der eine Oeffnung von einem Quadratfuß von unten hat, wodurch die kalte Luft einströmt, sich um den Ofen herum erwärmt, und so durch einen Kanal nach Oben, an das, auf einem groben Tuche oder einer durchlöcherten metallenen Platte, ausgebreitete Getreide, geführt wird. Der Rauch wird durch eigene Röhren in den Kamin abgeführet: kömmt also nie mit dem Getreide in Berührung. Auf solche Art ist auch meine Vorrichtung, der Ofen ist zu ebener Erde, die erwärmte Luft wird durch einen Kanal in einem, im ersten Stockwerke des Gebäudes, gemauerten 4eckigen Kasten 3 Fuß hoch und 6 Fuß im Quadrat geführt, auf diesen ist ein hölzerner Aufsatz, aber nur einen Fuß hoch, darin befinden sich von 3 zu 3 Zoll Latten und auf diesen ist ein grobes Tuch ausgebreitet, worauf das Getreide zu liegen kömmt. Bei dieser Größe läßt sich bequem 1 Schffl. auf einmal trocknen. Wollte man die Vorrichtung so viel vergrößern, daß 10 oder 20 Schffl. auf einmal getrocknet werden, so müßte die Feuerung anders eingerichtet seyn, so werden z. B. zwei statt einen Ofen gute Dienste leisten, damit einer nicht zu sehr überfeuert, und die Wärme gleicher vertheilt würde.

Da ich bei meinen Proben nicht Holzersparniß oder die zweckmäßigste Art der Feuerung im Auge hatte, sondern nur das Resultat der Eintrocknung ꝛc., so mögen allerdings in der Construktion des Ofens Verbesserungen vorgenommen werden, aber von dem Prinzipe der Lufterwärmung darf niemals abgewichen werden. Die erwärmte Luft muß durch das zu trocknende Getreide gleich einem Lüftzuge durchstreichen, durch die Wärme die Feuchtigkeit entwickeln und durch den Zug dieselbe fortführen. Wärme und Luft müssen nothwendig zusammenwirken, wenn eine zweckmäßige Trocknung vor sich gehen soll; denn wirkte die Wärme allein ohne ein Mittel die entwickelte Feuchtigkeit hinwegzuschaffen, so wird nicht nur die Trocknung sehr erschwert, sondern es hat auch nachtheilige Folgen für das Getreide selbst, wie wir den deutlichsten Beweis bei schlechten Malzdörren haben.

Da die neueren Malzdörren in den Bräuereien in München und auch einige auf dem Lande nach denselben Grundsätzen konstruirt sind, daß also kein Rauch mehr durch das zu dörrende Malz, sondern nur Wärme und Luft strömt, und hinsichtlich ihrer Güte ziemlich an Vollkommenheit gränzen, so könnten dieselben füglich zum Trocknen des Getreides auch verwendet werden, und da in den Sommermonaten immer eine Pause im Malzmachen eintritt, so könnten mittelst derselben in dieser Zeit viele 1000 Schffl. in München allein getrocknet werden.

Die Wohlthat und die Vortheile, die durch die Möglichkeit, das Getreide im guten Zustande auf längere Zeit und auf eine für jeden leicht ausführbare nicht kostspielige Art, aufzubewahren, für die Menschheit und das Vaterland gewährt werden, sind schon zu sehr erkannt und zu vielseitig besprochen worden, als daß sie hier noch einer fernern Erwähnung bedürften, nur glaube ich noch auf die speziellen Vortheile bei Aufbewahrung des Getreides im getrockneten Zustande aufmerksam machen zu müssen nämlich: daß jeder trockene Raum zu dessen Lagerung benützt werden kann, auf Speicher, Getreidekästen in großen Haufen aufgeschüttet, oder in Säcken, Kisten, Fässern oder Gruben rc. rc. in großen oder kleinen Quantitäten, nur die Mäuse und Ratten, die noch einzigen Feinde, müßte man durch bisher bekannte Mittel zu beseitigen suchen; — daß man keine Mühe mehr mit Umarbeiten hat, und die Kosten dafür und der Schwand sich im Voraus ergeben; — daß es jedem Privatmanne leicht wird, sich einen beliebigen Vorrath von Getreide anzuschaffen, indem er sich bei irgend einem Oekonomen oder Bräuer, oder vielleicht später bei eigens darauf spekulirenden Personen, welches trocknen läßt, oder solches zur Aufbewahrung getrocknetes Getreide kauft; — daß eben durch die Leichtigkeit und Sicherheit der Aufbewahrung viele, die jetzt nicht daran denken, bestimmt werden,

zur wohlfeilen Zeit Vorräthe anzuschaffen, und so für Miß-
ein groſses Magazin durch das ganze Land entsteht.

Zwar liesse sich noch viel über diesen Gegenstand sagen, zur Anregung wird dieses hinreichen. Ich bedaure nur, durch sprechendere Beweise meine innige Ueberzeugung von Vorzüglichkeit dieser Methode, die sich gewiß durch 50 und ährige Erfahrung bewähren wird, bekräftigen zu können, te mich aber schon jetzt durch die niedrigen Preise und die des Getreides das der letzten, und die erfreulichen Aus- auf die künftige Aernte dazu aufgefordert, damit noch her darauf aufmerksam gemacht, und Versuche anstellen , und damit je eher desto besser durch das Zusammenwir- Sachverständigerer als ich, die Wohlthaten, die daraus dem lande entspringen möchten, demselben zugehen könne.

München im Juni 1836.

Gabriel Sedlmayer,
Bierbrauer.

Bemerkungen in häuslicher und ökonomischer Rücksicht in unserer Gegend vom Pfarrer Kolbeck in Eschelkam.

Rura mihi et rigui placeant in vallibus amnes;
Virg. de agricultura lib. II.

Daß die Landwirthschaft das Fundament und die Ernäh- aller Gewerbe sey, daß die Bürger und Bauern eine klasse eines Landes ausmachen, daß von einer gut einge- en Haushaltung das Meiste abhänge, und der Reichste ner schlechten Haushaltung zu Grunde gehe, ist wohl eine nnte Sache.

Aus obiger Absicht mag auch unser allergnädigster König g unser allgeliebter Vater von Bayern Gesetze gegeben , daß auch die Landjugend nur allein in Lesen, Schreiben en und der Religion Unterricht erhalte, sondern auch in and- und Hauswirthschaft. O wie viele Preise werden jährlich an dem Oktoberfeste an würdige Landwirthe ver-

Daß aber unsere Bauern und Bürger in häuslicher und ökonomischer Hinsicht ihre Verhältnisse noch um vieles verbessern könnten, getraue ich mir mit Grund zu behaupten.

§. 1.

Arrondirung und Verbesserung.

Wahr ist es, daß sehr viele Bauern ihre Grundstücke seit einigen Jahren gut arrondirten, ihre Wohnungen auch auswärts zu ihren Grundstücken bauten, wo sie in einem Tage mehr bauen, und düngen können mit einem Paar Ochsen, als ein anderer mit zwei Paar, dessen Grundstücke eine Stunde von seiner Wohnung entfernt liegen; allein sehr viele Bauern giebt es noch in unserer Waldgegend, die sich mit wenig Kostenaufwand, da überall Steine und Holz sich vorfinden, ihre Wohnungen auch zu ihren Grundstücken bauen, und ihre Gründe sehr gut arrondiren könnten, wo sie jetzt lieber in ihren halb eingefallenen Häusern ihr Leben zubringen; nichts zu sagen von dem, daß jener Bauersmann, der gut mit Steinen baut, und abgesondert ist, nicht nur eine schöne Wohnung in seinem Leben habe, sondern auch nicht so leicht einer Feuersgefahr ausgesetzt ist, weil viele Menschen sehr unachtsam mit dem Licht umgegehen, nicht so leicht Zänkereien seines Nachbars zu dulden habe, indem er nicht mit selbem in so naher Berührung steht. Taschendächer findet man hierum sehr selten, auch wenige Schneidschindeldächer, die doch einmal gedeckt, viele Jahre sich halten, die Böden vor Schneegestöber mehr sichern. Die Feuerlösch-Werkzeuge, als Eimer, Leitern und Hacken, die gesetzlich zu halten befohlen, vom Wasser auf den Böden der Häuser, wenigst zur Sommerzeit, will ich nichts sagen, mangeln sehr oft in den Dörfern und Marktflecken, und daher so große Feuersbrünste, und Unglück ganzer Familien.

§. 2.

Von dem Viehstande, Dünger und Wiesenkultur in unserer Gegend.

Ein anderer Fehler in hiesiger Gegend ist hauptsächlich auch der, daß einige Oekonomen mehr Vieh halten, als sie über Winter und Sommer gehörig füttern können, daher sie ziemlich schlechtes Vieh haben, und an selben wenig Nutzen.

Einige giebt es, welche zu wenig Vieh halten, und sie würden noch einmal so viel halten können, wenn sie ihre Felder, und besonders ihre Wiesen mehr mit künstlichem Dünger versehen würden. Hier in unserer Gegend giebt es viele Waldstreu, Hügel zum Abgraben; wenn nun von solchen schlechten Hügeln die Erde über Haufen zusammengefahren, mit Dünger vermischt, dann auf schlechte Wiesen gefahren, wer soll dieses gute Düngungsmittel verkennen?

Denn Nahrungstheile den Gewächsen mittheilen, darin besteht hauptsächlich die Güte des Erdreiches, und seine Fruchtbarkeit. Daß der Dünger soll abgefault seyn, braucht wohl keiner Erwähnung. Da ferners die meisten Bauern und Bürger ihre Dungstätte nicht gehörig anlegen, so fehlt es auch hierin. Zwar weiß ich, daß es öfters wegen der Oertlichkeit nicht anders seyn kann; aber in den meisten Bauernhäusern könnte es besser und schicklicher geschehen, wo dann auch die Meisten die Mistjauche — das beste Dungmittel mit halb Wasser vermischt — für die Wiesen Jahr aus Jahr ein ablaufen lassen, wohin solche den Abfluß nur hat. Daß es auch ein grosser Fehler in einer Oekonomie sey, wenn man das Wasser mehrerer Wochen und Monate hindurch auf dem nämlichen Grund und Boden hin- und ablaufen lasse, und den Ablauf wenigstens nicht alle 2 bis 3 Tage abändere, wird wohl auch keiner Erwähnung und Beweises bedürfen.

Würde Mancher seine Wiesen ebnen, das man oft sehr leicht thun könnte, man braucht nur die Kothhäufen abzustechen, würde Mancher seine Wiesen von Steinen und Gesträuchen reinigen, dann Steinmauern legen. — (das beste Schutzmittel gegen Einhüten des Viehes) dann gehörig Wassergräben ziehen; so könnte er noch einmal so viel Heu und Grumet erhalten, als er so jetzt erhält. Die so nothwendigen Flurschützen, sie sollen rechtliche Männer seyn, vermißt man hier in den meisten Gemeinden, und so muß man jährlich durch Schweine, Gänse, Hühner und Abweiden durch das Vieh einen grossen Schaden erleiden.

§. 3.

Kleebau.

Hier kommt zu bemerken, daß in unserer Gegend verhältnißmäßig mit dem flachen Lande noch sehr wenig Klee gebaut werde, welchen man doch gar so leicht unter Gerste, Haber oder in die Brache, die hierum noch zum grossen Schaden gehalten wird, säen könnte, welcher dann vor einem Regen gegypset, in dem nämlichen Jahre noch eine reiche Aernte geben würde, auch noch im zweiten und dritten Jahre, wenn selber nur über Winter etwas gedünget wird.

Ein Feld mit Kleesamen besäet, nach 2 oder 3 Jahren umgeackert, mit Weizen oder Roggen angebaut, zeichnet sich vor andern Aeckern an der Fruchtbarkeit aus, ja ein Kleefeld, von dem man schon zwei oder drei Jahre das beste Futter erhalten hat, ist nach eigener Erfahrung das beste Feld für den Flachs, Kraut und Kartoffeln. Der rothe oder allgemeine Klee wird hierum am meisten gebaut. Die Luzerne und Esparsette, die hierum gar nicht gebaut werden, wären für den Landmann von noch größern Nutzen, als der gemeine Klee.

Uebrigens hat mich die eigene Erfahrung durch viele Jahre belehrt, daß der Kleebau die Felder wie hierum noch sehr viele Bauern irrig glauben, nicht aussauge, und unfruchtbar mache; im Gegentheile mit allen halmtragenden Gewächsen, welche nach völliger Reife des Samens den Boden mehr erschöpfen; und diese Erschöpfung ist um so viel größer, je länger die Gewächse auf dem Boden stehen, je länger selbe zur Reife brauchen, und je näher die aufeinander folgenden Fruchtarten verwandt sind, daher soll auf ein und dem nämlichen Acker vor 3 oder 4 Jahren ein, und der nämliche Same nicht wieder gebaut werden.

Ehe die Gewächse den Samen ansetzen, ziehen selbe einen großen Theil ihrer Nahrung auch aus der Atmosphäre, und führen selben dem Erdreiche zu, und nur, wenn der Same sich ansetzet, so hört diese Einsaugung größtentheils auf, und wird dann die Nahrung mehr aus der Erde gezogen; daher erschöpft der Kleebau wenig oder gar nicht das Erdreich, weil er meistens in seinem grünen Zustande als Futter gebraucht, und nur der wenigste Theil auf Samen gelassen wird. Auf solche Art könnte in unserer Umgebung mehr Vieh erzogen und gehalten werden, wenn der Kleebau mehr üblich, wenn auch besonders die Runkelrüben, deren Wurzel und Blätter das beste Futter geben, in hiesiger Gegend gebaut würden, wovon aber hier unter hundert Bauern kaum einer sie dem Namen nach kennt.

§. 5.

Zuchestiere.

Daß die Zuchtstiere hierum meistens schlecht sind, schon in dem 2ten Jahre zur Fortpflanzung gebraucht werden, welches jedoch erst im 3ten Jahre geschehen sollte, ist eine allbekannte

Sache; wie kann man denn auf solche Art ein schönes Vieh erhalten? und wenn schon in dem 2ten Jahre die Kalbin, wie man hier zu sagen pflegt, zum Stier gelassen wird? Wenn die Wohnung des Viehes schlecht, finster, nicht trocken, nicht gelüftet, und nicht vom Staube gereinigt wird? ich sage dieses nicht, als wenn alle Bauern hier nachlässig wären, o es giebt auch sehr fleißige verständige Bauern, die sehr schönes Vieh halten, ich sage dieses nur zum Nutzen für jene, welche getroffen sich finden.

§. 5.

Schafzucht.

Das Schaf, dieses so edle so nützliche Thier in einer Haushaltung, und wohl für das ganze Königreich Bayern wird zwar hierum in ein und dem andern Orte gehalten, aber noch nicht mit gehöriger Pflege und Nutzen; denn wer aus dem Schafe Nutzen ziehen will, muß erst um schöne Zuchtschafe sich umsehen. Ein gutes und trockenes Futter, Kleeheu, reines Wasser, gewürzt mit Salz ist das beste Futter. Das Schaf braucht einen lichten trockenen Stall.

Liebe Bauern, von dem Schafe ist gar alles zu benützen, sie geben euch Wolle zu Strümpfen, zum Tuche, Hüte, ihre Häute Beinkleider, und ihr Dünger ist ganz vorzüglich. Allein wenn man heut zu Tage den Bauer, die Bäuerin, und viele Dienstbothen betrachtet, so findet man, daß sie mit ihrer eigenen Erzeugung zu kleiden sich schämen. Das alte Sprichwort sagt daher:

„Selbst gesponnen, selbst gemacht
„Ist die beste Bauerntracht."

Spare zur Zeit, so hast du in der Noth.

§. 6.

Schweinszucht.

Die Schweinszucht ist hier verhältnißmäßig mit der Pfalz nur sehr gering, und mangeln am meisten die schönen Zuchtbären.

Da die Schweine Eicheln, Bücheln, Klee, und alles unreine Getreid, und allen Abgang aus einer Küche aufzehren, so könnte und dürfte wohl auch die Schweinszucht noch besser hier seyn.

§. 7.

Flachsbau.

Was hierum den Flachs anbelangt, ist dieser sehr gut bestellt, und eintragend, weil die Meisten ihre Abgaben und Auslagen damit bestreiten können.

Welche Arten und Samen hier am besten gedeihen, darüber erschien eine kurze Skizze in der Ambrosischen Buchhandlung, Passau 1835 Preis 6 kr.; und ich berufe mich hier auf selbe. Da der Flachs so sehr hier gebaut wird, so wäre es sehr nützlich, wenn in der Nähe eine Bändel- und Zwirn-Fabrik angelegt wäre! — welch' ein schönes Lokal gäbe hiezu nicht das schöne und gut gebaute Schloß Stachesried in der Pfarrei Eschelkam und k. Landgericht Kötzting gelegen. Für Umgebung und Bayern wäre dieses von großen Nutzen. Schade, daß sich bisher Niemand vorfand, der hievon Kenntniß, Vermögen und Muth dazu hätte!!

So steht dieses Gebäude zwei Stöcke hoch, und dazu fest noch gemauert mit vielen Zimmern beinahe ganz öde da; nur allein von dem Bräuer und Familie bewohnt, der in dem nahestehenden Bräuhaus seine Herberge haben, und das schöne Gebäude des Schlosses gerne abtreten würde.

§. 8.

Pferdezucht.

Die Pferdezucht ist hierum auch wenig noch üblich, da die Bauern und Bürger von dem Nutzen des Rindviehs schon mehr überzeugt sind, das Futter des Pferdes kostspielig, vielen Gefahren mehr unterworfen ist, Sattler und Schmied viel Geld kosten. Uebrigens giebt es denn doch auch hier mehrere Pferde, und ist nur zu bedauern, daß von hier bis Straubing oder Deggendorf 16 Stunden sich zählen, wo Hengstreiter vorhanden sind, die meistens auch nur schlechte Hengste haben, wo dann der Eigenthümer in seiner Hoffnung, daß sein Pferd trächtig, am Ende betrogen sich findet, dieses belehrte mich leider bisher die Erfahrung.

Kamm wäre zu einer Beschäl-Station tauglich, wo viele Pferde auch sind, und von hier aus, ehe dem Pferde die Lust vergangen wäre, man leicht die Stuten bringen könnte. Schöne Hengste, schöne Mütter geben und liefern auch in der Regel schöne Fohlen.

§. 9.

Thierärzte.

In Hinsicht der Thierärzte und Hufschmiede hat Bayern die schönsten Gesetze erlassen, und die besten Einrichtungen getroffen; es wäre nur zu wünschen, daß diese Gesetze überall genau vollzogen würden, kein Hufschmied aufgenommen, keine Concession zur Uebernahme und zur Heurath ertheilt würde, ehe er nicht in München die Veterinärschule ganz gehört und Proben seiner Brauchbarkeit abgelegt hätte; und dann würden die Bauern nicht so leicht zu den Abdekern und Pfuschern hingehen, wo viele Thiere, die noch leicht könnten gerettet werden, zu Grunde gehen. Wer die Stallfütterung einführt, Reinlichkeit beobachtet, öfters mit Eßig und Chlorkalk räuchert, Wachholderbeere und Salz unter Futter mischt, wird leicht in seinem Stalle Viehkrankheiten verhindern.

§. 10.

Benützung der Brache.

Die heut zu Tage vermehrte Bevölkerung fordert es, daß auch dem Grund und Boden mehr Nutzen und Früchte abgenommen werden, damit sich die Menschen leichter nähren können.

Denjenigen Oekonomen, welche sagen, die Felder brauchen, wie Alles in der Natur Ruhe, sage ich, daß die Brachen auch wegen dem Unkraut keine Ruhe haben, ja im Gegentheil das Erdreich an der Fruchtbarkeit verliere, indem selbes nicht genug mit der atmosphärischen Luft in Bewegung gesetzt wird, und daher weniger Nahrungssaft einsaugen kann. Es ist wahr, daß jene Felder, welche ein ganzes Jahr Brache liegen, ein schöneres Getreid liefern; allerdings richtig, wenn selbe vorhin gut gedüngt worden sind. Man muß aber auch bedenken, welch' ein Verlust es sey, wenn so viele Felder ein ganzes Jahr hindurch leer liegen, warum soll man selbe nicht mit Kartoffeln, Klee, Rüben, Kohl, Flachs ꝛc. anbauen? —

Im Schluße bemerke ich, daß der Handel und alle Geschäfte hier besser giengen, und mehr Einigung hier mit unsern Nachbarn den Böhmen entstehen würde, wenn auch mit selben der so gewünschte Zollverein zu Stande käme, denn so sind wir von einer Seite zu sehr beengt, und ich als Pfarrer muß es um so mehr wünschen, damit das leidige Schwärzen und Schmuggeln, wodurch das Gewissen verletzt, und so manche

Familie durch Confiskation, und lange Prozesse zu Grunde gerichtet wird, ein Ende nehmen könnte.

---

134. Aernte=Bericht im Jahre 1835.

Schopfloh am Rieß bei Nördlingen den 19. Juni 1836.

Hochverehrtes General-Comité!

In Nr. 13 des Central-Wochenblattes des landwirthschaftlichen Vereins wird bei Gelegenheit des Berichtes des Cultur-Congresses zu Buttenheim der Wunsch ausgedrückt, daß auch aus andern Gegenden ähnliche Berichte über das Resultat der Aernte, die Witterung u. eingeliefert werden möchten.

Seit dem Herbste vorigen Jahres als Mitglied des Bezirks-Vereins für den Rezatkreis eingetretten, mache ich es mir zur angenehmen Pflicht, auch thätig in diesem großartigen Verein für das Wohl des Vaterlandes mitzuwirken, und erlaube mir daher, über das vergangene Aernte-Jahr 1835 folgendes zu berichten:

1) der allgemeine Charakter der vorjährigen Witterung ist sich auch im Rieß treu geblieben: bei ganz ungünstiger Frühlings-Witterung, indem im März noch viel Schnee und kalte Witterung mit ungewöhnlichen Gewittern (der Blitz schlug am 5. Febr. und am 3. März in den Stadtkirchthurm zu Nördlingen) eben so auch im April mit Ausnahme weniger schönen Tage dieselbe Temperatur Statt gefunden hatte; (der Mai brachte noch einige angenehme Tage) trat aber im Juni eine höchst schädliche anhaltende Dürre ein, wodurch die Heu-Aernte im Rieß größtentheils auf die Hälfte gegen sonst herabsank, und die auch im Juli fortdauernde Hitze mit wenig erquickendem Gewitter-Regen einen gänzlichen Mißwachs des Sommer- und Brachbaues fürchten ließ; der Erfolg rechtfertigte auch diese Furcht, indem namentlich im nördlichen Theil des Rießes und im östlichen, gegen Wemdingen hin, Haber und Gerste kaum geschnitten werden konnten, leztere besonders an mehreren Orten gerauft wurde, wie es gewöhnlich bei dem Flachs geschieht, das Winterfeld ertrug mittelmäßig, gab aber sehr schönes Mehl, Kartoffeln gab es sehr wenig, Klee und andere Futterkräuter waren fast ganz mißrathen, Erbsen, Linsen ꝛc. gaben mittel-

mäßige Aernte, der Flachs gieng größtentheils schon auf dem Acker durch die Hitze zu Grunde und was noch gewonnen wurde, gab schlechtes unhaltbares Werg, Obst war noch meistens am erträglichsten.

2. Mit dem Anbau des egyptischen Klees wurde, da der gewöhnliche Kleesame sehr theuer war, von Einigen hiesiger Gegend, namentlich dem sehr thätigen und erfahrnen Oekonomen, dem Posthalter Manhard in Frembdingen, so wie auf den Gütern des Hofrath Abentanz Versuche angestellt, welche denselben Erfolg hatten, wie den in dem Centralblatt Monat März angedeuteten; er wurde nämlich auch in Gerste und Haber gesäet, gieng schön auf, verlor sich aber gegen den Herbst hin ganz wieder, so daß den folgenden Frühling darauf keine Spur mehr vorhanden war.

Er scheint einer besondern Cultur zu bedürfen, auf jeden Fall unsere Winter nicht ertragen zu können, gewiß aber nur einjährig zu seyn, d. h. er wird im Frühling gesäet und blos denselben Sommer hindurch benützt werden müssen.

3. In demselben Märzheft bemerkt Herr von Hessels, daß Winterkorn und Weizen zweijährig sey, gewiß eine höchst wichtige Entdeckung, wenn Boden und Kultur deren Ausführung erlauben; eine ähnliche Erfahrung machte ich selbst, indem ich einen zum Wintergetreid gehörig zugerichteten Acker um Johanni mit Korn (Roggen) besäete, das ich dann zur Herbstzeit, wenn alles grüne Futter ein Ende hatte, noch als herrliches Milchfutter abmähte, im Spätherbste leicht mit Dünger überfuhr, und im andern Jahr erhielt ich eben so schönes Getreide als Andere. —

Möchten diese Notizen als Beweis angenommen werden, wie sehr ich bereit bin, auch mein geringes Schärflein zum Gedeihen des Ganzen beizutragen, der ich mit vollkommenster Hochachtung verharre

Eines Hochverehrten General-Comités

ganz ergebenster Pfarrer

Hanser.

---

135. Ueber landwirthschaftliche Versammlungen.

Aus dem Journal der Fortschritte (le temps) v. 7. Juni 1836.

Die nützliche Anstalt der landwirthschaftlichen Versammlungen hat auch heuer wieder einen neuen Aufschwung genommen. Die dem Herrn Minister des Handels durch das Budget bewilligten Gelder zur Aufmunterung des Ackerbaues sind mit Umsicht vertheilt worden, und tragen zur Verbreitung der Lust an diesen landwirthschaftlichen Vereinen bei, deren ganze Wichtigkeit unsere Kinder mehr als wir empfinden werden.

Die allgemeineren Versammlungen der Departements schliessen sich dieser Regung an, und haben zu neuen Freiplätzen für einige Zöglinge der landwirthschaftlichen Schulen ihre Stimmen gegeben.

Merkwürdig ist indessen eine Thatsache, die einer Erklärung bedarf. Man beklagt sich, daß es, ungeachtet der Vortheile eines unentgeldlichen Unterrichts, unter den Landleuten wenige Bewerber um diese Plätze gebe, wozu sie doch eine aufgeklärte Verwaltung einladet. Man muß das nicht der Gleichgiltigkeit der Bauern zuschreiben. Alle würden, auf Befragen, sehr offenherzig antworten, daß sie ihren Kindern einen so guten Unterricht wünschen; aber der Annahme desselben widersetzen sich mehrere Hindernisse.

1. Die allgemeinen Versammlungen vergessen oft, mit dem Freiplatz auch zugleich die von der Schule von jedem aufgenommenen Zögling verlangte Ausstattung zu bewilligen. Die Ausgabe dafür ist wahrlich gering; wäre sie aber auch noch geringer, so könnten sie die Bauern doch nicht machen, weil sie wohl von ihrer Arbeit leben, aber von ihren Erzeugnissen beinahe nichts erübrigen können, um Geld dafür zu bekommen. Man kann sich in der Stadt, wo alle Arbeiten mit klingender Münze bezahlt werden, keinen Begriff von ihrer Seltenheit auf dem Land machen. Wir schließen hieraus nicht, daß es in Frankreich zu wenig überflüßige kostbare Metalle gebe: wir bekennen blos eine Thatsache, ohne daraus Folgen zu ziehen.

Aber eine andere mehr herrschende und noch stärkere Ursache ist diese, daß ein Kind jetzt, wo die Erzeugnisse des Landwirths, die seiner Arbeit gebühren, fast ganz verzehrt werden, für die mit einer kleinen Wirthschaft beschäftigten Bauern ein wahrer Reichthum ist. Ein Kind von 6 oder 7 Jahren ist bis in das 18te Jahr seinen Eltern eine Quelle von Ersparnissen, und, wunderbar! es verdient in dieser einzigen Periode seines Lebens mit seiner Arbeit mehr, als es braucht.

So sonderbar diese Meinung auch scheinen mag, so ist sie doch nicht weniger gegründet. Das Kind leistet wirklich im Hause viele Dienste. Ohne demselben würde seine zwar leichten aber unerläßlichen Arbeiten der Vater thun müssen; und, so wie die Hervorbringung des Letztern allein im Verhältniße seiner Arbeit, ohne Betriebskapital, steht, so erlaubt ihm diese, — auch noch so schwache — Beihilfe, sich anhaltenderen Feldarbeiten, wozu Kraft gehört, zu widmen, die unverrichtet geblieben wären, wenn ihm die Zeit dazu gefehlt hätte.

Wird das Kind einst Mann, und mehren sich seine Bedürfnisse, so ändern sich auch die Verhältnisse, und die Auswanderung wird, besonders in Gegenden von kleinem Feldbau, nothwendig, weil da die Familie nicht Land genug hat, um einen Mann mehr zu beschäftigen, und weil noch dazu, wann eine Ersparniß und Aufspeicherung unmöglich ist, der Landwirth nur von der Arbeit unmittelbar allein leben kann.

Nach dem Vorhergehenden soll also der Vater dafür, daß sein Kind unentgeltlich erzogen wird, noch entschädigt werden?

Wir läugnen dieses nicht; denn, wenn man der Familie ein ihr nützliches Glied nimmt, so erscheint die Entschädigung um so gerechter, als die vom Sohn erworbenen Kenntnisse seinem Vater wahrscheinlich nicht nutzen werden.

---

136. Ueber den Rheingauer Weinbau.

Die hohen Preise des Rheinweins in den letzten Jahren sind das Resultat besserer Cultur in den letzten Decennien sowohl in den Weingärten, wie auch in der Pflege des Weines selbst.

Als Vorbild besserer Cultur diente die herzogl. Nassau'sche Central-Domänendirection.

Sie beobachtete feste Ordnung in den einzelnen Weinbergsarbeiten, sorgte für pünktliche Vollziehung der gegebenen Vorschriften, brachte Kosten zum Opfer, um alte Weinberge zu verjüngen, und zweckmäßige Grundarbeiten auszuführen.

Seit 12 Jahren zeigen sich die herrlichen Folgen solcher Verbesserungen.

Die Grundsätze, welche beobachtet wurden, sind folgende:

a) möglichste Ebnung des Weingartens an den sonnseitigen Lagen.

b) Gleiche Vertheilung der guten Erde in entsprechender Tiefe, wohin die Wurzeln dringen, d. h. entsprechende Erdmischung.

c) Gleicher Bestand der Reben hinsichtlich ihres Alters; daher die neuangelegten Weinberge höchstens bis in das neunte Jahr durch Ableger nachgebessert werden, während alte, wo Blößen entstehen, durch leztere den Fingerzeig zu deren gänzlicher Ausrottung und neuen Anlegung geben.

d) Wüste Weinberge werden vor deren völligem Aushauen gedüngt, damit sie sich mit starkem Rasen überziehen. Dann bleiben sie 3 Jahre wüst liegen; im dritten Jahre wird der Rasen umgehauen, damit er an der Luft zerfällt, worauf er im nächsten Jahre in die Tiefe gebracht wird. Manchmal wird der gerottete Weingarten mit Klee oder Heusamen besäet, oder andere gute Erde und Rasen unmittelbar aufgeführt. — Das 3jährige Ruhen wird jedoch vorgezogen.

e) Der geist- und gewürzreichste Rheinwein wird aus den Riesling-Reben gewonnen; wo diese gedeihen, werden alle anderen ausgeschlossen.

f) Alles Setzholz, falls es nicht aus eigenen Weingärten genommen wird, wird nur von verläßlichen Weinbauern gezogen. Setzholz aus jungen tragbaren Weinbergen geben die dauerhaftesten tragbarsten Stöcke; daher Setzlinge von dreijährigen bis höchstens neunjährigen Stöcken.

g) Das Setzen geschieht in gerader Linie, so, daß jeder Stock möglichst Sonne gewinnt, in sehr warmen trockenen Lagen in 3 Schuh bis 3 Schuh 6 Zoll weiten Reihen, und in den Reihen 2 Schuh 9 Zoll bis 3 Schuh die Stöcke von einander entfernt; in schweren Boden und weniger warmen Lagen mit 4 Schuh weiter Entfernung der Reihen und 3 Schuh von einander die Stöcke.

h) Die Weingärten werden vom Graswuchse möglichst rein erhalten, und die fleißigsten Winzer erhalten diessfalls Prämien von 5 bis 15 fl.

i) Das Schneiden der Stöcke geschieht im März; das Feststecken der Pfähle und das Anbinden der Reben muß längstens im April beendet seyn. Der schon tragbare Stock wird auf Bugreben und Knoten geschnitten; jedoch wird keinem Stocke zu viel Tragholz gelassen. Jede Bugrebe erhält 6 bis 9, jeder Knoten 2 bis 3 Augen; die meisten Stöcke haben 2 bis 3 Schenkel, sonach 3 bis 4 Bugreben.

Die Weingärten werden dreimal behauet. Die erste Haue geschieht im April, 10 Zoll tief; die zweite nach dem Verblühen, wobei die Erde gegen den Stock gezogen wird; die dritte im August zur Vertilgung des Grases, sonach nur flach.

Das Trocknen des Grases in den Weinbergen selbst ist strenge untersagt.

Das Ringeln der Reben vermehrt zwar die Trauben, aber die Trauben werden ohne Wohlgeschmack; daher diese Künstelei verworfen wird.

Das Ausbrechen der Nebenauswüchse und untragbaren Triebe wird bei saftigem Holze vorgenommen, ehe dadurch dem Stocke große Wunden zugehen. Eben so geschieht das Aufbinden der Schoße an die Pfähle fleißig; im Anfange September geschieht das Stutzen der jungen Triebe bis auf die Pfahlhöhe.

Die Spitzen so wie die ausgebrochenen Nebentriebe werden außerhalb des Weingartens getrocknet.

Das Düngen der Weingärten vermehrt die Qualität und Quantität des Weines; es geschieht alle 2 bis 3 Jahre mit 50 bis 80 Karren Mist auf 1 Morgen; am besten im Herbste oder Winter.

Rindmist mit Stroh gilt für den besten Dünger.

Vor der Hauptlese geschieht ein Auslesen. Die Lese selbst nur bei schöner trockner Witterung, möglichst spät, bei vollster Reife der Trauben.

Die Schalen der Beeren enthalten viele aromatische Theile, daher der Most eine Zeitlang mit denselben in Berührung bleibt, um solche auszuziehen; die Kämme dagegen enthalten herbe und sauere Bestandtheile, daher bei edlen Weinen solche vor dem Pressen entfernet werden.

Im Rheingau wird vorzüglich auf gute Keller gesehen; gute Keller müssen kühl, trocken, dunkel, reine Luft enthaltend seyn. Wichtig ist der Zeitpunkt des Abziehens; wie soll Wein von verschiedenem Alter oder Güte gemischt werden, sogar die Fülle wird mit Wein von gleichem Gewächse gemacht.

Im Rheingau sind nur rein gehaltene Weine zu finden. Eigenthümer durchgesoffener Weine waren von jeher verrufen.

157. Ueber die Einwirkung der Regierungen auf den Gang und die Leitung der Landwirthschaft.

Ueber diese Frage sind in den neuern Zeiten die Gelehrten und Staatsmänner so ziemlich einverstanden. Die Antwort der Pariser Kaufleute auf eine ähnliche Frage des großen Staatsmannes Sully: „Laßt uns nur machen," ist gewissermaßen zu einem national-ökonomischen Glaubensartikel geworden. Es würde auch gegen diesen Satz wenig einzuwenden seyn, wenn die Regierung nur immer mit Pariser Kaufleuten und dergleichen zu verkehren hätte. Aber das Gebiet der Landwirthschaft erstreckt sich hauptsächlich auf diejenige Staatsbürgerklasse, deren Bildung in der Mehrzahl noch nicht so hoch gediehen, um selbst zu erfassen, was ihrem Interesse angemessen ist. Einen Beleg zu dieser Ansicht können die Verhältnisse eines der Badischen Einwohner aus älteren Beziehungen befreundeten Ländchens, des Großh. Oldenburgischen Fürstenthums Birkenfeld *), darbieten.

*) Ein dem Großherzog von Oldenburg, vermöge eines, gemäß dem 49. Art. der Wiener Congreßacte vom 9. Juni 1815. mit dem König v. Preußen geschlossenen Vertrages, gehöriges Fürstenthum auf dem Hundsrücken am linken Rheinufer, an die Preuß. Rheinprovinz, die Herrschaft Meißenheim und das Fürstenthum Lichtenberg gränzend, mit 6½ Quadratm. und 25080 Einwohnern und dem Hauptorte gleichen Namens. Vor 400 Jahren war Birkenfeld ein Theil der Grafschaft Sponheim. 1437 fiel die vordere Grafschaft an Kurpfalz und Baden, die hintere an Pfalz-Zweibrücken und Baden. Von Pfalz-Zweibrücken kam durch Carl, † 1600, Sohn des Pfalzgrafen Wolfgang, die Pfalz-Birkenfeldische Linie auf. Der letzte hier residirende war Christian III., Urgroßvater des jetzigen Königs von Bayern, welcher 1732 in den Zweibrück-

Bekanntlich umfaßt dasselbe in seinem größten Theile Bestandtheile des ehemals Markgräflich Badischen Oberamts Birkenfeld. Der an sich sterile Höheboden gab, bei großem Mangel an Wiesen, einen sehr kärglichen Ertrag, und diese Gegend bildete durch die Aermlichkeit ihrer Bewohner den unansehnlichsten Theil der Badischen Lande.

Dem unvergeßlichen Markgrafen Carl Friedrich war es vorbehalten, diesen Zustand auf die glänzendste Weise zu verbessern. Seinem scharfen Blick entgieng nicht, daß die in den siebenziger Jahren des vorigen Jahrhunderts ins Leben getretene Einführung des Kleebaues in diesen Gegenden besonders guten Erfolg haben müßte. Mit der größten Liberalität wurden den Unterthanen alle Mittel hierzu erleichtert, der Samen unentgeldlich gegeben, die landesherrlichen Hutrechte eingeschränkt und dergl.

Alle diese Maßregeln scheiterten aber an dem starrsinnigen Vorurtheile der Einwohner. Sie beklagten sich bitter über die Härte ihrer Regierung, die sie nöthigen wolle, in ihrer rauhen Gegend ein ausländisches Unkraut zu bauen, und ihre Ländereien und Mühe an eine Frucht zu verwenden, die hier nicht gedeihen könne. Sie sagten den Beamten unverholen in's Gesicht: „Die Herren sollten bei ihrem Leisten bleiben, und sich um die Sachen bekümmern, die sie gelernt hätten. Was den Feldbau betreffe, so verstünden sie denselben wohl besser, als alle Markgrafen und Oberamtleute in der Welt.“ (Laissés nous faire!) Vergebens ward den Leuten zu Gemüthe geführt, sie sollten die Sache doch nur versuchen! Sie blieben

---

schen Landen succedirte. 1776 theilten Zweibrücken und Baden sich in das Land, wovon der größte Theil von Birkenfeld an Baden kam. 1792 wurde es dem französischen Reiche einverleibt und zum Saardepartement geschlagen. Das Land ist gebirgig, und die Berge starren hin und wieder als furchtbare Felsenmassen empor, sind aber größtentheils reich an Waldungen (man schätzt sie auf 48,000 Morgen, wovon 20,000 herrschaftlich), und ihre Abhänge fleißig cultivirt. Viehzucht, Wald- und Bergbau sind die vorzüglichsten Erwerbsquellen für die Einwohner des Landes. Auch gewährt die Verarbeitung und Schleifung der in den dortigen Steinbrüchen sich findenden Achate und anderer im Handel dahin kommender edler Steine zu Tabaksdosen, Petschaften, Ringen 2c. einem großen Theile der Bewohner ihre Subsistenzmittel. Das Land hat nur einen, jedoch nicht flößbaren Fluß, die Nahe.

dabei, sie könnten die Sache nicht versuchen, weil der Klee bei ihnen nun einmal nicht gedeihe. Hierauf fand sich der Oberamtmann veranlaßt, einigen der Hartnäckigsten die Aussaat bei Strafe aufzugeben. Unter der Aufsicht eines Gerichtsdieners wurden sie gezwungen, den Klee auszusäen. Triumphirend erbaten sich die Bedrängten nach einiger Zeit eine obrigkeitliche Besichtigung. Kein Körnchen Klee war aufgegangen! Der Oberamtmann ließ sich aber nicht irre machen. Er brachte bald heraus, daß die Starrköpfe aus Tücke vorher den Kleesamen gekocht hatten, um durch das verfehlte Resultat ihren Eigensinn durchzusetzen. Nach dieser Entdeckung wurden nun ohne Umstände die Widerspenstigen in's Loch gesteckt, und der Kleebau mit Gewalt eingeführt.

Der Erfolg rechtfertigte die Maßregel der Regierung auf das Glänzendste.

Unmerklich verwandelte sich das schlendrianmäßige Zwei- und Dreifeldersystem in den meisten Orten von selbst in eine freie Fruchtwechselwirthschaft, und die Viehzucht kam in einen unglaublichen Aufschwung. Der Feldbau, welcher größtentheils auf sogenannten Auslandsbau beschränkt war, wo ein ärmlicher Weiderasen aufgerissen, und nach drei magern Fruchtärnten wieder auf zehn bis zwölf Jahre, in noch ärmlicherem Zustande, einer kümmerlichen Schafweide heimgegeben wurde, machte einem regelmäßigen Feldbaue immer mehr Platz.

Durch das Einschieben der Kleefrucht langte eine Düngung auf fünf Jahre aus, und der Ertrag der Ländereien ist dadurch verdoppelt. Die Körnerfrüchte werden größtentheils zur Mastung verwendet, und der Birkenfelder Rindviehschlag hat durch die gegenwärtige Cultur, besonders in Bezug auf Mastfähigkeit einen besondern Ruf gewonnen. Im Laufe des vorigen Jahres ließ selbst die Belgische Regierung durch Agenten eine namhafte Zahl Kühe zu landwirthschaftlichen Zwecken in Birkenfeld ankaufen, wobei die obrigkeitlichen Behörden die Originalität der Raçe amtlich beglaubigen mußten.

Kein Einwohner bezweifelt, daß durch die Einführung des Kleebaues der Ertragswerth des Grundeigenthums, abgesehen von allen Concurrenzverhältnissen, verdoppelt worden ist, und segnend danken die Enkel der regen Vorsorge Carl Friedrichs und der energischen Ausführung seiner Beamten eine Maßregel, deren unverkennbarer Despotismus dem Wohlstande der kleinen Provinz mehr genützt hat, als irgend eine liberale Institution der neuern Zeit sich rühmen kann.

chem Erfolge, und wie sich der Aufwand dabei zu andern Streumaterialien verhalte.

Papius.

Landwirthschaftliche Nachrichten u. Bücheranzeigen.

139. Die Wäsche der Wolle und ihr Interesse für Wollproducenten, Fabrikanten und Händler.

So ist das vor Kurzem zu Berlin, Posen und Bamberg erschienene Werkchen des Herrn J. C. Prossart betitelt, welches bei jedem Schafzüchter die günstigste Aufnahme zu finden hoffen darf, da es dieselben mit den verschiedenen Systemen und Methoden, die Wolle zu waschen, bekannt macht, wenn man auch nicht allenthalben den Ansichten und Meinungen des Hrn. Verfassers beizutreten sich veranlaßt finden sollte; denn so wird Niemand, der in der Wolle arbeitet, oder nur damit handelt, derjenigen Meinung des Hrn. Verfassers beistimmen können, die derselbe gleich auf der ersten Seite seiner Broschüre in folgenden Worten ausspricht:

„Die Wäsche der Wolle gehöret wohl eigentlich dem Landmanne nicht an, denn wir zählen die Wolle zu den rohen Produkten, gewaschene Wolle jedoch ist eben so wenig ein rohes Produkt, als gegärbte Felle, gemahlenes Korn, raffinirtes Oel, Malz und präparirter Honig deren sind. Es wird Keinem in Sinn kommen, dem Landwirthe zuzumuthen, daß er neben der unerforschlichen, seine ganze Zeit in Anspruch nehmenden Oekonomie noch die Gärberei, die Müllerei ꝛc. verstehe, und seine Erzeugnisse für diese Branchen zur Hälfte vorbereite — nein — aber man verlangt (in den größten Theilen Europa's) von ihm, daß er in die Mysterien der Wollenfabrikation bis zu einem Punkte eingedrungen sey, der eine außergewöhnliche Kenntniß erfordert; dieses ist ungerecht —? und kann nur durch die tyranische Macht der Gewohnheit erklärt, durch den Despotismus der Herkömmlichkeit entschuldiget und gerechtfertiget werden."

Der Hr. Verfasser scheint weder Oekonom noch Fabrikant zu seyn, denn wäre er Eines von beyden, so würde derselbe jedenfalls sich eines Andern überzeugt haben, als was er hier behauptet. Das Waschen der Wolle auf den Schafen, wie es gewöhnlich in Deutschland geschieht, geht nur den Landmann und nicht den Fabrikanten an. Die Wolle bleibt darum immer ein rohes Produkt, wenn auch der Landmann, ehe er sie zum Verkauf ausbietet, gleich dem Getreide, von der Spreu und anderem Unrath, diese von ähnlichem Schmutze gereinigt. Wird sie dadurch etwas anders, als was sie wirklich ist? Gewiß nicht, sondern sie verliert durch die Wäsche nur dasjenige, was nicht zu ihren natürlichen Bestandtheilen gehört. Muß derselbe nicht auch den erbauten Flachs und Hanf, nachdem er von demselben den Samen genommen hat, erst durch Rösten, Brechen und Hecheln so weit zubereiten, daß derselbe an Flachs- oder Garnhändler zu verkaufen ist? Werden aber deßhalb diese Materialien nicht mehr zu den rohen Produkten gerechnet? Gegerbte Wolle, raffinirtes Oel, präparirter Honig dagegen sind Fabrikate, und Niemand wird solche von dem Landmanne als rohe Produkte fordern. Nach den Aeußerungen des Hrn. Verfassers soll man nun von dem Landmanne nichts weiter verlangen, als daß er das Feld baue, und das, was die Natur darauf hervorbringt, ohne weitere Zubereitung an die Käufer absetzen. Aber Gott sey Dank! daß wir in unseren Zeiten so weit nicht mehr zurück sind, ob ich wohl nicht wünsche, daß der Landmann in die Mysterien der Fabrikation eindringen soll. Der Landmann muß jedoch den Grund und Boden und alle Branchen seines Gutes so gut zu benützen suchen, als es ihm nur immer möglich ist. Allein nach der Meinung des Hrn. Verfassers würden Bierbrauereien, Branntweinbrennereien, Weinkelterung rc., obgleich sie zur Chemie gehören, dem Landmanne nicht zu kommen, und eben so würde er Steinkohlen, Kalkbrennerei, Torfgräberei und alles andere, was ihm die Natur auf seinem Grund und Boden zu seinem und anderer Menschen Nutzen gewährt, unbenutzt lassen müssen, weil es nicht zur gewöhnlichen Landwirthschaft gehöre? Und doch betreiben die Gutsbesitzer alles das, wozu ihnen ihr Grund und Boden Gelegenheit darbietet, und lassen keine Branche unbenutzt, die ihnen Nutzen gewährt. Bei Mißwachs, Wetterschaden und anhaltenden niedrigen Preisen seiner Erzeugnisse muß ein Wirthschaftszweig den andern heben und übertragen. Darum muß der Landmann Alles aufbieten, um bei seinen Erzeugnissen an Wolle, Flachs, Honig rc. die höchste Vollkommenheit zu erlangen, ohne jedoch in die Mysterien des Fabrikwesens einzudringen.

Bleibe ich bei der Wolle stehen, so dringt sich zuerst die Frage auf: warum der Schafzüchter bei Veredlung seiner Schafe und Wolle durch Anstrengung, Ausdauer, grossen Geldaufwand und unaufhörliches Forschen, die höchste Vollkommenheit dieses Produkts zu erlangen sucht? Doch gewiß nicht um des Fabrikanten wegen, oder um die Luxusartikel zu befördern? — Nein! — er thut es nur seines eigenen Interesses willen, was auch jeder Mann sehr recht finden wird. Und schon aus diesem Grunde behaupte ich, daß das Waschen der Wolle zur Fabrikation ganz andere Kenntnisse erfordert, die dem Landmanne nicht zugemuthet werden können. Wenn die Schäffereibesitzer ihre Schafe nämlich scheeren, ohne sie vorher gebadet zu haben, so könnte der Preis der Wolle weder vom Verkäufer noch Käufer nach der Quantität noch Qualität bestimmt werden, und das dabei eintretende Mehr-Gewicht von 34–36 pCt. würde den Transport vertheuern und die Zollabgaben um Vieles vergrößern. Dieses allein beweiset schon, daß ungebadete Wolle kein Artikel für den Welthandel werden kann, und darum ist das Waschen der Wolle von Seite des Producenten auch nicht durch die tyrannische Macht der Gewohnheit und durch den Despotismus der Herkömmlichkeit eingeführt worden. Alle edle und halbveredelte Schafe in ganz Deutschland, die ein lockeres Wollvließ tragen, gehören mit wenig Ausnahme der bekannten Electoral-Race an. Selbst wenn auch das Wollvließ dichtwollig ist, so kann man es gegen das von den originellen Negretti-Schafen locker nennen. Vermöge des sanften öhligen Wollfetts läßt sich nun die Wolle auf den Schafen in den von der Sonne bis zu 18–20 Grad erwärmten Fluß-, Bach- oder Teichwassern von dem Stallschmutze und Schweiß, wobei sich ein wenig Wollfett mit auflösen kann, bei zweckmäßiger Behandlung leicht, und ohne daß es der Gesundheit der Thiere nachtheilig wird, rein und weiß zu waschen. Dieses ist selbst bei den gemeinsten Landschafen der Fall, deren ordinäre Wolle ebenfalls viel leichter und weißer beim Baden wird. Nach dem Waschen der Wolle auf den Schafen schüttelt sich das Thier, wenn es aus dem Wasser kommt, beim Herumtreiben alle 6–8 Schritt weit, wodurch die Stapel des Vließes wieder in ihre natürliche Form kommen. Nur die edlen Sprungstöhre machen zuweilen darin eine Ausnahme, bei welchen die Wolle wegen ihrem starken Körperbau und bessern Futter, mehr Fett und Schweiß erzeugen; wenn diese Thiere rein und weiß werden sollen, so müssen die Thiere wiederholte Mal durchs Wasser, was sie allerdings sehr angreift. Dieses wird von den Besitzern der Schafe oft darum vermieden, weil ihnen diese

Thiere sehr werthvoll sind. Die auf den Schafen gewaschene Wolle kann der Fabrikant ganz accurat sortiren. Es enthält ein solches Wollvließ oft an 12 bis 15 verschiedene Sorten Wolle, die ganz genau von einander separirt werden müssen, wenn ein schönes Fabrikat an Tuch und andern wollenen Zeugen hervorgebracht werden soll. Eine ganz richtige Sortirung der Wolle mit einer kenntnißvollen Fabrikwäsche, ist bei allen Fabrikanten die Hauptgrundlage. Ganz anders ist dieses in Spanien und Frankreich, indem in Spanien die Schafe das ganze Jahr hindurch Tag und Nacht unter freiem Himmel leben, wobei die Atmosphäre und das Futter auf Körper und Wolle besonders einwirkt. Ueberhaupt giebt es daselbst auch eine andere edle Race Schafe, die man nach den Familiennamen ihrer Besitzer Negretti nennt; diese Thiere zeichnen sich gegen unsere Electoral-Schafe durch einen runden kräftigen Körperbau aus, sie tragen ein sehr dichtgeschlossenes Wollvließ mit einem stumpfen platten Stapel ꝛc., die Wolle hat, in warmen Stallungen gewaschen, ein pechartiges klebriges Wollfett und läßt sich in erwärmtem Flußwasser sehr schwer rein und weiß waschen, weil sich der Stallschmutz und Schweiß mit dem Wollfett sehr fest verbindet. Die Wolle davon zu reinigen, mag wohl die eigentliche Ursache seyn, warum man sie in warmen Wasser, jedoch ohne ätzende Mittel wäscht, wo sich ein Theil des Wollfetts mit dem Schmutz und Schweiß zugleich auflöset, und darum die Wolle weiß und rein wird, und ohne Nachtheil bei der Fabrikation verarbeitet werden kann. — Die Negretti-Wolle hat nicht so viel abweichende Sorten in ihrem Vließ als unsere Electoral-Wolle, weßhalb auch das Sortiren derselben nach der Schur eher ohne Nachtheil vorzunehmen ist.

Es befinden sich in Spanien aber auch unter den 8 Millionen Wanderschafen der edle Escurial-Stamm, von welchem unsere Electoral-Heerden abstammen, und welche in unserer königlich-sächsischen Stammschäferei zum Thiergarten bei Stolpen in ihrer Originalität zu sehen sind. Diese Schafe gehen in Spanien ebenfalls das ganze Jahr hindurch Tag und Nacht unter freiem Himmel, was auf die Eigenschaften ihrer Wolle weniger günstig einwirkt. Alle in warmen Wasser nach spanischer Methode gewaschene Wolle verliert bei der Fabrikwäsche noch 12 bis 15 pCt., wogegen unsere edle deutsche Wolle, die auf dem Schafe gewaschen ist, 24 bis 26 pCt. dabei verliert, und dennoch bezahlen die Engländer und Franzosen die deutsche Wolle, welche in Feinheit nicht höher steht, als die spanische, den Entr. nach Verhältniß ihrer Sorte um 10 bis 30 Thlr.

beßer, weil sich die deutsche Vließ-Wolle accurater sortiren läßt, und auch in ihren Eigenschaften viel sanfter und geschmeidiger ist. Dem Vermuthen nach mögen die Franzosen theilweise gleiche Ursache haben, ihre Wolle nach der Schur zu waschen, wie die Spanier; doch ist diese Wolle in England schwer abzusetzen, weil sie oft mit ätzenden Mitteln von Seife, Pottasche, Lauge ꝛc. gewaschen, dem Fabrikate beim Walken und Färben sehr oft nachtheilig ist, und dem Fabrikate zuweilen die Sanftheit benimmt und dasselbe rauh macht. Hieraus wird man die Ursache wahrnehmen, warum man den Fabrikanten die Fabrikwäsche überlassen muß. Eben so muß der Wollproducent oder die in Waschanstalten angestellten Arbeiter dem Fabrikanten die Wolle sortiren wollen, die man außerdem nach dem Waschen, wenn solche trocken ist, mit Stecken schlägt: wodurch Alles durcheinander kommt, und eine weitere Sortirung unmöglich wird! — Daß das Wollwaschen nach der Schur in Frankreich mehrere Vortheile in Rücksicht auf Transport-Kosten, Zölle, reellen Handel gewährt, wird und kann Niemand widersprechen; wenn aber aus Wolle, die nach der Schur gewaschen, aus anderer Rücksicht nicht die vollkommensten Fabrikate hervorgehen können, als von Wolle, die auf dem Rücken der Schafe gewaschen ist, so muß es wohl dabei bleiben, daß man die Wolle auf den Schafen wäscht. Durch Versuche erlangt man Erfahrungen, und behält davon, was besser ist. Würde man da wohl, wo in unsern Zeiten alle Künste, Wissenschaften und Fabrikgeschäfte nach höherer Vollkommenheit streben, in den vielen Staaten Europas noch die Wolle auf den Schafen waschen, wenn das Waschen nach der Schur in so vieler Beziehung besser wäre? ich glaube nicht; es bliebe gewiß kein Wollproducent damit zurück, viel weniger ganze Länder und Staaten. Warum aber die südlichen Bewohner Rußlands ihre Wolle nach der Schur waschen, weiß ich nicht. Viele Schafzüchter unter diesem Himmelstrich kommen theilweise in der hohen Veredlung ihrer Electoralheerden von Jahr zu Jahr immer weiter vorwärts. Vielleicht erschweren die Lokalverhältnisse das Baden der Schafe, und man zieht darum das Waschen der Wolle nach der Schur vor. Ich sah noch voriges Jahr eine Parthie solcher Wollen von mehreren Sorten in Dresden, die aus dem südlichen Rußland war, welche eine vorzügliche Fabrikwäsche hatte, und welche nach zweijährigem Lagern mit großem Verlust für den Producenten verkauft werden mußte, was gewiß nicht der Fall gewesen seyn würde, wären sie auf den Schafen gewaschen worden. Das Waschen der Wolle auf den Schafen ist ein höchst wichtiger Gegenstand, der alle Aufmerksamkeit des Schafzüchters verdient, und darauf aufmerksam zu machen ist die eigentliche Tendenz gegenwärtigen Aufsatzes. Doch beabsichtige ich keineswegs, das Waschen der Wolle auf den Schafen den Wollproduzenten anzugeben, sondern überlasse es Jedem seiner eigenen Beurtheilung, wie derselbe die Anwendung bei den verschiedenen Lokalverhältnissen am besten findet, um eine reine Wolle zu erhalten. — Ich lasse alles Waschen von Wolle unbeachtet, es möge in dem südlichen Europa betrieben werden, wie oder wo es wolle, und beschränke mich nur auf das Baden oder Waschen der Wolle auf den Schafen in Deutschland.

Wenn die Fluß-, Bach- und Teichwasser bis zu 18 – 20 Grad von der Sonne erwärmt sind, so ist es gewiß jedem aufmerksamen Schafzüchter möglich, bei zweckmäßiger Behandlung die Wolle auf den Schafen von allem Stallschmutze und Schweiße zu reinigen. Wenn auch nach den verschiedenen Bodenarten die Wolle die Farbe desselben angenommen, und sich mit dem Wollfett vereinigt hat, daß eine Wolle röthlich, eine andere bläulich, auch granlich und gelblich aussieht, dabei aber ganz rein nach dem Baden der Schafe ausfällt, so lösen sich doch die farbigen Theile mit dem Wollfett, was den Wollfaden umgiebt, bei der Fabrikwäsche gänzlich auf, so daß die Wolle nur noch einen schwachen Schein von den farbigen Erdtheilen behält und weiß wird. Reingewaschene Wolle findet auf den Wollmärkten und Wollagern immer den schnellsten Absatz und erhält die höchsten Preise. Unreine, trübe und beladene Wolle sind schwer zu verkaufen und werden oft bei allen den vorzüglichsten Eigenschaften im Preise gewaltig herabgesetzt. — Die unreinen Wollen entstehen, wie bekannt, aus mehr als einer Ursache. Staubige Straßen, Felder und Weiden, schlammige Teiche und Pfützen, worin die Schafe oft aus Mangel an Flußwasser gebadet werden müssen, wobei der Schlamm aufgerührt wird, sich in die Wolle setzt und mit dem Wollfett verbindet, zu wenig Streu im Winter in Ställen, auch zu dichtes Zusammenstehen der Schafe in Ställen rc. verunreinigt die Wolle ungemein und verbindet den Schmutz mit dem Wollfett, daher sie bei weniger von der Sonne erwärmtem Wasser nicht rein und am wenigsten weiß werden kann. Alle diese Uebelstände sollten die Schäfereibesitzer nach Möglichkeit zu bekämpfen suchen, weil nur ein unberechenbarer Nachtheil bei einer unreinen Wolle für sie entstehen kann. — Es giebt ja jetzt so viele von unsern rationellen und eifrigsten Schafzüchtern, die alle Jahre durch das Baden der Schafe eine reine weiße Wolle verlangen, und es muß daher auch jedem andern Heerdenbesitzer möglich seyn, dieses Ziel zu erreichen, wenn auch mehr oder weniger Schwierigkeiten und Hindernisse dabei zu bekämpfen wären. Noch muß ich das Waschen der Wolle auf den Schafen in dem dazu gefertigten Kasten oder Gefässen gedenken. Dasselbe ist eine höchst beschwerliche und zeitraubende Arbeit, die nur bei ganz kleinen Schafheerden angewendet werden kann, und es ist keineswegs bei großen Heerden anwendbar. Es ist freilich ein Uebelstand, daß unser erster großer Wollmarkt zu Breslau schon zu Ende des Monats Mai seinen Anfang nimmt, wo es sehr oft in dieser Jahreszeit noch kalt ist, so daß das Wasser zum Baden der Schafe sich noch nicht wegen Mangel an Wärme eignet, und eine reine Wolle nicht verarbeitet werden kann. Die rechte Zeit wäre wohl, wenn die Wollmärkte den 1. Juli ihren Anfang nähmen, bis zu welcher Zeit gewöhnlich solche warme Tage erfolgen, welche die Gewässer bis zu 18 – 20 Grad erwärmen. Da, wo man in Deutschland ächte Original-Negrettiheerden besitzt, oder die Schafe davon mit Elektoralstöhren durchkreuzt hat, enthält die Wolle mehr Fett; doch ist dasselbe durch deutsche Pflege, Futter- und Winteraufstellung nicht so pechig und klebrig, als es in Spanien der Fall ist, weßhalb es immer möglich ist, durch das Waschen die Wolle auf den Schafen rein und weiß zu bekommen.

Dieses Jahr war ich sehr oft Zeuge davon, daß man unreine Wolle ganz unbeachtet ließ, und die Käufer, welche darauf reflektirten, setzten den Preis um 15 und 20 Thaler per Ctr. gegen die Forderung herunter. Hätte der Producent nun auch bei reiner Wäsche 10 pCt. weniger Gewicht erhalten, so würde, 1 Ctr. zu dem Preise von 80 Rthl. berechnet, doch nur ein Geldverlust von 8 Rthlr. eingetreten seyn, so bekömmt der Verkäufer aber 15 bis 20 Rthlr. auf 1 Ct. solcher unreinen Wolle weniger, was einen Verlust von 7 bis 12 Rthlr. per Ctr. ausmacht. Nimmt man nun den Durchschnittspreis nur mit 8 Rthlr. Verlust den Ctr. an, so entstünde bei großen Schäfereien, wo man von 100 bis 1000, ja selbst über 4000 Ctr. Wolle produzirt, einen ungemeinen Verlust von 800 bis 8000 und selbst bis 32,000 Thaler.

Es scheint daher selbst bei den schwierigen Lokalverhältnissen nothwendig zu seyn, daß man auf zweckmäßige Schafschwemmen bedacht sey, und sollten Besitzer sehr großer Heerden Mangel an reinem und hinlänglichem Wasser haben, so könnte dasselbe durch artesische Brunnen herbeigeführt werden, indem der größere oder geringere Aufwand oft in einem Jahre durch die Preise einer reingewaschenen Wolle nach oben angeführten hinlänglichen Beweisgründen wieder ersetzt werden würde.

Und welchen Gewinn hat der Wollproducent nicht dann zu erwarten, wenn sich derselbe jedes Jahr eines schnellen Absatzes mit den besten Preisen seiner Wolle erfreuen dürfte.

Da das artesische Brunnenwasser, was oft Mineraltheile enthält, und darum hart ist, und sich zum Waschen der Wolle auf den Schafen nicht eignet, so müßte man solches in große Bassins leiten, wo, wenn dieselben voll wären, der Zufluß aufhören müßte. In Zeit von 8 – 14 Tagen werden die Mineraltheile zersetzt, und das Wasser ist zum Baden der Schafe geeignet. — Auch kann man dieses Wasser chemisch zersetzen, was ich aber nicht speciel anzugeben vermag, nur Eine Art davon ist mir bekannt. Man werfe nach Qualität des Wassers Weizen-Kleyen in dasselbe, diese nimmt alle Mineraltheile auf.

Bildet der Brunnen aber einen Bach, so zersetzen sich die Mineraltheile beim Laufe von einer halben Stunde von selbst. So wie alle Flüsse und Bäche, die von Quellen entstehen, und die mehr und weniger Mineraltheile enthalten, durch das Fliessen in einer Entfernung ganz weich werden.

Wie ich kürzlich vernommen habe, so lassen einige Schäfereibesitzer in Ungarn ihre Schafe mit warmen Wasser und Lauge in Bottichen waschen. Die Wolle soll ganz vorzüglich rein und weiß werden, und die Wollhändler ganz besonders ansprechen, die auch dafür höhere Preise anlegen müssen, als für die gewöhnliche auf den Schafen gewaschene Wolle. Die Folge wird aber lehren, daß diese Art Wäsche nicht länger bestehen kann, da der Wollhändler wohl schwer sein ausgelegtes Geld für dergleichen in Lauge gewaschene Wolle von den englischen Fabrikanten wieder erhalten wird.

Alle deutsche, niederländische, holländische, englische und selbst französische Tuchfabrikanten erkennen die Wolle, welche auf den Schafen gewaschen ist, als die vorzüglichste an, und darum wird solche auch immer den Vorzug gegen warmgewaschene oder in Schweiß gebliebene Wolle in dem Wollhandel behalten. Da Wolle in Schweiß, und Wolle, die in warmen Wasser gewäschen ist, immer Extreme sind, die einander grell gegenüber stehen, so wird den Producenten nur der größte Nachtheil dadurch erwachsen.

Ich hoffe und wünsche, daß der Herr Verfasser es nicht übel von mir aufnehmen wird, wenn ich ihm hiemit bewiesen habe, daß das Waschen der Wolle auf den Schafen gegen das in warmen Wasser vorzuziehen ist, und dem Landmann und nicht dem Fabrikanten zukommt. Wer mit diesem oder jenem

Geschäft nicht bekannt ist, der kann sich wohl leicht eine falsche Idee davon machen, und es sind solche Urtheile auch um so mehr verzeihlich, da es von jeher heißt: Irren ist menschlich.

J. H. Clauß, in Pirna 1835.

---

140. Wollwäsche mittelst Mehlwassers.

Die Wollwäsche ist eine künstlich technische Beschäftigung, die genaue Kenntniß des Zweckes voraussetzt, und das Schafwaschen überhaupt eine viel sorgfältigere Reinigung der Wolle zum Zwecke hat, als sich durch das Schwemmen erzielen läßt. Dieses Geschäft zerfällt in das Vorbereitungsgeschäft der Wäsche oder in das sogenannte Einweichen der Schafe, und in die Reinwaschung derselben.

Meine Manipulation, die Wolle der Schafe mittelst Mehlwassers auf dem Körper der Thiere zu reinigen, ist die nachfolgend beschriebene.

Vor Allem wird bemerkt, daß es sehr zweckmäßig ist, wenn bei dem Verfahren, die Schafe vor der Reinwaschung in fliessendem oder stehendem Wasser zu vollenden, die Kessel, um das Mehlwasser vor dem Einweichen der Schafe zu sieden, unmittelbar in der Nähe dieses Ortes sich befinden. Das Verfahren dabei ist Folgendes:

1) Für 100 Stück Schafe löſt man 10 ℔ Mehl nach und nach in circa 50 ℔ siedendem Wasser durch fleißiges Umrühren in einem kleinen Gefäße solchergestalt innigst auf, daß nicht die mindesten Spuren kleiner kugelförmiger Ueberbleibsel davon übrig bleiben. Ist dieses geschehen, so werden die Kessel mit Wasser angefüllt und der Antrag gemacht, daß beiläufig unter einen Eimer Wasser 1/3 Eimer Mehlwasser zugefüllt und beides zum Sieden gebracht wird. Nun werden die zum Einweichen der Schafe bestimmten Tröge (wovon einer beiläufig 7 Schuh lang, unten 2, oben 3 Schuh breit und 2½ Schuh hoch ist, folglich über die Quere 4 Stück Schafe auf Einmal enthalten kann) mit heißem Wasser angefüllt, ehe die Schafe hineinkommen dürfen.

2) Dieses Badwasser für die Schafe muß in den Wassertrögen beständig so warm erhalten werden, daß es keine

schmerzliche Empfindungen erregt, wenn man die Hände in dasselbe hält; aber kühler darf es nicht werden, weil das Fett der Wolle sich sonst nicht hinlänglich abscheidet. Die Erfahrung hat mir bewiesen, daß die Schafe im Wasser sehr viel Wärme aushalten können.

3) In diesem Zustande der Wasserwärme werden die Schafe mit gebundenen Hinterfüssen, mit dem Rücken nach unten und mit dem Bauche nach oben, in diesem Badbehälter mit Händen 12 – 15 Minuten lang gehalten, so zwar, daß bloß allein die Augen, Ohren und Nase über dem Wasser heraus sind, und der Schopf mit den Händen durch Wasser eingefeuchtet wird.

4) Bemerkt man, daß das Badwasser an seiner Wärme etwas nachläßt, so füllt man mit einem Gefässe heißen Wassers aus dem Kessel über dem Feuer mit Vorsicht in den Einweichungstrog nach, während man von dem erkühlten Wasser einen Theil herausschöpft, in einem in der Nähe angebrachten großen Bottiche dasselbe sammelt, um solches zum österen Gebrauche im Kessel wieder zu erwärmen. Dieses mit Mehlwasser geschwängerte Laugenwasser ist zum öftern Gebrauche im erwärmten Zustande zu diesem Geschäfte desto wirksamer, je öfter solches mit nachstehender Vorsichtsmaßregel verwendet wird.

5) Zu diesem Behufe müssen 3 Bottiche zur Abklärung des Wassers seyn; der erste, in welchem das trübe Wasser gesammelt wird, muß der größte seyn; in dem zweiten minder großen wird das reine Wasser aus dem ersten oben abgeschöpft, und aus dem zweiten auf ähnliche Weise zum Gebrauche in den dritten, von wo solches in den Kessel zum Sieden wieder gebracht und etwas frisches Mehlwasser beigemischt wird, so zwar, daß auf 1000 Schafe 100 ℔ Mehl verwendet werden.

6) Nachdem jedes Schaf circa 12 – 15 Minuten lang im warmen Bade eingeweicht worden, werden ihm die Hinterfüsse aufgebunden, das Badwasser solchem, stehend in einem besonderm Troge, aus der Wolle gedrückt, und sodann das Thier höchstens eine Stunde lang zum gänzlichen Aufweichen der Unreinigkeiten der Wolle in eine mit Hurden umschlossene Abtheilung neben Fluß- oder Teichwasser gegeben, um sodann unmittelbar in reinem Wasser

ausgewaschen zu werden, wodurch die Wäsche rein und blendend weiß ausfällt.

7) Bei dieser letzten Manipulation habe ich den Sprung der Schafe ins Wasser nicht so entsprechend befunden, als wenn die Thiere mit den Händen gereinigt werden. Man verfährt dabei auf folgende Weise:

a) In dem Bache oder lebendigen Wasser müssen die Arbeiter neben einander in 3 Abtheilungen eingetheilt werden, so zwar, daß eine Partei der andern die Schafe zureichen kann, und daß die Unreinigkeit von den am meisten gewaschenen Schafen auf die minder rein gewaschenen zufließt. Jedes einzelne Schaf wird von zwei Arbeitern an den Vorder- und Hinterfüßen fest, Maul und Ohren vorsichtig aus dem Wasser, der Rücken aber meistens nach unten und der Bauch nach oben im Wasser gehalten; jedoch muß diese Haltung öfters gewechselt und mit der flachen Hand recht fleißig über die Spitzen des Wollstapels gestrichen werden, damit sie sich zur Absonderung der Unreinigkeiten öffnen.

b) Die in das fliessende Wasser zur Reinwaschung getragen werdenden Schafe werden von der ersten Partei der Arbeiter in Empfang genommen, welche sie von den Klunkern und allen dergleichen Unreinigkeiten sorgfältig zu säubern haben, und während zwei Arbeiter das Thier am Kopfe, den Vorder- und Hinterfüßen festhalten, dasselbe öfters von oben nach unten in das Wasser schupfen, und nachdem der meiste Unrath aus der Wolle ist, wird solches der zweiten, unmittelbar oberhalb neben ihr waschenden Partei zugereicht.

c) Dieser liegt ob, durch ein ähnliches Verfahren die Wolle vollständig zu reinigen und in diesem Zustande

d) der oberhalb ihr arbeitenden dritten Partei das Schaf zu übergeben, welche das Geschäft der Vorigen genau zu prüfen, zu verbessern und zuletzt, ehe das Thier aus dem Wasser gelassen wird, solches nahe am Ufer mit einem kleinen Gefässe Wasser von oben herab fleißig zu übergiessen hat, wodurch die Wolle wie durch einen Wasserfall von allen rückständig gebliebenen Anhängseln von heterogenen Dingen befreit wird.

Je mehr das Waschwasser durch den Einfluß der Sonne erwärmt ist, desto schöner fällt die Wäsche aus.

Die sortirte Wolle nach der Schur zu waschen.

1) Das auf oben beschriebene Art zubereitete Mehlwaßer muß circa 55 Grad Wärme nach Reaumur haben; das 15 – 20 Zoll tiefe Gefäß zum Einweichen der Wolle muß ¾ Theile mit diesem heißen Mehlwasser angefüllt, die sortirte Wolle schnell hineingebracht und, sobald solches voll ist, mit einem Deckel bedeckt werden.

2) In diesem Zustande bleibt die Wolle 30 – 40 Minuten, wornach sie in ein Sieb, das über einem Bottiche ruht, übergossen, das Mehlwasser zum fernern Gebrauche in oben beschriebenen Bottichen gesammelt, beim Erwärmen mit etwas frischem Mehlwasser aufgefrischt, die Wolle aus dem Siebe aber in ein mit reinem Wasser versehenes größeres Gefäß übergeleert wird.

3) Hier bleibt sie mehrere Stunden zum Aufweichen der Unreinigkeiten, und wird sodann unmittelbar in reinem Wasser ausgewaschen, wodurch die Wäsche blendend weiß ausfällt.

Ich habe comparative Versuche mit Weizen-, Roggen-, Gerste-, Halben- und Maismehl, so wie auch mit gesottenen, im warmen Wasser fein zerriebenen Erdäpfeln (Solanum tuberosum) gemacht. Alle diese Versuche fielen sehr günstig aus, indem die erdigen Salze und andere heterogene Dinge, welche oft im Wasser gelöst enthalten sind, zersetzt oder eingewickelt und die Erden niedergeschlagen werden; und da nun in einem solchen Bad oder Einweichungswasser alle gelöst gewesenen Kalksalze und der Reinigung der Wolle entgegen wirkende Objekte dadurch ausgesondert oder eingewickelt werden, so kann sich nun bei der Reinwaschung im kalten Wasser keine Kalkseife in der Wolle erzeugen.

Je reichhaltiger die Mehlarten an Stärkemehl sind, desto reiner, weißer fällt die Wäsche aus. Das Mehl, um 1 ℔ Wolle zu reinigen, kostet bei der Anwendung im Großen im Durchschnitte kaum einen Kreuzer.

Was dieses Waschverfahren, mit Mehlwasser die Wolle zu reinigen, besonders, nebst der Wohlfeilheit, wichtig macht, ist, daß die natürliche Kraft, Milde und Zartheit der Wolle in einem weit höhern Grade dadurch erhalten und solche weniger als durch ätzende Laugen- und Urinwäsche angegriffen wird.

Theresienfeld bei W. Neustadt, im März 1836.

B. Petri,
Oekonomierath.

---

141. Wollwäsche an lebenden Schafen.

Thonwäsche.

Einbegleitet und eingesendet von M. Dr. Joh. Nep. Joseph Brosche,
ehemaligen Professor, k. k. n. ö. Landesveterinär, der k. k. Wiener und k. sächsischen Landwirthschaft-, so wie der Kopenhagner Veterinärgesellschaft Mitglied.

Einer der wichtigsten Gegenstände für den Schafzüchter ist die Wollwäsche. Die Reinheit der zu waschenden Wolle hängt ab:

1. von der Beschaffenheit des Wassers, in welchem die Wolle gewaschen wird.

2. von dem Verfahren dabei; und

3. von dem Natur- oder zufälligen Zustande der am lebenden Schafe zu waschenden Wolle, welcher das Verfahren und allenfallsige Zusätze anderer Stoffe, z. B. für den hiergedachten Fall der Thonerde zum Wasser bestimmt.

Jedes dieser Momente hat wieder seine besonderen Beziehungen. Hier aber nur voraus für das Folgende einge Worte hinsichtlich des letzteren Moments, nämlich: einer eigenthümlichen Beschaffenheit der Wolle.

Es giebt Schafraçen, deren Wolle ein weniger und schwer auflösliches Fett oder Oel, als die andern Raçen enthält. Diese letzteren sind (z. B. edle Raçen betreffend) die Elektorals und jene die Negrettis und Infantados, wenn auch nicht überhaupt, so doch großentheils.

Das Fett oder Oel in der Wolle der Negrettis und Infantados setzt sich nicht selten in Klumpen in die Stapel, so daß, wenn man einen dieser (sagt Herr Elsner in seiner Erfahrung in der höhern Schafzucht Seite 146) spannt, jenes nicht in Tröpfchen, sondern in festen Klümpchen heraustritt. Die Oberfläche des Wollstapels nimmt davon eine schwarze Farbe an, und bildet bei manchen Stücken mit dem in das Vließ einfallenden Staube und der sich beigesellenden unmerklichen Hautausdünstung eine Art von Kruste, deren einzelne, an den Seiten des Schafes plattgedrückte solche Wollstapel sich wie Schuppen anlegen, und an andern Orten des Körpers einzelne Klumpen darstellen. Auch begleitet dieser fettharzige Schmutz mehr oder weniger dem Verlaufe des einzelnen Wollfadens und Stapels gegen die Haut hin.

Eine so beschaffene klumprige Wolle zieht wegen der schwierigen Auflöslichkeit der fettharzigen Masse an derselben kein Wasser an sich, wenn es auch die besten auflöslichen Eigenschaften besässe, im Rande aufzuweichen, aufzulösen und die Wolle rein zu waschen.

Ein ähnlicher Umstand, wie der vorberührte, bestand seit Jahren unter den merkwürdigen und besonders gegenwärtig in dem rühmlichsten Culturzustande stehenden, von original spanischen Schafen abstammenden Heerden der k. k. Avitikal-Herrschaft Mannersdorf, welchen Oesterreich die Basis seiner ursprünglichen Heerdenveredlung unbezweifelt zu verdanken hat.

Alle gerühmte Mittel und selbst kostspielige Versuche: der dortigen Wolle die geforderte Reinheit und ein den Käufer anziehendes Ansehen zu sichern, waren seit Jahren fruchtlos angewendet worden.

Dessen ungeachtet aber ließ der gegenwärtige Chef der Oberdirektion der k. k. Patrimonial-, Avitikal- und Familiengüter Herr Rath Krzisch, diesen Uebelstand sofort nicht auf sich beruhen, sondern ertheilte deßhalb die gemessensten Aufträge u. Weisungen mit dem Beisatze, daß dieser Uebelstand abgewendet werden müsse, und dem nach alles Erdenkliche dagegen anzuwenden sey!

Gewohnt, mich bei Gelegenheit jeder meiner beruflichen Geschäftreisen von den bestehenden landwirthschaftlichen — besonders Schafzuchtbetrieben in den verschiedenen Distrikten der Provinz zu unterrichten — machte ich es mir zum angenehmsten Geschäfte, mich, da ich mich im J. 1835 mehrere Male und durch längere Zeit in Mannersdorf aufhielt, auch hierorts, um den mir schon von frühern Jahren her wohlbekannten, oberwähnten Umstand, einer nicht entsprechenden Wollwäsche wegen zu erkundigen. Hierdurch wurde ich jedoch zu meinem nicht genügen Erstaunen von dem Verwalter der k. k. Avitical-Herrschaft Mannersdorf, Hrn. Treitl, mit der Nachricht, daß die gegenwärtige hiesige Schafwäsche sich zu ihrem Vortheile so sehr gehoben habe, daß sie bald nichts mehr zu wünschen übrig lassen dürfte, dann, zum Beweise dessen, mit einem ganz reinen, einen hellen Schein an sich darlegenden Wollmuster der letzten Wäsche überrasche, und in Einem mit der ganzen Procedur, durch welche diese erreicht worden, bekannt gemacht.

Das Nähere der Sache selbst und das Verfahren dabei, enthält der folgende, von dem Hrn. Verwalter Treitl verfaßte, und mir zum Gebrauche mitgetheilte Aufsatz:

Thonwäsche

der Schafe der k. k. Avitical-Herrschaft Mannersdorf.

Von Martin Treitl,

Amts- und Wirthschafts-Verwalter dieser Herrschaft.

Der bei der Thonwäsche der Schafe und Reinigung ihrer Wolle zu verwendende Thon muß frei von Eisenoxyde, und abschwemmbaren Sande seyn; soll nicht über acht Procent Kalk, und sonst nur reine Alaunerde enthalten. Das mitfolgende Stück Thon ist von dieser Art *). Ein solcher Thon muß durch seine eigenthümliche Anziehungskraft allein den Schmutz, der am Wollhaare klebet, an sich ziehen; — und er zieht ihn auch an sich, wenn er ihn — im Wasser aufgelöst — in hinlänglicher Quantität nahe gebracht wird.

Zu diesem Ende werden zwei Centner an der Luft übertrockneten Thons in sechs Eimer Wasser, welches eine Temperatur von 12 – 20 Grad Reaumur hat, nach und nach eingerührt, so daß sie eine dicke Lauge bilden. In diese Lauge werden dann die Schafe eingetaucht, und sie so lange darin gelassen, bis der Thon den Schmutz der Wolle durchdrungen, und sich mit ihm vereinigt hat. Hierbei braucht man nur die Stapel der Wolle sanft zu trennen, und das Thier öfters zu wen-

*) Portionen dieses Thones und des weiter erwähnten Wollmusters, wurden dem Bureau der k. k. Wiener Landwirthschafts-Gesellschaft, und Seiner Excellenz dem Hrn. Grafen von Hoyos Sprinzenstein mitgetheilt.

den, um der Thonlauge überall Zugang und freie Wirkung zu verschaffen. Alles Drücken oder Streichen der Wolle muß verhütet werden, damit das Wollhaar seinen guten natürlichen Charakter behalte.

Nachdem nun an dem Vließe selbst schon die Auflösung des Schmutzes und dessen Vereinigung mit dem Thone bemerkbar geworden ist, welches sich bei manchem Thiere in 20 bis 30 Minuten, bei andern aber erst in einer Stunde ergiebt, so werden die Thiere aus der Lauge gehoben, und nachdem sie sich von dieser Anstrengung erholt haben, in einem fließenden Wasser aus der Hand rein gewaschen.

Auch hier muß alles Drücken oder sonstiges Gewaltanwenden vermieden werden, weil sonst das alte Adagium Anwendung findet: Incidit in scyllam, qui vult evitare charybdim. — Man vermeidet die unreine Wäsche, verwäscht aber die Wolle.

Das Resultat dieser Manipulation ist einerseits nämlich in Beziehung auf das gewaschene Vließ aus dem beiliegenden Muster zu ersehen. Der Schmutz ist daraus entfernt, und die Wolle hat ihre Geschmeidigkeit, ihren Glanz, und der Stapel seine Form behalten. — Andererseits aber ist dasselbe in Beziehung auf Renten noch nicht ganz ermittelt. Die Thonwäsche verursacht Kosten, vielen Zeitaufwand und beträchtlichen Abgang, wenn die Wollsäcke auf die Wage kommen.

Da aber durch weiteres Nachdenken und Ausmittelung anderwärtiger Vorrichtungen der Aufwand bei dieser Thonwäsche vermindert werden kann, und da die Wollkäufer ganz sicher — bisher auch nur das Wollhaar und nicht den Schmutz bezahlt haben, so dürfte die heuer nur versuchsweise im Großen angewandte Thonwäsche sich künftighin auch in merkantilischer Hinsicht als gut, anwendbar und nützlich bewähren.

Mannersdorf den 8. Juli 1835.

---

142. Klauenseuche der Schafe.

Die privilegirte schlesische Zeitung enthält in Nr. 119 d. J. nachfolgende wichtige Bekanntmachung hinsichtlich der auch bei den bayerischen Schafen so häufig vorkommenden Klauenseuche der Schafe;

Bei der großen Aufmerksamkeit, welche der Schafzucht in gegenwärtiger Zeit gewidmet wird, dürfte es vielleicht dem ökonomischen Publikum nicht unerfreulich seyn, mit einem noch wenig bekannten Verfahren vertraut zu werden, die in so vielen Heerden einheimische Klauenseuche mit geringer Mühe zu heilen, da noch sorgfältig angestellten Versuchen dasselbe nicht nur weit einfacher als alle bisher angewandten Methoden, sondern auch viel sicherer und der Natur der Krankheit angemessener erscheint.

Zu diesem Behufe lasse man einige klauenkranke Thiere mehrere Tage abgesondert stehen, und das Uebel zum höchsten Stadio kommen, ohne einige Reinigung oder anderes Präservativ anzuwenden. Hierauf impfe man mit einer gewöhnlichen Impfnadel den zwischen den Klauen der kranken Thiere befindlichen bösartigen Eiter den gesunden Schafen, vorzugweise den Lämmern, einen Zoll von der Spitze der Ohren ein, wobei noch zu bemerken ist, daß der unter den Schuhen der klauenkranken Thiere befindliche Eiter, welcher dem Auge käseartig erscheint, sich hiezu weniger, als der obenbesagte, zwischen den Klauen befindliche, eignet; und selbst dieser ist nur so lange brauchbar, als die leidende Stelle durch die öftere Berührung der Nadel sich nicht entzündet, und eine lymphartige Feuchtigkeit erzeugt hat.

Wenn das gewünschte Resultat erreicht werden soll, so muß sich nach Verlauf von 24 Stunden eine hochrothe, Eiter enthaltende Blatter gebildet haben. Diese Blatter fängt nach 4 bis 5 Tagen allmählig an, sich in einen Schorf zu verwandeln, der endlich nach 14 Tagen, zuweilen auch später, von selbst abfällt.

Seit ungefähr 9 Monaten in einer nicht unbedeutenden Heerde angestellte Versuche haben zu dem Resultate geführt, daß, wenn früher klauenkrank gewesene Schafe auf obige Art geimpft wurden, das Uebel in der Minderzahl der Fälle zwar wiederkehrt, jedoch in einem weit geringeren Grade; dagegen Lämmer und eine alte, von Klauenseuche ganz freie Heerde, in denen die Krankheitsdisposition noch nicht lag, unangesteckt blieben.

Da der Beschaffenheit der Witterung, Jahreszeit rc. ohne Zweifel ein Einfluß auf den Grad und die Häufigkeit des in Rede stehenden Uebels zukommt, darf man obige Resultate zwar noch nicht als constatirte Erfahrungen betrachten, wohl aber ist die angegebene Methode einer weitern Prüfung und Veröffentlichung werth, das Uebel, wenn auch erst in einigen Jahren, so doch radikal aus den Schafheerden zu entfernen.

v. Görne.

Dieses hier angegebene Verfahren ist, so viel mir bekannt, völlig neu. Ob man nun gleich glauben sollte, es müßte eine dergleichen Impfung an den Klauen der Schafe, als dem eigentlichen Sitze des Uebels, noch wirksamer seyn, so würde die gedachte Methode dennoch den Vorzug verdienen, weil sie die Krankheit leicht und ohne große Unbequemlichkeit für die Thiere ableitet. Erfahrungen, in mehrfachen Versuchen gesammelt, müßten freilich den Beweis erst liefern, ob durch eine dergleichen Impfung im Ohre der Schafe der Krankheitsstoff welcher die Klauenseuche erzeugt, und entzündlicher Art ist, in allen Fällen gänzlich abgeleitet werden würde.

d. R.

---

143. Eine neue Gerste.

Englische Blätter sprechen von einer Chevalier-Gerste, womit gegenwärtig die Wochenmärkte überfüllt werden, daß sie selbst um weit höhere Preise nebenbei bezahlt wird. Man bekömmt auch davon größern Ertrag, sowohl an Körnern, als an Stroh. Die East-Cothian-Ackerbaugesellschaft, die damit Versuche genau angestellt hat, sagte in ihrem Berichte, daß der Acker 82 Buschel Körner und 5310 ℔ Stroh, wogegen die gewöhnliche Gerste nur 77 Buschel Körner und 4670 ℔ Stroh gab. Es wäre sohin der Mehrertrag bei der Chevalier-Gerste an Körner $6\frac{1}{2}$ und an Stroh $17\frac{1}{2}$ Pct. Das General-Comité wird suchen, sich davon eine Portion Samen zu verschaffen.

---

144. Leinwand in 8 Tagen zu bleichen.

Dieses Mittel hat Hr. Kantor Landgrebe in der neuesten landw. Zeitung für Kurhessen niedergelegt und zwar auf folgende Art. Wenn die Leinwand vom Weber kömmt, muß man sie in warmen Wasser waschen, damit sie die sogenannte Schlichte verliert. Jetzt stellt man sie in eine starke, aus Buchenasche, Rettigwurzeln und schwarzer Seife verfertigte Lauge. Nachdem sie mehrere Stunden darin gelegen hat, breitet man sie bei heitern Sonnenscheine auf den Rasen, begießt sie fleißig mit Flußwasser, an Ufer-Stellen geschöpft, wo keine Erlen wachsen, und wiederholt obige Laugenbeitze noch ein oder zweimal, worauf die

Leinwand in der besagten Frist sicher die volle Weiße erlangen wird, ohne durch schädliche Beitzmittel zerstört zu werden. Dieses lohnt wohl der Versuche, und der Angaben der Resultate!

---

145. Ueber Versendung von Pfropf-Reisern und Sämereien.

Jeder Landwirth und Gärtner weiß, wie viele derlei Sendungen verunglücken und zu Grunde gehen. Eine Menge Mittel zur besseren Verpackung wurden schon in den Blättern dießfalls angegeben. Hr. Delile Direktor des botanischen Garten in Montpellier sagt daher in franz. Journalen, daß derlei Pfropfreiser-Knollen, Zwiebeln und Sämen sich am sichersten eingewickelt in Zinnfolie oder Staniol sich verschicken lassen. Er behauptet, solche Sendungen häufig nach Petersburg, Cairo und Buennos-Ayers ohne geringsten Nachtheil von Montpellier aus bisher gemacht zu haben. Nicht direct werden aber die Pfropfreiser und Sämereien in Zinnfolie eingewickelt, sondern die gewöhnlichen Papierkapseln werden mit selber umgeben.

---

146. Ueber Holzsägen.

Die Holzsägen in Bayern stehen noch auf einer sehr niedrigen Stufe, und bedürften mancher Verbesserungen wie in England. Als Beispiel möchten die neuesten Leistungen zweier englischen Holzsägen dienen.

Sie schnitten nämlich innerhalb 6 Tagen 3000 Quadratfuß Bretter aus Tannenholz von beinahe 2 Fuß Breite und verdienten dafür 6 lb Sterling (66 fl.) Sie machten hiebei mit einer Säge und einem Ramen, welche 50 lb wogen, 248,544 senkrechte Bewegungen, und müssen folglich das ungeheure Gewicht von 7,456,320 lb gehoben haben. Rechnet man hiezu noch die Kraft, welche nöthig ist, um die Säge durch das Holz zu führen, die auf das Dreifache angeschlagen werden kann, so giebt dieses eine Gesammtkraft von 22,368,960 lb.

---

147. Die Farben des Hausgeflügels betr.

Der Chemiker Burnstatt in Dublin hat durch langjährige Versuche die Erfindung gemacht, dem Federkleide des Hausgeflügels eine beliebige Farbe zu ertheilen, und er hofft, dieses auch auf alle Vögel anwenden zu können. Die frisch gelegten Eier werden nämlich in eine Mischung ätzender Präparate gelegt, und dann dem brütenden Thiere untergestellt. Er besitzt nun wie mehrere seiner Nachbarn Hühner, Tauben und Enten von weißer, schwarzer, gelber, rother und buntgemischter Farbe, je nachdem die chemischen Auflösungen beschaffen waren, mit welchen die Schalen der Eier getränkt worden waren.

---

148. Ein Mittel, Getreide vor Mäusen zu sichern.

Ein englischer Landwirth hat die Mäuse von seinem Getreide dadurch abgehalten, daß er in jeden Haufen Körner, an den Boden, in der Mitte und oben, einen Stengel Krause- oder Pfeffermünze mit den Blättern legte, deren starker Geruch diese unwillkommenen Gäste von dem Getreide gänzlich verscheuchte. Daher wird, eben des durchdringenden Geruchs wegen, gerathen, alle von Mäusen stark heimgesuchte Orte durch einige Tropfen Pfeffermünzöls vor ihnen zu schützen *)

---

149. Das Einstreuen mit Erde in den Stallungen der Landwirthschaften

wird vom Amtsrath Block und vom Hrn. Wirthschaftsrath André, Redakteur der Oekonomischen Neuigkeiten, nach eigner Erfahrung beider Herren als nützlich empfohlen zum Auffangen des Urins und anderer thierischen Auswürfe. Es ist eines der wohlfeilsten Mittel, eine kranke Landwirthschaft empor zu

*) Dieses ist um so merkwürdiger, da der Britte sein Getreide im Freien in Schobern aufbewahrt, wo also der Geruch der Münze schon durch die Luft sehr verringert wird in seiner Stärke, aber allerdings empfehlungswürdig.

Anmerk. d. Red.

bringen, und zeigt zugleich den hohen Werth der Mischung verschiedener Erdarten mit dem Märgel, wo man ihn haben kann, auf der Oberfläche der Landgüter. Freilich wird dieser praktische Rath auf Gütern von sehr großer Ausdehnung nicht leicht angewendet werden, weil deren Regie und deren Pächter ungern viel Arbeitsvieh halten, und dieses Verfahren das Einfahren vieler Erde und wiederum das Ausfahren vieler Dunghaufen erfodert, aber es verhindert das Verbrennen vieles sich selbst entzündenden Düngers und das Abdunsten der Exkremente in Gase, welche alsdann der Luft und nicht den Wurzeln der Pflanzen zugehen, und vermehrt die Dungkraft des Stallviehes, also die Viehzucht, die Futterkräuter und die Erträge der Wiesen, der Oelsaaten und des Getreides. Es i bekannt, daß die Wiesen weit später das erste Gras liefern wenn ihre Düngung nicht fleißig angewendet wird.

Desto häufiger wird der Landmann von Landgütern mäßigen Umfanges diese große und nothwendige Düngervermehrung, die wir den Rathschlägen der Hrn. Block und André verdanken, benutzen, um dem sandigen Boden Kalkmärgel mit oder ohne Thon, dem thonigen mehr sandigen Kalkmärgel zuzuwenden, da die Fälle selten seyn werden, wo die Oberfläche schon kalkhaltig ist.

Seinem Rindvieh giebt Hr. Wirthschaftsrath André eine Schicht Erde in die Urinrinne, welche, wie in den Marschen Norddeutschlands, hinter dem Stande der Thiere läuft. Der Urin läuft von selbst in die gestreuete Erde, die festen Exkremente werden in die Rinne gezogen. Täglich wird die Erdschicht der Rinne des Stalles erneuert, und der in der getränkten Erde gesammelte Dünger auf die Dungstätte gebracht. Stroh wird nicht gestreuet, und unter das Thier kommt weder Stroh noch Erde. Das Rind liegt auf dem trocknen Stande, und wird, wenn es sich beschmutzt hat, abgeputzt und nöthigen Falls gewaschen, was gewiß sehr zur Gesundheit des Rindviehes beiträgt, folglich alles Stroh verfuttert, was eine große Vermehrung des Viehstandes erlaubt, z. B. in Holstein an Schafen, mit Beibehaltung des alten Rindviehstandes. Noch wird die Düngerstätte bisweilen mit Erde oder Märgel be ahren.

Ein Theil der Erdhaufen ist unter Dach. Beim Froste ist bisweilen die Erde, die in den Stall gebracht wird, in Klumpen gefroren. Dieses macht aber nichts, denn sie thauet bald im warmen Stalle auf.

In die Schafställe wird die Erde ½ bis 1 Schuh hoch aufgefahren, worauf diese Schafe in der Regel ohne gestreutes Stroh stehen. Dieses Strohstreuen geschieht nur, wenn es durchaus nothwendig ist. Selbst gefrorne Erde wird bisweilen in diese Ställe gebracht, die bald zergeht und von den Schafen festgetreten wird. Stand und Lager bleiben trocken, und die Wolle wird nicht verunreinigt. Doch wird immer die Erde in die eine Hälfte des Schafstalls eingefahren, indeß die Schafe auf der andern Hälfte etwas gedrängter stehen, und die am längsten darin liegende Erde wird ausgefahren, so oft sie gesättigt ist, und die Verhältnisse das Ausfahren erlauben. Also auch im Schafstalle wird wenig Stroh gestreut.

Der Frost hindert das Erdegraben oder Ausbrechen nicht.

Natürlich vermehrt dieses Verfahren ungemein die Düngermasse und verhütet das Lagern des Getreides, ändert die frühern zu losen oder zu dichten Eigenschaften der damit gedüngten Felder, erlaubt auch die Wiesen zu düngen und öftere Veränderungen der Beschaffenheit der Düngungen. Mit dieser Hilfe bauet man selbst auf Sand Oelsaaten, vermag den Obstbaumalleen mehr Düngung zu geben, man futtert weniger Regenwürmer und vermag mehr Rind- und Schafvieh, selbst in Jahren knapper Futterung, ohne Heuzukauf zu unterhalten, man kann den kostbaren Düngerankauf entbehren, kühner viel Oelsaaten erbauen, und niedrige Getreidepreise leichter ertragen.

---

150. Flachs- und Rapsschäbe.

Beide lassen kein Unkraut aufkommen, wenn sie etwa zwei Zoll hoch den Boden bedecken; denn durch angezogene Feuchtigkeit lagern sie sich so fest, daß kein Wind sie wegwehen und kein Unkraut oder Gras hervorwachsen kann. In Baumschulen besonders sandigen Bodens, und in Erdbeerpflanzungen wird dadurch der Wuchs der vorhandenen Stämme und Pflanzen, so wie ihr Fruchttragen ungemein befördert und der Boden den Sommer hindurch um den Stamm locker erhalten. Die Wurzeln befinden sich unter solcher Decke so warm, daß der Frost nicht bis zu ihnen dringen kann. In trockenen Jahren hält sich die Feuchtigkeit unter den belaubten Stämmen und Pflanzen lange.

Doch dauert solcher Schutz der Schäben nur 2 Jahre. Wiederholt man die Ausstreuung, oder hat man die Schäben das erste Mal sehr dick ausgestreuet, so dauert die Grasvertilgung länger. Zugleich hindern die Schäben das frühe Ausschlagen der Bäume, wodurch Stämme wärmerer Klimate an unsere rauhere Zone sich gewöhnen können, wie ächte Kastanien, Pfirsiche, Aprikosen und andere für exotisch geltende Pflanzen. Die Ursache der Verspätung ist, daß die Sonne nicht so rasch auf die Wurzeln wirken kann, als sonst der Fall seyn würde. Auch kann man die Schäben von Flachs wohlfeil erlangen, weil man sie so wenig als die Knochen achtet, und nur zur Kompostdüngung früher verwendete, in den Gegenden, wo man es der Mühe werth hielt, Kompost zu machen *)

Was die Rapsschäben betrifft, so eignen sie sich außerdem auch zur Fütterung so gut wie Stroh, oder, wie man will, zum Streumaterial, wenn man sie nicht verfuttern will. Die Schäben müssen aber trocken eingefahren worden seyn, und die zur Streu bestimmten Schäben des Rapses muß man zuvor zerhacken, was auch beim Stroh und Heu zu empfehlen ist. Pferden und Rindvieh ist das Futter der Rapsschäben so gesund als Strohhäcksel, und die Mischung mit gebrühetem Häcksel oder Wurzelwerk sehr angemessen, besonders unter Branntweinsschlämpe. Die durch Brühen erweichten Hülsen sind natürlich verdaulicher.

151. Einige Erfahrungen über den Gebrauch der Walze.

(Vom Hrn. Pfarrer Soldan zu Oberrosphe.)

Unter denjenigen landwirthschaftlichen Geräthschaften, welche in ihrer Construction (Bau, Zusammensetzung) am einfachsten sind, und die auch die wenigst pünktlichste Verfertigung erfordern, gehört gewiß die Walze, und dennoch ist es diese, die in ihrem Gebrauche, ihrer Anwendung und Wirkung am unsichersten ist, oder wovon man nie im Voraus bestimmen und

*) Ich erinnere bei dieser Gelegenheit, daß da, wo Flachs zum Trocknen im Herbste über einen grünen Rasen verbreitet worden ist, das Frühjahrgras sich sehr frühe zu zeigen pflegt. Solche Vegetationskraft hat der Bast des Flachses nach dem Rösten.

sagen kann, jetzt sey sie gut und nützlich angewendet. Ihr erster und nächster Zweck ist gewiß der: dem Erdboden Dichtigkeit zu geben, die durch Pflug und Egge hohl gelassenen Stellen zuzudrücken, damit die Erde um die Wurzel sich fest anlege und daß überhaupt durch Luft und Sonnenschein der Boden nicht zu sehr ausgetrocknet werde. Besonders bei Sommerfrüchten rechnet man, in der Voraussetzung aller dieser Angaben, schon im Voraus auf eine gute Aernte und denkt, man werde durch diese Methode seinen Lohn vor andern, die nicht walzen, finden. Allein mehrfache Erfahrungen, welche ich seit 10 Jahren gemacht, lassen mich mit der Walze noch ganz im Dunkel, und ich bin oft zweifelhaft, wo, wann und zu welcher Zeit das Walzen am räthlichsten sey?

Bei trockenen Frühjahren wendete ich sie gleich nach der Saat an, und zwar bei Hafer und Gerste. Die Saat gieng hübsch egal auf, auch erfreute ich mich bis zum Schossen stets einer Saat, die vor andern durch ihr schwarzes Ansehen sich auszeichnete. Dann trat aber der Fall ein, wo sie späterhin gegen andere nicht gewalzte Früchte zurückblieb, und wo ich weder im Boden noch der Begaillung die Schuld finden konnte. Namentlich bei Gerste sind mir auffallende Erfahrungen zu Theil geworden. Im Jahre 1829, wo bekanntlich der Mai trocken und zum Theil kalt war, ließ ich meine Gerstenäcker, um die Feuchtigkeit zu erhalten, gleich zuwalzen, und hatte in diesem Jahre einen an Stroh und Körnern reichen Ertrag.

Hierdurch aufgemuntert, that ich dieses im Jahre 1832 (1830, 1831 wurde wegen anhaltend feuchter Witterung gar nicht gewalzt). Der Boden bestand in einem guten Rüßelleimen (?!, etwa sandiger Lehm?) den der Landmann in seinem Sprachgebrauche Baumölerde nennt. Die Saat gieng schön auf, und versprach gegen andere nichtgewalzte viel; allein in der Periode, wo sie ins Schossen trat, schlug sie zurück; beinahe ein Viertel der Frucht kam gar nicht zum Zweck, und der übrige Theil erhielt kurze Aehren. Den Grund hievon kann und konnte ich nichts anderm suchen, als daß der Boden zu fest zusammengedrückt, daß dadurch alle Vegetation gehindert war, daß Luft und Erde nicht zusammen wirken konnten.

Das Jahr darauf machte ich auf ähnlichem Boden folgenden Versuch: Ungefähr ein Stück Land von 1 K. Acker wurde nach geschehener Einsaat und tüchtigem Eggen ganz zugewalzt, die eine Hälfte aber wieder aufgeegget. Anfangs hatten beide Saatstücke gleiches Ansehen, allein später, als die Frucht in Halm und Aehre trat, hatte die wieder aufgeeggte vor der zugewalzt gebliebenen bei weitem den Vorzug. Diesen Versuch, nach dem Walzen wieder aufzueggen, habe ich später bei Hafer und Gerste fortgesetzt, und kann ihn jedem Landwirthe als vortheilhaft empfehlen. Der Boden erträgt jede Witterung, warme oder nasse, und die Einwirkung der Sonne und Luft auf den Boden wird nicht gehindert. Bei Hafer wende ich die Walze in der Regel dann nochmals an, wenn sie in's Blatt getreten ist. Bei Wintersaaten habe ich sie nie angewendet, ausgenommen bei kleineren Saaten (Sommer- und Winter-Samen) allein hier hat sie nie meinen Erwartungen entsprochen: Im Gegentheil schien mir für diese kleine Oelfrucht der Boden zu sehr zusammengedrückt, und trat vor dem Aufgehen heftiger Regen und dann trockene Witterung ein, so lag das Land wie eine Tenne zusammengeschlagen und die Aernte war verloren.

---

152. Schädlichkeit der dumpfen Ställe.

Es ist die Erfahrung gemacht, daß der Mangel an frischer Luft in den Ställen häufig als Ursache des Milzbrandes zu betrachten war, und daß in denjenigen Ställen, wo in den Seitenwänden ein Jahr vorher bei vorkommenden Fällen von Milzbrand, nach Anleitung des Kreis-Thierarztes (im k. preuß. Regierungsbezirk Münster) Luftlöcher angebracht waren, im folgenden Jahre, als dieselbe Krankheit herrschte, keine Krankheitsfälle vorkamen. Auch fand der Thierarzt, daß gerade diejenigen Thiere von der Krankheit hingerafft waren, die am weitesten von dem Eingange in den Stall entfernt, oder in einer dumpfen Ecke gestanden hatten, wohin keine frische Luft dringen konnte.

Dieses mag den Landwirthen zur Warnung dienen, durch gesunde Luft in den Stallungen das Uebel von sich ferne zu halten.

---

153. Alte Samen zum Keimen zu bringen.

Die Samen aus heißen Ländern verlieren bald ihre Keimkraft und die meisten vorgeschlagenen Mittel, diese durch Sand, Kohle oder durch Verschliessen in Gläschen zu erhalten, haben dem Zwecke wenig entsprochen, mit Ausnahme des Verpackens mit Rosinen oder mit etwas feuchtem Rohzucker, das sich noch am wirksamsten zeigt. Fettes Oel scheint die Keimkraft zu beleben. Graf von Sternberg legte 1834 der Versammlung der Naturforscher in Stuttgart vollkommene Aehren von egyptischem Weizen vor, die er aus Körnern gezogen hatte, die aus egyptischen Gräbern genommen und daher 2000 bis 2500 Jahre alt waren. Viele Versuche, diese zum Keimen zu bringen, mißlangen. Als er sie aber in fettem Oel weichen ließ, ehe er sie in die Erde brachte, keimten sie zwar langsam, aber doch vollkommen. Die erhaltenen Aehren waren vollkommen und erwiesen sich als Talavera Weizen.

Nach Schmidt keimt alter Samen wieder, wenn man ihn in Wasser kocht, bis dieses fast ganz verdunstet ist. Dieses Mittel wirkte günstig bei Samen von Zwiebeln, Porre, Weinraute, Spargel, ungünstig bei Kohlarten, Kürbiskernen, Haferwurzel, Löffelkraut, Dill, Basilikum, Thymian, Majoran 2c. Zweckmäßiger möchte aber anhaltendes Einweichen in blos warmem Wasser seyn.

Nach Professor Goeppert in Breslau, wirken Chlor, Jod, Brom, Säuren und Kalien auf das Keimen nicht durch Abgebung von Sauerstoff, sondern daß sie durch die Berührung mit dem Samen Säuren bilden, welche das Keimen befördern, *) was auch Versuche mit den übrigen Säuren als der Schwefel- Salpeter-, Phosphor-, Weinstein-, Benzoe-, Citronen-, Klee-, Essig- und Gallussäure bestätigten, indem alle diese Säuren ohne Ausnahme im verdünnten Zustande das Keimen beförderten.

---

154. Das Erforderniß einer allgemeinen und fortbestehenden Vertilgungsanstalt gegen die Maienkäfer und ihre Larven.

Ueber die Nothwendigkeit und Ausführbarkeit, den Verheerungen der Maienkäfer und ihrer Larven vorzubeugen, habe ich

---

*) Vielleicht auch nur dadurch, weil sie die Verwandlung der Stärke in Zucker beschleunigen, und auch vielleicht den verhärteten Eiweißstoff erweichen.

schon am 11. Mai eine zweckdienliche Abhandlung versprochen. Theils diese Zusage, theils die Wichtigkeit des Gegenstandes und die traurigen Erfahrungen, welche der Landwirth im Laufe dieses Sommers auf so vielfache Weise durch die zahllosen Beschädigungen von Maienkäfer-Larven machen mußte, verpflichten mich, unserer heutigen Vereins-Versammlung das Erforderliche vorzutragen und Sie, meine Freunde, auf wenige Minuten um geneigte Aufmerksamkeit zu bitten.

Es ist leider uns Allen eine bekannte Sache, welche Verheerungen der Maienkäfer und seine Larve, der sogenannte Engerling, im letzten Decennium auf dem Ackerfelde, in Weinbergen, Gärten, Wiesen, und in Wäldern angerichtet haben; es ist uns nicht weniger bekannt, daß, wenn zur Vertilgung dieses Insekts, wenigstens zur theilweisen Ausrottung, also zur Herstellung des in neuester Zeit so beliebten Gleichgewichts nicht mit Ernst und Nachdruck und mit vereinten Kräften geschritten wird, in wenigen Jahren der daraus folgende Schaden einen solch' furchtbaren Umfang erlangen könne, daß nur zu spät und mit großen Opfern einige Hilfe zu leisten möglich werden dürfte.

Die Nothwendigkeit, gegen das Fortbestehen dieses Schadens sowohl, als gegen das noch mehr zu fürchtende Umsichgreifen zu wirken, liegt jedem aufmerksamen Landwirthe, dem Kleinen wie dem Großen, dem Armen wie dem Reichen, auf der Hand.

Und in dieser Ueberzeugung ist es also nicht zunächst meine Aufgabe, eine naturgeschichtliche Beschreibung dieses Insekts zu geben. So weit zu seiner Ausrottung es nöthig ist, haben wir seine Eigenschaften ohne naturwissenschaftliches Studium schon durch unwillkührliche Beobachtung hinreichend kennen gelernt. Um seine progressive Vermehrung fürchten und das Bedürfniß, ihr Einhalt zu thun, begreifen zu lernen, hat man bloß zu wissen, daß der Maienkäfer zehn bis hundert Eier legt, aus jedem Ei ein Engerling entsteht und aus diesem nach vorheriger Verwandlung zur Nymphe wieder ein Maienkäfer hervorgeht, daß also seiner zahllosen Vermehrung, und somit auch eines furchtbaren Ueberhandnehmens seiner Schädlichkeit, wenn nicht ungünstige Witterung oder seine Feinde im Thierreich störend in Weg treten, die Möglichkeit gegeben ist.

Und wissen wir das, so dürfen wir nicht länger die Hände in den Schooß legen und mit sehnendem Auge nach Hilfe in die Zukunft blicken wie einfältige Leute, die, weil sie solche

Erscheinungen für eine Strafe von Gott ansehen, sich für verpflichtet halten, ihnen in geduldiger Ergebung und in stummem und unthätigem Hinbrüten freien Lauf zu lassen.

Solche Albernheiten sind leicht aus dem alltäglichen Leben zu widerlegen. Schlagen wir nichs nach der Fliege, die uns sticht? Stellen wir ihr nicht Gift und andere Vertilgungsmittel, wenn sie uns im Zimmer belästigt? Fangen wir nicht Mäuse und Ratten in Fallen oder stellen ihnen sonst auf mehrfache Weise nach dem Leben? Halten wir das Vertilgen der Raupen und ihrer Nester auf den Obstbäumen für eine Sünde? Bestehen nicht beinahe in jeder Gemeinde permanente Vertilgungsanstalten gegen Maulwürfe und Spatzen? Wenn der Blitz das Haus in Flammen setzt, suchen wir nicht zu retten und zu löschen?

Ist es nicht des Jägers ängstliche Sorge, die Feinde seiner pflegempfohlenen Jagdthiere von unzeitigen Naschereien abzuhalten? Wird er nicht für die Erlegung der Füchse und Marder standesmäßig belohnt? Und so giebt es noch viele Beispiele.

Die Verheerungen der Maienkäfer und der Engerlinge mag Jeder für eine Strafe von Gott ansehen, er mag aber auch die Mühe und Opfer, die er auf ihre Verminderung verwenden muß, für eine Strafe halten. Es liegt gewiß wenig Freude und Wollust darin.

Der Mensch hat seinen Verstand, um mit dessen Hülfe die Vertheidigungsmittel zu finden, und anzuwenden, wenn ihm sein Feind entgegentritt. Der Maienkäfer und der Engerling ist ein bewährter Feind des Landwirths. Er vernichtet die Früchte seines Fleißes, er zerstört seine Hoffnungen und verkümmert seine Nahrung.

Also Aufforderung und Recht genug, diesen Feind aufzusuchen, und ihm auf den Nacken zu treten. Kein Gesetz, kein Privilegium schützt ihn.

Welche Mittel zu seiner Verfolgung und Vernichtung dienen, sind uns Allen bekannt. Das Phlegma des Maienkäfers, die Lichtscheue und Tölpelhaftigkeit des Engerlings erfordert keine List, sie zu fangen und zu tödten. Aber das wissen wir, daß vereinzelte Anstrengungen und Opfer nicht zum Ziele führen. Wenn der Einzelne seine Bäume schüttelt, die Maienkäfer aufließt und sie tödtet, so werden die Käfer seines sorglosen und unthätigen Nachbars am folgenden Tage bei ihm zusprechen und er hat durch die tägliche Wiederholung seiner Arbeit blos die Freude, seine Bäume etwas vor der Gefräßigkeit dieses Insekts zu schützen, aber sein Acker, seine Wiese, sein Garten und sein Weinberg wird nicht weniger Maienkäfer-Eier aufnehmen, wird später nicht mehr vom Engerlingsfraße verschont bleiben, als die Felder seines Nachbars.

Sucht er die Engerlinge auf und tödtet sie, so werden seine Bäume bei der Wiedererscheinung der Käfer nicht minder heimgesucht werden, als Andere.

Also mit vereinter Thätigkeit und Anstrengung muß hier gehandelt werden.

Nicht einmal das Zusammenwirken einer einzelnen Gemeinde schützt ihre Markung radikal; im glücklichsten Falle würde die Hilfe nur ein Jahr lang fühlbar seyn.

Wenn z. B. Schwieberdingen kein Opfer scheut, die Käfer aus seiner Markung zu vertilgen, so ist diese nicht geschützt gegen die Eierlegung der Gemminger Käfer, oder wenn Schwieberdingen mit aller Sorgfalt die Engerlinge aufsuchen und tödten läßt, so werden die Gemminger Käfer bei ihrer Wiederkunft keinen Widerwillen gegen die Schwieberdinger Bäumen merken lassen.

Soll also radikale Hilfe eintreten, so muß die Vertilgung der Maienkäfer und ihrer Larven eine Landesanstalt, eine permanente werden und bleiben.

Und eine solche Anstalt ist nichts Neues. Haben wir nicht schon dieselben Einrichtungen gegen Wespen und Hornisse, gegen Maulwürfe, und ehedem gegen Spatzen.

Namentlich war gegen Letztere in Altwürtemberg die eigenthümliche Einrichtung in allen Gemeinden auf dem Lande, daß jeder Bürger des Jahres 12 Spatzen liefern und für jedes fehlende Stück einen Kreuzer an die Gemeindekasse zahlen mußte, daß er aber auch für jeden weiter gelieferten Spatzen von dieser Einen Kreuzer Vergütung ansprechen durfte.

Um gemeinsame Uebel zu beseitigen, verordnet das polizeiliche Recht auch gemeinsame Anstalten.

Ist nun jede Gemeinde gehalten, für jede freiwillige Lieferung von Maienkäfern und Engerlingen eine Vergütung, etwa für erstere 8 und für letztere 12 kr. dem Sri. nach, oder in diesem Verhältniß nach einem anderen Maß oder Gewicht an Geld zu leisten, so wird diese Prämie in den ersten 6 Jahren

— aber nur in diesen — einen bedeutenden Aufwand verursachen; in keinem Fall wird dieser aber die Größe des Schadens erreichen, der, wären sie nicht gesammelt worden, daraus hätte entstehen müssen.

Und wird diese Einrichtung eine fortbestehende, so wird die Schädlichkeit dieses Insekts bald unmerklich werden, ja sie wird nie mehr den Umfang erlangen, den sie bisher zu gewinnen wußte.

Außerdem aber müßte auch die Verfolgung der Maulwürfe in geringerem Grade, als bisher, in Vollzug gesetzt werden. Der Maulwurf ist in den Wiesen bei weitem nicht so schädlich, als er dafür gehalten zu werden pflegt; er ist, man behauptet nicht zu viel damit, in den von Engerlingen ausgespickten Wiesen mehr zum Nutzen als zum Schaden. Er frißt kein Gras, keine Graswurzel, sondern gerade die Engerlinge sind seine Lieblingsspeise. Und diese schaden dem Graswuchse 100mal mehr als die Erdhaufen der Maulwürfe. Zudem hat der fleißige Wiesenbesitzer wenig Schaden von der Schanzarbeit des Maulwurfs; er wird im Monat März die Erdhaufen etwa in der Mitte mit einer Spate abstechen und sie auf der Wiese ausbreiten, und dann den Haufen festtreten, damit diese Stellen mit der unbeschädigten Fläche in eine ebene Lage kommen.

Es ist also ziemlich gewiß, daß man mit der Ausrottung der Maulwürfe bereits unter das juste Milieu gekommen ist. Und was unter dieses zu stehen kommt, taugt gewiß in allen Fällen nichts.

Ebenso dürfen die Fledermäuse, Igel, Eulen, Krähen, Meisen, Spechten und Spatzen mehr als bisher geschont werden, weil sie zur Vertilgung der Maikäfer das ihrige und oft mehr beitragen, als eine gemästete Katze zur Ausrottung der Mäuse.

Ferner können die Engerlinge theils durch Wässerung der Wiesen, theils durch sattsames Ueberstreuen der angegriffenen Felder mit ätzenden Mitteln, als mit den Abfällen aus chemischen Fabriken, mit allerlei Asche und Ascherig, mit Hallbäzig und Dornschlag, mit Ruß, durch Ueberschütten mit gebrauchtem Seifen- oder Laugenwasser und vergohrener oder mit Wasser geschwächter Mistjauche in nicht geringem Grade vermindert oder ganz unschädlich gemacht werden.

Nun komme ich auf die Benützung der gesammelten Maikäfer und Engerlinge.

Sie sind in beiderlei Gestalt ein vorzügliches Futter für Schweine, und eben so gerne werden sie von Hühnern und Enten gefressen, nur dürfen diese sie nicht im Uebermaaß bekommen, und auch darf es nie ihr einziges Futter seyn, sondern ihr gewöhnliches Futter muß, wenn auch natürlich in geringerem Maße, ihnen nebenher gereicht werden, sonst erkranken sie an allzu starker Erhitzung und kommen um.

Auch kann das weiße Fett der Maienkäfer und Engerlinge gesammelt und benützt werden. Es wird auf folgende Weise gewonnen: man läßt sich Töpfe oder Häfen von beliebiger Größe — von 3–10 Maaß — machen, die einen engen, etwa 3 Zoll weiten, Hals haben. Auf diesen Hals wird ein wie eine Sandbüchse durchlöcherter Deckel angebracht, der daran befestigt werden kann. *) Der Flaschner oder auch der Hafner könnte diese Deckel machen. Dieser Hafen wird nun mit Maienkäfer oder Engerlingen gefüllt, und mit dem Deckel verwahrt; so wird er, umgestürzt, in einen andern Hafen mit weitem Halse gestellt, welcher der Festigkeit wegen in die Erde eingegraben werden mag. Auf den Boden des gefüllten und umgestürzten Hafens und rings herum wird nun von Hobelspähnen-, Welschkorn-, Erdbirnen- oder Ackerbohnenstroh, oder auch zartem Reisig ein leichtes Feuer angemacht. Hierdurch kommt das Fett dieser Insekten zum Schmelzen und es träufelt in das untergestellte Geschirr.

Dieses Fett läßt sich auf verschiedene Weise anwenden, theils zur Wagenschmiere, theils zu Seife und zur Bereitung von Pomade, die natürlich erst durch Hinzuthun anderer Ingredienzien ihren Wohlgeruch erlangen muß. Die aus diesem Fett bereitete Seife wird ohne Zweifel zum Walken der Tücher mit großem Vortheil benützt werden können.

Und somit steht es dahin, ob nicht mit dem Werth des Fettes der Lohn für das Einsammeln bestritten werden kann.

Was nun das Einsammeln der Engerlinge und Käfer betrifft, so wäre dabei Folgendes zu beobachten;

1) Sobald die ersten Maienkäfer fliegen, wird mit dem Fangen und Sammeln angefangen, damit sie zum Eierlegen keine Zeit gewinnen.

2) Wird dieses Geschäft Morgens 8 Uhr begonnen und bis 3 oder 4 Uhr des Nachmittags fortgesetzt; in dieser Zeit

*) Der Hals dieses Hafens kann auch mit einem Bündel Stroh, das 5—6 Zoll lang geschnitten ist, verstopft werden, und thut so dieselben Dienste.

fallen sie gerne vom Baume, weil sie in einem schlafähnähnlichen Zustande sich befinden.

3) Die Bäume und ihre Aeste dürfen aber bloß geschüttelt, nie aber durch Schlagen, Treten oder Werfen erschüttert werden, was den Bäumen in ihrem saftreichen Zustande mehr schaden würde, als die Maienkäfer. Was also nicht mit dem Stamme geschüttelt werden kann, geschieht entweder von unten oder durch Besteigen auf dem Baume mit Haken.

4) Der Aufleser hat einen Sack, dessen Oeffnung er mit der einen Hand verschließt, mit der andern Hand liest er auf, und bringt die Käfer in den Sack. Hindert das Gras am Auflesen, so werden unter dem Baume vor dem Abschütteln Gras- und Heutücher ausgebreitet, welche das Sammeln ungemein erleichtern.

5) Diese Jagd muß so lange fortgesetzt werden, als der Maienkäferflug dauert und zwar in Wäldern und Feldern, auf Bäumen und Hecken, ohne Unterschied, ob sie fruchtbar sind oder nicht. Denn es gilt hier nicht allein die Fruchtbarkeit der Bäume zu wahren, sondern auch die Eierlegung der Maienkäfer so viel als möglich zu verhüten.

6) Das Sammeln der Engerlinge aber beginnt im Juni und wird fortgesetzt bis Ende Augusts. Die Sammler gehen hinter dem Pfluge oder hinter der Egge, und führen einen Stroh- oder Weidenkorb bei sich. Wo Pflug und Egge nicht anwendbar ist, muß jeder Arbeiter im Schoren oder Hacken selbst den Aufleser machen.

Endlich komme ich nun zum Hauptgegenstand meines Vortrags, nämlich zur Allgemeinheit und Fortbestand der erforderlichen Vertilgungsanstalt. Ich habe oben schon gezeigt, daß die Bemühungen des einzelnen Güterbesitzers oder der einzelnen Gemeinden nie zum Ziele führen und daß in je größerem Umfange die Ausrottung dieses Insekts in's Werk gesetzt wird, desto schneller, sicherer und durchgreifender der Erfolg seyn werde.

Daß eine solche Anstalt in's Leben gerufen werde, liegt zunächst im Interesse des Landwirths. Ihm steht es zu, die erste Bitte um die Einführung einer solchen Vertilgungsanstalt vor die Regierung gelangen zu lassen.

155. Bereitung der Schafkäse in Languedoc.

Wir entnehmen (heißt es im polytechn. Journ.) aus einem Artikel im Journal des connaissances usuelles Folgendes über die Bereitung der im südlichen Frankreich berühmten Schafkäse von Languedoc. Man beginnt nämlich die Lämmer im vierten Monate, Anfangs April, zu entwöhnen; man trennt sie zu diesem Behufe die Nacht über von den Mutterschafen, und läßt sie den Tag darauf erst dann zu diesen, wenn sie gemolken worden. Die Lämmer werden auf diese Weise nach und nach entwöhnt, ohne daß es ihnen Schaden bringt, und man hat bemerkt, daß die Schafe mehr Milch geben, wenn man die Lämmer etwas an ihnen saugen läßt, als wenn man sie ganz entwöhnen würde. Die gemolkene Milch wird durch ein feines Tuch in große irdene Töpfe geseiht, und alsogleich, ohne daß die Butter abgenommen wird, mit dem Lab versetzt. Man bereitet sich diesen Lab mit Ziegen-, Kalbs- oder Schweinsmagen, indem man sie salzt, pfeffert, mit etwas Coriander und anderen Gewürzen versetzt, und dann unter Zusatz von etwas Distelblumen mit Essig oder weißem Weine macerirt. 8 Ziegen-, oder 6 Kalbs- oder 4 Schweinsmagen, die auf diese Weise mit 9 bis 10 Pinten Essig oder Wein behandelt worden, reichen hin, um Lab für die Milch von 400 Schafen zu liefern. Der Lab wird besser, und man bedarf einer geringeren Quantität davon, wenn man ihn einige Monate vor seinem Gebrauche bereitet und in gut verschlossenen Gefäßen aufbewahrt. Gut ist es, wenn man seine Stärke an einer kleinen Quantität Milch erprobt, ehe man ihn in den Milchvorrath giebt. Welchen Lab man auch anwenden mag, so soll man die Milch, wenn es heiß ist, an einen kühlen, und wenn es kühl ist, an einen warmen Ort bringen, damit der Topfen leichter fest werde; eben so ist in allen Dingen die größte Reinlichkeit erforderlich. So wie die Milch geronnen ist, bricht man sie mit einem durchlöcherten Löffel oder mit der Hand, und bringt sie dann in irdene Abtropfmodel von 6 Zoll im Durchmesser und einem Zoll Tiefe, in deren Boden einige kleine Löcher angebracht sind. Wenn der Topfen in diesen Modeln nach einer halben Viertelstunde fester geworden, so kehrt man die Käse dann um, und läßt sie so lange in den Modeln, bis sie auf langes reines Stroh oder Binsen gestürzt werden können. Wenn die Käse auf diese Weise nach mehrmaligem Umkehren ihre bestimmte Form erlangt haben, so bestreut man sie auf beiden Seiten mit etwas feinem Salze, und verkauft sie, da sie viele Leute frisch am liebsten essen. Das Dutzend solcher Käse gilt im Languedoc 36 Sous, und eine Heerde von 400 Schafen giebt ihrer täglich 6 bis 7 Duzend. Anfangs Junius hört man mit dem Melken der Schafe auf, um sie ins Gebirg zu schicken. Aus den Molken, welche Einige mit Kleien vermengt an Schweine und Geflügel verfüttern, bereiten Andere noch eine andere Art von Käse, die sogenannten fromages recuites, welche sehr gesucht sind. Man kocht zu diesem Behufe die Molken, denen man eine geringe Quantität reine Milch zusetzt, mit Vorsicht auf einem schwachen Feuer, und schäumt sie ab; die Operation darf nicht zu sehr beschleunigt werden, ja man soll sogar im Augenblicke des Aufwallens einige Tropfen kaltes Wasser hinzusetzen. Der Käsestoff steigt auf diese Weise allmählig empor; man nimmt ihn, nachdem man den Kessel vom Feuer genommen, mit einem durchlöcherten Löffel ab, und giebt ihn in die oben angegebenen Formen, in denen er übrigens nicht umgekehrt wird, sondern in denen man ihn sogar auf den Tisch bringt. Diese Käse werden frisch und mit etwas Orangenwasser und Zucker abgerieben gegessen; nach 2 Tagen werden sie sauer. Die Molken von 6 bis 7 Duzend obiger Käse geben nur 5 bis 6 solcher gekochten Käse. — Will man die Schafkäse für den Winter aufbewahren, so bringt man sie, nachdem sie gehörig abgetropft haben und gesalzen worden, auf Hürden an einen trockenen luftigen Ort, und kehrt sie bis zu vollkommener Trockenheit täglich 2 Mal um. Die getrockneten Käse werden in hölzernen Kisten oder in Getreidehaufen aufbewahrt, um sie gegen Insekten zu schützen. Will man sie geniessen, so weicht man sie in ein etwas gesalzenes Wasser, in welchem man sie so lange läßt, bis sie mit einer Nadel angestochen, beim Aufheben von dieser abgleiten. Ist dieses der Fall, so läßt man sie abtropfen, und reibt sie dann nach einander mit etwas Weingeist und einigen Tropfen Olivenöhl ein, um sie in große, irdene, gut verschlossene Töpfe zu bringen, und innerhalb vier Monaten zu geniessen. Nach dem ersten Monate sind sie am besten; man bereitet daher auch immer nur eine solche Quantität zu, als innerhalb dieser Zeit genossen werden kann, und wiederholt die Operation lieber öfters. Auf gleiche Weise bereitet man in Languedoc auch die Ziegenkäse, die besonders gut werden, wenn man die Ziegenmilch mit Schafmilch vermengt.

---

156. Guter Rath, die Zucker-Runkelrüben-Sämenkerne mit Vortheil zu legen. Vom Hrn. Amtmann Clostermann zu Johannisberg bei Fulda.

In dem Fuldaer Wochenblatte las ich eine Anweisung kurf. Landwirthschaft-Vereins, zum richtigen Anbau der Zuckerrunkelrübe, und fand dieselbe mit meinen deshalbigen Erfahrungen übereinstimmend. Da jedoch Fälle eintreten können, die Aussaat dieser Erdfrucht nicht so zeitig, als angerathen wird, vornehmen zu können, so dürfte nachstehende Angabe einer guten Aushilfe dieserhalb willkommen seyn. Sehr nachtheilig ist es dem Gedeihen der Runkelrübe, wie dann auch allen übrigen Gewächsen, wenn der Boden, in den die Samenkerne derselben gelegt werden, in einem nassen Zustand bearbeitet wird. Um nun die geeignetste Zeit hiezu und den besten Zustand des zum Runkelrübenbau bestimmten Landes ohne Sorge der Verspätung dazu abwarten zu können, lege ich den Samen dieser Erdfrucht 6 bis 8 Tage vor der Aussaat in ein Gefäß, übergieße denselben mit Mistjauche und lasse ihn darin eben so lange weichen und aufquellen, bis ich ihn zum Legen in das, in dieser Zeit gehörig abgetrocknete Land, zu bringen gedenke. Zu diesem Ende lasse ich jene Brühe abgießen, und den Samen mit Asche überstreuen und vermengen, ihn hierauf mit der anhängenden Asche im Keller oder an einem schattigen feuchten Orte, 2 Zoll hoch, ausbreiten. In diesem Zustande bleibt er mehrere Tage liegen, worauf er unmittelbar vor der Aussaat von der losen Asche durch ein Sieb befreit, und so mit seinen bereits hervorgebrochenen Keimen gelegt wird. Hierdurch bewirkt man nun nicht nur, daß die aus dieser zwar späten Aussaat *) gewonnenen Pflanzen eben so gut, und noch besser als die früher bestellten, gedeihen und diese im Wachsthum bald einholen, sondern auch, daß sie von Würmern und Insekten verschont bleiben. Der auf gewöhnliche Weise im trocknen Zustand gelegte Samen liegt oft 4 bis 5 Wochen in der Erde, ohne zum Vorschein zu kommen, und ist in dieser langen Zeit nur zu oft vielen Unfällen unterworfen. — Was nun die Art und Weise der Aussaat selbst betrifft, so lege ich jedes Samenkorn der Runkelrübe (auf obige Weise behandelt) in Entfernungen von $1\frac{1}{2}$ Fuß hoch und $\frac{1}{2}$ Zoll tief, und erhalte von gutem Samen doch immer mehr als eine Pflanze von einem Samenkorn.

---

*) In Frankreich legt man die Zucker-Rüben-Samenkerne mit Vortheil bei günstiger Witterung erst im Monat Mai.

157. Bereitung eines moussirenden stets hellen und klaren Ciders.

Nach Hrn. Mercier (heißt es in den ökon. Neuigkeiten) gieße man den, von ganz reifen Aepfeln durch das gewöhnliche Zerreiben und Pressen gewonnenen Saft, von der Presse weg, in ein mit ganz feinen Hobelspänen von frisch gefälltem Buchenholze, ohne daß sie zusammengedrückt sind, gefülltes Faß. Sobald die Flüssigkeit völlig klar und durchsichtig geworden — was gewöhnlich in 10 bis 14 Tagen der Fall ist, und was man an der, mittelst einem im Boden angebrachten Zapfen, abgezogenen kleinen Probe erkennt — wird nun der sogleich trinkbare Cider auf ein anderes Faß abgezogen, jedoch mit der Vorsicht, das Letzte desselben durch ein feines Sieb zu lassen, damit ja nichts von der Hefe, die sich in den Spänen abgelagert, sich losreisse, mit hinüber gehe und so den Cider verunreinige. Das Zurückbleibende klärt sich auch in 3—4 Wochen ab, giebt jedoch nie ein so gutes Getränk als das erst Abgezogene, und darf daher auch nicht mit diesem letztern vermischt werden.

Will man nun dem bereits trinkbaren und in ein Fläschchen gefüllten, schon ein Bischen schäumenden Cider die von den Buchenspänen erhaltene schöne, klare Farbe und den angenehmen prickelnden Geschmack nicht nur erhalten, sondern ihm auch die Fähigkeit zu moussiren verschaffen, muß man ihn nach etwa 4 Wochen, nachdem er sich vollkommen abgeklärt hat, auf Flaschen ziehen, diese aber erst nach 24 Stunden verstöpseln, während welcher Zeit die Flaschenmündungen mit reiner Leinwand zugedeckt werden. Die Flaschen dürfen nicht unmittelbar nach dem Stöpseln gelegt werden, weil sie sonst springen.

Der so behandelte Cider behält seine ganze Lieblichkeit und schäumt wie Champagner. Will man den Cider mehrere Jahre auf Fässern aufbewahren, muß man jährlich eine Partie davon abziehen, und das Faß wieder mit frischem Cider füllen.

Herr Mercier hat auf diese Weise ein Faß zehn Jahre lang aufbewahrt; der Cider verlor wohl etwas von seiner Lieblichkeit, ist aber noch immer angenehm, hat Feuer und ist so durchsichtig wie Weingeist.

Seit mehr als 20 Jahren hat Hr. Mercier dieses Verfahren erprobt.

158. Tollheit des Viehes vom schlechten Futter.

Hr. Apotheker Keller in Dillingen machte in Buchners Repert. f. d. Pharm. (Bd. LVI. Heft 3) folgende Beobachtung bekannt:

Im vorjährigen Sommer (1835) wurde sämmtliches Vieh eines Bauern im Landgerichte Dillingen nach dem Genusse eines schlechten Kleefutters völlig toll; es riß vom Barn ab und rannte wie rasend im Hofe umher, so daß sich einige Stücke ihre Köpfe an den Wänden und Pfeilern fast einstiessen.

Diese Raserei währte ungefähr 2 Stunden, dann fielen die Thiere allmählig um und waren wie todt; erwachten aber nach etlichen Stunden, während welcher Zeit ihnen reichlich warmes Wasser war eingeschüttet worden, und wurden wieder gesund.

Das Futter, welches dem Hrn. Apotheker Keller vom Gerichte zur Untersuchung übergeben wurde, bestand, weil bei der unerhörten Dürre der Klee nicht wuchs, zu 6/8 Theilen aus Papaver Rhoeas mit reifen und unreifen Samenkapseln, Adonis aestivalis, Delphinium Consolida etc. Die Landleute der Gegend nahmen an diesem Ereignisse eine Warnung, so daß ein zweiter Vergiftungsfall nicht mehr vorgekommen zu seyn scheint, obgleich die obengenannten Vegetabilien sehr häufig auf den Feldern angetroffen wurden.

---

159. Preisaufgaben.

I.

Preisaufgaben der Société centrale d'agriculture in Paris, die Runkelrübenzucker-Fabrikation betreffend. Die eben genannte Gesellschaft ertheilt im April 1837 folgende Preise:

1) 3000 Fr. für die beste Beschreibung von einfachen und wohlfeilen Methoden der Runkelrübenzucker-Fabrikation, wie sie sich für kleinere Oekonomien eignen, und wonach 2 bis 3 Monate hindurch täglich 12 Kilogr. derlei Zucker erzeugt werden können.

2) 2000 Fr. für Apparate, die sich ihrem Preise gemäß für Gesellschaften von Landwirthen, welche täglich wenigstens 60 Hectoliter Rübensaft verarbeiten wollen, eignen.

3) 1000 Fr. für die wesentlichste, bisher unbekannte Verbesserung an irgend einer die Rübenzucker-Fabrikation betreffenden Operation.

Außerdem behält sich's die Gesellschaft vor, Preise von 100 Fr. an die 12 ersten kleinen Fabriken, welche jährlich über 300 Kilogr. Zucker wohlfeil bauen und fabriciren, und Medaillen an diejenigen zu ertheilen, welche die größte Anzahl von Landwirthen oder von Gesellschaften von Landwirthen zur Errichtung von dergleichen kleinen Fabriken ermuntern.

II.

Preisaufgaben der Société royale d'agriculture de Lyon.

1) Preis von 300 Fr. für das beste sehr kurze Werk zur Verbreitung gesunder Ansichten über die Theorie und die Praxis der Landwirthschft.

2) Preis von 1000 Fr. für ein Mittel zur Vertilgung des Rebenblattwicklers (pyrale de la vigne).

3) Preis von 300 Fr. und 2 Prämien zu 150 Fr. für die Cultur des vielstängeligen oder philippinischen Maulbeerbaumes in Wiesenform.

4) Preis von 300 Fr. für die beste Seidenraupenzucht mit den Blättern dieses Baumes. (Diese letzteren Preise sind von Hrn. Bonafons in Turin gegründet.)

5) Preis von 300 Fr. für die beste landwirthschaftliche Statistik des Depart. du Rhone.

III.

Preisaufgaben der Société des Sciences morales, des lettres et des arts de Seine et Oise. Goldene Medaille im Werthe von 200 Fr. für die beste Abhandlung über folgende Frage: Man studiere in moralischer Beziehung die Dienstboten-Klaße in Frankreich, und gebe die wirksamsten Mittel an, um in dieser Klasse mehr Moralität zu verbreiten. Einzusenden vor dem 1. Januar 1837 an Hrn. Baudry de Balzac in Paris.

Mittelpreise
auf den
vorzüglichsten Getreideschrannen in Bayern.

Wochen.	Getreid-Sorten.	Aichach. fl.	Aichach. kr.	Amberg. fl.	Amberg. kr.	Ansbach. fl.	Ansbach. kr.	Ansbach. fl.	Ansbach. kr.	Augsburg. fl.	Augsburg. kr.	Baireuth. fl.	Baireuth. kr.	Erding. fl.	Erding. kr.	Kempten. fl.	Kempten. kr.
… 2. Juli 1836.	Weitzen	10	21	10	58	10	15	9	30	10	22	—	—	9	20	—	—
	Kern	—	—	—	—	9	52	9	59	10	24	—	—	—	—	12	29
	Roggen	5	48	7	41	7	15	6	42	6	4	—	—	5	20	8	7
	Gerste	—	—	—	—	—	—	—	—	7	3	—	—	6	42	7	30
	Haber	4	47	5	21	5	6	5	49	4	56	—	—	4	45	5	53
… 30. Juli 1836.	Weitzen	11	3	10	9	10	—	10	—	9	31	12	45	9	40	—	—
	Kern	—	—	—	—	10	13	10	25	10	34	—	—	—	—	12	22
	Roggen	6	19	7	29	—	—	6	18	6	35	9	10	6	—	8	15
	Gerste	—	—	—	—	—	—	—	—	5	33	9	36	6	36	8	—
	Haber	4	52	5	43	5	22	5	37	4	46	7	11	5	—	5	51
… bis 6. August 1836.	Weitzen	10	25	10	16	10	—	9	30	10	47	12	29	10	—	—	—
	Kern	—	—	—	—	10	48	11	5	11	28	—	—	—	—	12	54
	Roggen	5	29	7	4	6	49	6	28	6	38	9	9	5	48	8	22
	Gerste	6	—	—	—	—	—	—	—	7	7	—	—	—	—	7	33
	Haber	4	58	6	—	5	30	5	35	5	11	7	8	5	—	5	56
… bis 13. August 1836.	Weitzen	10	30	10	4	10	—	9	51	10	25	—	—	9	40	—	—
	Kern	—	—	—	—	10	35	10	39	10	44	—	—	—	—	12	40
	Roggen	5	17	6	39	6	11	6	15	5	58	—	—	5	15	8	15
	Gerste	6	17	6	6	—	—	—	—	7	10	—	—	7	30	8	6
	Haber	4	42	3	30	5	52	5	40	5	11	—	—	4	45	5	37

Mittelpreise
auf den vorzüglichsten Getreideschrannen in Bayern.

Wochen.	Getreid-Sorten.	Landsberg fl.	kr.	Landshut fl.	kr.	Lauingen fl.	kr.	Memmingen fl.	kr.	München fl.	kr.	Neuötting fl.	kr.	Nördlingen fl.	kr.	Nürnberg fl.	kr.
Vom 17. bis 23. Juli 1836.	Weitzen	—	—	9	15	9	38	—	—	10	39	8	53	—	—	10	35
	Kern	10	48	—	—	10	24	—	—	—	—	—	—	11	16	—	—
	Roggen	6	17	5	7	6	15	—	—	6	11	5	20	7	27	7	5
	Gerste	7	12	—	—	7	39	—	—	7	46	—	—	8	11	—	—
	Haber	4	58	4	18	4	31	—	—	5	13	3	52	5	13	5	46
Vom 24. bis 30. Juli 1836.	Weitzen	—	—	9	45	—	—	—	—	10	39	9	18	—	—	11	11
	Kern	11	23	—	—	11	39	12	54	—	—	—	—	12	14	—	—
	Roggen	6	57	5	45	6	40	8	22	6	11	5	13	7	41	7	36
	Gerste	7	6	—	—	7	53	7	33	7	46	—	—	8	42	7	—
	Haber	5	—	4	37	4	50	5	56	5	18	4	2	5	18	5	58
Vom 31. Juli bis 6. August 1836.	Weitzen	—	—	9	15	—	—	—	—	11	2	9	22	—	—	10	58
	Kern	11	20	—	—	10	15	—	—	—	—	—	—	12	11	—	—
	Roggen	6	35	5	—	6	34	—	—	6	27	5	18	7	13	7	17
	Gerste	7	—	—	—	7	48	—	—	8	14	—	—	8	30	7	30
	Haber	5	15	4	42	4	48	—	—	5	31	4	15	5	51	6	8
Vom 7. bis 13. August 1836.	Weitzen	—	—	8	37	—	—	—	—	10	32	9	11	—	—	—	—
	Kern	11	39	—	—	10	31	—	—	—	—	—	—	10	11	—	—
	Roggen	6	12	4	30	6	52	—	—	5	47	5	9	6	45	—	—
	Gerste	7	—	6	—	7	29	—	—	7	55	—	—	8	58	—	—
	Haber	5	13	4	45	4	53	—	—	5	9	4	5	6	19	—	—

Mittelpreise
auf den
vorzüglichsten Getreideschrannen in Bayern.

Wochen.	Getreids-Sorten.	Passau. fl.	Passau. kr.	Regensburg. fl.	Regensburg. kr.	Rosenheim. fl.	Rosenheim. kr.	Speyer. fl.	Speyer. kr.	Straubing. fl.	Straubing. kr.	Traunstein. fl.	Traunstein. kr.	Vilshofen. fl.	Vilshofen. kr.	Weilheim. fl.	Weilheim. kr.
Vom 17. Juli bis 23. August 1836.	Weitzen	9	48	9	39	9	52	11	29	8	49	9	24	8	37	10	48
	Kern	—	—	—	—	—	—	—	—	—	—	—	—	—	—	10	48
	Roggen	—	—	5	49	5	52	8	6	5	30	5	36	5	59	6	44
	Gerste	—	—	5	15	5	54	—	—	—	—	6	12	—	—	—	—
	Haber	—	—	5	1	4	10	4	54	4	47	3	42	4	12	5	—
Vom 24. bis 30. Juli 1836.	Weitzen	—	—	10	6	9	32	11	50	9	—	9	48	9	12	11	40
	Kern	—	—	—	—	—	—	—	—	—	—	—	—	—	—	11	40
	Roggen	—	—	6	10	6	1	7	20	5	41	6	12	6	51	7	15
	Gerste	—	—	—	—	5	50	5	18	—	—	6	12	—	—	—	—
	Haber	—	—	5	10	4	20	5	32	4	50	4	—	—	—	5	18
Vom 31. Juli bis 6. August 1836.	Weitzen	9	—	9	4	9	30	12	5	8	54	10	—	8	56	11	34
	Kern	—	—	—	—	—	—	—	—	—	—	—	—	—	—	11	34
	Roggen	—	—	6	—	5	52	7	59	5	21	6	12	6	17	7	58
	Gerste	—	—	6	—	6	8	5	47	5	30	6	12	5	30	—	—
	Haber	—	—	5	12	4	28	5	47	4	35	3	48	4	8	5	30
Vom 7. bis 13. August 1836.	Weitzen	8	—	—	—	10	4	12	3	8	37	10	—	8	32	11	52
	Kern	—	—	—	—	—	—	—	—	—	—	—	—	—	—	11	52
	Roggen	—	—	—	—	5	54	6	4	5	22	6	12	5	57	7	30
	Gerste	6	—	—	—	6	6	6	8	5	31	6	12	—	—	—	—
	Haber	4	—	—	—	4	29	5	51	4	13	3	48	—	—	5	40

Centralblatt

des

landwirthschaftlichen Vereins in Bayern.

Jahrgang: XXVI.

Monat: September 1836.

Landwirthschaftliche Berichte und Aufsätze.

160. Ueber die Nothwendigkeit, die Besteuerung der Runkelrübenzucker-Fabrikation zu verschieben. Eine von Seite der Société d'encouragement dem französischen Ministerium eingereichte Denkschrift; abgefaßt von einer aus den HH. de Lasteyrie, d'Arcet, Vicomte Héricart de Thury, Francoeur, Derosne, Soulange-Bodin, Pouillet, Huzard Sohn und Payen, als Berichterstatter zusammengesetzten Commission.

Aus dem Bulletin de la Société d'encouragement, April 1836, S. 137, übersetzt im polytechnischen Journale.

Die Gesellschaft fühlt sich durch die Besorgniß einer Auflage, welche eine der reichsten Quellen unserer landwirthschaftlichen und industriellen Wohlfahrt zu trüben geeignet ist, tief aufgeregt. Nachdem sie zu allen Zeiten den Aufschwung, der unter dem Kaiserreiche der lange Zeit so schwankenden Runkelrübenzucker-Fabrikation eingehaucht worden ist, unterstützt und den Anstrengungen des hochberühmten Ministers Chaptal ihren Beifall gezollt, hatte sie erst in neuester Zeit ehrenwerthe Belohnungen für solche Verbesserungen ertheilt, die sie zum Theil durch die von ihr ausgeschriebenen Preise hervorrief. Unmittelbar hierauf folgte nun die Ankündigung einer Maßregel, die wir für höchst unheilvoll halten, indem sie die weiteren Fortschritte dieser Fabrikation und selbst deren ganze Existenz auf's Spiel setzt; indem sie mit einem Mal die nützlichsten Resultate ungeheurer Opfer, die ihr gebracht wurden, vernichtet; und indem sie, wir scheuen uns nicht, dieses zu behaupten, da der Beweis dafür nur zu bald kommen würde, den hohen Aufschwung des Erfindungsgeistes in Frankreich unterdrücken würde. Je größer die Gefahr, welche droht. um so mehr hält es die Gesellschaft, die immer zur Vertheidigung der landwirthschaftlichen, industriellen und commerciellen Interessen ihres Vaterlandes bereit ist, für eine ihrer ersten Pflichten den Räthen der Krone und den beiden Kammern die Motive vorzulegen, die sie zu dieser unerschütterlichen Ueberzeugung brachten.

Interessen der Landwirthschaft.

Wenn es nicht bereits von allen landwirthschaftlichen Gesellschaften und Comités mit Acclamation anerkannt wäre, daß der Runkelrübenbau die wichtigste Bedingung für die Wohlfahrt unserer Landwirthschaft ist, und also als eines der unentbehrlichsten Mittel zur Bekämpfung des durch die niedrigen Getreidepreise erzeugten gedrückten Zustandes derselben betrachtet werden muß, so würden wir daran erinnern, daß die Runkelrübe unter allen Gewächsen, welche eine Bewirthschaftung ohne Brache und ohne Erschöpfung des Bodens zulassen, das beste ist; und daß nur durch die Gewinnung des Zuckers aus ihr dieses große Resultat zu erzielen ist: indem auf diese Weise eine große Menge wohlfeilen Düngers erzeugt werden kann, und indem hiedurch die Erzeugungskraft des Bodens gesteigert wird. Wir fügen daher in dieser Hinsicht hier nur noch bei: daß, wenn man zu wählen hätte, man lieber und ohne Bedenken auf die Hoffnung mehrerer anderer großen Wohlthäten für die Landwirthschaft verzichten sollte: so z. B. auf die Aufhebung der auf dem Salze lastenden Abgabe, auf die Freigebung der Tabakkultur, und selbst auf die gänzliche Befreiung von der Weinauflage, denn von allen diesen Vortheilen dürfte keiner dem Aufschube der Besteuerung der Runkelrübenzucker-Fabrikation das Gleichgewicht halten. Vor Allem muß die neue Kunst aufrecht erhalten werden; denn sie ist es, welche auf dem Lande jene Allianz zwischen Industrie und Agrikultur bedingt, welche der materiellen sowohl als moralischen Wohlfahrt so ersprießlich ist, und welche den Söhnen bemittelter Grundbesitzer eine ehrenvolle Laufbahn eröffnet, indem sie ihnen gestattet, im Interesse des Vaterlandes alle die positiven Kenntnisse, die sie sich in unseren Unterrichtsanstalten erwarben, zu benutzen.

Interessen der Industrie, der ärmeren Classe und des Handels.

Die Runkelrübenzucker-Fabrikation behauptet gegenwärtig unter allen unsern landwirthschaftlichen Industriezweigen den ersten Platz, und zwar sowohl wegen der Arbeiten, welche sie veranlaßte, als auch wegen der Fortschritte, die sie zu verwirklichen im Begriffe ist. Niemand wird daran zweifeln, wenn er die außerordentliche Thätigkeit beobachtet hat, die sie in allen jenen Werkstätten, in welchen Gußeisen und Kupfer verarbeitet oder Maschinen und Apparate erzeugt werden, hervorbrachte. Noch mehr aber muß man auf dem Lande und an Ort und Stelle, wo die Fabrikation betrieben wird, sehen, welche Menge von Arbeitern dieser schöne Industriezweig anzieht, aus ihrer Trägheit reißt, sie in Stand setzt, ihre Familie mit reichlicher und gesünderer Nahrung zu versehen, und mit dem allgemeinen Reichthum auch sämmtliche Consumtionen zu vermehren.

Der Zucker selbst ist für die Gesundheit der ärmeren Klasse noch weit nöthiger, als für die wohlhabenderen und in Luxus lebenden Klassen. Ist diese Substanz nicht auch wirklich von höchster Wichtigkeit, indem durch sie der angenehme Geschmack, die Aufbewahrung, die Verdaulichkeit und Gesundheit vieler Nahrungsmittel, die ohne sie schnell zum allgemeinen Verluste zu Grunde gehen oder sauer und ungesund werden, bedingt ist? Nicht blos die Früchte, die stärkmehlhaltigen Produkte und gewisse Mehlarten können auf diese Weise verbessert werden, sondern selbst Getränke und alle schwachen Weine erfordern eine gewisse Menge Zuckerstoff, um gut zu werden und zu bleiben; oft kann auf diese Weise ein Kilogramm Zucker 100 Kilogr. eines zur Nahrung der Menschen bestimmten Produkts wesentlich verbessern. Die Wissenschaft sowohl als Thatsachen haben hierüber schon längst abgesprochen; man denke sich daher den Einfluß, welchen mehrere Millionen Kilogramm Zucker, die jährlich mehr in Consumtion kommen, nothwendig üben müssen!

Um zu zeigen, wie groß die Zunahme der Wohlfahrt der Oekonomien ist, wenn diese mit der Runkelrübenzucker-Fabrikation in direkte Verbindung gebracht werden, wollen wir eines jener Beispiele anführen, die der Gesellschaft kurz vor Ankündigung der gegenwärtig wirklich beantragten Auflage bekannt wurden. In einem südlichen Departement, in welchem sich der bestehenden Vorurtheile wegen bisher noch keine Zuckerfabrick befand, gelang es einem ehrenwerthen Oekonomen von Toulouse durch Verwendung von 10 Hectaren Landes zum Runkelrübenbaue, und durch Benutzung sämmtlicher Produkte und Rückstände der Fabrikation auf Verbesserung des Bodens und auf Viehzucht, die Brachen zu unterdrücken und den früheren Rohertrag von 6040 Fr. nach Ablauf von 4 Jahren auf 12700 Fr. und später selbst auf 24,765 Fr. zu bringen, ohne daß dabei irgend eine Uebertreibung Statt gefunden hätte! Diese Zahlen beurkunden das ungeheure Verhältniß der Zunahme der agricolen Wohlfahrt an einem einzelnen Orte. Man wird daher nicht staunen, wenn durch diese Fabrikation dem Staatsschatze kein wirkliches Deficit erwächst, indem sie die Erträgnisse der indirekten Auflagen gleich vom Beginne an solcher Maßen steigern wird, daß hiedurch der bei der Maut sich ergebende Ausfall ausgeglichen werden dürfte; so z. B. durch die Zunahme der Einfuhr an Kaffee, Thee, Cacao, die unmittelbar aus dem größeren Verbrauche an Zucker folgen wird. In der That wird auch eine Bevölkerung, die durch die Runkelrübenzucker-Fabrikation an Wohlstand gewinnt, wesentlich zur Erhöhung des Ertrages, der auf dem Salze, dem Tabake, den Getränken und vielen anderen Gegenständen ruht, wofür die Colonisten nichts bezahlen, beitragen.

Am Anfange des Jahres 1836 fand in den Mautgefällen wirklich ein Defizit Statt, welches durch die Wiederausfuhr von Zucker aus den Mautniederlagen veranlaßt wurde, indem die Zuckerpreise im Auslande dem Kolonialzucker größere Vortheile gewährten, als die französischen Zuckerpreise. Dessen ungeachtet wurde aber dieses Defizit durch die Erträgnisse der übrigen Gefälle so ausgeglichen, daß die Einnahme an indirekten Auflagen in den drei ersten Monaten des Jahres 1836 um 11,543,000 Fr. größer war, als in den entsprechenden drei Monaten des Jahres 1834, und um 4,867,000 Fr. größer, als in denselben Monaten des Jahres 1835. Die merklichste Zunahme zeigte sich an den Eintragungsgebühren, an den Stempel-, Wein-, Tabak-, Briefpost- und Mautgefällen. Alle diese Thatsachen beweisen nicht nur eine wirkliche Zunahme der Consumtion, sondern auch ein gedeihliches Fortschreiten des Handels; denn in Frankreich, und dieses gilt selbst in England, beruht die erste Quelle des commerciellen Reichthumes auf dem inneren Markte.

Nicht vergessen darf auch werden, daß die Zuckerfabrikation den Oekonomen die schwere auf dem Salze lastende Auflage bedeutend erleichtert. Die Erfahrung hat nämlich gelehrt, daß ein Zusatz von Melasse zu verschiedenen rohen Nahrungsmittelst der Thiere deren Verdauung sehr erleichtert, und sogar oft kranken Thieren wieder ihre frühere Gesundheit geben kann. Diese günstige Wirkung der Melasse muß übrigens nicht bloß dem in ihr enthaltenen Zuckerstoffe, der auf die Ernährung der Thiere einen eben so wohlthätigen Einfluß übt, wie auf jene der Menschen, sondern auch den in der Runkelrübe enthaltenen Salzen, welche nach der Krystallisation des Zuckers in der Melasse verbleiben, zugeschrieben werden.

Industrielle Verbesserungen, welche mit der Runkelrüben-Zucker-Fabrikation verbunden sind.

Man hat bisher sowohl der Billigkeit gemäß, als im Interesse der Staatswohlfahrt die Fabriken nicht eher mit einer Steuer belegt, als bis sie eine gewisse Stabilität erlangt hatten, oder bis wenigstens die Mehrzahl der Fabrikanten auf gleicher Stufe stand. Obschon es nun kein Beispiel giebt, daß irgend eine andere Fabrikation so außerordentliche Opfer veranlaßt, oder so rasche Fortschritte gemacht hätte, wie die Runkelrübenzucker-Fabrikation, so befolgt man doch noch in den meisten unserer Fabriken in sämmtlichen Theilen der Zuckergewinnung verschiedene Prozesse, und eben so bereiten sich neue Fortschritte vor. Es ist in der That gegenwärtig noch unmöglich, auf Gründe gestützt zu sagen, welche Methoden als die besten den Vorzug verdienen; denn es bedarf noch vieler Versuche, und wahrscheinlich noch mannigfacher Apparate, um die verschiedenen Aufgaben, welche jede einzelne Operation darbietet, zur Lösung zu bringen. Noch weiß man nicht, ob der Maceration der Vorzug vor dem Zerreiben der Rüben gebühre, welches die beste Läuterungs- und Filtrirmethode ist; welcher Ofen sich zum Verkohlen der Knochen und zur Wiederbelebung der Kohle am besten eignet; welches Abdampfsystem das wohlfeilste ist, da sich in dieser Hinsicht nicht weniger als 10 Apparate um den Vorzug streiten, und von denen doch höchstens nur einer oder zwei ohne bedeutende Modifikationen Bestand gewinnen werden. Uebrigens gewährt es auch noch dadurch großen Nutzen, sich mit diesen Verbesserungen zu beschäftigen, daß hiedurch viele andere Industriezweige indirekt gefördert werden, und daß hiedurch viele Arbeiter, Heizer und Mechaniker herangebildet werden, woran es zur kräftigen Entwicklung unserer Dampfschiffahrt und aller unserer mechanischen Künste noch sehr fehlt. Wird man auf den Kolonien derlei Opfer bringen, auf den Kolonien, wo nur wenige der zahlreichen und unwiderlegbar nützlichen Veränderungen, welche man in Frankreich in Be-

Mittelpreise
auf den
vorzüglichsten Getreideschrannen in Bayern.

Wochen.	Getreid-Sorten.	Aichach. fl.	Aichach. kr.	Amberg. fl.	Amberg. kr.	Ansbach. fl.	Ansbach. kr.	Ansbach. fl.	Ansbach. kr.	Augsburg. fl.	Augsburg. kr.	Baireuth. fl.	Baireuth. kr.	Erding. fl.	Erding. kr.	Kempten. fl.	Kempten. kr.
… 2. Juli 1836.	Weitzen	10	21	10	58	10	15	9	30	10	22	—	—	9	20	—	—
	Kern	—	—	—	—	9	52	9	59	10	24	—	—	—	—	12	29
	Roggen	5	48	7	41	7	15	6	42	6	4	—	—	5	20	8	7
	Gerste	—	—	—	—	—	—	—	—	7	3	—	—	6	42	7	30
	Haber	4	47	5	21	5	6	5	49	4	56	—	—	4	45	5	53
30. Juli 1836.	Weitzen	11	3	10	9	10	—	10	—	9	31	12	45	9	40	—	—
	Kern	—	—	—	—	10	13	10	25	10	34	—	—	—	—	12	22
	Roggen	6	19	7	29	—	—	6	18	6	35	9	10	6	—	8	15
	Gerste	—	—	—	—	—	—	—	—	5	33	9	36	6	36	8	—
	Haber	4	52	5	43	5	22	5	37	4	46	7	11	5	—	5	51
bis 6. August 1836.	Weitzen	10	25	10	16	10	—	9	30	10	47	12	29	10	—	—	—
	Kern	—	—	—	—	10	48	11	5	11	28	—	—	—	—	12	54
	Roggen	5	29	7	4	6	49	6	28	6	38	9	9	5	48	8	22
	Gerste	6	—	—	—	—	—	—	—	7	7	—	—	—	—	7	33
	Haber	4	58	6	—	5	30	5	35	5	11	7	8	5	—	5	56
bis 13. August 1836.	Weitzen	10	30	10	4	10	—	9	51	10	25	—	—	9	40	—	—
	Kern	—	—	—	—	10	35	10	39	10	44	—	—	—	—	12	40
	Roggen	5	17	6	39	6	11	6	15	5	58	—	—	5	15	8	15
	Gerste	6	17	6	6	—	—	—	—	7	10	—	—	7	30	8	6
	Haber	4	42	3	30	5	52	5	40	5	11	—	—	4	45	5	37

Mittelpreise
auf den
vorzüglichsten Getreideschrannen in Bayern.

Wochen.	Getreids-Sorten.	Landsberg fl.	Landsberg kr.	Landshut fl.	Landshut kr.	Lauingen fl.	Lauingen kr.	Memmingen fl.	Memmingen kr.	München fl.	München kr.	Neuötting fl.	Neuötting kr.	Nördlingen fl.	Nördlingen kr.	Nürnberg fl.	Nürnberg kr.
Vom 17. bis 23. Juli 1836.	Weitzen	—	—	9	15	9	38	—	—	10	39	8	53	—	—	10	35
	Kern	10	48	—	—	10	24	—	—	—	—	—	—	11	16	—	—
	Roggen	6	17	5	7	6	15	—	—	6	11	5	20	7	27	7	5
	Gerste	7	12	—	—	7	39	—	—	7	46	—	—	8	11	—	—
	Haber	4	58	4	18	4	31	—	—	5	13	3	52	5	13	5	46
Vom 24. bis 30. Juli 1836.	Weitzen	—	—	9	45	—	—	—	—	10	39	9	18	—	—	11	11
	Kern	11	23	—	—	11	39	12	54	—	—	—	—	12	14	—	—
	Roggen	6	57	5	45	6	40	8	22	6	11	5	13	7	41	7	36
	Gerste	7	6	—	—	7	53	7	33	7	46	—	—	8	42	7	—
	Haber	5	—	4	37	4	50	5	56	5	18	4	2	5	18	5	58
Vom 31. Juli bis 6. August 1836.	Weitzen	—	—	9	15	—	—	—	—	11	2	9	22	—	—	10	58
	Kern	11	20	—	—	10	15	—	—	—	—	—	—	12	11	—	—
	Roggen	6	35	5	—	6	34	—	—	6	27	5	18	7	13	7	17
	Gerste	7	—	—	—	7	48	—	—	8	14	—	—	8	30	7	30
	Haber	5	15	4	42	4	48	—	—	5	31	4	15	5	51	6	8
Vom 7. bis 13. August 1836.	Weitzen	—	—	8	37	—	—	—	—	10	32	9	11	—	—	—	—
	Kern	11	39	—	—	10	31	—	—	—	—	—	—	10	11	—	—
	Roggen	6	12	4	30	6	52	—	—	5	47	5	9	6	45	—	—
	Gerste	7	—	6	—	7	29	—	—	7	55	—	—	8	58	—	—
	Haber	5	13	4	45	4	53	—	—	5	9	4	5	6	19	—	—

Mittelpreise
auf den
vorzüglichsten Getreideschrannen in Bayern.

Wochen.	Getreide-Sorten.	Passau. fl.	kr.	Regensburg. fl.	kr.	Rosenheim. fl.	kr.	Speyer. fl.	kr.	Straubing. fl.	kr.	Traunstein. fl.	kr.	Vilshofen. fl.	kr.	Weilheim. fl.	kr.
Vom 17. Juli bis 23. August 1836.	Weitzen	9	48	9	39	9	52	11	29	8	49	9	24	8	37	10	48
	Kern	—	—	—	—	—	—	—	—	—	—	—	—	—	—	10	48
	Roggen	—	—	5	49	5	52	8	6	5	30	5	36	5	59	6	44
	Gerste	—	—	5	15	5	54	—	—	—	—	6	12	—	—	—	—
	Haber	—	—	5	1	4	10	4	54	4	47	3	42	4	12	5	—
Vom 24. bis 30. Juli 1836.	Weitzen	—	—	10	6	9	32	11	50	9	—	9	48	9	12	11	40
	Kern	—	—	—	—	—	—	—	—	—	—	—	—	—	—	11	40
	Roggen	—	—	6	10	6	1	7	20	5	41	6	12	6	51	7	15
	Gerste	—	—	—	—	5	50	5	18	—	—	6	12	—	—	—	—
	Haber	—	—	5	16	4	20	5	32	4	50	4	—	—	—	5	18
Vom 31. Juli bis 6. August 1836.	Weitzen	9	—	9	4	9	30	12	5	8	54	10	—	8	56	11	34
	Kern	—	—	—	—	—	—	—	—	—	—	—	—	—	—	11	34
	Roggen	—	—	6	—	5	52	7	59	5	21	6	12	6	17	7	58
	Gerste	—	—	6	—	6	8	5	47	5	30	6	12	5	30	—	—
	Haber	—	—	5	12	4	28	5	47	4	35	3	40	4	8	5	30
Vom 7. bis 13. August 1836.	Weitzen	8	—	—	—	10	4	12	3	8	37	10	—	8	32	11	52
	Kern	—	—	—	—	—	—	—	—	—	—	—	—	—	—	11	52
	Roggen	—	—	—	—	5	54	6	4	5	22	6	12	5	57	7	30
	Gerste	6	—	—	—	6	6	6	8	5	31	6	12	—	—	—	—
	Haber	4	—	—	—	4	29	5	51	4	13	3	48	—	—	5	40

Centralblatt

des

landwirthschaftlichen Vereins in Bayern.

Jahrgang: XXVI.

Monat: September 1836.

Landwirthschaftliche Berichte und Aufsätze.

160. Ueber die Nothwendigkeit, die Besteuerung der Runkelrübenzucker-Fabrikation zu verschieben. Eine von Seite der Société d'encouragement dem französischen Ministerium eingereichte Denkschrift; abgefaßt von einer aus den HH. de Lasteyrie, d'Arcet, Vicomte Héricart de Thury, Francoeur, Derosne, Soulange-Bodin, Pouillet, Huzard Sohn und Payen, als Berichterstatter zusammengesetzten Commission.

Aus dem Bulletin de la Société d'encouragement, April 1836, S. 137, übersetzt im polytechnischen Journale.

Die Gesellschaft fühlt sich durch die Besorgniß einer Auflage, welche eine der reichsten Quellen unserer landwirthschaftlichen und industriellen Wohlfahrt zu trüben geeignet ist, tief aufgeregt. Nachdem sie zu allen Zeiten den Aufschwung, der unter dem Kaiserreiche der lange Zeit so schwankenden Runkelrübenzucker-Fabrikation eingehaucht worden ist, unterstützt und den Anstrengungen des hochberühmten Ministers Chaptal ihren Beifall gezollt, hatte sie erst in neuester Zeit ehrenwerthe Belohnungen für solche Verbesserungen ertheilt, die sie zum Theil durch die von ihr ausgeschriebenen Preise hervorrief. Unmittelbar hierauf folgte nun die Ankündigung einer Maßregel, die wir für höchst unheilvoll halten, indem sie die weiteren Fortschritte dieser Fabrikation und selbst deren ganze Existenz auf's Spiel setzt; indem sie mit einem Mal die nützlichsten Resultate ungeheurer Opfer, die ihr gebracht wurden, vernichtet; und indem sie, wir scheuen uns nicht, dieses zu behaupten, da der Beweis dafür nur zu bald kommen würde, den hohen Aufschwung des Erfindungsgeistes in Frankreich unterdrücken würde. Je größer die Gefahr, welche droht, um so mehr hält es die Gesellschaft, die immer zur Vertheidigung der landwirthschaftlichen, industriellen und commerciellen Interessen ihres Vaterlandes bereit ist, für eine ihrer ersten Pflichten den Räthen der Krone und den beiden Kammern die Motive vorzulegen, die sie zu dieser unerschütterlichen Ueberzeugung brachten.

Interessen der Landwirthschaft.

Wenn es nicht bereits von allen landwirthschaftlichen Gesellschaften und Comités mit Acclamation anerkannt wäre, daß der Runkelrübenbau die wichtigste Bedingung für die Wohlfahrt unserer Landwirthschaft ist, und also als eines der unentbehrlichsten Mittel zur Bekämpfung des durch die niedrigen Getreidepreise erzeugten gedrückten Zustandes derselben betrachtet werden muß, so würden wir daran erinnern, daß die Runkelrübe unter allen Gewächsen, welche eine Bewirthschaftung ohne Brache und ohne Erschöpfung des Bodens zulassen, das beste ist; und daß nur durch die Gewinnung des Zuckers aus ihr dieses große Resultat zu erzielen ist: indem auf diese Weise eine große Menge wohlfeilen Düngers erzeugt werden kann, und indem hiedurch die Erzeugungskraft des Bodens gesteigert wird. Wir fügen daher in dieser Hinsicht hier nur noch bei: daß, wenn man zu wählen hätte, man lieber und ohne Bedenken auf die Hoffnung mehrerer anderer großen Wohlthaten für die Landwirthschaft verzichten sollte: so z. B. auf die Aufhebung der auf dem Salze lastenden Abgabe, auf die Freigebung der Tabakkultur, und selbst auf die gänzliche Befreiung von der Weinauflage, denn von allen diesen Vortheilen dürfte keiner dem Aufschube der Besteuerung der Runkelrübenzucker-Fabrikation das Gleichgewicht halten. Vor Allem muß die neue Kunst aufrecht erhalten werden; denn sie ist es, welche auf dem Lande jene Allianz zwischen Industrie und Agrikultur bedingt, welche der materiellen sowohl als moralischen Wohlfahrt so ersprießlich ist, und welche den Söhnen bemittelter Grundbesitzer eine ehrenvolle Laufbahn eröffnet, indem sie ihnen gestattet, im Interesse des Vaterlandes alle die positiven Kenntnisse, die sie sich in unseren Unterrichtsanstalten erwarben, zu benutzen.

Interessen der Industrie, der ärmeren Classe und des Handels.

Die Runkelrübenzucker-Fabrikation behauptet gegenwärtig unter allen unsern landwirthschaftlichen Industriezweigen den ersten Platz, und zwar sowohl wegen der Arbeiten, welche sie veranlaßte, als auch wegen der Fortschritte, die sie zu verwirklichen im Begriffe ist. Niemand wird daran zweifeln, wenn er die außerordentliche Thätigkeit beobachtet hat, die sie in allen jenen Werkstätten, in welchen Gußeisen und Kupfer verarbeitet oder Maschinen und Apparate erzeugt werden, hervorbrachte. Noch mehr aber muß man auf dem Lande und an Ort und Stelle, wo die Fabrikation betrieben wird, sehen, welche Menge von Arbeitern dieser schöne Industriezweig anzieht, aus ihrer Trägheit reißt, sie in Stand setzt, ihre Familie mit reichlicher und gesünderer Nahrung zu versehen, und mit dem allgemeinen Reichthum auch sämmtliche Consumtionen zu vermehren.

Der Zucker selbst ist für die Gesundheit der ärmeren Klasse noch weit nöthiger, als für die wohlhabenderen und in Luxus lebenden Klassen. Ist diese Substanz nicht auch wirklich von höchster Wichtigkeit, indem durch sie der angenehme Geschmack, die Aufbewahrung, die Verdaulichkeit und Gesundheit vieler Nahrungsmittel, die ohne sie schnell zum allgemeinen Verluste zu Grunde gehen oder sauer und ungesund werden, bedingt ist? Nicht blos die Früchte, die stärkmehlhaltigen Produkte und gewisse Mehlarten können auf diese Weise verbessert werden, sondern selbst Getränke und alle schwachen Weine erfordern eine gewisse Menge Zuckerstoff, um gut zu werden und zu bleiben; oft kann auf diese Weise ein Kilogramm Zucker 100 Kilogr. eines zur Nahrung der Menschen bestimmten Produkts wesentlich verbessern. Die Wissenschaft sowohl als Thatsachen haben hierüber schon längst abgesprochen; man denke sich daher den Einfluß, welchen mehrere Millionen Kilogramm Zucker, die jährlich mehr in Consumtion kommen, nothwendig üben müssen!

Um zu zeigen, wie groß die Zunahme der Wohlfahrt der Oekonomien ist, wenn diese mit der Runkelrübenzucker-Fabrikation in direkte Verbindung gebracht werden, wollen wir eines jener Beispiele anführen, die der Gesellschaft kurz vor Ankündigung der gegenwärtig wirklich beantragten Auflage bekannt wurden. In einem südlichen Departement, in welchem sich der bestehenden Vorurtheile wegen bisher noch keine Zuckerfabrick befand, gelang es einem ehrenwerthen Oekonomen von Toulouse durch Verwendung von 10 Hectaren Landes zum Runkelrübenbaue, und durch Benutzung sämmtlicher Produkte und Rückstände der Fabrikation auf Verbesserung des Bodens und auf Viehzucht, die Brachen zu unterdrücken und den früheren Rohertrag von 6040 Fr. nach Ablauf von 4 Jahren auf 12700 Fr. und später selbst auf 24,765 Fr. zu bringen, ohne daß dabei irgend eine Uebertreibung Statt gefunden hätte! Diese Zahlen beurkunden das ungeheure Verhältniß der Zunahme der agricolen Wohlfahrt an einem einzelnen Orte. Man wird daher nicht staunen, wenn durch diese Fabrikation dem Staatsschatze kein wirkliches Deficit erwächst, indem sie die Erträgnisse der indirekten Auflagen gleich vom Beginne an solcher Maßen steigern wird, daß hiedurch der bei der Maut sich ergebende Ausfall ausgeglichen werden dürfte; so z. B. durch die Zunahme der Einfuhr an Kaffee, Thee, Cacao, die unmittelbar aus dem größeren Verbrauche an Zucker folgen wird. In der That wird auch eine Bevölkerung, die durch die Runkelrübenzucker-Fabrikation an Wohlstand gewinnt, wesentlich zur Erhöhung des Ertrages, der auf dem Salze, dem Tabake, den Getränken und vielen anderen Gegenständen ruht, wofür die Colonisten nichts bezahlen, beitragen.

Am Anfange des Jahres 1836 fand in den Mautgefällen wirklich ein Defizit Statt, welches durch die Wiederausfuhr von Zucker aus den Mautniederlagen veranlaßt wurde, indem die Zuckerpreise im Auslande dem Kolonialzucker größere Vortheile gewährten, als die französischen Zuckerpreise. Dessen ungeachtet wurde aber dieses Defizit durch die Erträgnisse der übrigen Gefälle so ausgeglichen, daß die Einnahme an indirekten Auflagen in den drei ersten Monaten des Jahres 1836 um 11,543,000 Fr. größer war, als in den entsprechenden drei Monaten des Jahres 1834, und um 4,867,000 Fr. größer, als in denselben Monaten des Jahres 1835. Die merklichste Zunahme zeigte sich an den Eintragungsgebühren, an den Stempel-, Wein-, Tabak-, Briefpost- und Mautgefällen. Alle diese Thatsachen beweisen nicht nur eine wirkliche Zunahme der Consumtion, sondern auch ein gedeibliches Fortschreiten des Handels; denn in Frankreich, und dieses gilt selbst in England, beruht die erste Quelle des commerciellen Reichthumes auf dem inneren Markte.

Nicht vergessen darf auch werden, daß die Zuckerfabrikation den Oekonomen die schwere auf dem Salze lastende Auflage bedeutend erleichtert. Die Erfahrung hat nämlich gelehrt, daß ein Zusatz von Melasse zu verschiedenen rohen Nahrungsmittels der Thiere deren Verdauung sehr erleichtert, und sogar oft kranken Thieren wieder ihre frühere Gesundheit geben kann. Diese günstige Wirkung der Melasse muß übrigens nicht bloß dem in ihr enthaltenen Zuckerstoffe, der auf die Ernährung der Thiere einen eben so wohlthätigen Einfluß übt, wie auf jene der Menschen, sondern auch den in der Runkelrübe enthaltenen Salzen, welche nach der Krystallisation des Zuckers in der Melasse verbleiben, zugeschrieben werden.

Industrielle Verbesserungen, welche mit der Runkelrüben-Zucker-Fabrikation verbunden sind.

Man hat bisher sowohl der Billigkeit gemäß, als im Interesse der Staatswohlfahrt die Fabriken nicht eher mit einer Steuer belegt, als bis sie eine gewisse Stabilität erlangt hatten, oder bis wenigstens die Mehrzahl der Fabrikanten auf gleicher Stufe stand. Obschon es nun kein Beispiel giebt, daß irgend eine andere Fabrikation so außerordentliche Opfer veranlaßt, oder so rasche Fortschritte gemacht hätte, wie die Runkelrübenzucker-Fabrikation, so befolgt man doch noch in den meisten unserer Fabriken in sämmtlichen Theilen der Zuckergewinnung verschiedene Prozesse, und eben so bereiten sich neue Fortschritte vor. Es ist in der That gegenwärtig noch unmöglich, auf Gründe gestützt zu sagen, welche Methoden als die besten den Vorzug verdienen; denn es bedarf noch vieler Versuche, und wahrscheinlich noch mannigfacher Apparate, um die verschiedenen Aufgaben, welche jede einzelne Operation darbietet, zur Lösung zu bringen. Noch weiß man nicht, ob der Maceration der Vorzug vor dem Zerreiben der Rüben gebühre, welches die beste Läuterungs- und Filtrirmethode ist; welcher Ofen sich zum Verkohlen der Knochen und zur Wiederbelebung der Kohle am besten eignet; welches Abdampfsystem das wohlfeilste ist, da sich in dieser Hinsicht nicht weniger als 10 Apparate um den Vorzug streiten, und von denen doch höchstens nur einer oder zwei ohne bedeutende Modifikationen Bestand gewinnen werden. Uebrigens gewährt es auch noch dadurch großen Nutzen, sich mit diesen Verbesserungen zu beschäftigen, daß hiedurch viele andere Industriezweige indirekt gefördert werden, und daß hiedurch viele Arbeiter, Heizer und Mechaniker herangebildet werden, woran es zur kräftigen Entwicklung unserer Dampfschiffahrt und aller unserer mechanischen Künste noch sehr fehlt. Wird man auf den Kolonien derlei Opfer bringen, auf den Kolonien, wo nur wenige der zahlreichen und unwiderlegbar nützlichen Veränderungen, welche man in Frankreich in Betreff der Zuckerfabrikation erfand, Eingang finden konnten, und wo die neue Sclavenlegislation den Fortschritten neue Fesseln angelegt hat? Die Runkelrübenzucker-Fabrikation hat demnach noch lange nicht ihre höchste Stufe erreicht, und die Fabrikanten arbeiten nichts weniger als unter gleichen Umständen; eine Auflage auf sie würde alle Fortschritte hemmen, ja die Ankündigung einer solchen allein hatte die Abbestellung zahlreicher Apparate und Maschinen zur Folge. *) Eine derlei Maßregel scheint uns daher auf keine Weise zur Genüge gerechtfertigt; sie ist im Gegentheil ganz unzeitig und große Gefahren drohend, indem sie namentlich den kleineren Fabriken den Todesstoß giebt, und indem sie die Verbreitung der Fabrikation unter den einzelnen Landwirthen: ein Zweck, auf welchen im Interesse der allgemeinen Wohlfahrt und vieler Verbesserungen in unserem socialen Verbande hauptsächlich hingearbeitet werden soll, unmöglich macht.

Das Ausland allein wird der Erbe unserer ruinirten Zuckerfabriken.

Es ist wirklich ein sonderbares Zusammentreffen der Umstände, welches die bereits unzureichende Zuckererzeugung auf unseren sowohl als den englischen Kolonien erschüttert und welches zugleich die Fabrikation auf unserem Continente bedroht. Können die Engländer verständiger Weise einer großen philantropischen Frage das Wohl der Kolonien opfern, da ihr Handel nur gewinnen kann, wenn er mit den Produkten ihres Comptoirs in Indien arbeitet? Frankreich dagegen würde Alles, die Gegenwart und die Zukunft, opfern. Andere Nationen des Continentes sind unstreitig weiser, indem sie sich beeilen, bei uns die schätzbaren Resultate einer mit Thätigkeit und Ausdauer betriebenen und dennoch vielleicht unglücklichen Industrie zu sammeln. Wir deuten auf Belgien, Italien, Deutschland, Schlesien, Preußen, Schweden, Rußland und die Moldau, die nicht bloß bekannte Ingenieurs, sondern selbst berühmte Professoren (unter denen wir bloß Schubarth nennen wollen,

---

*) In dem einzigen Hüttenwerke in Romilly wurden in Folge des neuen Gesetzvorschlages für eine Million Bestellungen auf Kupferblech abgesagt oder aufgeschoben. Man berechne hienach die übrigen Arbeiten in Kupfer, in Guß- und Schmiedeisen welche hiedurch allein zum Stillstand gebracht wurden.

A. d. O.

der in neuester Zeit Frankreich lediglich bereiste, um unsere Zuckerfabriken zu besehen) zu uns sandten. Eben so bekannt ist, daß sich in unsern Fabriken viele Fremde bleibend anwerben ließen, um unsere Fabrikation zu studieren, und sie dann in ihr Vaterland zu verpflanzen, wo sie alle Freiheit und sogar noch Schutz genießen wird.

Wir erinnern am Schlusse nur noch, daß der Kolonialzucker den ärmeren Klassen beinahe nie zugänglich wurde. Wenn statt der 70 bis 75 Cent., welche dieser gewöhnlich kostet, der Preis des Runkelrüben-Rohzuckers, welcher gegenwärtig bereits unter 50 Cent. das Pfund verkauft wird, in Folge der Concurrenz und weiterer Verbesserungen auf 20 bis 25 Cent. herabgesunken seyn wird, dann wird sich dessen Verbrauch bald auch unter den zahlreicheren Klassen vermehren und sich in Kürze verzehnfachen; dann wird eine kleine, mit dem niedrigen Zuckerpreise in Harmonie stehende Auflage einen ungeheuren und immer steigenden Ertrag liefern. Man denke nur, daß in Indien jährlich auf jedes Individuum 40, in der Havannah 30, in England 8 und in Frankreich nur 3 Kilogr. Zucker kommen!

Unter diesen Umständen wird der Rohzucker dann eines der wohlfeilsten Nahrungsmittel seyn; denn er enthält kaum 3 bis 4 Hunderttheile Wasser, während in dem Brode ihrer 33 Proc. enthalten sind. Durch die Concurrenz des Runkelrübenzuckers allein wurde der gegenwärtige Verbrauch an Zucker gesteigert; und eben so unbestreitbar ist, daß die in der Fabrikation des Kolonialzuckers gemachten Verbesserungen, in Folge deren der Gestehungspreis von 60 auf 50 Fr. herabsank, nur eine Folge der Opfer sind, welche man den inländischen Zucker-Fabriken durch zahlreiche, oft ruinöse Versuche brachte; daß endlich das Interesse der Kolonien durch eine Verminderung der auf ihre Zucker gelegten Auflage um 10 bis 15 Fr. weit mehr gewahrt seyn würde, indem durch diese Verminderung der Verbrauch an Zucker weit größer werden müßte. Schon jetzt reicht die Produktion unserer Kolonien, welche zwischen 70 und 80 Mill. Kilogr. beträgt, nicht mehr für unseren über 100 Mill. Kilogr. gestiegenen Bedarf hin; bald wird sie, wollen wir hoffen, nur mehr einen kleinen Theil desselben bilden.

Aus allen diesen Beweggründen wiederholt die Gesellschaft im allgemeinen Interesse ihre dringenden Bitten um Aufschub aller Auflagen, womit man die Gewinnung des Zuckers aus den Runkelrüben bedacht hat; zugleich besteht sie bei dieser Gelegenheit auf dem Nutzen, den die definitive Verwerfung jeder Maßregel, welche die Ausbreitung der Zuckerfabrikation unter den kleineren Landwirthen hemmt, nothwendig zum allgemeinen Besten hervorbringen wird.

---

161. Ueber die Weinlese in den Umgebungen von Würzburg in den Jahren 1834 und 1835.

In den früheren Jahrgängen dieser Zeitschrift haben wir über die Resultate der Weinlese in den Umgebungen von Würzburg öfters Nachricht gegeben, und die Aräometergrade bezeichnet, welche der süsse Most, wie er von der Kelter lief, zeigte. Wir haben im Jahre 1834 diese Publikation nicht fortsetzen wollen, weil sich mehrere Stimmen gegen die Mostwaage erhoben (z. B. am Rheine, Volz zu Karlsruhe in seinem Gewerbs-Kalender rc.); da aber dieser Streit noch nicht ganz entschieden ist; da man in Würtemberg und Baden fortgefahren hat, die Grade der Mostabwiegungen bekannt zu machen, und da neuerdings Metzger in Heidelberg, gewiß ein competenter Richter, sich wieder für die Waage erklärt hat *), so glauben wir, Entschuldigung zu verdienen, wenn wir nachträglich das spezifische Gewicht, welches die verschiedenen Mostgattungen in den Umgebungen von Würzburg in den Jahren 1834 und 1835 zeigten, in nachstehender Tabelle niederlegen, und mit einigen Bemerkungen begleiten, welche für künftige Oenologen, die sich mit der Geschichte des fränkischen Weinbaues befassen, vielleicht einiges Interesse haben dürften.

1834.

Tag der Lese.	Lage, Traubensorten.	Grade der Mostwaage.
	Aepfelmost	54 – 55
20. Sept.	Gartenmost	67

---

*) Landwirthschaftliches Wochenblatt für das Großherzogthum Baden 1836 Nr. 22. Es ist im Allgemeinen anzunehmen, daß die Quantität der Weine ziemlich genau nach dem Gewichte des Mostes bestimmt werden kann, und die Mostwaagen verdienen mehr angewendet zu werden, als es bisher geschehen ist.« Metzger hatte seine Versuche mit 12 Mostsorten angestellt. Er verwirft dagegen mit Recht die Weinwaage.

Tag der Lese.		Lage, Traubensorten.	Grade der Mostwaage
25. Sept.		Gartenmost (früh 2° Kälte)	75
9. Oktbr.		Randersacker (die Maß zu 15 kr.)	79
9. „		Stauderbühl	88½
10. „		Bögen	86
13. „		Kürnacher Berg	82
„ „		Stauderbühl	105
„ „		Heidingsfeld	70 – 85
15. „		Lindlesberg (Vorlauf) . .	95
„ „		„ (nach dem ersten Beschneiden)	87
16. „		Standerbühl	97
„ „		Pfaffenberg	82
17. „		Neuberg	94
„ „		Heinrichsleiten	79 – 81
18. „		Schaldesberg	88
19. „	k	Stauderbühl	101½
„ „	k	„ (Riesling u. Traminer)	97½
„ „	k	„ (Nachwinde) . .	94
„ „		Feggrube unter dem Neuberg .	92
20. „	k	Schalksberg	94
„ „	k	„ (Riesling u. Traminer)	88
„ „		Stein	92
20. „	k	Spielberg bei Randersacker . .	82½
„ „	k	„ „ „ . .	84
21. „		Steinbach	81
„ „		Obereschenbach bei Hammelburg	88
22. „	k	Schalksberg	87
„ „		„	91 – 92
„ „		Zurück	79
27. „	k	Stein (Riesling u. Traminer .	90
28. „	k	„ gemischt . . .	89
„ „	k	„ Riesling . . .	90 – 91½
30. „	k	Felsenleisten	81 – 84

Tag der Lese.	Lage, Traubensorten.	Grade der Mostwage
1. Novbr.	k Aeußere Leisten (gemischt) .	84 – 86
„ „	„ „ (Riesling und Traminer) .	87
3. „	k Schloßberg	91 – 94
5. „	k Leiste A. gemischt	84½
„ „	k „ (Riesling u. Traminer) .	90½
7. „	k Leiste B. gemischt . . .	86 – 88
8. „	k „ (Riesling u. Traminer) .	90
9. „	k Leiste A.	91
„ „	k „ (Riesling)	89

Die mit k bezeichneten Posten zeigen die ärarialischen Weinberge an.

1835.

6. Oktbr.	Zell (junger Satz, Roßberger) .	90
14. „	Gartenmast	70 – 77
26. „	Steglein, ordinär. Gewächs- und Bauart. (Bürgerspitalische Weinberge)	76
27. „	Sand	67
„ „	Steglein (Schwarz Clävner, Bürgerspital)	90
28. „	Flachmond	74
„ „	Standerbühl (1834 108°) .	90½
1. Novbr.	Kürnacher Berg (im Regen) .	72
2. „	„ „ trockenen .	75
„ „	Gras	77
3. „	Lindlesberg	77 – 78
4. „	„ (4° Kälte) . .	84
„ „	Hohe Bug bei Randersacker .	81
6. „	Ständerbühl	83 – 84
„ „	Neuberg	81

Tag der Lese.		Lage, Traubensorten.	Grade der Mostwaage
		Einige Tage später	86
„ „		Klingen	70½
7. „		Schalcksberg (Bürgerspital) .	88
„ „	k	Schalcksberg (Traminer) . . .	88
„ „	k	„ (Riesling) . . .	88½
„ „	k	„ rothe Champagner-Trauben . .	87½
		Schalksberg von Privaten .	93
„ „		Zurück	81
„ „		Thüngersheim (der beste) .	79½
9. „		Stein, geradezeilig gebaut (Bürgerspital)	92½
„ „		Stein (Riesling, Ausländer, Traminer)	92
10. „	k	Stein B stark gefroren . .	94
„ „		Leisten von Privaten . . .	84½
11. „		Zurück ordinäre Bauart (Bürgerspital)	89
„ „	k	Stein A.	92
„ „	k	„ (Riesling) . . .	91
14. „	k	Stein bei 8° Kälte gelesen, auf der Kelter aufgethaut, und ohne Druck	138
	k	Derselbe 1 Tag später, noch ohne Druck	125½
	k	Derselbe nach dem ersten schwachen Druck früh	123
	k	Bei stärkerem Druck (Abends) .	109
„	k	Roth am Stein B., aber mehr aufgethaut	109
16. „	k	Leiste A. weniger gefroren ohne Druck	95
17. „	k	Leisten B.	84 – 90
„ „	k	Leisten A. (Traminer) . .	105
„	k	„ (Riesling) . .	97

Tag der Lese.	Lage, Traubensorten.	Grade der Most-waage.
18. „	k Aeußere Leisten	85
20. „	k „ „ Riesling Rh. Geschmack	93
21. Oktbr.	k Felsen	88
„ „	k Aeußere Leisten (Traminer) .	92
21–22. Oktbr.	k Schloßberg	80½

Bemerkungen.

1. Im Jahre 1834 kostete die Butte-Beere, die nicht ganz 2 bayerische Eimer Most gab, in den Gärten und den zuerst gelesenen schlechten Lagen 8 – 10 Thaler, in besseren Lagen, z. B. im Lindlesberg 19 Thlr., im Pfaffenberg 20, im Füchslein 28, im Krombihl 20 – 28, im Stein 41 und im Pfülben selbst 44 Thlr.

Im Jahre 1835 kosteten in den Gärten und schlechten Lagen die Butte Beere 5 – 7 Thlr. in der Heinrichsleiten 10 – 11 im Lindlesberg 8, im Pfaffenberg 8 – 10, im Ständerbühl 12 – 15, in der Abtsleiten 12, im Hohe Bug 18 – 20, im Stein 18 – 22 Thlr.

Die Mostpreise sind zwar nie ein sicherer Maßstab für die Qualität des Mostes und künftigen Weines, und hängen zu sehr von zufälligen Conjunkturen, besonders von den noch vorhandenen Weinvorräthen ab. Allein wir glaubten, sie hier anführen zu müssen, wie wir es auch früher thaten, besonders weil in einer Wein-Chronik, die merkantilischen Verhältnisse nicht unberührt bleiben dürfen.

2. Höchst merkwürdig war die Witterung im Herbste 1835. Man wollte das Prinzip der Spätlese, wie es im Rheingau mit so viel Glück befolgt wird, auch in Würzburg anwenden, und hatte daher den Anfang der Lese erst auf den 20. Oktober festgesetzt, kam aber dadurch mit der Arbeit in die kalte Witterung, die im Anfange des Novembers eintrat. Das Eis im Maine stand schon am 9. Novbr. oberhalb der Brücke zu Würzburg; am 12. fiel starker Schnee, am 13. trat eine Kälte von 5° unter Null mit starkem Ostwinde ein. Am 14. stand das

Thermometer 8° und am 15. sogar 14° unter Null. Am 16. stieg es wieder bis zu 2° unter dem Gefrierpunkte.

Am 13. und 14. Novbr. wurde im großen Schnee am Stein gelesen, und in diesen Tagen trat das merkwürdige Schauspiel ein, daß man von den k. Leistenweinbergen eine Fuhr Traubenbeere zugleich mit einer Fuhr Eis, welches in die Eiskeller gebracht wurde, über die Mainbrücke fuhr. Die im Froste gelesenen Trauben gaben den süßesten und schwersten Most, wie obige Tabelle zeigt. Einige Personen warfen die gefrornen Beere auf das Kelter Biet; dann floß der beste Saft von selbst ab, und ein Theil des Eises blieb länger in den Beeren stecken. (Gefrorne Steinbeere gaben von 53 Butten nur 68 Eimer). Aus der Tabelle geht gleichfalls hervor, daß der Most von den letzten Lesetagen, wo die Trauben schon wieder mehr aufgethaut waren, in mehrere Grade zurückgieng. (In der äußeren Leiste gab die Butte Beere fast 2 Eimer Most) Mehrere Personen haben behauptet, der ganz süße gefrorne Most, welcher die hohen Aräometergrade zeigte, würde nach der Gährung einen gehaltlosen Wein geben. Sie bezogen sich dabei auf einen angeblich ähnlichen Fall in der Schwedenzeit, welchen die Chroniken aufbewahrt haben sollen. Allein diese Meinung ist gewiß unrichtig; denn wo eine so große Masse von Traubenzucker vorhanden ist, muß in der geistigen Gährung Weingeist entstehen, oder die ganze neuere Chemie würde trügen. Es werden also die 1835ger Möste, welche die Einwirkung des Frostes erlitten haben, und richtig behandelt worden sind, nicht den letzten Platz unter den jüngeren Weinen einnehmen.

3. Die Sonderung der Trauben nach den Sorten, z. B. Riesling, Traminer, (Braunes) und die hohen Areometergrade solcher Möste haben in diesen Jahren deutlich gezeigt, daß das Gewächs einer der wichtigsten Punkte des Weinbaues ist. Mit diesen, mit einem veränderten bessern Schnitte der Weinstöcke, mit der Erziehung in gerade aufsteigenden Zeilen, mit der Spätlese und einer sorgfältigeren Kellerbehandlung wohin z. B. die Anwendung der Schutztrichter und mehr noch ein beständiges Vollhalten der Fässer gehört, wird der fränkische Weinbau sich in der kürzesten Zeit ganz umgestalten.

4. Dieselben Prinzipien werden in Württemberg beobachtet, und es sey uns erlaubt, hier einige Data aus den kläglichen Weinjahren in den genannten beiden Ländern anzuführen, wie wir es auch früher gethan haben.

vollem Rechte den Namen einer Sorgenbrechenden Gottesgabe verdienen.

Würzburg am 26. Juni 1836.

Prof. Geier.

---

162. Bericht des Hrn. Herpin über die Mehlarten, welche die HH. Porcheron und Languereau in Paris, aus verschiedenen gekochten Hülsenfrüchten bereiten.

Aus dem Bulletin de la Société d'encouragement. April 1835, S. 171.

Das Kochen gewisser Hülsenfrüchte, wie z. B. der Erbsen, Linsen und Bohnen erfordert, wenn man das gewöhnliche Verfahren befolgt, bekanntlich lange Zeit; und es gelingt gar nicht, wenn man sich hierbei harter oder kalkhaltiger Wasser bedient. Eben so erfordern diese Gemüse eine langwierige und langweilige Behandlung, wenn man sie in einen Brei, in welcher Form sie eines der gesündesten Nahrungsmittel bilden, verwandeln will. Seit langer Zeit sehnte man sich daher nach einem Verfahren, durch welches die Behandlung dieser schäzenswerthen Gemüse, um eine angenehme, wohlfeile und gesunde Nahrung daraus zu bereiten, abgekürzt würde. In dieser Absicht schrieb die Gesellschaft auch schon vor mehreren Jahren einen Preis von 1000 Fr. auf die beste Methode zum Entschälen der sogenannten trockenen Gemüse aus.

Hr. Robiquet berichtete der Gesellschaft im Jahre 1822 über die interessanten Arbeiten, welche Hr. Duvergier über denselben Gegenstand unternahm. Dieser Bericht sagt zwar nichts über das von diesem Manne eingeschlagene Verfahren; allein in einer von demselben herausgegebenen Abhandlung *) befindet sich folgende Stelle. „Ich kam auf die Idee, die Hülsenfrüchte mit Dampf zu kochen, und sie hierauf gehörig zu troknen, um sie auf mechanische Weise von ihrer Schale zu befreien, und sie in Mehl zu verwandeln. Dieses Mehl bewahrte ich pfund-

---

*) Die fragliche Abhandlung erschien unter folgendem Titel: „Légumes cuits et réduits en farines propres à faire de la purée à l'instant même. 8. Paris 1823 chez Guitel."

weise in papiernen Säcken, um es immer rein und gegen den Zutritt der Luft geschützt zu erhalten."

Die Erfahrung hat gegenwärtig die Vortheile dieses Verfahrens bestätigt, so wie sich denn auch die gute Aufbewahrung der auf diese Weise behandelten Mehlsorten bewährt hat. Wenn nämlich durch das Sieden und durch das darauf folgende Trocknen der Hülsenfrüchte aller Gährungsstoff, so wie auch die Insektenlarven, die sich allenfalls darin befinden mochten, zerstört worden, so braucht man das Mehl nur vor Feuchtigkeit zu schützen, um es sehr lange Zeit aufbewahren zu können, ohne daß es irgend eine Veränderung eingeht. Dasselbe Verfahren findet übrigens auch auf andere Früchte und mehlige Substanzen seine Anwendung; denn, Hr. Lefroy, Oberberg-Ingenieur, bewahrt schon seit 4 Jahren Kastanienmehl, welches von den HH. Porcheron und Languereau bereitet worden ist, auf, ohne daß dasselbe auch nur im Geringsten seinen ursprünglichen Geschmack verloren hätte.

Die beiden letztgenannten Fabrikanten erzeugen in ihrer Fabrik Sago, Tapioca, Bohnen-, Erbsen-, Linsen-, Bataten-, Mais-, Kastanien- und andere Mehlsorten, welche sowohl im Hauswesen, als in der Arzneikunde mannigfache nützliche Anwendung finden. Die Fabrik, welche dieselben in St. Ouen errichteten, ist noch zu neu, als daß wir ausführliche Details über sie geben könnten; allein das daselbst befolgte Verfahren scheint uns mit jenem des Hrn. Duvergier große Aehnlichkeit zu haben.

Die Hülsenfrüchte werden nämlich, nachdem sie ausgesucht und sorgfältig gereinigt worden sind, beiläufig eine Viertelstunde lang in einem Kessel mit doppeltem Boden der Einwirkung des Dampfes ausgesetzt. Sie kommen stark aufgebläht und mit zerrissener Schale aus dem Kessel, werden dann einige Stunden der Luft ausgesetzt, und hierauf auf Geflechten in einen Trockenofen gebracht, in welchem man sie beiläufig 14 Stunden lang bis zu vollkommener Trockenheit beläßt. Wenn sie in Folge des Trocknens wieder ihre frühere Größe bekommen haben, so hängt die Schale nur mehr lose an dem Fleische oder an der mehligen Substanz, so daß sie sich sehr leicht in Form eines dünnen Häutchens ablöst. Endlich werden die entschälten Hülsenfrüchte zwischen geriesten Cylindern gebrochen und in Mehl verwandelt.

Die Fabrikate der HH. Porcheron und Languereau schienen uns sehr gut bereitet; denn sie besitzen vollkommen den treff der Zuckerfabrikation ersand, Eingang finden konnten, und wo die neue Sclavenlegislation den Fortschritten neue Fesseln angelegt hat? Die Runkelrübenzucker-Fabrikation hat demnach noch lange nicht ihre höchste Stufe erreicht, und die Fabrikanten arbeiten nichts weniger als unter gleichen Umständen; eine Auflage auf sie würde alle Fortschritte hemmen, ja die Ankündigung einer solchen allein hatte die Abbestellung zahlreicher Apparate und Maschinen zur Folge. *) Eine derlei Maßregel scheint uns daher auf keine Weise zur Genüge gerechtfertigt; sie ist im Gegentheil ganz unzeitig und große Gefahren drohend, indem sie namentlich den kleineren Fabriken den Todesstoß giebt, und indem sie die Verbreitung der Fabrikation unter den einzelnen Landwirthen: ein Zweck, auf welchen im Interesse der allgemeinen Wohlfahrt und vieler Verbesserungen in unserem socialen Verbande hauptsächlich hingearbeitet werden soll, unmöglich macht.

Das Ausland allein wird der Erbe unserer ruinirten Zuckerfabriken.

Es ist wirklich ein sonderbares Zusammentreffen der Umstände, welches die bereits unzureichende Zuckererzeugung auf unseren sowohl als den englischen Kolonien erschüttert und welches zugleich die Fabrikation auf unserem Continente bedroht. Können die Engländer verständiger Weise einer großen philantropischen Frage das Wohl der Kolonien opfern, da ihr Handel nur gewinnen kann, wenn er mit den Produkten ihres Comptoirs in Indien arbeitet? Frankreich dagegen würde Alles, die Gegenwart und die Zukunft, opfern. Andere Nationen des Continentes sind unstreitig weiser, indem sie sich beeilen, bei uns die schätzbaren Resultate einer mit Thätigkeit und Ausdauer betriebenen und dennoch vielleicht unglücklichen Industrie zu sammeln. Wir deuten auf Belgien, Italien, Deutschland, Schlesien, Preußen, Schweden, Rußland und die Moldau, die nicht bloß bekannte Ingenieurs, sondern selbst berühmte Professoren (unter denen wir bloß Schubarth nennen wollen,

*) In dem einzigen Hüttenwerke in Romilly wurden in Folge des neuen Gesetzvorschlages für eine Million Bestellungen auf Kupferblech abgesagt oder aufgeschoben. Man berechne hienach die übrigen Arbeiten in Kupfer, in Guß- und Schmiedeisen welche hiedurch allein zum Stillstand gebracht wurden.

A. v. O.

der in neuerer Zeit Frankreich lediglich bereiste, um unsere Zuckerfabriken zu besehen) zu uns sandten. Eben so bekannt ist, daß sich in unsern Fabriken viele Fremde bleibend anwerben ließen, um unsere Fabrikation zu studieren, und sie dann in ihr Vaterland zu verpflanzen, wo sie alle Freiheit und sogar noch Schutz genießen wird.

Wir erinnern am Schlusse nur noch, daß der Kolonialzucker den ärmeren Klassen beinahe nie zugänglich wurde. Wenn statt der 70 bis 75 Cent., welche dieser gewöhnlich kostet, der Preis des Runkelrüben-Rohzuckers, welcher gegenwärtig bereits unter 50 Cent. das Pfund verkauft wird, in Folge der Concurrenz und weiterer Verbesserungen auf 20 bis 25 Cent. herabgesunken seyn wird, dann wird sich dessen Verbrauch bald auch unter den zahlreicheren Klassen vermehren und sich in Kürze verzehnfachen; dann wird eine kleine, mit dem niedrigen Zuckerpreise in Harmonie stehende Auflage einen ungeheuren und immer steigenden Ertrag liefern. Man denke nur, daß in Indien jährlich auf jedes Individuum 40, in der Havannah 30, in England 8 und in Frankreich nur 3 Kilogr. Zucker kommen!

Unter diesen Umständen wird der Rohzucker dann eines der wohlfeilsten Nahrungsmittel seyn; denn er enthält kaum 3 bis 4 Hunderttheile Wasser, während in dem Brode ihrer 33 Proc. enthalten sind. Durch die Concurrenz des Runkelrübenzuckers allein wurde der gegenwärtige Verbrauch an Zucker gesteigert; und eben so unbestreitbar ist, daß die in der Fabrikation des Kolonialzuckers gemachten Verbesserungen, in Folge deren der Gestehungspreis von 60 auf 50 Fr. herabsank, nur eine Folge der Opfer sind, welche man den inländischen Zucker-Fabriken durch zahlreiche, oft ruinöse Versuche brachte; daß endlich das Interesse der Kolonien durch eine Verminderung der auf ihre Zucker gelegten Auflage um 10 bis 15 Fr. weit mehr gewahrt seyn würde, indem durch diese Verminderung der Verbrauch an Zucker weit größer werden müßte. Schon jetzt reicht die Produktion unserer Kolonien, welche zwischen 70 und 80 Mill. Kilogr. beträgt, nicht mehr für unseren über 100 Mill. Kilogr. gestiegenen Bedarf hin; bald wird sie, wollen wir hoffen, nur mehr einen kleinen Theil desselben bilden.

Aus allen diesen Beweggründen wiederholt die Gesellschaft im allgemeinen Interesse ihre dringenden Bitten um Aufschub aller Auflagen, womit man die Gewinnung des Zuckers aus den Runkelrüben bedacht hat; zugleich besteht sie bei dieser Gelegenheit auf dem Nutzen, den die definitive Verwerfung jeder Maßregel, welche die Ausbreitung der Zuckerfabrikation unter den kleineren Landwirthen hemmt, nothwendig zum allgemeinen Besten hervorbringen wird.

---

161. Ueber die Weinlese in den Umgebungen von Würzburg in den Jahren 1834 und 1835.

In den früheren Jahrgängen dieser Zeitschrift haben wir über die Resultate der Weinlese in den Umgebungen von Würzburg öfters Nachricht gegeben, und die Aräometergrade bezeichnet, welche der süsse Most, wie er von der Kelter lief, zeigte. Wir haben im Jahre 1834 diese Publikation nicht fortsetzen wollen, weil sich mehrere Stimmen gegen die Mostwaage erhoben (z. B. am Rheine, Volz zu Karlsruhe in seinem Gewerbskalender rc.); da aber dieser Streit noch nicht ganz entschieden ist; da man in Würtemberg und Baden fortgefahren hat, die Grade der Mostabwiegungen bekannt zu machen, und da neuerdings Metzger in Heidelberg, gewiß ein competenter Richter, sich wieder für die Waage erklärt hat *), so glauben wir, Entschuldigung zu verdienen, wenn wir nachträglich das spezifische Gewicht, welches die verschiedenen Mostgattungen in den Umgebungen von Würzburg in den Jahren 1834 und 1835 zeigten, in nachstehender Tabelle niederlegen, und mit einigen Bemerkungen begleiten, welche für künftige Oenologen, die sich mit der Geschichte des fränkischen Weinbaues befassen, vielleicht einiges Interesse haben dürften.

1 8 3 4.

Tag der Lese.	Lage, Traubensorten.	Grade der Mostwaage
	Aepfelmost	54 – 55
20. Sept.	Gartenmost	67

---

*) Landwirthschaftliches Wochenblatt für das Großherzogthum Baden 1836 Nr. 22. Es ist im Allgemeinen anzunehmen, daß die Quantität der Weine ziemlich genau nach dem Gewichte des Mostes bestimmt werden kann, und die Mostwaagen verdienen mehr angewendet zu werden, als es bisher geschehen ist.« Metzger hatte seine Versuche mit 12 Mostsorten angestellt. Er verwirft dagegen mit Recht die Weinwaage.

Tag der Lese.	Lage, Traubensorten.	Grade der Mostwaage
25. Sept.	Gartenwachs (früh 2° Kälte)	75
9. Oktbr.	Randersacker (die Maß zu 15 kr.)	79
9. "	Standerbühl	88½
10. "	Bögen	86
13. "	Kürnacher Berg	82
" "	Standerbühl	105
" "	Heidingsfeld	70 – 85
15. "	Lindlesberg (Vorlauf) . .	95
" "	" (nach dem ersten Beschneiden) . .	87
16. "	Standerbühl	97
" "	Pfaffenberg	82
17. "	Neuberg	94
" "	Heinrichsleiten	79 – 81
18. "	Schaldesberg	88
19. "	k Standerbühl	101½
" "	k " (Riesling u. Traminer)	97½
" "	k " (Nachwinde) .	94
" "	Feggrube unter dem Neuberg .	92
20. "	k Schalksberg	94
" "	k " (Riesling u. Traminer)	88
" "	Stein	92
20. "	k Spielberg bei Randersacker .	82½
" "	k " " " . .	84
21. "	Steinbach	81
" "	Obereschenbach bei Hammelburg	88
22. "	k Schalksberg	87
" "	"	91 – 92
" "	Zurück	79
27. "	k Stein (Riesling u. Traminer .	90
28. "	k " gemischt . . .	89
" "	k " Riesling . . .	90 – 91½
30. "	k Felsenleisten	81 – 84

Tag derselben.	Lage, Traubensorten.	Grade der Mostwage
1. Novbr.	k Aeußere Leisten (gemischt) .	84 – 86
" "	" " (Riesling und Traminer) .	87
3. "	k Schloßberg	91 – 94
5. "	k Leiste A. gemischt . . .	84½
" "	k " (Riesling u. Traminer) .	90½
7. "	k Leiste B. gemischt . . .	86 – 88
8. "	k " (Riesling u. Traminer) .	90
9. "	k Leiste A.	91
" "	k " (Riesling) . . .	89

Die mit k bezeichneten Posten zeigen die ärarialischen Weinberge an.

1835

Tag derselben.	Lage, Traubensorten.	Grade der Mostwage
6. Oktbr.	Zell (junger Satz, Roßberger) .	90
14. "	Gartenmast	70 – 77
26. "	Steglein, ordinär. Gewächs- und Bauart. (Bürgerspitalische Weinberge)	76
27. "	Sand	67
" "	Steglein (Schwarz Clavner, Bürgerspital)	90
28. "	Flachmand	74
" "	Standerbühl (1834 105°) .	90½
1. Novbr.	Kürnacher Berg (im Regen) .	72
2. "	" " trockenen .	75
" "	Gras	77
3. "	Lindlesberg	77 – 78
4. "	" (4° Kälte) . .	84
" "	Hohe Bug bei Randersacker .	81
6. "	Ständerbühl	83 – 84
" "	Neuberg	81

Tag der Lese.			Lage, Traubensorten.	Grade der Mostwaage
			Einige Tage später . . .	86
„	„		Klingen	70½
7.	„		Schalcksberg (Bürgerspital) .	88
„	„	k	Schalcksberg (Traminer) . . .	88
„	„	k	„ (Riesling) . . .	88½
„	„	k	„ rothe Champagner-Trauben . .	87½
			Schalksberg von Privaten	93
„	„		Zurück	81
„	„		Thüngersheim (der beste) .	79½
9.	„		Stein, geradezeilig gebaut (Bürgerspital)	92½
			Stein (Riesling, Rusländer, Traminer)	92
10.	„	k	Stein B stark gefroren . .	94
„	„		Leisten von Privaten . . .	84½
11.	„		Zurück ordinäre Bauart (Bürgerspital)	89
„	„	k	Stein A.	92
„	„	k	„ (Riesling)	91
14.	„	k	Stein bei 8° Kälte gelesen, auf der Kelter aufgethaut, und ohne Druck	138
		k	Derselbe 1 Tag später, noch ohne Druck	125½
		k	Derselbe nach dem ersten schwachen Druck früh	123
„		k	Bei stärkerem Druck (Abends) .	109
„		k	Roth am Stein B., aber mehr aufgethaut	109
16.	„	k	Leiste A. weniger gefroren ohne Druck	95
17.	„	k	Leisten B.	84 – 90
„	„	k	Leisten A. (Traminer) . . .	105
	„	k	„ (Riesling) . . .	97

Tag der Lese.	Lage, Traubensorten.	Grade der Mostwaage.
18. „	k Aeußere Leisten	85
20. „	k „ „ Riesling Rh. Geschmack	93
21. Oktbr.	k Felsen	88
„ „	k Aeußere Leisten (Traminer) .	92
21–22. Oktbr.	k Schloßberg	80½

Bemerkungen.

1. Im Jahre 1834 kostete die Butte Beere, die nicht ganz 2 bayerische Eimer Most gab, in den Gärten und den zuerst gelesenen schlechten Lagen 8 – 10 Thaler, in besseren Lagen, z. B. im Lindlesberg 19 Thlr., im Pfaffenberg 20, im Füchslein 28, im Krombihl 20 – 28, im Stein 41 und im Pfülben selbst 44 Thlr.

Im Jahre 1835 kosteten in den Gärten und schlechten Lagen die Butte Beere 5 – 7 Thlr. in der Heinrichsleiten 10 – 11 im Lindlesberg 8, im Pfaffenberg 8 – 10, im Ständerbühl 12 – 15, in der Abtsleiten 12, im Hohe Bug 18 – 20, im Stein 18 – 22 Thlr.

Die Mostpreise sind zwar nie ein sicherer Maßstab für die Qualität des Mostes und künftigen Weines, und hängen zu sehr von zufälligen Conjunkturen, besonders von den noch vorhandenen Weinvorräthen ab. Allein wir glaubten, sie hier anführen zu müssen, wie wir es auch früher thaten, besonders weil in einer Wein-Chronik, die merkantilischen Verhältnisse nicht unberührt bleiben dürfen.

2. Höchst merkwürdig war die Witterung im Herbste 1835. Man wollte das Prinzip der Spätlese, wie es im Rheingau mit so viel Glück befolgt wird, auch in Würzburg anwenden, und hatte daher den Anfang der Lese erst auf den 20. Oktober festgesetzt, kann aber dadurch mit der Arbeit in die kalte Witterung, die im Anfange des Novembers eintrat. Das Eis im Maine stand schon am 9. Novbr. oberhalb der Brücke zu Würzburg; am 12. fiel starker Schnee, am 13. trat eine Kälte von 5° unter Null mit starkem Ostwinde ein. Am 14. stand das

Thermometer 8° und am 15. sogar 14° unter Null. Am 16. stieg es wieder bis zu 2° unter dem Gefrierpunkte.

Am 13. und 14. Novbr. wurde im großen Schnee am Stein gelesen, und in diesen Tagen trat das merkwürdige Schauspiel ein, daß man von den k. Leistenweinbergen eine Fuhr Traubenbeere zugleich mit einer Fuhr Eis, welches in die Eiskeller gebracht wurde, über die Mainbrücke fuhr. Die im Froste gelesenen Trauben gaben den süßesten und schwersten Most, wie obige Tabelle zeigt. Einige Personen warfen die gefrornen Beere auf das Kelter Biet; dann floß der beste Saft von selbst ab, und ein Theil des Eises blieb länger in den Beeren stecken. (Gefrorne Steinbeere gaben von 53 Butten nur 68 Eimer). Aus der Tabelle geht gleichfalls hervor, daß der Most von den letzten Lesetagen, wo die Trauben schon wieder mehr aufgethaut waren, in mehrere Grade zurückgieng. (In der äußeren Leiste gab die Butte Beere fast 2 Eimer Most) Mehrere Personen haben behauptet, der ganz süße gefrorne Most, welcher die hohen Aräometalgrade zeigte, würde nach der Gährung einen geistlosen Wein geben. Sie bezogen sich dabei auf einen angeblich ähnlichen Fall in der Schwedenzeit, welchen die Chroniken aufbewahrt haben sollen. Allein diese Meinung ist gewiß unrichtig; denn wo eine so große Masse von Traubenzucker vorhanden ist, muß in der geistigen Gährung Weingeist entstehen, oder die ganze neuere Chemie würde trügen. Es werden also die 1835ger Moste, welche die Einwirkung des Frostes erlitten haben, und richtig behandelt worden sind, nicht den letzten Platz unter den jüngeren Weinen einnehmen.

3. Die Sonderung der Trauben nach den Sorten, z. B. Riesling, Traminer, (Braunes) und die hohen Areometergrade solcher Möste haben in diesen Jahren deutlich gezeigt, daß das Gewächs einer der wichtigsten Punkte des Weinbaues ist. Mit diesen, mit einem veränderten bessern Schnitte des Weinstockes, mit der Erziehung in gerade aufsteigenden Zeilen, mit der Spätlese und einer sorgfältigeren Kellerbehandlung wohin z. B. die Anwendung der Schutztrichter und mehr noch ein beständiges Vollhalten der Fässer gehört, wird der fränkische Weinbau sich in der kürzesten Zeit ganz umgestalten.

4. Dieselben Prinzipien werden in Würtemberg beobachtet, und es sey uns erlaubt, hier einige Data aus den fraglichen Weinjahren in den genannten beiden Ländern anzuführen, wie wir es auch früher gethan haben.

Nach dem schwäbischen Merkur (1834) wog der gewöhnliche Most in vielen Gegenden von Würtemberg 70 – 80°, in Weinsberg 92, in Weikertsheim 94, in Metzingen der Traminer Most 98, der Rüländer 100, in Verrenberg (Hohenlohe) der Rieslings Most 95°, der Traminer 102, in Lauffen der Clavner in mittlerer Lage 93, in Reittlingen der Schwarz-Clavner 97 – 102, der Rulander 99, in Besigheim der Riesling 92, in Mergentheim (Vereins Weinberg und Weißzeug) 97°. Die Mostgrade nehmen mit fortschreitender Lesezeit gegen Ende des Oktobers zu. In diesem Jahre trat in einzelnen Gegenden von Würtemberg der Fall ein, daß es an Fässern fehlte, daß man den gekelterten Most einige Zeit in Kufen aufbewahren mußte, daß man älteren, zu Essig bestimmten Wein ausgoß, und daß mehrere Spekulanten, um Fässer zu gewinnen, Obstwein, den sie um 10 fl. pr. Eimer gekauft hatten, um 5 – 6 fl. wieder verkauften.

Im Jahre 1835 standen in Würtemberg die Mostgrade im Durchschnitte zwischen 60 und 70. Doch zeigte der Clavener Most bei Heilbron 91, Weißzeug (Junker, Oesterreicher, Grobes, Muscateller) bei Weickersheim 90°, und durch die Spätlese stieg in Verrenberg der Riesling- und Traminer-Most auf 97°.

In Baden standen 1835 die Mostgrade (nach der Mostwaage von Oechsle in Pforzheim) zwischen 50 und 70. Die spätgelesenen Rulander zeigten 97½ und der Riesling Most in Weinheim 100°.

Auch der rühmlichst bekannte Hr. Oberkellermeister Hezler auf dem Johannisberge im Rheingau hat nach einem Briefe an Hrn. Bronner zu Wiesloch *) im Jahre 1835 Most vom Johannisberge gewogen und 75 – 105° beobachtet. Der Most von den in der größten Kälte am 13. Novbr. gelesenen Trauben zeigte aber 115°, jener vom 16. Novbr. 90 – 95°, und jener vom 22. Novbr. 105°. Diese Data sind blos eine Bestättigung unserer obigen Behauptungen.

5. Endlich wollen wir noch anführen, daß in Würzburg zur Hebung des Weinbaues sich zwei Vereine gebildet haben, und daß die k. Kreisregierung in den ärarialischen Weinbergen mit großem Aufwande der alten blos auf Gewohnheit beruhenden Methoden zu verbannen, bessere einzuführen, und auch

*) Landwirthschaftliches Wochenblatt für Baden 1836 Nr. 6.

den Bau im Keller zu verbessern suchte. Es wurden mehrere Personen an den Rhein geschickt, um die dortige Bauart kennen zu lernen, und die Folgen davon wurden allmählig in den k. Weinbergen sichtbar. Es wird in der Anlegung auf die gerade der Sonne zugekehrte Fläche Rücksicht genommen, die Zeilen laufen von unten nach oben, der Schnitt wird dem des Rheingaues angenähert, und das alte schlechte Gewächs wird aus den jungen Lagen entfernt. Im Frühjahre 1836 hat die k. Kreisregierung nicht weniger als 314,000 Stücke Blindholz vom Rheine bezogen, (Traminer, Riesling, Schwarzklavner) und in großartigen Rebenschulen einlegen lassen. Die gewonnenen Wurzelreben werden dann bei der jetzt begonnenen Umgestaltung der ärarialischen Weinberge verwendet.

Der eine der beiden genannten Vereine beschäftigt sich blos mit der Verbesserung des Gewächses (Fexer-Verein) und hat auf Aktien zu 50 fl. eine Fexerschule gegründet, die blos mit den 4 besten Rebsorten (außer den eben genannten noch Ruländern) von rheinischem Blindholze angelegt ist. Zu diesem Zwecke wurde ein eigenes Grundstück in der Nähe der Stadt angekauft.

Der andere Verein, der sich am 29ten Mai d. J. constituirt hat, umfaßt den ganzen Weinbau, selbst die schon mit vielem Glück versuchte Bereitung eines Champagner-ähnlichen Weines. Er hat sich insbesondere zur Aufgabe gemacht, jede Weinverfälschung bei dem Bau im Keller zu beseitigen, um den fränkischen Weinen immer mehr Credit im Auslande zu verschaffen. *). Wenn auch die Beschuldigungen, welche fremde Weinhändler im nördlichen Deutschlande den fränkischen Weinen entgegensetzten, nicht im hundertsten Falle gegründet waren, so wird doch das Streben des Vereins das Publikum von der aufrichtigen und reellen Handlungsweise der fränkischen Weinbauer und Weinhändler überzeugen. Boden, Lage und Klima sind in Franken dem Weinbau eben so günstig, als in irgend einer andern Gegend Deutschlands. Verbindet sich damit menschliche Thätigkeit und Umsicht, so wird in wenigen Jahren der Weinbau im Untermainkreise, über den auch jetzt nicht der Stab gebrochen werden darf, sich doch noch auf einen höheren Standpunkt erheben, und er wird Produkte erzielen, die mit

*) Das erste Heft der Jahrbücher dieses Vereines hat schon die Presse verlassen.

vollem Rechte den Namen einer Epochemachenden Gottesgabe verdienen.

Würzburg am 26. Juni 1836.

Prof. Geier.

---

162. Bericht des Hrn. Herpin über die Mehlarten, welche die HH. Porcheron und Languereau in Paris, aus verschiedenen gekochten Hülsenfrüchten bereiten.

Aus dem Bulletin de la Société d'encouragement. April 1835, S. 171.

Das Kochen gewisser Hülsenfrüchte, wie z. B. der Erbsen, Linsen und Bohnen erfordert, wenn man das gewöhnliche Verfahren befolgt, bekanntlich lange Zeit; und es gelingt gar nicht, wenn man sich hierbei harter oder kalkhaltiger Wasser bedient. Eben so erfordern diese Gemüse eine langwierige und langweilige Behandlung, wenn man sie in einen Brei, in welcher Form sie eines der gesündesten Nahrungsmittel bilden, verwandeln will. Seit langer Zeit sehnte man sich daher nach einem Verfahren, durch welches die Behandlung dieser schäzenswerthen Gemüse, um eine angenehme, wohlfeile und gesunde Nahrung daraus zu bereiten, abgekürzt würde. In dieser Absicht schrieb die Gesellschaft auch schon vor mehreren Jahren einen Preis von 1000 Fr. auf die beste Methode zum Entschälen der sogenannten troknen Gemüse aus.

Hr. Robiquet berichtete der Gesellschaft im Jahre 1822 über die interessanten Arbeiten, welche Hr. Duvergier über denselben Gegenstand unternahm. Dieser Bericht sagt zwar nichts über das von diesem Manne eingeschlagene Verfahren; allein in einer von demselben herausgegebenen Abhandlung *) befindet sich folgende Stelle. „Ich kam auf die Idee, die Hülsenfrüchte mit Dampf zu kochen, und sie hierauf gehörig zu troknen, um sie auf mechanische Weise von ihrer Schale zu befreien, und sie in Mehl zu verwandeln. Dieses Mehl bewahrte ich pfund-

---

*) Die fragliche Abhandlung erschien unter folgendem Titel: „Légumes cuits et réduits en farines propres à faire de la purée à l'instant même. 8. Paris 1823 chez Guitel."

weise in papiernen Säcken, um es immer rein und gegen den Zutritt der Luft geschützt zu erhalten."

Die Erfahrung hat gegenwärtig die Vortheile dieses Verfahrens bestätigt, so wie sich denn auch die gute Aufbewahrung der auf diese Weise behandelten Mehlsorten bewährt hat. Wenn nämlich durch das Sieden und durch das darauf folgende Trocknen der Hülsenfrüchte aller Gährungsstoff, so wie auch die Insektenlarven, die sich allenfalls darin befinden mochten, zerstört worden, so braucht man das Mehl nur vor Feuchtigkeit zu schützen, um es sehr lange Zeit aufbewahren zu können, ohne daß es irgend eine Veränderung eingeht. Dasselbe Verfahren findet übrigens auch auf andere Früchte und mehlige Substanzen seine Anwendung; denn, Hr. Lefroy, Oberberg-Ingenieur, bewahrt schon seit 4 Jahren Kastanienmehl, welches von den HH. Porcheron und Languereau bereitet worden ist, auf, ohne daß dasselbe auch nur im Geringsten seinen ursprünglichen Geschmack verloren hätte.

Die beiden letztgenannten Fabrikanten erzeugen in ihrer Fabrik Sago, Taploca, Bohnen-, Erbsen-, Linsen-, Bataten-, Mais-, Kastanien- und andere Mehlsorten, welche sowohl im Hauswesen, als in der Arzneikunde mannigfache nützliche Anwendung finden. Die Fabrik, welche dieselben in St. Ouen errichteten, ist noch zu neu, als daß wir ausführliche Details über sie geben könnten; allein das daselbst befolgte Verfahren scheint uns mit jenem des Hrn. Duvergier große Aehnlichkeit zu haben.

Die Hülsenfrüchte werden nämlich, nachdem sie ausgesucht und sorgfältig gereinigt worden sind, beiläufig eine Viertelstunde lang in einem Kessel mit doppeltem Boden der Einwirkung des Dampfes ausgesetzt. Sie kommen stark aufgebläht und mit zerrissener Schale aus dem Kessel, werden dann einige Stunden der Luft ausgesetzt, und hierauf auf Geflechten in einen Trockenofen gebracht, in welchem man sie beiläufig 14 Stunden lang bis zu vollkommener Trockenheit beläßt. Wenn sie in Folge des Trocknens wieder ihre frühere Größe bekommen haben, so hängt die Schale nur mehr lose an dem Fleische oder an der mehligen Substanz, so daß sie sich sehr leicht in Form eines dünnen Häutchens ablöst. Endlich werden die entschälten Hülsenfrüchte zwischen geriesten Cylindern gebrochen und in Mehl verwandelt.

Die Fabrikate der HH. Porcheron und Languereau schienen uns sehr gut bereitet; denn sie besitzen vollkommen den

Geruch und den Geschmack der Substanzen, aus denen sie erzeugt wurden; auch bemerkt man an ihnen durchaus nicht jenen Geschmack nach Staub, und jene Schärfe, welche man an mehreren ähnlichen Fabrikaten trifft. Das halbe Kilogramm oder das Pfund Erbsen-, Linsenmehl ꝛc. kostet 70 Cent., und bei größerem Absatze wird dieser Preis noch bedeutend sinken.

Hr. Porcheron, der seine Kunst studirt, und ihr die gehörige Ausdehnung zu geben bemüht ist, hat nun, nachdem er selbst in Italien die Fabrikation der dortigen Vermicelli ꝛc. erlernt hat, eine derlei Fabrik in der Auvergne angelegt. Er sucht ferner unsere inländischen Satzmehlarten so zuzubereiten, daß sie in Hinsicht auf Form und Geschmack der Tapioca, dem Sago, dem Salep ꝛc. gleichkommen, um uns auf diese Weise von dem Tribute, den wir in diesen Substanzen dem Auslande zollen, zu befreien. Man hat in dieser Hinsicht bereits mehrere Versuche gemacht; das Verfahren, welches Madame Chauveau de la Miltière gemäß einem im Jahre 1806 erhobenen Patente befolgte, ist Folgendes. Das Kartoffelstärkmehl wird noch feucht durch ein Metallsieb, welches sich über einer Platte aus Weißblech befindet, getrieben, und dann in einen Ofen gebracht, der so weit erhitzt ist, als es zum Brodbacken erforderlich ist. Wenn das Stärkmehl sich von der Platte abzulösen beginnt, so nimmt man es aus dem Ofen, um es zu mahlen und durch Siebe von verschiedener Größe laufen zu lassen. Die ersten Versuche, welche die HH. Porcheron und Languereau mit Bereitung inländischer Tapioca angestellt haben, sind so gut ausgefallen, daß man von ihrem Eifer und ihrer Sachkenntniß den besten Erfolg erwarten darf.

---

163. Beschreibung einer leichten Methode, die Kosten beabsichtigter Bauten mit Zuverläßigkeit zu ermitteln; nebst zwei Tabellen. Vom k. Bauinspektor Hrn. v. Lassaux in Coblenz. *)

Die erste Frage, welche sich ein Baulustiger zu stellen pflegt, ist in der Regel die, wie viel möchte der beabsichtigte

---

*) Für Bayern auch sehr anwendbar, besonders bei landw. Gebäuden.

Bau wohl kosten? theils um zu erwägen, ob er die nöthigen Geldmittel besitzt oder disponibel hat, theils um zu beurtheilen, ob der Nutzen oder der Genuß, welchen er sich davon verspricht, mit der erforderlichen Ausgabe in einem richtigen Verhältnisse stehen, oder ihm doch persönlich so viel werth seyn werde. Förmliche Kostenanschläge hierüber aufstellen zu lassen, erfordert schon die Zuziehung eines erfahrnen Baumeisters; dabei sind alle diese Voranschläge sowohl mit Recht als mit Unrecht in so argen Verruf gekommen, daß, um ein glänzendes Beispiel anzuführen, als vor nicht gar langer Zeit der Lordkanzler von England beim Parlament auf die Bewilligung von 300,000 Pfund oder die Kleinigkeit von etwas über zwei Millionen Thaler zur Herstellung und Verschönerung des k. Schlosses zu Windsor antrug, und ein Mitglied die vorläufige Mittheilung der Risse und Kostenanschläge forderte, Herr Canning die merkwürdigen Worte sprach: wie alle Welt ja wisse, daß auf die Anschläge der Baumeister nicht im Allermindesten zu rechnen sey, man würde daher am besten thun, irgend eine Summe festzusetzen, welche nicht überschritten werden dürfe, und von den Ministern zu verrechnen sey.

Nun ist es zwar allerdings für den Baumeister von einiger Erfahrung und Lokalkenntniß keineswegs schwierig, die Kosten eines Gebäudes von gewöhnlicher Art und Construktion mit ziemlicher Genauigkeit voraus zu berechnen, so daß nur jedenfalls eine geringe Ueberschreitung bei der Ausführung eintreten kann, zumal wenn man sich vorher über die erforderliche Tiefe der Fundamente vergewissert hat: allein sehr oft ist es der Fall, daß während des Baues dem Bauherrn die Lust anwacht, mehr zu bauen, oder manches besser und schöner haben zu wollen, wie er Anfangs beschlossen, und so eine Menge von Mehrausgaben entsteht, die sich am Ende oft zu einer ganz ansehnlichen Summe addiren. Hier liegt nun allerdings die Schuld einzig am Bauherrn und nicht am Baumeister, vorausgesetzt, daß dieser ersterem vorher die Größe und Qualität der für die Anschlagssumme zu beschaffenden Gegenstände genau und ehrlich angegeben habe. Freilich geschieht aber auch diesem zuweilen Aehnliches, auch er wünscht natürlich sein Werk so zierlich wie möglich zu vollenden, auch ihm kommt öfters besserer Rath über Nacht, und hat er an irgend einem Posten etwas erspart, so fallen ihm gleich zehn andere ein, wo er gern etwas zusetzen möchte. Das führt denn am Ende ebenfalls zu einer Ueberschreitung, die jedoch nicht leicht übermäßig wird, weil der Baumeister schon besser zu rechnen versteht, auch ist das Publikum sattsam mürbe geworden, um eine mäßige nicht sonderlich übel zu nehmen. Ein anderes ist es bei größern Reparaturbauten, hier findet sich fast jedesmal mehr zu machen, wie voraus zu ersehen war, der Bauherr entschließt sich hier ebenfalls immer zu mehrerem, wie er Anfangs gewollt, einzelne Arbeiten kosten wieder mehr, als man dachte, kurz, hier wird man niemals mit der Anschlagssumme ausreichen, wenn man nicht schon gleich Anfangs für die außerordentlichen Ausgaben eine ansehnliche Summe angesetzt, auch die Preise aller einzelnen Arbeiten so hoch gehalten hatte, daß an jedem Artikel bei der Ausführung wenigstens einiges erübrigt werden mußte.

Jede bedeutende Ueberschreitung des Anschlags dagegen bei einem neuen nicht ganz und gar ungewöhnlichen Gebäude bleibt jedesmal ein Fehler oder eine Schuld des Baumeisters; ein Fehler, wenn er durch Irrthum oder Unwissenheit Gegenstände ausgelassen oder ihre Beschaffungskosten zu gering veranschlagt hatte, eine Schuld dagegen, wenn eines oder das andere absichtlich geschehen war. Letzteres ist leider nur allzuhäufig der Fall, und wer hat es nicht schon öfters erlebt, wie gewissenlose Baumeister gimpelhafte Bauherren durch malerische Risse und trügerische Anschläge auf's Eis geführt haben! Gimpel darf man aber mit Recht Leute nennen, welche sich durch so allbekannte abgedroschene Kniffe noch berücken lassen, ja wer sich überhaupt heut zu Tage noch durch Redensarten fangen läßt, verdient es wahrlich nicht besser. Freilich glaubt der Mensch gar zu leicht, was er wünscht, und da sich so viele für beträchtlich klüger wie ihre Nachbarn halten, so fällt es nicht schwer, dergleichen Leute zu überreden, es liege nur Unverstand oder Prellerei zu Grunde, wenn ein Haus so vieles Geld koste und es lasse sich viel wohlfeiler bauen, wenn man sich nur an den rechten Baumeister wende.

Nun giebt es allerdings ein einfaches Mittel, sich gegen solchen Betrug zu wahren, wenn man sich nämlich einmal versichert, daß der Anschlag wirklich alle die Gegenstände der Qualität und Quantität nach enthalte, welche man von dem künftigen Gebäude fordert und sodann die Richtigkeit und Ausführbarkeit des Anschlags sich vom Baumeister garantiren läßt. Allein dieses setzt natürlich eine genaue Kenntniß jener Gegenstände, mithin schon einen Grad von Bauverstand voraus, welchen ein Bauherr selten besitzt, obwohl in der Regel zu besitzen glaubt.

Denn wie die Leute gewöhnlich das am liebsten treiben und besprechen, wovon sie gerade am wenigsten verstehen, so hält sich auch jeder benebst einem tiefen Politiker und Taktiker auch für einen gründlichen Baumeister und so wie man nur über Zahnweh zu klagen braucht, um von jedem, dem man begegnet, ein Mittel dagegen angepriesen zu erhalten, so darf man auch nur den Bau eines Taubenhauses beginnen und man wird sofort von jedem Vorübergehendem mit einem guten Rath beschenkt werden.

Noch ein anderes weniger bekanntes, dabei ungleich zuverlässigeres Mittel giebt es dagegen, sich über den wahren Betrag der Kosten eines vorhabenden Baues zu vergewissern: es ist dieses die Vergleichung mit den wirklichen Kosten eines ähnlichen unter derselben Zeit und Lokalverhältnissen ausgeführten Gebäudes. Aus bekannten technischen, durch die Erfahrung vollkommen bestätigten Gründen verhalten sich diese ziemlich genau wie die Grundflächen; wenn man daher weiß, daß jeder Quadratfuß eines solchen in Form und Qualität ähnlichen in der Ausführung z. B. einen Thaler gekostet, so wird man sicher darauf zählen können, daß jeder Quadratfuß des beabsichtigten dieselbe Ausgabe erfordern wird.

Schreiber dieses hat darum in der nachstehenden Tabelle I. ein Verzeichniß mehrerer von ihm ausgeführten Gebäude aufgestellt, Größe und Kosten davon bemerkt und letztere auf jeden Quadratfuß der Grundfläche in Thalern mit drei Dezimalstellen reduzirt; man wird daher mittelst einer einfachen Multiplikation die Kosten jedes ähnlichen Gebäudes berechnen können, wenn man dessen angenommene Grundfläche mit jener Zahl multiplicirt und die drei letzten Ziffern abschneidet. Weiß man z. B., daß jeder Quadratfuß des in Coblenz neu erbauten Pfarrhauses (Nr. 16 der Tabelle I.) 2,931 d. h. $2\frac{931}{1000}$ Thl. gekostet, und will die wahrscheinlichen Kosten eines ähnlichen Wohnhauses von allenfalls 40 Fuß Fronte und eben so vieler Tiefe kennen, so darf man nur dessen Grundfläche von 40mal 40 oder 1600 Quadratfuß mit obigen 2,931 multipliziren und man wird nach Abschneidung der Bruchtheile die Summe von 4689 Thl. erhalten, nun aber mit ziemlicher Zuverläßigkeit darauf rechnen können, hiemit auszulangen.

Soll das beabsichtigte Gebäude eleganter verziert oder in geringerer Qualität gehalten werden, so muß natürlich nach Umständen ab- oder zugesetzt werden. Letzteres möchte bei einem bürgerlichen Wohnhause selten der Fall seyn, weil der innere Ausbau des fraglichen für ein solches bereits von hinlänglicher Eleganz ist, wie das schon seine Vergleichung mit den Sätzen der bessern Schulhäuser, Nr. 36 bis 43 in der Tabelle, und bei welchen die Gemeinde nichts ausser dem Anschlage geleistet, ergiebt. Hier sind die Arbeits- wie Materialienpreise im Ganzen so ziemlich dieselben, zwar hat der Einbau natürlich weniger Wände und Thüren, auf der andern Seite sind aber die Fußböden alle aus Eichenholz gefertigt, daher bedeutend theurer, dennoch betragen die Kosten 2,355 bis 2,511 Thl. für jeden Quadratfuß, also nur 19 bis 14 Procent weniger als bei dem Pfarrhause.

Eine geringere Qualität aller Arbeiten so wie die Weglassung aller nur immer entbehrlichen Bestandtheile im innern Gebäude verursacht dagegen eine weit größere Verminderung der Kosten. So wurde z. B. auf besondere Veranlassung ein zweiter Kostenanschlag zu dem fraglichen Pfarrhausbau angefertigt, worin statt der früher angenommenen Preise so geringe substituirt waren, daß nur bei Zulassung von jedem Pfuscher als mindestbietenden Unternehmer ein Abgebot zu hoffen gewesen, auch zugleich alle Arbeiten in der schlechtesten Qualität, z. B. Steine aus schlechten Brüchen, Fenster mit gemeinem weißen Glas, alles Holz um $\frac{1}{6}$ leichter, Fleckenschiefer statt reinem rc. kurz alles nicht möglichst gut, sondern möglichst wohlfeil angenommen wurde; endlich der halbe Windelboden, die Gurtgesimse, die Fensterläden, Fenstergitter, das Blei auf den Firsten des Daches, die Dachrinnen und die steinerne Sockelbedeckung weggelassen, statt des steinernen Gesimses ein gemeines hölzernes veranschlagt, die Freitreppe in die Mauer verlegt, kurz auf alle und jede Weise Arbeiten wie Preise beschnitten waren. Da hatte sich nun das auffallende Resultat ergeben, wie alsdann das Haus nur etwa 5000 Thl., mithin jeder Quadratfuß noch nicht ganz 2 Thl., also über 30 Procent weniger gekostet haben würde und das Haus nach den Ansichten des Verfassers schlecht, jedoch immer noch nicht schlechter geworden wäre, wie viele andere sind. Wem nun Häuser dieser Art gut genug, der kann sich freilich rühmen, viel, ja wie gesagt, fast um ein Drittheil, wohlfeiler bauen zu können, wie der Verfasser. Das Geheimniß des eigentlichen Wahlfeilbauens, schlecht bauen, wird immer am Ende das theuerste, besteht im Grunde nur darin, nicht mehr Werkstücke wie nöthig anzuwenden, indem von diesen jeder Cubikfuß in der Regel 1 bis 2 Thaler, gutes Mauerwerk aber selten über 2 Sg. kostet. Wie arg aber hiergegen gesündigt wird, geht in's Unglaubliche. Giebt es doch eine Menge neuerer Kirchen, die man viel zu klein gebaut, um nur vieles Geld an überflüssiges Säulen- und Simswerk verschwenden zu können, ja es liesse sich ein Fall namhaft machen, wo bei einer Dorfkirche schon im Kostenanschlag über ein Drittel der ganzen Bausumme für Hausteine angenommen war.

Uebrigens lassen sich einfache bürgerliche Wohnhäuser unbeschadet ihrer Solidität allerdings wohlfeiler hinstellen, wie das fragliche Pfarrhaus, welches als ein öffentliches Gebäude und künftiges Absteigequartier für unsern Hrn. Bischof eleganter gehalten werden mußte, wie jene, dabei als rundum freistehend und 4 Façaden zeigend, nothwendig bedeutend theurer wurde, wie ein anderes einfacheres, welches zwischen andern benachbarten stehend nur einer Façade bedarf. Man wird daher die Kosten letzterer hierorts unbedenklich zu 2½ Thl. für jeden Quadratfuß annehmen dürfen.

Die Anwendung dieser so einfachen als sichern Berechnungsart setzt natürlich voraus, daß die Größe des beabsichtigten Baues bekannt sey. Auch hiezu bedarf es keines förmlichen Plans, sondern jeder verständige Bauherr kann selbst diese Größe leicht ermitteln. Er überlege nur genau, welche Wohngelasse er bedarf oder zu haben wünscht, welche Größe jedes derselben haben soll oder suche letztere wieder durch Vergleichung mit denen in seiner eigenen Wohnung oder in jenen seiner Bekannten festzustellen. Ist ihm z. B. sein Wohnzimmer zu groß oder zu klein, und findet er dagegen die Größe eines fremden, seinen Wünschen entsprechend, so messe er dieses nach Länge und Breite und bestimme durch Multiplikation beider Dimensionen seinen Flächenraum in Quadratfussen. Eben so verfahre er mit Küche und den übrigen Gemächern, suche sie sodann in die verschiedenen Etagen seines gewünschten Hauses so zu vertheilen, wie er sie zu besitzen wünscht und wo möglich in der Art, daß die Summe der Quadratfuße sich für jedes Stockwerk ungefähr gleich stelle. Hat er nun so den Flächeninhalt der eigentlichen Wohngelasse für die unterste Etage bestimmt, so setze er noch die Hälfte bis zwei Drittheile des Betrags zu für Fluhren, Gänge, Treppenhaus und Mauerdicken (im besagten Pfarrhause betragen solche 1007 Quadratfuß, in jedem Stockwerk mit 1510 Quadratfuß wirklichen Wohnräumen, obschon erstere nichts weniger wie allzureichlich zugemessen seyn dürften), und die Grundfläche des künftigen Hauses ist mit völlig hinlänglicher Genauigkeit gefunden, um die gewünschte Berechnung der Kosten hienach anzustellen. *)

---

*) Die Preise in der Tabelle gelten freilich nur für die hiesige Gegend, es wird jedoch überall nicht schwer seyn, die wirkli-

Die Erörterung einer andern Frage möchte vielleicht ebenfalls hier nicht am unrechten Orte stehen, nämlich die: in wie ferne der dreistöckige Bau gegen den zweistöckigen vortheilhaft ist. Manche wähnen, daß man einen solchen dritten Stock beinahe umsonst gewinne, indem Fundament und Bedachung einmal vorhanden seyen. Letzteres ist zwar richtig, in so fern auf einen ganzen Keller gerechnet wurde, indem die Widerlagen eines solchen Gewölbes in der Regel schon eine Stärke erfordern, welche zu einem dreistöckigen Hause ausreicht. Dagegen steigen alle übrigen Ausgaben nicht nur in gleichem Verhältniß, sondern Mauern und Wände der untern Stockwerke müssen nun ebenfalls etwas stärker genommen werden. Nach einer genauen an mehreren Gebäuden vorgenommenen Berechnung betragen die Kosten eines solchen dritten Stockwerks ohngefähr 30 Procent von der Summe, welche die beiden ersten erfordern, d. h. würde das zweistöckige Haus 100 kosten, so erfordert das dreistöckige 130. Man gewinnt nun freilich beim letzteren 50 Procent am Wohngelaß, allein jener im dritten Stock ist schon bedeutend weniger werth, wie in beiden untern, dabei bleiben Keller und Bodenraum dieselben, man wird also am reinen Ertrag, d. h.. am Miethwerth, auch nicht über 30 Procent gewinnen, und es bestätigt sich am Ende nur die alte Erfahrung, wie man überhaupt in dieser Welt nicht leicht etwas umsonst erhält.

Als eine ähnliche Frage stellt sich noch öfters die, in wie fern es vortheilhaft sey, die Häuser nicht schmal, sondern möglichst tief zu bauen. Daß letzteres vortheilhafter, d. h. wohlfeiler seyn muß, ist in die Augen fallend, das Mehr oder Weniger hängt aber natürlich von den übrigen Umständen ab; können troß der größern Tiefe die Fronten unverändert bleiben, so wird der Gewinn größer als im entgegengesetzten Falle. Dagegen andere schon ohnehin sehr tief angenommene Gebäude noch tiefer bauen zu wollen, könnte sogar Mehrkosten verursachen. Statt schmaler Gebäude überhaupt tiefere zu bauen, bleibt jedoch jedenfalls überall zu empfehlen, wo die Benutzung des Gebäudes tiefere Räume erlaubt.

---

chen Baukosten irgend eines ähnlichen Gebäudes zu erfahren, und diese alsdann der Berechnung des beabsichtigten Baues zu Grunde zu legen. Vielleicht finden sich auch die Baubeamten anderer Gegenden unserer Provinz geneigt, die Kosten ihrer Gebäude in dergleichen Tabellen zusammenzustellen und zu veröffentlichen.

Nach einer speziellen Berechnung kostet ein Gebäude von 36 Fuß Tiefe nur 11 Procent mehr, wie eines von derselben Länge bei 30 Fuß Tiefe, man gewinnt also hier für 11 Procent Mehrausgabe $\frac{1}{5}$ oder 20 Procent an Raum.

Schlüßlich dürfte noch des sehr allgemein verbreiteten Irrthums zu gedenken seyn, als ob man, wenn ein Wohngebäude einmal unter Dach gebracht ist, den Berg so ziemlich erstiegen habe; da ergiebt nun die mit II. bezeichnete Tabelle leider, daß man alsdann nur so etwa die Hälfte des sauern Weges im Rücken hat. Sind bis dahin nämlich 52 ausgegeben, so hat man noch 48 zuzulegen, um den Bau zu vollenden, ja sollen einige Stuben elegantere Fußboden, Decken und Wandverzierungen erhalten oder sonst der Einbau etwas reicher werden, so wird dieser wenigstens noch eben so viel kosten, als der Rumpf bereits gekostet hat.

Das ist nun jene alte Klippe, an welcher schon so Mancher gescheitert, der ein altes Haus gekauft, und wie man zu sagen pflegt, in gehörigen Stand gesetzt hatte, nun aber dieses geschehen, zu seiner großen Ueberraschung gewahr wird, wie er mehr ausgegeben, als wenn er ein neues von derselben Größe gebaut hätte.

Doch geht die Sache ganz natürlich zu: in der Regel sind in alten Häusern der Wand- und Deckenputz so wie sämmtliche Tischler-, Schlosser-, Glaser- und Anstreicherarbeiten, mithin der ganze Einbau zu erneuern, der Käufer hat also in diesem Falle nichts mehr wie einen Rumpf, d. h. ein etwa halb vollendetes Haus gekauft, muß also schon die Hälfte der Kosten eines neuen verwenden, um es fertig, d. h. bewohnbar zu machen. Nun geschieht es aber fast jedesmal, daß ihm die vorhandene Eintheilung nicht paßt, auch die Façade zu altmodisch ist, dann finden sich etwas verfaulte Balken oder Schwellen, man wünscht ein zierlicheres Hauptgesims, einige Dachstuben u. s. w., kurz am Ende findet sich, daß man statt einem ganzen Hause gar nur ein Drittheil eines solchen gekauft hatte und nunmehr theurer oder wenigstens doch eben so theuer wie ein neues geworden, man dabei aber immer nur ein altes Haus besitzt, welches einem nirgends so recht auf den Leib paßt, und fortwährend höchst unangenehme Erinnerungen an das alte Sprichwort erweckt:

Wer will verderben und weiß nicht wie,
Der kaufe alte Häuser und baue die.

Tabelle I.

Ver

mehrerer von dem Verfasser ausgeführten Gebäude, nebst Angabe jeden Quadratfuß der

Laufd. Nro	Bezeichnung der einzelnen Gebäude.	Größe derselben			Kosten derselben.				
		Länge i. Fuß	Breite i. Fuß	Flächenraum in □ Fuß.	Ueberhaupt Thl.	also jeder □ Fuß Thl.	T.	S.	P.
	I. Kirchen.								
	(Unter Größe ist hier jene des Schiffes nebst den Emporen der Orgelbühnen im Lichten verstanden.)								
1	Eine Pfarrkirche zu Treis	85 57	57 15½	5728½	28625	4,997	4	29	10
2	Eine desgl. zu Güls .	90	50	4920	14156	2,877	2	26	3
3	Eine desgl. zu Walwig	51 22	46 9	2544	6780	3,937	3	28	1
4	Eine desgl. zu Cobern	80	44	3520	7168	2,033	2	1	1
5	Eine desgl. zu Horchheim	72	36	2592	6600	2,546	2	16	4
6	Eine Filialkirche zu Oberlützingen	56	24	1344	1381	1,026	1	—	9
7	Eine desgl. zu Wolkesfeld	24	24	576	1080	1,875	1	26	2
	II. Staatsgebäude.								
8	6 Artillerie-Wagenhäuser, jedes	196	44	8624	14660	1,699	1	20	11

zeichniß

ihrer Größe und Kosten, so wie Berechnung der letztern auf überbauten Grundfläche.

Nicht berechnete Leistungen des Bauherrn.	Bemerkungen über die Bauart und Construction derselben. (Alle Dächer sind mit Schiefer gedeckt.)
Erdarbeiten, Eichenholz u. Beifuhren.	Auf 8 Säulen massiv überwölbt mit einer Orgelbühne und einem 230 Fuß hohen Thurme, ziemlich reich mit Steinmetzarbeiten verziert (im Betrag v. 7488 Thlr.) nebst Altar, Kanzel, Taufstein und Kirchstühlen.
Keine.	Mit zwei 180 Fuß hohen Thürmen u. Steingewölbe auf 14 Säulen.
Erdarbeiten, Eichenholz u. Beifuhren.	Desgl. auf 4 Säulen mit 2 kleinen Emporen und einem hölzernen Thurme, so wie mit wenigstmöglichen Steinmetzarbeiten.
Desgl., jedoch ohne Eichenholz.	Mit einer Holzdecke aus vertieften Feldern bestehend, kleinem hölzernen Thurme, und nur für 470 Thl. Hausteine.
Erdarbeiten u. Beifuhren.	Mit gewöhnlicher glatter Decke ohne Thurm, indem der alte beibehalten worden.
Desgl. nebst Steinen Eichenholz u. etwas altem Material.	Mit Felderdecke und kleinen Thürmchen.
Desgl. ohne letzteres.	Desgleichen.
Keine.	Massiv, einstöckig mit einer Dachetage als Interimskaserne eingerichtet, in einer sehr theuern Zeit erbaut; sie würden gegenwärtig wohl um ein Fünftel wohlfeiler zu bauen seyn.

Laufd. Nro.	Bezeichnung der einzelnen Gebäude.	Größe derselben: Länge i. Fuß.	Breite i. Fuß.	Flächenraum in □ Fuß.	Kosten derselben: Ueberhaupt Thl.	also jeder □ Fuß: Thl.	T.	G.	P.
9	2 Trainschuppen, jeder	402	42	16884	7325	0,433	—	12	11
10	Ein Stall im Schloßhofe	38	23½	893	1236	1,385	1	11	6
11	Ein Treibhaus in Engers	190 47	21¼	5036¼	8380	1,664	1	19	11
12	Eine 4te Etage auf einen Theil des Arresthauses in Coblenz . . .	98	33	3780	4991	1,188	1	5	4
13	Ein Zollhaus in Ahremberg	26 38	21 30	1140	2370	2,078	2	2	4
14	Ein Försterhaus in Boos	34	30	1120	851	0,759	—	23	9
15	Ein Salzmagazin . .	122	46	5612	4666	0,833	—	24	11
	III. Gemeindebauten.								
16	Ein Pfarrhaus in Coblenz	53	47½	2517	7378	2,931	2	27	11
17	Ein Leichenhaus ebend.	46	46	1587	3243	2,043	2	1	3
18	Ein Hospital zu Münster	52	39	2028	5020	2,475	2	14	3
19	Ein Schulhaus in Engers	41½	30½	1265	1354	1,070	1	2	1
20	Ein desgl. in Weitersburg	41½	30½	1265	1276	1,008	1	—	2
21	Ein desgl. in Kaerlich .	40½	24	972	1241	1,276	1	8	3
22	Ein Schulhaus in St. Sebastian	31	28	868	1393	1,604	1	18	1
23	Ein desgl. in Kirchesch .	32	32	1024	1405	1,372	1	11	2
24	Ein desgl. in Kell . .	32	32	1024	1749	1,708	1	21	2
25	Ein desgl. in Capellen .	36½	28	1022	1824	1,784	1	23	6
26	Ein desgl. in Niederspan	37	32	1184	1835	1,549	1	16	5
27	Ein desgl. in Welling .	31	28⅔	888	1507	1,697	1	20	11
28	Ein desgl. in Bell . .	35½	32½	1153	2057	1,784	1	23	6

Nicht berechnete Leistungen des Bauherrn.	Bemerkungen über die Bauart und Construktion derselben. (Alle Dächer sind mit Schiefer gedeckt.)
Keine.	Massive Umfangsmauern, mit offener Decke aus leichten Hängwerken bestehend.
Desgl.	Desgl. nebst Dachboden.
Desgl.	Massiv, die 47 Fuß lange warme Abtheilung mit eiserner Dachrüstung, beide mit eisernen Fensterrahmen.
Desgl.	Massiv, 16 Fuß im Lichten hoch, mit neuem Dachwerk.
Desgl.	Zweistöckig und massiv.
Eichenholz zu sämmtlichen Arbeiten.	Einstöckig in Fachwerk.
Keine.	Massiv, 21 Fuß hoch mit offener Decke, Hängewerken u. ungewöhnlich tiefem Fundament.
Desgl.	Massiv, zweistöckig mit ziemlich elegantem Ausbau.
Desgl.	Aus Fachwerk, in Form eines Sechsecks mit erhöhtem Mittelsaal.
Desgl.	Desgl. solidem jedoch ganz einfachem Einbau.
Erdarbeiten u. Beifuhren.	Einstöckig mit einem Schulsaal ohne Wohnung und Keller.
Desgl.	Desgl.
Desgl. u. Eichenholz.	Zweistöckig, oben ein Schulsaal, unten die Lehrerwohnung über einem gewölbten Keller, der 2te Stock aus Fachwerk bestehend.
Erdarbeiten u. Beifuhren.	Zweistöckig, der obere Stock ebenfalls aus Fachwerk.
Desgl. nebst Eichenholz.	Massiv und zweistöckig.
Erdarbeiten u. Beifuhren.	Desgl.
Desgl.	Desgl.
Desgl.	Desgl.
Erdarbeiten u. Eichenholz.	Desgl. wie vorbemerkt nebst Spritzenhaus und Abtritten im Souterrain.
Desgl. u. Steine.	Desgl. ohne letztere das ganze Gebäude aus Werkstücken.

Lauf. Nro.	Bezeichnung der einzelnen Gebäude.	Größe derselben: Länge i. Fuß.	Breite i. Fuß.	Flächenraum im □ Fuß.	Kosten derselben: Ueberhaupt Thl.	also jeder □ Fuß Thl.	T.	S.	P.
29	Ein Schulhaus zu [illegible]	40	28	1120	1274	1,137	1	4	1
30	Ein desgl. in Kehrig	$40\frac{2}{3}$	$29\frac{2}{3}$	1206	1649	1,367	1	11	—
31	Ein desgl. in Mühlheim	45	32	1440	2358	1,637	1	19	1
32	Ein desgl. in Kettig . .	39	34	1326	2428	1,831	1	24	11
33	Ein desgl. in Eich . .	45	32	1440	2067	1,435	1	13	—
4	Ein desgl. in Ochtendung	46	$32\frac{1}{2}$	1495	2479	1,658	1	19	8
5	Ein desgl. in Polch . .	47	32	1504	2786	1,852	1	24	6
6	Ein desgl. in Obermendig	$50\frac{1}{2}$	$36\frac{3}{4}$	1855	3797	2,046	2	1	4
7	Ein desgl. in Niedermendig	$54\frac{1}{2}$	34	1853	3914	2,112	2	3	4
8	Ein desgl. in Nickenig .	56	$35\frac{1}{2}$	1988	3987	2,005	2	—	1
	Ein desgl. in Teris . .	69	31	2113	4973	2,355	2	10	7
	Ein desgl. in Dieblich .	71	32	2272	5533	2,422	2	12	8
	Ein desgl. in Winningen	71	32	2272	5705	2,511	2	15	4
	Ein desgl. in Güls . .	74	36	2664	6159	2,311	2	9	4
	Ein desgl. in Mayen .	91 38	$32\frac{1}{3}$ 37	4365	10785	2,471	2	14	1
	Ein Försterhaus auf dem Remsteck	31	28	868	1217	1,402	1	12	—
	Eine Pfarrscheune in Niederlützingen . . .	38	35	1330	744	0,559	0	16	9
	Eine desgl. in Kell . .	33	26	858	524	0,610	0	18	3
	Eine desgl. in Welling	29	25	725	386	0,532	0	15	11
	Schuppen u. Stall in Nickenig	43	17	731	459	0,627	0	18	9
	Desgl. in Eich . . .	30	17	510	246	0,482	0	14	5

Nicht berechnete Leistungen des Bauherrn.	Bemerkungen über die Bauart und Construktion derselben. (Alle Dächer sind mit Schiefer gedeckt.)
Erdarbeiten u. Beifuhren.	Massiv u. zweistöckig nebst Gemeindebackh. ohne Keller, alle Arbeite nin geringerer Qualität.
Desgl. u. Eichenholz.	Desgl. nebst Gemeindebackhaus.
Erdarbeiten u. Beifuhren.	Desgl. nebst Spritzenhaus.
Desgl.	Desgl.
Erdarbeiten, Beifuhren, Eichenholz, Steine.	Desgl.
Erdarbeiten u. Beifuhren.	Desgl.
Desgl.	Desgl. nebst Wohnung für die Hebamme.
Erdarbeiten.	2 Schulsäle nebst 2 Lehrerwohnungen, alle Fußböden von Eichenholz.
Erdarbeiten, Beifuhren, Eichenholz.	Desgl. nebst 2 Ställen im Souterrain, Façade aus Werkstücken.
Erdarbeiten u. Eichenholz.	2 Schulsäle nebst 2 Lehrerwohnungen.
Keine.	2 Schulsäle, 2 Lehrerwohnungen, 2 Keller, Spritzenhaus und 2 Ställe im Souterrain, die Fenster mit Lohrglas.
Desgl.	Desgl.
Desgl.	Desgl.
Desgl.	1 Schulsaal nebst Wohnung, 1 Gemeindesaal nebst Stube für die Vorsteher und Archiv, 1 Gemeindebackhaus nebst Wohnung des Bäckers, 1 Wachtstube, Gefängniß und 3 Keller.
Desgl.	6 Schulsäle, 5 Lehrerwohnungen nebst einer Mehlwaage und einem kostspieligen Grund-Baue.
Alles Eichenholz.	Das Erdgeschoß massiv, das obere aus Fachwerk.
Erdarbeiten u. Beifuhren.	Massiv, 15 Fuß bis zu den Balken hoch, mit Stall.
Desgl.	Desgl.
Desgl.	Desgl. 13 Fuß hoch ohne Stall.
Desgl.	Desgl. mit einem Senkgebälke und Spritzenhaus.
Desgl. u. Steine.	Desgl. ohne letzteres.

Tabelle II.

Berechnung

des Betrages aller einzelnen Arbeiten an dem neuen Pfarrhause zu Koblenz nach Prozentzusätzen mit 2 Decimalstellen der Summe sämmtlicher Baukosten, d. h. wenn solche zu 100, dann auch in Thlr., Sgr. u. Pf., wenn diese Kosten zu 100 Thlr. angenommen werden, und zwar einmal gesondert in jene zur Erbauung des Rumpfes, nämlich zur Unterdachbringung des Hauses, sodann in die übrigen, den innern Ausbau betreffend, endlich in beide vereinigt.

Laufende Nro.	Bezeichnung der Arbeiten mit Inbegriff der Materialien.	Kosten des Rumpfes.				Kosten des Ausbaues.				Gesammt-Kosten.			
		pCt.	Thlr.	Sg.	Pf.	pCt.	Thlr.	Sg.	Pf.	pCt.	Thlr.	Sg.	Pf.
1	Betrag der Erdarbeiten	1,41	1	12	$6\frac{1}{6}$	—	—	—	—	1,41	1	12	$6\frac{1}{6}$
2	Desgl. jener des Maurers	24,56	24	16	$11\frac{1}{12}$	11,06	11	1	$11\frac{5}{6}$	35,62	35	18	$10\frac{11}{12}$
3	» » » Steinmetzen . . .	6,51	6	15	$3\frac{1}{4}$	3,13	3	4	5	9,64	9	19	$8\frac{1}{4}$
4	» » » Zimmermanns . .	11,87	11	26	$6\frac{1}{12}$	2,11	2	3	$5\frac{1}{4}$	13,98	13	29	$11\frac{1}{3}$
5	» » » Dachdeckers . . .	4,99	4	29	$6\frac{2}{3}$	—	—	—	—	4,99	4	29	$6\frac{2}{3}$
6	» » » Tischlers	—	—	—	—	11,46	11	13	$4\frac{5}{6}$	11,46	11	13	$4\frac{5}{6}$
7	» » » Schlossers	—	—	—	—	5,11	5	3	$4\frac{5}{6}$	5,11	5	3	$4\frac{5}{6}$
8	» » » Grobschmieds . .	0,97	—	28	$5\frac{1}{2}$	—	—	—	—	0,97	—	28	$5\frac{1}{2}$
9	» » » Glasers	—	—	—	—	6,67	6	19	$11\frac{5}{6}$	6,67	6	19	$11\frac{5}{6}$
10	» » » Klempners . . .	1,08	1	2	$4\frac{1}{12}$	—	—	—	—	1,08	1	2	$4\frac{1}{12}$
11	» » » Tünchers	—	—	—	—	3,38	3	11	$5\frac{3}{4}$	3,38	3	11	$5\frac{3}{4}$
12	» » der Stubenöfen . . .	—	—	—	—	3,17	3	5	$\frac{5}{6}$	3,17	3	5	$\frac{5}{6}$
13	» » » Extraordinarien . .	1,26	1	7	$7\frac{1}{2}$	1,26	1	7	$7\frac{1}{2}$	2,52	2	15	3
		52,65	52	19	$2\frac{1}{2}$	47,35	47	10	$9\frac{2}{3}$	100	100	—	—

164. Zur Uebersicht des Standes der bedeutenden landwirthschaftlichen Verhältnisse in Bayern zur Beförderung der bayerischen Landwirthschaft, im Centralblatte des landw. Vereins in Bayern vom Monat März 1836. S. 153.

Der Hr. Verfasser obigen Aufsatzes rühmt die Ackerwirthschaft des Ober-, Untermain- und Rezatkreises als die Vorzüglichste in Bayern, weil dort Weizen abwechselnd mit Roggen, dann Gerste, Klee unausgesetzt aufeinander folgen, und selbst dazwischen statt Klee reine Brache, um dem Lande neue Kraft und Reinheit zu erhalten, geübt wird. Er folgert, daß nach diesem Wirthschaftsverhältnisse Bayern mehr Getreide baue als es bedarf — und daß sonach die Viehzucht bedeutend seyn muß! — daß wir gar nichts auszuführen haben als Wein und Hopfen, und daß die Spekulationen mit Vieh und Getreide nicht reich machen! — Diesen Folgerungen kann ich so wenig beipflichten, als der Behauptung, daß die drei oben bezeichneten Kreise des angegebenen Wirthschaftsverhältnisses wegen den Vorzug vor den übrigen Kreisen des Königreiches verdienten; denn es ist bekannt, daß diese Felderwirthschaft in ganz Bayern geführt wird, daß die grösseren Gutsbesitzer Wechselwirthschaft mit Erfolg treiben, daß der Anbau der Futtergräser, der Esparsette, Luzerne, des rothen Klee's rc. allenthalben Statt finde, daß Rüben, Kohl und andere derlei Gewächse in Masse gebaut werden, und daß der Isar-, Unterdonau- und Regenkreis hierin den übrigen Kreisen gewiß in nichts nachstehen. Der Tabakbau wird in diesen Kreisen wenig geübt, dagegen bildet Flachsbau einen erheblichen Zweig. Was die Folgerung betrifft, daß in Bayern die Viehzucht bedeutend seyn müsse, weil der Getreidebau so erheblich sey, ist nicht richtig. Die Viehzucht in Bayern ist im Abnehmen, sie blüht nur in den bayerischen Gebirgsgegenden, und in jenen Gegenden an der Donau, wo die Auen zur Weide benützt werden — oder wo Weidegelegenheiten sind. Wo diese früher waren und nun in Folge der Gründevertheilungen oder der in den Aerarial-Waldungen aufgehobenen Weidenschaften, nicht mehr bestehen, da ist die Viehzucht im gänzlichen Verfall, denn der gewöhnliche Landmann hat weder die Mittel noch die Lokalitäten Jungvieh in den Stallungen nachzuziehen. Die Stallfütterung ist nur wünschenswerth beim wirklichen Nutzvieh (milchgebende Kühe) nicht aber für das Jung oder Zuchtvieh, welches im Freien besser gedeiht und bei grüner Nahrung kräftiger heranwächst. Werden die Auen und Waldungen der Viehzucht nicht geöffnet, so wird der Mangel an Rindvieh ausserordentlich, und die Folgen für das Allgemeine traurig werden. Einen Beweis für diese Behauptung geben die gegenwärtig hohen Preise der Kälberkühe und des Zug- und Mastviehes! Daß wir gar nichts auszuführen haben, als Wein und Hopfen, daß die Spekulationen mit Vieh und Getreid nicht reich machen!!! — dieser Behauptung darf ich kühn entgegentreten. Wir haben ausser Hopfen und Wein Getreid auszuführen, und unsere Ausfuhr an Rindvieh und Schweinen war früher sehr bedeutend. Pferde führen wir noch in großer Menge aus, und besonders nach Italien und Frankreich. Mit der Getreideausfuhr stockt es zwar, weil unsere Nachbarländer selbst mehr Getreid erbauen als ihr Bedarf ist, und Oesterreich den Zug nach Tirol sperrt. Daß aber die Spekulationen mit Vieh und Getreide nicht reich machen, dürfte als großer Irrthum erscheinen! Woher kam der frühere Wohlstand Bayerns? Lediglich von der Ausfuhr des Getreides und Viehes! denn damals kaufte Bayern noch den ganzen Hopfenbedarf von Böhmen, alle Kolonial- und anderen Bedürfnisse vom Auslande, und so groß die Summen waren, welche hiefür in's Ausland giengen, waren sie doch nicht fühlbar, weil die Einnahmen für Getreide und Vieh noch reiche Ueberschüsse boten. Daß wir jetzt Rindvieh vom Auslande ankaufen, daran sind die berührten Verhältnisse Schuld, ob aber dieser Umstand so wenig zu bedeuten habe, wie der Hr. Verfasser glaubt, dieses wird die Zeit in Kürze lehren!

Vor Allem Einführung veredelter Schafe will der Hr. Verfasser! Wir haben schon vielseitige Versuche der Schafzüchterei vor unsern Augen, zum Theil nicht sehr gelungen.

Frhr. v. Sternburg ist so klug, die Gattung des Futters zu berücksichtigen, er füttert wo möglich trocken; da die Wiesen um Sct. Veit zur Schafweide nicht taugen; dadurch erhält er seine Heerde im leidentlichen Stande, obschon große Verluste an Schafen dadurch nicht ganz verhindert worden sind. Schafe fordern ein gutes Klima — trockenes süsses Futter; eines von diesen beiden fehlt aber größtentheils in Bayern, und es wird die Schafzucht wie die Seidenzucht im größerem Maßstabe nie allgemein betrieben werden.

In Betreff der Obstbaumzucht bezeichnet der Hr. Verfasser einige Hauptstädte Bayerns und giebt hierin Nürnberg und Würzburg als Muster an, von München aber urtheilt er nicht sehr respektabel. Wenn ich von der Obstbaumzucht sprechen wollte, würde ich mich nicht an die Städte — sondern an das Land halten; denn in Städten wird Obstbaumzucht nur zum Vergnügen und nicht selten von reichen Eigenthümern getrieben, woraus kein Schluß für das Land im Allgemeinen gefaßt werden kann.

Ich kann dem Hrn. Verfasser versichern, daß die Obstbaumzucht im sogenannten Altbayern nicht so sehr zurück sey, als der Hr. von Reider zu wähnen beliebt. Auf den Landgütern der Adelichen von Bayern, in kleineren Städten und Märkten und selbst in kleinen Dorfschaften finden sich Obstpflanzungen, die rühmenswerth sind. Das obstreiche Landshut, die paradiesischen Höhungen Miesbachs mit seinen vielduftenden Schwarzkirschbäumen und eine Menge solcher Orte und Gegenden konnte ich hier bezeichnen. — Ob wir es nicht verstehen, das Obst grün zu versenden, wird sich zeigen, wenn nach der Erwartung des Hrn. v. Reider unser Obst einen Zug nach Rußland bekommt! —

Die Behauptung, daß der Rezatkreis den Isar-, Oberdonau- und Regenkreis mit Hopfen versehen, ist zu bestimmt gegeben, als daß ich sie nicht berichtigen sollte. Wieviel wird um Pfaffenhofen an der Ilm, Voburg, Wackerstein, Geisenfeld, und wie viel um Neumarkt an der Rott, Mühldorf, Wasserburg, Oetting, Burghausen, Rosenheim ꝛc. Hopfen gebaut? Wer dieses weiß, wird wohl glauben, daß diese Kreise zwar nicht den vollen Bedarf, doch aber das Meiste hievon selbst produziren.

Die Bienenzucht findet in Bayern allenthalben Anklang und steht viel besser, als sie Hr. v. Reider gefunden haben mag. Ich kenne Bienenfreunde, die 30 bis 40 Bienenstöcke in einem Stande besitzen, und wie viele sind deren, die doch wenigstens 4, 6 bis 12 besitzen, aber bei der Bienenzucht treffen häufig Unglücksjahre ein, die bei aller Vorsicht nicht immer verhindert werden können! Hier geht es uns wie mit der Schaf- und Seidenzucht. In Ungarn ist die Biene in ihrem Element, in Italien der Seidenwurm, und in Spaniens Gebirgen das Schaf.

Unter 12 wiederholt Hr. Verfasser, daß die Viehzucht durchaus keinen reinen Gewinn gewähre, und daß wir Rindvieh, Pferde und Schweine vom Auslande beziehen; eben so, daß wir die Käse vom Auslande beziehen, weil wir dießfalls mit Frankreich und der Schweiz nicht konkurriren können. Ich bin der Meinung, daß Viehzucht und Ackerbau den höchsten Nationalwohlstand begründen, daß die Rindviehzucht auf Alpen — und wo hinlänglich Weideplätze vorhanden, den höchsten Nutzen gewährt. Daß Bayern, sobald die Viehzucht durch die Regierung vermittelst der Weideeröffnung der Waldweiden ꝛc. unterstützt wird, zu seinem einstigen Wohlstand wieder zurückkehren wird. Es versteht sich, daß hiebei nur Zucht- und hochtragendes Vieh dem Weidegang bestimmt — Melkvieh aber im Stalle abgefüttert werde.

Daß unsere Pferde zu Tausenden in's Ausland abgesetzt werden, habe ich eben schon erwähnt, so wie, daß wir die Schweiz größtentheils mit Schweinen versehen. Daß wir mit der Schweiz und Frankreich in der Käsefabrikation nicht konkurriren können, ist ungegründet. Ich kann versichern, daß Käse aus der Gegend von Weiler ꝛc. in Masse nach der Schweiz und Frankreich versendet werden, und daß diese durch eigene Behandlung im Verpacken sich so sehr veredeln, daß sie dann wieder unter dem Namen französischer Käse bei uns eingeführt werden. Ebenso gewiß ist es, daß auf den größeren Oekonomieen Bayerns allenthalben Käsereien mit großem Erfolge betrieben werden, und daß Bayern jetzt seinen Bedarf an Käsen selbst erzeugt. — Ganz besonders thätig wird die Käserei im Isarkreise betrieben. Ich kenne da Oekonomen, welche täglich 40 bis 100 Pfund der besten Käse produziren.

Kulturosheim den 14. Mai 1836.

A. J. Nep. Poli.

---

165. Die Kirchenfeste in ihrem Einfluße auf die Landwirthschaft.

(Unter Rücksicht auf einen Aufsatz im Vereins-Wochenblatte. Jahrgang XXIV. Nr. 34.)

Unwidersprechbar bleibt, daß die Feiertage nachtheilig auf die Landwirthschaft einwirken, weil es mit dem Oekonomie-Gesinde ganz dasselbe Bewandtniß wie mit den Gesellen in den Handwerken hat, nämlich, daß für jeden Feiertag ein Arbeitstag verloren geht, dabei aber Lohn und Beköstigung fortdauert, und letztere an den Feiertagen sogar besser seyn muß. Will der Landmann richtig rechnen, so muß er für die Feiertage Versäumniß und Mehrbedarf in Anschlag bringen, und eine übersichtliche Berechnung aller Ausgaben des Landmanns, wenn alles zu Geld angeschlagen wird, möchte den Zustand kleiner Besitzer allerdings beklagenswerth bezeichnen.

Geltende Feiertage zu halten ist jeder Mensch berechtigt, der Gläubige aber nach Gewissen verbunden, alle jene zu halten, welche in seiner Kirche gelten, und die Landwirthe so wie die Gewerksmeister müssen sich daher das Nichtarbeiten des Gesindes gefallen lassen.

Was allgemein einen störenden und nachtheiligen Einfluß ausübt, das fällt der Regierungsvorsorge zur Abstellung anheim, und die wirklich als nothwendig sich darstellende Abschaffung vieler Feiertage ist daher eine Wohlthat für das Volk und den Volksbetrieb. Es ist nur als nachlässige Aufsicht und schwache Handhabung eines Gesetzes zu bezeichnen, wenn die Geistlichen an abgeschafften Feiertagen den Gottesdienst anders, als an gewöhnlichen Tagen halten, dem Brodherrn aber liegt keine Pflicht ob, seinem Gesinde die Beiwohnung dieses Gottesdienstes nachzugeben.

Es kann die Behauptung nicht einmal angefeindet werden, daß die Feiertage überhaupt im Allgemeinen die Unsittlichkeit des Volkes begünstigen, und nur höchst wenige Christen, außerdem aber lauter Heiden in der Christenschaar anzutreffen sind, die Juden dagegen in dieser Beziehung ehrwürdig und als Muster erscheinen, so wenig dieses außerdem der Fall seyn möchte. An den Feiertagen bringen die Leute auch noch ihr letztes Geld in den Wirthshäusern unter lärmendem Getümmel und zügelloser Ausgelassenheit durch. Die Betrunkenen durchtaumeln Gassen und Wege, und Zanken, Schmähen, Raufen und Unfug aller Art sind die Heiligung der Tage. Mancher Knecht und manche Magd, so wie mancher Geselle ist auch für den folgenden oder die nächsten Tage für die Arbeit verdorben oder nur halb brauchbar, so wie auch wegen getriebenem Unfug, polizeiliche Vorladungen und Strafen gar nicht selten das Gesinde nach Feiertagen der Arbeit entrücken und dem Brodherrn Schaden bringen.

Es kann ohne alles Bedenken behauptet werden, daß das Gesinde an den abgeschafften Feiertagen gerne wie gewöhnlich arbeitet, selbst wenn es ihm freigestellt wird, ja die Verminderung der Feiertage wünscht, sobald nur Kirche und Landesbehörden völlig miteinander einig sind, und strenge darauf bestehen, daß die Feiertage nur auf eine christliche und religiös fromme Weise gehalten werden dürfen, nämlich durch Kirchenbesuch, Hausandacht und Musterhaftigkeit im Wandel, daß darüber strenge gewacht, eine jede Gelegenheit zur Abweichung sorgfältigst entzogen und schärfstens untersagt, und jede Abweichung als eine Schändung des heiligen Tages, nachdrücklichst und schonungslos bestraft wird, denn nur die Gelegenheit zur Zügellosigkeit halten die Menschen an den Feiertagen fest, und dieses finden wir sogar an unsern heiligsten Tagen.

Ganz anders verhält es sich indessen mit Abhaltung der Jahrmärkte an Sonn- und Feiertagen. Die Sonntage so wie die gesetzlich bestehenden Feiertage sollen geheiligt werden. Geradezu eine Religion zu Gunsten des Ackerbaues kann nicht gefordert werden, der christliche Landwirth soll ein frommer Hausvater seyn, und wenn wir von der Einen Seite wünschen müssen, daß die Religion nicht selbst Gelegenheit zum moralischen Sinken darbiete, so ist damit schon ausgesprochen, daß sie uns in Würde und geheiligt bleiben soll.

Die Sonntage vor allem sollen wir heilig halten, und wenn vorausgesetzt wird, daß hier nicht der Ort sey, um religiöse Gegenstände zu verhandeln, so ist doch zu sagen, daß vorzüglich für die Sonntage eine solche Feier gefordert werden müßte, wie wir weiter oben in Beziehung auf abgeschaffte Feiertage erwähnten, wenn endlich die Christenheit wirklich christlich werden soll. Die Verlegung der Jahrmärkte und aller ähnlicher Oeffentlichkeiten von den Sonn- und gesetzlich bestehenden Feiertagen auf andere Tage ist daher als ein Landesgesetz durchweg zu begehren, und zwar durch die Rechte des Volkes als Gläubige.

Ist denn aber deßhalb der Landmann verbunden, sein Gesinde den ganzen Jahrmarktjubel mitmachen zu lassen, oder soll es vielmehr nicht genügend seyn, bloß denjenigen Freistunden zu geben, welche ein Bedürfniß zu kaufen erklären?!

Nun tritt aber ein anderer Umstand hervor, nämlich, daß das arbeitsame Volk auch der Freude bedarf, und soll den Sonn- und gesetzlich bestimmten Feiertagen eine christliche Feier werden, so müssen Tage der Freude, Zusammenkunft und Geselligkeit eintreten.

Sobald demnach davon abgegangen wird, die Tage der Freude und kirchlichen Feier miteinander zu verbinden, sind Freudentage ebenfalls gesetzlich anzuordnen.

Damit an solchen Tagen nicht Freude zur Wildheit, und frohe Menschen nicht zu Bachanten werden, wäre dahin zu wirken, die Volkssitten zu mildern, und der Rohheit den Weg zu vertreten.

Ferner würde der Landmann im ersten Augenblicke mit Schrecken vernehmen, daß auch sogar noch Freudentage ihm das Gesinde von der Arbeit nehmen sollen, allein die Jahrmärkte, die Fastnacht und die Kirchweihen sind solche Feste, und weil Menschen, die blos beten, dem Staate so wenig Vortheil bringen würden, als jene, die nur jubeln und trinken, so ständen nicht nur die abgeschafften Feiertage als aufgehoben zu belassen, sondern noch mehrere bestehende Feiertage aufzuheben, und dagegen monatlich ein Freudentag einzuführen.

Auf diese Weise würden Land- und Gewerksmann Arbeitstage gewinnen, die Würde der Kirche erhöht werden, die Sittlichkeit sich verbessern, und das Volk der Freude nicht entbehren.

Dr. A. Desberger,
Vereinsmitglied.

---

166. Die thierische Kohle (d. h. gebrannte Knochen) und Wirkung des Kohlenstaubes.

Bisher war man gewohnt, das Brennöl der Pflanzen durch beigemengte Schwefelsäure von seiner Säure zu befreien und zu einem bessern Brennöl zu erheben.

Jetzt wendet man nach dem Journal des connaissances usuelles, Mars 1835, zur Verbesserung des stinkenden Olivenöls 1/5 Gewicht der thierischen Kohle in der Beigabe an. Die Masse muß aber von Zeit zu Zeit umgerührt und dann filtrirt werden. Je länger diese Berührung des Oeles und der thierischen Kohle fortdauert, desto besser ist der Erfolg, und das Oel wird geruchlos und wasserhell. Wahrscheinlich ist die Schwefelsäure zur Reinigung des Rübenöls gänzlich zu entbehren. Möchte ein guter Chemiker, wie unsere Apotheker meistens sind, dieses durch Versuche ganz in Gewißheit setzen, oder die Hypothese scheitern lassen.

Dasselbe Blatt theilt noch eine andere Entdeckung der durch die thierische Kohle aus Knochen geheilten bereits anfangenden Blindheit mit, deren Feststellung sehr wichtig werden kann. Im ungarischen Comitat Neitra, nicht Nectra, wie das ungeographische Blatt meldet, legte ein gewisser Berlier am Eingange eines Waldes, nahe bei einem Dorfe, eine Fabrik zur Gewinnung thierischer Kohlen aus Knochen zum Behuf einer Zuckersiederei an. Sein Gehilfe war ein sehr kurzsichtiger Zimmermann mittleren Alters, der nur mit der Brille zu lesen und zu schreiben vermochte. Wodurch diese Kurzsichtigkeit entstand, ist nicht angegeben, aber allmählig besserte sich das Gesicht des Mannes, der nach einem Jahre keine Brille mehr brauchte, und jetzt vor dem Ablauf von 2 Jahren sein Gesicht völlig wieder erhielt. Dem bei der Verbrennung der Knochen entweichenden Gas ammoniakalischer Natur kann man diese Wohlthat nicht zuschreiben; denn unsere Cigarrenraucher verderben wohl durch den Rauch der verbrannten Cigarren ihre Augen, verbessern sie aber sicher nicht. Wahrscheinlich verdankte also dieser an Augenschwäche leidende Mann seine Heilung dem bei Gelegenheit der Holzverkohlung in der Luft schwebenden Kohlenstaube, in dessen Nähe er seine Köhlerei betrieb. Wo die Ammoniakdünste, z. B. im Schafstalle, schweben, da empfindet das menschliche Auge leicht ein Stechen und Jucken, und wo der Boden solche, wie in Aegypten in Menge, besonders des Nachts enthaucht, da sind Blindheiten sogar ein Nationalübel.

Die thierische Kohle ist ein Abfall der Zuckersiedereien, und wird im westlichen Frankreich zur Düngung nützlich angewendet. Sie enthält vor der Anwendung zum Reinigen des Zuckers nur Kohlenstoff und phosphorsauern Kalk, und entnimmt dem flüßigen Zucker Eiweiß und das zugesetzte Ochsenblut und andere düngende Stoffe, daher das über die Saat ausgestreute, der Saat gleiche Gewicht der Thierkohle, das Wachsen der Pflanzen auffallend vermehrt. Auf sehr leichten, trockenen und nicht tiefen Aeckern darf man diesen Abfall der Zuckersiederei nur in geringer Gabe anwenden, und die Wirkung ist auch nur schwach, aber auf feuchtem, kaltem Thonboden ist selbst eine schwache Gabe schon wirksam, auch merkwürdig, daß sich hierin die Knochenkohle umgekehrt verhält im Vergleiche mit dem Knochenmehle.

Am wirksamsten ist dieser Siedereiabfall, wenn er frisch verwendet wird; denn wenn er lange vor der Benützung an der Luft liegt, so verliert er die von der Siederei empfangenen Zusätze, die sich verflüchtigt haben. Um solchen Abfall in vollem Werthe zu erhalten, mischt man ihn in Nantes (bekannt wegen vieler Zuckersiedereien) mit verwittertem Kalk zu einem

Teig, und nimmt von letzterem ⅞ des Gewichtes und vom Absfall ⅛. Diese Mischung behält ihre Kraft wenigstens sechs Monate.

---

167. Ueber die Bereitung des Runkelrübenzuckers im kleinen Maßstabe für größere Haushaltungen.

Nach der in der Zeitschrift für die landw. Vereine des Großh. Hessen gegebenen Zusage folgt hier eine Anleitung zur Bereitung des Runkelrübenzuckers in kleinem Maßstabe, welche aus dem in der Cotta'schen Buchhandlung zu Stuttgart erscheinenden „Wochenblatt für Land- und Hauswirthschaft, Gewerbe und Handel", also wie wohl zugefügt werden darf, aus guter Quelle entlehnt ist, und wobei wir voraussetzen, daß die Hausgenossen derjenigen trefflichen Hausfrauen, welche nach dieser Anleitung sich in der Zuckerbereitung versuchen, keinen Raffinat verlangen, sondern sich mit dem wenigstens eben so süßen und noch gesünderen selbst fabricirten Rohzucker gerne begnügen, dessen häufigerer Gebrauch auch denjenigen wohl zu empfehlen ist, die ihren Zucker ferner kaufen, denen es aber dabei doch auch nicht gleichgiltig ist, ob sie den gleichen Zweck mit einem Pfund Zucker erreichen, das nur 18 bis 20 kr. kostet, oder ob sie blos der weißeren Farbe und des festeren Zusammenhanges wegen 26 bis 30 kr. dafür geben.

Gehen wir nun zu gedachter Anleitung über, für welche angenommen wird, daß die Einrichtung so seyn soll, daß täglich 150 Pfund Runkelrüben verarbeitet werden können.

Die erforderlichen Geräthschaften bestehen:

1) in Reibmaschinen, welche aus Sturzblech ganz flach, einen halben Fuß breit und einen Fuß lang, auf den beiden langen Seiten mit Rahmen von Holz eingefaßt, verfertigt werden. Man wird zu 150 Pfd. Rüben ihrer 3 bis 4 bedürfen, nebst einem oder zwei Kästchen, in welche man die von der Hand nicht mehr zu haltenden Rübenenden sammelt, um sie ebenso wie die ganzen Rüben zu zerreiben. Für größere Rübenmengen hat man Walzen mit Sägblättern, welche von Wasser oder thierischer Kraft in Bewegung gesetzt werden. Die möglich schnellste Zerreibung der Rüben ist das nothwendigste Erforderniß zum Gelingen der Arbeit, weßwegen sie längstens in einer Stunde Zeit mit der nö-

thigen Achtsamkeit, daß keine unzerriebenen Rübenstücke in den Brei hineinkommen, abgethan seyn muß;

2) einer guten starken Presse, wo möglich mit 2 Schrauben, um den Preßkasten desto länger und flacher dazu einrichten zu können. Wenn es thunlich ist, so setzt man die Presse so hoch, daß der Rübensaft sogleich in den Keßel abrinnt, theils, um die Arbeit des Hin- und Hertragens des Saftes, theils den dabei Statt findenden Verlust an Saft zu vermeiden. Auch das Reiben der Rüben kann in gleicher Höhe mit der Presse vorgenommen werden, um den Rübenbrei sogleich von den unter dem Reibeisen befindlichen Gefäßen in den Preßkasten ausleeren zu können. Indessen sind dieses keine nothwendigen Veranstaltungen, da sowohl der Rübenbrei als der Saft selbst in irdenen glasirten Schüsseln füglich hin- und hergetragen werden kann;

3) einem lockern Leintuch, um den Preßkasten innen und zugleich oben ganz auslegen zu können, oder einigen Säcken von lockerer Leinwand, worein der Rübenbrei gefüllt wird;

4) mehreren großen thönernen innen glasirten Töpfen zur Aufnahme des Saftes, so wie mehreren Gefäßen zum Unterstellen unter die Reibeisen;

5) einem kupfernen Kessel, am besten mit einem Ablaufrohre und Hahnen, von 30 Maß Inhalt, welcher nicht ganz bis zu der Hälfte frei im Feuer hängen, mit der obern größern Hälfte aber ohne Züge ganz eingemauert seyn muß. Ist der Kessel größer, so muß man 12 Maß Wasser in denselben giessen und ihn dann so weit ganz einmauern, so weit keine Flüssigkeit ist. Es wird gut seyn, für diesen Kessel einen Deckel von Holz in Bereitschaft zu haben;

6) einer flachen 2 Fuß langen, 1 1/2 Fuß breiten und 6 Zoll hohen Abdampfpfanne zum Eindicken des Syrups. Wer aber die Kosten nicht scheut und größere Mengen von Rüben verarbeiten will, wird wohl thun, zwei dergleichen Pfannen sich anzuschaffen, um den Rübensaft, sobald er im großen Kessel geläutert worden, auf die beiden Pfannen vertheilen und in kürzester Zeitfrist abdampfen zu können. Diese Pfanne hat an der langen Seite eine Schnautze zum Ausgiessen und auf der entgegengesetzten Seite eine Handhabe, um sie in die Höhe heben zu können, weil sie

auf der Feuerheerdmauer nur in einem Falz von 1 Zoll aufsitzt, ohne eingemauert zu seyn;

7) einem doppelt übereinander gelegten Filtrirtuch, 1 1/2 Ellen im Viereck und einer Rahme von starken Latten 1 1/2 Fuß im Licht, welche auf jedem der 4 Ecken einen starken hölzernen Zapfen hat, um die gut umwundenen und stark ausgenähten Ecken des Filtrirtuchs darin einhängen zu können, nebst einem Gestell, auf welches die Rahme gelegt und unter welches die Töpfe für den filtrirten Saft gestellt werden können;

8) einem hölzernen Kübel von 2 Fuß Höhe und 1 Fuß Weite mit einem Senkboden, der 4 bis 5 Zoll über dem untern Boden erhaben ist, mit einem Hahnen, der auf dem untern Boden angebracht ist, und mit einer von oben nach unten gebohrten kleinen Oeffnung hart unter dem Senkboden zum Entweichen der Luft. Der ganze Kübel ist sammt dem Senkboden innen mit Oelfirniß gut getränkt, damit er keinen süßen Saft einziehe. Ueber dem Senkboden, der mit vielen Löchern durchbohrt ist, liegt ein Tuch, das größer als die Fläche des Bodens ist, damit es an der Wand des Kübels etwas hinaufgezogen werden könne. Ueber dieses Tuch wird ein Gemenge von ganz feinem Kohlenstaub von Thierknochen, Beinschwarz genannt, und von gröblichtem sehr sorgfältig ausgewaschenem Flußsand allmählig lagenweise etwas angedrückt, so daß es überall gleich dicht ist. Dieses Gemenge besteht aus 15 Pfd. Beinschwarz und 24 Pfd. feuchtem Flußsand, und wird vorher in kleinern Mengen unter einander gemischt, so daß die Vertheilung ganz gleichförmig ist. Diese fein gepulverte Knochenkohle oder Beinschwarz, wie es im Handel heißt, kann man entweder in den Apotheken, bei Materialisten oder in chemischen Fabriken käuflich erhalten;

9) einem Schaumlöffel von weißem Blech;

10) einigen hölzernen, gut ausgekochten oder besser weißblechenen Handschaufeln;

11) einem oder mehreren Wärmemessern, Thermometer genannt, nach Reaumur, und

12) einigen Syrupwagen nach Beaumé, beide in blechernen Kapseln. Wer diese, durch Mitwirkung eines Apothekers oder andern Sachverständigen leicht zu erhaltenden, Instru-

mente. in der Anwendung nicht kennt, muß sich des Gebrauches halber vorher genau unterrichten lassen;

13) mehreren Pfunden Kalks, mit dem man sich noch im vorhergehenden Sommer vom Ziegler versieht, indem man die schönsten Stücke weißen gebrannten Kalks aussucht und sowohl gegen Staub als Nässe gut verwahrt, am besten in einem hölzernen Gefäß mit Deckel;

14) Vitriolöl (Schwefelsäure), mit dem man sehr vorsichtig umgehen muß. Wohnt man nicht weit von der Apotheke entfernt, so kann man sich für jede Tagsarbeit die vorgeschriebene Menge Vitriolöl mit dem Wasser mischen lassen; ist man aber zu weit entfernt, so lasse man sich eine Portion für einen Tag in der Apotheke mischen, und bemerke dann recht genau, wie vorsichtig und langsam das Vitriolöl in das Wasser geträufelt werden muß. Hat man unvermischtes Vitriolöl für mehrere Tagsarbeiten in Vorrath angeschafft, so muß man dasselbe an einem Orte aufbewahren, wo es nicht gefrieren kann, weil es sonst das Glas zersprengt. Am besten wird man aber thun, wenn man sich die tägliche Portion, jedesmal 10 Loth in der Apotheke mit einem Schoppen Wasser vermischt, in besondern steinzeugenen oder in porcellanenen Gefässen geben läßt und dann erst vor dem jedesmaligen Gebrauch zu jedem Gefässe noch einen halben Schoppen Wasser zugießt;

15) Hutformen, um den fertigen Zuckersaft zum Krystallisiren eingiessen zu können. Für eine Tagsarbeit von 150 Pfd. Rüben müssen die Formen 3 1/2 Maß Wasser enthalten können, von guter geschlemmter Erde verfertigt, innen völlig glatt ausgedreht und gut gebrannt seyn, unten in der Spitze mit einer Oeffnung von Schreibfederdicke, welche vor dem Einfüllen mit einem Korkstöpsel verschlossen wird. *) Man braucht so viel Hutformen, so viel Tage lang täglich 150 Pfd. Rüben verarbeitet werden sollen, sammt den ebenfalls vom Häfner verfertigten Untersätzen, die innen glasirt, eine breite Grundfläche, zu 1 1/2 Maß Flüssigkeit Raum und engen Hals haben, so daß die Spitze der Hutform 2 Zoll hineinreichen kann. Indessen sind diese

*) Jeder Hafner kann solche Formen fertigen. D. H.

Hutformen nicht nothwendiges Bedürfniß für diejenigen, welche bloß den Zucker ohne Rücksicht auf sein Ansehen gewinnen wollen, in welchem Fall auch jeder irdene Topf an dem unten eine Oeffnung zum Ablaufen des Syrups befindlich ist, zum Eingiessen der Zuckermasse gebraucht werden kann.

Die Hutformen werden zu ihrem Schutze mit dünnen Schindeln oder Dauben umgeben und mit Reifen gebunden. Vor dem ersten Gebrauch werden sie mehrere Stunden lang in Wasser eingeweicht. Beim zweiten Gebrauch ist bloß sorgfältiges Auswaschen nöthig. Wenn sie auf die Untersätze gestellt werden, um den Saft abrinnen zu lassen, so ist es gut, sie mit dem obern Theil in ein Gestell oder Rahmen zu hängen, um weniger leicht einer Beschädigung ausgesetzt zu seyn;

16) mehreren Papierstreifen, theils mit Lakmussaft blaulicht, theils mit Curcume gelb gefärbt, so wie einigen Streifen gerötheten Lakmuspapiers zur Untersuchung des Rübensaftes;

17) einem Eichmaß für den Klärkessel, welches bloß in einem Stabe bestehet, der jede Maß Flüssigkeit durch einen Strich andeutet;

18) einer Waage, um die Abends vorher gewaschenen Rüben am folgenden Morgen abwägen zu können.

Dieß sind diejenigen Geräthschaften, welche zum Bearbeiten der Rüben auf Zucker in ländlichen Haushaltungen, wo nicht gerade aller in den Rüben befindliche Saft ausgepreßt werden muß, nothwendig seyn möchten, wobei sich von selbst verstehe, daß alle in gutem Stand seyn müssen, um das mit denselben leisten zu können, was man sich vorgesetzt hat. Der Raum, in dem das Geschäft vorgenommen werden kann, wird mehrentheils in der Waschküche, wo eine vorhanden ist, zu suchen seyn, andern Falls aber wird dasselbe mit größerer Mühe und Zeitversäumniß an verschiedenen Orten vorgenommen werden müssen.

Um aus den Rüben einen lohnenden Ertrag an Zucker zu erhalten, muß man nur diejenigen auswählen, welche rosenrothe Schale mit weißem Fleische haben, im Boden abwärts und nicht aufwärts wachsen, die nicht auf frischem einjährigen, sondern zweijährigen durch die Vorfrucht schon theilweise aufgezehrtem Rindviehdung gewachsen, die nicht eher als 8 Tage vor der Einheimsung, wenn die untern Blätter schon gelb geworden sind, abgeblattet worden und bei dem Ausnehmen nach der völligen Reife nicht verletzt oder durch Fäulniß angegriffen sind und kein größeres Gewicht als 1, höchstens 2 Pfd. haben weßwegen es räthlich ist, für die zum Zuckersieden bestimmte Rübe keinen Dung oder Pfuhl, noch weniger Pförch anzuwenden, und überhaupt keinen andern Acker zu ihrem Bau auszuwählen, als einen solchen, der in mittlerem Fruchtbarkeitsgrade steht.

Nachdem nun die Presse mehrere Tage vorher rein gewaschen, und, falls sie versäuert wäre, mit Kalkwasser mehrmals abgerieben worden, auch der Preßkasten, vorzüglich in den Löchern, recht sorgfältig von allem Anklebenden gereinigt worden, Kalk, Vitriolöl und alle oben beschriebenen Bedürfnisse vorhanden sind, so sucht man sich des Tags vorher jedesmal ungefähr 160 Pfd. Rüben aus, wascht dieselben aufs Pünktlichste, damit kein Sand oder Erde mehr an denselben hängt, und hebt sie an einem Orte auf, wo sie kühl genug liegen, ohne erfrieren zu können, am besten in einem reinen Zuber.

Am folgenden Morgen werden die Rüben von den etwa noch anhängenden Wurzelsasern und vom Kopfe *), so weit das Fleisch grünlich ist, befreit, in einen Korb gebracht und genau 160 Pfd. abgewogen. Die abgewogenen Rüben werden nun auf den Reibeisen, welche man in große Schüsseln stellt, an einem kühlen Ort, nicht in der geheitzten Stube, so schnell zerrieben, daß sie innerhalb einer Stunde in dem Preßkasten schon eingefüllt seyn können. Ist es möglich, die Presse so hoch zu stellen, daß der Saft unmittelbar in den Kessel abrinnt, so wird Arbeit und Verlust an Saft erspart, auch kann das Reiben in gleicher Höhe mit der Presse vorgenommen werden. Die kleinen Rübenschnitzel, Ueberbleibsel, welche nicht mehr in der Hand gehalten werden können, sollen in kleinen Kästchen auf denselben Reibeisen unter sorgsamem Andrücken auf dieselben so zerrieben werden, daß keine Stücke in den Brei mit übergehen, weil dadurch das Auspressen gehindert wird. Der Saft vom ersten Pressen wird sogleich in den Kessel ausgeleert.

---

*) Das vollkommene Abschneiden des Kopfs (Halses) soll eigentlich bei dem Einthun der Rüben geschehen. D. H.

Nach dem ersten Pressen, welches 10 Minuten Zeit erfordert, wird der Preßkasten eröffnet, das Tuch oder die Preßsäcke werden auseinander gelegt und der Rückstand bis auf den Grund aufgelockert, indem er aus dem Kasten herausgenommen wird; nach dem zweiten Pressen kann noch ein drittes Pressen Statt finden, um wo möglich zwischen 24 bis 26 Maß Saft zu gewinnen, was man mit dem Eichmaß, das man sich für den Kessel gemacht hat, erforschen kann.

Ist aller Saft im Kessel, so wird das verdünnte Vitriolöl bis auf einen Ueberrest von ungefähr einer halben Kaffeeschale voll, beigegossen und dann nach 4 bis 5 Minuten 26 Loth gebrannten Kalks, mit 1½ Schoppen Wasser zu einem Brei angerührt, zugemischt, und das Feuer unter dem Kessel angezündet.

Nun wird die Erhitzung des Saftes auf 50 bis 60 Grad des Wärmemessers getrieben, welchen Hitzgrad zu erfahren man den Wärmemesser an einem Bindfaden langsam in den Kessel einhängt, und nun ist es auch Zeit zu untersuchen, ob genug Kalk in dem Safte sey oder nicht. Dieses geschieht auf folgende Weise: Einige Loth Saft werden in einem eisernen Löffel aus dem Kessel genommen, über Kohlfeuer bis zum Kochen erhitzt, durch ein Stückchen Leinwand filtrirt in ein Porcellangefäß, dann wieder in den Löffel gegossen, und über's Feuer gebracht, wornach einige Tropfen dünnes Kalkwasser eingeträufelt werden. Entstehen auf dieses Einträufeln Flocken, so ist dieses ein Beweis, daß man in dem Kessel ebenfalls noch mehr dünne Kalkmilch oder verdünnten Kalkbrei eßlöffelweise zumischen muß. Die entstehenden Flocken setzen sich bald zu Boden und dann wird eine zweite Probe vorgenommen, indem abermals ein Eßlöffel voll Saft aus dem Kessel herausgenommen und wie das erste Mal untersucht wird. So wird von 10 Minuten zu 10 Minuten immer fortgefahren, die Probe im Löffel zu machen, bis man sieht, daß gar keine Flocken mehr entstehen.

Hat man diese Arbeit unter beständigem Feuern, wobei der Wärmemesser bis auf 70 bis 78 Grad steigen darf, recht pünktlich und mit völliger Ueberzeugung, daß keine Flocken mehr entstehen, vollbracht, so läßt man den Saft, während das Feuer unter dem Kessel ausgelöscht wird, 1 Stunde ruhig stehen, damit er sich vollkommen aufhelle, dann zieht man ihn sammt dem Niederschlag auf das Filtrirtuch oder einen guten

Filtrirsack ab, und wenn von Anfang an Alles hell abgelaufen ist, so bringt man denselben wieder in den Kessel zurück, welcher natürlicherweise auf das Sorgfältigste während dieser Zeit gereinigt worden ist. Ist im Anfang der Saft trüb abgelaufen, so bringt man ihn wieder auf das Filtrirtuch, bis er völlig hell abläuft. Das sorgfältige Läutern mit Kalk und das achtsame Filtriren zweckt dahin ab, daß alle Unreinigkeiten und aller Bodensatz vorher von dem Saft entfernt werden, ehe die Abdampfung vorgenommen wird, weil Alles, was trüb macht, Ursache zum Anbrennen des Saftes geben kann.

Da im Niederschlag, der im Filtrirtuch verbleibt, noch viel Saft enthalten ist, so wird derselbe langsam aber hinreichend stark auf der mit Wasser gereinigten Presse ausgepreßt, das ganz hell Abgelaufene kann zu dem übrigen Saft gemischt werden, was trüb ist, wird besser zu fernerer Arbeit an einem kalten Orte aufbewahrt, der trockene Niederschlag aber, da er viel Gyps enthält, wird zum Düngen verwendet, wenn er durch Wasseraufgiessen vorher allen süssen Stoff abgegeben hat.

Ist aller Saft im runden Kessel wieder vereinigt, so giebt man starkes Feuer unter denselben. Wenn er im Kochen ist, so untersucht man, ob er auf 10 Grad der Syrupwaage eingedickt ist, dann wird abermals eine Probe gemacht, ob er Kalk genug habe, indem man einige Tropfen Saft auf ein Curcume-Papier fallen läßt. Wird dasselbe stark braun davon gefärbt, so setzt man von dem übrigen verdünnten Vitriolöl, das man noch einmal mit einer Kaffeeschale voll Wassers verdünnt hat, nach und nach bei stetem Probiren des Saftes auf dem Papier so viel zu, bis das Papier nur noch ganz schwach braun gefärbt wird.

Jetzt wird so lange abgedampft, bis der Saft 25 Grad auf der Syrupwaage anzeigt. In diesem Zeitpunkt muß er von dem Niederschlage gereinigt werden, weßwegen er entweder auf das früher schon gebrauchte, gehörig gereinigte oder auf ein anderes bereit stehendes Filtrirtuch abgelassen und mit etwas Wasser verdünnt wird.

Der Saft wird nun bis auf 12 Grad nach dem Wärmemesser abgekühlt, welches man bewerkstelligen kann, indem man ihn in der flachen Eindickpfanne in kaltes Wasser stellt. In diesem Zustande wird er auf den Filtrirkübel mit Kohlen und Sand gegossen, und zwar alle Stunden 3 bis 4 Schoppen. Das Wasser, welches zuerst unten aus dem geöffneten Hahnen abläuft, wird zur Verdünnung des oben aufzugiessenden Syrups verwandt. Läuft der Saft ganz farblos und sehr reinschmeckend ab, so kann man noch mehr, wie oben angegeben ist, aufgiessen, um die Eindickung so bald als möglich vornehmen zu können. Bei diesem nochmaligen Abdampfen des Syrups wird abermals eine Probe genommen, ob keine Säure mehr im Safte ist. Man läßt daher einige Tropfen desselben auf das Lakmuspapier fallen, sollte dasselbe roth werden, so ist noch Säure im Saft und dann muß eßlöffelweise ganz wasserklares Kalkwasser eingerührt werden, bis nicht die mindeste Röthe am Lakmuspapier und am Curcumepapier nur eine schwache Bräunung erscheint. Diesem Kalkwasser wird etwas weniges, nur ein Kaffeelöffel voll, Eiweiß beigemischt. Nachdem so viel Kalkwasser oder Kalkmilch zugegossen worden ist, daß das Curcumepapier nur schwach bräunlicht vom Saft gefärbt wird, so wird mit dem Feuer fortgefahren, der Schaum aber, welcher sich erzeugt, wird abgenommen, und dieses wiederholt, wenn nach einiger Zeit derselbe sich auf's Neue erzeugt hat.

Während des Eindickens ist es nothwendig, den Saft immer zu rühren und von Zeit zu Zeit die Probe vorzunehmen, ob er hinlänglich eingedickt sey. Dergleichen Proben giebt es mehrere; die sicherste ist, man taucht den Schaumlöffel in den Syrup und bläst in die Löcher desselben; bilden sich Blasen, welche vom Löffel 1 bis 3 Fuß weit abfahren, und dann erst zerplatzen, so hat der Saft die gehörige Dichtigkeit. Jetzt wird unter beständigem Umrühren das Feuer unter der Pfanne weggenommen oder ausgelöscht, und wenn der Zucker sich zu körnen anfängt, was bei sanftem Reiben eines Tropfens unter den Zähnen am besten fühlt, so wird derselbe bei einer Hitze von nahe am Kochpunkt schnell in die Formen abgegossen, indem die Pfanne etwas in die Höhe gehoben wird.

Die Zuckerhutform wird nun auf ihr Gestell in die warme Stube gebracht, und nach einer halben Stunde wird in derselben an den Wänden herum mit einem hölzernen dünnen, aber messerartigen Stab gestört, daß die Krystalle ein leichtes Ansehen erhalten und der Hut nach dem Erkalten gut aus der Form falle. Nach 6 Stunden etwa kann der Pfropf aus der Form herausgenommen werden, damit der Syrup in den Untersatz abfliesse. Sollte er nicht gehörig abfliessen, so muß man mit einer starken Stricknadel durch die untere Oeffnung in die Spitze des Huts einbohren. Sollte aber beim Eröffnen des Stöpsels zu viel und zu schnell der Syrup ablaufen, so wäre dieses ein Beweis, daß die Probe nicht ganz richtig genommen

worden ist; ein solcher Zucker, der so feinkörnige Krystalle bekommt, muß entweder noch länger stehen oder, wie er ist, sammt dem Syrup in der Haushaltung verwendet werden. Nach 6 Tagen ist der Syrup größtentheils abgelaufen, so daß der Zucker, wenn man ihn weißgelb haben will, nunmehr gedeckt werden kann. Dieses Decken mit Thon ist jedenfalls von Nutzen, da der im Zucker befindliche Syrup auf diese Weise am besten entfernt wird. Man macht zu dem Ende aus Pfeiffererde oder aus schönem weißem Häfnerthon einen dicken zähen Brei, und legt denselben wenigstens 2 Zoll hoch über die vorher an der breiten Fläche aufgelockerte und wieder etwas zusammengedrückte Zuckermasse, indem man dafür sorgt, daß in der Mitte sich eine kleine Vertiefung bildet. Das in dem Thonbrei befindliche Wasser sickert durch den Hut durch und löst den noch anklebenden Syrup auf. Wenn nach 8 Tagen sich die Ränder des Thonbreies von der Wand der Hutform zurückgezogen haben, und der Brei zu einem festen Kuchen geworden ist, so wird derselbe vom Zucker abgenommen, und falls der Zucker nicht weiß genug seyn sollte, nochmals ein ähnlicher Brei übergelegt. Dieses Ueberlegen von Thon kann so lange Statt finden, bis der Zucker völlig weiß geworden ist. Endlich wird der Hut, wenn er das beliebige Ansehen nach 6—10—20 Tagen erhalten hat, aus der Hutform genommen, in reines Papier eingeschlagen und in der Nähe des Ofens zum völligen Austrocknen aufgestellt.

Der Syrup vom ersten Ablauf und der nach dem Decken gewonnene kann gesammelt und entweder nochmals eingekocht, oder zum häuslichen Gebrauch verwendet werden. Da aber dieses zweite Einkochen nie schönen Zucker erzeugen wird, indem noch größere Sorgfalt bei seiner Einkochung Statt finden muß, so wird es für die meisten ländlichen Haushaltungen genügen, den Syrup, so wie er erhalten wird, zu gebrauchen, nachdem man ihn vorher zur Honigdicke abgedampft hat.

Sämmtliche süße Wasser, die man jedoch nicht unnöthig zu sehr verdünnen muß, aus dem Filtrirtuch, aus dem Kohlenfilter, aus dem Abdampfkessel, aus der Eindickpfanne, aus Schaum und Niederschlag erhalten, gebrauche man zuerst, um die Hutformen so viel als möglich mit süßem Stoff anzutränken, damit sie nicht zu viel schönen krystallisirbaren Zucker beim Einfüllen des Syrups an sich ziehen, nachher verwende man dieselben zu Essig oder Branntwein, oder wenn man dazu Gelegenheit und Zeit hat, und dieselben nicht an einen Branntweinbrenner verkaufen kann, so feuchte man den Häckerling für die Milchkühe damit an.

Daß sämmtliche Geräthschaften und Geschirre, welche Saft enthalten haben, auf's Sorgfältigste gereinigt werden müssen, da sie erst im Laufe des folgenden Tages wieder gebraucht werden, wird leicht begreiflich seyn, weil sich bei allen süssen Säften Gährung sehr schnell einstellt, wodurch das folgende Geschäft gänzlich verdorben wird.

Den ersten Versuchen in solchen neuen Geschäften stehen immer einige Schwierigkeiten entgegen, darum lasse sich aber Niemand abschrecken; denn bei einiger Uebung wird eine geschickte Köchin in kurzer Zeit dahin kommen, für mehrere Haushaltungen nach einander den benöthigten Zucker der Reihe nach anschaffen zu können. Der Beweis ist schon gegeben, und was bei dem Einen möglich und ausführbar ist, wird auch von den Andern geleistet werden.

Wiederholt man sich sämmtliche bei dem Zuckersieden vorkommende Geschäfte, so findet man zuerst die nöthige Anordnung der Geräthschaften nebst ihrer sorgfältigen Reinigung und das Waschen der Rüben am ersten Abend; am folgenden Morgen sodann:

1) das Abschneiden und Abwägen der gereinigten Rüben;
2) das Reiben derselben auf dem Reibeisen und das sogleich zu veranstaltende Auspressen des Saftes, welches zwei bis dreimal unter möglichster Eile Statt haben kann;
3) die Einbringung des Saftes in den nun sogleich zu unterfeuernden Kessel, die Beimischung des verdünnten Vitriolöls, mit Ausnahme eines kleinen Restes, und 4 bis 5 Minuten nachher des Kalkwassers;
4) die Untersuchung bei 50 – 60 Grad Wärme, ob die Läuterung gut gelungen ist und ob keine Flocken mehr niederfallen, dann die höhere Erhitzung auf 76 – 78 Grad Wärme und das Ersticken des Feuers, wenn dieser Wärmegrad hervorgebracht ist, so wie das Ruhenlassen des Saftes zu völliger Aufhellung 1 Stunde lang;
5) das achtsame Filtriren des Saftes sammt dem Bodensatz auf dem doppelten Filtrirtuch oder Sack, so daß nichts Unreines in den Kessel zum Abdampfen gebracht werde, deßwegen auch das sorgfältigste Reinigen des Kessels und Tuches;

6) das Abdampfen des geläuterten und filtrirten Saftes bei starkem lebhaftem Feuer in dem runden Kessel, nebst der wiederholten Untersuchung, ob zu viel, zu wenig oder gerade das richtige Verhältniß von Kalk beigemischt sey; völlige Dämpfung des Feuers, wenn der Saft 25 Grad auf der Syrupwaage anzeigt; Abkühlung desselben auf 12 Grad Wärme unter Zugiessen von etwas kaltem Wasser, bis der Saft ganz erkältet nur 24 Grad auf der Syrupwaage wiegt;

7) allmähliges Aufgiessen des abgedampften Saftes auf das Kohlenfilter, mit welcher Arbeit das erste Tagsgeschäft geschlossen werden kann, wenn man es nicht vorziehen sollte, die Eindickung sogleich vorzunehmen;

8) Eindicken des vom Kohlenfilter abgelaufenen Saftes entweder sogleich oder am folgenden Morgen, Beimischung von ein wenig Eyweiß mit Kalkwasser zu Schaum geschlagen, beständiges Umrühren, Abschäumen und Untersuchung bei 50 Grad Wärme, ob das geröthete Lakmuspapier ein wenig bläulicht wird, welches bedeutet, daß das Verhältniß des Kalks richtig ist; Kochen des Saftes unter Erhitzung bis auf 82 — 83 Grad Wärme, so wie die oftmalige Blasenprobe während erfolgender Eindickung, und zuletzt

9) Aufgießen des Saftes in die gut gewässerte und fest zugepfropfte Hutform und Aufstellung derselben in der Nähe des Ofens;

10) Eindickung des von mehreren Tagen gesammelten Saftes aus den Untersätzen der Hutformen, entweder zum häuslichen Gebrauch auf Honigdicke oder zu nochmaligem Eingiessen in die Hutformen; Aufbewahrung allen süssen Saftes an kalten Orten, und nochmalige Untersuchung dieses Saftes, ob er keine Säure enthalte, mit Lakmuspapier, welchem, falls dieses röthlich würde, etwas Kalkwasser unter beständigem Probiren mit dem Lakmuspapier zugegossen werden muß. Die wiederholte Blasenprobe entscheidet auch bei diesem zweiten Eindicken über den Zeitpunkt, in welchem der Saft aus der Pfanne in die Hutform überzubringen ist.

Zusatz. Wer sich mit bloßem Syrup begnügen will, oder Gelegenheit findet, diesen zu verkaufen, kann nach der oben unter Nr. 7 angedeuteten Operation das Geschäft beendigen;

wird aber die völlige Eindickung und Krystallisation beabsichtigt, so ist doch für den, welcher nicht auf die Farbe sieht, das Decken der Masse in den Hutformen mit Thon 2c. kein Erforderniß.

D. H.

Landwirthschaftliche Nachrichten u. Bücheranzeigen.

---

168. Aufbewahrung des Runkelrübenmarks.

Ein sicheres Aufbewahrungsmittel des Runkelrübenmarks wird die Zuckerfabrikation immer mehr heben und beleben. Daran mag wohl das Meiste gelegen seyn, daß die Oekonomen zu aller Zeit das Rübenmark ohne einigen Verlust nach Belieben, nach und nach wirthschaftlich verfüttern können, weil jenes fast durchaus, um desto mehr Zuckerstoff aus den Runkelrüben zu erhalten, bei der größten Frische gleich nach der Aernte in großer Menge anfällt, und wenn es nicht wohl aufbewahrt werden könnte, mit Unrath verfüttert oder gar weggeworfen werden müßte.

Im Centralblatte des landwirthschaftlichen Vereins in Bayern vom 8. Dezember 1835 Nr. 16 steht wohl ein Aufsatz Seite 185 unter dem Titel:

„Aufbewahrung des Runkelrüben- und Kartoffelmarks, wie „auch der Träber in Frankreich."

Ich zweifle gar nicht, daß die in jenem Aufsatze anbefohlene Art der Aufbewahrung genannter Gegenstände in unterirdischen fest und genau geschlossenen Gruben, wodurch die verwahrten Gegenstände luftfrei gehalten werden, sehr gut ist, und die wenigsten Kosten verursacht. Es mag auch Jedermann sich dieser Art bedienen, und nach erhaltener Ueberzeugung darin fortfahren. Man wird sie doch nicht allgemein mit dem erwünschten und angepriesenen Erfolge anwenden. Wenn nicht immer gleich mehrere Gruben angelegt werden, deren jede immer nach ihrer Oeffnung in kürzerer Zeit verfüttert werden kann; so wird immer bei längerem Verbrauche des in der Grube aufbewahrten Rübenmarkes endlich ein Theil davon anstössig werden. Denn es wird nicht fehlen, daß — wo kaum zu erwerden sieht, daß die Grube beim Ausnehmen eines Futters selbst für den ganzen Tag immer wieder genau geschlossen werde, damit keine äußere Luft beikommen kann, welche schädlich auf das in der Grube zurückbleibende Futter wirkt — das später ausgenommen werden wollende Schaden leidet.

Je mehr einer denn von dergleichen Mark aufzuheben hätte, und beständig anhaltend verbrauchen wollte, desto mehr Gruben müßte er anlegen. Dazu gehört schicklicher Platz, tauglicher Boden und immer viel Vorsicht beim Anlegen der Gruben sowohl, als zur Erhaltung derselben, daß nicht schädliche auch widerwärtige Feuchtigkeit eindringt, wo man sie doch nicht wohl weit entfernt von den Stallungen wird anlegen wollen, um die Gemächlichkeit zum leichteren Beibringen nicht entbehren zu müssen.

Ich habe meine übrigen weißen Rüben, die ich frisch im natürlichen Zustande nur bis Weihnachten fütterte, um diese Zeit, wo sie gerne welkig werden, wenn sie auch unter der Erde eingeschlagen sind — immer zusammenschoßen lassen, in eine Kaste oder Fässer eingefaßt und mit Salz, wie das Kraut zum Aufbewahren für Menschenkost hergerichtet wird, nur etwas mäßiger bestreuen lassen. Ebenso richtete ich auch die Träber — deren ich immer für wenig Vieh eine größere Quantität auf einmal vom Brauer nämlich von einem ganzen Gebräu nehmen mußte — mit Salz her.

Beide Artikel hielten sich so, nicht allein sehr gut, sondern wurden auch vom Vieh mit dem größten Appetit zum besten Gedeihen aufgenommen. Von den auf diese Art aufbewahrten Rüben, die immer am spätesten verfüttert wurden, kann ich insbesondere angeben, daß sie oft erst nach 5 Monaten, vom Einsalzen an, verfüttert wurden, und zwar sehr vortheilhaft.

Es wird keinem Anstande unterliegen, daß das Runkelrübenmark auf die nämliche Art lange aufbewahrt und zum größten Vortheile nach und nach verfüttert werden könne.

Ist auch das Salz etwas theuer, so ist es doch auch ein anerkanntes Arzneimittel, das Vieh gesund zu erhalten, daß es ein vorsichtiger Oekonom kaum ganz für seinen Stall entbehren wird.

Hölzerne schon sonst gebrauchte Geschirre z. B. Oelfässer sind immer billig zu bekommen, daß man derselben mehrere verwenden kann. Die Masse nun, die man früher verfüttert, braucht immer weniger Salz, als jene, so man für später

Fütterung aufbewahren will. Dadurch kann auch bei einer guten Vertheilung Salz erspart werden. Durch die Verbesserung des Düngers selbst beim Salzfüttern geht wieder ein Theil des Aufwandes für selbes ein, daß dieser Aufwand keinen abhalten soll, Salz anzuwenden.

Ja ich wollte rathen, daß alle dergleichen Rüben bald nach der Aernte eingesalzen werden möchten, indem sie sich auf diese Art viel besser halten und mit dem größten Vortheile verfüttert werden können, wo sie sonst in den Kellern und Erdgruben doch gerne Schaden leiden, mit Anstössig- und Faulwerden, ehe sie der Eigenthümer nach seinem Plane räthlich verfüttern kann.

---

169. Mais und Bohnen.

Es erregt in mir immer eine wahre Herzensfreude, wenn ich sehe, daß die Nothwendigkeit die Menschen zu Erfindungen zwingt, oder sie nöthiget, einem kleinen Flecken Sandbodens zahlreiche Produkte abzugewinnen.

Welch' erfreulichen Anblick gewährt das Gartenland der Sachsenhäuser und Oberrader Kleingärtner! Ein halbes Tagwerk Gartenland ernährt hier eine ganze Familie nebst einer Kuh. Allein die ganze Familie wühlt aber auch das ganze Jahr hindurch auf diesem Stückchen Landes, auf welchem ihr auch nicht die Spur Unkraut entdecken werdet. Jeder 3te Gärtner dieser Art hat an dem Stücke Land seinen Pumpbrunnen, dessen geringe Kosten die Nachbarn gemeinschaftlich tragen, um fleißig begiessen zu können. Jedes 3te Jahr wird das Stück 3 Fuß tief gerodet, und ihm fetter Dünger untergearbeitet. Allein während des Jahres werden der Abfluß der Ställe und die Excremente der Familie sorgfältig gesammelt, jeden Tag auf das Land gebracht, dort mit Wasser verrührt und reichlich verdünnt, sodann sorgfältig an jede Gemüsepflanze zur Wurzel gegossen. Die Fruchtbarkeit dieser Feldstücke, welche den Markt von Frankfurt am Maine und selbst benachbarter kleinerer Städte mit Gemüsen versieht, ist erst erstaunlich. Der Boden ist durch das fortwährende Düngen schwarz wie Tusch; nirgends sieht man eine Hecke oder einen Baum, damit das Licht vollkommen herbeikann. Das eine Stunde lang am Maine sich hinziehende Gartenland ist wie mit der Nivellwaage planirt und regelig, wie mit dem Zirkel abgetheilt; die Pflanzen stehen in nung wie ein wohl exerziertes Armeekorps. Obst erziehen Leute gleichfalls von vorzüglicher Güte an Strassen und Abhängen, wo der Gartenbau nicht so regelmäßig Statt n kann. Auflockerung des Bodens, ein regelmäßiger Schnitt, Licht und Luft den Zutritt zu gestatten, sind ihre Haupt- el zur Erzielung dieses Zweckes. Die landwirthschaftliche iebsamkeit dieser Leute kann man als Muster aufstellen.

Die Umgegend Aschaffenburgs bietet nichts dem Aehnliches doch fangen jetzt die an den Mainufern gelegenen Ort- ken an sich dem Gemüsebau zuzuwenden, da das Communi- tionsmittel zu Wasser die Transportkosten sehr vermindert, so wird das Gemüse auf 3 bis 5 Stunden Weges herbei- acht. Doch erfreuen mich um die hiesige Stadt, wo jeder ;essionist sein Stückchen Sandfeld bebauend, sich einen klei- Vorrath von Suppengewürzen, Kartoffeln und Grüngemü- erzieht, einige interressante Bemerkungen. Die sogenannte e, hier Mistpfuhl genannt, wird gleichfalls fleißig verwen- und man sieht jeden Morgen oder spät Abends Weiber Dienstmägde mit einem bedeckten Zober auf dem Kopfe Gärten und Grundstücken zueilen. Früher als noch ein ßherzoglicher Hof hier residirte, war es polizeilich verboten, Produkte am Tage auf das Feld zu bringen, jetzt aber man nicht mehr nach dem vorüberziehenden Geruche und sich im Ausbringen dieser werthvollen Mischung keinen n mehr an. Größere Oekonomen verführen diese Jauche Eimer haltenden Fässern.

Die Professionisten ziehen sich jeder 1 – 2 Mastschweine den Winter und die Sitte, im Advent zu schlachten, ist so alt, daß ein Haushalt, welcher dies nicht im Stande ist, Zeit betrübt verlebt; ja mehrere kaufen sich sogar gemä- Schweine, um nur die Schlachtfreuden zu geniessen. Diese weinzieher ziehen die kleinen Schweine mit Kleie, Blätter- l der Gemüse, etwas Kartoffeln und dem Spülwasser der ien groß. Letzteres wird aus den Häusern der Staatsdie- abgeholt, in deren Küchen die Schweinzieher einen großen er zum Einsammeln regelmäßig hinterstellen. Die Mastung Herbste aber wird vorzüglich durch Kartoffeln und Maiskör- mit welchen letzte untermengt werden, bewerkstelliget. um sieht man hier so viele Maisfelder. (Hier nennt man Mais Welsch-Korn, in Bayern Türkisch-Korn.) Die eren Güterbesitzer pflanzen damit ein Viertel oder ein haldes Tagwerk an, und die Bebauung geschieht auf dieselbe Weise wie die der Kartoffel. Ende Aprils wird der Boden umgegraben, dann in Zeilen in regelmäßiger Entfernung in Oeffnungen, jede zu 3 – 4 Körneru, eingesäet, mit dem Rechen ausgeebnet; sobald die Pflanze handhoch ist, mit der Hacke gelöckert, und 3 Wochen später gehäufelt. Ende Augusts ist ist Aernte. Die Stengel auf der Strohbank geschnitten geben ein gutes Futter für Rindvieh; die Blätter werden entweder verfüttert oder als Streu benutzt, oder auch in schmale Riemen zerrissen auf einem heißen Lockeisen gekräuselt, und statt Seegras zu gesunden, welchen Matrazen verwendet. Die Körner werden aus den Kolben gebrochen und entweder ganz oder mit noch weit besserem Erfolge geschroten unter die gekochten und zerquetschten Kartoffeln gemengt, wobei man auf 9 Theile Kartoffel einen Theil Maisschrot nimmt, und für Schweinsmast verwendet. Das Fleisch der Thiere wird dabei körnig und schmackhaft, auch der Speck fester.

Die Kleingut-Besitzer und Professionisten befolgen zweierlei Methoden der Anpflanzung des Mais:

1) die Kartoffeln werden etwas weitzeiliger gesteckt, und zwischen die Zeilen in gleichweiten Entfernungen der Mais gleichzeitig mit der Hacke eingesäet;

2) es wird das Land tief umgegraben und dann in regelmäßigen Zeilen Grübchen gestochen, in welche 2 Maiskörner und 4 Buschbohnen geworfen, dann gedeckt werden.

Beide Pflanzen kommen recht gut miteinander fort. Die Bohnen werden als Gemüse verspeist, und eingemacht. Zur Zeit, wo der Mais blühet, bricht man schon Bohnen, und wenn erster in's Korn geht, stehen die Bohnenstöcke ab, und überlassen dem Mais die Nahrung.

Dr. Kittel
in Aschaffenburg.

---

170. Schweinsmast.

Man weiß, daß in der Umgegend von Paris viele Schweine für die Hauptstadt mit den Abfällen der Kartoffel- und Weizenstärkmehlfabriken gemästet werden. Man hat aber auch gefunden, daß die Schweine durch dieses Futter hartleibig und endlich selbst kropfhalsig werden. Daher war man froh, als man die Erfahrung machte, daß das Fleisch der gefallenen Pferde diesem Futter nach vorgängiger Abkochung mit Dampf beigemengt, nicht nur von diesen Thieren begierig gefressen, sondern daß auch jene Krankheit dadurch verhütet wird. Daher wird dieses Fleisch auf der Abdeckerei bei Montmartre auch um 4 Kreuzer das Pfund verkauft. Sicher ist es, daß das Fleisch dieser Schweine dadurch nicht so wohlschmeckend wird, als wenn sie mit Körnern gemästet werden. Allein es wird mit Hilfe dieses Mastfutters jährlich ein Kapital von 200,000 Franken gewonnen! Die Pariser wissen nicht, ist ihr Schweinfleisch von Montmartre, Lavilette, Belleville, Passy, oder von Meaux, Saint-Germain 2c., und essen eines für das andere. In Paris und der Umgegend, wo der Fiacres, der Kutschen, Omnibus, Diligencen, Cabriolets bis gegen 8000 sind, fallen täglich im Mittel 10 Pferde; das ist genug, um das Klebefutter für die Schweine zu verbessern.

Allein ich muß noch erwähnen, daß man aus den Knochen dieser Pferde mittelst Dampf den schönsten Pariser Mundleim kocht, den man mit Zucker und etwas Piement im Geschmacke verbessert.

Ich habe einen Mann in hiesiger Gegend gekannt, welcher die Excremente der Wohlschmecker hiesiger Stadt zusammentrug (Leute, welche viel und gut essen, verdauen nicht die Hälfte der genossenen Speisen, sondern nur das Leichtverdaulichste darunter, das Uebrige geht mit den Excrementen wieder ab), und alljährlich 8 Schweine damit mästete.

Sehr zweckmäßig werden hier von den Seifensiedern und Lichtenfabrikanten die Grieven des Talgs mit Kartoffeln untermengt, zur Schweinsmast benutzt, jedoch mit der weisen Vorsicht, daß die Thiere jeden 2ten, 3ten Tag in die Schwemme getrieben werden, wodurch ihre Freßlust gefördert und ihre Gesundheit erhalten wird. Diese Procedur hat in London einen einfachen Mann, der die Grieven ackordmäßig aus den Fabriken erhielt, zu einen Millionär gemacht.

Dr. Rittel,
in Aschaffenburg.

171. Bemerkung über den Gebrauch des Salmiakgeistes zur Rettung des Rindviehes gegen Aufblähung.

In dem Centralblatte v. J. 1836 Monat April, S. [illegible] ist der Salmiakgeist als ein Mittel gegen das Aufblähen des Rindviehes angepriesen.

Einsender dieses bemerkt dagegen, daß, wenn auf die angegebene Weise, ohne daß die Art der Anwendung des Mittels genauer berücksichtigt wird, Statt Nutzen — Unglück damit angestellt werden kann, indem nämlich der Salmiakgeist in concentrirter Form als eine sehr ätzende Flüssigkeit bekannt ist, die in einer solchen Gabe leicht Entzündung in dem Rachen und Wanste des Thieres hervorbringen kann.

Die Gefahr, ein Unglück damit anzustellen, verschwindet indessen, wenn der Salmiakgeist in gehöriger Verdauung z. B. mit Branntwein gegeben wird, wie mir ein erfahrener Oekonom, der Ortsvorsteher Manderer zu Willanzheim (k. Landgerichts Markt Bibart) mitgetheilt hat. Derselbe nimmt 1 Loth Salmiakgeist und vermischt diesen mit einem (bayer.) Schoppen Branntwein, welches Gemisch einem ausgewachsenen Thiere eingeschüttet wird. Für Kälber dient verhältnißmäßig die Hälfte nämlich ½ Lth. Salmiakgeist, vermischt mit ½ Schoppen Branntwein. In dieser Form, die im Badischen übrigens schon länger bekannt ist, hat Ortsvorsteher Manderer jedesmal das Mittel mit ausgezeichnetem Erfolge angewendet.

Da die richtige Anwendung des Mittels wohl keinem Zweifel unterliegen dürfte, so möchte es um so mehr öffentliche Berücksichtigung verdienen, und im geeigneten Falle sogar von Amtswegen bekannt gemacht werden, da die Landleute nicht immer gerne viel lesen, und öfters gegen dergleichen Mittheilungen ihre Vorurtheile hegen.

Mkt. Einersheim den 29. Juli 1836.

C. Ernst,
Apotheker.

endlich selbst Kropfhälse werden; daher war man froh, als man die Erfahrung machte, daß das Fleisch der gefallenen Pferde diesem Futter, nach vorgängiger Abkochung mit Dampf beigemengt, nicht nur von diesen Thieren begierig gefressen, sondern daß auch jene Krankheit dadurch verhütet wird. Daher wird dieses Fleisch auf der Abdeckerei bei Montmartre auch um 4 Kreuzer das Pfund verkauft. Sicher ist es, daß das Fleisch dieser Schweine dadurch nicht so wohlschmeckend wird, als wenn sie mit Körnern gemästet werden. Allein es wird mit Hilfe dieses Mastfutters jährlich ein Kapital von 200,000 Franken gewonnen! Die Pariser wissen nicht, ist ihr Schweinfleisch von Montmartre, Lavilette, Belleville, Passy, oder von Meaux, Saint-Germain ꝛc., und essen eines für das andere. In Paris und der Umgegend, wo der Fiacres, der Kutschen, Omnibus, Diligenzen, Cabriolets bis gegen 8000 sind, fallen täglich im Mittel 19 Pferde; das ist genug, um das Kleberfutter für die Schweine zu verbessern.

Allein ich muß noch erwähnen, daß man aus den Knochen dieser Pferde mittelst Dampf den schönsten Pariser Mundleim kocht, den man mit Zucker und etwas Piement im Geschmacke verbessert.

Ich habe einen Mann in hiesiger Gegend gekannt, welcher die Excremente der Wohlschmecker hiesiger Stadt zusammentrug (Leute, welche viel und gut essen, verdauen nicht die Hälfte der genossenen Speisen, sondern nur das Leichtverdaulichste darunter, das Uebrige geht mit den Excrementen wieder ab), und alljährlich 8 Schweine damit mästete.

Sehr zweckmäßig werden hier von den Seifensiedern und Lichterfabrikanten die Grieven des Talgs mit Kartoffeln untermengt, zur Schweinsmast benützt, jedoch mit der weisen Vorsicht, daß die Thiere jeden 2ten, 3ten Tag in die Schwemme getrieben werden, wodurch ihre Freßlust gefördert und ihre Gesundheit erhalten wird. Diese Procedur hat in London einen einfachen Mann, der die Grieven akkordmäßig aus den Fabriken erhielt, zu einen Millionär gemacht.

Dr. Rittel,
in Aschaffenburg.

171. Bemerkung über den Gebrauch des Salmiakgeistes zur Rettung des Rindviehes gegen Aufblähung.

In dem Centralblatte v. J. 1836 Monat April, S. [illegible] ist der Salmiakgeist als ein Mittel gegen das Aufblähen des Rindviehes angepriesen.

Einsender dieses bemerkt dagegen, daß, wenn auf die angegebene Weise, ohne daß die Art der Anwendung des Mittels genauer berücksichtigt wird, Statt Nutzen — Unglück zumal angestellt werden kann, indem nämlich der Salmiakgeist in concentrirter Form als eine sehr ätzende Flüssigkeit bekannt ist, die in einer solchen Gabe leicht Entzündung in dem Rachen und Wanste des Thieres hervorbringen kann.

Die Gefahr, ein Unglück damit anzustellen, verschwindet indessen, wenn der Salmiakgeist in gehöriger Verdauung z. B. mit Branntwein gegeben wird, wie mir ein erfahrener Oekonom, der Ortsvorsteher Mauderer zu Willanzheim (k. Landgerichts Markt Bibart) mitgetheilt hat. Derselbe nimmt 1 Loth Salmiakgeist und vermischt diesen mit einem (bayer.) Schoppen Branntwein, welches Gemisch einem ausgewachsenen Thiere eingeschüttet wird. Für Kälber dient verhältnißmäßig die Hälfte nämlich ½ Lth. Salmiakgeist, vermischt mit ½ Schoppen Branntwein. In dieser Form, die im Badischen übrigens schon länger bekannt ist, hat Ortsvorsteher Mauderer jedesmal das Mittel mit ausgezeichnetem Erfolge angewendet.

Da die richtige Anwendung des Mittels wohl keinem Zweifel unterliegen dürfte, so möchte es um so mehr öffentliche Berücksichtigung verdienen, und im geeigneten Falle sogar von Amtswegen bekannt gemacht werden, da die Landleute nicht immer gerne viel lesen, und öfters gegen dergleichen Mittheilungen ihre Vorurtheile hegen.

Mkt. Einersheim den 29. Juli 1836.

C. Ernst,
Apotheker.

Bekanntmachung.

In dem herzogl. Nassauischen Institute der Landwirthschaft beginnt der Unterricht über Naturkunde, Feld- und Gartenbau Viehzucht, Thierheilkunde, ländliche Baukunst und Rechnungsführung am Dienstag den 18ten Oktober.

Nähere Nachrichten über die Lehranstalt, die Versuchsanlagen und das Thierspital findet man in mehreren öffentlichen Blättern, namentlich in Nr. 30 bis 32 des Jahrgangs 1835 der landwirth. Wochenblätter für das Herzogthum Nassau oder erhält sie von dem unterzeichneten Direktor der Anstalt, bei dem sich auch die beitretenden Zöglinge schriftlich oder mündlich zu melden und ihm ihre Schul- und Sittenzeugnisse vorzulegen haben.

Hof Geisberg bei Wiesbaden den 23. August 1836.

W. Albrecht,
H. Nass. RegRath.

Anhang
zu den
Verhandlungen des General-Comité.

---

172. Die Beförderung der Oel-Produktion betr.

Im Namen Seiner Majestät des Königs.

Die Bekanntmachung vom 12. Jäner 1835, die Oel-Produktion betr., wird bei dem nahen Ablaufe des für die Preis-Bewerbung festgesetzten Termines hierdurch nochmals in Erinnerung gebracht.

München den 29. August 1836.

K. Bayer. Regierung des Isarkreises, Kammer des Innern.

Freiherr von Tautphöus.

Hecht.

(Die Beförderung der Oel-Produktion betr.)

Im Namen Seiner Majestät des Königs.

Seine Majestät der König haben allergnädigst zu bestimmen geruht, daß von der durch den Landraths-Abschied vom 1. Mai 1833 zur Beförderung der Oel-Produktion genehmigten Summe von 800 fl. — 500 fl. zur Aussetzung einer Prämie für die vorzüglichsten Leistungen einer Oelmühle aus dem Samen des Repses und Mohnes, verwendet werden sollen.

In Folge dessen wird demjenigen, welcher bis zum 1ten Jäner 1837 auf einer im Isarkreise in den Jahren 1835 und 1836 neu erbauten Oelmühle in einer bestimmten Zeit die größte Menge des vorzüglichsten Brenn- und Speise-Oeles aus dem Oelsamen des Mohnes und Repses auszuziehen vermag, eine Prämie von 500 fl. zuerkannt werden.

Concurrenten um diese Prämie haben sich

1) mit den vollständigen Zeichnungen und Beschreibungen ihrer mechanischen Vorrichtungen und ihres Verfahrens (wo möglich mit Modellen),

2) mit Proben des ausgepreßten Oeles, und

3) mit gerichtlichen Zeugnissen über die Größe der Leistungen der Oelmühlen, mit Angabe des Arbeits-Aufwandes, ferner über die Kosten der ursprünglichen Einrichtung und jährlichen Unterhaltung der Oelmühle an die unterfertigte Stelle zu wenden.

Es wird dabei erinnert, daß jeder mögliche Weg der Scheidung des Oeles aus den dasselbe umhüllenden Zellen, sey es durch mechanische, physisch-chemische Hilfsmittel, oder beide zusammen bewirkt werden, einen Anspruch auf die Prämie begründe, daß jedoch bei gleicher Wohlfeilheit des Verfahrens die Menge und Güte des erhaltenen Oeles, und bei gleicher Güte und Menge des Oeles die größere Wohlfeilheit des Verfahrens entscheide.

München, den 12. Jäner 1835.

K. Bayer. Regierung des Isarkreises, Kammer des Innern.

Graf v. Seinsheim, Präsident.

Hecht.

Die durch die höchste Ministerial-Entschliessung vom 31. Mai 1833 mit allerhöchster Genehmigung eröffnete Preisbewerbung zur Ermunterung der Agrikultur-Interessen ist mit dem 1. Oktober l. J. geschlossen; welches hiemit in Erinnerung gebracht wird.

Berichtigung.

In einigen Exemplaren ist ein Fehler stehen geblieben; lies daher S. [illegible] Zeile 2 von unten: cuius statt huius.

Mittelpreise

auf den

vorzüglichsten Getreideschrannen in Bayern.

	Getreid-Sorten.	Aichach. fl.	kr.	Amberg. fl.	kr.	Ansbach. fl.	kr.	fl.	kr.	Augsburg. fl.	kr.	Baireuth. fl.	kr.	Erding. fl.	kr	Kempten. fl.	kr
1836.	Weitzen	9	42	10	16	10	—	9	57	10	8	12	30	8	45	—	—
	Kern	—	—	—	—	10	—	10	27	10	3	—	—	—	—	12	37
	Roggen	5	6	6	46	6	19	6	20	5	40	9	5	4	36	8	15
	Gerste	6	41	6	36	—	—	—	—	7	58	8	—	7	—	8	2
	Haber	4	18	4	57	5	33	5	10	4	50	7	11	4	—	5	53
1836.	Weitzen	9	19	9	52	9	47	9	49	10	17	12	12	8	30	—	—
	Kern	—	—	—	—	10	12	10	—	10	2	—	—	—	—	12	30
	Roggen	5	5	6	39	6	20	6	12	5	39	8	44	4	42	7	58
	Gerste	6	20	6	57	—	—	7	21	7	20	7	54	6	42	8	25
	Haber	3	17	4	58	5	26	4	54	4	5	6	32	3	56	5	51
1836.	Weitzen	9	17	9	42	9	54	9	51	9	36	12	12	8	27	—	—
	Kern	—	—	—	—	10	15	10	1	9	17	—	—	—	—	12	33
	Roggen	5	12	6	18	6	11	6	16	5	38	8	44	5	15	8	—
	Gerste	6	30	6	25	7	34	7	45	6	38	7	54	7	—	8	21
	Haber	3	14	4	42	4	51	4	46	3	42	6	32	4	—	5	41
1836.	Weitzen	9	39	9	28	9	38	9	42	9	29	—	—	8	36	—	—
	Kern	—	—	—	—	9	40	9	43	9	27	—	—	—	—	12	25
	Roggen	5	31	6	20	6	6	6	8	5	50	—	—	5	40	7	59
	Gerste	6	50	6	26	8	—	7	56	7	30	—	—	7	15	8	6
	Haber	3	20	4	11	4	37	4	48	3	37	—	—	3	40	5	3

Mittelpreise auf den vorzüglichsten Getreideschrannen in Bayern.

Wochen.	Getreid-Sorten.	Landsberg fl.	Landsberg kr.	Landshut fl.	Landshut kr.	Lauingen fl.	Lauingen kr.	Memmingen fl.	Memmingen kr.	München fl.	München kr.	Neuötting fl.	Neuötting kr.	Nördlingen fl.	Nördlingen kr.	Regensburg fl.	Regensburg kr.
Vom 14. bis 20. August 1836.	Weitzen	—	—	8	15	10	—	—	—	10	7	8	37	—	—	10	31
	Kern	10	58	—	—	10	18	12	7	—	—	—	—	9	30	—	—
	Roggen	6	—	4	30	6	19	7	1	5	23	5	10	6	30	6	57
	Gerste	6	33	5	52	7	36	8	47	7	21	5	30	7	52	7	[illegible]
	Haber	4	35	4	45	4	29	5	53	4	49	4	—	4	50	6	12
Vom 21. bis 27. August 1836.	Weitzen	—	—	8	7	9	—	—	—	9	55	8	43	—	—	—	—
	Kern	10	2	—	—	9	30	11	43	—	—	—	—	9	51	—	—
	Roggen	5	31	4	30	6	0	7	—	5	26	5	2	6	57	—	—
	Gerste	6	52	6	15	6	58	8	6	7	38	—	—	7	54	—	—
	Haber	4	9	4	24	5	45	5	—	4	35	3	37	4	28	—	—
Vom 28. August bis 3. Septbr. 1836.	Weitzen	—	—	8	45	10	—	—	—	9	51	8	15	—	—	10	[illegible]
	Kern	9	16	—	—	9	41	11	45	—	—	—	—	9	41	—	—
	Roggen	5	21	4	37	6	19	7	2	5	30	4	54	7	6	6	48
	Gerste	6	40	6	15	7	6	8	—	7	46	—	—	8	2	7	3
	Haber	3	27	3	37	3	39	4	34	4	24	3	5	4	2	6	3
Vom 4. bis 10. Septbr. 1836.	Weitzen	—	—	8	30	10	—	—	—	9	55	8	30	—	—	10	25
	Kern	10	9	—	—	10	13	11	53	—	—	—	—	9	46	—	—
	Roggen	6	6	5	—	6	36	7	2	6	12	4	53	7	12	6	45
	Gerste	6	47	6	52	7	29	7	35	8	2	—	—	7	44	7	32
	Haber	3	30	3	42	3	32	4	5	4	19	3	48	3	42	5	45

Mittelpreise
auf den
vorzüglichsten Getreideschrannen in Bayern.

Wochen.	Getreid-Sorten.	Passau.		Regensburg.		Rosenheim.		Speyer.		Straubing.		Traunstein.		Vilshofen.		Weilheim.	
		fl.	kr.	fl.	kr.	fl.	kr.	fl.	kr.	fl.	kr.	fl.	kr.	fl.	kr.	fl.	kr.
Vom 14. bis 20. August 1836.	Weitzen	8	—	8	42	10	—	12	12	8	5	9	36	8	34	12	15
	Kern	—	—	—	—	—	—	—	—	—	—	—	—	—	—	12	15
	Roggen	—	—	5	46	6	24	6	4	5	6	6	—	5	51	7	—
	Gerste	—	—	6	3	6	26	6	15	5	26	6	12	5	51	—	—
	Haber	4	24	4	38	4	24	5	19	4	5	3	48	—	—	5	40
Vom 21. bis 27. August 1836.	Weitzen	—	—	8	42	9	25	12	7	7	47	9	—	8	33	11	20
	Kern	—	—	—	—	—	—	—	—	—	—	—	—	—	—	11	20
	Roggen	—	—	5	40	5	52	8	6	5	15	6	—	5	56	6	30
	Gerste	—	—	6	3	6	4	6	25	5	30	6	24	5	13	6	30
	Haber	—	—	4	38	4	20	6	10	3	48	3	42	—	—	5	28
Vom 28. August bis 3. Septbr. 1836.	Weitzen	8	48	8	29	9	22	10	5	7	39	8	48	8	6	10	8
	Kern	—	—	—	—	—	—	—	—	—	—	—	—	—	—	10	3
	Roggen	6	—	5	33	5	45	8	23	5	—	6	—	5	43	6	30
	Gerste	5	30	5	45	6	14	6	8	5	45	6	18	5	10	6	—
	Haber	4	—	4	2	4	12	6	38	3	32	3	48	3	48	4	40
Vom 4. bis 10. Septbr. 1836.	Weitzen	8	30	8	30	9	21	12	31	7	45	8	48	7	54	10	11
	Kern	—	—	—	—	—	—	—	—	—	—	—	—	—	—	10	11
	Roggen	—	—	5	44	5	56	6	4	5	13	6	—	5	48	6	40
	Gerste	6	—	6	16	6	10	6	23	5	47	6	24	5	3	6	24
	Haber	—	—	3	58	4	—	3	9	3	45	3	48	—	—	4	30

Centralblatt

des

landwirthschaftlichen Vereins in Bayern.

Jahrgang: XXVI.

Monat: Oktober 1836.

Angelegenheiten des Vereins.

Die Feier des Central-Landwirthschafts- oder Oktoberfestes.

Seit Donnerstags her gab es nur Regen, und so verminderte sich immer mehr die Hoffnung zu einem schönen Festtage. Es kamen wohl viele Fremde nach München, doch nicht in der Menge wie voriges Jahr. Theils das Regenwetter, theils falsche Gerüchte über eine vorhandene Cholera trugen daran die Schuld. So erschien der 2te Oktober als der Festtag selbst, und vor 12 Uhr begann ein Regen, der sich unaufhörlich bis spät Abends in Strömen herabgoß. Es hat sich auf der Theresien-Wiese wohl der k. Pavillon wie gewöhnlich mit den hohen Herrschaften und so allmählig auch das natürliche Amphitheater mit den Zusehern gefüllt. Doch mag die vorhandene Volksmenge, die voriges Jahr sich über 100,000 belief, sicher um ein Drittheil weniger betragen haben.

Um 1 1/4 Uhr verkündeten Kanonen-Salven die Abfahrt Ihrer Majestäten aus der k. Residenz, und alsbald erschienen Allerhöchstdieselben von der Bürger-Kavallerie Münchens begleitet; so wie auch das Landwehrregiment von München aufgestellt war. Es erhob sich eben so schnell ein donnernder Vivatruf der tausend und tausend Stimmen. In dem ersten Wagen waren Seine Majestät unser König und Seine Majestät der König Otto in griechischem königlichem Costüme. Im 2ten Ihre Majestät die Königin, dann Seine k. Hoheit der Kronprinz, Ihre k. Hoheit die Frau Erbgroßherzogin von Hessen-Darmstadt, dann Se. Hoheit der Erbgroßherzog von Hessen-Darmstadt. In den weitern Wägen befand sich die übrige k. Familie. Ihre Majestäten wurden von Abgeordneten des General-Comités des landwirthschaftlichen Vereins und des Magistrats der Haupt- und Residenzstadt München und unter Absingung der National-Hymne mit Instrumental-Musikbegleitung empfangen. Des so äußerst schlimmen Wetters wegen geruhte Seine Majestät die Abkürzung des Festes allergnädigst zu bestimmen, daß sohin nur die ländlichen Wägen vorbeifahren durften, und dann das Rennen beginnen sollte. Die Vorführung des Preisviehes mußte sohin unterbleiben, und die Preisvertheilung wurde sonach erst um 5 Uhr im Lokale des landw. Vereins vorgenommen.

Die ländlichen 6 Festwägen waren von den Gemeinden Haidhausen, Oberföhring und aus der Vorstadt Au, und von vielen berittenen Landleuten begleitet. Sie stellten die erste Runkelrübenzuckerfabrikation in Giesing, die Brauerei des Salvatorbieres, den Bau der Kirche in der Au, dann den Gartenbau und Landwirthschaft vor. Von Kindern, welche diese Wägen belebten, wurden den allerhöchsten Herrschaften Blumen und andere passende Gaben überreicht.

Seine Majestät geruhten nun, die im k. Pavillon aufgelegten feinen Leinwand- und Flachsmuster, dann die verschiedenen Seidenprodukte und Seidenfabrikate, besonders die schönen Stoffe aus inländischer Seide, verfertigt von den 2 Töchtern des verstorbenen Seidenfabrikanten Wurz in Augenschein zu nehmen, und äußerten mit den bedeutenden Vorschritten, sowohl in Ansehung des Linnenwesens als des Seidenbaues die allergnädigste Zufriedenheit, wie auch die allergnädigste Zusicherung, daß dem Seidenbaue künftig noch die größere nöthige Unterstützung allergnädigst ertheilt werde.

Nun eilten die Rennpferde vorbei, und nach dem Rennen ¾ nach 2 Uhr wurden die Wägen zur Abfahrt der k. Majestäten und der k. Familie vorgeführt; die Kanonen donnerten, rauschende Musik erschallte, und unter einem unaufhörlichem Vivatrufe drückten die vielen tausend Stimmen den herzlichsten Dank für die höchste Gnade aus, womit der allerdurchlauchtigste Herrscher mit seiner Familie die Freude dieses Tages zu theilen und diesem Nationalfeste die größte Verherrlichung zu geben geruhte. Wie beim Ankommen, so auch bei der Abfahrt erhoben sich Seine Majestät zu verschiedenen Malen im Wagen, und gaben mit der größten Freundlichkeit dem Volke allerhöchst Ihr Wohlwollen und Zufriedenheit zu erkennen.

Nun eilte auch alles vom Amphitheater herab, und nach Haus mit dem grosen Bedauern, daß ein so schreckliches Regenwetter ein so groſses und schönes National-Fest verdarb.

I.

An diesem Tage Abends 5 Uhr empfiengen nun im Lokale des landw. Vereins die fleißigen Landwirthe aus den Händen Sr. Durchlaucht, Fürsten von Oettingen-Wallerstein, Staatsminister des Innern, als Lohn ihrer Betriebsamkeit die Preise und Fahnen wie folgt:

II.

Das Preisgericht für die Pferdezucht, welches sich unter der obersten Leitung Seiner Excellenz des Herrn Reichsraths und Oberststallmeisters Frhrn. v. Kesling konstituirt hat, und von Seite des General-Comité des landwirthschaftlichen Vereins aus den

Titl. Herren; Frhrn. v. Zandt, k. Kämmerer und Obersten im Cuirassier-Regiment Prinz Carl v. Bayern;

" " Fhrn. von Furwesten, Obersten à la suite.

" " von Spengel, k. Oberstlieutenant im Cuirassier-Regiment Prinz Johann von Sachsen.

" " Schwinghammer, Dr., Veterinär und Docent in Schleißheim.

Und von Seite des Magistrates:

Herrn Schloder, bürg. Lohnkutscher in München;

" Wild, " " "

" Krenkl, " " "

" Freuen, Stadtbereiter "

Herrn Mayer, Christian, k. Oberststallmeister-Stabs-Buchhalter als Aktuar

bestand, bestimmte am 1. Oktober 1836 nach strenger Auswahl und unpartheyischer Prüfung der vorgeführten 49 Zuchthengste und 61 Zuchtstuten in nachstehender Reihe die ausgesetzten Preise.

A. Hauptpreise für die besten vierjährigen Zucht-Hengste.

(49 Preisbewerber.)

I. Preis. 50 bayer. Thaler mit Fahne: Herr Graf von Oberndorf, k. Kämmerer und Gutsbesitzer von Regendorf, kgl. Landg. Regenstauf im Regenkreise für einen Hellkastanienbraun, mit Stern und Schnipp, der vordere linke, beide Hinterfüsse bis an die Köthe weiß, 3½ Jahre alt, 17 Faust hoch, Vater der k. Beschälhengst Solon, Mutter Landstute. Derselbe verzichtet aber auf den Preis, deßwegen geht er über auf:

Joseph Mayer, Bauer zu Geltolfing, k. Ldg. Straubing im Unterdonaukreise für einen Lichtbraun, der linke Hinterfuß bis an die Köthe weiß, 3½ Jahr alt, 18 Faust hoch, Vater Leo, Mutter Landstute.

II. Preis. 30 b. Thlr. mit Fahne: Martin Braun, Bauer von Haarbach, k. Landg. Vilshofen im Unt. Donaukr. für einen Kastanienbraun mit Stern und Schnippe, beide Hinterfüsse bis an die Köthe weiß, 3½ Jahre alt, 17 Faust 1 Zoll hoch, Vater Frippon, Mutter Landstute.

III. Preis. 24 b. Thlr. mit Fahne: Georg Lermer, Oekonom von Dengling, Landg. Stadtamhof im Regenkr., für einen Hellbraun mit Stern, 3½ Jahre alt, 17 Faust 3 Zoll hoch, Vater Holkar, Mutter Landstute.

IV. Preis, 16 bayer. Thlr. mit Fahne: Sebastian Hochreiter, Oekonom von Reichersdorf, k. Landg. Landshut im Isarkr., für einen Schweißfuchs mit durchgehender Blässe, das Untermaul und beide Hinterfüsse bis über die Köthe weiß, 3½ J. alt, 16 Faust hoch, Vater Plutarque, Mutter Landstute.

V. Preis. 12 bayer. Thlr. mit Fahne: Joseph Sandner, Bauer von Mettendorf, k. Landg. Greding im Rezatkr., für einen Hellkastanienbraun mit durchgehender Bläße, das Untermaul und beide Hinterfüsse hoch weiß, 3½ Jahr alt, 17 Faust 1 Zoll hoch, Vater Jordan, Mutter Landstute.

VI. Preis. 10 b. Thlr. mit Fahne: Franz Stegmaier, Bauer von Galgweis, k. Landg. Landau im Unt. Donaukr. für einen Rappen, der hintere linke Fuß an der Köthe weiß, 3½ J. alt, 15½ Faust hoch, Vater Herodot, Mutter Landstute.

Nachpreise.

7. Preis. 5 h. Thlr. mit Fahne: Xaver Röckl, Bauer von Alburg, k. Landg. Straubing, für einen Lichtbraun, 3½ J. a., 17 Faust hoch, Vater Caligula, Mutter Landstute.

8. Preis. Vereinsdenkm., Fahne u. Buch: Anton Popp, Posthalter und Oekonom, von Donauwörth im Oberdonaukr., für einen Hellbraun mit weißen Haaren auf der Stirne, der rechte Vorderfuß bis an die Köthe weiß, 3½ Jahre alt, 17 Faust hoch, Vater Young Dart, Mutter Landstute.

9. Preis. Vereinsdenkm., Fahne u. Buch: Johann Hollermayer, Oekonom zu Egelsee, k. Ldg. Straubing im Unt. Donaukreise, für einen Hellbraun mit Stern und Schnippe, der vordere linke, und beide Hinterfüsse hochweiß, 3½ Jahr alt, 17 Faust 2 Zoll hoch, Vater Vipide, Mutter Landstute.

10. Preis. Denkmünze, Fahne und Buch: Christian Bürchly, Oekonom von Neufrauenhofen im Isarkr., für einen Dunkelfuchs mit durchgehender Blässe, das Untermaul und beide Hinterfüsse weiß, 3½ Jahr alt, 17 Faust hoch, Vater Celadon, Mutter Landstute.

11. Preis. Denkmünze, Fahne und Buch: Johann Danner, Oekonom von Zurnhausen, k. Landg. Freising im Isarkr., für einen Schwarzbraun 4½ Jahr alt, 16 Faust 2 Zoll hoch, Vater Augusto, Mutter Landstute.

12. Preis. Denkmünze, Fahne und Buch: Adolph Graf von Gumppenberg Pöttmes, k. Kämmerer u. Gutsherr auf Pöttmes im Oberdonaukreise für einen Hellkastanienbraun mit Stern und Schnippe, beide Hinterfüsse bis an die Köthe weiß, 4½ Jahr alt, 16 Faust 1 Zoll hoch, Vater Hoheit, Mutter Landstute.

13. Preis. Denkmünze, Fahne und Buch: Michael Stegbauer, Oekonom von Lehnachhofen, k. Landg. Mitterfels im Unterdonaukr., für einen Hellbraun, die beiden Hinterfüsse an Kron und Ferse weiß, 4½ Jahre alt, 17 Faust hoch, Vater Leo, Mutter Landstute.

14. Preis. Denkmünze, Fahne und Buch: Martin Scheitle, Oekonom von Ettringen, k. Landg. Türkheim im Ober-Donaukr., für einen Kastanienbraun mit kleinen Stern,

Mittelpreise
auf den
vorzüglichsten Getreideschrannen in Bayern.

Woche.	Getreid-Sorten.	Aichach.		Amberg.		Ansbach.				Augsburg.		Baireuth.		Erding.		Kempten.	
		fl.	kr.	fl.	kr.	fl.	kr.	fl.	kr.	fl.	kr.	fl.	kr.	fl.	kr	fl.	kr
vom 14. bis 20. August 1836.	Weitzen	9	42	10	16	10	—	9	57	10	8	12	30	8	45	—	—
	Kern	—	—	—	—	10	—	10	27	10	3	—	—	—	—	12	37
	Roggen	5	6	6	46	6	19	6	20	5	40	9	5	4	36	8	15
	Gerste	6	41	6	36	—	—	—	—	7	58	8	—	7	—	8	2
	Haber	4	11	4	57	5	33	5	10	4	50	7	11	4	—	5	53
vom 21. bis 27. August 1836.	Weitzen	9	19	9	52	9	47	9	49	10	17	12	12	8	30	—	—
	Kern	—	—	—	—	10	12	10	—	10	2	—	—	—	—	12	30
	Roggen	5	5	6	39	6	20	6	12	5	39	8	44	4	42	7	58
	Gerste	6	20	6	57	—	—	7	21	7	20	7	54	6	42	8	25
	Haber	3	17	4	58	5	26	4	54	4	5	6	32	3	56	5	51
vom 28. August bis 3. Septbr. 1836.	Weitzen	9	17	9	42	9	54	9	51	9	36	12	12	8	27	—	—
	Kern	—	—	—	—	10	15	10	1	9	17	—	—	—	—	12	33
	Roggen	5	12	6	18	6	11	6	16	5	38	8	44	5	15	8	—
	Gerste	6	30	6	25	7	34	7	45	6	38	7	54	7	—	8	21
	Haber	3	14	4	42	4	51	4	46	3	42	6	32	4	—	5	41
vom 4. bis 10. Septbr. 1836.	Weitzen	9	39	9	28	9	38	9	42	9	29	—	—	8	36	—	—
	Kern	—	—	—	—	9	40	9	43	9	27	—	—	—	—	12	25
	Roggen	5	31	6	20	6	6	6	8	5	50	—	—	5	40	7	59
	Gerste	6	50	6	26	8	—	7	56	7	30	—	—	7	15	8	6
	Haber	3	20	4	11	4	37	4	48	3	37	—	—	3	40	5	3

Mittelpreise
auf den
vorzüglichsten Getreideschrannen in Bayern.

Wochen.	Getreid-Sorten.	Landsberg fl.	kr.	Landshut fl.	kr.	Lauingen fl.	kr.	Memmingen fl.	kr.	München fl.	kr.	Neuötting fl.	kr.	Nördlingen fl.	kr.	Nürnberg fl.	kr.
Vom 14. bis 20. August 1836.	Weitzen	—	—	8	15	10	—	—	—	10	7	8	37	—	—	10	31
	Kern	10	58	—	—	10	18	12	7	—	—	—	—	9	30	—	—
	Roggen	6	—	4	30	6	19	7	1	5	23	5	10	6	30	6	57
	Gerste	6	33	5	52	7	36	8	47	7	21	5	30	7	52	7	9
	Haber	4	35	4	45	4	29	5	53	4	49	4	—	4	50	6	12
Vom 21. bis 27. August 1836.	Weitzen	—	—	8	7	9	—	—	—	9	55	8	43	—	—	—	—
	Kern	10	2	—	—	9	30	11	43	—	—	—	—	9	51	—	—
	Roggen	5	31	4	30	6	6	7	—	5	26	5	2	6	57	—	—
	Gerste	6	52	6	15	6	58	8	6	7	38	—	—	7	54	—	—
	Haber	4	9	4	24	5	45	5	—	4	35	3	37	4	28	—	—
Vom 28. August bis 3. Septbr. 1836.	Weitzen	—	—	8	45	10	—	—	—	9	51	8	15	—	—	10	38
	Kern	9	16	—	—	9	41	11	45	—	—	—	—	9	41	—	—
	Roggen	5	21	4	37	6	19	7	2	5	30	4	54	7	6	6	48
	Gerste	6	40	6	15	7	6	8	—	7	46	—	—	8	2	7	3
	Haber	3	27	3	37	3	39	4	34	4	24	3	5	4	2	6	3
Vom 4. bis 10. Septbr. 1836.	Weitzen	—	—	8	30	10	—	—	—	9	55	8	30	—	—	10	25
	Kern	10	9	—	—	10	13	11	53	—	—	—	—	9	46	—	—
	Roggen	6	6	5	—	6	36	7	2	6	12	4	53	7	12	6	45
	Gerste	6	47	6	52	7	29	7	35	8	2	—	—	7	44	7	32
	Haber	3	30	3	42	3	32	4	5	4	19	3	48	3	42	5	45

Mittelpreise
auf den
vorzüglichsten Getreideschrannen in Bayern.

Wochen.	Getreid-Sorten.	Passau.		Regensburg.		Rosenheim.		Speyer.		Straubing.		Traunstein.		Vilshofen.		Weilheim.	
		fl.	kr.	fl.	kr.	fl.	kr.	fl.	kr.	fl.	kr.	fl.	kr.	fl.	kr.	fl.	kr
Vom 14. bis 20. August 1836.	Weitzen	8	—	8	42	10	—	12	12	8	5	9	36	8	34	12	15
	Kern	—	—	—	—	—	—	—	—	—	—	—	—	—	—	12	15
	Roggen	—	—	5	46	6	24	6	4	5	6	6	—	5	51	7	—
	Gerste	—	—	6	3	6	26	6	15	5	26	6	12	5	51	—	—
	Haber	4	24	4	38	4	24	5	19	4	5	3	48	—	—	5	40
Vom 21. bis 27. August 1836.	Weitzen	—	—	8	42	9	25	12	7	7	47	9	—	8	33	11	20
	Kern	—	—	—	—	—	—	—	—	—	—	—	—	—	—	11	20
	Roggen	—	—	5	46	5	52	8	6	5	15	6	—	5	56	6	30
	Gerste	—	—	6	3	6	4	6	25	5	30	6	24	5	13	6	30
	Haber	—	—	4	38	4	20	6	10	3	48	3	42	—	—	5	28
Vom 28. August bis 3. Septbr. 1836.	Weitzen	8	48	8	29	9	22	10	5	7	39	8	48	8	6	10	3
	Kern	—	—	—	—	—	—	—	—	—	—	—	—	—	—	10	3
	Roggen	6	—	5	33	5	45	8	23	5	—	6	—	5	43	6	30
	Gerste	5	30	5	45	6	14	6	8	5	45	6	18	5	10	6	—
	Haber	4	—	4	2	4	12	6	38	3	32	3	48	3	48	4	40
Vom 4. bis 10. Septbr. 1836.	Weitzen	8	30	8	30	9	21	12	31	7	45	8	48	7	54	10	11
	Kern	—	—	—	—	—	—	—	—	—	—	—	—	—	—	10	11
	Roggen	—	—	5	44	5	56	6	4	5	13	6	—	5	48	6	40
	Gerste	6	—	6	16	6	10	6	23	5	47	6	24	5	3	6	24
	Haber	—	—	3	58	4	—	3	9	3	45	3	48	—	—	4	30

Centralblatt

des

landwirthschaftlichen Vereins in Bayern.

Jahrgang: XXVI.

Monat: Oktober 1836.

Angelegenheiten des Vereins.

Die Feier des Central-Landwirthschafts- oder Oktoberfestes.

Seit Donnerstags her gab es nur Regen, und so verminderte sich immer mehr die Hoffnung zu einem schönen Festtage. Es kamen wohl viele Fremde nach München, doch nicht in der Menge wie voriges Jahr. Theils das Regenwetter, theils falsche Gerüchte über eine vorhandene Cholera trugen daran die Schuld. So erschien der 2te Oktober als der Festtag selbst, und vor 12 Uhr begann ein Regen, der sich unaufhörlich bis spät Abends in Strömen herabgoß. Es hat sich auf der Theresien-Wiese wohl der k. Pavillon wie gewöhnlich mit den hohen Herrschaften und so allmählig auch das natürliche Amphitheater mit den Zusehern gefüllt. Doch mag die vorhandene Volksmenge, die voriges Jahr sich über 100,000 belief, sicher um ein Drittheil weniger betragen haben.

Um 1 1/4 Uhr verkündeten Kanonen-Salven die Abfahrt Ihrer Majestäten aus der k. Residenz, und alsbald erschienen Allerhöchstdieselben von der Bürger-Kavallerie Münchens begleitet; so wie auch das Landwehrregiment von München aufgestellt war. Es erhob sich eben so schnell ein donnernder Vivatruf der tausend und tausend Stimmen. In dem ersten Wagen waren Seine Majestät unser König und Seine Majestät der König Otto in griechischem königlichem Costüme. Im 2ten Ihre Majestät die Königin, dann Seine k. Hoheit der Kronprinz, Ihre k. Hoheit die Frau Erbgroßherzogin von Hessen-Darmstadt, dann Se. Hoheit der Erbgroßherzog von Hessen-Darmstadt. In den weitern Wägen befand sich die übrige k. Familie. Ihre Majestäten wurden von Abgeordneten des General-Comités des landwirthschaftlichen Vereins und des Magistrats der Haupt- und Residenzstadt München und unter Absingung der National-Hymne mit Instrumental-Musikbegleitung empfangen. Des so äusserst schlimmen Wetters wegen geruhte Seine Majestät die Abkürzung des Festes allergnädigst zu bestimmen, daß sohin nur die ländlichen Wägen vorbeifahren durften, und dann das Rennen beginnen sollte. Die Vorführung des Preisviehes mußte sohin unterbleiben, und die Preisvertheilung wurde sonach erst um 5 Uhr im Lokale des landw. Vereins vorgenommen.

Die ländlichen 6 Festwägen waren von den Gemeinden Haidhausen, Obersöhring und aus der Vorstadt Au, und von vielen berittenen Landleuten begleitet. Sie stellten die erste Runkelrübenzuckerfabrikation in Giesing, die Brauerei des Salvatorbieres, den Bau der Kirche in der Au, dann den Gartenbau und Landwirthschaft vor. Von Kindern, welche diese Wägen belebten, wurden den allerhöchsten Herrschaften Blumen und andere passende Gaben überreicht.

Seine Majestät geruhten nun, die im k. Pavillon aufgelegten feinen Leinwand- und Flachsmuster, dann die verschiedenen Seidenprodukte und Seidenfabrikate, besonders die schönen Stoffe aus inländischer Seide, verfertigt von den 2 Töchtern des verstorbenen Seidenfabrikanten Wurz in Augenschein zu nehmen, und äußerten mit den bedeutenden Vorschritten, sowohl in Ansehung des Linnenwesens als des Seidenbaues die allergnädigste Zufriedenheit, wie auch die allergnädigste Zusicherung, daß dem Seidenbaue künftig noch die größere nöthige Unterstützung allergnädigst ertheilt werde.

Nun eilten die Rennpferde vorbei, und nach dem Rennen ¼ nach 2 Uhr wurden die Wägen zur Abfahrt der k. Majestäten und der k. Familie vorgeführt; die Kanonen donnerten, rauschende Musik erschallte, und unter einem unaufhörlichem Vivatrufe drückten die vielen tausend Stimmen den herzlichsten Dank für die höchste Gnade aus, womit der allerdurchlauchtigste Herrscher mit seiner Familie die Freude dieses Tages zu theilen und diesem Nationalfeste die größte Verherrlichung zu geben geruhte. Wie beim Ankommen, so auch bei der Abfahrt erhoben sich Seine Majestät zu verschiedenen Malen im Wagen, und gaben mit der größten Freundlichkeit dem Volke allerhöchst Ihr Wohlwollen und Zufriedenheit zu erkennen.

Nun eilte auch alles vom Amphitheater herab, und nach Haus mit dem grossen Bedauern, daß ein so schreckliches Regenwetter ein so grosses und schönes National-Fest verdarb.

I.

An diesem Tage Abends 5 Uhr empfiengen nun im Lokale des landw. Vereins die fleißigen Landwirthe aus den Händen Sr. Durchlaucht, Fürsten von Oettingen-Wallerstein, Staatsminister des Innern, als Lohn ihrer Betriebsamkeit die Preise und Fahnen wie folgt:

II.

Das Preisgericht für die Pferdezucht, welches sich unter der obersten Leitung Seiner Excellenz des Herrn Reichsraths und Oberststallmeisters Frhrn. v. Kesling konstituirt hat, und von Seite des General-Comité des landwirthschaftlichen Vereins aus den

Titl. Herren; Frhrn. v. Zandt, k. Kämmerer und Obersten im Cuirassier-Regiment Prinz Carl v. Bayern;

„ „ Frhrn. von Zurwesten, Obersten à la suite.

„ „ von Spengel, k. Oberstlieutenant im Cuirassier-Regiment Prinz Johann von Sachsen.

„ „ Schwinghammer, Dr., Veterinär und Docent in Schleißheim.

Und von Seite des Magistrates:

Herrn Schloder, bürg. Lohnkutscher in München;
„ Wild, „ „ „
„ Krenkl, „ „ „
„ Freuen, Stadtbereiter „

Herrn Mayer, Christian, k. Oberststallmeister-Stabs-Buchhalter als Aktuar

bestand, bestimmte am 1. Oktober 1836 nach strenger Auswahl und unpartheyischer Prüfung der vorgeführten 49 Zuchthengste und 61 Zuchtstuten in nachstehender Reihe die ausgesetzten Preise.

A. Hauptpreise für die besten vierjährigen Zucht-Hengste.

(49 Preisbewerber.)

I. Preis. 50 bayer. Thaler mit Fahne: Herr Graf von Oberndorf, k. Kämmerer und Gutsbesitzer von Regendorf, kgl. Landg. Regenstauf im Regenkreise für einen Hellkastanienbraun, mit Stern und Schnipp, der vordere linke, beide Hinterfüsse bis an die Köthe weiß, $3\frac{1}{2}$ Jahre alt, 17 Faust hoch, Vater der k. Beschälhengst Solon, Mutter Landstute. Derselbe verzichtet aber auf den Preis, deßwegen geht er über auf:

Joseph Mayer, Bauer zu Geltolfing, k. Ldg. Straubing im Unterdonaukreise für einen Lichtbraun, der linke Hinterfuß bis an die Köthe weiß, $3\frac{1}{2}$ Jahr alt, 18 Faust hoch, Vater Leo, Mutter Landstute.

II. Preis. 30 b. Thlr. mit Fahne: Martin Braun, Bauer von Haarbach, k. Landg. Vilshofen im Unt. Donaukr. für einen Kastanienbraun mit Stern und Schnippe, beide Hinterfüsse bis an die Köthe weiß, $3\frac{1}{2}$ Jahre alt, 17 Faust 1 Zoll hoch, Vater Frippon, Mutter Landstute.

III. Preis. 24 b. Thlr. mit Fahne: Georg Lermer, Oekonom von Dengling, Landg. Stadtamhof im Regenkr., für einen Hellbraun mit Stern, $3\frac{1}{2}$ Jahre alt, 17 Faust 3 Zoll hoch, Vater Holkar, Mutter Landstute.

IV. Preis, 16 bayer. Thlr. mit Fahne: Sebastian Hochreiter, Oekonom von Reichersdorf, k. Landg. Landshut im Isarkr., für einen Schweißfuchs mit durchgehender Blässe, das Untermaul und beide Hinterfüsse bis über die Köthe weiß, $3\frac{1}{2}$ J. alt, 16 Faust hoch, Vater Plutarque, Mutter Landstute.

V. Preis. 12 bayer. Thlr. mit Fahne: Joseph Sandner, Bauer von Mettendorf, k. Landg. Greding im Rezatkr., für einen Hellkastanienbraun mit durchgehender Bläße, das Untermaul und beide Hinterfüsse hoch weiß, $3\frac{1}{2}$ Jahr alt, 17 Faust 1 Zoll hoch, Vater Jordan, Mutter Landstute.

VI. Preis. 10 b. Thlr. mit Fahne: Franz Stegmaier, Bauer von Galgweis, k. Landg. Landau im Unt. Donaukr. für einen Rappen, der hintere linke Fuß an der Köthe weiß, $3\frac{1}{2}$ J. alt, $15\frac{1}{2}$ Faust hoch, Vater Herodot, Mutter Landstute.

Nachpreise.

7. Preis. 6 b. Thlr. mit Fahne: Xaver Röckl, Bauer von Alburg, k. Landg. Straubing, für einen Lichtbraun, 3½ J. a., 17 Faust hoch, Vater Caligula, Mutter Landstute.

8. Preis. Vereinsdenkm., Fahne u. Buch: Anton Popp, Posthalter und Oekonom, von Donauwörth im Oberdonaukr., für einen Hellbraun mit weissen Haaren auf der Stirne, der rechte Vorderfuß bis an die Köthe weiß, 3½ Jahre alt, 17 Faust hoch, Vater Young Dart, Mutter Landstute.

9. Preis. Vereinsdenkm., Fahne u. Buch: Johann Hollermayer, Oekonom zu Egelsee, k. Ldg. Straubing im Unt. Donaukreise, für einen Hellbraun mit Stern und Schnippe, der vordere linke, und beide Hinterfüsse hochweiß, 3½ Jahr alt, 17 Faust 2 Zoll hoch, Vater Vipide, Mutter Landstute.

10. Preis. Denkmünze, Fahne und Buch: Christian Bürchly, Oekonom von Neufrauenhofen im Isarkr., für einen Dunkelfuchs mit durchgehender Blässe, das Untermaul und beide Hinterfüsse weiß, 3½ Jahr alt, 17 Faust hoch, Vater Celadon, Mutter Landstute.

11. Preis. Denkmünze, Fahne und Buch: Johann Danner, Oekonom von Zurnhausen, k. Landg. Freising im Isarkr., für einen Schwarzbraun 4½ Jahr alt, 16 Faust 2 Zoll hoch, Vater Augusto, Mutter Landstute.

12. Preis. Denkmünze, Fahne und Buch: Adolph Graf von Gumppenberg Pöttmes, k. Kämmerer u. Gutsherr auf Pöttmes im Oberdonaukreise für einen Hellkastanienbraun mit Stern und Schnippe, beide Hinterfüsse bis an die Köthe weiß, 4½ Jahr alt, 16 Faust 1 Zoll hoch, Vater Hoheit, Mutter Landstute.

13. Preis. Denkmünze, Fahne und Buch: Michael Stegbauer, Oekonom von Lehnachhofen, k. Landg. Mitterfels im Unterdonaukr., für einen Hellbraun, die beiden Hinterfüsse an Kron und Ferse weiß, 4½ Jahre alt, 17 Faust hoch, Vater Leo, Mutter Landstute.

14. Preis. Denkmünze, Fahne und Buch: Martin Scheitle, Oekonom von Ettringen, k. Landg. Türkheim im Oberdonaukr., für einen Kastanienbraun mit kleinen Stern,

die beiden Hinterfüsse über die Köthe weiß, 3½ Jahr alt, 16 Faust, 1 Zoll hoch, Vater Pompeux, Mutter Landstute.

15. Preis. Denkmünze, Fahne und Buch: Michael Spreigl, Bauer vom Oberigling, k. Ldg. Landsberg im Isarkreise, für einen Dunkelbraun mit Stern, der linke Hinterfuß bis an die Köthe weiß, 3½ Jahr alt, 16 Faust hoch, Vater Bajazet, Mutter Landstute.

16. Preis, wie oben: Michael Muhrer, Bauer von Alburg, k. Ldg. Straubing im Unter-Donaukr., für einen Kastanienbraun, der rechte Hinterfuß an der Köthe weiß, 3½ J. alt, 17 Faust 1 Zoll hoch, Vater Champion, Mutter Landstute.

17. Preis, wie oben: Andreas Frankenberger, Oekonom von Längerding, k. Ldg. Griesbach im Unter-Donaukr., für einen Hellkastanienbraun mit Stern, großer Schnippe, beide Hinterfüsse weiß, 3½ Jahr alt, 17 Faust 2 Zoll hoch, Vater Charon, Mutter Landstute.

18. Preis, wie oben; Joseph Weinzierl, Oekonom von Dengling, k. Landg. Stadtamhof im Regenkreise, für einen Kastanienbraun mit Blässe, der rechte Hinterfuß weiß, 3½ Jahr alt, 16 Faust hoch, Vater Solon, Mutter Landstute.

19. Preis, wie oben: Michael Lehner, Oekonom von Hirschling, k. Landg. Pfaffenberg im Regenkreise, für einen Hellbraun mit Stern, der linke Vorderfuß am Fessel, beide Hinterfüsse bis über die Köthe, weiß, 3½ Jahre alt, 16 Faust hoch, Vater Solon, Mutter Landstute.

Weitpreise.

1. Weitpr. 10 bayer. Thaler und Fahne, sieh oben Nr. 17.
2. „ 8 bayer. Thaler und Fahne, sieh oben Nr. II.
3. „ 6 bayer. Thaler und Fahne, sieh oben Nr. 18.
4. „ 4 bayer. Thaler und Fahne, sieh oben Nr. III.

B. Preise für die besten vierjährigen Zuchtstuten.

(61 Preisbewerber.)

I. Preis. 50 bayer. Thaler mit Fahne: Lorenz Bründl, Bauer zu Alburg, k. Ldg. Straubing im Unter-Donaukr., für einen Hellbraun, beide Hinterfüsse bis über die Köthe weiss, 3½ Jahr alt, 16 Faust 3 Zoll hoch, Vater Gitschin, Mutter Landstute.

II. Preis. 30 bayer. Thaler rc. wie oben: Johann Amann, Bauer zu Helbrechting, k. Landg. Pfaffenberg im Regenkr., für einen Hellbraun, 3½ Jahre alt, 16 Faust 2 Zoll hoch, Vater Leo, Mutter Landstute.

III. Preis. 24 bayer. Thlr. rc. wie oben: Sebastian Zirngiebl, Oekonom zu Oberhaimbuch, k. Landg. Stadtamhof im Regenkr., für einen Grauschimmel mit Stern 3½ Jahr alt, 16 Faust hoch, Vater Gallas, Mutter Landstute.

IV. Preis. 16 bayer. Thlr. rc. wie oben: Joseph Hantsch, Oekonom zu Götzing, k. Landg. Miesbach im Isarkreise, für einen Hellkastanienbraun ohne Abzeichen, 3½ Jahre alt, 16 Faust hoch, Vater Capable, Mutter Landstute.

V. Preis. 12 bayer. Thaler rc. wie oben: Katharina Loichinger, Bauerswittwe von Straubing im Unter-Donaukreise, für einen Rothfuchs mit Blässe, der linke hintere Fuß bis über die Köthe weissgrau, 3½ Jahre alt, 16 Faust hoch, Vater Gallas, Mutter Landstute.

VI. Preis. 10 bayer. Thaler rc. wie oben: Simon Knödel, Bauer zu Eggersdorf, k. Landg. Pfarrkirchen im Unter-Donaukreise, Hellbraun mit Blässe, 3½ Jahre alt, 16 F. 3 Zoll hoch, Vater Samson, Mutter Landstute.

Nachpreise.

7. Preis. 5 bayer. Thlr., Buch und Fahne: Georg Fichtner Bauer von Sonnershof, k. Landg. Tölz im Isarkreise, für einen Kastanienbraun mit Stern, 3½ Jahre alt, 16 Faust hoch, Vater Mattlus, Mutter Landstute.

8. Preis. wie oben: Joseph Haltmayer, Bauer zu Schafstadt, k. Landg. Tegernsee im Isarkreise, für einen Hellbraun mit Stern, 4½ Jahre alt, 16 Faust 3 Zoll hoch, Vater Urakus, Mutter Landstute.

9. Preis. wie oben: Michael Lehner, Bauer zu Hirschling, k. Landg. Pfaffenberg im Regenkreise, für einen Lichtbraun,

der hintere linke Hinterfuß bis an den Knöchel weiß, 3½ J. alt, 17 Faust hoch, Vater Holkar, Mutter Landstute.

10. Preis, 5 bayer. Thlr., Buch u. Fahne: Jakob Absmayr, Oekonom zu Wansham, k. Landg. Griesbach im Unter-Donaukreise, für einen Hellbraun mit Stern, 3½ Jahr alt, 17 Faust 1 Zoll hoch, Vater Wissir, Mutter Landstute.

11. Preis. wie oben: Joseph Mayr, Bierbrauer und Oekonom in Ingolstadt im Regenkrese, für einen Hellbraun mit Stern, Schnippe, den rechten Hinterfuß bis an die Köthe weiß, 3½ J. a., 16 Faust 2 Zoll hoch, Vater Heraclius, Mutter Landstute.

12. Preis, wie oben: Andreas Absmayr, Oekonom von Karpfham, k. Landg. Griesbach im Unterdonaukreise, für einen Hellkastanienbraun mit Stern, 3½ J. a., 16 Faust 2 Zoll hoch, Vater Exquis, Mutter Landstute.

13. Preis, 4 bayer. Thlr. Fahne und Buch: Lorenz Stibler, Oekonom zu Singham, k. Landg. Griesbach im Unter-Donaukr., für einen Schwarzschimmel ohne Abzeichen, 3½ J. a., 16 Faust hoch, Vater Bijoux, Mutter Landstute.

14. Preis, wie oben: Ludwig Aichner, Bauer zu Sallach, k. Landg. Pfaffenberg im Regenkreise, für einen Kastanienbraun mit durchgehender Bläße, der linke hintere Fuß bis an die Köthe weiß, der vordere linke auf der innern Seite bis an die Krone weiß, 3½ J. a., 16 Faust hoch, Vater Solon, Mutter Landstute.

15. Preis, wie oben: Joseph Hutterer, Oekonom von Hellham, k. Landg. Griesbach im Unterdonaukreise, für einen Hellfuchs mit Stern, der rechte hintere Fuß bis an die Köthe weiß, 3½ J. a., 17 Faust hoch, Vater Cyklope, Mutter Landstute.

16. Preis, wie oben: Johann Fischener, Bauer zu Kellershof, k. Landg. Tölz im Isarkreise, für einen Hellfuchs mit Bläße, ein Hinterfuß im Fessel weiß, 3½ J. a., 16 Faust 1 Zoll hoch, Vater Brillant, Mutter Landstute.

17. Preis, wie oben: Franz Waldmann, Bauer zu Bergham, k. Landg. Deggendorf im Unterdonaukr., für einen Hellbraun mit kleinem Stern, 3½ J. a., 16 Faust hoch, Vater Caligula, Mutter Landstute.

18. Preis, wie oben: Georg Berkmann, Oekonom zu Sulzberg, k. Landg. Kempten im Oberdonaukreise, für einen

Hellbraun mit breiter Blässe, der linke Vorderfuß bis an die Köthe weiß, 4½ J. a., 17 Faust hoch, Vater Courageux, Mutter Landstute.

19. Preis. 3 bayer. Thaler und Fahne: Johann Bapt. Sedlmayer, Oekonom zu Weyhern, k. Landg. Mühldorf im Isarkr., für einen Dunkelfuchs mit durchgehender Blässe, 3½ J. a., 16 Faust 1 Zoll hoch, Vater Semblable, Mutter Landstute.

20. Preis, wie oben: Johann Karl Lauter, Oekonom von Klein-Nördlingen, k. Landg. Nördlingen im Rezatkr., für einen Hellbraun mit Stern und Schnippe, 3½ J. a., 16 Faust 1 Zoll hoch, Vater Abaton, Mutter Landstute.

21. Preis, wie oben: Georg Schuster, Pfarrer zu Waal, k. Landg. Pfaffenhofen im Isarkr., für einen Kastanienbraun ohne Abzeichen, 3½ J. a., 17 Faust hoch, Vater Basil, Mutter Landstute.

22. Preis, wie oben: Andreas Stadler, Bauer zu Waldhof, k. Landg. Tegernsee im Isarkreise, für einen Hellkastanienbraun mit Stern 3½ J. a., 17 Faust hoch, Vater Aglaus, Mutter Landstute.

23. Preis, wie oben: Joseph Loichinger, Bauer von Alburg, k. Landg. Straubing im Unterdonaukr., für einen Kastanienbraun, der linke Hinterfuß bis an der Ferse etwas weiß, 3½ J. a., 16 Faust hoch, Vater Gallas, Mutter Landstute.

24. Preis, wie oben: Nikolaus Euler, Bauer zu Neuhausen, k. Ldg. München im Isarkr., für einen Hellbraun mit verlängerten Stern, der rechte Hinterfuß über die Krone weiß, 3½ J. a., 15 Faust 3 Zoll hoch, Vater Plato, Mutter Landstute.

25. Preis, wie oben: Lorenz Ebner, Bierbrauer u. Oekonom von Ganghofen, k. Landg. Eggenfelden im Unterdonaukr., für einen Apfelschimmel ohne Abzeichen, 4½ J. a., 17 Faust hoch, Vater Tamerlan, Mutter Landstute.

26. Preis, wie oben: Mathias Straubinger, Pfarrer v. Altdorf, k. Landg. Landshut im Isarkreise, für einen Braun ohne Abzeichen, 3½ J. alt, 16 Faust 2 Zoll hoch, Vater Arion, Mutter Landstute.

27. Preis, wie oben: Simon Haarreiner, Oekonom zu Mayerklopfen, k. Landg. Erding im Isarkreise, für einen Hellka-

kastanienbraun, 3½ J. a., 15 Faust 3 Zoll hoch, Vater Starost, Mutter Landstute.

28. Preis, 3 bayer. Thlr. und Fahne: Johann Reisberger, Bauer zu Holz, k. Landg. Tegernsee im Isarkreise, für einen Hellbraun mit durchgehender Blässe, der rechte Hinterfuß bis an die Köthe weiß, 3½ J. a., 16 Faust hoch, Vater Aglaus, Mutter Landstute.

29. Preis, wie oben: Nikolaus Bartl, Oekonom von Wackersberg, k. Landg. Tölz im Isarkr., für einen Lichtbraun, ohne Abzeichen, 4½ J. a., 16 Faust hoch, Vater Cäsar, Mutter Landstute.

30. Preis, wie oben: Jakob Geisreiter, Oekonom von Abrain, k. Landg. Tölz im Isarkr., für einen Lichtbraun mit Stern, 3½ J. a., 16 Faust 3 Zoll hoch, Vater Martius, Mutter Landstute.

Weitpreise.

I. Weitpreis: 10 bayer. Thlr. und Fahne: siehe oben Nr. 15.

II. Weitpreis, 8 bayer. Thlr. und Fahne: siehe oben Nr. 17.

III. Weitpreis, 6 bayer. Thlr. und Fahne: siehe oben Nr. III.

IV. Weitpreis, 4 bayer. Thlr. und Fahne: siehe oben Nr. 12.

III.

Protokoll,

welches von dem Preisgerichte für die Rindvieh- und Schweinszucht über die Anerkennung der Preise abgehalten wurde.

Preisgericht für die Rindvieh- und Schweins-Zucht am 1. Oktober 1836.

Von Seite des General-Comité.

Titl. Herr Karl Sckell, Direktor der k. Hofgärten, ꝛc. als leitendes Mitglied.

Herr Heckel, ehemaliger k. Posthaltmeister von hier;

„ Joseph Erlmayer, Bürger und Thierarzt von hier;

„ Schlutt, Gutsbesitzer in Kulturheim.

Von Seite des Magistrates:

Herr Schlutt, Bürger und Privatier von hier;
„ Zinker, Bürger und Branntweiner von hier;
„ Walker, Bürger und Bierwirth von hier.

Aktuar Acher.

Die oben bezeichneten Herren Preisrichter erklären hiemit, daß sie, bezüglich der Preiswürdigkeit der einzelnen Thier-Stücke sämmtlich einstimmig sind, und denselben die Preise zuerkennen, wie folgt:

C. Für die besten 1½- und 2jährigen zur Zucht tauglichen Stiere.

(16 Preisbewerber.)

Hauptpreise.

I. Preis, 20 bayer. Thaler mit Fahne: Johann Handsberger, Oekonom von Staudach, k. Landg. Eggenfelden im Unterdonaukr., für einen rothen Stier mit weißem Kopfe und weißem Rücken 2 Jahre alt, 5 Schuh 2 Zoll hoch.

II. Preis, 12 bayer. Thlr. und Fahne: Anton Huber, Müller und Oekonom zu Kasten, k. Landg. Miesbach im Isarkr., für einen dunkelbraunen Stier mit weissen Flecken, 1½ J. a., 14 Faust hoch, Land-Raçe.

III. Preis, 10 bayer. Thlr. u. Fahne: Michael Brand, Oekonom und Gemeindehirt zu Orubau, k. Landg. Herrieden im Rezatkr., für einen rothgetiegerten Stier mit rothem Kopf und kleinem Stern, 1½ J. a., 4½ Schuh hoch, Land-Raçe.

IV. Preis, 8 bayer. Thlr. mit Fahne, Jos. Pauer, Kaffetier Branntweiner und Oekonom von Erding im Isarkr., für einen dunkelbraunen und schwarzgefleckten Stier, mit stumpfen Hörnern, 1 J. 6 Mon. a., 5 Schuh hoch, Vater Algeier-, Mutter Ansbacher-Raçe.

Nachpreise.

5. Preis, Denkmünze, Fahne und Buch: Jos. Ant. Streicher, Bierbrauer, Wirth u. Oekonom von Polling, k. Landg. Weilheim im Isarkreise, für einen weißen Stier mit ro-

then Ohren und über den Rücken roth, 1½ J. a., 5 Sch. hoch, Vater Land-Race, Mutter Schweizer-Race.

6. Preis, Denkmünze, Fahne u. Buch: Andreas Seelmayer, Pfarrer u. Oekonom von Wahl, k. Landg. Miesbach im Isarkreise, für einen schwarz und weiß gestriemten Stier, (Schwarzscheck) 1½ J. a., 1½ Elle hoch, Land-Race.

7. Preis, wie oben: Joseph Zipper, k. Posthalter, Oekonom und Bierbrauer von Bayerdiessen, k. Landg. Landsberg im Isarkr., für einen schwarzgestreimten Stier, weißen Kopf und Rücken, schwarze Ohren und Nase, 1 Jahr 9 Monate a., 5 Schuh hoch, Vater Schweizer-, Mutter Land-Race.

8. Preis, wie oben: Elisabeth Berghammer, Bäuerin von Oberschuß, k. Landg. Tegernsee im Isarkr., für einen schwarzen, vom Kreuze aus bis Mitte des Schweifes weißen Stier, 1½ J. a., 15½ Faust hoch, Land-Race.

9. Preis, wie oben: Mathias Eder, Bierbrauer und Oekonom von Velden, k. Landg. Vilsbiburg im Isarkr., für einen weißgrauen Stier ohne Abzeichen, 1 J. 5 M. alt, 12 Fäuste 3 Zoll hoch, Algeier resp. Land-Race.

10. Preis, wie oben: Georg Thurner, Zieglermeister und Oekonom von Priel, k. Landgericht Au im Isarkr., für einen lichtbraunen Stier mit weißer Blässe und Streif am Fuße, 1 J. 11 Monate a., 4 Schuh 8 Zoll hoch.

Wettpreise.

1. Wettpreis, 6 bayer. Thlr. sieh oben Nr. 3.
2. „ 4 bayer. Thlr. sieh oben Nr. 1.
3. „ 2 bayer. Thlr. sieh oben Nr. 9.
4. „ 1 bayer. Thlr. sieh oben Nr. 8.

D. Für die besten Zuchtkühe mit dem ersten Kalbe.

(4 Preisbewerber.)

I. Preis, 20 bayer. Thlr. mit Fahne: Jos. Anton Streicher, Bierbrauer und Oekonom von Polling, k. Landg. Weilheim im Isarkreise, für eine Kuh mit weißem Kopfe, die Füsse weiß, und unter dem Bauch weißgestreimt, 2 J. a.,

4 Schuh 10 Zoll hoch, Vater Land-, Mutter Schweizer-Race.

II. Preis, 12 bayer. Thlr. mit Fahne; Michael Orterer, k. Postexpeditor u. Oekonom von Benediktbeuern, k. Ldg. Tölz im Isarkr., für eine rothschäckige Kuh, 2 Jahr alt, 4½ Schuh hoch, Schweizer-Race.

III. Preis, 10 bayer. Thlr. mit Fahne: Andreas Kirchmayr, Bierbrauer u. Oekonom von Murnau, k. Landg. Weilheim, für eine roth und weiß gefleckte Kuh, 2 J. 48 Wochen alt, 4½ Schuh hoch, Schweizer-Race.

Weitpreise.

1. Weitpreis: 6 bayer. Thlr., siehe oben Nr. 3.
2. " 4 bayer. Thlr., siehe oben Nr. 2.

Dem Anton Streicher konnte mit seiner zweiten preiswürdigen Kuh nach dem Programe S. 11 ein weiterer Preis nicht mehr zuerkannt werden. Derselbe wäre übrigens mit dieser Kuh auf den 3ten Preis einzureihen gewesen.

E. Für die Schweinszucht.

(3 Preisbewerber.)

Hauptpreise.

I. Preis, 10 bayer. Thlr. mit Fahne: Joseph Ammer, Metzger und Oekonom von Winzer, k. Landg. Vilshofen im Unterdonaukreise, für eine Schweinsmutter mit 12 Ferkeln.

II. Preis, 6 bayer. Thlr. mit Fahne: Joseph Blindhuber, Bauer von Biberg, k. Landg. Ebersberg im Isarkreise, für eine Schweinsmutter mit 13 Ferkeln.

III. Preis, 4 bayer. Thlr. mit Fahne: Ignatz Kreitmaier, Wirth u. Oekonom von Hohenthan, k. Landg. Ebersberg im Isarkr. für eine Schweinsmutter mit 12 Ferkeln.

Weitpreis.

1. Preis, 6 bayer. Thlr. und Fahne: sieh oben Nr. I.

G.

Für langwollige Schafe.

(3 Preisbewerber.)

Hauptpreise.

I. Preis, 25 bayer. Thlr.: Freiherr v. Lotzbeck, Gutsbesitzer zu Weyern, k. Landg. Bruck im Isarkr.

II. Preis, 20 bayer. Thlr.: Joseph Freymaner, Oekonom von Döttenberg, k. Landg. Laufen im Isarkr.

III. Preis, 15 bayer. Thlr.: Stephan Burkard, Oekonom von Germeringen, k. Landg. Kaufbeuern im Oberdonaukr.

Nebenpreise.

1. Preis, 6 bayer. Thlr. und Fahne; siehe oben Nr. II.
2. Preis, 4 bayer. Thlr. und Fahne: siehe oben Nr. III.

V.

Preisgericht für das Mastvieh.

Von Seite des General-Comité:

Herr Dr. Medicus, k. Hofrath und Professor als leitendes Mitglied.

„ Max Jägerhuber, Gutsbesitzer von Maxhof;

„ Johann Nep. Kummer, Wirth und Oekonom in Planeck;

„ Peter Walser, Bürger, Kaffetier u. Gutsbesitzer von München.

Von Seite des Magistrats:

Herr Wagmiller, Bürger und Privatier;

„ Joseph Uebelherr, Kögelmühlbesitzer;

„ Johann Haindel, Bierbrauer.

„ Riedl als Aktuar.

Nachdem die Herren Preisrichter versammelt, die aufgestellten Mastthiere nach deren vorliegenden Zeugnissen genau geprüft, und auf der Vereins-Waage abgewogen waren, geben selbe nach der Stimmenmehrheit zu Protokoll, wie anliegende

Liste der allseitig eingekommenen Preisbewerber das Mehrere besagt.

H. Hauptpreise für die Mastochsen der Landwirthe.

(19 Preisbewerber.)

I. Preis, 18 bayer. Thaler nebst Fahne: Maier Joseph, Oekonom und Wirth in Zangberg, k. Landg. Mühldorf im Isarkreise, für einen Rothscheck, 11 Schuh 2 Zoll lang, 6½ Schuh hoch, 6 Jahr alt, wog 12 Zentner vor der Mast, 20 Zentner 60 Pfund nach der Mast, war 6 Monate in der Mast, gefüttert mit Aftergetreid, Misch und Kleegsott, zu täglichen Kosten von 12 kr., 20 Stunden Entfernung von München.

II. Preis, 12 bayer. Thlr. nebst Fahne: Jos. Stöcher, Tafernwirth u. Oekonom zu Galnbach, k. Landg. Mühldorf im Isarkeise, für einen Schimmel, 10 Schuh lang, 17 Faust hoch, 6 Jahr alt, wog vor der Mast 13 Z., nachher 19 Z. 57 Pfd., war 5 Monate in der Mast, gefüttert mit Kleegsott, Grummet und Leinmehl zu täglichen Kosten 10 kr., 24 Stunden Entfernung.

III. Preis, 8 bayer. Thlr. nebst Fahne: Michael Anatzberger, Bauer zu Raßberg, k. Ldg. Wegscheid im Unterdonaukr., für einen Gelbfalben mit weißem Kopf, 3¼ Ellen lang, 2¼ Elle hoch, 4 J. 4 Monate alt, wog vor der Mast 12 Zntr. 50 Pfd., nachher 19 Zntr. 16 Pfd., war 4 Monate in der Mast, gefüttert mit Klee, Kartoffel, Erbsen u. Grünfutter zu täglichen Kosten 10 kr., 58¾ Stunden Entfernung.

IV. Preis, 6 bayer. Thaler mit Fahne: Zinsmeister Andreas, Baumeister des Hrn. Grafen Max. Törring-Gutenzell zu Winhöring, k. Landg. Altötting im Unterdonaukr. für einen Weißen, 25 Faust lang, 17 Faust hoch, 12 J. a., wog vor der Mast 7 Ztr., nachher 19 Z. 35 Pfd., war 10 Monate in der Mast, gefüttert mit Korn, Gsott u. Heu, zu täglichen Kosten 13 kr., 25 Stunden Entfernung.

Nachpreise.

5. Preis, Vereinsdenkmünze, Fahne und Buch: Orterer Michael, Oekonom u. Posterpeditor in Benediktbeuern, kgl. Landg. Tölz im Isarkreise, für einen Weißgrauen, 9 Schuh lang, 6 Schuh hoch, 5 J. a., wog vor der Mast 14 Zt.,

nachher 18 Zt. 95 Pfd., war 4½ Monate in der Mast, gefüttert mit Grumet und Leinmehl, täglich zu 10 kr.

6. Preis, Vereinsdenkmünze, Fahne und Buch: Weninger Gottlieb, Bierbrauer und Oekonom von Vilshofen im Unterdonaukr., für einen Braunblaß, 8 Schuh 1 Zoll lang, 6 Schuh 4 Zoll hoch, 6 J. a., wog v. d. Mast 11 Zt., nachher 17 Zt. 57 Pfd., Dauer der Mast 6 Monate, gefüttert mit Gsott, Trebern, Biertaig und Astergetr., täglich zu 18 kr.

7. Preis, wie oben: Anton Preisselsberger, Bäcker u. Oekonom von Arnstorf, k. Ldg. Eggenfelden im Unterdonaukr, für einen weißen mit rothen Flecken, 9 Schuh 6 Zoll lang, 6 Schuh 9 Zoll hoch, 4 J. a., wog vor der Mast 12 Zt., nachher 17 Zt. 10 Pfd., Dauer der Mast 8 Monate, gefüttert mit Kleeheu, Grumet, Anguß und Trebern, zu täglichen 12 kr.

8. Preis, wie oben: Nikolaus Schwinghammer, Bräuer und Oekonom zu Traunstein im Isarkr., für einen Schimmel, 8½ Schuh lang, 6 Schuh hoch, 6 J. a., wog vor der Mast 12 Zt., nachher 16 Zt. 74 Pfd., Dauer der Mast 9 Monate, gefüttert mit Heu, Grumet, Trebern und Mehl täglich zu 15 kr.

Weitpreise.

1. Preis, 6 bayer. Thlr. und Fahne: siehe oben Nr. III.

2. Preis, 4 b. Thlr. u. F.: Anton Häußl, Landwirth von Unholdenberg, k. Landg. Wolfstein im Unterdonaukr., für einen Falben, 3 Ellen lang, 2 Ellen hoch, 4 J. a., wog vor der Mast 10 Zt., nachher 16 Zt. 26 Pfd., Dauer der Mast 5½ Monate, gefüttert mit Getreide, Mehl, Heu u. Stroh, täglich zu 21 kr.

3. Preis, 2 bayer. Thlr. u. F.: siehe oben Nr. 6.

4. Preis, 1 b. Thlr. u. F.: Anton Bergmüller, Bierbrauer u. Realitätenbesitzer von Hengersberg, k. Landg. Deggendorf im Unterdonaukr., für einen Weißfalben, 9 Schuh 8 Zoll lang, 6 Schuh 8 Zoll hoch, 6 J. a., wog vor der Mast 12 Zt., nachher 16 Zt. 69 Pfd., Dauer der Mast 2 M. 12 Tag, gefüttert mit Klee, Kartoffeln und Zuckerrüben, täglich zu 9 kr.

I. Hauptpreise für die Mastschweine.

(6 Preisbewerber.)

I. Preis, 6 bayer. Thlr. mit Fahne: Andreas Sax, Mühler und Oekonom von Oberödmühl, k. Landg. Mühldorf im Isarkr., für einen geschnittenen weiß rothen Bären, 7 Schuh lang, 12 Fäuste hoch, 2½ J. a., wog vor der Mast 1 Zt. 25 Pfd., nachher 5 Zt., Dauer der Mast 7 Monate, gefüttert mit Fußmehl, Erbsen, Erdäpfel und Milch, täglich zu 10 kr.

II. Preis, 3 bayer. Thlr. mit Fahne: Johann Wiel, Garkoch in München im Isarkreise, für ein weiß schwarzes Schwein, 6 Schuh lang, 4 Schuh hoch, 2½ J. a., wog vor der Mast 1 Zt. 80 Pfd., nachher 4 Zt. 86 Pfd., Dauer der Mast 9 Monate, gefüttert mit Gerste, Kernbruch, täglich zu 9 kr.

III. Preis, 1 bayer. Thlr. mit Fahne: Georg Schweiger, Oekonom von Schwindkirchen, k. Landg. Wasserburg im Isarkreise, für einen braunen Bären, 8 Schuh lang, 4½ Schuh hoch, 1½ J. a., wog vor der Mast 2 Zt. 50 Pfd., nachher 4 Zt. 47 Pfd., Dauer der Mast 6 Monate, gefüttert mit Mehl, Kartoffeln, Milch, täglich zu 8 kr.

Nachpreise.

4. Preis, Vereinsdenkmünze, Fahne und Buch: Magdalena Angerbauer, Mühl- und Oekonomiebesitzerin zu München im Isarkreise, für eine schwarze u. halb weiße Schweinsmutter, 6 Sch. 9 Zoll lang, 3 Sch. 9 Z. hoch, 2 J. a., wog vor der Mast 1 Zt. 50 Pfd., nachher 4 Zt. 46 Pfd, Dauer der Mast 14 Wochen, gefüttert mit Mehl und Kleye, täglich zu 12 kr.

5. Preis, Vereinsdenkmünze, Fahne u. Buch: Michael Bardmann, Pfarrer zu Aufkirchen, k. Landg. Starnberg im Isarkr., für einen halbbraunen Bären, 7 Schuh 6 Zoll lang, 3 Schuh 6 Zoll hoch, 3 J. a., wog vor der Mast 2 Zt., nach der Mast 3 Zt. 76 Pfd., Dauer der Mast 5 Monate, gefüttert mit Gerstenbruch, schottischen Rüben, saurer Milch, täglich zu 8 kr.

Weltpreise.

1. Preis, 3 bayer. Thlr. mit Fahne: siehe oben Nr. I.

2. Preis, 2 bayer. Thlr. mit Fahne: siehe oben Nr. III.

womit gegenwärtiges Protokoll geschlossen und von sämmtlichen Preisrichtern unterzeichnet wurde.

VI.

Nun traf die Reihe diejenigen Preise, welche dem Programme gemäß für die Landwirthe ausgesetzt wurden, die im Jahre 1835 das Ausgezeichnetste in der Landwirthschaft geleistet haben.

Auch diese Preisevertheilung gieng nach folgender Entscheidung des Preisgerichtes vor sich.

Das Preisgericht bestand aus:

Herrn Direktor v. Obernberg als leitendem Mitgliede;
" Regierungsrath Frhrn. v. Pechmann;
" Forstrath Wepfer;
" Rentbeamten Aufschläger;
" Magistratsrath Radelkofer;
" Kaufmann Lindauer.

Für die Seidenzucht wurden besonders beigegeben: Herr Hofgärtner Seitz, Obergärtner Seimel, und Haus- und Fabrik-Besitzer Riemerschmid.

Das Preisgericht hat sein Urtheil in jeder Beziehung darauf gegründet, was im Programme für das Oktoberfest als Norm ausgesprochen ist, nämlich:

1) Nur die Leistungen im Jahre 1835, und zwar nur das für dieses Jahr allein Ausgezeichnetste in der Landwirthschaft ist entscheidend, in so ferne bei umfassenden großen Kulturen eines ganzen Gutscomplexes es möglich ist.

2) Das Gemeinnützige behauptet immer den Vorzug vor dem bloß Selbstnützlichen.

3) Möglichste Vertheilung der Preise in alle Kreise des Königreichs, in so ferne sich aus jedem derselben gleich verdiente Preisbewerber vorfinden.

4) Mit Rücksicht des sich Auszeichnenden auf die Gegend seines Wohnortes, auf die sich entgegenstellenden Hindernisse, Vermögensumstände, Unglücksfälle und dergleichen.

In genauer Berücksichtigung dieser Normen hat das Preisgericht die ihm vorgelegten Preisbewerbungen nicht nur nach den eigenen Angaben, sondern auch nach gerichtlichen Belegen geprüft und gewürdigt, und sah sich nun in den Stand gesetzt, unter 101 Preisbewerbern die Haupt- und Nachpreise, so wie eine ehrenvolle Erwähnung auf nachstehende Art zu bestimmen, als:

Hauptpreise.

Preisempfänger und ihre Leistungen.

I. Preis: Die große goldene Medaille.

Seine Durchlaucht der Herr Fürst von Oettingen-Wallerstein, Kron-Obersthofmeister und Staats-Minister des Innern, unterstellte der Würdigung seine umfassende Leistungen im Gebiete der Güter-Arrondirung, der Betriebs-Verbesserung und der Landesverschönerung.

Zu dem Rittergute Leutstetten, welches — sammt dem Bade Petersbrun — am 12. Mai 1834 — durch Kauf erworben wurde, und welches in 142 Parcellen einen Complex von 988 Tagwerk 20 Decimalen bildete — ist der sogenannte Sedelbauernhof in Leutstetten angekauft worden, welcher in 22 Parcellen ein Areal von 133 Tagw. von 55 Decimalen, im Geldwerthe 10,500 fl. enthielt.

Durch zahlreiche mit bedeutenden Daraufgaben begleitete Tausch-Verträge wurden Arrondirungen der umfassendsten Art erzweckt, welche durch Vergleichung der Pläne über den Gutsbestand zur Zeit der Erwerbung mit jenem über den gegenwärtigen Grundbesitz der Hofmark Leutstetten anschaulich werden; das Gut erscheint auf wenige durchaus arrondirte Complexe zurückgeführt.

Eine veränderte Betriebsweise trat hierauf ein; die arrondirten Komplexe wurden in 2 Oekonomien getheilt, das Hauptgut in der mit einem Kosten von 5000 fl. im oberländischen Style neu erbauten Schwaige — genannt die Carolinen-Schwaige — begründet; der Sedelbauernhof in Leutstetten aber zum Mittelpunkte der übrigen Grundstücke zum Vorwerk der Hauptschwaige bestimmt.

Die dadurch entbehrlich gewordenen Schloß-OekonomieGebäude wurden zu herrschaftlichen Nebengebäuden verwendet. Nun folgten landwirthschaftliche Verbesserungen: 7 Tagw. sumpfige Wiesen zunächst dem Schlosse wurden mit bedeutendem Aufwande durch Bewässerungs- und Entwässerungsgräben zu üppigen Wiesen umgeschaffen, in der Murnau wurden 30 Tgw. moorigen Gestrippes so wie das Terrain von der Münchner-Starenberger-Strasse bis zur Schwaige und ein Theil des Schwarzfeldes, das von Hohlwegen durchzogen war, zur Wiesenkultur befähigt. Andererseits wurden 26 Tagw. meist Oedung in Waldgrund, durch Pflanzung und zwar 30,000 Buchen, 113,000 Birken-, 4000 Fichten- und 2000 junger Waldstämme umgewandelt; nicht minder auf dieser Fläche zusammenhängende Wiesen, gegenüber zusammenhängende Aecker erzielt.

Die Besitzung Leutstetten hat in solcher Beziehung wesentlich gewonnen; beharrlich bekämpft wurden alle Schwierigkeiten der Gütergebundenheit und der verschiedenen sich durchkreuzenden Grundherrlichkeiten; unter einer ganz neuen Katastrirung und Vermarkung der Feldflur wurde so vieles realisirt. Ueberall erscheint angemessene Verschönerung beachtet; die baufälligen Schloß- und Nebengebäude sind geschmackvoll hergestellt, Naturanlagen um das Schloß begründet, freundliche Wege führen zu den Waldungen und verbinden diese unter sich; 700 Obstbäume auf herrschaftlichem Grunde wurden gepflanzt, und eine Terasse aus dem überflüßigen Abraum der Hügel ist gebildet; namhafte Feldgründe und Oedungen sind in Gartenland umgeschaffen, und auf ausschliessend herrschaftliche Kosten ist eine Regulirung und Ausschmückung des Dorfes erzweckt worden — wie der vorgelegte Plan darstellte.

Der Gedanke darf den fürstlichen Schöpfer so grossartiger Leistungen in hohem Grade erfreuen, daß sie nicht zum Schaden, sondern durchgehend zum Vortheile der Grundholden gereichen.

Um zwei schlechte hölzerne Wohngebäude und die sie umgebende Fläche zu Anlagen zu benutzen, wurden den vormaligen Besitzern feste Häuser aus Backsteinen erbaut, und schöne Gärten daneben für sie angelegt. Bei dem Austauschen war zweckmäßige Arrondirung der Grundholden der vorherrschende Gesichtspunkt, und die Gutsherrschaft nahm keinen Anstand, aus ihren schönsten Besitzungen zur Erreichung dieses wichtigen Zweckes namhafte Parcellen ausmarken zu lassen.

In solcher Art wurden mittels mehrfacher Zwischentausche die Inwenden des Ortsschmiedes und des Jacob Bauers, welche sich zur Annahme entfernteter Grundstücke bereit zeigten, ganz zu ihrem entschiedenen Vortheile arrondirt; auch der sogenannte Bergschneider erhielt, umgebend sein neu gebautes Haus einen ihn dergestalt arrondirenden Complex an die Stelle zerstreuter weit entlegener Parcellen, daß er, der sein Areal früher nicht selbst bebauen konnte, nun beim Selbstbetrieb seines Gütchens sein ordentliches Fortkommen findet.

Günstig haben alle diese Maßregeln im Verbande mit dem auf der herrschaftlichen Oekonomie angewendet rationellen Methode auf den Sinn der Bewohner für verbesserte Landwirthschaft gewirkt. Ueber die unentgeldliche Abtretung veredelter Obstbäume an Culturlustige ist der Sinn für Baumzucht erwacht.

Ein auf der Crescentien Höhe nächst dem neu gebauten Belvedere im Entstehen begriffenes herrschaftliches Häuschen soll einer der Herrschaft genehmen armen Orts-Familie zum unentgeldlichen Aufenthalte, und mittels der Einnahme aus verkauften Abdrücken eines in der Arbeit begriffenen Panoramas, dann mittels der überlassenen Benützung einiger kleinen Flecken, auch mindestens theilweise zur Nahrung dienen, und in solcher Art auch der Gemeinde die Sorge für Armenpflege erleichtert werden.

Das durch so viele Opfer in's Leben eingeführte edelsinnige in der That erhabene Streben der Gutsherrschaft ist durch die Ueberzeugung gelohnt, daß das kleine Oertchen sichtbar seinem wachsenden Wohlstande entgegen schreite.

Könnten so große erreichte Zwecke, vielseitig an Zahl, wohlthätig in ihren Wirkungen auf Einzelne wie auf eine ganze Landgemeinde einem Anerkenntnisse in vorzüglichem und wirklich seltenem Grade entgangen seyn! Wie folgt, bezeugt die k. Distrikts-Behörde die Leistungen, die hier vorgetragen wurden:

a) daß das Nützliche mit dem Angenehmen, das Schöne mit dem Erhabenen auf die sinnigste Weise verbunden,

b) der Reiz der Natur allenthalben in einer ganz besondern Eigenthümlichkeit vorzüglichen Geschmackes hervorgehoben,

c) wo immer nur möglich der landwirthschaftliche Standpunkt prädominirend festgehalten wurde.

Die Schafzucht wurde verbessert und erweitert, indem die herrschaftliche Schafheerde durch 500 Stücke aus den Schäfereien von Neuried und Schleißheim vermehrt worden ist; ebenso bekam die Mastung ausgezeichneten Betrieb. Ausgezeichnet ist die Mitwirkung zur Rektifikation der Würm, wodurch so ausgebreiteter Nutzen für die sämmtlichen Grundbesitzer erreicht und in sanitäts polizeilicher Rücksicht für die ganze Umgegend die befriedigendste Lösung einer Aufgabe erzielt worden ist, welche von Jahr zu Jahr dringender geworden ist. Nicht minder ausgezeichnet ist die Förderung der Distriktsstrassen, die Anlage neuer Wege, insbesondere deren Erweiterung im Dorfe Leutstetten; die Herstellung eines brückenartigen Steges über die Würm; die Förderung einer neuen Brücke über dieselbe.

In Mitte des Nützlichen und Angenehmen entfaltete sich recht eigentlich der wohlthätige Sinn bei dem zur Arrondirung und Verschönerung vorgesteckten Ziele. Die Familie des Friesenegger, Weidenkammer und Bergschneider erkennen mit der innigsten Rührung der ehrerbietigsten Dankbarkeit die Wohlthat neuer Häuser für die vorigen Wohnstätten. Mit zarter Schonung bei Herstellung der Wohnstube, beachtend des Landmanns liebgewordene Gewohnheiten, unterließ hiebei die Grundherrschaft das in Ausführung bringen zu lassen, was ihre edle Vorsorge noch zum erhöhten Nutzen und Werth der Sache würde gestaltet haben.

Die ganze Arrondirung erscheint durchgeführt im reinen Sinne der Wohlthätigkeit für die Orts-Einwohner."

II. Preis. **Die große goldene Medaille.**

Das ehemals deutschordensmeister'sche Schloß Reimlingen, gegenwärtig Eigenthum der Frau Fürstin von Oettingen-Wallerstein, Gemahlin des Hrn. Staatsministers und als solches ein zweites Objekt der Leistungen, welche S. Drlcht. der Hr. Fürst mit Schreiben vom 15. d. M. im Namen der Frau Fürstin an das General-Comité des landw. Vereins mit Belegen zur Würdigung gelangen ließ.

Das Eigenthum zu Reimlingen bestand zur Zeit der Erwerbung am 14. Oktober 1824 aus dem Schlosse und den Nebengebäuden, einem Obstgarten von $\frac{5}{8}$ Tagwerk, und 2 Tagwerk sogenannten Gemeindegründen.

Die umgebenden Grundstücke waren: der öde Berg, ein Gemeinde-Eigenthum, und Aecker und Wiesen in den Händen von 40 Privaten. Letztere waren in der Mehrzahl Parcellen von schwer belasteten Komplexen, eng umstrikt vom grundherrlichen Verbande.

Ihre Erwerbung schien bei der Abneigung der Riesbewohner gegen Besitz-Veränderungen und den bekannt großen Schwierigkeiten der Ein- und Auserbung von Parcellen unmöglich; um so mehr ist das, was auch hier geleistet wurde, schon durch die umsichtvolle Durchführung des vorgesteckten Zieles von selbst ausgezeichnet.

Der Ankauf eines der beträchtlichsten Güter im Orte Reimlingen im sehr vernachlässigten Zustande war das Mittel hiezu: dieses Anwesen, an Gebäuden und Umgebungen wesentlich verschönert, wurde an den Besitzer, der im obenerwähnten Rayon meist begütert war, gegen Daraufgabe zur Hälfte abgetreten, die andere Hälfte dismembrirt, um Tausch-Objekte für die übrigen Parcellen darzubieten. — Sofort traten Käufe und Zwischentäusche aller Art ein, bis endlich die gegenwärtige Eigenthümerin Frau Fürstin Crescentia v. Oettingen-Wallerstein zu dem Besitze des in dem vorgelegten Plane ersichtlichen Guts-Complexes gelangt ist.

Dieser Complex zählt gegenwärtig an Gebäuden in 4 Parcellen 1 Tagw. 39 Dec., an Gärten in 3 Parcellen 1 Tagw. 38 Dec., an Aeckern in 6 Parc. 32 Tgw. 6 Dec., an Wiesen in 5 Parc. 26 Tagw., an Waldungen in 5 Parc. 42 Tagw. 82 Dec., an Weihern 3 Parc. 63 Dec., im Ganzen in 26 Parcellen 104 Tagw. 83 Decimalen.

Die bereits hergestellten Oekonomiegebäude sind von den Schloßgebäuden in der Art getrennt, daß der Oekonomie- und Schloßhaushalt durch den Abschluß zweier Thore sich gänzlich entfremdet, und durch deren Oeffnung in gänzliche Verbindung gesetzt werden kann. Die ganze Betriebs-Einrichtung wird durch einen Stadel vollendet.

Die früher zahlreichen Raine und Unebenheiten sind auf den ganzen Besitzthum eingeflächt. Die Produktions-Fähigkeit des Bodens ist durch fleißiges Düngen wesentlich gesteigert, und auf den Aeckern zweigen 1580 seit 4 Jahren neu gepflanzte veredelte Obstbäume, meist aus der k. Plantage zu Weihenstephan stammend, in dem erfreulichsten Wachsthume, wovon in diesem Jahre reife Früchte der besten Sorte geärntet wurden.

Von den 42 Tagw. 82 Dec. bereits kultivirten Wald ist keine Ruthe breit durch Saat erzeugt, vielmehr dieses sämmtliche Areal vom Jahre 1826 an bis jetzt mit zum Theil aus einer Entfernung von 3 – 4 Stunden herbeigeholten Bäumen besetzt.

Freundliche Wege und Blumenparthien gestalten diesen Wald zugleich zur freundlichen Anlage. Die Kultur der übrigen Oedüngen theils zum Walde, theils zu üppigen den Wald begränzenden Wies-Gründen ist bereits begonnen. Drei in diesem Jahre angelegte Weiher nehmen das Wasser früher vernachlässigter Quellen in sich auf, und dienen auf der früher ganz ausgedörrten Anhöhe dem in sanfter Abdachung von Süden nach Norden sich senkenden Gesammt-Areal zur Bewässerungs-Gelegenheit. In solcher Art bietet dieses nicht unansehnlich gewordene Besitzthum als Resultat unsäglich aufgewandter Mühe und namhafter Kosten, und zwar nicht mit Nachtheilen sondern durchgehends mit Vortheilen für die früheren Besitzer, den ersten eigentlich total arrondirten Complex in dem so parcellirten Getreidlande der Rieser, die erste große Obstbaum-Cultur in jenem bisher Obst armen Landstriche, und abgesehen von der eleganten Wiederherstellung des Schlosses und der Nebengebäude, von den Zieranlagen im inneren Garten und in den nächsten Umgebungen des Schlosses, dann von der in großer Ausdehnung betriebenen Blumen-Gärtnerei, vermöge des einer kahlen Hügelreihe gewordenen waldigen Gewandes, eine wesentliche Verschönerung der Gegend dar. Diese Landes-Verschönerung wird noch wesentlich an Ausdehnung gewinnen, durch eine diesen Herbst hergestellt werdende Allee, deren Kastanien-Bäume die Anlagen von Reimlingen mit den schönen Anlagen, welche die für alles Große und Edle empfängliche Stadt Nördlingen auf dem Hoffeld und Galgenberge begründet hat, dann mit der Stadt Nördlingen selbst verbinden; und die ganze nördliche Hügelkette des inneren Rieses zu einem freundlichen Rahmen des großen Bildes gestalten soll.

Die Leistungen Seiner Durchlaucht des Herrn Fürsten Oettingen-Wallerstein auf dem Rittergute Leutstetten umfassen mehrere der wichtigsten Zweige landwirthschaftlicher Industrie: ihr Gegenstand sind Arrondirung von 1171 Tagwerk, Cultur mooſiger Gründe, Baumpflanzung und Verſchönerung des Ortes ſo wie der Umgegend, Förderung gemeinnütziger Verbindungswege, Förderung der Würm-Korrektion; humanſte Berichtung der Verhältniſſe der Grundholden, welche mit unverkennbar groſsen Opfern verbeſſert wurden.

Dieſelbe theilnehmende Beachtung wie ſie beim Rittergute Leutſtetten anerkannt worden, erſehen wir in den Leiſtungen der Frau Fürſtin Durchlaucht hinſichtlich der Arrondirungen zu Reimlingen; hier iſt zugleich angeregt und dem gegen Beſitz-Veränderung abgeneigten Bewohner des Rieſes nachgewieſen, welche Vortheile die Arrondirung des Grundbeſitzes dem Landmann gewähren. Nachgewieſen iſt, wie auch hier Obſtkultur gedeihet, und gleichzeitig durch eine ausgebreitete Pflanzung eine groſsartige Verſchönerung des Rieslandes erzweckt worden.

Leiſtungen, wie ſie zu Leutſtetten und zu Reimlingen unternommen ſind, können andere Landwirthe nicht erreichen; daher denſelben entſchieden der I. u. II. Preis gebührt. Bei der erklärten Verzichtung auf dieſe Preiſe von Seite der beiden fürſtlichen Preisbewerber ausgeſprochen, in der Ueberzeugung, „daß nichts der groſsen Sache des landwirthſchaftlichen Fortſchreitens und der wachſenden Bedeutung des Oktoberfeſtes mehr zuſage, als die möglichſte Vermehrung der jährlichen Preiſe“ — konnten die durch jene Leiſtungen in den gerechteſten Anſpruch genommenen Preiſe anderen auch hochverdienten Landwirthen zugewendet werden; und dieſe Verzichtung iſt nicht minder ein Beweis, daß jenen umfaſſenden Unternehmungen nur das aufrichtigſte Streben zum Grunde lag, landwirthſchaftliche Induſtrie vielſeitig aufzuregen, und die groſse Sache durch groſsartige Beiſpiele zum Fortſchreiten zu bringen.

III. Preis. Die groſse goldene Medaille.

Berchem, Freiherr von, k. Kämmerer u. Gutsbeſitzer von Niedertraubling im Regenkreiſe, arrondirte ſeinen Grundbeſitz von 389 Tagw. 75 Dec., welcher früher in 123 kleinen Theilen zerſtreut war, durch Cultur, ſo wie Tauſch- und Kaufhandlungen dargeſtellt, daß derſelbe nunmehr in neun Grundſtücken koncentrirt iſt. — Welche Mühe, Beharrlichkeit und Aufwand dieſes Unternehmen veranlaſst haben mußte, erkennt jeder in ähnlichen Unternehmungen Erfahrner; wird Frhr. v. Berchem ſchon von ſelbſt ſeinen Lohn in allen den Vortheilen, die das vollendete Werk ihm verſchaffen, ſattſam finden, ſo verdient nicht minder dieſe Arrondirung als gewiß eine der ausgezeichnetsten Leistungen die öffentliche Anerkennung; und diese soll noch vielen andern zum aufmunternden Beispiele dienen.

IV. Preis. Die grosse goldene Medaille.

Anz, Franz, Oekonom zu Obereſſerbach, Landg. Aschaffenburg im Unter-Mainkreise seit dem Jahre 1830 Besitzer des früher herabgekommenen Hofgutes zu Rosenthal sorgte bei dem geführten Neubau seiner Wohn- und Oekonomiegebäude für zweckgemäße Anlage der Düngergruben und Anwendung einer Pumpe — hob die Brache auf, und führte achtschlägigen Fruchtwechsel ein. — Sumpfige Wiesen entwässerte er, und brachte die frühere Heuärnte von 40 Zentnern schlechter Qualität auf 130 Zentner Heu sehr guter und 60 Zentner Heu minderer Qualität, doch noch immer gutes Futter für Pferde und Ochsen. durch Entwässerung brachte er einen Acker, der 35 Gebund Korn früher nur abwarf, zum Ertrag an 6 – 7 Fuder solcher Frucht. — Ein Grundstück von 24 Tagwerk wurde von den vorigen Besitzern gar nicht benutzt, weil es entfernt von seinem übrigen Areal war; Anz kaufte Aecker, welche zwischen diesen und jenem Grundstücke lagen, an sich, stellte die Verbindung durch einen Fahrweg her, und erzielte deren Benützung. — Noch weitere 20 Morgen machte er urbar, füllte einen mit Gestripp verwilderten Graben gänzlich aus, bildete sich auf dieser Fläche 3½ Tagw. Wiese, wovon er 8 vierspännige Fuder Heu ärntete.

Anz brennt Branntwein aus Kartoffeln mit dem Vortheile einer zehnmal größeren Quantität gegen die Vorzeit durch Anwendung einer besseren Methode mittels der Vorwärme. Der überall verständig sich bewährende Landwirth reiniget seine Ackergründe von Steinmassen durch Sprengen mit Pulver und durch Brechen.

Auch die Baumzucht pflegte er zweckgemäß, legte sogleich nach dem Erwerbe des Gutes eine Baumschule von 1000 Stämmen an, die er zum Theil längst veredelte; auch pflanzte er auf seinen Feldrainen und Wegen aller Orten Obstbäume.

Durch seine landwirthschaftlichen Verbesserungen erzielte er in dem letzten Jahre 16 Malter Reps, 52 Fuder Korn und Spelz dann 30 Fuder an Sommerfrüchten.

Er unterhält gegenwärtig einen Viehstand von 12 Kühen, 6 Ochsen, 2 Pferden nebst 2 Fohlen, 80 Schafe und 40 Lämmer: einen kräftigen und wollenreichen Stamm derselben erzielte er durch Widder, welche er aus der Stammschäferei Waldbrunn angekauft hatte.

Anz bietet auch in jeder Beziehung alle Mittel auf, sein Gut zu vermehren, und reichliches Futter zu erzeugen.

In diesem Augenblicke legt er nach erhaltener Erlaubniß der k. Untermain-Kreisregierung eine Bierbraueret an. Er ist für die ganze Umgegend ein Muster des Fleisses und der Thätigkeit im Fortschreiten auf der Bahn landwirthschaftlicher Industrie; mehrere Landwirthe folgen seinem Beispiele, und die Früchte ihres Fleißes sind nicht zu verkennen. — Mittellosen und armen arbeitsamen Menschen des Orts oder nächsten Umgebung verschafft der überall verdienstvolle Mann Gelegenheit zu einem täglichen Verdienste, wodurch sich der Wohlstand des Ortes bedeutend erhebt.

V. Preis. Die große goldene Medaille.

Welsch, k. Oberappellations-Gerichtsrath, Gutsbesitzer von Schorn; über ausgezeichnete Leistungen hat er sich schon in den Jahren 1827 den ersten Preis erworben. — Auf der Bahn industriöser Bewirthschaftung beharrlich vorschreitend; die mit Aufwand begonnene Ausrottung wild bewachsener Flächen, um dadurch Erweiterung des Ackerlandes zu gewinnen, verfolgend, die entsprechendsten Dünger-Vermehrungsmittel durch Komposte und Gülle-Bereitung benützend; den Futterkräuterbau durch Anbau verschiedener Kleesorten (vom rothen und spanischen Klee jährlich 135 – 150 Pfd.) von Esparsette und Luzerne, wenn schon letztere den Erwartungen rücksichtlich nicht zusagenden Bodens noch nicht entsprochen — vermehrend — und die Pflanzung von Obstbäumen von der Zucht aus Kernen, wovon 40,000 Stämme erzielt wurden, bis zu den von fruchttragenden Hochstämmen und Bouquetten, 3000 an der Zahl, sorgfältigst ohne Unterlaß pflegend; auch im Kampfe mit den Beschädigungen des Wildes nicht ermüdend — erscheint in neuester Zeit als vorzügliche Leistung das Unternehmen, womit dem bei der Cultur auf dem Gute Schorn sehr drückenden Hindernisse des Wassermangels gesteuert worden ist. Der Besitzer dieses Gutes entschloß sich, auf dem höchsten Punkte einen Brunnen zu graben, welcher nicht nur Wasser in Haus und Ställe, dann in den Garten mittelst Röhren-Leitung zuführen, sondern auch die Möglichkeit gewähren sollte, durch Anlage großer Reservoirs die nieder gelegenen Flächen zu bewässern.

ach 18 monatlichen Graben gelang es, in einer Tiefe
0 Schuhen einen durchziehenden Fluß zu erreichen, welche
e nie versiegende Quelle vom reinsten und besten Wasser
Die Schwierigkeit, dasselbe in eisernen Röhren herauf-
n, ward durch eine Dampfmaschine gehoben, welche der
diente Hofbrunnenmeister Höß verfertigte, und die nicht
einer Minute 80 Maß Wasser liefert, sondern auch zu-
die mit dem Brunnen in Verbindung gesetzte Dampf-
wein-Brennerei mit derselben Feuerung betreibt, so zwar,
damit erzielte Dampf die Kartoffel dämpft, mahlt, und
ische durch eine angebrachte Pumpe in den Vorwärmer
sofort in einem großen hölzernen Brennfasse mit einem
in Verbindung ganz fuselfreien Branntwein liefert, wel-
wöhnlich mit 38 bis 40 Grade anläuft, und vom Schäfer Kartoffel 32 bis 33 Maß 21grädiger Branntweins
t.

isser der großen Holzersparniß bei dieser noch zu wenig
en Branntwein-Fabrikations-Methode, gewährt dieselbe
h den großen Vortheil einer reinen ganz süßen Schlampe,
wenn nicht faule Kartoffel gebrannt, und die Keime
on gewachsenen sorgfältig entfernt werden, dem Rindvieh
htheilig, mit Begierde von demselben genossen wird.

a heuer in Schorn über 100 Schäffel Kartoffel ausge-
urden, und in der Umgegend dieselben auch um billigen
u kaufen sind, so wird den ganzen Winter hindurch eine
Menge Schlempe erzeugt, daß die benachbarten Land-
größtentheils damit versehen werden können, denen die-
uch, bei dem neu allgemein herrschenden Mangel an
tter, zu den billigsten Preisen abgegeben wird.

urch die in jener Dampfmaschine ruhende Kraft wird es
nternehmer möglich, eine Mahlmühle, eine Oelmühle
e Dreschmaschine in Betrieb zu bringen, wofür bei Her-
des vor der Hand nur zur ausgebreiteteren Kartoffel-
weinbrennerei bestimmten Gebäudes schon sehr umsichtig
t genommen worden ist. In der Bewirthschaftung des
Schorn erscheint in Beziehung auf Baumzucht ein uner-
res Streben durch die zweckmäßigste Anpflanzung hier
n der Folge gewiß großartigen Fruchtertrag zu erzielen;
inder erscheinen in der Pflanzschule schon alle Anlagen
det, um den schon begonnenen bedeutenden Absatz von
ften, jedem Klima und Boden anpassenden Obstbäum-
en edler Sorten in ausgebreiteten Betrieb zu setzen. —

Das Ackerland ist überall gut bestellt, rein gehalten, und die Eintheilung der vortheilhaftesten Bewirthschäftung entsprechend.

VI. Preis. Die grosse goldene Medaille.

Herrmann Mathias, Bauer am Katzenbogen, Ldg. Altötting im Isarkreise ist in seinem 61. Lebensjahre für uneigennützige Verbreitung der Obstbaumpflanzung gleich thätig, wie er sich schon als ein Knabe von 7 Jahren mit Neigung diesem Geschäfte gewidmet hatte. — Nach amtlicher Bestättigung verdankt es der ganze südliche Theil des Landbezirkes, daß sich die verschiedenen Gemeinden sehr guten Obstes erfreuen.

Herrmann veredelte aller Orten nur Wildlinge; unter seiner sorgfältigen Obhut ist sein Wirken mit obigem Erfolge ein gediegenes geworden, und es könnte ihm das Zeugniß nicht versagt werden, daß kaum Jemand so vieles für die Baumzucht und mit so vielem Nutzen geleistet hat, wie dieser Herrmann. — Seiner Leistung wird ohne Uebertreibung alles, was sich in einem großen Theile des Landgerichtsbezirkes an edlem und gutem Obste vorfindet, zugerechnet. 50 volle Jahre zählt sein anhaltendes Wirken für diesen Zweig landwirthschaftlicher Industrie um so verdienstlicher, als es ganz anspruchlos ist, da der bescheidene Mann zur Preis-Bewerbung erst aufgemuntert werden mußte; aber lange Jahre schon fruchttragende Baumstämme von einem Umfange von 5 Schuhen sind die Gewährschaft eines Erfolges, welcher von den vielen tausend und tausend zarten Pflanzungen neuerer Zeit, wovon tausende schon wieder vernichtet seyn mögen — erst erwartet werden muß — Herrmann verdient sohin Belohnung und vorzügliche Auszeichnung.

VII. Preis. Die grosse goldene Medaille.

Huber Anton, Bauer zu Rettenbach Landg. Traunstein im Isarkreise weiset eine ausgezeichnete Leistung landwirthschaftlicher Industrie vor. So thätig wie unermüdet in seinem Wirken als Oekonom hat er ein Grundstück von 21 Tagwerken lehmigen Bodens, dann in mehreren Parcellen zerstreute, 40 Tagwerk unter großen Vortheilen mit Benützung der Lehmerde selbst cultivirt, und rühmt diese als das beste Düngsmittel an. Ein von seinem Wohnorte auf eine Stunde entferneter Moosgrund von 7 Tagwerk, auf welchem er schwarze Erlen in Zwischenräumen von 30 Schuhen angepflanzt hat, erhält aus dem Blätter-Abfalle der Erlen, ein so ergiebiges Dungmittel, daß er schon

760 Zentner Heu einfexte. — Dieser verständige Landwirth hat seine Wiesen zweimähdig gemacht, erbaut an 3090 Metzen Kartoffel, gewinnt 36 Fuder Klee, und hat sich zu einem Wohlstand erhoben, in welchem er, der früher kümmerlich 2 Pferde und 5 Stück Hornvieh füttern konnte, jetzt 9 Pferde, 40 Stück Hornvieh und 40 Schafe besitzt, und seine Wohn- und Oekonomie-Gebäude neu erbaute. — Auf seinen in solcher Art verbesserten Gründen wurden bereits 750 Obstbäume und 400 Eichen angepflanzt.

Hubers Leistungen sollen andern Landwirthen zum Vorbilde dienen; der Vortheil, welchen ihm die Anpflanzung von Erlen auf nassen Gründen gebracht hat, möge vielseitigst zur Belehrung beachtet werden.

8. Preis. Die große silberne Medaille.

Rothmayr Joseph, Wirth zu Aßling, Landg. Ebersberg.

Ebenso beharrlich als verständig hat dieser Landwirth sich für die Gegenwart einen Besitzstand von 80 Tagwerk an Ackergründen, auf welchen er durch Ablösung Zehentfreiheit erzweckte, dann 70 Tagwerk an Wiesgründen erworben; seinen Viehstand, welchem früher aus sumpfigen Moosgründen nur schlechtes, geringen Ertrag bringendes Futter gereicht werden konnte, auf 26 Stück gut genährten Hornviehes, dann 6 Pferden gebracht; noch bleiben ihm alljährlich 1000 Zentner Heu und 400 Zentner Stroh zum Verkaufe übrig.

Mittel und Wege, den Wohlstand des fleißigen, denkenden Mannes in solcher Art zu steigern, sind auf das Jahr 1810 zurück nachgewiesen: es sind das Trockenlegen nasser Mooswiesen, mühsames Entfernen des wilden Gestrippes und der Filzforchen, Ankauf und Kultur des sogenannten Egglsees von 9 Tagw., Ankauf und Kultur eines Waldgrundes von 21 Tagwerken.

Des industriösen Mannes Unternehmung war überall mit dem erfreulichsten Erfolge gesegnet; er ärntet jetzt an 1600 Zentner Heu, eine über alle Erwartung ergiebige Ausbeute, die ihn nöthigte, den Bau eines neuen Stadels von 100 Schuh Länge und 50 Schuh Breite schon begonnen zu haben. Von seinen Ackergründen in kleinen Parcellen zu nicht mehr als 1 Tagwerk zerstreut, sind 50 Tagwerke dermalen arrondirt; und den Besitz derselben noch zu vermehren, hat er eine Mooswiese von 13 Tagwerk der Ackerkultur unterworfen, und dieselbe durch sehr tiefe Gräben trocken gelegt.

Die Gegend zwischen Aßling und Straußdorf, welche früher eine ungeheure mit Morast und Sumpf bedeckte, von Unken bewohnte Fläche war, bietet jetzt dem Auge fruchtbare, mit Heustädeln gleichsam übersäete Wiesen dar; und dieses ist der nicht blos lohnende, sondern auch gemeinnützige Erfolg der vernünftigen Thätigkeit eines Landmanns, welche auch andern zum aufmunternden Beispiele geworden ist.

Mildthätigkeit ist nicht minder das schöne Attribut des Rothmayr, mit welchem er zu Armen- und zu Schul-Zwecken manche Gabe spendet.

9. Preis. Die große silberne Medaille.

Schleinkofer Ignaz, Bierbrauer zu Ergoldspach, Landg. Pfaffenberg im Regenkreise, hat sich ausgezeichnete Verdienste um den Repsbau erworben, welchem er sich schon seit 12 Jahren unterzieht. Viele Oekonomen hat er dazu durch unentgeldliche Abgabe von Samen an Unbemittelte, gegen billigen Preis an Wohlhabendere aufgemuntert, und den Repsbau so verbreitet, daß bereits 100 Tagwerk für die dießjährige Saat mit Samen dieser Oelfrucht angebaut worden sind.

Die bessere Anzucht des Hornviehes, der Schweine, und der edleren Schafraçen, macht er sich durch unentgeltliche Verwendung seiner Zuchtstiere, Widder und Schweinbären nicht minder sehr verdient.

Sein Hopfenbau ist auf dem Standpunkte von 10,000 Stöcken; auch hier fand sein thätiges und sachgemässes Wirken Nachahmung. Die Vortheile, die er damit erzweckte, erregten die nun allgemein verbreitete Lust zum Hopfenbau.

Schleinkofer hat sein Areal in 7 Hauptschläge, jeden zu 20 Tagw. arrondirt, durch zweckmäßigere Behandlung und entsprechenden Fruchtwechsel, Anwendung aller zu Geboth stehenden Dungmittel, vorzüglich der Gülle zu einer dergestaltigen Fruchtbarkeit an Aecker und Wiesen erhoben, daß er 30 Stück Hornvieh, 280 Schafe und 10 Arbeitspferde nährt. Das bei seinem Gutsantritte herabgekommene Anwesen ist im blühendsten Zustande.

Fortwährend auf Verbesserung seiner Landwirthschaft bedacht, ist die Kultur von 6 Tagwerk sumpfigen Grundes durch Graben, Ziehen, Aufführen von Bauschutt, Anwendung des Kompost-Düngers und der Malzkeime sein nicht minder gelungenes Werk neuester Zeit.

10. Preis. Die große silberne Medaille.

Moritz Philipp, Viertelbauer zu Lindach, k. Landg. Vilshofen, hat in der ganzen Umgegend einen bessern Sinn für Kultur erweckt, und sein Anwesen sehr wesentlich verbessert. — Sein Wirken umfaßt folgende Behelfe: hiezu: von höher gelegenen Feldrändern ließ er gegen 100 Fuder Wasen und Erde ab, und in die Dungstätte führen, in welcher deren Verwesung durch Uebergiessen mit Gülle, und durch Zuleitung der Abflüsse des Haus- und Regen-Wassers die Verwesung befördert wird.

Ein Theil dieses Zuflusses wird auf seine, zu diesem Behufe durch Tausch an sich gebrachte Wiese abgeleitet. Der neu erbaute Viehstall wurde gegen den vorigen zum Nachtheile des Viehes zu beschränkten um ⅔ vergrößert, dasselbe auch mit dem Getreid- und Heustadel unternommen.

Eine mit Haselstauden und Dornhecken bewachsene Fläche von 6 Tagwerk brachte er zweckgemäß zur Acker- und Wiesen-Kultur, arrondirt seine zerstreuten Grundstücke sehr anpassend, brachte durch 15 neue Wasserschwalen die Bewässerung seiner Wiesen, andererseits durch drei Kanäle die Austrocknung nasser Feldgründe zu Stande — erhöhter Ertrag an Fütterungs-Mitteln begünstigte die beabsichtete Stallfütterung.

Auf den Nutzen der Baumzucht nicht minder bedacht, gelang es ihm aus den Früchten seines Baumgartens von 200 sehr gute Früchte reichlich tragenden Stämmen eine so ergiebige Most- und Essigbereitung erzweckt zu haben, daß er im vor. Jahre 300 Eimer Most und Essig verkauft haben sollte.

Als Vater von 7 Kindern ist Moritz gleich verdienstvoll; seine zum Schulbesuche fleißig angehaltenen Kinder zeichnen sich durch religiös sittliches Betragen, durch Fleiß und Talente die ersten Plätze erwerbend, aus; zu Hause sind sie nach des Vaters Vorbild mit landwirthschaftlichen Arbeiten auf das zweckmäßigste beschäftiget, wie er sich dann selbst in den Wintertagen mit Verfertigen seiner Ackergeräthschaften und Ausbessern von Taschenuhren beschäftige.

friedlich mit seiner Familie zusammenlebend, besteht ununterbrochene Eintracht nach Aussen.

11. Preis. Die grosse silberne Medaille.

Karlinger Joseph, Handelsmann in Miesbach, wirket mit lohnendem Erfolge als Oekonom durch Urbarmachung seiner Gründe, Erhöhung ihres früher geringeren Ertrages mit Anwendung des Knochenmehles, Kompost Düngers, kalkigen Thonmergels, wodurch er sehr fruchtbare zweimähdige Wiesen erzweckte, und seine in 60 bis 70 Tagwerk bestehende Oekonomie in einen musterhaften Zustand erhob; er sichert sich den nachhaltigsten Ertrag durch fortgesetzte ausgebreitete Kompost-Dünger-Bereitung, und jede Art der Dünger-Gewinnung.

Seit drei Jahren nach der besten Mergel-Erde zur Erzeugung des hydraulischen Kalkes forschend — ist er durch beharrliches industriöses Streben dahin gelangt, auf erbauten drei grossen Kalköfen mehrere tausend Zentner hydraulischen Kalkes zu erzeugen, welche zu den Staatsbauten nach München abgeliefert wurden.

Dieses Unternehmen wurde eine Quelle des Erwerbes für eine bedeutende Anzahl Menschen und Fuhrwerk, welche vor wenigen Jahren nicht geahnet wurde. Karlinger hat das Vertrauen und die wohlverdiente Achtung, welche schon im reichlich und schwunghaften Betriebe seines Gewerbes bisher beruhte, sich dadurch noch mehr begründet. — —

12. Preis. Die grosse silberne Medaille.

Mutz Joseph, Posthalter zu Pilsting hat in Folge der Aufforderung der k. Unterdonau-Kreisregierung:

sich zu erklären,

„wer zur Beförderung der Wiesenkultur ein Darleihen „wünsche;

(ohne ein solches Darleihen in Anspruch zu nehmen), eine Wiesenkultur auf 20 Tagwerk sumpfigen grundlosen Weidegrund, wo weder Menschen noch Vieh wandeln konnten, und wilde Enten sich in grosser Anzahl aufhielten, vorgenommen, und zwar mit einem höheren Aufwande von Kosten, als ihm eben so viele Tagwerk guter Wiesen anzukaufen verursacht hatte — er unterzog sich dieser Kultur, um vielen arbeitslosen Menschen Beschäftigung und einen Erwerb zu verschaffen.

Auf dieser Kultur ärntete Mutz bereits 15 Fuhren Heu nebst 14 Fuhren Omet, und der Wiesengrund ist in der Art trocken gelegt, daß er ohne Anstand mit beladenen Wägen von 30 — 40 Zentner befahren werden kann.

13. Preis. Die große silberne Medaille.

Bernstetter Michael, Schulverweser zu Saulburg, Landg. Mitterfels im Unterdonaukr. ist ausgezeichnet als Beförderer der Baum-, der Seiden- und der Bienenzucht, dann anderer Zweige der landwirthschaftlichen Industrie — er unterrichtet die Schuljugend in Pflanzung und Veredlung des Obstes, und benützt die Hausgärten im Dorfe, um dort wilde Stämme zu veredeln — zwei vor drei Jahren angekaufte Bienenstöcke hat er bereits durch Behandlung nach Anleitung guter Schriftsteller auf 6 gebracht, und seine Erfahrungen und Kenntnisse anderen zum besseren Gedeihen ihrer Bienenzucht mitgetheilt. — Er benützt Staatsraths von Hazzi's Katechismus, um nützliche Kenntnisse zu verbreiten, und diktirt den Schulknaben das Wichtigste in Hefte zum häuslichen Gebrauche. In Folge der mit mehreren Gemeindegliedern getroffenen Verabredung beabsichtet er Versuche mit Eichenkultur. — Dieses Streben Bernstetters bezeugen die Schulbehörden als ungemein verdienstlich, so wie ihm alljährlich bei den Schulprüfungen öffentliche Belobung wirklich zu Theil wird, und ihm auch der erste Preis im J. 1835 bei dem Vereinsfeste des Unterdonaukreises über rastlosen Eifer in Beförderung nützlicher Betriebsamkeit zuerkannt wurde.

14. Preis. Die große silberne Medaille.

Söldner Ignaz, Bierbräuer in Straubing — unterzog sich auf seinem Oekonomiegute zu Hofstetten in bedeutender Ausdehnung dem so nützlichen Repsbau: so wie er im Jahre 18$\frac{33}{34}$ auf 10 Tagw. von 2 Metzen Ausbau 36 Schäffel 2 Metzen; im Jahre 18$\frac{34}{35}$ auf 15$\frac{1}{2}$ Tagw. von 3 Metzen Ausbau 46 Schäffel 4$\frac{1}{2}$ Metzen, und im Jahre 18$\frac{35}{36}$ auf 22 Tagw. von 4$\frac{1}{2}$ Metzen Ausbau 85 Schäffel 1 Metzen erzielt hatte, wurde für die dießjährige Aussaat, wozu er 25 Tgw. bestimmt hatte, 5$\frac{1}{2}$ Metzen verwendet, wovon für die nächste Aernte der erfreulichste Ertrag zu erwarten ist.

15 Preis. Die große silberne Medaille.

Hör Christian auf dem gräfl. Fuggerischen Gute zu Unterbessenbach Landg. Aschaffenburg zeichnet sich durch Repsbau besonders aus; er besämet auf einem Areal von 315 Tagwerken in der Regel 40 Tagw. mit Reps, und erbaute jährlich 80 Schäffel. — Seit 5 Jahren erzielte Hör jährlich 115 Schäffel, den Preis für das Schäffel zu 30 fl. angenommen, war der Ertrag dieser Pflanzung 3450 fl., welches durch den Anbau von gewöhnlichem Früchtenbau kaum zur Hälfte konnte erzielt werden. Hör hat seinen Wirthschaftsbetrieb so eingerichtet, daß nach dieser Oelpflanze auf dasselbe Feld wieder Winterfrüchte als Korn und Spelz mit vollkommenem Ertrage gepflanzt werden. Durch sein so gelungenes Beispiel hat Hör dem Landmanne jener Gegend von geringerem Grundbesitze über ihm häufig nachgeahmte Pflanzung des Oelgewächses eine reichliche Ertrags-Quelle geöffnet; Seine Leistung als Verdienst um Verbreitung des nützlichen Repsbaues ist also um so mehr der Anerkennung würdig.

16. Preis. Die große silberne Medaille.

Benker Ludwig, Lehrer zu Lindenhart Landg. Pegnitz im Obermainkreise hat ein Torflager mit einem Flächen-Inhalte von 120 Tagw. auf der Gemeinde Huth zu Lindenhart aufgefunden, welches bereits schon eine Ausbeute von 3000 Kl. des besten Torfes gewährte; der Torf wird nach Baireuth und die Umgegend als Brenn-Material vortheilhaft verkauft. Ausgebreiteter wird hier das Torfstechen durch Hrn. v. Regemann in Baireuth getrieben, wobei 200 Menschen, welche der ärmsten Klasse angehören, Beschäftigung und Nahrung, die Landwirthe durch den Transport des Torfes einen sehr nützlichen Verdienst mit Fuhrwerken finden.

Aus diesem Torflager wurden bereits 300 Klafter versunkener Stöcke und anderes Holz ausgegraben, den dürftigen Gemeindegliedern zur Benutzung überlassen, und da zu erwarten ist, daß in der Folgezeit ein solches Quantum und noch mehr zum Lichte befördert werden werde, so wird jedes Gemeindeglied seinen vollständigen Holzbedarf erhalten, und der demoralisirende Forstfrevel aufhören.

Lehrer Benker, welcher als Vater von 10 Kindern kein Vermögen zum Selbstbetriebe der Torfstecherei besitzen konnte, hat ein um so größeres Verdienst um das allgemeine Wohl, als ihm selbst diese Entdeckung keine materielle Vortheile gewährte; unabsehbar erscheinen aber die möglichen Erfolge für

waren auszuheben, das Gestripp auszurotten und mühevolles Einebnen zu vollenden. Zur Hälfte wurde die urbar gemachte Fläche als Aecker, zur Hälfte als Wiese benützt, auch einer Baumschule bedacht — Sorgfältige Benützung der Jauche gestattet ihm letztere dreimädig und endlich das Werk des unermüdlichsten Fleißes dadurch vollständig zu machen, daß auf seinem Kulturgrunde mehrere Hundert selbst gezogener und veredelter Stämme im üppigsten Wuchse gedeihen und ihn hoch erfreuen, aber auch seine Mühe vielseitig lohnen.

21. Preis. Die große silberne Medaille.

Fuchs Mathias, Neuhäusler zu Rollhäusl, Landg. Wegscheid im Unterdonaukr., hat sich durch unermüdete Kultur eines steinigen Holzgrundes von 8 Tagwerk eine fruchtbare Wiese und ein Kartoffel-Feld, welche mit 300 Stück zur Freude gedeihenden Obstbäumen angepflanzt sind, erworben. Er erbaute einen Brunnen von 7 Klafter Tiefe, um dadurch Bewässerung seiner Wiesen zu erzwecken, wozu ihm auch die Herstellung eines unterirdischen Kanales von 152 Klafter Länge nothwendig wurde; der Erfolg lohnt bereits sichtbar das Unternehmen. — Sein kleines Wohnhaus ist freundlich gestaltet durch ein mit Gemüse und Blumen, dann Obstbäumen angepflanztes Gärtchen, in welchem ihm auch der Tabakbau gelungen ist, wie er durch vorgelegte Blätter, auf eine gewiß beachtungswerthe Weise nachweiset.

22. Preis. Die große silberne Medaille.

Klein Adam, Gütler zu Egglhausen, Landg. Freising im Isarkr., ist bestrebt, den Tabakbau mit Vortheil zu treiben; wider alle Erwartung wurde sein Fleiß sowohl in Menge als Güte belohnt. — Von seinem Erzeugnisse, welches er auf 5 Zentner für dieses Jahr berechnet, legt er bei gegenwärtigem Landwirthschaftsfeste die Proben vor.

23. Preis. Die große silberne Medaille.

Urban Joh. Bapt., Posthalter in Vilsbiburg im Isarkr., weiset folgende Leistungen nach:

1) Arrondirung seiner Aecker mit dem Flächenraume von 101 Tagwerken, 75 Dec., welche in 57 Parcellen früher zerstreut, nun auf 27 Aecker reducirt sind;

2) Anbau des Brachfeldes zum Futterkräuterbau;

3) Bewässerung und Ueberführung der Wiesgründe mit Gülle; Anwendung der Walze auf lehmiger Erdschölle.

4) Ausbau neuer Stallungen, mit Gewölben versehen;

5) Hopfenbau mit einer Anzahl von 10 bis 11,000 Stöcken, der allseitige Nachahmung fand, und soviel Hopfenerzeugniß zur Folge hatte, daß im Orte fremder Hopsen nicht mehr angekauft, sondern das Selbsterzeugniß zum Kaufe disponibel wird.

24. Preis. Die große silberne Medaille.

Härtel Lorenz zu Schnaitach, Landg. Lauf im Rezatkr. Daß menschlicher Fleiß, Beharrlichkeit und Anstrengung auch die schwierigste Aufgabe zu lösen im Stande sind, war das Resultat einer gerichtlichen Besichtigung mit Zuziehung sachverständiger Männer, welche aus Härtels Veranlassung auf seinem zur fruchtbringenden Kultur gebrachten sogenannten Breitenberg von ziemlich steiler Abdachung Statt gefunden hat.

Der unterste Theil ½ Morgen sey mit fünfjährigem Klee und Kartoffel angebaut und beides sehr gut gerathen; hier auch 300 veredelte Obstbäume angebaut, welche heuer im 8. Jahre ihrer Pflanzung und gleichen üppigen Wuchses an den verschiedenen Bäumen, als Kirsch-, Nuß-, Zwetschgen, Birnen und Aepfelbäumen eine reichliche Ausbeute gewährt haben; hier, wo früher nur Birken, Weiden, Erlen und Schleedorn standen, und der Boden mit Steinen überhäuft war. — Auch einen Versuch mit 150 Weinreben machte hier der wackere Härtel, allein Dieberei vereitelte diesen.

Der mittlere Theil des Breitenberges, ein Morgen, ist mit Kartoffeln und Flachs angebaut; ein kleines Wachhäuschen hergestellt, und um dieses Kirschen-Weichsel- u. Maulbeerbäume, letztere besonders guten Wachsthumes angepflanzt.

Der dritte und obere Theil, 3 Tagw., ist mit 1200 Hopfenstöcken und 500 Obstbäumen, welche bereits das 8. Jahr erreicht haben, angepflanzt. An jeder Gattung dieser Obstbäume zeigt sich ungeachtet der steilen Anhöhe und des mit zahllosen Steinen angefüllten Bodens der üppigste Wuchs; besonders Nuß- und Mispelbäume.

Die größern Steine wurden zur Schutzmauer verwendet. Aus dem Hopfenbau ärntete dieser Kulturant in diesem Jahre 3 Zentner vorzüglichen Gewächses.

Härtel bekämpft alle Schwierigkeiten des Terrains, leistete das scheinbar Unmögliche, umstaltete den steilen Breitenberg zu einem vortreffliche Früchte erzeugenden Boden, und wirkte zugleich nicht minder verdienstvoll auf Verschönerung der Gegend, und Erweckung landwirthschaftlicher Industrie.

Mögen der ausgezeichneten Bestrebsamkeit dieses für seine Kultur im 67ten Lebensjahre thätigsten Mannes recht viele Landwirthe nachfolgen.

25. Preis. Die große silberne Medaille.

Lohner Simon, Bauer zu Lohm, Herrschaftsgericht Neufraunhofen im Isarkr. — hat das ungemein große Verdienst um den Hopfenbau sich erworben, daß in Folge seiner sehr gelungenen, und um seiner übrigen Bewirthschaftung nicht zu schaden, (bei dem erreichten Stande von 3000 Stangen) vernünftig beschränkten Unternehmung eine ungemeine Nachahmung sich bewährt hatte, welche nun in jener Gegend angerühmt wird. — In der Pfarrei Baierbach ist kaum Ein Grundbesitzer zugegen, der sich nicht dem Hopfenbau widmet; dem wackern Lohner verdanken viele bessern Wohlstand. — Mit Vertheilung von Hopfenpflanzen, Unterricht in Behandlung, und selbst thätiger Beihilfe hat er sich dieses große Verdienst für seine Zeitgenossen und ihre Nachkommenschaft begründet.

26. Preis. Die große silberne Medaille.

Amberger Jakob, von Luftling, Landg. Cham im Unterdonaukreise. Durch Kultur seiner Acker- und Wiesengründe, welche er von den vielen schädlichen Steinen gänzlich zu reinigen vermochte, sich auszeichnend wird er durch Anlage einer Strecke Weges von 120 Schritten mit 3 Wasserdurchlässen versehen, welcher die bei schlechter Witterung und zur Winterzeit gehemmte Kommunikation nach Menzing für jede Jahreszeit unterhält, um die Gemeinde Luftling, so wie um die ganze Umgegend sehr verdient, anerkannt.

Wer immer erfahren hatte, wie bei länger anhaltender Regen- und zur Gefrierzeit oft ein Uebergang über ein unbedeutendes Gewässer oder eine sogenannte Fuhrt dem Leben des Menschen oder dem Anspanne gefährlich ist, wird das große Verdienst anerkennen müssen, womit sich Amberger durch seine höchst gemeinnützige, durch das amtliche Zeugniß bekräftigte Leistung den Dank seiner Mitgemeinen und vieler Menschen, welche sich dieser Wegsstrecke bedienen mußten, erworben hat.

27. Preis. Die große silberne Medaille.

Pösch Joseph und Stoiber Andreas, beide Ansiedler zu Augustenfeld, Landg. Dachau im Isarkreise, haben auf ihrem Moosgrunde von 24 Tagwerk, worauf nur zur Streue dienliches Moosheu gewachsen, 12 Tagwerk in Kulturstand gesetzt, diese durch Entwässerungsgräben von 2970 Klafter Länge, und 1 Klafter Breite trocken gelegt, die abgehobenen Wasen zu Asche gebrannt, diesen als Dungmittel über die ganze Fläche verbreitet, und letztere mit Anwendung einer Walze geebnet, auch dadurch der lockern Mooserde Festigkeit gegeben.

Sie erzielten bereits eine ergiebige Aernte von Sommer- und Winterfrucht, Kartoffel und Hanf; vorzüglich gedieh nebst Klee der Anbau der Gerste.

Als gewiß dürftige Ansiedler verdienen sie bei so beharrlichem Fleiße und mit Rücksicht auf Kulturhindernisse, welche sie durch Angränzung an das Schleißheimer Moos erfahren müssen, Beachtung, nicht minder auch Aufmunterung durch Belohnung, als in dieser Gegend noch gar zu vieles für Kultur der unfruchtbaren Moosgründe geschehen sollte und könnte.

Der Verschönerungs-Verein zu Ottobeuern, seit dem Jahre 1832 bestehend, und durch den vorigen k. Landrichter Prasser in's Leben gerufen, weiset Leistungen nach, welche ein Ganzes bildend, wohl auch hier Ausnahme finden müssen, obgleich um die im Programme ausgesetzten Preise nur Landwirthe konkurriren können, in welcher Eigenschaft derselbe nicht angesehen werden kann.

Dieser Verein, an welchem alle Honoratioren des Ortes Theil nehmen, und welcher durch einen Ausschuß geleitet wird, hat sein Wirken an dasjenige angereihet, was ein reger Sinn für Orts-Verschönerung zum Theile schon früher geschaffen, was die Verhältnisse nach der Besitzveränderung des säkularisirten Klostergutes dargeboten hatten.

Die Gemeinde-Verwaltung, so wie die einzelnen Gemeinde-Glieder stehen mit dem Vereine im Wetteifer, Großartiges zu erzwecken; alle biethen sich im freundlichen, um so kräftiger wirkenden Einverständnisse die Hand. — Der ganze Ort scheint in eine Gartenanlage mit Früchten des edelsten Obstes und Zierbäumen umgestaltet; die Zugänge sind zu den Amtswohnungen durch Blumenbeete und Bosquete verschönert, und zu dem Gotteshause führen der Erhabenheit seines Baustyles angemessen, wohl unterhaltene, mit Bäumen besetzte Wege.

In solcher Art, dann durch Verkleidung der Klostermauer mit Kastanien, Akazien und Himbeerstrauch, durch Umgeben von 2 Feuerweihern mit Ziergesträuchen und Kugelakazien, (ausgeführt durch den k. Forstmeister Eggwolf) Anlage einer prachtvollen Akazien-Allee im Innern des Fleckens durch Erweiterung der imposanten Kastanien-Allee der Vorzeit, die vorzügliche Zierde des Fleckens durch gute Herstellung der Strassen, Brücken und Stege über die Günz, Umgebung deren Ufer mit schützenden Geländern; durch grosartige Umgestaltung des grossen geregelten Marktplatzes, mit Ausbesserung des Alexanderbrunnens ist die Verschönerung des Ortes in einem Höhegrade erreicht, welche den Fremden zur Bewunderung hinreißt, die unendlichen Mühen des Vereines lohnet, und auch den Pomologen nicht minder mit den fast an jedem Hause in vielfacher Zahl und reicher Fülle blühenden und Früchte tragenden Spalierbäume den erfreulichsten Anblick gewährt.

Die Umgebungen Ottobeuerns bieten nicht minder eine würdige Ansicht dar, wie überall dieser Verein seine Aufgabe zu lösen versteht.

Die fünf Hauptzugänge zum Marktflecken Ottobeuern sind gleich Distrikts-Wegen behandelt; Brücken, Durchlässe und Geländer gut unterhalten, und üppige Alleebäume angepflanzt, nämlich an der Strasse nach Grönenbach mit Linden; nach Kempten mit Kirschbäumen, nach Kaufbeuern und Mindelheim mit verschiedenen Obstbäumen; ebenso nach Memmingen und gegen Babenhausen. — Aehnliche Baumpflanzungen an Gemeinde- und Nebenwegen, z. B. in das Bauholz unterliegen der pfleglichen Behandlung des Vereins.

Dieser Verein hat nach den vorgelegten, von der k. Regierung des Oberdonaukreises genehmigten Statuten sein Bestehen durch freiwillige Beiträge und durch die ehrenvollste Thätigkeit der Vereinsmitglieder, welche ohne Unterlaß ihr Ziel zu erreichen streben, und ein ausgebreitetes Verdienst sich schon erworben haben.

Nun folgen diejenigen, welche auch als Preis-Bewerber aufgetreten und vom Preisgerichte zum Theile auch preiswürdig, jedenfalls aber der ehrenvollen Erwähnung und Bekanntmachung ihrer Leistungen würdig erkannt worden sind: in alphabetischer Ordnung nach Eintheilung in Kreise.

Aufleger Mathias, Schmid zu Kapell, Landg. Laufen, kultivirte 9 Tagwerk Moosgrund, wovon an Sommergetreid, Flachs und Kartoffel 34 Wägen voll geärntet wurde: Aufleger hat sich auch als Gemeinde-Vorsteher ein vorzügliches Zeugniß des k. Landgerichts erworben.

Buchwieser Martin, Taglöhner zu Garmisch, Ldg. Werdenfels brachte seinen Gemeingrund zur musterhaften Kultur mit ungemeinem Fleiße und verschaffte sich sehr gutes Ackerland.

Förg Joseph, Petzbayer von Untershofen, Landg. Rosenheim, machte sich durch zwei gemeinnützige Fahrwege sehr verdient.

Fuchs Andreas, Wirthssohn zu Oberndorf, Landg. Ebersberg erhöhte den Ertrag einer Mooswiese durch Trockenlegen, und erzweckte auch Bewässerung, mit gleichzeitigem Erfolge sehr verdienstlicher Aufmunterung für Andere.

Königer Karl, Lehrer zu Theim, Landg. Rosenheim — verbesserte die ungemein schlechten Schulgründe erster Bonitäts-Klasse, und befähigte dieselben zum entsprechendsten Anbau aller Getreidfrüchte, des Krautes und der Hülsenfrüchte.

Lartmair Mathias, Maier zu Untertaufing, Landg. Ebersberg, hat als junger Landwirth schon Beweise seiner Verständigkeit und Industrie durch Kultur eines Moosgrundes von 6 Tagwerk gegeben; nicht minder durch Verbesserung seines Ackerlandes mittelst Erde-Aufführen; durch Verbesserung seiner Wiesen mittelst Bewässerung — durch Herstellung einer sehr nutzbaren Odelgrube; ferner durch Baumpflanzung, mit welcher er schon als Schulknabe sehr vertraut geworden ist; er erscheint als ein sehr achtungswerthes Vorbild für andere Landwirthe.

Leibl Joseph, Baron von Eichthalischer Oberjäger zu Tegernau, Landg. Ebersberg, unternahm die Kultur einer mit Felsen durchzogenen Bergleite, und bepflanzte diese mit 190 Stämmen edler Obstsorten: er befördert die Baumzucht durch sein Beispiel, und durch Verbreitung vorzüglicher Sorten um die billigsten Preise.

Offensberger Johann Bapt., Lehrer zu Ruhpolding, Landg. Traunstein, verfolgte sein schon oft anerkanntes Verdienst um die Obstbaum-, Maulbeerbaum- und Seidenraupenzucht, und hat durch seinen Fleiß in der Kultur steriler Grundstücke auch

Reichart, Färber in Dietramszell, Landg. Grönenbach hat den Grundwerth eines bisherigen Moosgrundes von $3\frac{1}{2}$ Tagw. durch verständige Kultur sehr bedeutend erhöht.

Obermainkreis.

Heinlein, Magistratsrath der Stadt Kronach — leistet durch die mühevollste Kultur öder Plätze an steilen Abhängen, häufig mit Felsen durchzogen, seit einer Reihe von Jahren Außerordentliches. Für Baumpflanzung, zweckmäßige Dünger-Gruben und jede Art landwirthschaftlicher Industrie erweiset er sich thätig, so wie er dem General-Comité des landwirthschaftlichen Vereins seine Abhandlung über Verbesserung der Kultur und verschiedene Dungmittel vorgelegt hatte. Voll regen Dienst-Eifers ist er der Stadtgemeinde Kronach durch eine verständige Bewirthschaftung, Arrondirung und Waldkultur, da ihm als Magistratsrath die Aufsicht über die zur Stadt gehörigen Güter, dann die Stiftungs-Waldungen übertragen ist, das nützlichste Gemeindeglied geworden.

Merschnabl Franz Michael, Handelsmann in der Stadt Kemnath erweckt durch gelungene Benutzung des Kompost-Düngers, der in 2 angelegten Dünger-Gruben erzeugt wird, verdienstliche Nachahmung.

Regenkreis.

Adam Franz Xaver, qu. Patrimonialgerichtshalter zu Eichstädt unterzieht sich uneigennützigst und mit persönlicher fortgesetzter Bemühung auf dem kultivirten Besitzthume eines Morgen Landes der Pflanzung und Pflege von Maulbeer- und Obstbäumen dann schönen zweckgemäßen Anlagen — seine Verdienste um die Seidenzucht, an welcher seine Familie thätigen Antheil nimmt, entgehen der verdienten Anerkennung nicht.

Däutscher Jos., Müller auf der Schnitzlmühle, Herrschafts-Gerichts Zaitzkofen, erweitert immer seinen Hopfenbau, und benützte bei einem unternommenen Wasserbau den hydraulischen Kalk. Dadurch wurden die Bewohner jener Gegenden mit diesem höchst nützlichen Baumaterial bekannt, und Däutscher leuchtet überall als fleißiger und unternehmender Landwirth vor.

Fischer Mathias, Binder in Schierling, Herrschaftsgerichts Zaitzkofen, bethätigt regen Eifer für Obstbaumzucht auf uneigennützigste Weise, indem er Bäume aus seiner Pflanzschule in die Schulgärten abgiebt, und selbst dahin pflanzet; das Schuljugend zu Schierling seinen Garten zur Benützung überläßt; in anderen Gärten Wildlinge veredelt, und darin unterrichtet.

Steimer Joseph, Bauer in Pfackofen, Landg. Stadtamhof erscheint als ein Muster in wesentlicher Verbesserung seiner Wirthschaft, Vermehrung seiner Dungmittel und Anbau der Brache mit Klee und Linsen, wodurch er vielseitige Nachahmung veranlaßte.

Rezatkreis.

Bosch Johann, Pächter der Oekonomie zu Otting, Landg. Wemding, verfolgt die Gülle-Benützung in zwei sehr nützlich angelegten Gruben auf Acker- und Wiesenland in einer so gelingenden Weise, daß sie bei dem Landmanne vielseitige Nachahmung finden, und Bosch's Verdienst um die Förderung dieses wichtigen ökonomischen Vortheiles erhöhet wird.

Fiuhrer Joh. Georg, Büttner zu Tauberbockenfeld, Herrschaftsgerichts Schillingsfürst, macht sich durch Baumzucht und Pflanzung von Obstbaum-Alleen an den Strassen sehr verdient.

Frei Joh. Bapt., Knabenlehrer zu Ellingen, dortig. Herrschaftsgerichts, ist Mitglied der zu Triesdorf begründeten pomologischen Gesellschaft, ungemein thätig in diesem Zweige, und von der k. Rezat-Kreisregierung im Intelligenzblatte jenes Kreises belobt.

Schumann Joseph, von Huttenhofen, Landg. Lauf, dessen Verdienst um die Obstbaumzucht schon im vorigen Jahre rühmlich erwähnt wurde, hat dieses wesentlich durch mühevolle Kultur von 1½ Tagwerk steinigen Grundes, erzweckt mit der beharrlichsten Anstrengung, erhöht.

Stramer k. Revierförster zu Kamerstein, Landg. Schwabach, ist nebst seinem gerichtlich beurkundeten Diensteifer als Forstmann, dessen Würdigung den höhern k. Behörden nicht entgeht, dann nebst seinem Verdienste um die Maulbeerbaum- und Seidenraupenzucht, welches besonders gewürdigt wird, auch mit vielen Verdiensten um die Verbreitung der Obstbaumpflanzung bekleidet.

Unterdonaukreis.

Aichinger Michael, Verwalter des von Voithenbergischen Davidhofes zu Tresdorf verbreitet den Grünfutterbau in jener Gegend und ermuntert durch Verbeßerung des dortigen Wirthschaftsbetriebes zur Nachahmung unter Mitwirkung eines thätigen Gemeindevorstehers Michael Schedelbauer von Ruhmannsdorf.

Albanbauer Johann, Bierbrauer in Eggenfelden, erweitert auf eine verständige Weise seinen Hopfenbau zu einem vollkommenen Gelingen, unter Anerkennung seines glühenden Eifers und unermüdeter Thätigkeit von Seite der Gerichtsbehörde.

Ammer Joseph, Häusler auf der Wies, Landg. Simbach, verfolgt das Streben zur möglichst ausgebreiteten Obstbaumpflanzung auf seinem Eigenthume und gleichzeitig in unablässiger Pflege der seiner Aufsicht anvertrauten Strassen-Alleen.

Berchem, Freiherr, k. Kämmerer, hat auf der Besitzung Windsberg im Landg. Mitterfels durch Umwandlung eines Ackerlandes, und gleichzeitiger Kultur eines Oedgrundes ein fruchtbares Hopfenland gewonnen, worauf ihm ungeachtet vorjährigen Schauerschlages doch eine Ausbeute an 1057 ℔ schweren Hopfens gewährt war und von heuriger Aernte sich ein Ertrag von 16 – 17 Zentner erwarten läßt.

Bräu Simon, Halbbauer zu Luftling, Landg. Cham, macht sich durch gelungene Urbarmachung von 5 Tagwerk steinigen Grundes zu fruchtbaren Aeckern mit Aufmunterung für Andere besonders, als ein ausgezeichneter Gemeindevorsteher sehr verdient.

Buchermann Paul, Bauer zu Saxing, Landg. Wegscheid, gab ein nachahmungswürdiges Beispiel der Kultur eines Oedgrundes von 4½ Tagwerk zur zwei, theilweise auch dreimädigen Wiese.

Deggendorf, der Magistrat, erzweckt durch eine konstituirte Verschönerungs-Kommission die Anlage schöner Alleen nach allen Richtungen, aus Obstbäumen und Akazien; sein verdienstvolles Streben ist ein nachahmungswürdiges Vorbild für andere Stadt- und Marktgemeinden, welchen die Lokalität ähnliche Verschönerungen gestattet, und welche sich einen immer beachtungswerthen Ertrag aus Baumfrüchten verschaffen könnten.

Demmel Michael, Bauer zu Hansbach, vervollständigte die Kultur eines früher unfruchtbaren Oedgrundes von 24 Tagwerken zu einem vollkommen fruchtbringendem Ackerlande.

Donabauer Georg, Bauer zu Linzesberg, Landg. Wegscheid, hat einen Weide- und einen Holzgrund, zusammen 6½ Tagwerk zu Wiesen und Aecker umgestaltet, und 369 Obstbäume hierauf gepflanzt.

Ebner Lorenz, Bierbrauer zu Eggenfelden, leistete durch bedeutende Baumpflanzungen und schöne Gartenanlagen, welche er mit seinem geführten, und die Zierde des Ortes wesentlich erhöhenden Neubau im schönen Geschmacke zu verbinden verstand, der öffentlichen Erwähnung Würdiges.

Freislederer Michael, Oekonom am Hammerberg, Landg. Passau — als eifriger Beförderer der Baumzucht durch ausgebreitete Pflanzungen und Selbstveredlung sehr verdienstvoll.

Fuchs Johann, Langbauer zu Woching, Landg. Pfarrkirchen — als ein bewährter sehr verständiger Landmann — widmet er seine Thätigkeit auch der Obstbaumzucht.

Garhammer Martin, Bauer zu Kleinmisselberg, Landg. Grafenau, kultivirte einen Oedgrund von 10 Tagwerk zu Wiesenland, und verwendete davon 2 Tagw. zur Anpflanzung mit Obstbäumen.

Glashauser Johann, Halbbauer zu Matzersdorf, Landg. Passau hat mit lobenswürdiger Beharrlichkeit 11 Tagw. mit Steinmassen und Gestripp bedeckten Oedgrund in fruchtbares Acker- und Wiesenland umgeschaffen.

Hiendl Nicklas, am Bucherberg, Landg. Mitterfels, vollendete sein Kultur-Unternehmen auf 35 Tagw. verwilderter Oedung, das ihm ein neues Anwesen begründet hat.

Hofmann Jakob, Bauer zu Schalbing, Landg. Wegscheid, verwandelte $2\frac{1}{2}$ Tagw. Waldgrund zur vortheilhafteren Wiese.

Kammerer Johann, Halbbauer zu Unterbuch, Landg. Mitterfels, reinigte mittels Anwendung einer ansehnlichen Quantität Pulvers und mit einem Kosten-Aufwande von 50 fl. auf Schmiedarbeit für den dazu nöthigen Werkzeug, 5 Tagwerk mit Felsen durchzogenen Grundes; führte einen Schuh tief, mit Dünger gemengte Erde auf, und erzielte fruchtbringendes Ackerland. Dieselbe Kultur gelang ihm auf 2 Tagw. Oedung voll von Steinen und Gestripp; mit beharrlichem Fleiße beseitigte er auf allen seinen Feldern und Wiesen die Steine, bebaute das Brachfeld und pflanzte auf seinen Gründen veredelte Obstbäume. Dieser so eifrige und unermüdete Landmann wird für das nächstfolgende Oktoberfest wieder Beweise seines verständigen Wirkens vorlegen, welche, um preiswürdig anerkannt werden zu können, nicht mit der, in keinem Falle genügenden gerichtlichen Konsignation, sondern nach den alljährlich so deutlich ausgesprochenen Programms-Bestimmungen mit gerichtlicher Inhalts-Bestätigung versehen seyn müssen.

Koller Franz, Häusler zu Rothgeb hat, auf eigene Handarbeit beschränkt, 14 Tagwerk steinigen Grundes mit um so unverkennbarer und äußerster Anstrengung sich zu Wiesen- und Ackerland umgeschaffen, worauf er nebst gewöhnlicher Getreidefrucht auch Flachs und Klee baut.

Kraus Johann, Bauer zu Saulorn, Landg. Wolfstein, erzweckte die Kultur von 8 Tagw. Moosgrund zur 2mädigen Wiese, dann von 5 Tagw. mit Felsen durchgezogenen Grundes zum Flachsanbau.

Kraus Lorenz, Bauer zu Dietsberg, Landg. Viehtach, ist als ein eifriger Baumzüchter würdig, daß sein Verdienst Anerkennung finde.

Lehner Georg, Bauer zu Thurasdorf, Landg. Mitterfels, hat durch so verständige als mühevolle Kultur 11 Tagw. Wiesgrund zur Bewässerung befähigt, und seit dem 4jährigen Besitze dieses Anwesen als Landwirth und durch Kinderzucht als achtungs- und nachahmungswürdiger Familien-Vater sich großes Vertrauen erworben, daß er für die Gemeinde Saulberg als Vorsteher gewählt wurde, und vielseitig schon bei seinen Mitgemeinen den Trieb, ihre Landwirthschaft zu verbessern, erweckt hat. — Auch von Lehner läßt sich für die Zukunft Nachweisung noch ausgezeichneter Leistungen erwarten, um solche — wenn sie mit gerichtlicher Inhalts-Bestättigung werden versehen seyn, mit Preisen zu würdigen.

Leitner Michael, Gastgeber zu Ilz, nimmt die verdiente Würdigung der Kultur einer Bergleite an der Donau in Anspruch, welche er, ohne die Kosten und selbst die Gefahr des Lebens bei seiner persönlichen Mitwirkung der schwersten Arbeiten zu beachten, erzweckte, und worauf er dann 100 Obstbäume pflanzte. Viele solche vom Winde geschützte Plätze mit sonniger Lage könnten der Obstbaumzucht gewonnen, und ihr Gedeihen gesichert werden, wenn Leitners Unternehmen Nachahmung fände.

Loher Johann zu Zehentleiten, Landg. Simbach, unermüdlich im Streben, seine Landwirthschaft zu verbessern, sumpfige mit Gestripp bewachsene Flächen trocken zu legen, dann zu Wiesen und Frucht-Anbau zu befähigen, durch künstliche Düngermittel die erhöhte Fruchtbarkeit zu erzwecken, genießt Loher bereits die lohnenden Früchte seiner nachahmungswürdigen Anstrengung, auf in solcher Art kultivirten 6 Parcellen, welche zusammen 12 Tagwerk enthalten.

Loos Joseph, Hafner zu Loitzersdorf, Lang. Passau, hat 2 Tagw. Holzgrund zu Ackerland mit geringen Mitteln, und folglich um so belobenswürdigerem Fleiße umgewandelt.

Ludwig Lehrer zu Burghausen, leistet stets Rühmliches in Beziehung auf Verschönerung und Baumzucht durch Anlage von Alleen in seiner Eigenschaft als Vorstand des zu Burghausen gebildeten Comité für Beförderung der Baumzucht; sein eifriges Wirken erzielte die Beseitigung der schädlichen in andern Orten sehr beklagten Einwirkungen der Engerlinge und Maikäfer.

Maier Joseph, Branntweinbrenner zu Sct. Nikola, Landg. Passau betreibt mit glücklichem Erfolge den Anbau des brasilianischen und virginischen Tabaks, wovon er im vorigen Jahre 3 Ztr. ärntete; möge dieser ihm gelingende Anbau die so sehr zu wünschende vielseitigere Nachahmung finden!

Maier Theodor, Bierbrauer zu Haslbach, Landg. Passau, befördert, so wie den gewerblichen Betrieb, auch jenen der damit verbundenen Landwirthschaft durch Aufhebung der Brache, dagegen eingeführte Vierfelderwirthschaft, durch Umwandlung von 10 Tagwerk Holzgrund in sehr fruchtbares Ackerland; eines Weihers von 1 Tagw. zur 4mädigen Wiese; seine Fütterungs-Mittel sind vermehrt, daher ist auch sein Viehstand und selbst der Gutsertrag wesentlich erhöht. Maier machte sich auch durch Anlage eines guten, mit Obstbaum-Alleen versehenen Fahrweges für das Gemeinwohl verdient, und überzeugt, wie verständiger thätiger Betrieb der sich so vielseitig vortheilhaft die Hand bietenden Brauerei und Landwirthschaft in ihrem so nahen Verbande den Wohlstand in kurzer Zeit erhebt.

Obereder Thomas, Bauer zu Pfaffenreut, Landg. Wegscheid, hat 8 Tagw. einer sumpfigen Au durch Ausstocken und mittelst sehr tiefer Abzuggraben in vortreffliches Wiesenland umgeschaffen.

Prizl Johann, Weber zu Isarhofen, Landg. Deggendorf, hat einen wild verwachsenen Teich und einen Hügel mit unsäglicher Mühe zu einem Garten umgestaltet, und zur Baumpflanzung befähigt.

Pez Anton, Schulverweser zu Schwarzenberg, Landg. Passau, macht sich fortgesetzt um die Obstbaumzucht, vorzüglich an Distrikts- und Verbindungswegen verdient.

Preißler Michael, Bürgermeister zu Cham, erwirbt sich ein dem Obigen gleiches Verdienst in diesem Zweige der ländlichen Betriebsamkeit; an den 3 Hochstrassen sind Alleen durch ihn entstanden, und werden unter seiner Leitung sorgfältigst erhalten.

Rabehayr Johann, Bauer zu Haberg, Landg. Mitterfels; unter mühevollem Ausgraben und Abführen von 1600 Fuhren Stein, bewirkte dieser die Erhebung von 9 Tagwerken zu fruchtbarem Ackerland, wovon 1 Tagw. mit Obstbäumen angepflanzt ist.

Seefried Joseph, Metzgerssohn zu Ganghofen, Landg. Eggenfelden, hat sich durch einen geschmackvolleren Neubau und durch anmuthige Gartenanlage um die Verschönerung des Fleckens ausgezeichnet.

Schiedermaier Joseph, Schullehrer zu Tiefenbach, Landg. Passau, weiset seinen fortgesetzten rühmlichen Eifer für Baumzucht und Verbreitung nützlicher Kenntnisse nach.

Schrödinger Michael, Bauers-Sohn von Dalking, Landg. Cham — obgleich sein Kultur-Wirken auf einem beschränkten Flächenraume eines Oedgrundes mit andern preiswürdigen Leistungen nicht konkurriren kann, so verdient er, als das Bild, was ein unermüdet fleißiger Jüngling, dem nur die Feierstunden hiezu gegönnt waren, zu leisten vermag, eine sehr ehrenvolle Anerkennung, um so mehr als er nach pfarrämtlichem Zeugnisse durch musterhafte Sittlichkeit ein Beispiel für alle junge Leute ist.

Schwarzmaier Niklas, zu Pörndorf, Patrimonialgerichts Heidenburg, widmet sich sehr ausgebreiteten Versuchen mit Eichenzucht; sein fortgesetztes verdienstliches Streben hierin wird ihn in den Stand setzen, als Preisbewerber mit giltiger Nachweisung des Erfolges seiner bisherigen Wirksamkeit auftreten zu können.

Segl Jakob, Mühler auf der Haberlmühle, Landg. Wolfstein, ist der ehrenvollen Erwähnung würdig, über die sehr beschwerliche Kultur eines steinigen Grundes von 6 Tagw., wodurch er den Werth seines Besitzstandes wesentlich gehoben hatte.

Steininger Joseph, Loderer in Deggendorf; einen zum Theil aus Hollwegen bestandenen Oedgrund brachte er in den Stand, daß hier eine Baumpflanzung mit Erfolg Statt finden konnte, und bereits auch eine Allee von 150 Wallnußbäumen gepflanzt ist. — Auch einen zweiten Oedgrund von $2\frac{1}{2}$ Tagw. hat er zu einer Hopfenanlage mit 4000 Stöcken umgeschaffen.

Straisinger Johann, Bauer zu Hochenwarth, Ldg. Passau, kultivirte 3 Plätze, $\frac{1}{2}$ Tagw. enthaltend, mit einer überaus großen Anstrengung durch Abräumen von Steinmassen, zum gelungensten Anbau der Ackerfrüchte.

Untermainkreis.

Leimbach Georg, Gastwirth zu Straßhessenbach, Landg. Aschaffenburg, erhob $4\frac{1}{2}$ Tagwerk zur zweimädigen Wiese mittels Benützung der auf viel befahrenen Wegen gesammelten Erde, welche ein Jahr lang abgelegen, dann auf die Wiesen gestreut wird: Ertragsfähigkeit und Güte des Heues wurde zugleich erhöht; daher dieses sein bisher in jener Gegend noch nicht angewändtes Dungmittel viele Nachahmung gefunden hat.

Sauer Adam, auf dem Klingerhof, Landg. Aschaffenburg; ein bekannt verständiger Oekonom widmet sich auch mit besonderem Eifer der Obstbaumpflanzung auf seinen Feldgründen.

Sauer Michael, zu Glattbach, Landg. Aschaffenburg; unternahm auf einem öden Berge, den er zur Anpflanzung erst befähigen mußte, die Pflanzung von Maulbeerbäumen, Obstbäumen, einen Versuch mit Rebenpflanzung, welche zu erfreulichen Erwartungen berechtigen; aus dem Anbaue des Saflors hat Sauer 6 ℔ Blüthe gewonnen.

Spangenberger, Gemeindevorsteher zu Damm, Landg. Aschaffenburg, bewirkte die Anpflanzung von Maulbeerbäumen im Schulgarten, so wie er deren in seinem eigenen Garten pflanzte; — Auch hier wird mit Saflor Versuch gemacht, und zwar mit dem erfreulichsten Erfolge. Klima und Erdreich scheinen dazu geeignet, daher der Safloranbau im nächsten Jahre erweitert wird. Die Saflor-Blüthe-Probe so wie die Parthie Körner, welche vorgelegt wurden, lassen die Güte derselben so wie auch eine verständige Behandlung im Sammeln der Blüthe nicht verkennen.

Im dießjährigen Programme sind nachfolgenden Zweigen landwirthschaftlicher Industrie besondere Preise zugewendet.

I.

Kleebau.

I. Preis: Die große goldene Medaille.

Fechť Kaspar, Stadtmüller zu Obergünzburg im Oberdonaukr.: der erste in jener Gegend, welcher den Anbau von Esparsette unternommen hat, und zwar auf einem bisher nur zur Viehweide benützten öden Grunde von 8 Juchert; seit dem Jahre 1828 setzt er diesen Bau mit glücklichem Erfolge fort, und hat vom vorjährigen Gewächse an Samen zwölf bayerische Metzen im heurigen Jahre gewonnen, wovon er selbst wieder sechs Metzen auf dem nämlichen Grundstücke ausgesäet, die übrigen sechs Metzen an benachbarte Kulturfreunde, als Peter Keßler zu Immenthal, an Hartmann, Ziegler zu Mittelberg, und an Kosters Wittwe von dort abgegeben hat.

Fecht hat das sehr ausgezeichnete Verdienst, den Grund zur Verbreitung des Anbaues dieser vorzüglichen Kleegattung gelegt zu haben, und steigerte somit auf eine sehr ehrenvolle Weise die Achtung, welche ihm rein sittliches und nachbarliches Benehmen unter seinen Mitbürgern schon erworben hatte.

II. Preis. Die kleine goldene Medaille.

Rainprechter, Ritter Karl, Gutsbesitzer zu Schlüsselau, Landg. Bamberg im Obermainkreise, obgleich mit würdiger Beachtung der vielseitigen landwirthschaftlichen Leistungen, womit derselbe sein umfassendes Wirken für das Emporbringen des in aller Beziehung herabgekommenen Gutes nachweiset, ist sein Verdienst um die Förderung des Ackerbaues vorzüglich preiswürdig erkannt worden. Ritter Rainprechter hat mit erfreulichem Erfolge 170 ℔ Lucerner-Klee ausgebaut; nicht minder aber auch den Versuchen mit dem Anbau des ägyptischen Klees, der Esparsette und noch anderer Kleesorten sich unterzogen; in solcher Art auf Vermehrung der Futterungs-Mittel bedacht, hat er andererseits dem dießjährigen allgemeinen Futtermangel durch 30,000 Futterrübenpflanzen gesteuert, welche in Folge fleißigen Begiessens in der ersten Zeit der Pflanzung ungemein große Früchte brachten, und die aufgewendete Mühe reichlichst lohnten. Aus Ritter Rainprechter's Landwirthschaftsbetrieb ist der intellektuelle Landwirth zu erkennen, welchem das Gelingen seiner verdienstlichen Versuche die dargebrachten Opfer vielseitig lohnen und dessen Wunsch, auch andere Landwirthe zur Theilnahme an seinen Versuchen, und zur Verbesserung ihrer Landwirthschaft auf der von ihm betretenen Bahn, schon in vieler Hinsicht mit dem besten Erfolge bewährt — zu vermögen, in Erfüllung gehen soll.

III. Preis. Die kleine goldene Medaille.

Fuchs Helena, Gastgeberin und Posthalterswittwe zu Langenzen im Rezatkreise: als sehr verdienstvoll und erfolgreich ist ihr Wirken längst anerkannt — in Beziehung auf den Betrieb des Gewerbes und der Oekonomie, nicht minder auf Orts-Verschönerung durch anmuthige Gartenanlagen, welche zum genußreichen Sammelplatze der Erheiterung Suchenden aus naher und entfernter Umgebung von ihr umgeschaffen worden sind — ihrer überall bethätigten Benützung von landwirthschaftlichen Vortheilen konnte der Anbau der Esparsette nicht entgehen, welchen sie auf 2½ Tagwerk mit dem besten Erfolge unternommen hat, so wie sie anderwärts 8 Tagwerke dem Anbaue des rothen Klees fortwährend zuwendet.

Indem die dortigen Landwirthe sich von dem Erfolge ihrer sowohl durch Reinheit der Aecker als durch Benützung aller entsprechenden Mittel, den Dünger zu vermehren, ausgezeichneten Landwirthschaft überzeugen, so sind andere Landwirthe schon vielseitig ihrem viel wirkenden Beispiele nachgefolgt.

Die weiteren zwei im Programme ausgesetzten Preise mußten zur anderwärtigen Bestimmung vorbehalten werden, da die noch vorhandenen Bewerber theils nicht als Landwirthe angesehen, andererseits eine angeregte Leistung nicht für das Jahr 1835 nachzuweisen war. Der ehrenvollen Erwähnung hat das Preisgericht würdig erkannt:

Mayer Adam, k. Liquidations-Geometer, dermalen zu Kipfenberg im Regenkreise, welcher nach vorgelegten, gerichtlich legalisirten Zeugnissen sich sehr thätig verwendet hat, den Anbau des Luzerner Klee zu verbreiten, indem bereits auf seiner Veranlassung durch den k. Forstmeister Ruhstein aus der Hofmannischen Samenhandlung zu Nürnberg 150 ℔ Samen des Luzernerklee verschrieben, und an mehrere Landwirthe abgegeben wurden.

Seit dem Jahre 1834 ergaben sich sehr erfreuliche Resultate der ersten Versuche, über welche zu erwarten ist, daß dieser Anbau vielseitig Statt finden werde.

Hrn. Mayers großem Verdienste können dann allein solche Vortheile zugerechnet werden, welche dem Landmanne jener Gegend der fortgesetzte und mehr verbreitete Anbau dieser Kleeart gewähren wird.

Samm Andrä, Gutsbesitzer zu Mergenthau, auch Mitglied des landw. Vereins, hat durch ein gerichtlich bestättigtes Zeugniß nachgewiesen, daß er in diesem Jahre (1836) zum Behufe seiner bedeutenden Ochsenmastung 120 Tagwerk mit rothem Klee, 110 Tagw. mit Luzerner-Klee, und zwar letztere mit gutem Erfolge auf dem vor 4 Jahren in Kultur gebrachten Lechfeldboden angebaut habe. Allein nach dem Programme sind es nur die für das Jahr 1835 nachgewiesenen ausgezeichnetsten Leistungen, wegen welchen bei dem dießjährigen Oktoberfeste eine Prämie ertheilt werden konnten. In Berücksichtigung, daß bei dem Kleebaue überhaupt im ersten Jahre nicht solche Resultate zu erwarten sind, um irgend ein Urtheil über die Preiswürdigkeit einer solchartigen Leistung begründen zu können, mußte jedenfalls die Aernte des nächsten Jahres erst erwartet werden; indeß ist der auf einem so großen Flächenraume unternommene Anbau von 2 Kleesorten so beachtungswerth, daß dem Vereinsmitgliede und Gutsbesitzer Hrn. Samm schon dermalen die öffentliche und ehrenvolle Anerkennung zu Theil werden muß; und diese möge ihm zur Aufmunterung dienen, im nächstfolgenden Jahre durch ein gerichtliches Attest die Resultate der Aernte seines dießjährigen Kleeausbaues nachzuweisen und sich dadurch in die Bewerbung um den für diesen Zweig landwirthschaftlicher Industrie ausgesetzt werdenden Preis zu setzen.

Die verdiente gerechte Würdigung seiner dießfallsigen Leistung wird dann der Erfolg seyn, um so mehr, als die Wichtigkeit des Kleebaues auf dem Lechfelde, das in trockenen Jahrgängen bald zu einem beinahe sterilen Boden wird, und dem Landmanne den fühlbarsten Futtermangel verursacht, anerkannt, und ein ausgebreiteter Kleebau auf dem Lechfelde, auf welchem jedoch die Esparsette viel entsprechender als der Luzerne angebaut werden würde, den Wohlstand der dortigen Landwirthe ungemein erheben würde.

Zeller Ignaß, Wegmeister in Nördlingen im Rezatkreise strebt sehr verdienstvoll, den Anbau des Luzernerklees, von welchem er selbst Samen erzeugt, und unter den Landleuten vertheilt, zu befördern; er beweiset sich durch die Anpflanzung einer großen Strecke des Wörniz-Ufers bei Oettingen mit Klee und Weiden, durch Verbesserung der Strassen-Alleen, Unterhaltung und zweckmäßiger Anlage der Distriktsstrassen und Verbindungswege, dann Herstellung nützlicherer Düngerstätten in mehrfacher Beziehung äußerst thätig und verdienstvoll für gemeinnützige Zwecke. Auch ist die Erfindung der von dem Landmanne jener Gegend als zweckgemäß schon sehr in Anwendung gebrachten Pflüge mit 4 Rädern sein Werk; mit dieser Vorrichtung ist das bisherige Pflüge- und Eggen-Schleifen, schädlich den Wegen, beseitiget.

II.

Ausgezeichnet feine Flachs- und Hanf-Gespinnste, Leinbau ꝛc.

1. Preis. Die kleine goldene Medaille.

Winkler Thomas, zugleich Gemeindevorsteher zu Pang, Landg. Rosenheim, hat mit einem halben Metzen Rigaer-Leinsamen, welchen ihm der Landg.-Praktikant Franz Holzer verschaffte, im Frühjahre 1835 den Anbau auf $\frac{1}{2}$ Tagw. begonnen, und $1\frac{1}{4}$ Zentner sehr schönen Flachs, auch zwei Metzen Leinsamen gewonnen; diesen Samen hat Winkler auf 1 Tagw. Acker wieder ausgebaut, und 5 Zentner Flachs, Gewicht von der Schwinge her, und 8 Metzen Leinsamen erzielt. Er legte die Muster des erbauten Flachses, so wie von dem Samen in schöner Ordnung vor, und bewährt dadurch, mit welcher Vorliebe und entschiedenem Ernste er sich dem Flachsbau widmete.

Sein ungemein verdienstvolles Bestreben berechtigt zu großen Erwartungen, und erweckt Nachahmung zu einem mehr verbreiteten Betrieb dieses Zweiges der Industrie.

2. Preis. Die große silberne Medaille.

Kroiß Josepha, Schullehrerstochter zu Landau im Unterdonaukreise erscheint als die erste, welche die Feinspinnerei in jener Gegend belebte. Im Jahre 1830 ertheilte sie 26 Schülerinnen Unterricht auf dem Doppelrade, und erwarb sich am

Kreisfeste zu Passau den 1. Hauptpreis; eben so fanden im Jahre 1834 dort ihre Leistungen eine würdige Anerkennung, und sie entsprach den Wünschen der k. Kreisbehörde, fortwährend in der Feinspinnerei auf die Schuljugend zu wirken; fortgesetzte Leistungen auf dem einspuligen Rade fanden allgemeine Anerkennung, und davon blühen Früchte in mancher Familie.

Am 18. Oktbr. 1835 eröffnete die Josepha Kroiß eine eigene Spinnschule lernbegieriger Mädchen, aus denen 10 an der Zahl, darunter zwei Mädchen von 7 und 8 Jahren die Proben ihrer Gespinnste vorgelegt haben; sie selbst legte aus Landesflachs ein eigenes Gespinnst aus dem Jahre $18\frac{35}{36}$ im Gewichte von 3 ℔ $10\frac{1}{4}$ Loth vor, welches ausgezeichneten Beifall findet; nicht minder ein Stück sehr feiner Leinwand ihres Gespinstes, gewirkt vom Weber Michael Kreuzeder zu Harburg b. Grchts. wofür derselbe von der k. Kreisregierung in Passau einen Preis erhielt. — Gespinnst und Gewebe sind ausgezeichnet, und die Elle dieser Leinwand ist von Josepha Kroiß für 2 fl. 12 kr. zum Verkaufe dargebothen.

3. Preis. Die doppelte silberne Medaille.

Bullinger Johanna, Schuhmacherstochter von München: erst 14 Jahre alt, sind die vorgelegten Proben ihres durch Festigkeit und Rundung ausgezeichneten Gespinstes des Preises würdig erkannt; dadurch aufgemuntert, möge sie fortfahren, sich ferner solche Auszeichnung zu verdienen.

4. Preis. Die doppelte silberne Medaille.

Fischer Franziska, Hausmeisterstochter von München, hat eine Gespunst auf dem Doppelrade vorgewiesen, enthaltend 11 Stränge, ein halbes Pfund schwer, den Schneller zu 1400 Fäden feines Flachsgarn, erzeugt von einem zu Pasing unweit München aus Rigaer Leinsamen erbauten und selbst bereitetem Flachse.

Ihr Bestreben in diesem Zweige der Industrie, so wie in Beziehung auf Seidenzucht ist schon mehrmalen nach Verdienst anerkannt worden.

5. Preis. Die kleine silberne Medaille.

Schub Therese, Gattin des k. Kreis- und Stadtgerichts Assessors zu Nürnberg, weiset eine ausgezeichnete Leistung durch ein Strängchen Garn, so wie durch ein Stück Leinwand von

22½ Ellen vor, welches eben so vorzüglich von dem Webermeister Johann Vierling von dort gewebt wurde.

6. Preis. Die kleine silberne Medaille.

Faust Gertraud, aus Winzenhohl, Landg. Aschaffenburg, erwirbt sich ein groszes Verdienst auf dem Doppelspinnrade, auf welchem sie ihre 3 Schwestern unterrichtete und auch anderwärts diese Spinnart durch Unterricht verbreitet. Sie wird von der Distriktsbehörde ihrer besondern Geschicklichkeit und ihres groszen Fleiszes wegen gerühmt, so wie ihr auch die Anerkennung der k. Kreisregierung, mit Belobung zu Theil geworden ist. Aus 2 Loth gut ausgehechelten Flachses spinnt sie 2333 Ellen oder einen Strang zu 900 Fäden, und in einer Stunde 490 grosze Ellen Garn.

In diesem landwirthschaftlichen Betriebsgegenstande sind der öffentlichen Belobung ferner würdig erkannt worden.

Augustin Andreas, Bauer von Kroding, Landg. Grafenau im Unterdonaukr., welcher auf 5 Tagwerk eines Kulturgrundes eine sehr bedeutende Quantität schönen Flachs erbaute.

Föringer, Faktor der Beschäftigungs-Anstalt im Strafhause zu Sct. Georgen bei Bayreuth, hat verschiedene Erzeugnisse von Gespinnst und Flachs, auch Damastweberei zur Vorlage gebracht, und erweiset dadurch, daß dort über seine verdienstvolle Bestrebung grosze Fortschritte gemacht werden.

Hezer Mathias, Bauer zu Opperzhofen, Herrschaftsgerichts Bissingen im Rezatkreise, hat ein Muster des von ihm erbauten vorzüglichen Flachses vorgelegt.

Hornung, Wittwe von Rottenburg im Rezatkreise, bereitet Flachs und Hanf mit eigener Hand zu, und legt die Probe ihrer vorzüglichen Leistung in 16 Stücken gesponnenen und ungesponnenen Flachses vor.

Karrmann Katharina, Bauwerkmeisters-Gattin zu Rosenheim, begründet reelle Verdienste; sie bringt in Anregung die Resultate ihrer Beobachtungen und Vergleichungen über den Rigaer- und inländischen Aramer-Leinsamen, zufolge welchen aus ersterem 15 Zentner Flachs, aus letzterem bei guter Aernte nur 9 – 10 Zentner von einem Schäffel Ausbau gewonnen würden.

und wird vielen Landwirthen zur Aufmunterung, ihm in diesem nützlichen Bau zu folgen, dienen.

Zollner Andreas, Hofbesitzer und Gemeindevorsteher zu Obergoßzell, Landg. Cham im Unterdonaukreise treibt bedeutenden Anbau des Rigaersamens, und erzielte von 3 Metzen Ausbau 12 Metzen; auch unterstützt er zur Verbreitung dieses Anbaues andere Landwirthe mit Samen.

Schlüßlich wird bemerkt, daß Seraphin Röbauer als Besitzer der ehemals Somerischen Damast-Fabrike sehr schöne Erzeugnisse von Damast-Tischzeugen, erzeugt aus Flachs, welchen er selbst im Unterdonaukreise spinnen ließ, übergeben hat; als Gewerbs-Industrie Erzeugnisse können sie nicht Gegenstand für das Preisgericht über Leistungen der Landwirthe seyn, aber als Schaugegenstand in der Festwoche ausgestellt zu werden, mußten sie sehr würdig anerkannt werden.

III.

Bienenzucht.

I. Preis. Die große goldene Medaille.

Eberlander Kaspar, Bierbrauerei-Pachter zu Weihenstephan Landg. Landshut im Isarkreise treibt seit 2 Jahren die Bienenzucht nach den Grundsätzen und der Theorie des Freiherrn von Ehrenfels und Anton Vizthum Lehrers zu Moosburg, und hat in dieser Zeit die Zahl seiner Stöcke durch natürliche Schwärme auf 32 gebracht; er führt den Strohkorb mit offenem Haupte, und gewann im heurigen Sommer von 2 Stöcken 25 Maß Honig und 6 ℔ Wachs durch Aufsätze, wobei die Stöcke noch hinreichende Nahrung haben; er bedient sich auch der Rauch-Maschine, vereiniget den Stock, welcher im Herbste nicht mehr hinreichende Nahrung hat, mit einem besseren Stocke, und verjüngt die alten Stöcke durch Austreiben im Sommer.

Durch seine Belehrung hat er bei mehreren Bienenzüchtern das Tödten der Bienen in Abnahme gebracht.

Eberlanders Verfahren bei der Bienenzucht wird, wenn es auch andern zur Belehrung dient, und unter den Bienenfreunden verbreitet wird, die Bienenzucht auf eine höhere Stufe erheben;

daher seine Leistung als die ausgezeichnetste des 1. Preises würdig erkannt worden ist.

II. Preis. Die grosse silberne Medaille.

Bader Andreas, Söldner zu Untergrünau, Landg. Werdenfels ist im eigenthümlichen Besitze von 65 Bienenstöcken, als die Frucht seines beharrlichen Fleisses, der sich in diesem Zweige landwirthschaftlicher Industrie erworbenen Kenntnisse und seines segenreichen Fortschreitens hierin.

Baders Verdienst ist für Verbreitung der Bienenzucht nicht minder groß, und der öffentlichen Anerkennung vorzüglich würdig, indem er in Behandlung der Bienen Jedermann der Umgegend mit Rath und That uneigennützig und bereitwilligst unterstützt, und dieses sein verdienstvolles Wirken von einem um so größeren Erfolge ist, als Baders Gewandheit, Kenntnisse, und praktische Erfahrungen in der Bienenzucht sehr angerühmt werden.

III. Preis. Die grosse silberne Medaille.

Scheckmayr Andreas, Wirthssohn zu Tüßling, Landg. Altötting im Isarkreise, ist im Besitze von 56 Bienenstöcken. Um gute Stöcke zu erhalten, vereinigt er alle Nachschwärme, und selbst die Vorschwärme, welche nach dem 24. des Monats Juni erscheinen. — In diesem Jahre — eines der besten Bienenjahre — stellte er 32 mit hinreichender Nahrung versehene Bienenstöcke aus, wovon er 18 zum Schwärmen und Abtrommeln bestimmte, 14 aber magazinmäßig behandelte. Er erzielte 24 heurige Stöcke, welche hinlängliche Nahrung eintrugen, und überdieß noch eine Honigausbeute von 90 Maaß erwarten lassen. 14 Stöcke bestimmte er zu Magazinstöcken, deren jeder in strohernen Wohnungen ein Gewicht von 90 ℔ erreicht. — Im Umkreise von 5 Stunden behandelt Schekmayr die Bienenstöcke, macht die Bienenbesitzer mit der Weisellosigkeit bekannt, belehrt sie über die After- und Drohnenweisel, über Abhilfe dieser Uebel und überhaupt Krankheiten der Bienen. — Einem Bienenbesitzer, dessen Bienenbank wegen Schwere der Stöcke 10 Schuhe hoch herabfiel, wußte er die Wachs- und Honigtafeln wieder so in den Körben einzurichten, daß sie nun wieder gute Stöcke sind, die Honig entbehren können.

Schekmayr giebt auch Honigstöcke auf Bestand, in der Art, daß dem Bestandnehmer die Hälfte der kommenden Schwärme überlassen wird, dadurch hat er die Bienenzucht mit gleichzeitig angewandter Mühe so sehr verbreitet, daß in der einzigen Pfarrei Bergkirchen 450 gute Bienenstöcke stehen, wo vor 20 Jahren noch nicht 100 gestanden waren.

Nachdem in den letzten 10 Tagen des Monats Juli in seiner Gegend die Bienenweide abnimmt, so übersetzt er auf Wägen seine und auch Anderer Bienen in das 3 Stunden entfernte Ort Emerting bei Hohenwarth, wo viel Buchweitzen gebaut wird und im näher gelegenen Oettinger-Forst die Bienen viele Nahrung auf Haidekraut finden; bei günstiger Witterung bringt Schekmayr die Stöcke durch dasselbe Transport-Mittel mit Honig und Wachs beladen zurück.

Sein Wirken ist unterstützt durch sein Vertrauen gewinnendes freundliches Benehmen; die Distriktsbehörde selbst erkennt ihn im amtlichen Zeugnisse mit solchen Attributen begabt, und als den eben so unermüdlichen wie verdienstvollen Bienenzüchter.

IV. Preis. Die kleine silberne Medaille.

Bernwieser Michael, von Walpertshausen, Ldg. Wolfrathshausen im Isarkreise, welcher im Besitze von 36 Bienenstöcken ist.

Ferner machten sich um die Bienenzucht sehr verdient:

Friedrich, Magistratssekretär zu Erlangen im Rezatkreise, dessen Leistungen in diesem Gegenstande bei einem Besitze von 75 Bienenstöcken im Jahre 1828 und eben so im Jahre 1830 mit Vereinspreisen gewürdiget worden sind, und dessen auch in der vorjährigen Fest-Beschreibung ehrenvolle Erwähnung geschehen ist, weiset einen Besitz von 54 Stöcken, und seinen Eifer in Beförderung der Bienenzucht nach.

Gimpel Joseph, Edmaier zu Schnellham, Landg. Griesbach im Unterdonaukreise besitzt 35 Bienenstöcke, und findet vortheilhaften Absatz derselben.

Haimerl Andreas, Söldner zu Sollbach, Landg. Mitterfels, laut vom Landg. kontrasignirten Atteste, widmet sich einer sehr erfolgreichen Bienenzucht.

Katzbüchler Georg, Häusler zu Reisersleiten, Landg. Vilshofen im Unterdonaukreise, erprobt durch mehrjährige umsichtsvolle Kenntniß und Geschicklichkeit, und ist gegenwärtig im Besitze von 56 Stöcken.

Kollbeck Wolfgang, Pfarrer und Distrikts-Schulinspektor zu Eschelkam, Landg. Kötzting im Unterdonaukreise, besitzt in einer nach Pfarrer Christ's zu Kromberg Anweisung erbauten sehr bequemen und gut verwahrten Bienenstube 30 Bienenstöcke und strebt eifrigst die Bienenzucht zu befördern, indem er die Bienenzüchter mit Rath und That unter manchen gebrachten Opfern unterstützte, und dazu aufmuntert.

Loibl Wolfgang, Bauer zu Gundlau, Landg. Deggendorf im Unterdonaukreise — führt sehr gute Bienenzucht, besitzt 38 schwere und gute Stöcke.

Schick Joseph, zu Kirchdorf, Landg. Simbach im Unterdonaukreise zeichnet sich vor andern in jener Gegend in gedeihender Bienenpflege aus.

IV.

Seidenbau.

Das Preisgericht sah sich auch in diesem Jahre veranlaßt, die Preisbewerber in drei Abtheilungen zu bringen.

In der ersten Abtheilung werden diejenigen ehrenvoll aufgeführt, welche wegen ihrer vorzüglichen Leistungen sowohl in der Maulbeerbaum- als Seidenraupenzucht schon in den Vorjahren mit Preisen und Belobungen ausgezeichnet wurden, und auch in diesem Jahre in ihren nützlichen Bestrebungen mit gleichem Eifer fortgefahren haben.

Die zweite Abtheilung enthält jene Preisbewerber, welchen die ausgesetzten Preise zuerkannt wurden.

Die dritte Abtheilung führt alle übrigen Individuen auf, welche heuer mit Preisen noch nicht bedacht werden konnten, die ihnen jedoch bei fortgesetzten Bemühungen und Leistungen sicher nicht entgehen dürften.

I. Abtheilung.

1) Die Gesellschaft zur Beförderung der inländischen Seidenzucht zu Regensburg.

Diese Gesellschaft, welche ihren rühmlichen Eifer in Beförderung der inländischen Seidenzucht fortsetzt und bethätigt, hat die in ihrer Anstalt abgehaspelte Seide zur Ausstellung am Oktoberfeste übermacht, welche allgemeinen Beifall erhielt. Nach eingelaufenem Berichte der Gesellschaft hat sie in diesem Jahre aus 100,000 Seidenraupen 215 Pfd. Seidencocons erzielt, diese auf ihren eigenen Abhaspelungs-Apparaten abhaspeln lassen und 25 Pfd. reine Seide gewonnen. Ueberdieß wurden noch abgehaspelt die von mehreren Seidenzüchtern dahin eingesendeten Cocons, zusammen 116 Pfd. 2 Loth und gewonnen 11 Pfd. 5¼ Loth.

Die Gesellschaft rühmt die mehrjährigen Verdienste des Hrn. Schlierf, Seifensieders zu Sulzbürg bei Neumarkt um die Seidenzucht, dann die vorzüglichen Leistungen der Barbara Rindfleisch, der Schuhmachermeister Schweiger und Meister, welche auch in diesem Jahre vorzüglich schöne Cocons geliefert und bewiesen haben, daß sie die Raupenzucht mit der gehörigen Sachkenntniß betreiben. Auch die zweijährigen Bemühungen des Kapiteldieners Hrn. Filsmayer, der mit außerordentlicher Sorgfalt und Vorliebe für die Seidenzucht heuer sehr schöne Cocons erzog, verdient hier einer ruhmvollen Erwähnung.

Die Anstalt berichtet weiter, daß sie im heurigen Jahre das Pfd. Cocons um 1 fl. 12 kr., das Pfd. gehaspelte Seide um 12 fl. an sich kaufte. Vorzügliches Augenmerk wurde von dem Direktor der Anstalt, Hrn. Lieut. Ziegler auf Gewinnung guter Seidenraupeneier für künftiges Jahr gerichtet, so daß der vorhandene Vorrath von 9—10 Lth. den Anforderungen vieler Seidenzüchter entsprechen dürfte. Von der Maulbeerplantage meldet die Gesellschaft, daß ungeachtet des trockenen Sommers und der dießjährigen bedeutenden Raupenzucht Bäume und Hecken im üppigsten Wachsthume prangen, und ein für das Emporblühen der vaterländischen Seidenzucht erfreuliches Bild darbieten.

Das Preisgericht erkennt die fortgesetzten rühmlichen Leistungen und die Verdienste der Gesellschaft unter der geschickten Leitung ihres um die Seidenzucht hochverdienten Direktors Hrn. Lieutenants Ziegler in vollem Maße an.

2. Der Seidenbau-Verein in Bogen setzte seinen Eifer in Beförderung der Seidenzucht im Unterdonaukreise fort, und übermachte zur Ausstellung am dießjährigen Oktoberfeste die in der dortigen Anstalt von der Seidenzucht-Lehrerin Anna Zinker abgehaspelte Seide.

Die Mitglieder dieses Vereins erzeugten 17703 Stück Cocons, welche 40 Pfd. 8 Loth wogen und 3 Pfd. 1½ Loth Seide gaben; das Benediktiner-Kloster Metten erzog 3300 St. im Gewichte 5 Pfd. 8 Lth., wovon 26 Lth. Seide gewonnen wurden. Von 3763 St. Cocons, die angekauft wurden und 4 Pfd. 8½ Lth. wogen, sind 15½ Loth Seide abgehaspelt worden. Im Ganzen wurden 49 Pfd. 24½ Lth. Seiden-Cocons gezogen und 4 Pfd. 11 Lth. reine Seide gewonnen.

Von den Doppel-Cocons sind 2 Stränchen Floretseide erhalten worden, die Flockseide ist zum Theil gewaschen, aber noch nicht getrocknet und zum Theil noch ungereiniget.

Der Seidenzucht-Verein in Bogen erhielt im Jahre 1834 in Ansehung seiner erworbenen Verdienste die große goldene Medaille.

Bei dieser Gelegenheit kann die Deputation nicht umhin, ihren Wunsch wiederholt auszusprechen, daß sich mehrere dergl. Privat-Vereine bilden möchten, weil nur auf dem Wege dieser so erwerbreiche Industriezweig sich in unserem Vaterlande schnell und vortheilhaft emporheben wird.

3) Der Seidenzucht-Verein Galimberti, Jegel, Amberger ꝛc. zu Nürnberg.

Dieser unter den Provinzial-Vereinen zur Beförderung der Seidenzucht der erste und älteste, hat sich bekanntlich um die Maulbeerbaumzucht sowohl als Seidenraupenzucht die ausgezeichnetsten Verdienste erworben. Er hielt es für zweckmäßig, für dieses Jahr in der Seidenraupenzucht nichts vorzunehmen, um seinen durch den Frost gelittenen Maulbeerbäumen keinen Schaden zuzufügen, sondern solche möglichst zu schonen. In dieser Beziehung richtete er sein Augenmerk vorzüglich auf seine Plantage, und widmete derselben seine ganze Sorgfalt, um im künftigen Jahre eine reichlichere Aernte an Cocons und Seide zu erzielen. Aus seiner Plantage vertheilte er unentgeldlich 60 hochstämmige Maulbeerbäume an den Oekonomen Dörr und 115 dergl. an verschiedene Freunde der Seidenzucht, und ließ sich angelegen seyn, dieselben durch seine erprobten Kenntnisse und Erfahrungen zu unterstützen. Die von der Seidenbau-Deputation erhaltenen Seidenraupeneier vertheilte er an mehrere Seidenzüchter zu kleinen Portionen.

Man sieht im künftigen Jahre den erfreulichsten Nachrichten von diesem schätzbaren Vereine entgegen.

4) Hr. Andreas Samuel Schnürlein, Hospital-Verwalter zu Fürth bei Nürnberg.

Die Verdienste, welche sich Hr. Schnürlein um die Beförderung der Seidenzucht erworben hat, sind sowohl durch die ihm von Sr. k. Majestät allergnädigst verliehene Verdienst-Medaille, als durch die ihm im vorigen Jahre von dem Preisgerichte bei dem Oktoberfeste zuerkannte goldene Medaille anerkannt. Bei dem dießjährigen landwirthschaftlichen Feste zu Ansbach wurde ihm der 2te Preis für die Maulbeerbaumzucht ehrenvoll zuerkannt. Seine Leistungen in diesem Jahre bestehen darin, daß er 3244 Maulbeerbäume pflanzte, und 5 Loth Samen aussäete, wovon die aufgegangenen Pflanzen gutes Gedeihen versprechen. Er fand es zur Beförderung der Maulbeerbaum- und Seidenzucht und zur Erzielung eines dießfallsigen Vereins für zweckmäßig, nicht nur das 12jährige großartige Wirken der Seidenbau-Deputation im dortigen Intelligenzblatte zu veröffentlichen, sondern auch einen kurzen Unterricht zur Seidenzucht nach seinen 10jährigen Erfahrungen herauszugeben.

5) Hr. Joseph Schiedermaier, k. Schullehrer in Tiefenbach, Landg. Passau, hat schon im Jahre 1832 den 4. Preis mit der goldenen Medaille erhalten, und auch im gegenwärtigen Jahre seine Thätigkeit und lobenswerthen Eifer in Anpflanzung der Maulbeerbäume und in der Seidenraupenzucht beurkundet. Er säete nämlich 2 Loth Maulbeerbaumsamen, wovon mehrere tausend Pflänzchen im üppigsten Zustande aufwachsen.

Mit gleichem Eifer betrieb er auch heuer die Seidenraupenzucht, welche durch den Gewinn schöner Cocons gelohnt wurde. Ueberhaupt gehört J. Schiedermayer zu den thätigsten Beförderer der Seidenzucht.

6) Hr. Johann Rauh, Bürger und Schuhmachermeister zu Baireuth, hat wegen seiner ausgezeichneten Leistungen in der Seidenzucht schon im Jahre 1834 die goldene Medaille erhalten; im Jahre 1833 wurde ihm auf dem Theresienvolksfeste zu Bamberg der 2. Preis, und im Jahre 1834 der erste Preis zuerkannt. Von der k. Regierung des Obermainkreises zu Baireuth erhielt er den ersten Preis mit noch besonderer Belobung seines Fleisses in diesem Industriezweige. — Seine heurigen Leistungen konnten nicht mehr gewürdiget werden, da die Eingabe erst am 27. Septbr. folglich zu spät einlief.

7) Hr. Johann Friedr. Krämer, Magistratsrath und bgl. Glasermeister zu Dinkelsbühl hat auch in diesem Jahre sehr rühmliche Beweise seines fortgesetzten unermüdeten Fleißes und Eifers an Tag gelegt. Er hat nämlich mittelst Benützung des

eingehägten Schul- und Industrie-Gartens eine anderweitige Saatschule von ¾ Morgen Feldes im Umkreise zu Stande gebracht, wo zahlreiche Maulbeerstämmchen von schönstem Wuchse und Gedeihen erzogen wurden; auch ergänzte er die frühere Pflanzung in seinem Hausgarten und die neuere im Schulgarten. Hr. Krämer würde gewiß mit einem ehrenvollen Preise belohnt worden seyn, wenn seine Eingabe nicht erst dann eingelaufen wäre, nachdem das Preisgericht seine Arbeiten schon geschlossen hatte.

II. Abtheilung.

1. Preis, die größere goldene Medaille mit einem Buche. Hr. Ferdinand Fischer, Landrath und Gutsbesitzer zu Wettenhausen, Landg. Burgau im Oberdonaukreise.

Dieser, ist als einer der thätigsten Beförderer der Seidenzucht bekannt, und anerkannt, daher auch schon 3 Mal mit Preisen belohnt worden. Er hat in diesem Jahre die Seidenraupenzucht zwar nur im Kleinen betrieben; hingegen aber sein Hauptaugenmerk und größte Sorgfalt auf das erste und nothwendigste Mittel, nämlich auf die Pflege und Vermehrung seiner schon seit 8 Jahren bestehenden Plantage vou Maulbeerbäumen gerichtet. Er ist gegenwärtig im Besitze von 7800 Bäumen, welche ein Alter von 11 bis wenigstens 6 Jahren erreicht haben und von mehreren hundert Sämlingen vom üppigsten Wuchse. Er ist im Begriffe, aus seinen Plantagen eine schöne Doppelallee von ¼ Stunde über Wiesengründe zu pflanzen und auch einige seiner Ackergründe mit derlei Bäumen zu besetzen. Durch sein Beispiel findet nicht nur in Wettenhausen, sondern auch in ferner Umgegend die Maulbeerbaumpflanzung und die Seidenraupenzucht selbst mit jedem Jahre mehr Eingang, wodurch wesentlich zur Beförderung der Seidenzucht beigetragen wird.

2. Preis, die größere goldene Medaille mit Buch: Barbara Rindfleisch, fürstl. Hausdienerswittwe zu Eichstädt im Regenkreise.

Sie wurde in den verflossenen 3 Jahren wegen ihren Leistungen in der Seidenzucht mit Preisen belohnt. Diese Auszeichnungen veranlaßten, daß sie auch heuer ohnerachtet ihres kleinen Einkommens ihren Fleiß verdoppelte und ihre Maulbeerpflanzung um 300 Stück vermehrte, und mehrere Beete mit Maulbeersamen besäete, wovon die Pflanzen sehr gut gedeihen. Sie erzog in diesem Jahre 10,000 Seidenraupen, wurde aber durch einen unglücklichen Fall über eine Stiege verhindert, selbe aufzufüttern. Indessen erhielt sie doch 15 Pfd. Cocons, von welchen sie ein Pfd. 17¾ Lth. reine Seide erhielt, und 2000 Stück behielt sie zur Gewinnung von Eiern zur künftigen Nachzucht.

3. Preis, die kleinere goldene Medaille mit Buch: Benedikt Schweiger, Kirchendiener und Schuhmachermeister zu Eichstädt.

Dieser eifrige Seidenzüchter hat wegen seiner verdienstvollen Leistungen in den Jahren 1830, 1831 und 1832 schon Preise erhalten. Er setzte seinen Eifer und Fleiß sowohl in der Maulbeerbaum- als Seidenraupenzucht auch heuer fort, indem er 16,350 Cocons im Gewichte von 34 Pfd. 8 Loth erzog, die 2 Pfd. 18 Loth Seide gaben, und ertheilt Jedem mit größter Bereitwilligkeit Unterricht in der Seidenraupenzucht.

4. Preis, die kleinere goldene Medaille mit Buch: Hr. Dr. Ströbel, I. Inspektor des k. Schullehrer-Seminars zu Altdorf.

Hr. Dr. Strebel betreibt seit drei Jahren die Seidenzucht; im gegenwärtigen Jahre gewann er 3082 weiße, gelbe und grüne Cocons, welche 13 Pfd. 8 Loth wogen. Wegen ihrer vorzüglichen Schönheit wurden sie bei dem heurigen Centralfeste zur Schau ausgestellt und allgemein bewundert. Derselbe ließ ein ganzes Quadrat des Seminärgartens längs der Mauer mit Maulbeerbäumchen besetzen, und brachte noch eine Quantität in dem sogenannten Seminärgraben unter.

Das größte Verdienst erwirbt sich Hr. Dr. Ströbel dadurch, daß er die Zöglinge des Seminars in der Maulbeerbaum- als auch in der Seidenraupenzucht, theoretisch und praktisch, unterrichtet, und Lust und Liebe zu diesem wichtigen Industriezweige in ihnen zu wecken bemüht. Viele gehen mit dem festen Entschlusse aus der Anstalt, künftig den Seidenbau an den Orten zu betreiben, wohin sie als Lehrer kommen werden, und da in der dortigen Anstalt alle protestantischen Elementar-Lehrer der sieben älteren Kreise gebildet werden, so läßt sich hoffen, daß durch diese Zöglinge der Seidenbau nach und nach über alle Kreise verbreitet werde. — Dabei unterläßt Hr. Dr. Ströbel nicht, auch die dortigen Einwohner zu Anpflanzungen von Maulbeerhecken zu ermuntern und das dortige kgl. Landgericht zu veranlassen, im Gerichtsbezirke derlei Anlagen zu veranstalten, wozu dasselbe bereits die größte Bereitwilligkeit zugesichert hat.

5. Preis, die große silberne Medaille, mit Buch: Achatius Remele, Bürger und Handlungs-Commis zu Augsburg.

Die Verdienste, welche sich dieser stets eifrige Seidenzüchter bisher erworben hat, sind bereits bekannt. Seine unermüdete Thätigkeit aber, die aus ohngefähr 8000 Cocons erzeugte, und selbst abgehaspelte Seide zur Qualität der italienischen zu erheben, was ihm auch vollkommen gelang, verdient eine besondere Anerkennung und Belobung, und wird als nachahmendes Beispiel für andere Seidenzüchter rühmlichst aufgestellt.

Er besitzt in seinem Garten so viele Maulbeerbäume und Hecken, daß er eine bedeutende Anzahl Seidenraupen zu ernähren im Stande ist. Er sucht auch die Seidenzucht aller Orten zu verbreiten und darin unentgeldlichen Unterricht zu ertheilen.

6. Preis, die große silberne Medaille mit Buch; Hr. Stramer, k. Revierförster zu Kammerstein, Landg. Schwabach.

Hat durch seine Thätigkeit und Beharrlichkeit in der Revier Kammerstein 1404 Stücke hochstämmiger Maulbeerbäume aus Samen gezogen, wovon 50 an die Schulen zu Heilsbronn 150 nach Ansbach, 984 an den Kulturverein in Fürth, 20 an das k. Landgericht Heilsbronn abgegeben und 100 in die Dienstgründe des Revierförsters selbst verpflanzt wurden. In 2 bis 3 Jahren können wieder 1750 Stück abgereicht werden.

Im Jahre 1829 hat Hr. Stramer durch eigene Sammlung von den vorhandenen Bäumen 2 Pfd. guten Samen gewonnen und an verschiedene Individuen vertheilt.

Gleichzeitig beschäftigte sich derselbe auch mit der Seidenraupenzucht und gewann in den Jahren 1830 bis 1834 aus seinen erzielten Cocons 3 Pfd. 2 Loth reine Seide von vorzüglicher Qualität, die er noch besitzt.

7. Preis, die doppelte silberne Medaille mit Buch: Hr. Johann Steiner, k. Lehrer und Cantor zu Preßath, Landg. Kemnath.

Dieser hat sich schon in früheren Jahren in der Seidenzucht rühmlichst hervorgethan, ist auch deßhalb von der k. Regierung des Obermainkreises belohnt worden. Im verflossenen Jahre pflanzte er 600 Maulbeerbäume und in diesem Jahre zog er 4000 Stämchen aus Samen. Er gewann ferner von seiner heurigen Seidenraupenzucht 5 Pfd. Cocons. Das Bestreben des Lehrers Steiner verdient um so mehr Anerkennung und Belohnung, als er auch in der Obstbaumzucht so wie durch musterhafte Anlage des Schulgartens sich auszeichnet.

8. Preis, die doppelte silberne Medaille mit Buch: Hr. W. J. Hohfeld, Handelsmann zu Bellheim, Landkommissariats Germersheim im Rheinkreise.

Hohfeld hat sich im Laufe dieses Jahres mit einer besondern Vorliebe und einem unablässigen Eifer gleichfalls wieder mit der Seidenzucht beschäftigt, und als Folge seiner Bemühungen aus ungefähr 9000 Seidenraupen 4 Kilogrammes Cocons von vorzüglich schöner Qualität erzielt. Seine Maulbeerbaum-Anlage ist durchaus noch jung, es ist daher zu erwarten, daß mit dem Wachsthum der Bäume auch seine Raupenzucht sich erweitern werde. Schade ist, daß im Rheinkreise, wo Klima und Boden die Seidenzucht so sehr begünstigen, diese aus Mangel an Aufmunterung und Unterstützung gänzlich darnieder liegt.

9. Preis, die doppelte silberne Medaille mit Buch: Hr. Martin Moosmang, Oekonom in Sandizell.

Im Laufe dieses Jahres hat Moosmang aus 2½ Loth von Triest bezogenen Seidenraupeneiern ungefähr 30,000 Raupen erzeugt, aus eigener Baumpflanzung bis zur Einspinnung genährt und gepflegt. Er hat schon im vorigen Jahre einige 1000 Maulbeerstämmchen durch Samen gezogen, welche bei der besten Pflege im schönsten Wachsthume stehen und volles Gedeihen versprechen.

Zugleich bemühet sich Moosmaug auch sehr thätig in Beförderung der Viehzucht, der Landeskultur und der Obstbaumzucht.

10. Preis, die kleine silberne Medaille mit Buch: Max Joseph Geoffroy, Bürger und Spänglermeister zu Mindelheim.

Nach dem Zeugnisse des Magistrats der k. Stadt Mindelheim ist Geoffroy der Erste, welcher einen Versuch mit der Seidenraupenzucht in Mindelheim machte; dieser erste Versuch fiel so glücklich aus, und fand einen solchen Anklang, daß der Magistrat hieraus Veranlassung nimmt, im künftigen Jahre die Zahl der Maulbeerbäume in dem städtischen Baum- und Schulgarten wenigstens um das Doppelte zu vermehren; Herr Geoffroy verdient um so mehr öffentliche Anerkennung, als er den Sinn für Seidenzucht in Mindelheim und der Umgegend ganz gewiß in's Leben rufen wird.

11. Preis, die kleine silberne Medaille mit Buch: Hr. Joseph Zehle, Landarzt und Gutsbesitzer zu Wettenhausen, Landg. Burgau.

Dieser giebt sich alle erdenkliche Mühe, die Seidenzucht, vorzugsweise aber die Maulbeerbaumpflanzung zu befördern, was ihm bereits im vorigen Jahre unter besonderer Hinweisung auf seine ausgezeichnet angelegte Maulbeerbaumhecke schon bezeugt wurde. Er erzeugte in diesem Jahre über 1000 Cocons von vorzüglicher Schönheit.

12. Preis, die kleine silberne Medaille mit Buch: Hr. Ludwig Lang, bürgl. Drechslermeister in Bogen, Landg. Mitterfels.

Lang kaufte im Jahre 1834 einen steinigen öden Grund auf dem Bogenberge von ungefähr ⅞ Tagw., und bepflanzte denselben mit 377 Maulbeerbäumchen. Im Jahre 1835 vermehrte er seine Pflanzung auf 655 Stücke und im Jahre 1836 ersetzte er den durch die trockenen Sommer der Vorjahre erlittenen Verlust durch andere, und pflanzte auch auf fremden Grunde viele 3 und 5jährige Bäume.

Ferner gab Lang seinen Eifer in der Seidenzucht dadurch kund, daß er seine Frau im verflossenen und heurigen Jahre in der Abhaspelung der Cocons unterrichten ließ und zur Aufstellung des Seidenhaspels dem Seidenbau-Vereine Bogen sein gewöhnliches Wohnzimmer abtrat. Er verfertigte eigenhändig einen Seidenhaspel nach dem Muster des von hier aus gesendeten, welchen die sich dort eben befindliche Seidenzuchtlehrerin Anna Zinker ganz entsprechend fand.

III. Abtheilung.

1. Hr. Johann Brandl, k. Schullehrer zu Statzling, Landg. Friedberg im Oberdonaukreise, pflanzte in diesem Jahre 150 Maulbeerbäume in den Schulgarten, und erzog 5200 Raupen.

2. Katharina Schmid, Schnellbäuerin von Geyering, Landg. Rosenheim im Isarkreise beschäftiget sich seit 3 Jahren mit vieler Vorliebe und großem Fleiße mit Pflanzung von Maulbeerbäumen und mit der Seidenraupenzucht, worüber sie von der äußerst geschickten und anspruchlosen Seidenzüchterin, Bauwerkmeistersgattin Kath. Karrmann in Rosenheim vollständigen Unterricht erhalten hat. Es ist zu wünschen, daß Kath. Schmid eine größere Anzahl Seidenraupen erzöge, weil diese zur Anerkennung eines Preises Gelegenheit gäbe.

3. Hr. Fr. Xav. Adam, quiesc. Gerichtshalter zu Eichstädt hat sich beiläufig 3 Jahre sowohl mit der Obstbaumkultur als vorzüglich mit Pflanzung der Maulbeerbäume, dann Erzeugung von Seidencocons und zwar mit glücklichem Erfolge beschäftiget. Er erzog heuer 900 Cocons, welche 2 Pfd. wogen, und $7\frac{1}{2}$ Loth Seide gaben.

4. Hr. Anton Baumeister, k. Lehrer in Kriegshaber, Landg. Göggingen im Oberdonaukreise hat nach dem gerichtlichen Zeugnisse $\frac{1}{4}$ Pfd. Maulbeersamen aus Italien kommen lassen, wovon mehrere tausend Pflanzen gezogen wurden. Zudem hat er mehrere tausend ältere Stämme in seinem Garten stehen, von welchen er den Bewohnern des Orts und der Umgebung unentgeldlich Hecken anlegt.

5. Hr. Joh. Mich. Weileder, k. Schullehrer zu Rathenbach, Landg. Eggenfelden im Unterdonaukreise, hat 50 Maulbeerbäume gepflanzt, welche einen so üppigen Wuchs haben, daß sie heuer Schosse von $1\frac{1}{2}$ Ellen Länge trieben. Im Schulgarten befinden sich über 100 Sämmlinge.

Hr. Anton Huber, Kapell-Musiker zu Altötting, beschäftigt sich seit 2 Jahren mit der Seidenzucht. Er erzeugte heuer 800 Cocons, wovon er einen bedeutenden Theil an die k. Lokal-Schul-Inspektion Altötting zur Vertheilung in den Schulen übermachte, um dadurch den Kindern Liebe für diesen wichtigen Industriezweig einzuflössen.

7. Hr. Joh. Jak. Rederer, k. Schullehrer zu Kaufbeuern im Oberdonaukr., hat heuer die Seidenraupenzucht mit aller Umsicht und Thätigkeit betrieben, und über 1000 Seidencocons gewonnen.

8. Im k. Landgerichtsbezirke Wemding im Rezatkreise haben sich, unter der Leitung des um die Beförderung der Seidenzucht rühmlichst bekannten k. Landg. Vorstandes Hrn. v. Dall'Armi, verdient gemacht:

Die Hrn. Freiberger, Stadtschreiber; Fuchs, Gerichtsdiener; Martin Kraus, Spitalfründner; Braun, Magistrats-Schreiber; Schwab, Säcklermeister; Kurzhals, Meßner; Braun, Lehrer in Laub. Sie haben ihre schon bestehenden Maulbeerpflanzungen erweitert, und 3018 Seidencocons erzielt.

Eine ehrenvolle Erwähnung verdienen noch folgende Individuen in Ansehung ihrer Seidenraupenzucht und der Quantität der im heurigen Jahre erzeugten Cocons s. a.

1.

Nachstehende haben ihre Cocons an die Seidenbau-Deputation zur unentgeldlichen Abhaspelung der Seide eingesendet:

Frau Katharina Karrmann, Bauwerkmeisters-Gattin zu Rosenheim, welche ihrer ausgezeichneten Leistungen wegen schon früher die goldene Medaille erhielt, sendet alljährlich die von ihr gezogenen Cocons von vorzüglicher Güte und auffallender Schönheit; von 2 Pfd. 10 Loth Cocons erhielt sie 11 Loth Seide.

Hr. Heinrich Lehner, Fragner zu Rosenheim, erhielt von 1 Pfd. 15 Loth Cokons 8½ Loth Seide.

Hr. Beßner, Studierender in München von 4 Pfd. 23 Loth Cocons 13¼ Loth Seide.

Frau Wunsch, Hofposamentierers-Gattin dahier, von 17 Lth. Cocons 3½ Loth Seide.

Hr. Rueff, Aktuar im k. Zeughause von 1 Pfd. 30 Lth. Cocons 11½ Loth Seide.

Hr. Bischoff, k. Hofgärtner zu Nymphenburg, von 4 Pfd. 24 Loth Cocons 20 Loth Seide.

Hr. Landrath Fischer, in Wettenhausen, von 29 Loth Cocons 3 Loth Seide.

Hr. Aktuar Weinersberger in Wettenhausen, von 3 Loth Cocons 1 Loth Seide.

Frau Gräfin von Törring-Gutenzell, von 1 Pfd. 6 Lth. sehr schöner Cocons 10½ Loth Seide.

Naviza, Schüler der Gewerbsschule in München, von 5 Pfd. 22 Loth Cocons 14 Loth Seide.

Hr. Jehle, Landarzt zu Wettenhausen, von 1 Pfd. Cocons 5½ Loth Seide.

Hr. Beittner, Industrielehrer der Armenschule in München, von 1 Pfd. Cocons 3 Loth Seide.

Hr. Ebert in Cadolzburg im Rezatkreise, von 11 Loth Cocons 1 Loth Seide.

Frau Fürstin von Zeil, in Kempten, von 1 Pfd. Cocons 4 Loth Seide.

Frau Gräfin von Eckart Exc., von 2 Pfd. vorjähriger Cocons 15 Loth Seide.

Hr. Martin Moosmang, in Sandizell, von 3 Pfd. 26 Loth Cocons 16 Loth Seide.

Hr. Vogelsang, Buchbinder zu Aibling, von 3 Pfd. 30 Loth Cocons 12 Loth. Seide.

Hr. Baumeister, Lehrer in Kriegshaber, von 16 Loth Cocons 2½ Loth Seide.

Hr. Geoffroy, Spänglermeister zu Mindelheim, von 1 Pfd. 8 Loth Cocons 3½ Loth Seide.

Hr. Freiberger, Stadtschreiber in Wemding, von 24 Loth Cocons 6 Loth Seide.

Hr. Martin Kraus, Spitalpfründner daselbst, von 9 Lth. Cocons 2 Loth Seide.

Hr. Braun, Magistratsschreiber daselbst, von 5½ Loth Cocons 1 Loth Seide.

Hr. Braun, Lehrer in Laub, Landg. Wemding, von 12 Loth Cocons 1½ Lth. Seide.

Hr. Schwab, Säcklermeister zu Wemding, von 1½ Loth Cocons 2 Quint Seide.

Hr. Kurzhals, Meßner zu Wemding, von 5 Loth Cocons 1½ Loth Seide.

Hr. Fuchs, Gerichtsdiener in Wemding, von 9 Loth Cocons 2 Loth Seide.

Das k. Rentamt Monheim, von 21 Lth. Cocons 3 Lth. Seide.

Zettl, Bauer zu Altheim bei Landshut von 1 Pfd. 7½ Lth. Cocons 10½ Lth. Seide.

Frau Maria Riedl, k. Hartschiersgattin dahier, welche sich im heurigen Jahre der Abhaspelung der Cocons unterzog, und unter Leitung der Seidenzuchtlehrerin Zinker so schnell in dieser Kunst sich vervollkommnete, daß sie nicht nur viele und schöne Seide gewann, sondern auch von den Doppel-Cocons selbst, welche bisher nur zur Floretseide verwendet wurden, die schönste Seide abzuwinden wußte. Von ihren erzeugten Cocons, welche 1 Pfd. 10 Lth. wogen, erhielt sie 5 Loth reine Seide.

Diejenigen Seiden-Cocons, welche

Hr. Stöckl, Schullehrer zu Uffing, Landg. Weilheim,

Kresz. Raila, Landarzts-Wittwe zu Oberwaldbach, Landg. Burgau.

Die Inspektion des k. Schullehrer-Seminars zu Altdorf im Rezatkreise.

Fr. v. Lengriesser in München.

Hr. Ruedl, Lottokollekteur zu Ingolstadt.

Das k. Landgericht Klingenberg im Untermainkreise.

Die k. Hofgärten im Untermainkreise, Schönthal, Schönbusch, Veitshöchheim und Brückenau.

Hr. Rederer, Schullehrer in Ottobeuern,

Hr. Bayer, Schullehrer zu Haidhausen,

eingesendet haben, so wie die noch übrigen des Bauers Zettl zu Altham bei Landshut werden im künftigen Frühjahre bei günstiger Witterung abgehaspelt werden.

Endlich sieht sich die Seidenbau-Deputation veranlaßt, des fortgesetzten unermüdeten Eifers des Hrn. Pfarrers Hellauer in Rattenkirchen, Landg. Mühldorf ruhmvoll zu erwähnen. Wegen seiner ausgezeichneten Leistungen wurde ihm schon im Jahre 1828 die große silberne und im Jahre 1831 die große goldene Medaille zuerkannt. Er erzieht jährlich eine große Anzahl Seidenraupen, und beabsichtigt dabei den edlen Zweck, sie zur Nachzucht zu bestimmen, und die Eyer unentgeldlich zu vertheilen. Schon mehrere Jahre erhielt die Deputation auf ihr Ansuchen eine nicht unbedeutende Menge Eyer, wofür Hrn. Pfarrer der gebührende Dank öffentlich ausgesprochen wird.

2.

Folgende Individuen haben ihre Cocons an die Gesellschaft zur Beförderung der inländischen Seidenzucht zu Regensburg zur Abhaspelung gesendet.

Hr. Georg Schlierf, Seifensieder in Sulzbürg im Regenkreise, welcher von 14000 Cocons, im Gewichte 31 Pfd., 3 Pfd. Seide erhielt. Es ist auffallend, daß dieser eifrige, aber auch bescheidene Seidenzüchter sich nicht auch den Preisbewerbern anschließt.

Hr. Gleußner, Schullehrer in Kemmern, welcher von 4080 Cocons, im Gewichte 10 Pfd., 30 Loth Seide erhielt.

Hr. Jos. Spieß, Schullehrer in Kloster Reichenbach, von 240 Cocons im Gewichte 18 Lth., 3½ Lth. Seide.

Hr. Nik. Taucher, Revierförster zu Nittenau, von 650 Cocons, im Gewichte 1 Pfd. 12 Lth., 2¾ Loth Seide.

Hr. Meister, Schuhmacher in Eichstädt, von 1200 Cocons, im Gewichte 3 Pfd., 8¾ Loth Seide.

Hr. Lötz, Bäckermeister zu Bruck, aus 200 Cocons, im Gewichte 12 Loth, 1 Lth. Seide.

Hr. Aberel, Weinwirth zu Regensburg, von 1000 Cocons im Gewichte 2 Pfd. 12 Loth, 7¾ Loth Seide.

Hr. Stoll, sen., Sattlermeister zu Thalmeßing; aus 1500 Cocons im Gewichte 28 Loth, 10 Loth Seide.

Hr. Filsmayer, Kapiteldiener zu Regensburg, von 800 Cocons, im Gew. 2 Pfd., 6 Loth Seide.

Die Gemeinde Mönchberg, Landg. Klingenberg, von 1542 Cocons, im Gewichte 1 Pfd. 21 Loth, 13¼ Loth Seide.

Hr. Deyerl, k. Rentbeamte zu Sulzbach, von 900 Cocons, welche 2 Pfd. 3 Loth wogen, 7 Loth Seide.

Nebst diesen haben Herr Galimberti in Nürnberg, Hr. Schweiger, Barbara Rindfleisch und Hr. Adam zu Eichstädt ihre erzeugten Cocons nach Regensburg zur Abhaspelung gesendet, von welchen schon an ihrem Orte erwähnt worden ist, und welche zusammen von erzeugten 24,200 Cocons, welche 60 Pfd. 24 Loth wogen, 5 Pfd. 11¼ Loth Seide erhielten.

VIII.

Gemeinde-Vorsteher.

Ueber ausgezeichnete Verdienste wird den nachfolgenden Vorstehern der Gemeinden die doppelte silberne Vereins-Medaille zuerkannt.

Reiseneker Adam, zu Johanek, Landg. Freising im Isarkreise hat 30 Jahre ununterbrochen als Gemeindevorsteher des ausgedehnten Distriktes Johanek die ersprießlichsten Dienste geleistet. Mit unbedingtem Vertrauen, das er sich durch seine Rechtlichkeit erworben hatte, war sein Wirken in Perception der Staatsgefälle, bei welchen nur selten Ausstände sich ergaben, so wie bei Zehent- und Handlohnsfixirung, wobei er irrige Ansichten beseitigte, höchst erfolgreich. — Nicht minder verdienstvoll hatte er sich in den unruhigen Kriegszeiten bei Einquartierungen, Umlagen und andern Veranlassungen erwiesen, und durch selbst gebrachte Opfer manches Ungemach von seinen Mitgemeinen abhalten. — Dem Vermittlungs-Amte hat er sich auf das Gewissenhafteste unterzogen, und in Anlage von nützlichen Wegen eben so thätig gewirket. — Reiseneker hat mit seiner Verständigkeit als Landwirth das ehemals auf der Gant gestandene Anwesen zu seinem dermaligen Werthe von 7000 fl. gebracht, wobei er durch Obstbaumzucht sich große Vortheile zu verschaffen wußte.

Die Verdienste eines so ausgezeichneten Gemeinde-Vorstehers, der überall die gute Sache förderte, ein so rechtlicher

Mann ist, und mit dem wohl verdienten Vertrauen und seinem verständigen Wirthschaftsbetrieb so vielseitigen Nutzen verbreiten konnte, haben den ersten Preis, bei weitem vorzugsweise in Anspruch genommen, und sind einer noch anderweitigen Belohnung würdig.

2. Preis. Geiger Joh. Georg, Bauer zu Ollarzried, Ldg. Ottobeuern im Oberdonaukr., welchem seit 27 Jahren das Vorsteheramt ununterbrochen übertragen ist, ist jeder guten Sache hold, befördert durch sein Beispiel die Güter-Arrondirungen, die Obstbaumzucht, den Anbau des russischen Leins, und bethätiget als Mitglied des Distrikts-Armenpflegschaftsrathes das große Verdienst der Förderung dieses so gemeinnützigen Institutes; nach pfarrämtlichem Zeugnisse gebührt ihm in sittlich religiöser Beziehung das höchste Lob.

3. Preis. Fuchs Jakob, Bauer zu Dürnbach, Landg. Miesbach im Isarkreise seit 1810 also an 26 Jahre fortgesetzt Gemeindevorsteher, hat zu den dortigen 4 Gemeinde-Abtheilungen und nur zur Purifikation der Salinen-Waldungen kräftigst und mit Umsicht mitgewirkt.

Eben so thätig ist er bei Anlagen gemeinnütziger Wege, und überhaupt mit eben so eifriger als einsichtsvoller Besorgung aller Gemeindeangelegenheiten; untadelhaft ist sein moralisches Benehmen, daher sein verständiges Verhalten in Beziehung auf Friede und Eintracht unter den Gemeindegliedern, Vermittlung der Streitigkeiten, deren nur sehr selten aus dieser Gemeinde vorkommen, vom wohlthätigsten Erfolge ist.

4. Preis. Eder Joseph, Bauer zu Thalham und Gemeindevorsteher zu Kirchberg, Landg. Vilshofen im Unterdonaukreise; schon seit 25 Jahren Gemeindevorsteher war er im Vertrauen auf seine Fähigkeit und vorzüglichen Eigenschaften mit Erfolg bei Ausmittlung des Steuer-Provisoriums verwendet worden, und leistete gleich nützliche Dienste in allen Angelegenheiten, welche das Wohl der Gemeinde zum Gegenstande haben, in gewissenhaftester Weise. Er bewog die zwei Bauern zu Lindach zur, obgleich bei verwickelter Lage ihrer Grundstücke höchst erschwerten Arrondirung; förderte die Anlage von Verbindungswegen, und die Schulzwecke, so wie den Besuch derselben von den Schulkindern; erweiterte den Anbau des Flachs- und Kleebaues, und leuchtete als eben so fleißiger als verständiger Landwirth in der Gegend vor. Seiner besondern Mitwirkung verdankt die Gemeinde zu Kirchberg eine ganz neue Orgel.

5. Preis. Stadtmüller Michael, Vorsteher zu Wallerdorf, Landg. Rain im Oberdonaukreise, seit 1818 fortgesetzt wieder gewählter, also 18 Jahre gewissenhaft wirkender Vorsteher, hat sich besonderes Verdienst durch sein viel aufmunterndes Beispiel mit Anbau der Brache mit Futterkräuter und Einführung der Stallfütterung, Zubereitung künstlichen Düngers und Gülle-Benützung, zweckgemäßer Dunglagen, Umwandlung schlechter Wies- und Holzgründe in zweimähdige Wiesen erworben. Nicht minder verdienstvoll erscheint er mittels Belehrung, Aufmunterung und Vorangehen bei Beförderung der Ablösung des Obereigenthumes, bei mehreren durch ihn geleitete Güter-Abtheilungen und Arrondirungen, Handhabung der Dorf- und Feldpolizei, dann umsichtige Ausführung des Vermittlungsamtes.

Seiner vielseitig erwiesenen nützlichen Dienste wegen wurde ihm auch die Funktion des Steuervorgehers so wie bei dem Armenpflegschaftsrathe, bei ämtlichen Schätzungen und Bonitirung übertragen, und hier wie überall als vorzüglicher und äußerst thätiger Vorsteher der Gemeinde anerkannt.

6. Preis. Thallhauser Joseph, Bauer von Aholming Landg. Deggendorf im Unterdonaukr., aus vorzüglichem Vertrauen der Gemeinde seit dem Entstehen der Gemeindevorsteher im Jahre 1818, also 18 Jahre fortgesetzt, zur Vorstandschaft gewählt, konnte einem so geachteten Gemeindegliede die schon im Jahre 1830 erfolgte Anerkennung mit der Vereins-Medaille nur zur Aufmunterung dienen, sein verdienstliches Wirken zu verfolgen; er ergänzt ohne Unterlaß die mangelhaft gewordene Allee an der Landstrasse nach Plattling, stellt Ortswege, mit Geländern versehene Brücken und aller Orten steinerne Durchlässe mit eben solchen Säulen versehen her, läßt Gräben ziehen, und die Wiesen vom Gestrippe reinigen.

Als Landwirth muntert er durch sein Beispiel zur Anwendung der Mittel, den Dünger zu vermehren, auf, und erscheint als ein Muster eines guten Wirthschafters und sorgsamen Hausvaters; das k. Landgericht erkennt nicht minder, wie Thallhauser sich als Gemeindevorsteher in allen Dingen und Obliegenheiten durch Redlichkeit und Eifer auszeichne.

7. Preis. Nieberle Stephan, Vorsteher zu Feldheim, Landg. Rain im Oberdonaukr., hat binnen 18 Jahren seiner ununterbrochenen Dienstleistung in dieser Eigenschaft auf eine ausgezeichnete Weise das Vermittlungsamt vollzogen, und seine

Einsicht in Beziehung auf Herstellung von Distrikts-, und andern nützlichen Wegen, dann auf Dorf- und Feldpolizei, welche zu handhaben ein eigener Wächter aufgestellt ist, erwiesen. Er förderte durch sein Beispiel den Anbau der Brache mit Futterkräutern, und die bereits mit seinem Rath und That in der Gemeinde vollends durchgeführte Ablösung des Grund-Eigenthums. Nicht minder großes Verdienst erwarb sich Nieberle durch Erwerbung und Vertheilung eines, seit der Klöster Aufhebung verödeten Hofes von 200 Tagwerk, welche nun wieder in einen blühenden Zustand erhoben sind — ebenso in den Jahren der Theuerung um arme Gemeindeglieder, welchen durch Lechbau-Arbeiten, bezahlte Fuhren und Akord-Arbeiten Nahrungserwerb verschafft wurde. Als Familien-Vater ist er durch Fleiß, Wirthschaftlichkeit und Ordnungsliebe ausgezeichnet, und alle seine Handlungen erfreuen sich des schönen Rufes der Uneigennützigkeit.

8. Preis. Weindl Jakob, Schönfärber zu Neuhaus, Landg. Griesbach; obgleich erst drei Jahre Gemeindevorsteher, hat er durch sein preiswürdiges Verhalten die gerechte Zuerkennung dieses Preises verdient. — Schon 40 Streitigkeiten sind durch ihn vermittelt, und die so kostspieligen Prozesse über Vergantung, Ehescheidung, Grund- und Gerechtigkeits-Differenzen mit Aufopferung eigener Mittel auf die wohlthätigste Weise befördert worden. Für alle Zwecke des Gemeindewohls bewährt Weindl eine sehr verständige und kluge Wirksamkeit. Mit besonderer Mühe und Aufopferung, und unter Mitwirkung des Hrn. Pfarrers zu Sulzbach wurde dieser Pfarrgemeinde, zu welcher der Ort Neuhaus gehört, eine Feuerlösch-Spritze verschafft, zu deren Anwendung Weindl eine zweckmäßige Instruktion entworfen und eingeführt hat. Für Ruhe und Sicherheit dient der Gemeinde ein bestellter Gemeinde-Diener und die pünktlich gehaltene Nachtwache; sein unerschrokenes Benehmen bei Raufereien, welche durch das Zusammentreffen mit Bewohnern der österreichischen Gränzorte bei Volksversammlungen gewöhnlich vorgehen, unterdrückt, unter der verdienstlichen Mitwirkung einiger geachteter Ortseinwohner die gefährlichsten Handlungen immer schon im Keime. Er ist wachsam für fleißigen Schulbesuch und Entfernung der Schulpflichtigen von Spiel- und Tanzplätzen; und sorgt auch dafür, daß die Kinder zum Schulbesuche mit den nöthigen Kleidern und Büchern versehen sind. Den unehlichen Kindern, ihrer möglichst frühzeitigen Verwendung zum dienen, so wie dem Nachtheile, daß ledige Personen beiderlei Geschlechts sich dienstlos zu Hause auf-

halten, widmet er seine besondere Aufmerksamkeit mit dem höchst verdienstlichen Erfolge, daß Individuen, die früher nur vom Bettel und Müßiggange gelebt haben, sich in Dienste begaben, und nun eine lobenswürdige Aufführung pflegen.

Gemeindevorsteher Weindl hat eine äußerst wohlthätige Anstalt für erkrankte Handwerksgesellen und Dienstbothen unter dem Namen „Gesellen-Krankenhaus" in der Gemeinde Neuhaus begründet; große Hindernisse hatte er hiebei bekämpft; sein Werk entspricht den Erwartungen; aber er förderte es durch eigene Aufopferungen, indem er in seinem eigenen Hause ein entsprechendes Lokale unentgeldlich überlassen, und für den Zweck ganz bequem, auf seine nicht unbedeutende Kosten herrichten ließ. Im ersten Beginnen dieser Anstalt fand ein Armer aus der Gemeinde Aufnahme, der vier Monate lang an Lungensucht darniedergelegen, und die vollständigste Krankenpflege erfahren hat: um dieses der Anstalt weniger fühlbar zu machen, übernahmen Weindls eigene Leute die Krankenwartung, und Wohlthäter reichten unentgeldlich, wie der Arzt es verordnete, die Nahrung.

Um die Wege dauerhaft zu verbessern, besorgte er auf einer Strecke von 400 Schuhen, welche durch Regengüsse fast alle Jahre zerstört wurde, die Herstellung guter Gräben, welche mit steinernen Wänden versehen wurden. Weniges nur zum Zwecke der Agrikultur bietet sich in dieser Gemeinde, wo sie bis zur vollständigen Verbesserung aller dazu fähigen Grundstücke schon vorgeschritten ist, dar; Weindl hat also seine Thätigkeit dem industriöseren Betriebe des Gewerbwesens zugewendet, und ein gelungenes Beispiel mit der vor 4 Jahren erworbenen Färbers-Konzession gegeben, welche durch bedeutende Fabrik-Arbeiten, aus Passau, Perlesreuth und Osterhofen herbeigebracht, beschäftigt wird.

Zur Erreichung von Mitteln, um den Bestand der Armenkasse möglichst zu begründen, gelang es seinem Streben, daß von reisenden Musikern, Schauspielern u. dgl., so wie von jeder Volksbelustigung ein angemessener wenig lästiger Beitrag erhoben wird.

Sein verdienstliches Wirken ist so umfassend, daß bei dessen Fortsetzung und bei so gewissenhafter Erfüllung aller Berufs Pflichten eines Gemeindevorstehers das Erreichen höherer Zwecke in jenem Gemeinde-Verhältnisse mit Recht erwarten läßt.

Ueber nachgewiesene sehr achtungswürdige Verdienste sind ferner nachfolgende Gemeinde-Vorsteher der öffentlichen Belobung würdig erkannt worden,

Angerer, zu Pfakofen, Landg. Stadtamhof im Regenkreise.

Bannwarth Fidel, von Tüßling, Landg. Altötting.

Bernauer Jakob, zu Aidenbach, Landg. Vilshofen.

Bodmaier Balthasar, zu Oberndorf, Landg. Ebersberg.

Bruckmair zu Aigen, Landg. Griesbach.

Datler Franz zu Aldersbach, Landg. Vilshofen.

Edelbauer zu Senging, Landgerichts Vilshofen.

Fraunhofer zu Petzesberg, Landg. Passau.

Feldbauer Georg, zu Penting, Landg. Cham.

Hessenauer und Geymann zu Diebach, Herrschaftsgerichts Schillingsfürst.

Hirschbeck und Mayer zu Gosheim, Ldg. Wemding.

Lachammer Joseph, zu Ruhstorf, Landg. Griesbach.

Lehner Georg, zu Saulburg, Landg. Mitterfels.

Liebl Georg, zu Degernbach, Landg. Mitterfels.

Pongratz Joseph, zu Niederrunding, Landg. Cham.

Radlinger Simon, zu Knöbling, Landg. Cham.

Schick Joseph, zu Kirchdorf, Landg. Simbach.

Schneid, von Wolferstadt, Landg. Wemding.

Schwaiger Joseph, zu Ellmosen, Landg. Rosenheim.

Schuster und Zech, zu Wemding, dortigen Landg.

Sedlmair Bapt., zu Weiher, Landg. Mühldorf.

Steinberger Anton, zu Kastell, Landg. Altötting.

Wallner Johann, zu Prien, Herrschaftsgerichts Hohenaschau.

IX.

Zufolge des §. X. im Programme des heurigen Central-Landwirthschaftsfestes erhielten nachbenannte Dienstboten, welche sich bei den Landwirthschaften durch eine Reihe von Dienstjahren besonders ausgezeichnet haben, die silberne Vereinsdenkmünze.

A. Männliche Dienstbothen.

1. Simon Narnhamer, bereits 77 Jahre alt, dient volle 54 Jahre als Oekonomie-Dienstknecht auf der Griesmühle der Gemeinde Marktlberg, k. Landgerichts Altötting im Unterdonaukreise, und hat sich stets durch unermüdeten Fleiß, größte Treue, Sittlichkeit, Verträglichkeit und Mäßigkeit vorzüglich ausgezeichnet.

2. Simon Knoll, 60 Jahre alt, steht 50 Jahre als Oekonomieknecht und Postillon, und seit 10 Jahren als Baumeister bei Hrn. F. X. Polland, k. Post-Expeditor zu Pleinfeld, k. Landg. gleichen Namens im Rezatkreise in Diensten, und bewies die ganze Zeit hindurch nicht nur seltene Treue, den lobenswürdigsten Fleiß bei allen seinen Verrichtungen für das Beste seiner Dienstherrschaft, sondern verband auch damit ganz vorzüglich einen ausgezeichneten sittlich guten Lebenswandel, wodurch er sich allgemeine Achtung erwarb, und in Rücksicht seiner vieljährig treugeleisteten Dienste auch von der General-Administration der k. b. Posten mit einer jährlichen Unterstützung von 36 fl. aus der Postamts-Armenkasse begnadigt wurde.

3. Joseph Hutter, von Perchting, dient volle 50 Jahre ununterbrochen bei Michael Ringmayr und dessen 2 Vorfahrern in Diessen k. Landgerichts Landsberg im Isarkreise als Oekonomieknecht mit ausgezeichnetem Fleiße, so wie mit Treue gegen seine Herrschaft, und pflegte eine ausgezeichnet gute Aufführung immer zu haben.

4. Georg Hofmann, von Pischeldorf befindet sich bei Johann Schwab und dessen Nachfolger zu Pirk, k. Landgerichts Vohenstrauß im Regenkreise bereits 48 Jahre als Oekonomie knecht in Diensten, und bewies sich während dieser Zeit sowohl in Rücksicht auf moralisches Betragen, als auch in Rücksicht auf Fleiß und Treue immer als Muster eines guten und rechtschaffenen Dienstbothens.

5. Augustin Klöck, 85 Jahre alt, dient 46 Jahre ununterbrochen als Knecht auf dem Weiblinger-Bauerngute seines Bruders Anton Klöck und dessen Nachfolgers Johann Ostler zu Obergrainau, k. Landgerichts Werdenfels im Isarkreise und hat sich immer durch einen sittlich guten und religiösen Lebenswandel, durch vorzügliche Treue, unermüdeten Fleiß, lobenswür-

digste Verträglichkeit und Nüchternheit in der Art ausgezeichnet, daß er mit allem Grunde ein Muster eines in jeder Beziehung rechtschaffenen Dienstbothens genannt werden darf.

6. Adam Leixner, von Niederulrain, dient schon ununterbrochen 44 Jahre als Dienstknecht auf dem Post- und Oekonomie-Anwesen des Hrn. Joseph Friß zu Neustadt an der Donau, k. Landgerichts Abensberg im Regenkreise mit ausgezeichnetem Fleiße und besonderer Treue.

8. Mathias Kaltenbacher von Altorf, 54 J. alt, befindet sich seit 36 Jahren bei Michael Rötzer, Bauer zu Berg, k. Landgerichts Landshut im Isarkreise als Knecht in Diensten, war immer sehr fleißig, treu, willig und gehorsam, und verband damit die strengste Religiösität und ein ausgezeichnetes frommes Betragen.

8. Peter Reischl, von Bicheln, 63 Jahre alt, dient 30 Jahre als Knecht beim Zollner-Bauern zu Bichlbruck, kgl. Landgerichts Laufen im Isarkreise, hat während dieser ganzen Zeit stete Diensttreue und unendlichen Fleiß bewiesen, und damit ununterbrochen ein sehr lobenswürdiges sittliches Betragen verbunden.

9. Simon Eschlberger, von Eschlberg, 60 Jahre alt, steht 29 Jahre beim Hacklbauern zu Feldkirchen, k. Landg. Laufen im Isarkreise, als Knecht in Diensten, und hat sich stets durch andauernden Fleiß, Treue und gute Aufführung vorzüglich ausgezeichnet.

10. Anton Stadler von Gern, 49 Jahre alt, dient seit 28 Jahren ununterbrochen als Oekonomie-Oberknecht bei Maria Dirnberger, Wirthswittwe und Oekonomie-Besitzerin zu Gern, k. Landg. Eggenfelden im Unterdonaukr., hat während dieser Zeit sich ausgezeichnet treu und arbeitsam gezeigt, den besten Leumund bewiesen, und Proben besonderer Sparsamkeit dadurch an den Tag gelegt, daß er von seinem Lohne 300 fl. erspart, und bei seiner Dienstfrau hinterlegt hat.

11. Albert Mangold von Kohlgrub, befindet sich seit 25 Jahren auf dem k. Militär-Fohlenhof Schwaiganger, kgl. Landg. Werdenfels im Isarkreise, als Oekonomieknecht in Diensten, und hat sich stets durch Treue und Fleiß in seinen Verrichtungen, und durch ein sehr gutes moralisches Betragen ausgezeichnet.

12. Joseph Neßmayer von Zell, dient 24 Jahre und 6 volle Monate ununterbrochen bei Johann Michael Weidenhiller, Bauer zu Meilenhofen k. Landgerichts Eichstädt im Regenkreise als Knecht, und hat die ganze Zeit hindurch bei seinem vielem Fleiße und seiner steten Treue sich überall stets ordentlich, stille, eingezogen, und sittsam betragen.

13. Johann Georg Hörling von Löffelsterz, 55 Jahre alt, ist 24½ Jahr bei Kaspar Schmitts Wittwe zu Randersacker, k. Landg. Würzburg im Untermainkreise als Pferdeknecht unausgesetzt im Dienste, und hat sich immerfort durch Fleiß, Treue, Rechtlichkeit, Verträglichkeit, und überhaupt durch eine sittlich gute Aufführung besonders ausgezeichnet.

14. Franz Roß von Aschau, befindet sich schon 24 Jahre ohne Unterbrechung bei Johann Roß, Metzger und Oekonomie-Besitzer zu Reithofen, k. Landg. Erding im Isarkreise als Knecht in Diensten, und hat sich nicht nur nach der Würdigung seines Dienstherrn, sondern laut dem Urtheile der ganzen Gemeinde das Lob eines sehr treuen, sittlichen, fleißigen, folgsamen und verträglichen Dienstboten erworben.

15. Johann Georg Hornstein, von Untereinharz, 47 J. alt, dient 24 Jahre ununterbrochen als Knecht bei der Kloster-Oekonomie zu Immenstadt, k. Landgerichts gleichen Namens im Oberdonaukreise mit ausgezeichneter Treue, sehr großem Fleiße, sehr gutem sittlichen Betragen, vorzüglicher Verträglichkeit und besonderer Sparsamkeit.

16. Kaspar Mayer dient unausgesetzt 24 Jahre als Knecht auf dem Landgute der Frau Wittwe Eva Hierl, zu Ottenburg, k. Landgerichts Freising im Isarkreise, mit ausgezeichnetem Fleiße, vorzüglich gutem Betragen, größter Treue und Geschicklichkeit.

17. Michael Mayer von Hitzelsberg, steht 24 Jahre ohne Unterbrechung bei Hrn. Friedrich Grafen von Yrsch, k. Kämmerer und Hofmarksherrn zu Freiheim, k. Landg. München im Isarkreise, nicht nur als Kutscher und Müller in Diensten, sondern wird auch bei der herrschaftlichen Oekonomie-Schwaige Freiheim zu allen und jeden ökonomischen Arbeiten, als Ackern, Pflügen, Säen, Mähen u. s. a. verwendet, und hat sich stets treu, fleißig, ordentlich und anhänglich betragen.

X.

I. Pferderennen am 2. Oktober 1836.

Die Rennbahn beträgt im Umkreise eine viertel deutsche Meile; sohin mußte im viermaligen Umritte eine deutsche Meile durchloffen werden.

Die Dauer des ganzen Rennens war: 13 Minuten, 16 Sekunden.

Namen und Stand der Rennmeister, und Beschreibung der Pferde.

Nr. 1. Johann Schreiber, Bauer von Hollick, Ldg. Freising, mit einem sechsjährigen langgeschweiften Rappen-Wallach, inländisches Pferd.

Nr. 2. Xaver Kurzmüller, Bräuer von Velden, Landg. Vilsbiburg, mit einem 7jährigen langgeschweiften Dunkelbraun-Wallach, inl. Pferd.

Nr. 3. Georg Bergmaier, Bauer von Abeltshausen, Landg. Pfaffenhofen, mit einem 8jährigen engl. Lichtbraun-Hengst, engl. Raçe.

Nr. 4. Joseph Buchner, Wirth von Sct. Zeno, Landg. Reichenhall, mit einer 5jährigen langgeschweiften Rothlinger-Stute, arab. Raçe.

Nr. 5. Mathias Tischler, Kammerdiener bei dem k. k. Platzmajor in Wien, mit einem englisirten 6jährigen Dunkelbraunhengst, arab. Raçe.

Nr. 6. Karl Kränkl, Lohnkutscherssohn von München mit einem 7jährigen langgeschw. Lichtbraun-Wallach, inl. Pferd.

Nr. 7. Martin Brummer, Bauer von Bachstetten, Landg. Erding, mit einem 8jährigen engl. Dunkelbraun-Stute, inl. Pferd.

Nr. 8. Joseph Welcher, b. Bierwirth von München, mit einem 6jährigen englis. Dunkelbraun-Wallach, ausl. Pferd.

Nr. 9. Wolfgang Seidenberger, Werkmeister von Achdorf, Ldg. Landshut, mit einem 6jährigen langgeschweiften Dunkelbraunwallach, inl. Pferd.

Nr. 10. Johann Fink, Bauer von Manghofen, Ldg. Starnberg, mit einer 13jährigen langgeschw. Dunkelbraun-Stute, inl. Pferd.

Nr. 11. Michael Trappentreu, Bräuer von Eberspoint, Ldg. Vilsbiburg, mit einer 8jährigen langgeschweiften Lichtbraun-Stute, inl. Pferd.

Nr. 12. Kaspar Hainzinger, Brauer von Griesbach, Ldg. Pfaffenhofen, mit einer 8jährigen Lichtbraun-Stute, inl. Pferd.

Nr. 13. Jos. Bachmaier, k. Posthalter von Pörnbach, mit einer 4jährigen langgeschw. Dunkelbraun-Stute, inl. Pferd.

Nr. 14. Anton Hagl, Bauer von Harzhausen, Ldg. Moosburg, mit einem 5jährigen langgeschw. Schweißfuchs, inl. Pferd.

Nr. 15. Nikolaus Niedermaier, Bauer von Inzemoos, Ldg. Dachau, mit einem 6jährigen Dunkelbraunwallach, inl. Pferd.

Nr. 16. Franz Weinzierl, Brauer von Kloster Rohr, Ldg. Abensberg, mit einem 6jährigen langgeschw. Dunkelbraun-Wallach, inl. Pferd.

Nr. 17. Xaver Kufelmeier, Bräuer von Landshut, mit einer 8jährigen langgeschw. Dunkelbraun-Stute, inländ. Pferd.

Nr. 18. Anton Türk, Wirth von Moosburg, mit einem 6jährigen engl. Lichtbraun-Hengst, arab. Raçe.

Nr. 19. Peter Hörhammer, Bräuer von Ingolstadt, mit einer 10jährigen englisirten Lichtfuchs-Stute, inländ. Pferd.

Nr. 20. Lorenz Bergmeier, Bauer von Aja, Landg. Pfaffenhofen, mit einem 7jährigen langgeschw. Lichtbraun-Hengst, inl. Pferd.

Nr. 21. Math. Mittermann, Brauer von Gaunersdorf, Landg. Landau, mit einem 7jährigen englis. Blauschimmel-Hengst, inl. Pferd.

Nr. 10. Simon Bergmiller, Bräuer von Gempfing, Ldg. Rain, mit einem 7jährigen langgeschw. Rappen-Wallach, inl. Pferd.

Nr. 11. Anton Hagl, Bauer von Harzhausen, Landg. Moosburg, mit einem 5jährigen langgeschw. Schweißfuchs, inl. Pferd.

Nr. 12. Mich. Grahamer, Gastgeber von Neuburg a. d. D. mit einer 6jährigen langgeschw. Dunkelbraun-Stute, inl. Pferd.

Nr. 13. Franz Asam, Bauer von Sittenbach, Ldg. Aichach, mit einer 5jährigen langgeschw. Lichtbraun-Stute, inl. Pferd.

Nr. 14. Joseph Betz, Söldner von Feldmoching, Ldg. München, mit einer 5jahrigen engl. Dunkelbraun-Stute, inl. Pferd.

Nr. 15. Mich. Trappentreu, Bräuer von Eberspoint, Ldg. Vilsbiburg, mit einer 8jährigen langgeschw. Lichtbraun-Stute, inl. Pferd.

Nr. 16. Lorenz Bergmeier, Bauer von Aja, Ldg. Pfaffenhofen, mit einem 7jährigen langgeschw. Lichtbraun-Hengst, inländ. Pferd.

Nr. 17. Nik. Niedermeier, Bauer von Inzemoos, Landg. Dachau, mit einem 6jährigen langgeschw. Dunkelbraun-Wallach, inl. Pferd.

Nr. 18. Xaver Kuselmayer, Bräuer von Landshut, mit einer 8jährigen langgeschw. Dunkelbraun-Stute, inl. Pferd.

Nr. 19. Joh. Deindl, Wirth von Ebenhausen, Landg. Neuburg a. d. D., mit einem 8jährigen langgeschw. Dunkelbraun-Wallach, inl. Pferd.

Nr. 20. Leonhard Ernst, Bauer von Dorfacker, Ldg. Freising, mit einem 6jährigen langgeschw. Dunkelbraun-Wallach, inl. Pferd.

Preisetrüger.

1. Jos. Lottner, Bäckerssohn von Essenbach.
2. Karl Kränkl, Lohnkutscherssohn von München.
3. Balth. Heurtner, Bauer von Buch.

4. Lorenz Bergmeier, Bauer von Aja.
5. Peter Hörhammer, Brauer von Ingolstadt.
6. Ludwig Tambosi, Kaffetier von München.
7. Martin Brummer, Bauer von Bachstetten.
8. Georg Bergmaier, Bauer von Abeltshausen.
9. Mich. Trappentreu, Bräuer von Eberspoint.
10. Nik. Niedermeier, Bauer von Inzemoos.

Weitpreis.

Simon Bergmiller, Bauer von Gempfing, Ldg. Rain.

Das Renngericht der Oktoberfeste in München.

Findel, Vorstand.

v. Destouches, Aktuar.

XI.

Montags mit frühen Morgen eröffnete sich auf der Theresienwiese ein zahlreicher Viehmarkt. Die Schweine mußten jedoch auf dem gewöhnlichen Marktplatz getrieben werden. So wenig besucht er noch vor einigen Jahren bei seinem Entstehen war, so fanden sich jetzt von allen Gattungen Vieh, so wie Käufer in Menge ein, so, daß dieser Viehmarkt jetzt schon dem Keferloher-Markt den Rang streitig macht. Auch von Seite des k. Oberststallmeisterstabes und der k. Militärkommissionen wurden viele Pferde gekauft. Um 10 Uhr begann in der Stadt der ebenfalls schöne Zug der Scheiben-, Pistolen- und Stahlschützen nach der Theresienwiese. Sowohl die Träger der zierlichen Preisfahnen, als auch das übrige Dienstpersonale war in den Costümes von 1577 gekleidet. Das Ganze gewährte einen herrlichen Anblick. Um 12 Uhr auf der Theresienwiese angekommen, knallte es bald von allen Seiten auf die aufgestellten Scheiben, Vogel und Hirschen hin. Leider fieng es bald wieder zu regnen an.

XII.

Heute Dienstag fand die nach den Satzungen des landw. Vereins bestimmte öffentliche Sitzung desselben im Saale der k. Kreis-Regierung Statt.

XIII.

Mittwoch wurden auf der Theresienwiese von 41 Gesellen der hiesigen Bäcker- und Schäfflermeister unter der Leitung des Turnlehrers Herrn Lorenz Gruber gymnastische Spiele ausgeführt. Das Wetter war der Ausführung der Spiele im hohen Grade günstig, und die Menge der Zuschauer, welche die Anhöhen und die Wiese selbst bedeckten, übertraf bei Weiten die Menschenzahl, welche am vergangenen Sonntag dem Pferderennen ꝛc. beigewohnt hatte. Se. Maj. der König, J. Maj. die regierende Königin, Se. Maj. der König von Griechenland, Se. k. Hoh. der Kronprinz Maximilian, die übrigen Glieder der k. Familie und J. k. Hoh. die Frau Erbgroßherzogin und Se. Hoh. der Erbgroßherzog von Hessen kamen um halb 3 Uhr auf der Theresienwiese an. Das Jauchzen und Vivatrufen der vielen Tausende glich dem Brausen des stürmischen Meeres. Die Heiterkeit, welche von dem Antlitze des allgeliebten Monarchen strahlte, erfüllte alle Herzen mit Freude. In dem kgl. Zelte waren die k. Staatsminister, die Mitglieder des diplomatischen Korps, mehrere Generäle ꝛc. anwesend. Se. Maj. wurden bei ihrer Ankunft von einer Deputation des Magistrates, den Bürgermeister an der Spitze, empfangen. Die Kämpfer zogen hierauf, alle in alterthümliche Tracht gekleidet, vor dem k. Pavillon vorbei. Voran schritten ein Musikkorps und die Fahnenträger. Auch sie trugen alterthümliches Costüm. Hierauf begann der Wettkampf im Ringen, Schleudern und Wegtragen; zwei einzelne Kämpfer traten immer gegeneinander auf; der Sieger wählte sich immer aus seinen Gefährten den Gegner; die vier verschiedenen Gruppirungen im allgemeinen Ringkampfe, der dann folgte, gewährten einen höchst malerischen Anblick. Zwölf Kämpfer warfen hierauf mit 6 Schuh langen scharfen Speeren auf eine 12 Schritte entfernte Statue, deren Zielpunkt die Brust war. Hierauf wiederholten dieselben das Lanzenwerfen im Laufe. Eine große Körperkraft und Gewandtheit entwickelten 12 Kämpfer, welche mit freien Händen Steine warfen, von denen jeder einen Zentner wog. Nachdem dieser Wettkampf zu Ende war, durcheilten alle Bäckergesellen, welche an dem Kampfe Antheil genommen hatten, eine Bahn von 200 Schritten im dreimaligen Wettlaufe. Von vieler Gewandtheit der Kämpfer zeugte das Seillaufen der Schäfflergesellen, die eine Bahn von 150 Schritten 3 Mal durchliefen, wobei jeder von ihnen fortwährend ein Seil über den Kopf und unter den Füssen durchschwang. Eine Gruppirung aller Kämpfer machte den Schluß. Die Sieger im Speer- und Felsenstückewerfen, so wie jene, welche in Durcheilung der Bahn von 200 Schritten und bei dem Seillaufen auf der Bahn von 150 Schritten den Sieg errungen, wurden mit Preisen belohnt. Nach 4¼ Uhr kehrten Ihre Majestäten unter dem Jubel der Menge nach der k. Residenz zurück.

Unter den 25 Kämpfern auf der Theresienwiese erhielten nachstehende Bäckergesellen Preise mit Fahnen:

Im Steinschleudern:

1. Preis: Kapfer, bei Bäckermeister Widmann;
2. „ Lautenbacher bei Lautenbacher;
3. „ Gitl, bei Hermannsberger;
4. „ Bergmeister, bei Werner (i. d. Vorstadt Au);
5. „ Liebl, bei Pirzer;
6. „ Mundl, bei Troglauer.

Im Pfeilwerfen:

1. Preis: Buchberger, bei Zöttl;
2. „ Gentler, bei Rasch;
3. „ Englmaier, bei Widmann;
4. „ Ruland, bei Muderer;
5. „ Bayer, bei Schwarzenbach;
6. „ Bühler, bei Werner.

Diese erhielten 6 – 1 bayer. Thaler mit Fahnen.

Im Wettrennen.

1. Preis: Englmaier, bei Widmann;
2. „ Sutor, bei Naterer;
3. „ Lautenbacher, bei Lautenbacher.

Diese erhielten 3 – 1 bayer. Thlr. nebst Fahnen.

Denkmünzen erhielten: Bandele, bei Zenger; Schmid und Schmeißer, bei Vaney; Mehrl, bei Helmhang; Rosipal, bei Späth; Morret, bei Späth; Reifsendorfer, bei Schäffl; Beck, bei Werner; Kollmann, bei Kerle; Stegmüller, bei Deiglmoser; Lengle und Raushofer, bei Hetmannsberger.

Im Seillaufen

erhielten die Schäfflergesellen Preise von 4 – 1 bayer. Thaler nebst Fahnen:

1. Preis: Lechner, bei Schäfflermeister Strobl;
2. „ Reger, bei Eberl;
3. „ Groß, bei Rubenbauer;
4. „ Satz, bei Dampfenthaler.

XIV.

Seit Dienstag war die Witterung immer günstig, daher die Theresienwiese stets sehr zahlreich besucht. Es wurde daher heute Donnerstag Abends das Feuerwerk abgebrannt. Se. Majestät der König, in Begleitung J. Maj. der Königin, Sr. Maj. des Königs Otto, Sr. K. H. des Kronprinzen, und der übrigen k. Familie erschienen um 7 Uhr auf der Theresienweise, und wurden von dem sehr zahlreich versammelten Volke mit lautem Jubel begrüßt. Das Feuerwerk fiel zur Zufriedenheit der Versammlung aus.

XV.

So günstig die Witterung die ganze Woche her war, so ungünstig zeigte sie sich wieder heute Sonntags beim 2ten Rennen. Um halb drei Uhr kamen dazu Ihre Majestäten der König und die Königin, Seine Majestät der König Otto, Se. K. Hoheit der Kronprinz, und die übrigen Glieder der k. Familie unter der herzlichsten Begrüssung der vielen Tausenden von Zuschauern auf der Theresienwiese an. Nachdem das Rennen vorüber war, kehrten die allerhöchsten Herrschaften unter abermaligem Jubelrufe des versammelten Volkes in die königliche Residenz zurück. Es wurden sonach noch die Preise für das Rennen, dann für das Vogel-, Hirsch-, Pistolen- und Scheibenschiessen vertheilt; und so schloß sich das ganze Oktoberfest.

XVI.

Die ganze Woche hindurch gab es auch heuer wieder auf der Theresienwiese, von der angenehmsten Witterung vom Montag bis Samstag angereitzt, sehr zahlreiche Gesellschaft. Umrungen waren immer die vom landwirthschaftlichen Vereine hinausgebrachten und die ganze Festwoche hindurch da aufgestellt gewesenen sehr vielen landwirthschaftlichen Maschinen und Geräthe, welche auf allen Seiten betrachtet und geprüft wurden, und allgemeinen Beifall fanden. Ebenso zahlreich war immer der Andrang zu den landwirthschaftlichen Buden selbst, welche schön geziert, und reichlich mit Gegenständen aller Art ausgeschmückt waren.

Das General-Comité ließ nämlich auch heuer wieder zur Verherrlichung des Festes nicht nur anstatt den gewöhnlichen Buden eine schöne lange Reihe von festlich ausgestatteten Auslagen mit Säulen am Schlusse des Festplatzes auf der Theresienwiese errichten, sondern auch mehrere Gegenstände aus der Sammlung von allen seit 26 Jahren mit großem Kostenaufwande aus allen Ländern angekauften vorzüglicheren landwirthschaftlichen-Maschinen, Ackerwerkzeugen und Geräthschaften aus dem Vereinslokale dahin bringen, und an diesen Arkaden in Reihen zur allgemeinen Beurtheilung aufstellen, als 4 verschiedene Pflüge aus Belgien, Jülich und Brabant, Small's schottischen Kettenpflug, die Patent-Hampshire-Rippen- und Hacken-Pflüge aus England, verschiedene englische Kartoffel-, Schaufel- und Häufel-Pflüge, den Aarauer Wendepflug, den bayerischen verbesserten Pflug mit Messer, von B. Reitter, den Zugmaier'schen Pflug aus Wien, den Wende- oder Gebirgspflug von Konrad Schlatter zu Unterhallau, Kantons Schafhausen in der Schweiz, den Handschaufler von Schleißheim, den englisch Thaer'schen Extirpator, den verbesserten Scarifikator aus England, den Paßauf oder Fellenbergs drei- und fünffüssige Pferdehacke, die hölzerne Egge aus Belgien, die Messeregge von B. Reitter, die Cook'sche Säemaschine, Fellenbergs Kleesäemaschine, den Güllekarren aus Belgien, die Futterschneidmaschine mit eisernem Schwungrade und einem Messer, die Kleesamen-Reinigungsmühle, die französische Handmühle, die Brotknettmaschine, 2 verschiedene Rauchmaschinen zur Vertilgung der Feldmäuse, das Niederländer-Muhlbrett, oder Wiesenhobel zum Ebnen der Wiesen, die Kartoffel- und Rüben-Schneidmaschine.

An diese Maschinen reihten sich an ein sehr bequemer Aufzug für Getreidkästen mit 2 Sperrhebel, eine verbesserte Ge-

X.

treidputzmühle und eine derlei Putzmühle mit einem ausgespannten langen Sacke zur Absonderung der Kornwürmer, verfertigt und zum Verkaufe ausgestellt von Joseph Esterl, Bauer zu Feling, k. Landg. Wasserburg. Alle diese Gegenstände fanden vorzüglichen Beifall und allgemeine Bewunderung.

In den Buden selbst waren ferners aufgestellt mehrere neue verbesserte einfache und Doppelspinnräder, und sehr feine vorzügliche Flachshecheln, so wie ein sehr schön, fleißig und genau verfertigtes Modell von der im Großen ausgeführten und von dem Eigenthümer selbst erbauten Oelmühle des Joseph Feßler, Oekonomiebesitzers zu Frotzhofen, k. Landgerichts Ebersberg im Isarkreise. Dieses Modell wurde allgemein bewundert.

Die in den Buden ausgelegten verschiedenen Parthien von vieler und schöner Seide des heurigen Jahres, die unzählige Menge von schönen großen Cocons, besonders die sehr großen weißen, grünen und gelben Cocons von der Inspektion des k. Schullehrer-Seminars zu Altdorf im Rezatkreise, und die sehr schönen weissen Cocons der Frau Gräfin von Eckart Excellenz, und der Frau Gräfin van Törring-Gutenzell, so wie die Seidenfabrikate zogen alle Aufmerksamkeit auf sich. Darunter fanden vorzüglichen Beifall, die schönen schweren Stoffe von verschiedenen Farben aus inländischer Seide verfertigt von den 2 Töchtern des verstorbenen Seidenfabrikanten Wurz in der Au, die 6 Stück ganz seidene Brillantin-Tücher von dem Vereine der bürgerlichen Baumwoll- Wollen- und Seidenweber in München vorgelegt, die von der Gesellschaft zur Beförderung der inländischen Seidenzucht zu Regensburg eingesandten vier großen Bund sehr schöner rother, grüner, brauner und schwarzer Seide gefärbt von Hrn. Anton Gsellhofer in München nebst 1 Bund ganz weisser, und 1 Bund weisser und gelber Seide, die von dem Seidenzucht-Vereine in Bogen eingesandten 6 große Bund weißer und gelber Seide, die schöne Seide des Hrn. Achatius Remele in Augsburg, der Frau Kath. Karrmann Bauwerkmeistersgattin zu Rosenheim, des Hrn. Hofgärtners Bischof zu Nymphenburg, des Schuhmachermeisters B. Schweiger zu Eichstädt, der Frau Barbara Rindfleisch in Eichstädt, des Hrn. Seifensieders Schlierf in Sulzbürg, des Hrn. Schullehrers Gleusner in Kemmern, des qu. Patrimonialrichters Adam in Eichstädt, Kapiteldieners Filsmeier in Regensburg, des Herrn Landraths und Gutsbesitzers Fischer in Wettenhausen, des Hrn. Ravizza, Schülers der Gewerbsschule in München, des Hrn. Lenner, Fragnern in Rosenheim, der Frau Wunsch, Posamentierers-Gattin zu München, des Hrn. Moosmang, Oekonomen in Sandizell, der Frau Riedl, k. Hartschiers-Gattin in München, welche sich heuer zum erstenmal dem Seidenabhaspeln unterzog, und sehr darin auszeichnete; indem sie sogar die bisher nur zur Floretseide verwendeten Doppel-Cocons wie die andern rein abhaspelte, und auch überhaupt die schönste und meiste Seide gewann, wodurch den Seidenzüchtern großer Vortheil erwächst.

Unter den ausgestellten feinen Gespinnsten und Leinwanden haben sich vorzüglich ausgezeichnet, und wurden allgemein bewundert und belobt die schönen und feinen Gespinnste der Josepha Kroiß, Schullehrers-Tochter von Landau im Unterdonaukreise und ihrer 10 Schülerinnen so wie derselben feines Stück Leinwand von 30 Ellen, die schönen Flachs- und Hanfgespinnste der Johanna Bullinger, Schuhmachermeisterstochter von München, die vielen auf dem Doppelrade sehr schön, fein und ganz gleich gesponnenen Flachsgarne der Hausmeisterstochter Fanny Fischer von hier, der Spinnlehrerin Gertrud Faust von Winzenhohl, k. Landgerichts Aschaffenburg, der Spinnschülerinnen der k. Landgerichte Moosburg und Tegernsee, so wie der 67jährigen Viktoria Kern zu Schönram k. Landgerichts Laufen, das schöne Stück Leinwand von der Frau Theres Schuh, k. Kreis- und Stadtgerichts-Assessors-Gattin zu Nürnberg, die sehr schöne und feine Leinwand nebst Gespinnst von der Landgerichts-Oberschreibers-Tochter Antonia Pauer zu Landau im Unterdonaukreise, die von Hrn. Faktor Föttinger zu St. Georgen bei Bayreuth eingesandten sehr schönen Gegenstände, als ein Stück sehr feine Leinwand mit 20 Ellen nebst 50 und 24 Strähnen derlei Garn, 2 Flachsmustern und 6 schönen Kaffeetüchern, mehrere sehr schöne Garnituren feiner Damaste zu 12 und 6 Servietten nebst Tafeltüchern von Hrn. Franz Seraphin Nößbauer, Leinendamast-Fabrikanten von hier, das schöne Stück Leinwand der Frau Franziska Ludwig, Lehrersgattin von Burghausen und die Leinwand der Schullehrerswittwe Maria Krauß zu Gunzenhausen. Ebenso fanden allgemeinen Beifall die schönen Muster von verfeinertem Flachse der Frau Katharina Karrmann, Bauwerkmeisters-Gattin in Rosenheim, des Thomas Winkler und Franz Stein von Pang, desselben k. Landgerichts und der Wittwe Lisette Hornung von Rothenburg an der Tauber. Die weisse und fein gesponnene Hundswolle von dem Pudel des Hrn. Regierungsraths und Kapelldirektors Andreas von Weckbecker zu Altötting wurde auch sehr schön und nützlich gefunden. Vorzügliche Aufmerksamkeit und Bewunderung erregten aber der sehr schöne und süsse Rohzucker und die 2 Brod weisser und fester Meliszucker aus Runkelrüben von der Zuckerfabrik des Hrn. geheimen Raths von Utzschneider in Obergiesing, und es wurde nur der allgemeine Wunsch geäussert, dass man ja recht bald von dieser schönen inländischen Waare zu kaufen bekommen möge. Die von dem Fabrikanten D. S. Friedberger von hier verfertigte kleberfreie Glanz-Weizen-Stärke das Pfund zu 15 kr. wurde auch sehr gelobt.

Von den vielen ausgestellten Feldfrüchten und Gartengewächsen zogen besondere Aufmerksamkeit auf sich: die auf dem Ackerfelde des landwirthschaftlichen Vereins erbauten verschiedenen Winter-Weizen- und Roggenarten, als: der Wunderweizen, der weisse englische und mongolische Weizen, der türkische und der Elsasser Spelz, der norwegische und egyptische Roggen, das russische Staudenkorn, die schönen italienischen Sommerweizen, die verschiedenen Gersten- und Haberarten, die grosse italienische, die chinesische und die Trauben-Hirse, der rothe, weisse und gelbe Mais, der chinesische, rheinische und modenesische Hanf, verschiedene vorzügliche Leingattungen, mehrere Oelgewächse als Reps, Mohn, chinesischer Oelrettig u. s. w. verschiedene Klee- und Grassamen, grosse Elsasserrüben, Runkelrüben ꝛc. dann die 60 Kartoffelsorten; ferners die aus dem Vereinsgarten vorgelegten Gartengewächse, als der blaue Karviol, die Violetten-Proccoli, die blauen und weissen Kohlraben, das Zentner-Weisskraut, das Blaukraut, der Brüssler Rosenkohl, die weissen und schwarzen Rüben, Cardons, violett gelben Rüben, langen hornischen Carotten, verschiedenen schönen Kürbisse, virginischen Tabaksblätter, rothen Winterrettige, so wie die vielen verschiedenen schönen Bohnen- und Erbsen-Gattungen.

Unter den von Privaten eingesandten Feldfrüchten und Gartengewächsen verdienen vorzüglich rühmliche Erwähnung: 33 verschiedene ausgezeichnet schöne Getreidarten von Hrn. Lehrer Anton Höss zu Babenhausen, das astrakanische Sommerkorn, mehrere sehr schöne Leinarten, eine ausgezeichnet grosse Runkelrübe und ebenso eine schwedische Rübe vom Revierjäger Bauer zu Irschenberg, vorzügliche Korn-, Haber-, Gerste- und Hanfmuster von Joseph Posch und Andreas Stoiber, Ansiedler von Augustenfeld, ferners 2 Stück weisses Zentnerkraut, 2 St. weisses Spätkraut, 2 St. weisses Frühkraut, 2 St. portugiesischer Rippenkohl, 1 St. überaus schönes blaues Kraut, 2 St. Winter Wirsching, 2 St. feingekraus'ter Wirsching, 2 St. Blumenkohl, 1 St. blaue sicilianische Broccoli, 2 St. florentinische Broccoli, 1 St. blaue Kohlraben, 2 St. Cardon Artischoken, einzelne ausgezeichnet schöne Blätter vom Seekohl, Neuseeländer Spinat, gefüllt-blätterige Petersilie, amerikanischer Birnkürbis, grüner und gelber Wirschingkürbis, Keulekürbis von Hrn. Hofgärtner Effner in München, alles dieses von ausgezeichnetem Wuchse und vorzüglicher Schönheit, 5 Stück weisses Kraut, 4 St. Wirsching, 4 St. blaues Kraut, 5 blaue Kohlraben, 4 weiße Kohlraben, 5 rothe Rüben, 3 Erdkohlraben, 7 Treib-Carrotten, 9 gelbe Rüben, 3 Straßburger-Rettige, 1 Süßholzstaude, Eiskraut, blaue und rothe Kartoffel von Hrn. Johann Neckheimer, Gärtner im Garten des hiesigen allgemeinen Krankenhauses, 3 Stück blaues und 2 St. weißes Kraut, 3 St. Wirsching, 2 St. Blumenkohl, 6 gelbe Rüben, 3 blaue Kohlraben, 7 schwarze Rüben vom Hrn. Hofgärtner Klein in Nymphenburg, 1 Artischoke, 6 gelbe Rüben, 2 Stück Zuckerhutkraut, 2 St. weisses und 2 Stück blaues Kraut, 2 St. Wirsching und 2 St. Rosen-Proccoli von Hrn. Seimel gräflich von Montgelas'schen Obergärtner in Bogenhausen, 4 Stück Wirsching, 5 Kohlraben, 5 rothe und 3 gelbe Rüben, 5 verschiedene Kürbis vom Gärtner Aigner im hiesigen Waisenhause, 2 Stück Zuckerhutkraut, 3 St. Wirsching, 2 Erdkohlraben von Hrn. Hofgärtner Hinkert von hier, 1 weisser Rettig und 1 rothe Rübe von Hrn. Hartschier Buchner in München, 3 Runkel- u. 3 weisse Rüben von Urban Knollmüller Schuhmacher in Bogenhausen, 5 Kohlraben von Johann Lang in München, 2 weisse und 2 blaue Kohlraben von Benedikt Mayer, gräflich Montgelas'schen Gärtner in Großhesellohe, 3 sehr schöne Zwiebel von Hrn. Posthalter Furmann in Garching, 1 große weiße Rübe von Hrn. Metschnacher, Chirurg in Vagen, Landg. Miesbach, und 4 grüne Flaschen-Kürbisse von Simon Zimmermann, Schneider in Moosach.

XVII.

Das Lokale des landw. Vereins in der Türkenstrasse ward ebenfalls die Woche hindurch zahlreich von Oekonomen, Stadt- und Land-Bewohnern, fremden Ausländern und Freunden der Landwirthschaft besucht, welche Alles, besonders die zahlreichen Maschinen, und Modelle-Sammlungen, die große kostbare Bibliothek, dann das ganze schöne Innere des Gebäudes und so bedeutende Gartenwesen mit großem Interesse besichtigten, und den Ort mit allgemeiner Zufriedenheit verliessen.

XVIII.

Allgemeinen Beifall fand zugleich, daß so vielen Preisen auch nützliche landwirthschaftliche Bücher aller Art beigefügt waren. Von einer solchen Verbreitung der Maschinen und Büchern auf dem Lande, und davon, daß überhaupt auch die ausgezeichnetsten Landwirthe jedes Jahr mit Preisen belohnt und ermuntert werden, lassen sich für die Landwirthschaft stets eine neue Anspornung, voller Schwung, ja in einigen Jahren die schönsten Früchte erwarten. Eben die vielen landwirthschaftlichen Bücher in allen Dörfern vertheilt, werden die Landwirthe nach und nach mit den nöthigen Verbesserungen in der Landwirthschaft bekannt machen, neue Ideen wecken, und die so dringend nöthige wohlthätige Reform bewirken. Aus dieser Ursache wurde auch diese Vertheilung von Maschinen und Büchern als Preise in mehreren Nachbarstaaten nachgeahmt. — Künftiges Jahr wergen daher wieder die Preise für das im Jahre 1836 in der Landwirthschaft ausgezeichnet Geleistete vertheilt werden, und so jedes Jahr fort, indem dieses so überaus wichtige Nationalfest und die Preise-Vertheilung für jedes Jahr auf die nämliche Weise gefeiert wird.

XIX.

Eine gleiche große Wirkung ist auch davon zu erwarten, daß nun die Gemeindevorsteher mit Preisen geehrt und für immer ausgezeichnet werden, wenn es ihnen gelingt, etwas Vorzügliches zum Besten der Landwirthschaft in einem Jahre zu bewirken. Es läßt sich erwarten, daß diese Preise immer mehr den edlen Eifer für die große Sache der Landwirthschaft als die wichtigste Angelegenheit einer Nation, entflammen müssen.

XX.

Erfreulich war, daß unter den vorgeführten Pferden heuer auch vorzügliche Hengste und einige schöne Stuten sich zeigten. Unangenehm fiel aber auf, daß die voegeführten Pferde in weit geringerer Zahl als voriges Jahr sich befanden. Unterdessen ist nur zu bedauern, daß bei dieser Pferdezucht noch kein konstanter Charakter vorhanden ist, und, wie die frühern, und besonders auch die vorjährige, Festbeschreibungen bezeugen, es mit dem vollen Gelingen dieser Pferdezucht noch sehr schwankend aussieht. Leicht wäre damit abzuhelfen, wenn ein edler Pferdstamm gegründet würde, indem eine Landgestüts-Anstalt nur sekundär wirken, ein edler und konstanter Charakter der ganzen Pferdezucht eines Landes aber nur durch ein Institut des edlen und wahren Stammes hervorgebracht werden kann. Es muß daher wiederholt auf die Schrift, über die Veredlung des landwirthschaftlichen Viehstandes, zugleich die Grundlage des National-Wohls und Reichthums, vom Staatsrathe von Hazzi (München bei Lindauer 1824) verwiesen werden, weil daraus alle bisherigen Mißgriffe bei der bayerischen Pferdezucht, so wie die Mittel und Wege zu den edlen Zuchten, nach der bisherigen Erfahrung anderer Länder, zu entnehmen sind. Traurig war anzusehen, daß nur 4 Kühe zur Preiswerbung kamen; und daß auch diese wie die 16 Stiere nichts Ausgezeichnetes darstellten; etwas besser zeigten sich die Schafe. Erfreulich war wieder, daß sich schönes Mastvieh in großer Anzahl einfand. Freilich vermißt man noch größtentheils dabei die künstliche Mast, nämlich in kürzester Zeit mit geringsten Kosten das Vieh schwer zu machen, und so höhere Verwerthung des Futters, besseres Fleisch und Leder, welch' letzteres so sehr Noth thut, zugleich zu erzielen; weßwegen wiederholt für diese Kenntnisse auch die Schrift von oben erwähntem Verfasser über Behandlung, Futter und Mästen des Viehes (München bei Fleischmann 1820) in Anregung gebracht werden muß.

XXI.

Große Zufriedenheit verschafften die Kultur-Leistungen so vieler Landwirthe, besonders auch einiger Schullehrer mittelst der Schulgärten und Obstbaumzucht, und daß die Preisbewerbungen davon sich stets vermehren, und heuer wieder zahlreich waren. Es ist also nur zu wünschen, daß sie jedes Jahr bedeutend zunehmen, und sich so die Wohlthaten der verbesserten oder rationellen Landwirthschaft immer mehr verbreiten. Eben so ist nur zu wünschen, daß die Titl. Herren Beamten ihren so schönen und mächtigen Wirkungskreis hiezu stets noch mehr erweitern, und ihre Verdienste auch für dieses Fach zahlreicher auf den Schauplatz der Nation bringen, und sich so bleibende Denkmale setzen. Die Erwartung von dem Eifer der Vorsteher der Rural-Gemeinden für die große Sache der Landwirthschaft zeigt sich immer mehr gerechtfertigt. Die Zahl der jährlichen Preisbewerber ist immer groß, so wie ihre Leistungen für das Beste der Landwirthschaft und für bessere Ordnung in den Dörfern und Fluren; sie fühlen es, daß sie so die Wohlthäter ihrer Gemeinde und Gegend werden, und sich dadurch in den dankbaren Herzen ihrer Mitbürger unvergeßlich machen.

XXII.

Sehr unangenehm drang sich auch heuer wieder die Bemerkung auf, daß, ungeachtet so vieler Ausschreibungen, mit Ausstellung der Zeugnisse, sowohl in Ansehung der Viehzucht und Mastung, als der Kulturleistungen und Beförderungen, die Sache noch nicht in gehöriger Ordnung ist, und dadurch die Preisgerichte in große Verlegenheit gerathen, auch aus Mangel vollständiger oder zu spät eingeschickter Zeugnisse manche Preisbewerber unschuldig zu leiden haben. Es sind doch durch die Intelligenzblätter der k. Kreis-Regierungen die Formulare für die Zeugnisse genau vorgeschrieben worden; und wenn bei jeder Gerichtsstelle die Formularbücher, wie es die Ordnung mit sich bringt, vorhanden sind, so können für diese Zeugnisse alle Jahre die Rubriken ganz ausgefüllt, und so alles leicht berichtigt werden. Auf diese Art können die Vorsteher der Gemeinden, und so auch die Gerichtsstellen nicht fehlen, welche letztere aber stets den ganzen Inhalt des Zeugnisses zu bestätigen, und dadurch den Akt, sohin ausdrücklich den ganzen Thatbestand, anzuerkennen, und so damit zu legalisiren haben. Es ist auch schon wiederholt bemerkt worden, daß in Ansehung der Pferde die Zeugnisse der k. Landgestüts-Kommission nicht zureichen, sondern auch noch die ordentlich vorgeschriebenen obrigkeitlichen Zeugnisse mit übergeben werden müssen, auch für jedes Viehstück nach den Gattungen besondere Zeugnisse erforderlich sind. Nur einzelne und zwar wenige Stellen erlaubten sich, bei diesen Zeugnissen auch wieder Taxen zu nehmen und Stempelbögen zu fordern. Es kann dieses nur einem Irrthume zugeschrieben, und daher mit Zuversicht erwartet werden, daß die Taxen wieder zur Rückgabe kommen, indem aus der Natur der Sache selbst, und nach Allerhöchster Weisung für solche Fälle keine Taxen, wie keine Stempelbögen zulässig sind, vielmehr Alles zusammenwirken muß, um eine so wichtige Angelegenheit, wie die Ermunterung der Landwirthschaft des Reiches vorstellt, möglichst zu erleichtern, wie auch nur so der allerhöchsten Regierungsabsicht bei diesem Feste entsprochen werden kann.

XXIII.

Mit großem Vergnügen gewahrt man immer, welch' warmen, wirklich enthusiastischen Antheil die Nation an dem Pferde-Rennen nimmt. Dieses giebt der Hoffnung Raum, daß auch bei der zweckmäßigen Einrichtung dieser Pferderennen auf englische und französische Art, und, wie jetzt auch in mehreren Staaten Deutschlands, zur Beförderung der Pferdezucht, sich das gleiche Interesse erhalten, und in der Folge das Uebergewicht englischer Pferde nicht mehr so fühlbar werde, wie leider jetzt so sehr geschieht. Es sollten daher nur inländische Pferde laufen dürfen. Ebenso zweckmäßig wäre es, bei dem ersten Rennen die Wallachen und Nonnen auszuschliessen; und so wäre das Rennen seiner Zweckmäßigkeit näher gerückt. Es wird aber sicher auch das Rennwesen die bessere Ordnung erhalten, wenn die königlichen Preise und die neue Rennordnung die Allerhöchste Bestätignng erlangen. Ein großer Schritt zu einem zweckmäßigen Rennen (siehe hierüber die bekannte Schrift: Ueber die Pferderennen, als wesentliches Beförderungsmittel der besseren, vielmehr edlen Pferdezucht in Deutschland, und besonders in Bayern, vom Staatsrath v. Hazzi, München 1826 bei Lindauer) ist schon dadurch geschehen, daß nun eine sichere und bleibende begränzte Rennbahn zu $\frac{1}{4}$ deutsche Meile besteht, wodurch nach viermaligem Umritte, eben, wie gewöhnlich, eine deutsche Meile zurückgelegt wird.

XXIV.

Es gebührt wieder dem Magistrate, der Landwehr, überhaupt der Bürgerschaft von München, großer Dank, daß sie durch ihre so äußerst gefälligen Mitwirkungen dieses Fest jedes Jahr zu verherrlichen suchen. Die Landwehr, die auf diesem ungeheuern Raume und bei einer so überaus großen Volksmenge allein die Wache hielt, zeichnete sich auch stets durch Aufrechthaltung einer schönen freundlichen Ordnung aus, so, daß nie im Geringsten der allgemeine Frohsinn gestört ward, und diese freie Bewegung der Nation stets den schönsten Beweis der brüderlichen Eintracht gab. Ja wirklich zu bewundern ist, daß bei einer so ungeheuern Masse von Menschen, bei so vielen Pferden und Herumführen von Viehstücken nicht der mindeste Exzeß oder Unglücksfall sich ereignete, welches einer solchen muntern und so großen Volksversammlung sicher zur größten Ehre gereicht.

XXV.

Dem General = Comité des landwirthschaftlichen Vereins bleibt nur der Wunsch übrig:

Hr. v. Koch-Sternfeld, k. geheimer Legationsrath.

Hr. v. Niethammer, k. Regierungsrath.

Hr. v. Berks, k. Ministerialrath.

Frhr. v. Freiberg, k. I. Stallmeister.

Hr. v. Utzschneider, k. geheimer Rath.

Hr. Dr. v. Martius, k. Professor und I. Conservator des botanischen Gartens.

Hr. Dr. Zierl, k. Professor.

Centralblatt

des

landwirthschaftlichen Vereins in Bayern.

Jahrgang: XXVI.

Monat: November 1836.

Angelegenheiten des Vereins.

Bekanntmachung

der Wahlen der Kreis-Comités.

(Fortsetzung.)

VII.

Kreis-Comité

des landwirthschaftlichen Vereins in Speyer

für den

Rhein-Kreis.

I. Vorstand.

der k. Generalcommissär und Regierungs-Präsident
Frhr. v. Stengel.

II. Vorstand.

der k. Regierungsrath Herr Anton Kurz.

I. Sekretär.

Herr v. Stichaner, k. Regierungsassessor.

II. Sekretär.

Herr Mühlhäuser, Landrath und Steuereinnehmer.

Mitglieder.

Hr. Koch, k. Landcommissär.
„ Fürst v. Wrede, k. Regierungsdirektor.
„ Bettinger, k. Regierungsassessor.
„ Rettig, k. Forstinspektor.
„ Buchner, Dr. k. Regierungsdirector.
„ Hezel, Bürgermeister.
„ v. Neimanns, k. Regierungsrath.
„ Lichtenberger, Tabakfabrikant.
„ Lichtenberger, Casimir, Krappfabrikant.

Ersatzmänner.

Hr. Schmidt, k. Kreis-Forstinspektor.
„ Köhler, Dr. und Gutsbesitzer.
„ Welz, Adjunkt, Weinhändler und Gutsbesitzer.
„ Koch, Bürgermeister in Heiligenstein.
„ Geil, Dr., k. Cantonsarzt.

---

173. Uebersicht der Maulbeerbaum- und Seidenraupenzucht in Bayern im Jahre 1836.

In den Seidenabhaspelungsanstalten wurden theils selbst erzogene, theils eingesendete Seiden-Cocons abgehaspelt:

in München	. .	81	Pfd.	– Loth.
in Regensburg	.	331	„	2 „
in Bogen	. . .	50	„	31 „
angezeigte und nicht eingeschickte Cocons	. . . .	152	„	– „
Summa	. .	615	Pfd.	1 Loth.

Bemerkung. Der Seidenzucht-Verein in Nürnberg, welcher im vorigen Jahre 360 Pfd. 28 Loth Cocons, der Magistratsrath und Lebküchner Heller in Nördlingen, der 82 Pfd. der Knopfmacher Neumayer zu Ansbach, der 95 Pfund Cocons abgehaspelt haben, machten bisher noch keine Meldung von ihren Leistungen, konnten daher, so wie viele andere, in diese Uebersicht nicht aufgenommen werden. Die Deputation kann sich jedoch mit Grund der Gewißheit hingeben, daß die genannten sowohl, als viele andere, welche gar keine Anzeige hieher machten, noch weit mehr geleistet haben, daß sohin die sämmtlich erzeugten Cocons auf 1200 Pfd. angenommen werden können.

Da eingetretene Hindernisse die Abhaspelung aller eingesendeten Cocons in München verspätet haben, so wird die sich ergebende Seide angenommen zu . . . 9 Pfd. — Loth.

wirklich abgehaspelte Seide in Regensburg	36	„ 5¼	„
in Bogen	4	„ 12½	„
von den nicht eingeschickten Cocons können gewonnen werden	15	„ —	„
hiezu von den nicht angezeigten . . .	40	„ —	„
Summa . .	104 Pfd.	18	Loth.

In diesem Jahre wurden durch die Seidenbau-Deputation in den Kreisen unentgeldlich vertheilt:

Hochstämmige Maulbeerbäume .	570 Stück
Hecken und Sämmlinge . . .	2000 „
Zusammen .	2570 Stück

Maulbeerbaumsamen . . . 3 Pfd. 18 Loth.
Seidenraupeneier, italienische, chinesische und inländische . — Pfd. 11½ Loth.

wobei bemerkt wird, daß aus 1 Loth frischen, keimfähigen Samen 9 bis 10000 Pflanzen erzeugt, und aus 1 Loth Seidenraupeneier 20 bis 24000 Raupen gezogen und eben so viel Cocons gewonnen werden können. Nach den seit dem Beginnen der Seidenzucht im Jahre 1824 vertheilten Maulbeerbäumen, Sämlingen und Samen zu urtheilen, dürften im Königreiche einige Millionen Maulbeerstämme stehen.

Die Deputation richtet aus guten und wohlerwogenen Gründen ihre besondere Aufmerksamkeit dahin, daß sich die Seidenzüchter zur Zeit noch mehr auf die Maulbeerbaumzucht als auf die Seidenraupenzucht verlegen, theils um die jungen Bäume im Anfange und die älteren so viel als möglich zu schonen, und sie nicht vor der Zeit durch zu starkes oder jährliches Entblättern zu entkräften und zu verderben, theils um seiner Zeit keinen Mangel an hinreichendem Futter zu haben. Auch räumte das Preisgericht denjenigen Preisbewerbern den Vorzug ein, welche sich in der Maulbeerbaumzucht ausgezeichnet haben.

Die Deputation hat die erfreuliche Bemerkung gemacht, daß die Seidenbaugesellschaften zu Regensburg und Bogen in ihrem seit Jahren bezeigten Eifer für die Seidenzucht rühmlichst fortgefahren, dann, daß sich mehrere Vorstände der k. Landgerichte, Magistrate und Institute, so wie viele Privaten in diesem Jahre in Beförderung der Seidenzucht vorzüglich thätig bewiesen haben.

Viele Schullehrer beeiferten sich, ihre Schuljugend in der Maulbeerbaum- und Seidenraupenzucht gründlich zu unterrichten, und die Liebe zu diesem Industriezweige frühzeitig in den jugendlichen Gemüthern zu wecken. Unter den Schullehrer-Seminarien zeichnet sich das in Altdorf besonders aus; unter der Leitung des verdienstvollen Inspektors Dr. Ströbel beifern sich die Zöglinge, diese Wissenschaft gründlich zu erlernen, um sie an ihren künftigen Bestimmungsorten zu verbreiten. Auch das k. Polizeikommissariat Kaisheim arbeitet seit mehreren Jahren daran, seine Maulbeerbaum-Pflanzungen zu erweitern, und eine große Seidenzucht-Anstalt zu gründen, wozu die Sträflinge verwendet und gründlich unterrichtet werden sollen, damit diese nach ihrer Entlassuug sogleich einen Erwerbszweig finden können.

Diese Uebersicht liefert den Beweis, daß, wenn der Seidenbau-Deputation kräftige Mittel zu Gebot ständen, wahrhaft Großes geschafft werden, und daß die Seidenzucht in Bayern bei der auffallenden Empfänglichkeit seiner Bewohner in kurzer Zeit jene Vollkommenheit erreichen könnte, welche auswärtige Staaten beglückt.

München den 2. Oktober 1836.

Die
Seidenbau-Deputation des General-Comité
des landwirthschaftlichen Vereins in Bayern.
von Hazzi.

Weyser.

Landwirthschaftliche Berichte und Aufsätze.

174. Ueber die Seidenzucht in Frankreich.

In Frankreich, wie sich Schreiber dieses auf seiner heurigen Reise durch dieses Land überzeugte, gelten für die neue Betriebsamkeit 2 Hauptlosungsworte: Runkelrübenzucker=Fabriken und Seidenbau.

Auch in Deutschland ist ein Bestreben nach selben überall rege. Frankreich hatte wohl schon seit langer Zeit, und zwar seit der Regierung Heinrich des IV. den Seidenbau in den südlichen Provinzen. Da nun aber der Maulbeerbaum auch in den nördlichen Gegenden überall fortkömmt, so werden nun auch da die Maulbeerbäume auf allen Seiten gepflanzt, und der Seidenbau auf allen Seiten ermuntert. Auch in Deutschland und besonders in Bayern geschieht dieses: aber man hat da freilich noch mit vollen Mißgriffen und Vorurtheilen zu kämpfen. Unterdessen die Sache läßt sich nicht übereilen. Man bedenke nur, daß es immer Jahrhunderte kostete, bis sich der Seidenbau von Griechenland nach Italien, und von da nach Frankreich verpflanzte.

Es muß sich bei den Landleuten die Ueberzeugung fest begründen, daß ihnen die Pflanzung des Maulbeerbaumes, besonders die Hecken von selben zur Einfassung ihrer Länder Nutzen bringen. Sie müssen vor Augen sehen, wie leicht das ganze Seidenbaugewerbe ist, da man nur 6 Wochen hindurch Raupen mit den Maulbeerbaumblättern zu füttern braucht, wie man ohnehin gewöhnlich Vögel füttert, und daß man dann nach 6 Wochen mittelst der Cocons schon eine Verkaufswaare ohne mindesten Kosten sich erworben hat. Die Erfahrung zeigte übrigens in Bayern, daß der Maulbeerbaum überall fortkömmt, und selbst dem härtesten Winter trotzt.

Die deutsche Seide wird auch selbst der französischen und italienischen wo nicht vorgezogen, doch gleichgehalten. Schreiber dieses muß auch noch von der obigen Reise nach Frankreich und England anführen, was die englischen Kaufleute von der deutschen Seide halten.

Es wurde ihm unter mehr andern in London ein ungeheures Magazin von chinesischer, überhaupt orientalischer Seide gezeigt. Er äußerte verlegen darüber, daß es bei einer so großen Einfuhr von orientalischer Seide mit der mühsamen Einführung der Seidenzucht in Deutschland schlecht aussehe. Ganz im Gegentheile erwiederte der Kaufmann; denn alle die orientalische Seide sey zu den guten Stoffen nicht anders als gemischt mit italienischer oder französischer und vorzüglich auch deutscher Seide zu gebrauchen, weil nur diese die gehörige Elasticität habe. Es wäre seit kurzer Zeit Seide aus dem Preußischen nach London gekommen, und man fand die Elasticität noch stärker bei der deutschen Seide. Jemehr also auch die deutsche Seide vorhanden ist, so gewinne auch das Waarenlager der chinesischen Seide in der Verwerthung. Die französischen Journale liefern jetzt eine Menge Artikel über den Seidenbau, und von allen Seiten erscheinen Ermunterungspreise. So kömmt in einem derselben folgender Artikel vor.

Paris, 25. Sept. 1836. Die französische Regierung thut alles Denkbare, um die Seidenzucht zu verbreiten, und zu begünstigen. Die Höhe der Seidenpreise und der niedere Preis des Getreides erleichtern auch die Vermehrung der Maulbeerpflanzungen so, daß Frankreich voraussehen kann, in einigen Jahren von dem Auslande für das Material seiner Seidenfabriken völlig unabhängig zu seyn, um so mehr, als die neueren Methoden eine unendlich größere Quantität Seide von derselben Quantität von Blättern liefern. Es scheint, daß der erste Gedanke an die neueren Methoden einer, jedoch sehr unvollständigen, Kenntniß der chinesischen Behandlungsart der Raupen zu verdanken ist. Man ist dieser Spur weiter gefolgt, und hat in Erfahrung gebracht, daß die Chinesen in einem Jahre acht Generationen von Raupen erziehen, während das Maximum, das man in Frankreich mit Hilfe der vollkommensten Apparate erreicht hat, nicht über vier gestiegen ist, obgleich man die Hoffnung hatte, es auf fünf zu bringen. Es scheint, die Chinesen haben Mittel gefunden, die Raupen auch in Jahreszeiten, wo der Maulbeerbaum keine Blätter giebt, zu ernähren. Sie sammeln die Blätter im Herbst, trocknen sie auf Trockenböden, und zerreiben sie zu feinem Pulver. Dieses wird den jungen Raupen gegeben, nachdem man es zuvor mit Mehl von Zuckererbsen bestreut hat. Die Administration läßt eine ausführliche chinesische Beschreibung der ganzen Verfahrungsart übersetzen, und wird sie in Menge verbreiten. Man darf davon bedeutende Fortschritte in der Seidenzucht erwarten, um so mehr, als die Aufmerksamkeit wissenschaftlicher Männer und reicher Kapitalisten auf diesen Zweig der Industrie gerichtet ist, von denen man erwarten kann, daß sie alles im Klima von Frankreich Anwendbare den genauesten Versuchen werden unterwerfen, und von keinen Kosten zurückgeschreckt werden. Die Regierung hat einen Hrn. Henri Bourdon in den Süden geschickt, um dort die neueren Heitzungs- und Luftreinigungsmethoden bekannt zu machen, und überall werden Magnanieren nach den neuen Grundsätzen eingerichtet. Fast alle Departements haben Preise auf die Pflanzung von Maulbeerbäumen ausgesetzt, und man hofft ihre Zahl innerhalb vier Jahren in Frankreich zu verdoppeln. Ebenso schnell verbessern sich die Qualitäten der Seide, und die weiße Seidenraupe, welche Ludwig XVI. aus China kommen ließ, und die bisher nur in einem Theile der Cevennen erzogen wurde, breitet sich mit großer Schnelligkeit in allen seideproduzirenden Departements aus.

---

175. Ueber die Landwirthschaft im Obermainkreise.

Es besteht bei dem Landmanne ziemlich allgemein die Ansicht, daß der landwirthschaftliche Betrieb im Obermainkreise, gegen die angrenzenden Kreise des Vaterlandes, geringern Ertrag gewähren, und in den der Agrikultur an und für sich ungünstigeren Gegenden desselben, solcher kaum zur Fristung der Existenz des Landmannes die nöthigen Mittel gewähre.

Als Ursachen werden gewöhnlich angegeben:

a) Undankbarkeit des Bodens,

b) Mangel an Streu, und

c) die beschränkten Geldmittel des Landmannes.

Einige Betrachtungen über diese gewichtigen Hindernisse, welche dem Aufblühen der landwirthschaftlichen Kultur entgegen treten, dürften nicht ohne alles Interesse in einem Kreise von Landwirthen und Freunden der Landwirthschaft seyn. Ich erlaube mir daher, meine Ansicht hierüber in möglichster Kürze auszusprechen.

Soll ein Boden mit Grund des Undankes beschuldigt werden können, nämlich: daß er die auf ihn gewandte Mühe und Dünger mit keiner entsprechenden Aernte lohne, so kann dieses wohl nur in der ursprünglichen Boden-Beschaffenheit gesucht werden, entweder, daß derselbe zu seichtgründig, zu gebunden oder zu ungebunden, oder überhaupt, seine mineralische

Beschaffenheit an sich der Vegetation ungünstig ist. Auch die Lage bei sonst nicht ungünstiger mineralischer und mechanischer Beschaffenheit des Bodens, kann dessen Werth zum Ackerbau so herabsetzen, daß er die darauf verwendete Arbeit und den Dünger nur kärglich lohnet.

So weit ich den kultivirten Boden des Obermainkreises kenne, glaube ich nicht, daß eine so fehlerhafte Beschaffenheit desselben, in der Allgemeinheit, oder nur in der Ausdehnung angenommen werden kann, daß in solcher die Ursache zu suchen ist, daß die Aernten im hiesigen Kreise, jenen der Nachbar-Kreise in ihren Erträgnissen nachstehen, und den Fleiß des Bebauers allzu kärglich lohnen.

Es ist zwar nicht in Abrede zu stellen, daß sich in diesem Kreise bedeutende Strecken Landes befinden, wo leichter ungebundener Sand, mitunter von der schlechtesten unfruchtbarsten Beschaffenheit, vorherrschend ist, wie uns hiervon bedeutende Striche der Oberpfalz ein Bild geben.

Prüfen wir die landwirthschaftlichen Verhältnisse dieser, in Bezug auf ihrem Boden und Agrikultur so sehr im Mißkredit stehenden Gegend aber näher, so zeigt es sich, daß der unfruchtbare allzu reine Sand, den die auf ihn verwendete Sorgfalt und Arbeit nur unverhältnißmäßig gering lohnt, weil er bei seiner Unvermögenheit die zur Vegetation erforderliche Feuchtigkeit an sich zu ziehen, und gleich bindendern Erdarten an sich zu halten, außer in sehr feuchten Jahren, stets an Dürre leidet, und deshalb nur kümmerliche Aernten liefert, keine so ununterbrochene Ausdehnung habe, daß Striche von mehreren ausgedehnten Markungen aus einem solchen unfruchtbaren Sande bestehen.

Es finden sich vielmehr nur wenige Orts-Gemarkungen, welche nicht mehr oder weniger tief liegende Thonlager zeigen, oder selbst Aecker mit bindendem Boden aufweisen können. Wo sich dergleichen nicht finden, fehlen solche kaum in den angrenzenden Ortsfluren. Selbst aber abgesehen von diesen Verhältnissen, welche die nächste Gelegenheit zur gründlichen Verbesserung des dürren Sandbodens an die Hand geben, unterliegt es keinem Zweifel, daß blos durch Vermehrung des Humusgehaltes im Sandboden, durch reichliche Düngung derselbe nach und nach wesentlich in seiner Vegetationskraft erhöhet, und seine Feuchtigkeit anziehende, und in sich zurück haltende Fähigkeit so vermehrt werden kann, daß er der anhaltenden dürren Witterung gleich andern gebundenen Erdarten sehr wohl zu widerstehen vermag. Denn bekanntlich besitzt der Humus diese Fähigkeit in einem vorzüglichen Grade, und kömmt hierin der Fehlerhaftigkeit des Sandbodens am besten zu Hilfe.

Sehen wir uns in diesen Sandgegenden noch etwas näher um; so zeigt es sich, daß solche von der Natur so reichlich mit Bächen und Flüssen bedacht sind, daß bei gehöriger Benutzung des vielen Wassers, welches diese, so wie die große Menge von Weihern hie und da zur Wiesenkultur darbieten, die Mittel gegeben sind, an den meisten Orten mehr als das nothwendige Futter auf Wiesen zu erzielen, ohne dem Ackerlande Dungstoffe zu entziehen.

Welcher Reichthum an Dungstoff findet sich nicht in den meisten dieser Gegenden, an den Torflagern und Lohen, da der Torf und der Lohboden nach seiner einfachen Entsäuerung durch die Excremente des Viehes, insbesondere den Urin desselben, und die freie Einwirkung der atmosphärischen Luft, mit wenig Arbeit, in kurzer Zeit, eine Masse von Humus liefert, der geeignet ist, dem Sandboden einen hohen Grad von Vegetationskraft zu ertheilen.

Es kann wohl kein einfacheres und mit weniger Beschwerlichkeit verknüpftes Mittel, zur Vermehrung der Dungstoffe in der Wirthschaft geben, als die zweckmäßige Benutzung dieses versäuerten, und in diesem Zustande unfruchtbaren Humus, welcher seine Wirksamkeit für die Vegetation schon dadurch wieder erhält, daß er dem Viehe untergestreut, und wenn er mit den Auswürfen desselben hinlänglich gemengt ist, zunächst der Dungstätte auf Haufen gesetzt, von 14 zu 14 Tagen umgestochen, und inzwischen noch mehrmals mit Mistjauche begossen wird, und auf solche Art behandelt in Zeit von 6 bis 8 Wochen den kräftigsten Dünger liefert.

Hören wir jedoch, daß alle von der Natur dargebotenen Mittel, den entkräfteten Sandboden zu verbessern, bisher unversucht geblieben sind, daß Verbesserung des Sandes durch zweckmäßige Boden-Mischung, als zu mühevoll, ganz ungewöhnlich ist, daß die Gewässer ihrem wilden Laufe lediglich überlassen sind, durch ihren ungeregelten Lauf die besten Wiesengründe versumpfen, und durch unzeitige Ueberschwemmungen, sehr häufig, den größten Theil des erwachsenen Futters beschmutzen, oder selbst während der Heu- oder Ohmatbärnte entführen, daß von der Benutzung des Wassers zum Bewässern fast keine Spur ersichtlich, und selbst die Benutzung des Torfes als Dünger-Material, der unbeschwerlichen und einfachen Be-

Fleiß und zweckmäßige Wirthschaft zu beseitigen. Zu dem andern angegebenen Hindernisse des Ackerbaues, dem Mangel an Unterstreu für das Vieh übergehend, glaube ich vor Allem die Frage stellen zu müssen, welches ist der Zweck der Streu? Doch wohl nur der, dem Viehe ein reinliches trockenes Lager zu verschaffen, und die Auswürfe desselben bequem sammeln und in dasjenige Verhältniß bringen zu können, in welchem sie am entsprechendsten mit der Ackerkrumme vereinigt werden.

Dieser Zweck wird nach den mannigfaltigen Mitteln, welche nach den verschiedenen wirthschaftlichen Verhältnissen dem Landwirthe zu Gebote stehen, auf vielerlei Weise zu erreichen gesucht.

In den Gebirgsgegenden, wo wegen Mangel an ebenem Boden, der Feldbau höchst unbedeutend ist, und der Hauptbetrieb der Oekonomie in der Alpenwirthschaft besteht, wobei das Stroh sehr mangelt, und solches wegen zu unbedeutender Waldfläche nicht durch Waldstreu ersetzt werden kann, hilft sich der Landwirth durch das Wasser, indem er den Ställen eine solche Einrichtung giebt, daß das wenige Stroh, welches dem Viehe als Lager gegeben, mit den Excrementen desselben wenig gemengt wird, diese vielmehr gesondert in einem Graben hinter den Viehständen mit Wasser gemischt, das verunreinigte Stroh zum mehrmaligen Gebrauche als Unterlagen für's Vieh ausgewaschen und auf solche Weise alle thierischen Auswürfe und was sich sonst an flüssigen oder im Wasser auflösbaren Dungstoffen in der Haushaltung ergiebt, in sogenannte Gülle verwandelt und in diesem Zustande zur Düngung verwendet werden.

Da, wo aus irgend einem Grunde Futtermangel besteht, daher der Fall eintritt, daß das, oft auch in zu geringer Quantität gebaut werdende Stroh, zum größten Theile zur Erhaltung des Viehstandes verfüttert werden muß, Waldungen aber vorhanden sind, wird zu diesen die Zuflucht genommen, und alle erforderliche Unterstreu aus diesen zu erhalten gesucht. Wo hingegen diese Streu-Surrogate nicht zureichten, suchte man sich durch Schilf und sonstige Wasser-Gewächse zu helfen, und selbst hie und da das mangelnde Vermischungsmittel für die thierischen Auswürfe, durch ihre Bedeckung mit Wasen und Erde auf den Düngerstätten zu ersetzen.

Es ist nicht in Abrede zu stellen, daß die eingeführten Methoden der Behandlung des Düngers bei Strohmangel den Zweck in der Regel nur unvollständig bewirken, da hiebei fast stets eine Unzureichenheit der Streumittel verbleibt, welche in der Wirthschaft empfindlich gefühlt wird. Allein ein Hinderniß der landwirthschaftlichen Kultur kann der Mangel an Streu niemals seyn, weil durch Anwendung der Erde, gewonnener Wasenstücke, des Torfs ꝛc. jedem Landwirthe ohne Unterschied Streumaterial in jeder Menge unentgeldlich zu Gebote stehet, welches unbezweifelt dem Zwecke der Auffassung und unverkürzten Ueberlieferung der thierischen Dungstoffe an den Ackerboden am vollkommensten entspricht, indem diese Materialien außer den materiellen Dungstoffen, die Ausdünstung des Viehes und die, die Fruchtbarkeit des Bodens so sehr erhöhenden Gas-Arten an sich ziehen, und sohin erhalten, während selbige bei den andern Streumitteln und der bisherigen Behandlung des Düngers, größtentheils ungenützt in den Dunstkreis übergegangen sind. Höchst erfreulich ist daher die Mittheilung des Hrn. Wirthschaftsraths André in dem Centralblatte des landwirthschaftlichen Vereins über seine blos mit Erde betriebene Düngerwirthschaft, und seine Hinweisung auf das neue Werkchen des Hrn. Amtsraths Block über diesen Gegenstand.

Die möglichst allgemeine Verbreitung dieser Methode, den Dünger zu behandeln, würde nicht nur für den landwirthschaftlichen Betrieb, sondern für die National-Oekonomie im Allgemeinen, von unberechenbaren Folgen seyn, da hierdurch zugleich den weit um sich greifenden Wald-Verwüstungen, mit ihren nachtheiligen Folgen für die Fruchtbarkeit und Salubrität des Klimas, den Wohlstand der Bevölkerung und die Kraft des Staates ein Ziel gesetzt würde.

Es ist von allen Sachverständigen anerkannt, und durch die Erfahrung von Jahrhunderten erwiesen, daß bei vollständiger Benutzung des Holzes, welches die Waldungen produziren, so daß dem Boden zur Erhaltung seiner Produktions-Fähigkeit, oder zum Ersatze der Nahrungsstoffe, welche ihm die Erzeugung des Holzes entzieht, nichts als der jährliche Laub- oder Nadelabfall gelassen wird, er sich zu keiner höhern Produktionskraft erheben kann, sondern sich diese nur in ihrem eigenthümlichen Verhältnisse zu erhalten vermag, sohin jeder Entzug dieses nothwendigen Ersatzes für den Waldboden, zur Erneuerung der durch die Vegetation verlorenen Stoffe, dessen Entkräftung herbeiführt, welche in dem Verhältnisse nachtheilig und zerstörend auf die Waldsubstanz wirkt, als der Boden an und für sich von schlechterer oder besserer Beschaffenheit ist, und demselben die Streu in geringerem oder größerem Maße und fortgesetzt entzogen wird. Die Tausende von Tagwerken Waldung, welche nur im Obermainkreise, durch diese Nutzung als verwüstet sich dem Auge darstellen, und deren Boden fast bis zur gänzlichen Produktionsunfähigkeit herab gesunken ist, liefern hiefür die sprechendsten Beweise. Zieht man aber in Erwägung, von welcher ungemeinen Wichtigkeit die Waldungen in dem großen Haushalte der Natur, abgesehen von dem materiellen Nutzen sind, welchen sie durch die Lieferung der unentbehrlichsten Produkte für den gewöhnlichen Haushalt und fast alle Gewerbszweige gewähren, indem es auf dem Festlande ausschliessend die Waldungen sind, welche die klimatischen Verhältnisse reguliren, so kann in ihre Wichtigkeit für das allgemeine Wohl ein Zweifel nicht gesetzt werden. Sie sind es vorzüglich, welche die so nothwendige Wechselwirkung mit der Atmosphäre unterhalten, das Versiegen der Quellen verhindern, die Luft-Strömungen brechen und die Luft von den der menschlichen und thierischen Natur schädlichen Dünste reinigen.

Es ist eine durch die Geschichte beståttigte unwiderlegbare Wahrheit, daß die sonst fruchtbarsten Gegenden und Länder unseres Erdballes, welche dermalen in unbewohnbare sterile Wüsten umgewandelt sind, nur durch die gänzliche Entwaldung ihres Bodens diese auffallende Umgestaltung erlitten haben.

Von noch besonderer Wichtigkeit ist aber die Erhaltung der Wälder in hoch liegenden gebirgigen Gegenden, woraus unser Kreis großentheils besteht, weil ihr Einfluß von noch vorzüglicherer Wirkung auf die klimatischen Verhältnisse als im niederen Hügellande ist, und ihr Terrain nur wenig Fläche darbietet, welche der landwirthschaftlichen Kultur zusagt.

Es dürfte überhaupt als richtig anzunehmen seyn, daß der Ackerbau nur in der Ebene und im Hügellande seinen lohnenden Wirkungskreis findet.

Selbst aber in den Ebenen sollten in nationalökonomischer Hinsicht die Waldungen nur in so weit der Agrikultur weichen müssen, als anerkannt, ihr Ueberfluß, durch Erhaltung eines nachtheiligen zu hohen Feuchtigkeitsgrades in der Atmosphäre, dem Ackerbaue schädlich wird, oder die Volksmenge bei einer bereits bestehenden möglichst intensiv betriebenen Landwirthschaft Erweiterung der Ackerfläche erheischt, weil nur der regelmäßig auf Holzzucht behandelte Wald, für den Ackerbau, bei seiner nöthigen Erweiterung, Boden von ungeschwächter Kraft liefert.

Schlechte Waldwirthschaft, so wie allzu extensiv betriebene Landwirthschaft aber ist Vergeudung der Urkräfte des Bodens, die die Kraft des Staats-Körpers schwächt.

Ich komme nun zu dem dritten Einwurfe, welcher dem schwunghaften Betriebe der Landwirthschaft im Obermainkreise als Hinderniß entgegen gestellt wird, und ich wünschte auch diesen Einwand gleich den beiden ersten wiederlegen zu können, leider aber muß ich bekennen, daß ich der Ueberzeugung bin, daß es die so beschränkten und oft ganz fehlenden Geldmittel des Landmannes sind, welche dem Aufschwunge der Landwirthschaft in unserm Kreise entgegen stehen.

Es ist eine bekannte Sache, daß der schwunghafte Betrieb einer Oekonomie neben den Kenntnissen des Landwirthes, der sie betreibt, vorzüglich von dem Betriebskapitale abhängt, welches demselben zu Gebote steht, weil dieses es ist, durch welches das Grundkapital erhöhet, das stehende Kapital oder Inventar erhalten werden muß, und welches die bewegende Kräft der ganzen Wirthschaft ist.

Bei der Mehrzahl der Landleute unsers Kreises ist solches sehr gering, oder fehlt ganz und gar; wie viele sind nicht einmal Eigenthümer des ganzen Grund-Kapitals und Inventars, mit welchen sie wirthschaften!

Mit Zinsenzahlungen, Grundabgaben, Steuern und Gemeinde-Lasten der mannigfaltigsten Art, haben sie mit beständiger Geldnoth zu kämpfen, sind in allen wirthschaftlichen Operationen gehemmt, und es kann bei ihnen von Vermehrung ihres Grund-Kapitals durch Erhöhung der Kraft ihres Bodens, keine Rede seyn. Diese wird vielmehr in den meisten Fällen der eigenen Erhaltung wegen, durch den Bau verkäuflicher Früchte in einem solchen Grade geopfert, daß die Fälle nur zu häufig vorkommen, daß die auf ihren Anwesen lastenden Grund Abgaben dem dermaligen Reinertrage ihrer Felder gleich kommen, oder solchen gar noch übersteigen. Daß aber unter solchen drückenden Verhältnissen an einem Aufblühen der Landwirthschaft nicht zu denken sey, ist klar.

Indessen haben wir bei dem festen Willen und regen Eifer der Staatsregierung, die landw. Kultur zu heben, bei den schon bethätigten weisen Anordnungen zur Lösung der Fesseln, welche den Aufschwung der Landwirthschaft bisher zurückhielten, und bei der zur Erleichterung des Grundbesitzers getroffenen Einrichtung derselben, alle Ursache der Hoffnung Raum zu geben, daß sie hierbei nicht stehen bleiben, sondern fortfahren wird, kein Opfer zu scheuen, durch welches das vorgesteckte Ziel erreicht werden kann. Wir dürfen auch mit nicht weniger Zuversicht, bei der allgemeinen Anerkennung der hohen Wichtigkeit des landwirthschaftlichen

Gewerbes für die Wohlfahrt der bayerischen Nation, und dem ungetheilten Interesse für solches, von den Vertretern des Volkes erwarten, daß sie keine Gelegenheit vorüber gehen lassen werden, der Staatsregierung die Gebrechen aufzudecken, welche dem Aufschwunge der Landwirthschaft noch hindernd im Wege stehen, und zu denselben, was unsern Kreis betrifft, die theilweise Ueberbürdung des Landmannes mit Grundlasten vorzüglich zu rechnen seyn dürfte.

---

176. Ueber den Repsbau in der Oberpfalz des königl. Landgerichts Neustadt a. W. N.

Es wird wohl unbestritten seyn, daß die Landwirthschaft der Oberpfalz den andern Gebieten des Obermainkreises keineswegs zum Muster aufgestellt werden darf; — desto freudiger erscheint es aber auch, wenn aus diesem Schlendrianswesen einzelne Oekonomen auftauchen, die durch Verbesserungen der Felder und Wiesen, so wie durch Anbau edlerer Früchte den Anderen zum Muster dienen.

So hat der Oekonom Gollwitzer zu Ullersricht nach seiner Angabe, den Repsbau seit 4 Jahren mit nachstehendem Erfolge betrieben.

Auf einem flachgründigen, mit Lehm vermischten Sandboden, in ebener Lage und Unterlage von verkittetem Granit-Sande — säete derselbe auf ein Tagwerk 7 Maaß Repssamen aus, und baute hievon jährlich im Durchschnitte 3 Schäffel und 3 Metzen.

Vor dieser Saat erhielt das Feld volle Düngung.

Nach dem Reps wurde Weitzen, dann Korn und Gerste, mit gutem Erfolge gebaut.

Es hat sich das Vorurtheil, als wenn nach dem Repsbaue keine andere Frucht gut gedeihe, hierdurch widerlegt.

Wenn man nun bei vorausgesetzter gleicher Bearbeitung und Düngung eines Tagwerk Feldes die Parallele zwischen dem Reps- und Weizenbaue unter Zugrundlegung des Verkaufspreises — zieht, so entziffert sich, daß nachdem der Schäffel Reps um 26 fl. 30 kr. der Schäffel Weizen zu 10 fl. 48 kr.

gekauft wird, und 2½ Schäffel per Tagwerk gebaut werden, dasselbe sich mit Reps angebaut auf 92 fl. 45 kr., dann mit Weizen auf 27 fl. rentirt, sonach sich durch den Repsbau ein reiner Mehrertrag von 65 fl. 45 kr. herausstellt.

Wendet man hingegen auch ein, daß das Weizenstroh dem vom Repse zur Fütterung und Streu vorzuziehen sey, so mag man anderntheils das theuerere Saatkorn des Weizens in Anschlag bringen.

Um nun wegen des Absatzes vom Repse nicht in Verlegenheit zu kommen, und den Preis desselben auf möglichst gleicher Höhe zu erhalten, ließ genannter Oekonom durch den Zimmermeister Roscher von Weiden eine holländische Oelschlagmühle (die erste im Obermainkreise) an sein Glasschleifwerk anhängen, welches in vollem Gange täglich 4½ Zentner Oel liefert.

Durch dieses Werk ist sonach der Absatz von jährlich 1350 Schäffel Reps — wenn man nur 300 Tage im Jahre das Werk im Gange erhält, was bei dem Wasserstande der Haidnaabe füglich geschehen kann, möglich gemacht. Sonach kann der Repsbau sich auf eine Fläche von beinahe 386 Tagwerk schon derzeit — ohne einen Schäffel auswärts verkaufen zu müssen, erstrecken.

Die Niederungen der Oberpfalz eignen sich größtentheils zum Anbau des Repses.

Auf diesem Werke gab der Erfahrung gemäß, der Schäffel Reps einen Zentner Oel, welcher um 33 bis 34 fl. verkauft wird.

Möge zum Gedeihen der Oberpfalz dieser Anbau kräftig betrieben werden.

Weiden am 3. August 1836.

Theodor Schilling.

---

177. Die Hopfenärnte im Jahre 1836, und einige Bemerkungen hiezu.

Im Jahre 1836 hatten wir in Bayern im Ganzen eine mittelmäßige Aernte an Hopfen, dagegen gute Preise. In Hersbruck und Altdorf war ⅝ Aernte, in Spalt hie und da volle Aernte, in Bamberg ziemlich ⅞ Aernte, an der Donau hinab meistens mehr als ⅞ Aernte. Allein der reife Hopfen litt sehr stark durch die Witterung, und sehr viel Hopfen verlor seinen ächten Geruch, Farbe und am Gewicht. Sehr viel wurde schimmlicht, schwarz, mancher verdarb. Ich baute per Stange ein halbes Pfund trocknen Hopfen, obschon ich viele Stangen hatte, welche 1½ bis 2¼ Pfund trocknen Hopfen gaben. Meistens wurde der Zentner um 50 fl. verkauft. Man kaufte von 40 bis 60 fl. Ich ärntete auf einem halben Tagwerk 220 fl. nur reinen Gewinn. Somit dürfen wir die heurige Aernte nur eine mittelmäßige heißen.

Meine sowohl hier, als auch anderwärts angestellten Beobachtungen über das Hopfengewächs geben wir folgende Resultate:

Die äußerst rauhe trockene Witterung im Mai hielt den Wachsthum der Hopfenpflanze zurück. Daher kam es, daß man überall nur den Hopfen bis zur halben Höhe der Stangen herangelaufen fand. Aber auch wenig Laub und Aeste machten die Stöcke. Es konnte somit auch nicht viel Hopfen geben. Häufig traf ich doch das nur dem Hopfenbaue so günstige Verhaltniß, daß das bayer. Tagw. 420 – 450 fl. Ertrag lieferte; 5000 Stangen hatten 1400 fl. geliefert. Somit kaum 1 Tagwerk Land so viel, daß man ein kleines Bauerngut dafür hätte kaufen können. Dagegen baute man hier in Bamberg auf 14 Tagw. 30 Schäffel Weizen — den Schäffel à 12 fl. Erfreulicher aber noch ist die sichere Aussicht, daß wir im nächsten und folgenden Jahre gute Hopfenpreise erhalten. Denn der Hopfenvorrath ist ganz zusammengegangen. Ich traf auch recht vielen Hopfen, welcher keine viertel Aernte gab. Allein die Schuld lag nicht an der Hopfenpflanze, und nicht an der Witterung, sondern an unrichtiger Behandlung und an der schlechten Hopfenart. Es bewährte sich allgemein meine Entdeckung (um sich alle Jahre eine sichere Hopfenärnte zu verschaffen, und Mißwachs zu verhüten) daß man den Hopfen sehr frühe aufreissen und beschneiden müsse. Wer im heurigen Jahre seinen Hopfen erst im April aufriß, machte eine schlechte Aernte. Dieses frühe Beschneiden der Hopfenstöcke ist das Geheimniß, sich eine Hopfenärnte zu sichern. Der spät aufgerissene Hopfen wurde von der kalten trockenen Witterung zurückgehalten, machte also geringe Reben, und nur kleine Dolden. Ja viele Dolden konnten gar nicht mehr auswachsen, obschon man die Menge des Anflugs wahrnehmen konnte.

Die Trockenheit schadete der Hopfenpflanze nicht, wo der Hopfen auf hohen Beeten stand. Mein Hopfen stand außerordentlich üppig, da seine Wurzeln 2 Schuh hoch mit Erde bedeckt waren. Dagegen war der Hopfen des Nachbars um die Hälfte niedriger, weil er nur seicht mit Erde bedeckt war. Diese Wahrnehmung machte ich häufig. — Ich allein habe die höchsten Stangen. Ich kann mir aber auch recht gut erklären, warum man allgemein die hohen Stangen für überflüßig hält, weil der Hopfen, wann er nur seicht in der Erde stehet, an den Stangen nicht hoch hinanlaufen kann. Mein Hopfen war über alle 30 Schuh hohen Stangen hinaus.

Ich traf aber auch wieder Hopfen, welcher auf hohen Beeten in mehr als 2 Schuh tiefer Erde stand, ein herrliches Gewächs machte, voller Anflug hieng, aber keine reifen Trollen machte! Die Ursache war, er war erst Ende April aufgerissen und beschnitten worden.

Ich sah einige Gärten, worin ein prachtvoll üppiges Gewächs stand, in vielem Dung und in 2 Schuh tiefer Erde, auch wovon die Stöcke schon im März beschnitten worden. Derselbe hatte eine Menge Anflug, aber hatte keine Schnüre geschossen, und die Trollen hatten sich nicht ausgebildet, einzelne Trollen aber waren flattrig, und hatten eine grüne Farbe. Die Ursache war die tiefe geschlossene Lage, die Stöcke waren zu alt, und standen zu dicht. Daher hatte der Hopfen bei vielem Dung und guter Kultur mehr Laub und keine Trollen gebracht.

So konnten wir uns alle Zufälle am Hopfen erklären. Allein das konnte ich mir nicht erklären, woher es kam, daß in 3jährigem Hopfen bei angewandter vollkommen richtiger Kultur mancher Hopfenstock ganz schwarz wurde oder ein mageres Gewächs machte, während rings um diesen Stock alle andern im üppigsten Wuchse standen, ja 2 und mehr Pfund Hopfen brachten. Es muß die Ursache — eine Krankheit der Pflanze selbst seyn. Häufig fand sich dieser Mißstand nicht.

In Betreff der Güte des Hopfens machte ich wieder die Wahrnehmung, daß die Lage vorzüglichen Einfluß auf die Güte des Hopfens äußere. So fand ich in einer tiefen Lage, so wie in einer geschlossenen Lage, wo der Hopfen zu dicht, aber doch sehr üppig stand, die Trollen flatterig, nicht geschlossen, die Trollenblütchen schmal, darunter wenig Mehl, die Trollen ganz trocken, also wenig Oel. Beim Pflücken bemerkte man einen widrigen moderigen Geruch. Ich prophezeyte ein baldiges Verderben. Beim Trocknen erhielt dieser Hopfen eine grüne matte Farbe, und behielt den modrigen Geruch. Vieler davon wurde schwärzlich ꝛc. Um so dünner wurde dieser Hopfen aufgeschüttet, täglich gewendet, und sehr vorsichtig behandelt, endlich unter bessern Hopfen gemischt ꝛc.

Ich wollte wohl noch einige Wahrnehmungen über unser einheimisches Hopfengewächs mittheilen, allein ich fürchte, zu langweilen. Vielleicht wissen das, was ich erst zu entdecken hoffe, schon viele Andere, wie jener Professor in Passau. Dort weiß der geringste Knecht schon das Alles besser. Ich gestehe aber, meiner 22jährigen Praxis ohngeachtet, beim Hopfenbau noch Manches mir nicht erklären zu können. Daß man aber auch in Passau mit dem Hopfenbau noch bei Weitem nicht in Reinem ist, beweist dort der Glaube an Spalter Hopfen. Man will durchaus nicht begreifen, daß überall eben so guter Hopfen wachsen könne, als in Spalt. Ich sehe daher wohl, daß man mich nicht verstehet, oder nicht verstehen will. Doch finde ich an den Grenzen unseres Vaterlandes, in Rheinbayern mich verstanden. In Zweibrücken baut man aber so guten Hopfen als in Spalt. Man baut hier in Bamberg, in Staffelstein eben so guten Hopfen wie in Spalt. Man verwechselt irrig das Hopfengewächs mit der Weinpflanze. Die Güte des Hopfens hängt von der Art, Kultur und vorzüglich der Lage des Landes ab. Aber jede Gegend hat eine rechte Hopfenlage, daher bauen wir überall ächten Hopfen, der an Güte dem Spalter Nichts nachgiebt. Ich habe Solches untersucht, und kann in vielen sehr richtig bestimmten Versuchen es nachweisen. Dahier wird das beste Bamberger Bier mit dem dahier erbauten Hopfen gebraut. Es giebt zwar hier noch ein paar Bräuer, welche durchaus an Böhmer und Spalter Hopfen glauben, und sich durch Züge und Siegel gefällig täuschen lassen. Allein eben diese Bräuer haben nicht das beste, ja selbst bald saueres Bier. Ich habe zu veranlassen gewußt, daß besondere Gebräue von Hopfen, welcher in Hersbruck gewachsen, dann von Hopfen, welcher in Bamberg gewachsen, und von ächtem Spalter Hopfen, mit aller Umsicht gemacht wurden, wo alle Verhältnisse ganz gleich waren. An diesen 3 Arten Gebräue, resp. nach dem hiezu verwendeten Hopfen, war durchaus kein Unterschied bemerkbar! — Ich weiß nur gar zu gut, daß die Mehrzahl der Oekonomen dem Hopfenbaue abgeneigt sind. Man gönnt lieber den sogenannten Hopfennestern den reichen Bau aber nur nicht seinem Nachbarn. Und das ist ein großer Schaden für das Ganze. Denn es wird in Spalt und in

Hersbruck mitunter weit schlechterer Hopfen als anderwärts gebaut. Allein das Vorurtheil bezahlt denselben eben so hoch, als den guten. Ich bin meiner Sache gewiß und ich bemühe mich nur, den reichen Hopfenbau in allen Gegenden meines Vaterlands, wo sich passende Lagen finden, in Aufnahme zu bringen. Wenn auch mein Bemühen von oben herab wenig Anerkennung findet, so freuen mich doch die vielen Anerkenntnisse sehr glücklicher Hopfenbauern, welche durch mich veranlaßt worden sind, mehr als eine Million Hopfenstöcke anzulegen, wozu ich die Hopfenfexer lieferte. Nichts desto weniger kann ich mir den Wunsch nicht versagen, daß die Regierung für Ausmittlung der Güte der verschiedenen Arten Hopfen in allen Gegenden des Vaterlands, Versuche unternehmen lassen möge, und die Resultate hievon öffentlich kund geben wolle. Ich bin fest der Ueberzeugung, daß der Hopfenbau eine vorzügliche National-Angelegenheit bleiben müsse, daher auch der Aufmerksamkeit und Unterstützung der Regierung werth, und nicht minder als die Viehzucht. Ich fürchte für unsern inländischen Hopfen-Handel eine unangenehme Crisis, wenn sich der Hopfenbau in Würtemberg, Baden und Rheinbayern, mehr heben wird. In diesen Ländern, vorzüglich in Würtemberg, ist die Regierung gar sehr bemüht, den Hopfenbau zu vervollkommnen. Unser meister Hopfen aber gieng bisher nach Frankreich, Würtemberg und Hessen. Ich selbst habe seit 12 Jahren ungeheuer viele Hopfenfexer dorthin selbst auf Kosten der Regierung versendet. Es läßt sich an dem Gedeihen des Hopfengewächses in jenem wärmern Klima auch gar nicht zweifeln. Denn würden wir mit unserm Hopfenhandel nur noch auf Sachsen beschränkt seyn, und die Folge wäre ein Zurückgehen des Hopfenbaues; ja es könnte der Fall eintreten, daß wir bei unserem Vorurtheile für die Güte des Hopfens in gewisse Gegenden auch noch von Würtemberg und Rheinbayern eben so unsern Bedarf an Hopfen uns verschaffen müssen, wie dermal die Böhmen von Hersbruck und Spalt.

Ich habe mir im Mainthale bei Banz ein Gut gekauft, und lege auch dort Hopfen an, wo noch keiner gewachsen ist. Da ich nur die ächte Art dort anpflanze, so mache ich allen Freunden des Hopfenbaues bekannt, daß ich bereit bin, bis zum nächsten Frühjahre Hopfenfexer, wie bisher von Hersbruck und Spalt, das 100 um 24 kr. zu verschaffen, wenn bis zum Februar die Bestellungen hieher an mich ergangen seyn werden. Ich versende schon seit 20 Jahren in Nah und Fern Hopfenfexer, und zwar häufig an einen und denselben Abneh-

so fühlbar, wie anderwärts, weil durch die bessere Cultur (starke Begailung der Gründe) diese der Trockenheit mehr widerstehen, und immerhin einen größern Nutzen gewähren, was auch bei unsern Feldgründen der Fall ist, und hauptsächlich dem Umstande zuzuschreiben kommt, weil die hiesige Flur (circa 2000 Tagwerke) in so viele fleißigen Hände vertheilt ist.

Der Mangel an Grundstücken, daher deren bedeutender Werth, die vielen Leistungen zur Stadt-Comune wegen früherer ungeheurer Kriegserlittenheiten, spornt die hiesigen Einwohner an, den Grundstücken mehr und mehr abzugewinnen; nur selten ist noch hie und da ein Stückchen Brache wahrzunehmen, sie wird bald gänzlich verschwinden. In dem Brachfelde gewahrt man in bunter Abwechslung, Kartoffel, Klee, Wicken, Flachs, Hanf, Reps, Provencer ein vortreffliches Oelgewächse, dessen Anbau im heurigen Jahre von einigen das erstemal geschah. — Die Gülle (Mistjauche) wird von allen, wo es nur immer thunlich ist, zweckmäßig benützt; Erdmagazine mit animalischen und vegetabilischen Theilen gemischt, werden häufig angelegt.

Bei allseitiger Thätigkeit der Einwohner und der städtischen Behörde darf daher die Landwirthschaft zu Burgau *mit* Fug und Recht angerühmt werden.

Burgau den 13. Sept. 1836.

Jos. Ant. Hochstein,
Bürgermeister der Stadt
Burgau im Oberdonaukr.

---

179. Ueber Getreid-Handmühlen.

Zu einer Zeit, wo die Getreidepreise kaum mehr die Erzeugungskosten decken, das Rindvieh und die Schweine dagegen in hohem Werthe stehen, ist es gewiß für den Oekonomen vortheilhaft, mehr Getreid als sonst seinem Vieh zukommen zu lassen, um mittelst dieses Futters die Mastthiere schneller und mit höherem Gewinne an den Metzger zu verkaufen. Beim Füttern des Getreides aber stellt sich vor allem der Umstand als beachtenswerth dar, daß Rindvieh und Schweine die schweren und harten Getreidgattungen im rohen Zustande nicht verdauen, sondern wieder ganz von sich gehen lassen, so daß die nährenden und mästenden Bestandtheile nutzlos verloren werden. Dasselbe geschieht größtentheils bei gesottenem Getreide, abgesehen von dem hiezu erforderlichen Holzaufwande. Nach allgemeiner Erfahrung ist das Getreide den Thieren am zuträglichsten, wenn es gebrochen (geschroten) und dann mit siedendem Wasser angebrühet wird. Zu diesem Zwecke machen die berühmtesten Schriftsteller im Fache der Landwirthschaft, besonders Hr. Staatsrath v. Hazzi in dem Werke: „Ueber Behandlung, Futter und Mastung des Viehes der Landwirthschaft, 1820" — auf den großen Nutzen der Handmühlen aufmerksam. Solche Mühlen verfertigt der sehr geschickte Schlossermeister Angerer in Aichach, der mehrere Jahre in Polen und Schlesien arbeitete, wo jeder Gutsbesitzer seine Handmühle besitzt. Ich ließ mir vor einem halben Jahre eine Mühle machen, auf welcher ich bis jetzt etwa 10 Schäffel Afterroggen schroten ließ. Da ich nun eine größere erhielt und die erstere als für meinen Bedarf zu klein wieder zurückgab, zeigte es sich, daß das Mühlwerk nicht im geringsten abgenützt, sondern noch ganz neu war. Da ich im Verhältnisse zu meinem Viehstand zu wenig Wiesen, und diese noch nicht gehörig kultivirt habe, bin ich genöthigt, den Winter über viel Stroh schneiden zu lassen. Das ziemlich weiße Gesott (Häcksel) wird mit warmem Wasser, an welches Getreidschrott nebst Rüben gemischt ist, angegossen und gewähret in Ermanglung der nöthigen Quantität Heu und Grumet ein vortreffliches Futter. Mittelst der Mühle schrotet mein Schweizer in einer halben Stunde täglich so viel Getreid, als er für 24 Stück Vieh und 10 bis 12 Schweine braucht.

Ich kann mit bester Ueberzeugung von der Vortrefflichkeit dieser Maschine das Anschaffen derselben jedem Oekonomen empfehlen, um so mehr, als der Preis von 20 bis 40 fl. im Verhältniß zum Werke sehr billig ist.

Sainbach den 30. Oktober 1836.

A. Lerchenmüller,
Pfarrer.

180. Fabrik zu Verwendung thierischer Ueberreste.

(Vrgl. den Aufsatz Nr. 111, im Juliheft des Centralblattes 1836, Seite 412.)

Zu Chalons sur Marne hat sich eine große Fabrik gebildet, deren Zweck es ist, gefallenes Vieh nutzbar zu machen. Die Pferde werden ausgehauen, alle gallertartigen Theile zu Tischlerleim benutzt; Blut und Eingeweide gräbt man in die Erde, wo man sie verwesen läßt, und dann als Dünger verkauft. Alles Uebrige wird mehrere Stunden lang gesotten, um das Fleisch von den Knochen zu lösen; das Abschöpffett wird besonders verkauft. Die Knochen verwendet der Drechsler, oder es wird Beinschwarz daraus bereitet, und mit dem gekochten Fleische werden Schweine gemästet und Geflügel gefüttert. Seit einem Jahre hat diese Anstalt 1,400,000 Stücke Knochen gekauft, die vor noch vier Jahren gar keinen Werth hatten, jetzt aber mit 5 Franken der Zentner bezahlt werden, was eine Summe von 90,000 Franken macht, die den Armen zu Gute kommt, die sich mit dem Einsammeln beschäftigen.

Diese 1,400,000 Knochen gebrannt, geben 9000 Zentner Beinschwarz, das, zu Pulver gemahlen, zu 10 Franken der Zentner verkauft wird, mithin eine Summe von 90,000 Franken einbringt, die zum größten Theil für Bezahlung der Arbeiter verwendet werden, die sich mit Bereitung des Beinschwarz beschäftigen. Die Zahl der in Chalons geschlagenen Pferde belief sich auf 800, die mit 8800 Franken bezahlt wurden. Die Fabrik hat 7 bis 8000 Pfund hornartige Theile zu 14 Frc. den Zntr. gekauft, die zu 60 Franken der Ztnr. verwerthet wurden. Sie hat 3000 Pfund Oel aus Ochsenfüssen gezogen und 1500 Pfund Fett, ersteres zum Preis von 1 Franken, letzteres zu 50 Centimes in den Handel geliefert. Blut, Fleisch und Abfall aller Art werden in Oefen getrocknet, zu Staub zerrieben und unter die verkohlte Erde gemischt, um Düngerkohle zu erzeugen.

Acht und sechzig Arbeiter sind in dieser Fabrike angestellt, die im Durchschnitte täglich 1 Frc. 70 Ctm. erhalten. Es wird demnach aus sonst ganz verlornen Gegenständen ein Werth von 200,000 Franken gezogen, gegen 80 Menschen haben Beschäftigung und Unterhalt, die Gesundheit wird befördert, und der

Ackerbau erhält reichen und mannigfaltigen Dünger; eine solche Anstalt ist daher gewiß der Nachahmung würdig.

(Aus der Zeitschrift: „das Ausland" 1836, Nr. 296, Seite 1183.)

---

181. Immer grüner Riesenkohl vor Kurzem aus Neu-Zeland eingeführt.

Ein englischer Landwirth brachte es dahin, von der Kultur einer neuen Kohlart außerordentliche, beinahe unglaubliche Resultate zu erhalten. Diese Pflanze kann nach mehreren sehr achtungswerthen Zeugnissen eine Höhe von 9 bis 15 Fuß und einen Umfang von 15 – 20 Fuß erreichen. Nach oft wiederholten Erfahrungen kann man mit Gewißheit behaupten, daß 5 dieser Riesenkohle hinreichen, 100 Schafe oder 10 Kühe täglich zu ernähren.

Dieses Futter ist dem Rindvieh und den Schafen sehr zuträglich; die Wolle derjenigen Schafe, welche eine Zeit lang damit genährt werden, zeichnet sich durch ihren Reichthum sowohl als durch ihre Feinheit besonders aus.

Viele Pächter und Wiesenbesitzer in England beeifern sich derlei Samen zu erhalten. Man führt unter diesen den ehrwürdigen P. M. Coke aus der Grafschaft Norfolk, den Aeltesten der englischen Landbebauer an. Der Riesenkohl bleibt immer grün und widersteht den nachtheiligen Einwirkungen des Winters.

Diese Pflanze behält immer ihre Eigenschaft und Fülle. Der Samen muß im September gesäet werden. Mehrere ausgezeichnete Landwirthe in Frankreich, über die erhaltenen Resultate in Verwunderung gesetzt, haben sich bei Hrn. Obry, 8, Gasse Richelieu, welcher mit dem Verkaufe dieses Samens beauftragt ist, einschreiben lassen, um nur gewiß von diesem kostbaren Samen zu erhalten.

Nachricht an die Pflanzgärtner.

Die Erfahrung hat bewiesen, daß der Monat Septbr. der angemessenste sey, den Samen des Riesenkohls zu säen. Die Pflanzen müssen nach 2 Monaten 7 Schuh voneinander gepflanzt werden. Sie wachsen auf einem Boden von gewöhnlicher Güte, gelangen jedoch in einem fruchtbaren Erdreiche zur höchsten Entwicklung.

Das General-Comité hat davon 4 Körner erhalten, (ein Korn kostet in Paris 1 Franc = 28 kr.) und sie zu Versuchen vertheilt.

---

182. Fasel-Viehhaltung zu Bürgstadt, Fürstl. Leiningen'schen Herrschafts-Gerichts Miltenberg am Main.

In Bürgstadt, einer bevölkerten und im Feldbau äußerst fleissigen Gemeinde *) besteht eine Kuhhaltung von circa 500 Stücken, wofür seither nur zwei Faselochsen, einer von der Ortsherrschaft und einer von der Gemeinde gehalten wurden. Alle Morgen wurde abwechselnd einer der Ochsen auf einem sogenannten Tummelplatz unter die begattungslustigen Kühe getrieben, woselbst der Stier, wenn er auch alle seine Kräfte ausbot, häufig einen Theil nicht — oder doch ohne Erfolg — befriediget von sich lassen mußte. Die Stiere wurden dabei über ihre Kräfte angestrengt, und geringe Kälber waren die natürliche Folge, so wie auch die Kühe entweder häufig gölte blieben oder wenigstens unregelmäßig trächtig wurden.

Diesem Mißstande abzuhelfen, wurde auf den Antrag der Ortsherrschaft folgende Vereinigung verabredet und nun in Vollzug gesetzt:

Statt zwei werden jetzt vier Ochsen gehalten. Die Kühe werden nach schicklicher Abtheilung zu den Ochsen geführt, daher die Ochsen nicht mehr auf den Tummelplatz getrieben, sondern stets im Stalle gehalten werden. Nur einige Wochen im Jahre auf die Wiesenweide wird je ein Ochse mitgegeben, da-

---

*) Den interessanten Feldbau dieser Gemarkung, auf welcher ein Zweifelder-System ohne Brache besteht, und man dem Felde gewöhnlich zwei Aernten in Einem Jahre abnimmt, werde ich, sobald ich Muße dazu finde, für diese Blätter niederschreiben und mittheilen.

mit eine etwa im Laufe des Jahres gölt gebliebene Kuh noch aufnehmen könne. Die Ochsen bleiben dabei in Kraft, die Kühe werden regelmäßig trächtig, die Kälber werden größer und schöner. Mit Einem Worte, der Wohlstand der Gemeinde muß dadurch nothwendig wesentlich zunehmen.

Möchte dieses Beispiel zu ähnlichen Anstalten Ermunterung geben!

Amorbach am 2. Oktbr. 1836.

Knaus,
Fürstl. Leiningen'scher Domainenrath und Vereins-Mitglied.

---

183. Ueber Kartoffelfütterung.

Auf die im Nr. 8 des Central-Wochenblatts des landwirthschaftlichen Vereins in Bayern gestellte Frage:

„Ist die Kartoffelfütterung schädlich?“

bemerke ich Folgendes:

Ich brenne Branntwein aus Kartoffeln und erhalte davon tägl. 15 – 18 Eimer Spülicht, welches zur Fütterung für Rindvieh und Schweine in meiner Oekonomie verwendet wird. Ich kann aber nach meiner Ueberzeugung den, aus den Verhandlungen des landwirthschaftlichen Vereins zu Nossen, verschiedenen Stimmen, daß die Fütterung mit Branntweinspülicht aus Kartoffeln, eine besondere Krankheit bei dem Rindviehe herbeigebracht habe, nicht beypflichten.

Die Methode meines Kartoffelbaues, Brennerei und Fütterung bestehet in folgender Art:

1) Die Kartoffeln werden auf sandigen Boden gebaut,
2) dürfen sie nicht vor der gehörigen Reife geärntet werden.
3) wird zum Aernten trockenes Wetter gewählt, damit sie trocken und von der Erde wohl gereiniget eingebracht werden.

bitte ich recht sehr, ihre Erfahrungen damit seiner Zeit in dem Centralblatte gütigst bekannt zu machen.

Obersulzbach bei Ansbach den 28. Juni 1836.

Gottlob Oswald Löhlein,
ev. Pfarrer.

---

185. Ueber die Seidenraupenzucht und deren Erträgnisse. Von Hrn. Henri Bourdon. *)

Aus dem Bulletin de la Société d'encouragement. März 1836, Seite 95.

(Uebersetzt im polytechnischen Journal.)

Unter gegenwärtigen Zeitverhältnissen, wo man in Frankreich einerseits der Zahlung eines jährlichen Tributes von 40

---

*) Diese Abhandlung bildet einen trefflichen Anhang zu dem vorhergehenden und dem bereits früher mitgetheilten Aufsatze d'Arcets, (wird nächstens mitgetheilt). Wir empfehlen dieselbe um so mehr, als man bei uns noch zu wenig durch numerische Daten nachgewiesen hat, welche finanziellen Vortheile die Seidenzucht gewährt; und als die gegenwärtig gelieferten Berechnungen aus Erfahrungen abgeleitet wurden, welche man in der Nähe von Paris, also in einer Gegend, die in Hinsicht auf Klima nicht gar zu sehr von unseren Ortsverhältnissen abweicht, sammelte. Immer mehr ergiebt sich hieraus, wie wünschenswerth es ist, daß die Seidenzucht kräftige Wurzeln bei uns fasse, und daß die Bemühungen einiger Vereine sowohl als einzelner Privaten allgemeine Theilnahme, Unterstützung und Dank finden möchten. Es ist sogar nicht unwahrscheinlich, daß die Seidenzucht bei uns schneller auf eine hohe Stufe von Vollkommenheit gelangen könnte, als in Frankreich; indem es bekanntlich leichter ist, den Widerwillen gegen neue Dinge zu besiegen, als das Festhängen am alten Schlendrian auszumerzen. Wenn man bei uns anfangen will, die Seidenzucht nach den d'Arcet'schen Grundsätzen zu betreiben, so wird man es gewiß schneller weiter bringen, als im südlichen Frankreich, wo die Seidenzüchter von so zahlreichen schädlichen Vorurtheilen befangen sind. A. d R.

Mill. Fr. an das Ausland müde, und andererseits durch den Kostenaufwand erschreckt ist, womit England die Seidenfabrikation in einigen seiner Colonien zu gründen und zu heben trachtet, glaube ich dem mir bezeugten Verlangen und auch meiner inneren Ueberzeugung nachgeben zu müssen, um durch meine Beobachtungen, meine Forschungen, meine mit Praktikern gepflogenen Besprechungen und durch positive Berechnungen zu beweisen, daß mit dem Gelingen dieses Industriezweiges ein wesentlicher Gewinn verbunden ist, und daß, wenn dieser Gewinn selbst in den Händen Unwissender schon bedeutend ist, die Seidenraupenzucht nothwendig für das Land und die Menschen, die sich damit befassen, eine wahre Quelle von Reichthümern werden muß. Da jedoch die Daten, welche sämmtlich in Erwägung zu ziehen sind, aus verschiedenen Elementen von wandelbarer Art bestehen, so glaube ich zuerst die hauptsächlichsten jener Umstände, welche bisher noch keine auf feste Basen begründete und unwiderlegbare Berechnungen zuliessen, erläutern zu müssen.

Die die Erzeugung des Rohstoffes oder der Rohseide umfassende Industrie kann in drei sehr verschiedene Zweige abgetheilt werden, nämlich:

1) in die Kultur des Maulbeerbaumes;

2) in die Seidenraupenzucht; und

3) in das Abhaspeln der gewonnenen Cocons.

Alle diese Zweige lassen sich entweder einzeln oder gemeinschaftlich betreiben; wer sie sämmtlich umfaßt, muß natürlich am meisten gewinnen, doch kommt jedem derselben sein eigener Gewinn zu, der berechnet werden muß.

1. Von der Kultur des Maulbeerbaumes.

Der Maulbeerbaum kann in Hecken oder Spalieren, in Wiesenform, hochstämmig oder zwergartig gezogen werden. Hienach ergeben sich wesentliche Verschiedenheiten, die durch folgende Umstände bedingt sind: durch Eingriffe in die übrigen Kulturzweige; durch die Kosten der Zubereitung des Erdreiches und des Ankaufes der Bäume; durch das Warten bis zur ersten Aernte; durch den Ertrag an Blättern von jedem Baume, oder besser von einer bestimmten Bodenstrecke, indem die zwischen den Bäumen gelassenen Räume je nach der Kulturmethode verschieden sind; durch die nöthige Qualität und folglich durch den Preis des Bodens, durch die Wirkung der Frühlingsfröste, und endlich durch die Dauer der Bäume. Dieses genügt, um zu zeigen, daß die Pflanzer, abgesehen von den von ihnen und den Localverhältnissen abhängigen Ursachen, zu sehr verschiedenen Berechnungen gelangen können, je nachdem sie diese oder jene Kulturmethode einschlagen.

2. Von der Seidenraupenzucht.

In dieser Hinsicht kommen die Anschaffungskosten der Gebäude und der Geräthe, die Kosten der Beheizung, jene des Pflückens der Blätter, das Gewicht der verfütterten Blätter, der Arbeitslohn der im Inneren der Anstalt beschäftigten Individuen, das Gewicht der per Unze Samen oder Eier erzielten Cocons, die Qualität der Cocons, und die an ihnen befindliche Quantität Seide in Anschlag. Beinahe alle diese Elemente variiren nach der Verschiedenheit der Localitäten und gewisser von den einzelnen Seidenzüchtern unabhängiger Umstände: sie bieten aber überdieß auch noch Verschiedenheiten nach der in den Seidenzüchtereien verwendeten Sorgfalt, nach der größeren oder geringern Leichtigkeit, womit die Maulbeerblätter gepflückt werden können; nach der Quantität Nahrungsstoff und Seide, die sie liefern, je nachdem sie wild oder veredelt sind; und nach der in den Anstalten unterhaltenen Temperatur, welche auf die Dauer der Zucht, so wie auf die Qualität und Feinheit der Cocons großen Einfluß übt.

3. Von dem Abhaspeln der Cocons.

Was das Abhaspeln betrifft, so giebt es, abgesehen davon, daß die Kosten der Anschaffung der Apparate, der Heizung und des Arbeitslohnes in verschiedenen Gegenden verschieden sind, noch mancherlei Umstände, die eine strenge Abschätzung des Ertrages von einem bestimmten Gewichte abgehaspelter Cocons verhindern. Denn es kommt hier, die Geschicklichkeit und Sorgfalt der Spinnerinn gar nicht zu erwähnen, die Natur der Cocons in Betracht, nach welcher sie mehr oder weniger Seide geben, beim Abhaspeln mehr oder weniger heisses Wasser erfordern, mehr oder weniger Brennmaterial verbrauchen, mehr oder weniger Abfälle geben, mehr oder minder schnell und regelmäßig gesponnen werden können, und nach welcher sie mit Einem Worte eine mehr oder minder gangbare Waare liefern.

Aus allem diesem scheint mir hervorzugehen, daß es hier unmöglich ist, genaue Bestehungsberechnungen, aus denen Jeder die von ihm erzielten Resultate entnehmen kann, herzustellen; allein man kann dennoch die verschiedenen, von den Seidenzüchtern gelieferten Documente einzeln studiren, hiebei auf die obwaltenden Umstände so viel als möglich Rücksicht nehmen, sich innerhalb der Gränzen des höchsten Kostenaufwandes und des niedrigsten Ertrages halten, die Wahrscheinlichkeit zufälliger Verluste im Auge behalten, und aus allen diesen Elementen ihrer verschiedenen Natur ungeachtet ein homogenes, aus den mittleren Durchschnitten gezogenes Ganzes ziehen, um Jedermann klar zu zeigen, wie groß der Ertrag der Seidenzucht selbst unter den ungünstigsten Verhältnissen ist, wenn sie mit Sachkenntniß betrieben und den Localverhältnissen angepaßt wird. Hierauf gestützt, gehe ich nun zu folgenden Berechnungen über.

1. Kultur des Maulbeerbaumes. Die Kosten der Anpflanzung und Unterhaltung der Bäume, die Menge, welche davon auf eine Hectare gehen, die Zahl der Jahre, welche bis zur ersten Blätterärnte verfliessen: alles dieses ist je nach der eingeschlagenen Pflanzungsmethode sehr verschieden. Allein wenn einerseits die Kosten sich höher belaufen, so kommt man andererseits schneller zu einem Ertrage; und wenn die Zahl der Bäume bei der einen Methode geringer ist, so liefert dafür jeder der Bäume nach Ablauf einer bestimmten Zeit eine größere Menge Blätter, so daß hieraus füglich eine vollkommene oder theilweise Compensirung erfolgt. An diese Ausgleichung oder Compensirung will ich mich hier auch halten, um nicht in unendliche Distinktionen eingehen zu müssen, und um dennoch gehörige approximative mittlere Durchschnitte zu erhalten.

Nimmt man hienach ein mittelmäßig günstiges Jahr, so berechnen sich die Kosten und der Rohertrag einer Hectare *) folgendermaßen.

---

*) Die Hectare enthält 94,830 Quadratfuß, macht also ungefähr zwei Morgen.

Anmerk. d. Red.

Zins des Bodens	60 Fr.
Unterhaltungskosten (Umwenden des Bodens, Beschneiden, Ausputzen, Düngen und Nachpflanzen der Bäume)	200 —
Interessen der Pflanzungs-, Bodenzins- und Unterhaltungskosten, nach Abzug der Rohprodukte, welche durch frühere Aernten erzielt worden sind	100 —
Unvorhergesehene Ausgaben	40 —
Summa der jährlichen Kosten mit Einschluß der Interessen	400 Fr.*)

Der Ertrag, den eine Hectare Landes an Blättern abwirft, läßt sich wenigstens auf 12,500 Kilogr. **) annehmen; und zieht man hievon ⅕ oder 2500 Kilogr. für den Verlust durch Fröste, für den Ausfall, der durch erschöpfte Bäume bedingt ist, 2c. ab, so bleiben netto 10,000 Kilogr. Blätter, welche nach obiger Berechnung auf 400 Fr. zu stehen kommen, wonach für 2 Fr. 50 Kilogr. Blätter erzeugt werden. Der Maulbeerbaumbesitzer, der nicht zugleich Seidenzüchter ist, verkauft seine Blätter gewöhnlich zu 3½ – 5 Fr. die 50 Kilogr. ***). Bringt man hienach den Nettvertrag an Blättern, den eine Hectare liefert, in Anschlag, so berechnet sich hieraus leicht der Gewinn bei der Maulbeerbaumzucht.

Bemerkungen. Eine mit gepfropften Zwergmaulbeerbäumen bepflanzte Hectare kann deren 1000 Stück fassen. Der Ankauf und die Pflanzungskosten kommen mit Einschluß des Rigolens in der Nähe von Paris auf 8 – 900 Fr. Die wilden Maulbeerbäume können viel dichter gepflanzt werden, so daß ihrer gegen 6000 auf die Hectare gehen. Hochstämmige Bäume hingegen gehen je nach der Güte des Bodens 150 bis 200 auf die Hectare.

2. Seidenraupenzucht. Es läßt sich hier keine Schätzung der Producte erlangen, wenn man absolut nach der Unze Samen,

*) In den Cevennen berechnen sich die jährlichen Kulturkosten, die Interessen nicht mitgerechnet, auf 1 Fr., höchstens 1 Fr. 30 Cent. für 50 Kilogr. Blätter. A. d. O.

**) Ein Kilogramm ist = 1 Pfd. 25 Loth bayer. Gewicht.

***) Nur ausnahmsweise, und wenn Noth herrscht, steigt der Preis der Blätter zuweilen auf 10 bis 15 Fr. A. d. O.

den man ausfallen ließ, rechnet; denn die Ausgaben und die Einnahmen werden nothwendig je nach der Sorgfalt, die man auf die Raupen verwendet, und je nach der Quantität und Qualität der aus jeder Unze gewonnenen Cocons verschieden seyn. In den meisten südlichen Seidenzüchtereien gewinnt man nur 25 bis 28 Kilogr. Cocons per Unze Samen *); in einigen bis an 50. In Piemont erzielt man in den sogenannten Dandolieren gegen 55 Kilogr., während Hr. Camille Beauvais bei seiner großen Achtsamkeit und mit Hilfe des d'Arcet'schen Ventilirapparates den Ertrag bis auf 68,60 Kilogr. Cocons per Unze Samens brachte. Ja es ist sogar wahrscheinlich, daß man es noch bis auf 75 Kilogr. bringt. Es versteht sich übrigens von selbst, daß von diesen verschiedenen Resultaten vorausgesetzt ist, daß sie, wenn auch nicht einer und derselben Art von Samen, so doch Cocons entsprechen, welche unter gleichen Spinnverhältnissen beinahe eine gleiche Rohseide geben.

Ich will jedoch, um mich innerhalb engerer Gränzen zu halten, annehmen, daß eine Unze Samen bei einer mit 10 Unzen unternommenen Raupenzucht 50, und bei einer mit 100 Unzen unternommenen Zucht nur 45 Kilogr. Cocons gebe. **) Wenn sich bei dieser Annahme wirklich Vortheile ergeben, und wenn diese Vortheile selbst bedeutender sind, als sie sich da herauswerfen, wo man nur 25 bis 30 Kilogr. Cocons aus einer Unze Samen erzieht, so wird man dann leicht ermessen können, welche Vortheile aus der Vervollkommnung der Seidenraupenzucht erwachsen müssen.

Dieses vorausgesetzt, will ich nun mit Rücksicht auf die Gesammtzahl der Flechtwerke, welche die Raupen allmählich einnehmen, und mit Rücksicht auf das Blätterquantum, welches sie zu verschiedenen Zeiten ihres Alters verzehren, beiläufig zu bestimmen suchen: nicht wie viele Individuen bei jedem Alter der Raupen zur Bedienung nöthig sind, da deren Anzahl mit jedem Tage wechselt, sondern die Gesammtzahl der Arbeitstage, welche in jedem einzelnen Alter sowohl für den inneren Dienst der Seidenzüchterei, als zum Pflücken und zum Transporte der

---

*) Diese Seidenzüchtereien gelten für ziemlich gut gehalten; denn es giebt welche, in denen man aus der Unze Samen nur 8, 10 und 15 Kilogr. Cocons erzieht. A. d. O.

**) Ich mache hiebei eine Concession, welche mir einige erfahrene Seidenzüchter wahrscheinlich zum Vorwurfe machen dürften. A. d. O.

Blätter nöthig sind. Die erste Tabelle, die ich hierüber anfüge, ist für eine Zucht von 10 Unzen Samen berechnet.

Arbeitstage	1tes Alter.	2tes Alter.	3tes Alter.	4tes Alter.	5tes Alter.	6tes Alter Einsamml. der Cocons.	Summe der Arbeitstage.	Kosten.	Summe des Arbeitslohns.
von Männern	—	—	—	4	16	—	20	40 Fr.	265 Fr.
— Weibern	14	15	18	22	71	16	156	195 —	
— Kindern	—	—	—	6	20	—	30	30 —	

Die Taglöhne sind hiebei zu 2, zu 1½ und zu 1 Fr. angesetzt. Für eine Seidenzucht mit 100 Unzen Samen berechnet sich diese Tabelle dagegen folgendermassen.

Arbeitstage.	1tes Alter.	2tes Alter.	3tes Alter.	4tes Alter.	5tes Alter.	6tes Alter.	Summe der Arbeitstage.	Kosten.	Summe des Arbeitslohns.
von Männern	—	9	15	40	200	20	284	568 Fr.	1500½ Fr.
— Weibern	24	26	40	80	300	60	530	662½ —	
— Kindern	18	20	22	30	100	80	270	270 —	

Es wurde bei der letzten Tabelle angenommen, daß man die 100 Unzen Samen auf ein Mal ausfallen ließ, obwohl man nie auf diese Weise verfährt; übrigens hat dieses auch auf die Gesammtzahl der Arbeitstage keinen wesentlichen Einfluß.

Was die Dauer der Zucht betrifft, so will ich diese auf keine positive Weise bestimmen, da sie von verschiedenen Umständen und namentlich von der Temperatur abhängt, welche man in der Anstalt unterhält. Ich bemerke nur, daß die Dauer von 25 bis zu 45 Tagen wechselt, je nachdem die Temperatur von 30 bis zu 14° C. (24 bis 12° R.) variirt. *) Die Dauer eines jeden einzelnen Alters wechselt selbst wieder auf ähnliche Weise; doch läßt sich im Allgemeinen sagen, daß das zweite um einen Tag kürzer ist, als das dritte und vierte, die beide von gleicher Dauer sind; daß das fünfte um 4—5 Tage länger dauert als die beiden ihm zunächst vorausgehenden, und daß das sechste Alter, die Zeit des Aufkriechens, höchstens 8 bis 10 Tage zu währen hat.

Ich habe bei der Zusammensetzung obiger Tabellen den Taglohn am höchsten, so wie er in der Gegend von Paris zur Zeit der Aernte steht, angenommen, und überdieß habe ich angenommen, daß das Pflücken der Blätter per Tag bezahlt wird, was in den südlichen Provinzen gewöhnlich nicht der Fall ist. Ich schätzte die Zahl der zum Pflücken verwendeten Arbeitstage nach der Arbeit, welche jedes Individuum zu leisten im Stande ist. Da übrigens die Summe, welche man nach dem Gedinge bezahlt, in jedem Lande mit dem üblichen Taglohne im Verhältnisse stehen muß, so wird, auf welche Weise das Pflücken auch geschieht, die oben hiefür angesetzte Summe ziemlich genau jenem Lande entsprechen, in welchem der Arbeitslohn am höchsten steht; abgesehen jedoch von der Gewandtheit, welche die Arbeiter in der fraglichen Arbeit besitzen. Befinden sich die Seidenzüchter unter günstigeren Umständen, so ist es um so besser für sie; ich für meinen Theil glaube übrigens, daß wenn ein Ort in manchen Beziehungen Vortheile gewährt, er in anderen wieder seine Nachtheile mit sich bringt. Ob aber hiedurch eine wirkliche Ausgleichung zu Stande kommt, darüber getraue ich mich gegenwärtig noch nicht abzusprechen; auch ist diese Betrachtung gegenwärtig, wo Frankreich noch jährlich für 40 Mill. Fr. Seide aus dem Auslande bezieht, und wo also um so weniger eine Concurrenz zu fürchten ist, als der Verbrauch fortwährend im Zunehmen ist, noch von keiner Wichtigkeit.

Wenn nun gleich die in den beiden obigen Tabellen enthaltenen Daten auf keine mathematische und strenge Genauig-

*) Die Temperatur soll während eines Alters gleichbleiben; sie ist aber von einem Alter zum andern eine verschiedene, weßhalb denn auch jeder Seidenzüchter für jedes Alter jene Temperatur annimmt, die er für die geeignetste hält. Gewöhnlich vollbringt man die Zucht bei einer Temperatur von 17 bis 20° C. (13 bis 16° R.), wo sie dann beiläufig 35 Tage dauert.

keit Anspruch machen können, so geben sie doch eine der Wirklichkeit sehr nahe kommende Idee von den durch den Arbeitslohn bedingten Kosten. Man wird sich hienach leicht überzeugen, daß selbst, wenn man diese Zahlen verdoppeln wollte, der bei der Seidenzucht sich ergebende Gewinn dadurch doch noch keinen großen Stoß erleiden würde; und daß demnach die Einwendung, welche man gegen den Betrieb der Seidenzucht in der Gegend von Paris macht, und die sich hauptsächlich auf den hohen Stand des Arbeitslohnes fußt, nichtig ist.

Was die Quantität der verfütterten Blätter betrifft, so finde ich, daß man, wenn die Fütterung ökonomisch und verständig geschieht, zur Erziehung von 10 Unzen Samen durch alle 5 Alter höchstens 7500 Kilogr. Blätter braucht, welche, die 50 Kilogr. zu 2 Fr. angeschlagen, dem Seidenzüchter, der zugleich Maulbeerbaum-Pflanzer ist, auf 300 Fr. zu stehen kommen; und daß zu einer Seidenzucht von 100 Unzen Samen höchstens 75,000 Kilogr., welche 3000 Fr. kosten, erforderlich sind. Stellt man diese beiden Resultate mit den entsprechenden Kosten an Arbeitslohn zusammen, und rechnet man dazu in ersterem Falle noch 250, in letzterem hingegen 3000 Fr. für Interessen des aufgewendeten Kapitals und für Heitzungs-, Beleuchtungs- und Unterhaltungskosten, so ergiebt sich als Totalsumme der Ausgaben:

1) für 500 Kilogr. Cocons ein Betrag von 815 Fr.; und

2) für 4500 Kilogr. Cocons ein Betrag von 4500 Fr.

Das Kilogramm Cocons kommt demnach bei einer Seidenzucht von 10 Unzen auf 1 Fr. 63 Cent., und bei einer Seidenzucht von 100 Unzen auf 1 Fr. 66 Cent. zu stehen, während es gewöhnlich zu 3 Fr. bis zu 3 Fr. 50 Cent. bezahlt wird.

Erinnert man sich ferner, welche Blättermasse eine Hectare Maulbeerpflanzung giebt, so wird man finden, daß zur Erziehung von 500 Kilogr. Cocons weniger als eine, und zur Erziehung von 4500 Kilogr. weniger als 10 Hectaren Landes erforderlich sind.

Besitzt der Seidenzüchtrr nicht selbst Maulbeerbaum-Pflanzungen, und muß er seinen Blätterbedarf von dem Pflanzer erkaufen, der sie, wie oben gesagt, zu $3\frac{1}{2}$ bis 5 Fr. die 50 Kilogramme verkauft, so wird ihm, wenn wir den Mittelpreis zu 4 Fr. annehmen wollen, das Kilogr. Cocons bei einer Seidenzucht von 10 Unzen Samen auf 2 Fr. 22 Cent., und bei einer Seidenzucht von 100 Unzen Samen auf 2 Fr. 35 Cent. zu stehen kommen.

Wenn ich nun diese Resultate meiner Berechnungen mit dem vergleiche, was ich von mehreren südlichen Seidenzüchtern, und namentlich von einem in der Nähe von Toulon etablirten erfuhr, so fürchte ich den Gewinn viel zu sehr erniedrigt zu haben. Letzterer Seidenzüchter, der zugleich auch Pflanzer ist, versicherte mich nämlich, daß der Preis der Grundstücke und jener des Arbeitslohnes in seiner Gegend beinahe eben so hoch stehe, wie in der Umgegend von Paris; daß er im Durchschnitte nur 25 Kilogr. Cocons aus der Unze Samens erzieht; daß er, indem er nicht selbst Spinner ist, das Kilogr. Cocons im Durchschnitte zu 3 Fr. 25 Cent. verkaufe; und daß er jährlich durch seine Seidenzucht einen reinen Ertrag von 600 Francs einnehme. Dieser Mann will nun eine nach dem d'Arcet'schen Plane gebaute Seidenzüchterei errichten, und verspricht sich durch eine wohl verstandene Direction dieser Anstalt seinen Gewinn in Kürze verdoppelt zu sehen.

Bemerkungen. Die Dimensionen einer Seidenzüchterei wechseln je nach den innern Einrichtungen derselben; ich stelle daher als Prinzip nur so viel auf, daß auf einem Flächenraume von beiläufig 220 Quadratfuß 50 Kilogr. Cocons erzogen werden müssen. Es bleibt dabei jedem Seidenzüchter überlassen, die ihm zu Gebot stehende Localität auf die zur Erzeugung der bestimmten Quantität Cocons geeignetste und möglich wohlfeilste Weise einzurichten. Um eine Seidenzucht mit 100 Unzen Samen zu unternehmen, halte ich es für geeigneter, drei getrennte Ateliers zu errichten. Der Oekonom, der sein Geld nur in dem Maße auslegen soll, in welchem es sich verzinsen kann, wird gut thun, wenn er seine Anstalten nach und nach in dem Maße erweitert, als er durch die Zunahme des Blätterertrages seiner Maulbeerbäume hiezu veranlaßt wird. Es versteht sich übrigens von selbst, daß hiebei die Vorsorge getroffen werden muß, daß jeder ältere Bau auch wieder zu einem neueren dienen kann.

3. Abhaspeln der Cocons. In dieser Hinsicht lassen sich nur wenige Details geben. Die Quantität der von einem bestimmten Gewichte Cocons gewonnenen Seide wechselt je nach der Beschaffenheit der Cocons so sehr, daß man zur Gewinnung von einem Kilogr. Seide 8 bis 15 Kilogr. Cocons braucht. Hr. Camille Beauvais erhielt von beiläufig 11,20 Kilogr. Cocons ein Kilogr. Seide; ich selbst brauchte hiezu nur 10,80 Kilgr.

wie sie auch darauf bedacht seyn werden, daß die die Sterblichkeit der Raupen in den Seidenzüchtereien bedingenden Ursachen nothwendig auch auf die Gesundheit der spinnenden Raupen einwirken müssen, so daß, je mehr Raupen man rettet, d. h. je mehr Cocons man aus einer Unze Samen gewinnt, um so schöner auch die Cocons seyn werden. Erwägt man alles dieses, so wird man sich überzeugen, daß, wenn in den hier vorgelegten Zahlen ja eine Inferiorität zu bemerken ist, dieses keineswegs einer schädlichen Folge der vorgenommenen Verbesserungen, sondern lediglich einer zu hohen Schätzung der Kosten zur Last gelegt werden darf. Wer sich daher immer durch unsere Schlußfolgerungen und Berechnungen zur Seidenzucht, als zu etwas seiner Berücksichtigung Würdigem und Vortheilhaftem bringen läßt, wird seine Hoffnungen gewiß auf eine sehr angenehme Weise übertroffen finden.

Wenn man diese Berechnungen als in der Absicht angestellt betrachtet, um eine Idee von dem ungeheuern jährlichen Verluste an Seide und von dem Vortheile zu bekommen, der sich für die Fabrikation ergeben müßte, wenn statt des gewöhnlichen Durchschnittsertrages der von uns angenommene erzielt würde, so ergiebt sich Folgendes.

Jede Unze Samen enthält wenigstens 40,000 Raupen; man gewinnt hieraus in den für ziemlich gut gehaltenen Seidenzüchtereien 25 Kilogr. Cocons. Diese Cocons entsprechen aber, wenn man annimmt, daß 280 Cocons im Durchschnitte 500 Gramme wiegen, nur 14,000 Raupen, so daß also wenigstens 26,000 Raupen zu Grunde gegangen seyn mußten. Es ist demnach die Bestimmung dieser kostbaren Insekten, daß abgesehen von jenen durch Unvorsichtigkeit erzeugten Katastrophen, bei denen oft ganze Zuchten unterliegen, wenigstens zwei Drittheile derselben jährlich zu Grunde gehen, bevor sie noch im Stande waren, ihre Arbeit zu vollbringen! Zur Erzeugung dieser 14,000 Cocons werden ferner 500 Kilogr. Blätter verwendet, während bei einem Ertrage von 50 Kilogr. Cocons per Unze Samen mit 750 Kilogr. Blättern eine doppelt so große Anzahl oder 28,000 Cocons erzielt werden können; so daß also einerseits die Zahl der erzeugten Cocons verdoppelt wird, während das Gewicht der Blätter nur um den dritten Theil steigt. Dabei darf überdieß auch nicht vergessen werden, daß die Qualität der Cocons in einer Anstalt, in welcher eine größere Sterblichkeit herrschte, nothwendig auf niedrigerer Stufe stehen muß.

Alle unsere Berechnungen würden jedoch ungeachtet all der Vortheile, die sie versprechen, nur sehr geringen Werth haben, wenn sie sich bloß auf die Theorie fußen würden, und wenn wir zu deren Unterstützung nicht die lange fortgesetzte Erfahrung aufgeklärter Seidenzüchter anführen könnten. Wir haben nichts behauptet, was sich nicht bewähren läßt, wenn man aus dem vorigen Jahrhunderte die einfachen und vortrefflichen Schriften der Abbés Boissier de Sauvages und Rozier, und aus unserem gegenwärtigem Jahrhunderte die Werke Dandolo's und Bonafous, die der Seidenzucht einen regelmäßigen und systematischen Gang gaben, ohne den sie gewiß keine Fortschritte gemacht haben würde, lesen will. Erstaunt über die geringe Menge der erzielten Cocons im Vergleiche zu der großen Menge Eier, welche man ausfallen ließ; erstaunt über die Krankheiten, welche jährlich ganze Zuchten austilgten, suchten diese Männer die Grundursachen hievon zu erforschen. Sie kamen hiebei durch ihre eigene Erfahrung zu dem Schlusse, daß alles dieses nur den fehlerhaften Methoden, welche die meisten Seidenzüchter in sämmtlichen Phasen der Existenz der Seidenraupe befolgen, zuzuschreiben ist; sie erkannten die Gefahren des Ausbrütens durch Maceration, so wie auch die durch Unachtsamkeit beim Eierlegen der Schmetterlinge und beim Ueberwintern der Eier erwachsenden Gefahren; sie überzeugten sich von der Unzulänglichkeit und selbst von den nachtheiligen Einflüssen der verschiedenen Mittel, welche man in Anwendung brachte, um die Seidenzüchtereien gesünder zu machen: wie z. B. des Aufspritzens von Wasser, Wein, Chlorkalk ꝛc., wodurch die Seidenraupen, wie man sagte, aufgeweckt werden sollten; des Verbrennens aromatischer Kräuter, wodurch die aus dem Raupenkothe sich entwickelnden schädlichen Gerüche nicht zerstört, sondern im Gegentheile die Luft nur noch mehr verdorben wurde, indem ihr zur Verbrennung ein Theil ihres Sauerstoffes entzogen wurde. Sie fühlten sämmtlich, wie nothwendig es ist, eine Menge der durch die Unwissenheit ausgesonnenen Gebräuche aus den Seidenzüchtereien zu verbannen, und dafür die Insekten in diesen Anstalten ihrem natürlichen Zustande so nahe als möglich zu bringen, ihnen so zu sagen ein künstliches Klima zu schaffen. Sie studirten, um zu diesem Zwecke zu gelangen, die zur Gesundheit der Raupen nöthigen Bedingungen, und versicherten sich hiebei gar bald, daß, um mit dem möglich geringsten Aufwande an Blättern die größte Menge schöner Cocons zu erzielen, in den Anstalten eine fortwährende, gelinde Circulation der Luft, eine gleichmäßige Temperatur und ein gleicher Grad von Feuchtigkeit unterhalten werden müsse.

Von diesen Prinzipien ausgegangen entstanden die sogenannten Dandolieren, in denen sorgfältige und verständige Seidenzüchter ihre Seidenärnten auf das Doppelte steigen sahen. Dessen ungeachtet war aber auch noch das System Dandolo's mangelhaft; indem sich die Feuerheerde in den Seidenzüchtereien selbst befanden; indem die unmittelbare Einwirkung der aus dem Feuer entwickelten Hitze und die durch die Verbrennung entstehenden Dämpfe den Raupen nachtheilig waren; und indem man bei schwerer Gewitterluft, wo die Luft schwer circulirt, mit diesen Mitteln nicht ausreichte. Erst als sich Hr. d'Arcet der fraglichen Aufgabe bemächtigte, verschwanden die schädlichen äusseren Einflüsse gänzlich; denn ihm gelang es mittelst eines einfachen und wohlfeilen Apparates so viel als möglich die oben erwähnten zum Gelingen der Seidenzucht nöthigen Bedingungen herzustellen.

Die Arbeiten der oben erwähnten ausgezeichneten Männer und der geringen Anzahl derjenigen, die sie nachahmten, blieben jedoch leider von geringem Erfolge; denn man dachte zu wenig an Belebung des Eifers dieser Nachahmer, und man that zu wenig für die Verbreitung einer gehörigen Belehrung unter der ganzen Masse, so daß die Aufklärung immer nur auf einen kleinen Kreis beschränkt bleiben mußte. Daher ist der Schlendrian noch immer Herr und Meister der Seidenzüchterei; und daher ist zu fürchten, daß er auch noch über die Leistungen d'Arcets und einiger großmüthiger Seidenzüchter lange Zeit seine Herrschaft ausüben dürfte, wenn sich nicht starke und kräftige Hände um diesen Industriezweig annehmen; denn die Seidenzucht kann ihrer eigenthümlichen Natur nach nur dann ihre ganze Entwicklung und Vervollkommnung erlangen, wenn sie in einer großen Gesellschaft, in deren Mittelpunkt sich die Arbeiten aufgeklärter und eifriger Männer vereinigen, einen gehörigen Stützpunkt findet.

Wenn man die Schriftsteller, welche über die Seidenzucht geschrieben haben, nachliest, so wird man sich überzeugen, welche große Fortschritte dieser Industriezweig erst noch zu machen hat, in welchem Grade er einer Aufmunterung und Unterstützung bedarf, und wie unwirksam selbst diese Aufmunterungen sind, so lange sie partiell und nur die Resultate einzelner bleiben. Man wird finden, von welchem Nutzen es seyn müßte, wenn man für eine Art von Statistik sorgte, worin die jährlich in verschiedenen Gegenden angestellten Versuche und erzielten Resultate zusammengestellt würden; man wird einsehen, welche interessante Versuche noch über den im Innern der Anstalten zu unterhaltenden Temperaturgrad, über die zur Fütterung der Raupen und zur Erzeugung des Seidenstoffes günstigste Art von Maulbeerbaum, über die Auswahl der zur Fortpflanzung bestimmten Cocons und über die hiedurch bedingte Veredlung der Raçen, über die Vortheile, die für die Schönheit der Produkte daraus erwachsen dürften, wenn man bloß die zuerst gelegten Eier zur Nachzucht verwendete, über die besten Seidenraupenraçen, über die Mittel, um beim Spinnen aus einer bestimmten Quantität Cocons den größten Ertrag an Seide zu erhalten, und über dergleichen mehr anzustellen wären. Alle diese Erfahrungen müßten übrigens, wenn sie ja einen Werth haben sollten, oft und von mehreren Seidenzüchtern zugleich wiederholt werden, weil es eine Menge von Umständen giebt, deren Einfluß man noch nicht gehörig zu schätzen vermag; und weil gerade hier ein Vereinigungs-Punkt für sämmtliche Arbeiten ausgeklärter und eifriger Männer dringend nothwendig ist.

Wenn nun aus Allem hervorgeht, wie vortheilhaft es wäre, wenn der mittlere und nördliche Theil Frankreichs eben so gut wie der südliche zur Erweiterung und Vervollkommnung der für uns so wichtigen Seidenfabrikation beitragen könnten, so bleiben nur noch die Gränzen zu bestimmen, innerhalb welcher die Seidenzucht mit Wahrscheinlichkeit des Gelingens und des Gewinnens möglich ist. In dieser Hinsicht mag es genügen, die Erfahrungen jener ehrenwerthen Oekonomen *) zu Rathe zu ziehen, welche ihre methodischen und wohlüberdach-

*) Wir erwähnen hier unter andern nur der HH. Beauvais, welche auf den königl. Schäfereien seit 8 Jahren die Maulbeerbaumzucht versuchten, und die, durch ihre günstigen Resultate ermuntert, nunmehr schon 10 Hectaren mit Maulbeerbäumen bepflanzt haben. Sie haben durch ihre Sorgfalt und durch fortwährende Verbesserungen den Ertrag aus einer Unze Samen bereits von 34 bis auf 68 Kilogr. Cocons gesteigert. Im Jahre 1835, wo sie sich des d'Arcet-schen Ventilirapparates bedienten, erzeugten sie aus 8 Unzen Samen mit 4800 Kilogr. Blätter, welche sie auf einer 7 bis 8jährigen, unter einer Hectare fassenden Maulbeerbaum-Pflanzung sammelten, 550 Kilogr. Cocons, die ihnen mit Einschluß der Zwillinge 47,50 Kilogr. Rohseide lieferten. Im südlichen Frankreich rechnen die Spinner bekanntlich 5,50 bis 7,50 Kilogr. Cocons auf 0,50 Kilogr. Seide.
A. d. O.

ten Anstrengungen den schlecht geleiteten Bemühungen derjenigen entgegensetzen, deren unfruchtbare Versuche leider häufig als Beweise angerufen werden. Durchgeht man überdieß noch sämmtliche numerische Daten, sämmtliche für das Gedeihen der drei Zweige dieser Industrie nöthige Bedingungen, vergleicht man die Bedürfnisse des Pflanzers, des Seidenzüchters und des Spinners mit den jeweiligen Localbedürfnissen, so wird man sich überzeugen, daß alle die Demarcationslinien, in welche man die Seidenzucht bisher einschränken zu müssen glaubte, verschwinden; und daß die einzige agricole Schranke gegen dieselbe nur mehr darin bestehen könnte, wenn die der Landwirthschaft ergebene Bevölkerung während der kurzen, zur Seidenzucht erforderlichen Zeit nicht disponibel wäre. Die Natur dieser Art von Gränze wird jeden mit der Sache Vertrauten über die Gefahren beruhigen, die einige aus der größeren Entwicklung der Seidenzucht für die übrigen Kulturzweige erwachsen zu sehen befürchteten.

---

186. Getrocknete Runkelrüben.

Wieder ein Fortschritt in der Runkelrübenzuckerfabrikation: in Baden wendet man jetzt ein Verfahren an, die Rüben so zu trocknen, daß sie das ganze Jahr, ohne irgend einen Verlust an Zuckerstoff, aufbewahrt werden können. Die Zuckerfabrikation würde hierdurch auf keine Jahreszeit beschränkt, und auch wohl erleichtert, indem die Behandlung der Rübe im getrockneten Zustande weniger Schwierigkeit bietet.

---

187. Ueber die Branntwein-Erzeugung aus Kartoffelstärke.

In der 10ten Nummer des „Oesterreichischen Wochenblattes für Industrie, Gewerbe, Handel und Hauswirthschaft" erschien ein Aufsatz des Hrn. Ludwik, Fabrikanten des Stärkezuckers, worin die möglichste Ersparniß an Material, Kosten und Zeit bei einer Producirung des Branntweins aus Kartoffelstärke mit Berufung auf nochmals auseinandergesetzte Vortheile behauptet wurde.

Abgesehen nun von allen Vortheilen, welche die Verwendung der Kartoffeln statt des Getreides in der Branntweinerzeugung seit langer Zeit gewährt, sind diese doch aus der Erzeugung des Branntweins aus Kartoffelstärke, im Gegenhalte der alten Methode der Branntweinerzeugung nicht zu entnehmen; denn, wiewohl erstens nicht zu bestreiten ist, daß die Ausbeute aus der Kartoffelstärke selbst größer, als jene aus der gewöhnlichen Maische mit dem Zusatze von Malz sey, so deckt dagegen die Mehrausbeute wiederum die größern Kosten nicht, die mit der Erzeugung aus Stärke verbunden sind. Hierzu ein Beleg.

Die zu Bialykamien in Galizien befindliche Stärkefabrik des Hrn. Malisch, welche täglich 100 Metzen Kartoffeln in Stärke verwandelt, besteht aus einer Reibmaschine (von Szlapenitz bei Brünn) und einem hierzu gehörigen Mechanismus mit einer Triebkraft von 2 Pferden, 8 hölzernen Bottichen, 4 Waschbottichen und andern kleinen Geräthen, dann aus 4 Pumpen. Ihr Betrieb erfordert überdieß die tägliche Bedienung von 15 Personen. Werden hier die Gesammtauslagen bis zur Erzeugung der Stärke berechnet, und hierzu der Aufwand für den Dampfkessel und den Bottich gefügt, worin die Stärke durch das 8 bis 10stündige Kochen in Syrup verwandelt wird, so wie für das hierzu erforderliche Brennmaterial in Anschlag gebracht: so wird sich sicherlich dieser Betrieb im Vergleiche mit dem zweistündigen Kochen der Kartoffeln durch Dampf und dem einfachen Einmaischen so theuer herausstellen, daß der Mehrertrag den Mehraufwand nicht verhältnißmäßig deckt.

Bei diesem Vergleiche sind zweitens die bei uns gebräuchlichen viereckigen, in hölzerne Klammern eingefaßten Kartoffelkochbottiche, so wie die Gährungsbottiche der einen oder der andern Methode von geringem Anbetrachte, da solche nicht kostspielig sind, besonders aber das Dickmaischen in Erwägung zu ziehen, welches für einen österreichischen Metzen Kartoffeln nur eines Maischraums von 1 Eimer und 8 Maß bedarf, so daß zwischen diesem und dem Raume der gährenden Maische aus Kartoffelstärke ein unbeträchtlicher Unterschied hervorgeht.

Dieses Dickmaischen ward gegenwärtig wegen der neuen Maischraumsteuer in Galizien nach Angabe meines letzten Werkes über Branntweinbrennerei von 1836 ziemlich allgemein eingeführt. Die Ausbeute bei mir, so wie in andern galizischen gut eingerichteten Brennereien, ist nach Abschlag des Malzes von 50 Metzen galizischer Kartoffeln, jeder zu 87 Wiener Pfd. 460 bis 470 Lemberger Quart oder 7 Eimer 31 bis 38 Maß Schankbranntwein; dagegen nach dem Oesterreichischen Wochenblatte, wenn von 100 Pfd. Kartoffeln 12 bis 13 Champagner-Bouteillen und nach der neuen Methode davon 15 bis 16 erzielt werden, würden aus 50 Metzen statt 524 bis 568 nun 655 bis 757 Champagner-Bouteillen oder 574 bis 660 Lemberger Quart, d. i. im Durchschnitte 10 Eimer 16 Maß zu erwarten seyn, und also der Unterschied 114 bis 180 oder mittlere 147 Lemberger Quart = 2 Eimer 18 Maß betragen, folglich nach dem galizischen Preiscourant der Garnez zu 12 Kreuzer C. M. angeschlagen, der Gewinn sieben Gulden seyn.

Da aber die Steuer laut Wiener Dekret vom 1. September v. J. §. 4 für die concentrirte Maische oder den Zuckersyrup nicht von der Maische allein, sondern im Verhältnisse zu ihrer Ausbeute entrichtet wird, so käme von 10 Eimern 16 Maß, zu 2 fl. C. M. pr. Eimer, 20 fl. 48 kr. als Steuer zu bezahlen, während dem hier von denselben 50 österreichischen Metzen Kartoffeln als gewöhnliche Maische für 63 bis 64 Eimer, zu 6 kr. pr. Eimer, im Ganzen 6 fl. 18 kr. abgeführt werden.

Jener Gewinn nun von der Mehrungslage für Steuer abgeschlagen, ergiebt sich ein Verlust von 7 fl. 30 kr. Schlagen wir die Kosten des Apparats für die Erzeugung der Stärke und des Syrups, ohne welchen die Erzeugung des Branntweins nicht geschehen kann, hinzu, so erhellt ein bedeutender Verlust am Erlöse für den Branntwein, welcher aus Kartoffelstärke bereitet wird.

Daß die Schlämpe drittens, welche bei dem Betriebe nach der alten Kartoffel-Brennmethode gewonnen wird, weniger zuträglich und nährend seyn sollte, als die Abgänge der Stärkemehl-Fabrikation, steht zu bezweifeln, indem die Stärkeabfälle, wenn sie einmal jeglich benutzbaren Bestandtheil an die Branntweinerzeugung abgegeben haben, sie dann um eben so viel nährende Bestandtheile verarmt sind, als sie mehr an Branntweinausbeute geliefert. Ueberdieß ist es in der Erfahrung gelegen, daß eine Schlämpe aus abgekochten Abfällen nach alter Art dem Viehe zuträglicher ist, als die rohen Abgänge der Stärkebereitung.

Der 3., 4. und 5. Punkt in der Aufzählung der Vortheile der Branntweinbereitung aus Stärke, in der hier besprochenen

Abhandlung, bewähren sich dahin, daß in der That die Produktion des Branntweins aus Kartoffeln gegen jene aus Getreidearten in Rücksicht auf die Anbaufläche einen dreifach höhern Ertrag abwirft, und außerdem ist nicht zu läugnen, daß der reinste Zuckersyrup aus dem Stärkemehle gewonnen wird.

Die Anwendung des Malzes ad 6 beim Einmaischen der Kartoffeln nach alter Art ist in Gallizien nicht mehr allgemein, sondern mehrere Brennereien maischen nach meiner Anleitung die Kartoffeln mit bloßem Korn- und Gerstenschrot ein, und stehen dennoch mit ihrer Ausbeute im Vergleiche zu der ältern Methode mit dem Zusatze von Malz in keinem Nachtheile.

Die endlich im 7. Punkte des Aufsatzes aufgeführte Behauptung einer wesentlichen Ersparung an Zeit, Mühe und Kosten bei der Branntweinerzeugung aus Stärkezucker scheint in so fern nicht Statt zu finden, als die Stärkebereitung, so wie das Verwandeln der Stärke in Syrup bis zum Momente, wo solcher in die Gährungsbottiche übergeht, doch wohl mit einem größern Aufwande der obigen Betriebsmittel verbunden seyn muß, als die direkte Branntweinerzeugung nach der einfachen Einmaischmethode. Auch ist der Destillationsapparat nicht viel kleiner, sobald man ihn mit jenem für das Dickmaischen nach oben angeführter neuerer Methode vergleichen will.

Als Belege für den Ertrag des Einmaischens der Kartoffeln ohne Malz führe ich hier die Ausbeute einer galizischen Brennerei an, welche dieses Einmaischen nach meiner Angabe besorgte. Von 90 österreichischen Metzen Kartoffeln, 12 Metzen Kornschrot und 12 Metzen Gerstenschrot hat diese Brennerei 198 Garnez, d. i. 13 Eimer 16 Maß, 31gradigen Spiritus nach Beaumé den ganzen heurigen Winter hindurch erzeugt. Hat man hierdurch bewiesen, daß die Resultate der Einmaischungmethode ohne Malz jener der gewöhnlichen gleichkommen, so ergiebt sich auch der augenfällige Gewinn durch das Entbehrlichwerden der Malzbereitung und somit auch der Malzbarren.

Lemberg im Mai 1836.

Adam Kasperowski.

---

188. Preise der Société royale et centrale d'agriculture in Paris, die Runkelrübenzucker-Fabrikation betr.

Die oben genannte Gesellschaft ertheilt in ihrer öffentlichen Sitzung im April 1837 folgende Preise.

1. Preis von 3000 Frc. für denjenigen, der das einfachste und wohlfeilste, auf kleineren Oekonomien anwendbare Verfahren der Zuckerfabrikation angiebt, und deutlich beschreibt. Das Verfahren muß seit 2 – 3 Monaten im Gange seyn, und täglich wenigstens 12 Kilogr. Zucker liefern. Die Einfachheit muß so groß seyn, daß jeder Landwirth das Verfahren selbst befolgen und die gewünschten Resultate damit erlangen kann. Der Zucker muß durch fortgesetztes Abtropfen oder durch Klärung oder auf irgend eine andere Weise in solchem Grade gereinigt seyn, daß er entweder unmittelbar verbraucht oder in die Raffinerien gebracht werden kann. Der Preisbewerber muß die Gründe angeben, aus denen er seiner Methode vor den übrigen bekannten Methoden den Vorzug giebt.

2. Preis von 2000 Fr. für einen Apparat, der sich für Landwirthe oder für Vereine von solchen, welche täglich wenigstens 50 Hectoliter Runkelrübensaft verarbeiten wollen, am besten eignet. Wohlfeilheit, Leichtigkeit der Handhabung, Ersparung an Brennmaterial oder an Triebkraft im Vergleiche mit den bereits bekannten Apparaten scheinen die wesentlichsten Bedingungen. Uebrigens werden die geringeren Fabrikationskosten im Verhältnisse zur Quantität des erzielten Zuckers bei übrigens gleichen Umständen dem Urtheile zum Grunde gelegt werden.

3. Preis von 1000 Fr. für die wesentlichste neue Verbesserung an irgend einer der Operationen der Zuckerfabrikation. Die Commission der Gesellschaft wird dieselbe untersuchen und deren Resultate in einer Fabrik prüfen und bewähren.

4. Preise von 100 Fr. für jeden der ersten zwölf Concurrenten, welche kleine, wohlfeil arbeitende Fabriken, in denen man jährlich aus selbst gebauten Runkelrüben über 300 Kilogr. Zucker von solcher Reinheit erzeugt, daß er im Hause verwendet werden kann, hergestellt haben werden.

Außerdem behält sich die Gesellschaft vor, Medaillen an diejenigen zu ertheilen, die wesentlich zur Verbreitung der Runkelrübenzucker-Fabrikation im Kleinen beigetragen haben werden;

es mag dieses durch Mittheilung erworbener Erfahrungen, oder durch Beispiel, oder Rathschläge geschehen seyn; ferner an diejenigen, welche zur Bildung von Zucker-Fabrikationsvereinen unter den Landwirthen beigetragen haben; und endlich auch noch an jene Fabrikanten, die den benachbarten Landwirthen die größte Menge Zucker in Tausch gegen die Runkelrüben abgegeben haben.

Sollten die Preise im Jahre 1837 nicht ertheilt werden können, so würden sie bis zum Jahre 1839 ausgesetzt bleiben; und wären auch dann noch nicht alle Bedingungen erfüllt, so behält sich die Gesellschaft vor, die Preise an die würdigsten Concurrenten zu vertheilen. Die Abhandlungen und Documente müssen spätestens im Monate Januar an den Secretär der Gesellschaft, Hrn. Baron de Silvestre, eingesandt werden.

Die Gesellschaft wünscht, daß die von den Preisbewerbern angedeuteten Methoden durch eine oder zwei Campagnen befolgt worden; wenigstens müssen die angegebenen Resultate zwei Monate hindurch erzielt worden seyn. Bei dem ersten und zweiten Preise macht es die Gesellschaft nicht zur Bedingung, daß die Concurrenten neue Methoden angeben, wenn sie durch Wahl einer älteren den Absichten der Gesellschaft entsprechen. (Iournal des connaisances usuelles. März 1836, S. 106.)

---

189. Samenvertheilung.

Passau den 30. Oktober 1836.

Samen von nachstehenden Gewächsen aus dem botanischen Garten der Kreis-Landwirthschafts- und Gewerbs-Schule können technische Lehranstalten, Oekonomen u. A. gegen portofreie Einsendung einer Packungs-Vergütung erhalten.

Atriplex hortensis, Gartenmelde. ⊙ (einjährig) Wie Spinat zu genießen.

Datura strammonium, Stechapfel.

Nigella sativa ⊙ Schwarzkümmel, wird nur in warmen Jahrgängen vollkommen reif.

Melilotus coeruleus, blauer Melilotenklee. ⊙ Die Blätter riechen frisch sehr wenig, getrocknet sehr stark. Den Samen braucht man um Bayerdiessen zum Brodwürzen, die Blätter in der Schweiz zum Kräuterkäs.

Trigonella foenum graecum Griechischheu. ⊙ braucht warme Witterung zur vollständigen Reife.

Sorghum vulgare (Holcus Sorghum L.) ⊙ wird in warmen Jahrgängen reif und zwar im Oktober, und erreicht auf gutem Boden eine Höhe von 12 Fuß.

Carthamus tinctorius, Saflor ⊙. Das Einsammeln der Blüthen, nachdem sie roth geworden sind, kann durch Kinder geschehen.

Vicia faba, Saubohne ⊙ liefert reichlichen Ertrag, leidet hier durch die Ohrenhöler (Forficula major), die zwischen den Hülsen und Blättern nisten.

Hedysarum onobrychis, Esparsette ♃, wird im U. D. Kr. nicht gebaut.

Poligonum fagopyrum, Buchweitzen ⊙, wird um Burghausen ziemlich häufig kultivirt.

Lactuca virosa, Giftlattich ⊙.

Myagrum sativum, Leindotter ⊙. Gedeiht selbst im schlechten Boden, und verdient als Oelpflanze mehr angebaut zu werden.

Lepidium sativum, zahme Kresse. ⊙ Gilt das nämliche.

Lathyrus sativum, Ackerplatterbse ⊙, liefert ein schätzbares Futter und verdient mehr bekannt zu werden.

Cichoreum intybum, ♂ Cichorienwurzel. Gedeiht hier sehr gut, und ist so mild wie die magdeburgische.

Phalaris canariensis, Kanariengras ⊙, wird nur theilweise reif, und zwar im Oktober; hier als Kanarienvogelfutter unbekannt.

Sinapis nigra ⊙, Schwarzer Senf. Leidet hier stark von der Raupe eines Schmetterlinges, den ich noch nicht zur Entwicklung brachte, aber heuer dazu Hoffnung habe, und später bekannt machen werde.

Melissa officinalis, Melisse ♃. Wird aus dem Samen gezogen im ersten Jahre schon sehr groß und brauchbar. Das ätherische Oel davon verdient mehr Anwendung in der Parfumerie u. a.

Zea mays, Mays ☉. Der gelbe Samen giebt häufig braunen; wird nur in Gärten reif.

Nicotiana tabacum, virginischer Tabak ☉. Macht reifen Samen und verdient seiner großen Blätter u. Güte halber Anbau im Großen. Samen, den ich direkt von Bahia in Brasilien erhielt, lieferte heuer reifen Samen.

Nicotiana rustica, Gemeiner Tabak ☉.

Phleum pratense, Wiesenlieschgras ♃.

Avena elatior, hoher Hafer ♃, ein schätzbares Futterkraut.

Medicago sativa, Luzernerklee ♃, ein schätzbares Futterkraut; gedeiht hier gut.

Portulacca oleracea, Portulak ☉. Ein kaum genießbares Gemüse, obwohl manche ihn rühmen.

Holcus lanatus, Honiggras ♃, verdient diesen Namen nicht, und ist keiner Empfehlung werth.

Lolium perenne, ewiger Lolch ♃; seines schönen Grüns wegen zu Rasenplätzen sehr geeignet.

Papaver somniferum, Mohn offener ☉.

Althea officinalis, Eibisch ♃. Sieht man im Unterdonaukreise häufig in den Gärten, aber nur einzeln, verdient als Handelspflanze Anbau im Großen.

Inula helenium Alant ♃. Wächst in der Nähe des Chiemsees wild.

Coreopsis tinctoria, ☉. Versuche zum Gelbfärben sind mir nicht bekannt, und werde im Winter einige anstellen.

Helianthus tuberosus, Topinambour ☉. Knollen.

Cyperus esculentus, ♂ Eßbares Cyperngras; in Knollen.

Phytolacca decandra, Kermesbeere ♃; dient zum Rothfärben von Zuckergebäck und andern Süßigkeiten. Die Beeren werden nur theilweise reif.

Isatis tinctoria, Waid ♂. Unser Bedarf kann leicht im Inland erzeugt werden, daß der französische besser sey, ist wohl ungegründet.

Sinapis alba, weißer Senf. Auch als Oelpflanze empfehlenswerth. Der weiße Samen giebt oft Pflanzen, die nur braunen erzeugen.

Carduus benedictus, Kardobenedikten ☉. Die Anwendung als Hopfensurrogat soll strenger geahndet werden.

Coriandrum sativum, Koriander ⊙. Könnten wir in Bayern in größerer Quantität erzeugen.

Avena strigosa, Rauchhafer ⊙; zum Mengfutter zu empfehlen.

Anethum graveolens, Flachkümmel ⊙; ersetzt den gemeinen vollkommen.

Anethum foeniculum, Fenchel; verdient mehr Anbau.

Panicum miliaceum, deutsche Hirse ⊙; wird im U. D. Kr. viel gebaut, noch mehr im benachbarten Innviertl.

Panicum italicum, Aehrenhirse ⊙; wird später reif, und verdient mehr Anbau, da sie besser ist an Geschmack, als die deutsche.

Hyoscyamus niger, Bilsenkraut ⊙.

Avena orientalis, türkischer Haber ⊙. Gedeiht gut, giebt reichlichen Ertrag und wird später reif, als der gemeine.

Trifolium incarnatum, Inkarnatklee ⊙. Scheint nicht besonders empfehlenswerth. Der Same kann nicht leicht enthülset werden.

Triticum amyleum, Stärkweitzen ⊙; muß auf der Mühle enthülset oder geschält werden.

Triticum spelta, Spelz ⊙; muß auf der Mühle enthülset oder geschält werden.

Pimpinella anisum, Anis ⊙; ihr Anbau schlägt hier meistens fehl, sie verlangt trocknen, nicht fetten Boden.

Zwergbohnen aus Gallizien von besonderer Güte.

Dr. Waltl.

der landwirthschaftlichen Buchhaltung gewidmet hat, erhält unsere landwirthschaftliche Literatur einen schätzbaren Zuwachs. Es unterscheidet sich vor vielen andern über diesen Gegenstand erschienenen Schriften dadurch, daß die empfohlenen Rechnungsformen weniger der Theorie, als einer Jahre-langen praktischen Erfahrung angehören. Eine klare Sprache, einfache Tabellen und große Vollständigkeit geben dem Buche besondern Werth u. s. w.

Ferner in jener hessischen Zeitschrift von Hrn. Oekonomierath Pabst:

„Bei dem Mangel an genügender Kenntniß über Einrichtung und Führung der Bücher des landwirthschaftlichen Haushaltes (im weiteren Sinne des Wortes) und der großen Menge der darüber schon bekannt gewordenen Schriften, welche eher geeignet sind, den praktischen Landwirth von der Buchführung abzuschrecken, statt dazu anzueifern, ist es erfreulich, ein Werkchen erscheinen zu sehen, welches den Gegenstand richtig und faßlich darstellt, und keine Einrichtung vorschreibt, wobei der Landwirth mehr Zeit dem Schreibtische, als seinen Feldern, Ställen und sonstigen Geschäften widmen soll. Dieses kann aber in der That von oben angezeigtem Buche gesagt werden.“

Bekanntmachung.

Wer diesjährigen Runkelrüben-Samen von bester ganz weißer Qualität zu kaufen wünscht, beliebe sich bei meiner Oekonomie-Verwaltung in Obergiesing bei München zu melden.

München den 23. November 1836.

J. v. Utzschneider.

Mittelpreise
auf den vorzüglichsten Getreideschrannen in Bayern.

Wochen.	Getreid-Sorten.	Aichach.		Amberg.		Ansbach.				Augsburg.		Baireuth.		Erding.		Kempten.	
		fl.	kr.	fl.	kr.	fl.	kr.	fl.	kr.	fl.	kr.	fl.	kr.	fl.	kr.	fl.	kr
Vom 11. bis 17. Septbr. 1836.	Weitzen	9	35	9	19	9	18	8	49	9	54	11	41	8	39	—	—
	Kern	—	—	—	—	9	43	9	30	10	5	—	—	—	—	12	4
	Roggen	5	20	6	25	6	6	6	18	5	59	8	30	5	36	7	58
	Gerste	7	11	6	19	7	56	7	58	7	49	7	13	7	18	8	15
	Haber	3	28	3	54	4	42	4	42	3	37	5	29	3	30	5	1
Vom 18. bis 24. Septbr. 1836.	Weitzen	9	55	9	25	9	39	9	19	10	20	11	15	9	—	—	—
	Kern	—	—	—	—	10	6	10	3	10	28	—	—	—	—	12	25
	Roggen	5	28	6	30	6	20	6	28	6	—	8	24	5	15	7	51
	Gerste	7	5	6	15	7	54	8	4	7	38	6	41	7	24	8	13
	Haber	3	40	3	43	4	41	4	36	3	38	5	11	4	—	4	45
Vom 25. Septbr. bis 1. Oktbr. 1836.	Weitzen	9	38	9	16	9	47	9	44	10	22	11	21	9	12	—	—
	Kern	—	—	—	—	9	54	10	15	10	29	—	—	—	—	12	32
	Roggen	5	44	6	26	6	13	6	22	5	56	8	21	5	15	7	49
	Gerste	7	35	6	29	8	12	8	21	7	45	6	51	7	36	8	31
	Haber	3	39	3	14	4	35	4	36	3	40	5	5	4	—	4	40
Vom 2. bis 8. Oktbr. 1836.	Weitzen	9	10	9	22	9	20	9	40	10	2	11	20	8	12	—	—
	Kern	—	—	—	—	10	27	10	6	10	11	—	—	—	—	12	29
	Roggen	5	15	6	31	6	26	6	23	5	52	8	24	4	48	8	—
	Gerste	9	45	6	1	8	41	8	40	7	28	6	36	7	9	8	50
	Haber	3	25	3	26	4	32	4	34	3	58	5	5	3	50	4	34
Vom 9. bis 15. Oktbr. 1836.	Weitzen	9	44	9	26	9	20	9	29	9	57	11	3	8	15	—	—
	Kern	—	—	—	—	10	3	10	14	10	19	—	—	—	—	12	30
	Roggen	5	16	6	31	6	21	6	13	5	56	8	23	5	12	8	1
	Gerste	6	37	5	57	7	48	8	20	7	29	6	51	7	—	8	33
	Haber	3	32	2	26	4	34	4	24	3	43	4	45	3	54	4	39

Mittelpreise
auf den
vorzüglichsten Getreideschrannen in Bayern.

Wochen.	Getreid-Sorten.	Landsberg fl.	Landsberg kr.	Landshut fl.	Landshut kr.	Lauingen fl.	Lauingen kr.	Memmingen fl.	Memmingen kr.	München fl.	München kr.	Neuötting fl.	Neuötting kr.	Nördlingen fl.	Nördlingen kr.	Nürnberg fl.	Nürnberg kr.
Vom 11. bis 17. Septbr. 1836.	Weitzen	—	—	8	22	9	7	—	—	10	10	8	32	—	—	10	5
	Kern	9	40	—	—	9	59	11	54	—	—	—	—	9	22	—	—
	Roggen	6	33	5	22	6	26	7	7	5	57	5	—	7	7	6	47
	Gerste	7	23	6	52	7	34	8	19	8	7	—	—	7	18	7	29
	Haber	3	40	3	37	3	14	4	11	4	17	3	47	3	43	5	22
Vom 18. bis 24. Septbr. 1836.	Weitzen	—	—	8	30	9	20	—	—	10	47	8	17	—	—	10	16
	Kern	—	—	—	—	10	6	12	6	—	—	—	—	9	57	—	—
	Roggen	—	—	5	—	6	19	7	—	6	7	5	1	7	3	7	2
	Gerste	—	—	6	45	7	45	8	26	8	22	5	20	7	17	7	40
	Haber	—	—	3	40	3	25	3	56	4	41	3	45	3	47	5	2
Vom 25. Septbr. bis 1. Oktbr. 1836.	Weitzen	—	—	8	15	9	22	—	—	10	46	8	34	—	—	10	23
	Kern	10	50	—	—	10	14	12	18	—	—	—	—	10	10	—	—
	Roggen	6	11	4	52	6	38	7	11	6	5	5	2	6	54	7	18
	Gerste	7	51	6	30	7	39	8	23	8	17	5	32	7	37	7	40
	Haber	3	38	3	40	3	22	4	11	4	35	3	34	3	50	4	59
Vom 2. bis 8. Oktbr. 1836.	Weitzen	—	—	7	7	9	46	—	—	10	7	8	18	—	—	9	44
	Kern	9	16	—	—	10	1	11	56	—	—	—	—	9	56	—	—
	Roggen	6	14	4	52	6	20	7	7	5	54	4	49	6	38	7	9
	Gerste	7	22	6	7	7	21	8	14	7	59	5	26	7	25	7	57
	Haber	3	43	3	40	3	22	4	10	4	30	3	40	3	54	4	43
Vom 9. bis 16. Oktbr. 1836.	Weitzen	—	—	8	7	10	—	—	—	9	48	8	33	—	—	9	31
	Kern	10	10	—	—	9	43	11	54	—	—	—	—	9	44	—	—
	Roggen	6	10	5	—	6	26	7	3	5	48	4	54	7	3	6	45
	Gerste	6	44	6	15	7	20	8	18	7	46	5	36	7	4	7	30
	Haber	3	46	3	42	3	28	4	9	4	14	3	41	3	49	4	34

Mittelpreise
auf den
vorzüglichsten Getreideschrannen in Bayern.

Wochen.	Getreid-Sorten.	Passau. fl.	Passau. kr.	Regensburg. fl.	Regensburg. kr.	Rosenheim. fl.	Rosenheim. kr.	Speyer. fl.	Speyer. kr.	Straubing. fl.	Straubing. kr.	Traunstein. fl.	Traunstein. kr.	Vilshofen. fl.	Vilshofen. kr.	Weilheim. fl.	Weilheim. kr.
Vom 11. bis 17. Septbr. 1836.	Weitzen	9	—	8	30	9	26	12	15	7	50	9	—	8	9	10	4
	Kern	—	—	—	—	—	—	—	—	—	—	—	—	—	—	10	4
	Roggen	6	—	5	36	6	—	8	14	5	1	6	—	5	50	7	
	Gerste	5	48	6	1	6	14	6	32	5	56	6	30	5	54	7	5
	Haber	4	24	3	48	4	18	4	39	3	40	3	36	—	—	4	3
Vom 18. bis 24. Septbr. 1836.	Weitzen	—	—	8	39	9	20	12	3	8	—	8	48	8	18	10	3
	Kern	—	—	—	—	—	—	—	—	—	—	—	—	—	—	10	3
	Roggen	—	—	5	38	5	52	8	26	5	9	5	34	5	56	7	1
	Gerste	5	48	6	12	6	14	6	30	6	—	6	24	5	16	8	
	Haber	4	—	3	52	4	10	4	41	3	38	3	42	—	—	4	2
Vom 25. Septbr. bis 1. Oktbr. 1836.	Weitzen	—	—	8	46	9	36	12	31	7	53	9	12	8	8	11	1
	Kern	—	—	—	—	—	—	—	—	—	—	—	—	—	—	11	1
	Roggen	6	—	5	44	5	52	8	40	5	5	5	48	5	45	7	1
	Gerste	5	48	6	19	6	8	8	52	5	58	6	48	5	27	7	5
	Haber	3	54	4	7	4	10	4	27	3	41	3	36	—	—	4	2
Vom 2. bis 8. Oktbr. 1836.	Weitzen	8	42	8	15	9	48	12	19	7	52	9	—	8	5	11	
	Kern	—	—	—	—	—	—	—	—	—	—	—	—	—	—	11	
	Roggen	—	—	5	31	5	56	8	40	5	—	5	36	5	45	6	4
	Gerste	5	40	6	36	6	8	6	40	6	3	6	30	5	37	7	5
	Haber	—	—	4	8	4	16	4	44	3	39	3	30	—	—	4	3
Vom 9. bis 15. Oktbr. 1836.	Weitzen	8	48	8	10	9	47	12	3	7	56	9	—	8	17	11	1
	Kern	—	—	—	—	—	—	—	—	—	—	—	—	—	—	11	1
	Roggen	—	—	5	22	5	56	8	50	5	10	5	36	5	51	6	5
	Gerste	5	36	6	16	6	6	6	54	6	7	6	30	5	32	7	4
	Haber	4	24	4	3	4	6	4	51	3	30	3	30	3	42	4	3

Mittelpreise
auf den
vorzüglichsten Getreideschrannen in Bayern.

Wochen.	Getreid-Sorten.	Aichach. fl.	kr.	Amberg. fl.	kr.	Ansbach. fl.	kr.	fl.	kr.	Augsburg. fl.	kr.	Baireuth. fl.	kr.	Erding. fl.	kr.	Kempten. fl.	kr.
Vom 16. bis 22. Oktober 1836.	Weitzen	9	55	—	—	9	26	9	18	9	53	11	5	8	12	—	—
	Kern	—	—	—	—	10	2	10	16	10	7	—	—	—	—	12	25
	Roggen	5	27	—	—	6	14	6	15	6	—	8	53	5	3	8	—
	Gerste	6	26	—	—	7	42	8	13	7	15	7	8	6	54	8	19
	Haber	3	35	—	—	4	28	4	25	3	48	4	44	3	40	4	37
Vom 23. bis 29. Oktober 1836.	Weitzen	9	27	9	29	9	47	9	27	9	10	10	57	8	20	—	—
	Kern	—	—	—	—	10	34	10	45	8	27	—	—	—	—	12	29
	Roggen	5	25	6	32	6	17	6	9	5	49	8	38	5	12	7	58
	Gerste	6	14	6	25	7	58	7	52	6	1	7	21	7	—	8	46
	Haber	3	47	5	27	4	27	4	27	3	40	4	42	4	—	4	50
Vom 30. Okt. bis 5. Novbr. 1836.	Weitzen	9	2	9	18	9	9	9	41	9	26	11	5	8	24	—	—
	Kern	—	—	—	—	10	33	10	7	9	28	—	—	—	—	12	37
	Roggen	5	24	6	57	6	18	6	20	6	—	8	24	5	15	8	3
	Gerste	6	25	6	28	7	42	7	54	7	6	7	18	7	12	8	44
	Haber	3	40	3	46	4	22	4	25	3	51	5	9	3	48	4	51
Vom 6. bis 12. Novbr. 1836.	Weitzen	5	50	9	13	9	22	—	—	9	20	11	23	8	15	—	—
	Kern	—	—	—	—	9	57	—	—	9	30	—	—	—	—	12	24
	Roggen	5	19	6	41	6	19	—	—	5	57	8	47	5	12	8	—
	Gerste	6	20	6	36	7	15	—	—	7	6	7	56	7	—	8	12
	Haber	3	43	3	27	4	22	—	—	3	50	4	59	3	40	4	39
Vom 13. bis 19. Novbr. 1836.	Weitzen	8	39	9	16	9	29	9	33	8	58	11	11	8	12	—	—
	Kern	—	—	—	—	9	17	9	3	9	27	—	—	—	—	12	27
	Roggen	5	18	6	43	6	17	6	16	5	45	8	30	5	12	8	—
	Gerste	6	27	6	3	7	4	7	42	6	52	7	54	6	48	8	11
	Haber	3	39	3	36	4	21	4	21	3	55	4	57	3	42	4	29

Mittelpreise
auf den
vorzüglichsten Getreideschrannen in Bayern.

Wochen.	Getreid-Sorten.	Landsberg. fl.	Landsberg. kr.	Landshut. fl.	Landshut. kr.	Lauingen. fl.	Lauingen. kr.	Memmingen. fl.	Memmingen. kr.	München. fl.	München. kr.	Neuötting. fl.	Neuötting. kr.	Nördlingen. fl.	Nördlingen. kr.	Nürnberg. fl.	Nürnberg. kr.
Vom 16. bis 22. Oktober 1836.	Weitzen	—	—	8	—	10	—	—	—	9	48	8	36	—	—	9	25
	Kern	10	9	—	—	9	56	12	3	—	—	—	—	9	4	—	—
	Roggen	6	19	5	7	6	25	7	18	6	2	4	47	6	59	6	47
	Gerste	6	58	6	15	7	33	8	25	7	44	5	37	6	32	7	45
	Haber	3	48	3	45	3	35	4	15	4	14	3	52	3	48	4	31
Vom 23. bis 29. Oktbr. 1836.	Weitzen	—	—	8	—	10	—	—	—	9	41	8	14	—	—	10	6
	Kern	—	—	—	—	9	59	12	6	—	—	—	—	9	15	—	—
	Roggen	—	—	5	—	6	33	7	20	6	3	4	52	7	—	7	1
	Gerste	—	—	6	15	7	21	8	21	7	51	5	57	6	35	7	29
	Haber	—	—	3	45	3	23	4	20	4	20	3	38	3	35	4	21
Vom 30. Oktbr. bis 5. Novbr. 1836.	Weitzen	—	—	8	15	10	—	—	—	9	52	8	9	—	—	10	57
	Kern	10	3	—	—	9	33	11	52	—	—	—	—	9	26	—	—
	Roggen	6	19	5	16	6	14	7	13	6	4	4	54	7	2	7	9
	Gerste	7	5	6	30	6	57	8	13	7	52	5	50	6	33	7	30
	Haber	3	47	3	45	3	20	4	30	4	15	3	49	3	53	4	26
Vom 6. bis 12. Novbr. 1836.	Weitzen	—	—	8	—	10	—	—	—	9	44	8	26	—	—	10	7
	Kern	9	24	—	—	9	55	11	49	—	—	—	—	9	8	—	—
	Roggen	6	12	5	7	6	6	7	6	5	30	5	7	6	56	6	57
	Gerste	6	30	6	15	7	15	8	17	7	49	5	40	6	18	7	44
	Haber	3	46	3	45	3	33	4	15	4	16	3	36	3	50	4	16
Vom 13. bis 19. Novbr. 1836.	Weitzen	—	—	7	52	—	—	—	—	9	40	8	15	—	—	9	57
	Kern	8	42	—	—	—	—	11	52	—	—	—	—	8	54	—	—
	Roggen	6	6	5	7	—	—	7	1	5	46	4	58	6	46	7	—
	Gerste	6	31	6	—	—	—	8	28	7	39	5	21	5	10	7	36
	Haber	3	49	3	45	—	—	4	8	4	13	3	32	3	36	4	18

Mittelpreise
auf den
vorzüglichsten Getreideschrannen in Bayern.

Wochen.	Getreid-Sorten.	Passau.		Regensburg.		Rosenheim.		Speyer.		Straubing.		Traunstein.		Vilshofen.		Weilheim.	
		fl.	kr.	fl.	kr.	fl.	kr.	fl.	kr.	fl	kr.	fl.	kr.	fl.	kr.	fl.	kr.
Vom 16. bis 22. Oktober 1836.	Weitzen	8	45	8	21	9	24	11	50	7	56	8	48	8	17	10	40
	Kern	—	—	—	—	—	—	—	—	—	—	—	—	—	—	10	40
	Roggen	—	—	5	33	5	44	9	4	5	15	5	30	6	—	6	37
	Gerste	5	42	6	8	5	52	7	18	6	1	6	24	5	39	7	28
	Haber	—	—	4	10	4	4	4	51	3	37	3	24	3	42	4	25
Vom 23. bis 29. Oktober 1836.	Weitzen	8	30	8	29	9	14	12	16	7	53	8	42	8	10	10	24
	Kern	—	—	—	—	—	—	—	—	—	—	—	—	—	—	10	24
	Roggen	—	—	5	43	5	37	9	9	5	15	5	24	5	57	7	15
	Gerste	5	33	6	14	5	50	6	43	6	2	6	24	5	12	7	24
	Haber	3	30	3	59	3	56	3	17	3	35	3	24	—	—	4	29
Vom 30. Oktbr. bis 5. Novbr. 1836.	Weitzen	—	—	8	16	—	—	—	—	8	1	8	36	8	6	10	28
	Kern	—	—	—	—	—	—	—	—	—	—	—	—	—	—	10	28
	Roggen	—	—	5	38	—	—	8	41	5	15	5	12	—	—	6	52
	Gerste	5	24	5	53	—	—	7	42	6	8	6	12	—	—	7	18
	Haber	3	24	3	49	—	—	3	1	3	45	3	24	—	—	4	30
Vom 6. bis 12. Novbr. 1836.	Weitzen	8	27	8	35	9	10	12	36	7	24	8	48	8	—	10	53
	Kern	—	—	—	—	—	—	—	—	—	—	—	—	—	—	10	53
	Roggen	6	6	5	45	5	37	9	11	5	15	5	24	5	24	6	44
	Gerste	5	30	6	4	5	50	7	54	6	—	6	12	5	30	7	30
	Haber	4	12	3	59	3	32	6	48	3	34	3	24	—	—	4	18
Vom 13. bis 19. Novbr. 1836.	Weitzen	—	—	8	10	9	10	11	18	7	26	8	42	8	14	10	20
	Kern	—	—	—	—	—	—	—	—	—	—	—	—	—	—	10	20
	Roggen	6	24	5	44	5	40	9	14	5	15	5	12	6	1	6	26
	Gerste	5	25	6	9	5	55	6	5	6	—	6	12	5	30	6	24
	Haber	—	—	3	51	3	30	4	58	3	30	3	18	—	—	4	18

Centralblatt

des

landwirthschaftlichen Vereins in Bayern.

Jahrgang: XXVI.

Monat: Dezember 1836.

Landwirthschaftliche Berichte und Aufsätze.

190. Das Reisen der landwirthschaftlichen Zöglinge betreffend.

Höchstem Wunsche gemäß, erlaube ich mir über einen höchst wichtigen Gegenstand, in Bezug auf Verbesserung und Vervollkommnung der Landwirthschaft und Viehzucht, so wie auch zur Erhöhung und Vervollständigung des rationellen landwirthschaftlichen Unterrichts meine Ansichten und Vorschläge an das höchst verehrliche Bezirks-Comité des landwirthschaftlichen Vereins im Rezatkreise mit der ergebensten Bitte zu übersenden, denselben eine geneigte Würdigung und wohlwollende Aufnahme gütigst zu verleihen.

Häufig ist schon sowohl von hohen Regierungsstellen, als auch besonders vom landwirthschaftlichen Verein in Bayern selbst das Wandern und Reisen junger Oekonomen und Landwirthschaftsknechte in andere Länder zur vollkommenen Ausbildung derselben, dringendst empfohlen worden; bisher hat jedoch die wahrhaft nöthige und nützliche Empfehlung noch wenig Anklang gefunden, wovon ich die Ursache, theils in der Mittellosigkeit der einzelnen Individuen, und theils in der Ungewohnheit dieser Sache selbst suche.

Daß aber ein solches Unternehmen, besonders von jungen die Kreislandwirthschafts-Schule absolviert habenden angehenden Oekonomen, in Begleitung eines Lehrers, welcher dieselben auf alles nützliche und wichtige in der Landwirthschaft und Viehzucht gehörig aufmerksam macht, und sie an Ort und

Stelle sogleich instruirt, glaube ich, ist unbezweifelt für die Emporhebung und Vervollkommnung unserer vaterländischen Landwirthschaft von größtem Nutzen, und wird gewiß in wenigen Jahren den wohlthätigsten Einfluß auf dieselbe äußern. Wenn man erwägt, wie verschiedenartig die Landwirthschaft, Rindviehzucht, Pferdezucht, Schafzucht, Milchwirthschaft und Käserei, Schweinszucht, Bienenzucht, Obstbaumzucht, Seidenbau u. dgl. in den verschiedenen Ländern, als: Holland, Preußen, Sachsen, Oesterreich, Tyrol und Schweitz betrieben wird, wie da oder dort, von einem landwirthschaftlichen Zweig, ein ganz anderer und zwar viel höherer Ertrag, sohin auch eine bedeutende Erhöhung des Gutwerthes bezweckt wird, wie in den verschiedenen Ländern so manche neue, höchst zweckmäßige Einrichtungen in den Oekonomieen bestehen, die man hier noch gar nicht kennt, ja vielmehr oft als etwas Neues dagegen eifert und nicht aufkommen läßt, wie in manchen Gegenden der Anbau des einen oder andern Getreides, Futter, oder Handelskräuter u. s. w. auf eine ganz andere für den Oekonomen viel mehr Vortheil bringende Weise, betrieben, gewonnen und verwendet wird, so muß es gewiß Jedem klar seyn, daß der junge Oekonom durch eigene Anschauung und Mitwirkung dieser landwirthschaftlichen Geschäfte und Unternehmungen bedeutend seine praktischen Kenntnisse erweitern muß, und mit denselben bei seiner Zurückkunft in das Vaterland höchst nützlich und wohlthätig auf unsere inländische Landwirthschaft einwirken kann.

Um diesen großen Nutzen für das Vaterland, so wie für unsere inländische Landwirthschaft zu bezwecken, erlaube ich mir daher, dem hochvehrlichen Bezirks-Comité nachfolgende ergebenste Anträge zu stellen.

§. 1.

Das hochverehrliche Bezirks-Comité des landwirthschaftlichen Vereins des Rezatkreises, wolle alle Jahre aus den Beiträgen der Mitglieder gütigst eine Summe bestimmen, durch welche ein Lehrer mit mehreren Zöglingen des höchsten Kurses der Kreislandwirthschaftsschule im Stande gesetzt wird, landwirthschaftliche Belehrungsreisen in's Ausland zu machen. Nach der Summe, welche dasselbe zu diesem gemeinnützigen Zwecke bestimmt, wird auch die Anzahl der mitreisenden Zöglinge bestimmt.

§. 2.

Es können auch hievon Söhne von Oekonomen oder junge Oekonomen selbst, auf ihre eigenen Kosten Antheil nehmen, weßwegen einige Zeit vor der Abreise eine öffentliche Aufforderung und Einladung erlassen werden kann.

§. 3.

Das verehrliche Bezirks-Comité bestimmt die Länder, so wie die Gegenstände und Anstalten, welche besonders untersucht und geprüft werden sollen.

§. 4.

Jeder mitreisende Zögling hat bei seiner Zurückkunft sein Tagebuch, so wie seinen Reisebericht, und der Lehrer einen General-Rechenschaftsbericht über das Ganze dem hochverehrlichen Bezirks-Comité vorzulegen, woraus dasselbe den guten Erfolg und den großen Nutzen dieses Unternehmens ersehen kann.

§. 5.

Der Lehrer führt auf der Reise die Oberaufsicht und Rechnung über alles, er ist daher auch für das ganze Unternehmen strengstens verantwortlich, und hat über die Verwendung der erhaltenen Summe genaue und belegte Rechnung zu legen.

§. 6.

Wünschen Mitglieder des landwirthschaftlichen Vereins des Rezatkreises in der Folge solche Zöglinge von ärmerem Stande, welche auf Kosten des Vereins diese Belehrungsreisen machten, als Verwalter in ihren Dienst zu erhalten, so sind diese verpflichtet, wenigstens zwei Jahre zu denselben in Dienst zu gehen, und der Vorstand des Instituts ist verpflichtet, auf Verlangen des Bezirks Comité, jedesmal einen geschickten Zögling dahin abzugeben, wo das Comité bestimmt.

§. 7.

Die Reise kann zu den verschiedenen Jahreszeiten geschehen, um die verschiedenen landwirthschaftlichen Interessen zu befriedigen, indem nur Zöglinge vom 3. Kurse der Kreislandwirthschaftsschule hieran Antheil nehmen dürfen, so gilt diese Zeit der Reise von vier bis sechs Wochen für ihre Ferienzeit, und sie verlieren daher an ihrem wissenschaftlichen Unterrichte nicht das Geringste.

§. 8.

Als vorzügliche der Untersuchung und Prüfung würdige Gegenstände, können allenfalls angenommen werden.

a) Der verschiedenartige Betrieb des Ackerbaues und Feldwirthschaftsystems mit Berücksichtigung der verschiedenen Getreidearten, Handelskräuter, als: Spinngewächse, Oelgewächse, Gewürzkräuter, Medizinalkräuter u. dgl.

b) Die verschiedenen Arten und Behandlungen des Gartenbaues mit vorzüglicher Berücksichtigung der verschiedenen Gemüsearten, des Obstbaues, Weinbaues, Hopfenbaues u. dgl.

c) Die mannigfaltige Betreibung des Wiesenbaues und Futterkräuterbaues, mit gehöriger Berücksichtigung der Behandlung, der natürlichen und der Anlegung und Behandlung der künstlichen Wiesen, der verschiedenen Arten von Bewässerungswiesen, Trockenlegung der Moos- oder Sumpfwiesen, Düngungsart der Wiesen, Behandlung und Bemähung der Bergwiesen u. dgl.; ebenso der Anbau und die Behandlung des Klees und anderer Futterkräuter.

d) Die verschiedenen Einrichtungen und Anstalten zum Betrieb der Pferdezucht, die Art und Weise, so wie die Behandlung, nach welcher die Oekonomen anderer Länder, wo die Pferdezucht auf einen vollkommneren Grad steht, als bei uns, wie z. B. im Königreich Preußen, Sachsen, Hanover, und zum Theil in den österreichischen Staaten ihre Fohlen erziehen und veredeln.

e) Die vorzüglichsten Einrichtungen und Anstalten zum Betrieb der Rindviehzucht, zur Erlangung der Kenntniß der verschiedenen Arten des Rindviehes, ihre Behandlung, Fütterung und Pflege, ihrer Nutzeinrichtung, der Milchwirthschaft, Schweizerei und Käsebereitung, besonders die verschiedenen Orte der Betreibung derselben kennen zu lernen.

f) Die berühmtesten Schäfereien mit ihren mannigfaltigen Einrichtungen zum Betrieb der ganz feinen, mittelfeinen und andern Arten von Schafzucht mit Berücksichtigung des Betriebs und Nutzens der neu in Deutschland eingeführten Kachemir- und Kemelziegenzucht.

g) Desgleichen die Berücksichtigung über den verschiedenartigen Betrieb der Schweinszucht, Bienenzucht, Seidenbau und Fischzucht.

h) Endlich die verschiedenen ökonomischen Einrichtungen zur zweckmäßigen Benützung der landwirthschaftlichen Produkte, als Runkelrübenzucker-Fabrikation, Stärkmehl-Fabriken, Brauereien, Brennereien, Potaschen-Siedereien, Bleichen, und alle andere mehr oder weniger das landwirthschaftliche Interesse erregende Fabriken, Anstalten, Maschinen und dgl.

Auf solche Weise würden unstreitig die wichtigsten landwirthschaftlichen Interessen zum Besten des Vaterlandes erreicht, und diese landwirthschaftlichen Wanderungen würden gewiß für dasselbe von so großen wohlthätigen und nützlichen Einfluß seyn, als das Wandern der Handwerker und Künstler. Um diesen höchst nützlichen Einfluß auf unsere vaterländische Landwirthschaft recht bald fühlbar zu machen, sollten diese landwirthschaftlichen Wanderungen junger, praktisch wissenschaftlich gebildeter Oekonomen auf alle mögliche Weise unterstützt und befördert werden, und es dürften hiezu nicht nur die Hilfe des verehrlichen landwirthschaftlichen Vereins, sondern auch jene anderer Vereine des hohen Landraths und selbst auch jener unserer höchst weisen, alles Gute und dem Vaterlande Frommende kräftigst unterstützende Staatsregierung, bittend in Anspruch genommen werden, wodurch alle Jahre eine bedeutende Anzahl junger Oekonomen zu ihrer vollkommenen Ausbildung ins Ausland auf Reisen geschickt werden können.

Ich unterlege diese meine aus vieljährigen Erfahrungen genommenen Antrag dem höhern und weisen Ermessen des hochverehrlichen Bezirks-Comités des landwirthschaftlichen Vereins im Rezatkreise, und erwarte bereitwilligst den über diesen für den landwirthschaftlichen Verein gewiß höchst wichtigen Gegenstand gefaßten Beschluß, indem ich mit Vergnügen, wenn das verehrliche Bezirks-Comité meine Dienste hiebei in Anspruch zu nehmen wünscht, zur Förderung dieser wichtigen Sache nach meinen möglichsten Kräften beitragen werde, und verharre indessen mit unbegränzter Hochachtung.

Nürnberg den 30. Juni 1836.

Dr. Weidenkeller.

191. Hindernisse der Güter- und Grund-Arrondirung betreffend.

Die Güter- und Gründe-Arrondirung hat man von jeher als das nützlichste Unternehmen in der Landwirthschaft erkannt.

Es sind Preisefragen ausgeschrieben worden, es sind Prämien und öffentliche Belobungen an thätige Landwirthe ertheilt worden, die höchste Staatsregierung hat die Befreiung von Laudemien Taxen ꝛc. ausgesprochen, und jedes Hinderniß zu heben gesucht. Auch Privat-Grundherrschaften haben in Beachtung der Vortheile ihrer Grundholden, somit auch des ihrigen, gleiche Begünstigung zugestanden, und erweislich dieselben aufgemuntert und unterstützt, durch Arrondirung die Guts-Verhältnisse besser zu gestalten, weßwegen allenthalben Gründetäusche Statt gefunden haben, und noch Statt finden in der Art: daß die vertauschten Grundstücke durch die eingetauschten surrogirt werden, ohne die Gutsverhältnisse im Geringsten zu stören.

In der allerneuesten Zeit finden königl. Unterbehörden, und selbst die königl. Kreis-Regierungen, daß diese Verträge constitutionswidrig, sohin gesetzlich ungiltig seyen, aus folgenden Gründen:

a) weil die Gerichtsbarkeit des Staates über zu vertauschende Gründe nicht an einen Privatgerichtsherrn gelangen kann, ferner

b) weil ehemals dem Staate grundbare Objekte, welche durch Ablösung des Obereigenthums nun freieigen sind, nie mehr in einen grundherrlichen Verband zurücktreten können. Um diesen angeblich gesetzlichen Hindernissen auszuweichen, genehmigen die königl. Rentämter und Landgerichte auf Befehl der königl. Regierungen die Protokollirung genannter Tauschverträge nur, wenn

> die Tauschobjecte die Gutseigenschaft beibehalten, wodurch eine beiderseitige Gutsabtrümmerung Statt finden muß.

Dieser Ausweg ist aber nicht annehmbar:

1) weil die Contrahenten nicht mehr Flächenraum und Bodengüte zu beachten haben, sondern auch die Grundeigenschaft, nämlich ob ein Grundstück freieigen, belastet oder unbelastet, oder wie grundbar sey, ermitteln und einwerthen müßten, um sich ausgleichen zu können.

2) Entstehen Kosten und sonstige Verlegenheiten; es sind bei diesem Tauschvertrage Laudemien ꝛc. zu bezahlen, weil der Grundherr wegen dem abgetrümmerten Grundstücke einen andern Grundholden erhält, es entstehen mehrere Gerichtsherrn und der Gutsbesitz wird in den Hypothekenbüchern zersplittert — auch ist die Abgabenzahlung an mehrere Berechtigte mit vielem Zeitverlust und Kosten verbunden.

3) Nicht alle Privatgrundherrn willigen in eine solche Abtrümmerung, da die Renten zersplittert werden, wodurch die Perception der Gefälle erschwert wird.

Der gehorsam Unterzeichnete erlaubt sich, hievon dem General-Comité Kenntniß zu geben, erbietet sich, die Aktenstücke von zwei königl. Behörden aus dem Isar- und Oberdonaukreise vorzulegen, welche vorbedachte Hindernisse erhoben haben, und hält es für Pflicht im öffentlichen Interesse den gehorsamen Antrag zu stellen: Das General-Comité möge dem königl. Staatsministerium des Innern geeignete Vorstellung zur Abhilfe machen. Ueberdieß erlaubt man sich, was die ausgesprochenen Gründe der Gesetzwidrigkeit betrifft, zu bemerken:

ad a. Durch den Gründetausch erhält der Privat-Gerichtsherr keinen Jurisdictions-Zuwachs, sondern die Jurisdiction über das vertauschte Grundstück geht wie die Grundherrlichkeit auf das Eingetauschte über, nach der allerhöchsten Verordnung vom 30. Juli 1806. Dieser Jurisdictions-Tausch ist auch nach dem gutsherrlichen Edicte §. 28 dritten Absatzes zulässig, weil der Vortheil für den Staat „Gründe-Arrondirung“ anerkannt ist, die Einwilligung der Staats-Verwaltung durch obige allerhöchste Verordnung, die der Grundherrn durch die auszufertigenden Consense, und die der Grundholden durch die Tauschverträge gegeben ist.

ad b. Es ist ein Uebel, wenn der Grundhold seinem Grundherrn das Obereigenthum abgelöst hat, sohin er Alleineigenthümer geworden, daß dieser ihm und allen seinen Nachfolgern in der freien Disposition beschränkende Bestimmungen aufbürdet; die Freiheit mit dem freien Alleineigenthum nach eigenem Besten zu verfahren, wird hiedurch vernichtet.

Alle Gewerbe, vorzüglich die Landwirthschaft, bedürfen nicht blos der Arbeiter, sie bedürfen der Theilnahme der Wohlhabenden. Ob die Theilnahme durch das Institut der Grundherrlichkeit verwerflicher sey, als durch das Institut des Hypothekenwesens, muß erst die Folge zeigen. Der Unterzeichnete glaubt es nicht, daß durch letzteres die Familien so lange im Besitze bleiben, als durch Ersteres.

Sollte die königl. Staats-Regierung überzeugt seyn, daß die Grundherrlichkeit das schädlichste Verhältniß sey, und daß vorläufig ihrerseits dieses aufgehoben werden müsse, so dürfte wohl das Entstehen neuer Grundverträge verhindert werden, aber einen vom Obereigenthume freien Boden zum Nachtheil des Besitzers als ein Heiligthum zu achten, daß die Lasten eines besser gelegenen Grundes nicht mehr hierauf gelegt werden können, dürfte weder in den Gesetzen noch in der Politik der Staats-Verwaltung begründet seyn.

Indem man Alles Uebrige dem hohen Ermessen des die Gesammtlandwirthschaft so weislich unterstützenden Vereines überläßt, empfiehlt sich respectvollst

des General-Comité

Pörnbach am 11. August 1836.

gehorsamer
Wolfgang Schmidbauer,
Gräfl. Törring-Gutenzell'scher
Guts- und Renten-Verwalter.

---

192. Bemerkungen über das Backen des Kartoffelbrodes; von Philipp Steinhäußer, Bürger und Buchbindermeister in Ansbach.

Das von Einem Königlichen General-Comité des landwirthschaftlichen Vereins in Bayern bekannt gemachte Programm zu dem diesjährigen Landwirthschaftsfeste in München veranlaßt mich zu der unterthänigsten Bitte, auch einen Theil meiner Erfahrungen über einen nicht unwichtigen Gegenstand zur gütigen Würdigung mittheilen zu dürfen.

Es betrifft diese nämlich die Art und Weise, wie ich seit vielen Jahren mein Hausbrod backe. Wohl kann ich schliessen, daß bei der großen Thätigkeit in allen Zweigen der Oekonomie unseres Vaterlandes auch hierüber schon manche nützliche Erfindung und Verbesserung zur Kenntniß eines Königlichen General-Comités gelangt ist; doch der Gedanke, daß auch ich, wenn gerade nicht durch die Mittheilung auffallend neuer Behandlung, doch gewiß eines recht ersprießlichen Verfahrens dem allgemeinen Besten diene, ermuntert mich, meine Bitte um geneigte Aufnahme der vorliegenden Muster und mitfolgenden Beschreibung meiner Back-Methode zu wiederholen.

In meinem Geburtsorte Streitberg, so wie in der ganzen Umgegend und vielen andern Strichen unsers Vaterlandes ist man gewöhnt, unter das schwarze Brod einen Theil Kartoffeln zu mischen, weil dadurch ein nicht unbedeutendes Ersparniß bezweckt wird. Viele Hausmütter sind auch in der Behandlung so gewandt, daß dem Wohlgeschmacke des Gebäckes und seiner leichten Verdaulichkeit durchaus kein Eintrag geschieht. Oft aber ist es der Fall, daß das Brod dadurch ungewöhnlich schwer, hart verdaulich und unschmackhaft wird; häufiger noch wird es schon nach Verlauf von 8 Tagen spröd und schimmelig, oder der Teig geht gleich Anfangs nicht in die Höhe, sinkt dann platförmig im Ofen zusammen, und wird oft schon nach wenigen Stunden ungenießbar, und der Gesundheit nachtheilig. Oft trägt nicht blos Unkenntniß, sondern auch Unreinlichkeit zur Verfehlung des eigentlichen Zweckes bei.

So sah ich in vielen Haushaltungen die zu verwendenden Erdäpfel nur von dem Ackerschmutze und den Sproßaugen reinigen, sie alsbald ungeschält und ungesotten reiben, und diese Masse dann unter das Brod mischen, die schon während der Verarbeitung eine blauschwarze Farbe annahm, diese dann auch dem Teig mittheilte, und zugleich aber auch dem Brode einen erdartigen Geschmack und ein unappetitliches Aussehen gab. Bei sonst reinlicher Behandlung und gutem Geschmack des Brodes fand ich häufig große Stücke unzerriebener Kartoffeln, die dann ebenfalls mehr gegen, als für ein solches Brod einnahmen.

Alle diese Umstände bewogen mich schon früher, über eine zweckmäßigere Behandlung des Kartoffelbrodes und seiner einzelnen Bestandtheile nachzudenken. Zu dem Behufe ließ ich mir eine Presse anfertigen. Nach vielfachen Versuchen und Verbesserungen gewährt sie mir jetzt den Vortheil, daß ich die Erdbirnen auf die schnellste Weise darin, und zwar ganz gleichmäßig zerdrücken kann, so, daß sie unterhalb des Seihers, wie wenn sie fein gerieben worden wären, erscheinen. Mein Verfahren dabei ist aber Folgendes: Ohngefähr zwei Metzen Erdäpfel setze ich, nachdem sie recht rein gewaschen wurden, nach und nach an das Feuer, so daß, wenn die von dem ersten Topfe gesotten und geschält sind, der zweite und dann der dritte in Bereitschaft stehen. Während sie noch ganz heiß und dampfend sind, zwänge ich sie durch die, mit einem Hacken an der Wand befestigte Presse, mit welcher Arbeit 2 Personen leicht in einer Stunde fertig werden können. Diese Masse wird nun mit dem dritten Theil des zum Backen bestimmten Mehls — welches im Ganzen aus 2 wohlgemessenen Metzen besteht — nebst dem erforderlichen guten Sauerteig angemacht. Zu bemerken ist, daß von der Qualität des Sauerteigs sehr viel abhängt, da solches Brod viel mehr Trieb und Gährung verlangt, als jedes andere Gebäck. Diese Masse bleibt nun 12 Stunden im Troge verschlossen stehen, nach deren Verlauf der Teig geknetet werden muß. Je rüstiger die Arme sind, welche dieses Geschäft verrichten, desto ersprießlicher ist es für den Teig, der besonders fest und wohl eine Stunde ununterbrochen fortgearbeitet werden muß. Gewöhnlich thue ich dieses selbst.

Nach dem Kneten bleibt der Teig wieder eine Stunde stehen, wird dann ausgewirkt, in Laibe geformt, und dem sogenannten Garben überlassen. Sind nun die Brode gehörig in die Höhe gegangen, so kommen sie in den Ofen, der in einer Mitteltemperatur gehalten seyn muß, damit die Hitze weder zu schnell, noch zu langsam auf dasselbe einwirke, da es im ersten Falle spröd, im letztern naß und schwer ausfallen würde. Auch dürfen diese Brode eine halbe Stunde länger, als andere im Ofen gelaßen werden.

Sind sie gehörig abgekühlt, dann schafft man sie in den Keller, der natürlich fleißig gelüftet werden muß, und nicht allzu feucht seyn darf, wie man dieses ja von jedem guten Keller erwarten kann.

Auf diese Weise behandelt, hält sich das Brod 7 – 8 Wochen, ohne nur im Geringsten an seiner Schmackhaftigkeit zu verlieren. Bedauern muß ich, daß ich zu dem beiliegenden Brode keine Erdäpfel mehr vom vorigen Jahre haben konnte, und also heurige verwenden mußte, die sich, da sie noch nicht vollkommen reif sind, weniger zu einem Brode eignen, das längere Zeit gut bleiben soll. Doch sind sie von derselben Sorte, welche ich gewöhnlich dazu verwende, und vor allen andern für besonders vortheilhaft halte. Man bezeichnet sie in unserer Gegend mit dem Namen Wilhermsdörfer, und zieht sie gern jeder übrigen Art vor, weil sie sich sehr lange wohlschmeckend erhalten, schon gegen Ende September reif sind, und eine beträchtliche Grösse erreichen, ohne daß sie in der Mitte hohl und faserig oder putzig sind, sondern im Gegentheil schön weiß und mehlreich. Beiliegende Muster werden dieses bestätigen.

Das zu dem Gebäck zu verwendende Mehl erleidet vorher einen Abzug von 12 Pfd. Kleie und 1½ Metzen weißeres Mehl (Römisch) vom Schäffel, von welchem letzteren ich auch durch Vermischung mit Erdäpfeln ein sehr gutes Brod backe, was ich zum Frühstück für meine Familie verwende; nur hält sich dieses nicht so lang, als das schon besprochene schwarze, wovon ein Laib bei dem Comité vorliegt. Dieser wurde noch aus einer Frucht (Getreid) des vorigen Jahres gebacken, und zwar schon im Anfang des laufenden Monats, nämlich am 3. September. Ich bin überzeugt, daß dieses Muster gewiß noch am Beginn des nächsten Monats allen Anforderungen, die an ein gutes Brod gestellt werden können, entspricht. Ein Beweis dafür mag der seyn, daß alle meine Dienstboten und Gesellen, denen ich jederzeit die Wahl zwischen weißem Bäckerbrod und dem meinigen schwarzen ließ, jedesmal das letztere vorzogen. So beschäftigte ich bei meinem Hausbau 1831 ein halbes Jahr lang täglich 30 Arbeiter, welche lieber die hier als Zehn- und Dreier-Brode üblichen Kipfe entbehrten, und sich dafür zu ihrem Bier mein Gebäck erbaten. Nun bleibt nur übrig zu beweisen, wie vortheilhaft in Bezug auf die Kosten dieses Verfahren sich erweist.

Bemerken muß ich vorher, daß meine Familie aus 7 Personen besteht, worunter 5 Erwachsene und 2 Kinder von 6–7 Jahren gehören. Diese verzehrten in solchen Zeiten, in denen ich verhindert war, selbst mein Brod zu backen, wöchentlich für 1 fl. 18 kr. schwarzes Bäckerbrod, was jährlich eine Summe von 67 fl. 48 kr. herauswirft. Bei meinem Verfahren stand ich aber fast um die Hälfte im Vortheil, indem ich für einen gleichen Bedarf nur 34 fl. 25 kr. ausgeben durfte.

Rechnung über den Brodbedarf vom ersten Jahr.

3 Schäffel Korn à 7 fl.	21 fl.	—	kr.
*Städtischer Aufschlag à 30 kr.	1 fl.	30	kr.
den 16ten Theil als Müllerlohn	1 „	18	„
Trinkgeld dem Mühlerburschen	1 „	48	„
*Schrannengebühren	— „	20	„
*Fuhrlohn	— „	9	„
4 Säcke Erdäpfel à 48 kr.	3 „	12	„
12 Pfd. Salz à 4½	— „	54	„
1 Maaß Kümmel	— „	8	„
*Bäckerlohn à 18 kr.	2 „	42	„
*Trinkgeld dem Bäckergesellen	— „	24	„
Holz zum Sieden der Erdäpfel	1 „	—	„
Summa	34 fl.	25	kr.

Für diese Ausgaben erhielt ich jährlich im Durchschnitte 1260 Pfd. Brod. Da ich 9mal des Jahres, jedesmal 14–15 Laibe, jeder im Durchschnitte 10 Pfd. schwer buck — ohne des weißen oder römischen Brodes, wovon ich vorhin sprach, zu gedenken. Demnach erhielt ich für einen Gulden 37 Pfd. Brod, das nicht nur um Vieles wohlfeiler, als das Bäckerbrod, sondern auch weit kräftiger, nahrhafter und wohlschmeckender ist.

Weit vortheilhafter ist aber dieses Gebäcke für einen Oekonomen, überhaupt für jeden Landmann, der gar manche Auslage, die ich als Städter zu bestreiten habe, nicht kennt. Bei diesem fallen alle in meiner Rechnung mit * bezeichneten Posten weg, und erzeugt also dieselbe Masse Brod, wie ich mit einem Aufwand von 29 fl. 20 kr.

Er erhält demnach für einen Gulden 43 Pfd. Brod, während ihm der Bäcker nach der angenommenen Raitung nur 27–30 Pfd. liefern konnte.

Indem ich nun diese Bemerkungen Einem Königlichen General-Comité unterthänigst vorlege, bitte ich um gütige Nachsicht für die Darstellung meines Verfahrens. Wohl hätte ich gewünscht, es möchte mir gestattet seyn, mich mündlich noch genauer über diesen Gegenstand vor Einem Königlichen General-Comité aussprechen zu können, allein mancherlei Verhältnisse halten mich von einer größern Reise zurück.

Mein innigster Wunsch kann aber nur der seyn, daß durch die zuerkannte Zufriedenheit Eines Königlichen General-Comités mein hiemit gehorsamst eröffnetes Verfahren recht vielen Familien unseres lieben Vaterlandes zum Nutzen und Segen gereichen möge.

In dieser angenehmen Hoffnung verharrt

Eines Königlichen General-Comités des landwirthschaftlichen Vereins

Ansbach den 9. Septbr. 1835.

Unterthänigster
Philipp Steinhäußer,
Bürger u. Buchbindermeister.

---

193. Die eigene Bewirthschaftung der Güter von Seite der großen Gutsbesitzer betr.

Auch einige Worte über die 2 hauptsächlichen Einwendungen der großen Gutsbesitzer wegen eigener Bewirthschaftung ihres Besitzthumes. (Centralblatt Monat Juli 1836. Seite 397.)

1) Sie sagen, die Bauern können in Kleinigkeiten mehr ersparen und Vortheil ziehen, als der große Gutsbesitzer; es sey aber auf der andern Seite auch richtig, daß der große Gutsbesitzer größern Gewinn ziehen könne, als der kleine Bauerngutsinhaber.

So richtig der Schluß in beiden Fällen ist, so ist dennoch nicht richtig, daß der große Gutsbesitzer gleich den kleineren Gutsinhabern gleiche Vortheile aus seinem Gute ziehe; denn dem großen Gutsbesitzer kostet die Anschaffung des Guts-Betriebs-Capitals zu viel, und er kömmt im Verlaufe von vielen Jahren nicht zu einem reinen Interesse Gewinn aus demselben. Die täglichen Erfahrungen liefern den Beweis dazu, daß nämlich das auf ein Oekonomiegut verwendete Kapital so niedrige Interessen abwirft, daß sich das Kapital durch den Verlust des Zinses zweimal verzehrt. Nur solche Gutsbesitzer, welche, wie dermal der Fall ist, ihre Kapitalien vortheilhaft auf Zinsen zu legen keine Aussicht haben, können selbe auf Güter Betrieb verwenden, und bei kaum 2 Procent Netto-Ertrag auf die Wiedererhaltung ihres Kapitals nach Ablauf von 50 Jahren rechnen.

Wie will nun aber ein Großgutsbesitzer mit der Verbesserung seines Guts zu Stande kommen — wenn er das Kapital dazu aufborgen, und wenn auch nur zu 4 Prozent verzinsen muß? Nun frägt sich, wie viele Großgutsbesitzer sind im Königreiche Bayern, welche der Verbesserung ihrer Besitzungen ein freies hinreichendes Kapital widmen können?

2) Heißt es in diesem Aufsatze, die Kenntniß der Landwirthschaft ist einem gebildeten Manne sehr leicht zu sammeln, größere und kleinere landwirthschaftliche Schriften geben Anleitung dazu.

Die Richtigkeit dieser zwei Sätze ist unbestreitbar; aber die praktische Ausübung derselben hat wichtige Anstände, und zwar zu den leichtern ist zu rechnen, die richtige Anwendung der theoretisch und praktischen Lehrsätze auf das Terrain, mit welchem die Versuche gemacht werden sollen; zu den schwierigeren: wie sollen die Ausfälle getilgt, der Schaden gutgemacht werden, wenn die mißlingenden Versuche einen Durchfall in der jährlichen Güter-Rente herbeiführen? Woher kommen die Geld-Mittel, diese Versuche zu realisiren?

Dann die ad 1 bemerkte Hilfsquelle ist dazu verderblich statt nützlich.

3) Wird die Schuld dem Mangel geeigneter Wirthschafts-Beamte zugemessen.

Es ist allerdings richtig, daß ein unrichtiger und in der Landwirthschaft kenntnißloser Gutsverwalter einem Großgüter-Besitzer unberechenbaren Schaden verursachen kann. Allein mit denen aus den landwirthschaftlichen Instituten kommenden Subjekten ist noch nicht alles abgethan, diesen mangelt noch vielseitige Praxis, vorzüglich aber richtige Terrain-Kenntniß, und der klimatische Einfluß auf die Erdschollen, welche er zum Paradiese umschaffen solle. Dieser Mann vom Fache, wie man ihn nennt, muß dann doch wohl zuerst auch nur Versuche machen, und es muß daher die erste Frage entstehen, wo werden die Geldmittel hergenommen, mit welchen man diese mißlungenen Versuche ersetzen, und neue Versuche unternehmen will?

Eben so wichtig ist die Frage, gewähren die Anordnungen und Versuche in der Landwirthschaft so vielen Gewinn, daß davon der Dirigent der Wirthschaft verhältnißmäßig seines Standes bezahlt werden kann? ich sage verhältnißmäßig, weil die Besoldung von Belang seyn muß, indem ihm die Erlernung seines Faches große Summe Geldes gekostet hat, welches er von Rechtswegen sich wieder zu ersetzen Gelegenheit haben, und nebenbei auch standesgemäß mit seiner Familie leben zu können, die Gewißheit haben muß.

Woher nimmt aber der Grosbegüterte Mittel dazu, wenn er sie selbst nicht besitzet?

Um diese für den Staat so wünschenswerthe Verbesserung der Besitzungen der Großbegüterten in's Leben treten zu sehen, dürfte daher vor allem nothwendig seyn, eine Geld-Hilfsquelle auszumitteln, aus welcher die Summen geschöpft werden könnten, durch die die Gutsverbesserungen erfolgen müssen, ohne den Großbegüterten in noch größere Schuldenlast zu stecken, als darin bereits der größere Theil derselben versunken ist.

4) Werden die Grosbegüterten dieses erste und nöthigste Mittel erreicht haben, so muß auch eine Gelegenheit eröffnet seyn, durch welche der vermehrte Ertrag der landwirthschaftlichen Produkte abgesetzt werden kann; denn wir bauen in Bayern selbst bei der im Durchschnitt bestellten Felderbewirthschaftung mehr als eine Million Schäffel Getreid zum Verkauf in's Ausland, welches gegenwärtig selbst bei den niedrigsten Preisen keine Abnehmer findet.

Bei zweckmäßiger Felder-Bewirthschaftung könnte man aber einen Theil der Felder zu andern nützlichen Pflanzengewächsen, als zu Runkelrüben, Oelgewächsen, Färber-Pflanzen, Tabakbau verwenden, den andern Theil aber zu verschiedenen Futterkräuter benutzen, durch welch' letzteres Mittel vorzüglich dem Viehstand emporgeholfen würde, der im Vergleich zum kultivirten Lande noch viel zu geringzählig, und in Betreff seiner körperlichen Qualität in mehr als zwei Drittheil des Reiches viel zu geringhaltig, schwächlich, und unansehnlich ist.

Gute Beispiele werden den Landmann ermuntern, Großbegüterte sollen dabei zum Beispiele dienen, aber woher das Geld nehmen? Dieses Beispiel geben zu können, welches die Verbesserung des Acker- und Wiesenbaues, die Vermehrung und Veredlung des Viehstandes, und endlich die Erbauung von Lokalitäten erheischet, die zur Vermehrung des Viehstandes vor Allem nothwendig sind.

Solle der Absatz von neuen Pflanzen-Gattungen, wie Runkelrüben, Oel-, Farben- und pharmaceutischen Gewächsen günstige Resultate liefern, so muß man Gelegenheit haben, diese vortheilhaft absetzen zu können, aber wo sind diese bei uns im Lande? und wo? und von wem werden sie erbaut und hergestellt? Der Absatz dieser Pflanzen-Arten im rohen Zustand aber ins Ausland abgesetzt, giebt einen zu uneinträglichen Gewinn, und die daraus im Ausland zubereiteten wiederkehrenden Stoffe bezahlen wir wieder so theuer, als vor diesem Unternehmen.

5) Um die Vermehrung und die Verbesserung der Landwirthschaft in Bayern sohin auf eine wünschenswerthe Stufe zu bringen, muß man vor allem die Auswege angeben, auf welchen der Landmann seine Produkte besser als bisher absetzen kann, und man muß die Fabriken und Handelsplätze benennen, welche derlei Landesprodukte aufkaufen, und zu welchen Preisen sie selbe bezahlen. Denn in diesen Fällen kann der Landmann mit Sicherheit spekuliren, seinen Besitzthum zu dieser oder jener Feldbauart zu verwenden, und der Großbegüterte kann nun mit Bestimmtheit berechnen, daß, wenn er auch zur Verbesserung seiner Landwirthschaft ein Kapital aufnimmt, er dieses nicht allein gehörig verzinsen, sondern in so viel Jahren dieses wieder heimbezahlen, und nebenzu sich selbst noch wohl etwas verdienen kann.

Der größere Theil der Aufrufe zur Vermehrung und zur Verbesserung der Landwirthschaft in Bayern sind bis jetzt darum unerhört geblieben, weil man durch frühere getäuscht, die so vortheilhaft gepriesenen Absatz-Gelegenheiten nicht findet, und die sauerverdienten und kostspielig erworbenen Landprodukte in die Hände schmutziger Mäkler fallen, und von Ausländern wieder mit theuren Preisen in's Vaterland zurückwandern sieht, wie z. B. die Schafwolle, rohe Thierhäute, Oelgewächse, Hopfen, Tabak, Färber und pharmaceutische Gewächse, und viele andere mehr.

Wird Bayern einmal mit solchen Fabriken und mit solchen Handelsplätzen versehen seyn, welche die vaterländischen Produkte zu verarbeiten, und nach dem Auslande zu verschicken sich Mühe geben, statt sie vom Auslande, vielleicht oft nicht um so leichtere Preise wie im Lande selbst wieder zu kaufen, so wird es bald mit der Landwirthschaft-Verbesserung vorangehen, insbesondere, wenn das Vorurtheil beim Publikum beherrscht, und dem

Handelsstande die üble Sitte abgewöhnt ist, bei seinen Mitbürgern für die ausländischen Waaren das Wort zu führen, und diese nur für ausländische Objekte der Mode reizbar zu machen.

6) Was übrigens das ausgeführte Beispiel von dem wahren Cincinnatus in Deutschland betrifft, so glaubt man die Bemerkung machen zu müssen, daß, wenn dieses großen Mannes landwirthschaftliche Vortheile wirklich so groß sind, als sie angerühmt werden, warum derselbe noch so wenig Nachahmer findet? Einem Zweiten und einem Dritten mögen freilich die Geldmittel nicht zu Gebot stehen, über welche derselbe zu disponiren hat, allein wenn der Vortheil der Landwirthschaft wirklich so evident hervorsticht, wie selber angerühmt ist, so ist zu glauben, zu hoffen und zu wünschen, daß von demselben der reine Gewinn durch Soll und Haben den Landwirthschafts-Freunden mit genauer Unpartheilichkeit vorgelegt würde; denn bekannter Dinge ziehen an und ermuntern Nichts mehr und Nichts besser als überzeugende Beispiele!!

Landwirthschaftliche Nachrichten u. Bücheranzeigen.

---

194. Noch Etwas über die todte Erde des Ackerbodens.

(Zu Nr. 56 des Monats April)

Der Landwirth kennt eine todte Erde des Ackerbodens.

Welche ist diese?

Man stosse sich nicht vorerst über diesen bildlichen Ausdruck, da man auch gegentheilig von dem „todten“ Buchstaben in der Registratur „begrabener“ Gesetze hören kann.

Todt ist im eigentlichen Sinne zwar keine Erdart: Auf gebundenem Sande gedeihen noch Föhren, Lehmboden ist der eigentliche Standort der Fichten- und Tannenwaldungen, im nassen Grunde finden eine Menge Wasserpflanzen ihr Gedeihen, auf Felsengestripp findet man noch einzelne Gewächsarten, selbst bloß auf Wasser gesetzt gewähren Zwiebeln, einige Rübenarten

u. dgl. ein Wachsthumsspiel, und Bruchkraut erhält sich in reinem Luftraum aufgehangen bei Leben u. s. f.

Dieses ist Alles wohl richtig; für das Ackerfeld ist aber jeder Boden einer einzelnen Erdart: als nasser Grund, Thon, Sand und Kalk völlig unfruchtbar, beigemischte Bestandtheile von einigen Mineralien der Vegetation sogar schädlich, u. reine Gewächserde hat wieder den entgegengesetzten Fehler, und ist zu geil.

Nur die verschiedene Vermischung dieser Erdarten, sie mag von dem Ungefähr der früheren Erdüberschwemmung oder von der Hand eines fleißigen und kenntnißvollen Landwirthes herrühren, bestimmt den Grad der Reichhaltigkeit oder Armseligkeit eines Ackerbodens, und die Tiefe der Krumme desselben.

Nach mehreren Analysen z. B. fand man die Bestandtheile des reichen Bodens in 2 Theilen Sanderde, 6„ Thonerde 1„ Kalkerde und 1„ Gewächserde bei einer wenigstens 1 Schuh haltenden Tiefe.

Wer demnach die Oeconomie aus Erfahrung oder durch Studium inne hat, dieser weiß richtig, mit einer Beimischung der fehlenden Bestandtheile das vorliegende Feld zu verbessern, und nur dieser allein kann es richtig beurtheilen, ob Tieferackern zur Vegetation der Feldfrüchte gedeihlich oder schädlich sey. Glücklich ist der Landwirth, wiewohl bei dem äußerst seltenen Fall, freilich immer, wenn er die fehlenden Bestandtheile seiner Ackerkrume gleich unter der bisherigen Pflugtiefe findet. Wem aber an dem Wohle seiner Landwirthschaft gelegen ist, und nicht genaue Kenntniß des Bodens zu Gebot steht, den kann man von der voreiligen Lust einer tiefen Ackerkrume nicht genug warnen. So wie er durch Tieferackern unrechte oder vielleicht gar ockerartige oder eisenschüssige Erdarten heraufholt, so ist auch statt der gehofften Verbesserung hiedurch das Feld schon für immer, oder doch wenigstens so lange verdorben, bis dasselbe durch vieljährige Meteore und kostspielige Beimischungen entgegenwirkender Bestandtheile wieder auf den früheren Erträgnißstand gebracht wird. Alle Kosten dieser zuletzt nothwendigen Verbesserungen und mehrjährige Rückschläge ergeben sich als Opfer der Uebereilung, und der unersetzliche Verlust des hierauf verwendeten Düngers giebt der ganzen Wirthschaft einen mächtigen Stoß zur Verschlechterung.

Die Athmosphäre wirkt bei der Untermengung von Dünger auf einem Boden richtig gemischter Erdarten außerordentlich, ausserdessen nur wenig und im ganz gegentheiligen Verhältniß gar nicht, man mag ackern so oft und so viele Jahre als man will. Selbst der Neubruch eines Waldgrundes, auf dem hundertjährige Abfälle der Bäume verfaulten und hiedurch eine Kruste einer Gewächserde bildeten, erschöpft sich, wenn die Erdarten-Mischung nicht entspricht, gewöhnlich nach zwei Aernten.

Ebenso zeigen auch auf Wiesen, wenn sie eben nicht gerade unter die besten gehören, und auf denselben z. B. zum Behuf der Abebnung Hügel abgestossen werden mußten, die abgeräumten Plätze nach 20 bis 40 Jahren im Gegenhalt des übrigen Wiesbodens noch einen Grasrückschlag. Bei guten Wiesen legt man bekanntlich aus diesem Grunde, ehe man ein dergleichen Geschäft vornimmt, den Rasen in Stücken bei Seite, um ihn beim Ende wieder auf der kahlen Stelle ausbreiten zu können; bei schlechteren will sich aber diese Weitläufigkeit nicht allezeit verlohnen, sondern man ist bei diesen gezwungen, die leeren Stellen mit häufigem Dünger nach und nach wieder zu befruchten, und dann erst nach einigen Jahren mit Grassamen zu überstreuen.

Ausführlichere Belehrung über die Kenntniß des Bodens, so wie überhaupt über die bessere Landwirthschafts-Praxis nach ächten Grundsätzen findet man im Buch: „Das Wichtigste der dermaligen Landwirthschaft, um sie zur höchsten Vollkommenheit zu bringen.“ Augsburg bei K. Kollmann.

Mich. Irlbeck,
Landwirth und Vereinsmitglied.

---

195. Ueber das Angewöhnen der Pflanzen an verschiedenes Klima.

Es dürfte immer eine schwere Aufgabe bleiben, Pflanzen von einer wärmern Gegend an eine rauhere zu gewöhnen. Die Ursache hievon mag größtentheils in örtlichen und klimatischen Verhältnissen liegen. Ich wohne 4 Stunden von Sachsen-Meiningen, welche Stadt unter dem 50° 37′ nörd. Breite liegt, was ich wegen des unten Vorkommenden zu bemerken für nothwendig halte.

Der Mangel an Waldungen auf dem höchsten Punkte des, fünf Stunden von mir entfernten Rhöngebirges, das bald im Herbste mit Schnee bedeckt wird, der nicht selten bis in den Monat Juni in den Klüften liegen bleibt, und dadurch bedeutend die Luft abkühlt, der kalte Lehmboden in der ganzen Umgegend, die immer mehr ausgerottet werdenden Waldungen in Vorderpolen, daher die scharfen Ostwinde, welche auch im hohen Sommer recht empfindlich auf den menschlichen Körper und auf die Vegetation wirken, ferner der spät eintretende Frühling und baldige Herbst mit dichten Nebeln können größtentheils als die Momente unseres rauhen Klimas bezeichnet werden. Wenn z. B. in Würzburg der Mandelbaum blühet, so sind hier selbst in der geschütztesten Lage eines Hausgartens seine Blätter noch nicht ganz entfaltet; und wenn es hier schneyet, so fällt in Würzburg ein feiner Staubregen, daher es denn auch kommen mag, daß unsere Obstbaumzucht nicht recht gedeihen will, d. h. unsere Obstbäume keine schmackhaften und ausgezeitigten Früchte bringen, ja feinere Baumgattungen z. B. die Aprikosen und Pfirschenbäume gar nicht fortkommen. *)

Um sich aber einen Begriff vom hiesigen Klima machen zu können, habe ich von mehreren Jahren her nach einem sorgfältig gearbeiteten Wärmemesser die Kälte-Grade auf ganz freiem Felde beobachtet, und theile das Resultat mit: welche Wirkung diese Kälte auf jene Pflanzen, die von Aschaffenburg hieher im Jahre 1824 verpflanzt wurden, gehabt hat, damit jener hiesige Freund der Natur, der seine Umgebung zu verschönern sucht, auch das Schöne mit den Nützlichen verbinden will, nicht Sträucher auswähle, auf welche er unter ähnlichen klimatischen Verhältnissen vergebliche Mühe im Anbau und Kosten verwenden würde, weil ihr gutes Fortkommen ganz unsicher seyn würde.

---

*) Schon meinem Vater mißlangen nach einer Rückreise aus Italien im Jahre 1783 die Versuche Behufs der Seiden-Raupenzucht zur Anpflanzung von weißen Maulbeerbäumen, von welchen jetzt nur noch ein einziger vorhanden ist, so auch jene mit dem Anbau des Reißes in einem Garten, der unter Wasser gesetzt werden konnte. Auch meine vor mehreren Jahren angepflanzten weißen Maulbeerstämmchen giengen durch die Kälte, bis auf ein einziges zu Grunde, von dem sich aber erwarten läßt, daß es unter günstigen Verhältnissen zum Baume heranwachsen werde.

Kältegrade.

Im Jahre 1826 — 17° R., 1827 — 23°, 1828 — 10°, 1829 — 18°, 1830 — 24, 1831 — 19°, 1832 — 7°, 1833 — 13°, 1834 — 11°.

Es erfroren im Jahre 1830 1. die rothblühende Acazie auf die gemeine veredelt. 2. Amorpha fruticosa; 3. Amygdalus communis. 4. Colutea zwei Arten; 5. verschiedene Arten von Haselnußstauden; 6. Coronilla emerus; 7. Cytisus Laburnum; 8. Cytis. nigricans; 9. Cytis. purp.; 10. Hibiscus Syriac.; 11. Hippophae rhamnoides; 12. eine Abart von der Lonicera. mit röthlichen Blumen; 13. Mesp. pyracantha; 14. Morus alb.; 15. Prun. mahaleb.; 16. Rhus cotinus; 17. Rhus typhinum; 18. Salix babilonica kommt gar nicht fort, selbst nicht im naßgründigen Boden, da sie immer gipfeldürre wird, und jährlich die jungen Triebe erfrieren. Von der Wurzel schlugen im folgenden Jahre aus: Nr. 3. 4. 5. 6. 7. 8.

Die Winterkälte von verschiedenen Jahren vertrugen ohne alle Bedeckung 1. Amygd. nana. 2. Eine Clematis mit blauen glockenförmigen Blumen. 3. Cytisns sessilifolius. 4. Hypericon. 5. Ilex Aquifolium, Stechpalme, welche Pflanze seit 16 Jahren an einem und eben demselben Standorte im Wachsthume zwei Schuh hoch blieb. 6. Lonicera alpigena. 7. Lycium europ. 8. Periploca graeca. 9. Potentilla fruticosa. 10. Taxus kommt im Wachsthum gar nicht fort. 11. Juniperus sabina. 12. Zanthoxylum u. dgl. mehr.

Sämmtliche Pflanzen befanden sich in einem Hausgarten in einer ganz freien Lage. Hoffnung hat man, die Fraxinus pendula, auf die gemeine gepropft, fortkommen zu sehen. Der wilde Oelbaum hatte mehrere Winter glücklich überstanden; aber ein kleiner Tulpenbaum gieng schon bei einem gelinden Winter zu Grunde. Das Spartium junceum, welches in der Maingegend an den Abhängen von Waldungen so häufig als Buschbaum angetroffen wird, konnte nie angepflanzt werden. Im Jahre 1835 am 14. Novbr. hatten wir eine Kälte von 15°, die auch auf unsere Obstbäume eine sehr nachtheilige Wirkung hatte, weil sie noch nicht entblättert waren. Im Jahre 1836 am 11. Mai erfroren in unserer ganzen Umgegend beinahe alle Weinstöcke, die Jahre lang die Vorderwände, resp. die Mittagseiten der Wohnung in der Höhe von 18 Schuhen überdeckt hatten; so gieng auch der Weinstock an meiner Wohnung zu Grunde, den ich sechs Jahre lang gepflegt hatte. Der Mangel an Regen verursachte, daß in diesem Sommer eine Menge Obstbäume an den Landstrassen und Nebenwegen zu Grunde

winnt durch seine Verbringung in das Flachland einen erhöhten Werth, während in diesem der Waldboden vermindert, und edlerer Produktion zugewendet werden kann. Holzhandel und Viehzucht sind die Erwerbsquellen im Gebirge; jener beschäftiget die männliche Bevölkerung, diese vorzugsweise das weibliche Geschlecht. Den Mann beschäftiget Fällung, Transport und Verflössung das ganze Jahr hindurch, die Sorge um das Vieh, selbst großentheils die Alpenwirthschaft, bleibt dem weiblichen Geschlechte überlassen. Ohne diese beiden Nahrungszweige müßten die Gebirgsthäler veröden. Die Berge sind Holzkammern für ebene Länder, der Bergbewohner ist Holzlieferant; in den Bergen befinden sich jene großen Wasserbehältnisse, welche ihre kostbaren Fluthen in die Ebene ergiessen, auf den Bergen vorzugsweise bilden sich die Regen, welche die Fluren befruchten.

Wenn aber die Waldungen gefällt sind, so versiegen mit den Quellen des Erwerbes für die Bewohner auch die reichhaltigen Wasserquellen, die Regen fallen nicht selten in verderblichen Güssen nieder, Erdstürze kommen häufiger vor, Hitze und Kälte wechseln schneller, und werden empfindlicher, Frost und Hagel und Reif erscheinen öfters und von fühlbaren Folgen begleitet. Daher die Wichtigkeit der Gebirgswaldungen aus dem Gesichtspunkte der Sanität.

Waldungen und Weiden sind im Gebirge großentheils unzertrennlich, die Erhaltung beider ist gleichbedeutend mit der Erhaltung der Güter, die mit Wald und Weide schon seit Jahrhunderten bestehen, woher es auch kömmt, daß diese Güter gewöhnlich so ausgedehnte Forstrechte geniessen, aber auch geniessen müssen, wenn sie fortbestehen sollen. Es wäre betrübend, einen so wehrhaften, kräftigen Menschenschlag, wie wir ihn in unsern Gebirgen treffen, genöthigt zu sehen, den Bettelstab zu ergreifen, und dieses müßte er thun, wollte man ihm seine Subsistenzmitteln verkümmern. Hier kann es sich nicht darum fragen, wie viele Gulden reine Rente etwa die Gebirgswaldungen tragen, bis zu welchem Grade ihr Ertrag gesteigert werden könne; sie sind nothwendig zum Zwecke des Staates, sie müssen erhalten werden, sollen sie auch gar nichts rentiren; hier müssen die rein finanziellen Rücksichten den staatswirthschaftlichen ausweichen. Auf mittelbarem Wege gewähren die Gebirgswaldungen unberechenbare Vortheile, durch Befriedigung der Holzbedürfnisse anderer Gegenden, durch Erhaltung meist wohlhabender Bevölkerung, welche ihre nicht geringen grundherrlichen Lasten, Steuern s. a. aus dem Handelsgewinne mit Holz, aus der Ausbeute der Viehzucht zahlen, endlich, wie schon oben angedeutet wurde, durch den wohlthätigen Einfluß, den sie auf Fruchtbarkeit und Annehmlichkeit großer Länderstrecken üben.

Wenn daher schon im Allgemeinen das Augenmerk der Staatsregierung auf Erhaltung der Gebirgswaldungen gerichtet seyn muß, so gewinnt diese Sorge ganz besondere Bedeutungen bei unsern Waldungen im Werdenfelsischen, in der Gegend von Benediktbeuern. Diese Waldungen, zum Theil nicht entfernt, zum Theile ganz an floßbaren Flüssen, der Loisach und Isar gelegen, welche ihre Fluthen der Hauptstadt zusenden, bilden den Gebirgswald-Complex, welcher die Städte und Dörfer an der Isar bis zur Donau mit Bauholz, zum Theile auch mit nöthigem Brennholz-Materiale versorgt. Es ist nicht zu gewagt, wenn man behauptet, die Hauptstadt München selbst mit ihren ansehnlichen Gebäuden sey zum bei weitem größten Theile aus dem Gebirgsholze erbaut, denn in den benachbarten Staatsforsten ist wenig Nachfrage nach Bauholz, und wäre sie auch, sie wäre größtentheils umsonst. Die Zufuhr an Brennholz auf der Isar entweder durch die Trift oder auf Flössen hat die Hauptstadt noch fortwährend vor dem übermässigen Steigen der Holzpreise bewahrt, und in diesen ein gewisses Medium bisher erhalten. Die Waldungen der nächsten Umgebung mit ihrer schlechten Produktion würden das Holzbedürfniß allein nicht decken, so wie auch die Viehzucht in der Umgegend bei magern Weiden nicht für den Bedarf der Hauptstadt erklecklich wäre. Aber nicht blos Bau und Werkholz liefert uns das Hochgebirg; auch Gyps, Steine, Kohlen, Bretter, Schnittwaaren sendet dasselbe, und nimmt dafür Getreide und Fabrikwaaren in Empfang. Wie wichtig der Holzhandel allein für das Gebirge und seine Bewohner sey, mag unter andern aus der Aerarialholztrift einem Theile dieses Handels bemessen werden. Ohne Anrechnung der Mannsnahrung eines mässigen Handelsgewinnes, bloß für Arbeit und Bringerlohn zahlt das Trift Amt in den Rentämtern Tölz und Werdenfels jährlich im Durchschnitte 50,000 bis 60,000 fl., und dieses Triftholz steht zur Menge und zum Werth des Stamm- und Schnittholzes, welches jährlich verflößt wird, in gar keinem Verhältnisse. — Von welcher Bedeutung die Viehzucht im Gebirge für die Ebene, und wie sehr der Betrieb der Viehzucht durch die selten ergiebigen Gebirgsweiden bedingt sey, braucht wohl nur bemerkt, aber nicht weiter ausgeführt zu werden. Nicht minder klar ist, daß auch die Streubezüge für den Gebirgsbewohner von nicht gleichgiltigem Werthe seyn können, da an einen Strohdünger im Gebirge nicht zu denken ist.

Schon diese Andeutungen dürften genügen, die gänzliche Unausführbarkeit der Forstpurifikations-Maßregeln im Gebirge zu zeigen. Gerade jene Nutzungen, welche am Wege der Purifikation aus den Staatswaldungen entfernt werden sollen, bilden im Gebirge die vorzüglichsten, ja beinahe ausschließlichen Erwerbsquellen der Gebirgsbewohner; Purifiziren wäre hier so viel als zu Grund richten, so lange, was wohl kaum möglich seyn würde, dem Bergbewohner nicht andere nachhaltige Erwerbsquellen eröffnet werden könnten. Auf Holz und Weide hat ihn die Natur selbst hingewiesen, möge die Staatskunst ihm diese Genüsse ruhig lassen! Leider! dachte man nicht immer so.

Auch im Gebirge fehlte es zu einer gewissen Zeit — sie liegt kaum 30 Jahre hinter uns — nicht an Experimenten, die Waldservituten mit Entschädigungsflächen abzulösen, und Reservate durch Verkauf in Privatbesitz übergehen zu lassen. Wir kennen Waldungen, sie liegen nicht ferne der heimathlichen Isar — die dem Schicksale der Purifikation nicht entgiengen. Was war die Folge? Der Landmann, aller Fesseln entledigt, die eine weise Forstaufsicht früher angelegt hatte, griff nach der Axt, und drei Dezennien waren mehr als hinreichend, um den Vorrath aufzuzehren, der ein Jahrhundert hätte ausreichen sollen. Die Berge in jenem Gebirgstheile sind jetzt meistens kahl, und die vorher wohlhabende Bevölkerung sinkt in Armuth. Die Lasten haben sich nicht vermindert, aber die Quellen des Ertrages, und lange wird es dauern, ehe jene Wunden vernarben. Jetzt, nach so vielen traurigen Erfahrungen erkennt man den Werth der Gebirgs Waldungen, und ihre Stellung zum Nationalreichthume zu gut, um sich von glänzenden Theorien täuschen zu lassen, man ist zurückgekehrt von der unseligen Ansicht, daß Bäume nur Unkraut seyen, das man ausreuten müsse, auch weiß so ziemlich Jedermann, daß das Holz zu seiner Reife gegen hundert Jahre braucht, während die Aernte auf Aeckern und Wiesen alljährlich wiederkehrt. Aus diesem Grunde aber eben bleiben Mißgriffe in der Waldwirthschaft durch ganze Generationen fühlbar, während der fleißige Landmann die Fehler unklugen oder liederlichen Beginnens in wenigen Jahren rationell betriebenen Landwirthschaft wieder gut macht.

Nicht genug indessen ist es, daß dem Gebirgsbewohner seine Nutzungen aus den Staatswaldungen verbleiben, die letztern selbst müssen auch unter einer zweckmäßigen Aufsicht und Administration stehen, welche dem benachbarten, ohne seinen Genuß zu verkümmern, den nachhaltigen Ertrag desselben sichert. Eine solche Administration kann von dem Einzelnen nicht erwartet, ihm nicht zugemuthet werden, sie kann nur vom Staate ausgehen. Wir fürchten hier nicht den einst so beliebten Exclamationen über Bevormundung des Volkes, über volksthümliche Entwicklung u. s. w. begegnen zu müssen. Auch sind wir weit entfernt, gegen den anerkannten Grundsatz der Staatswirthschaft ankämpfen zu wollen: daß Jeder von selbst das natürlichste Interesse an möglichster Benützung seines Eigenthums habe. Aber gerade bei Benützung der Waldungen findet diese Regel eine gewaltige Ausnahme. Der Bauer, uneingedenk des Bedarfes seiner Nachkommen, unbekümmert um die Zukunft, nur das Bedürfniß des Augenblickes erfassend, kennt Rücksichten und Mittel nachhaltiger Bewirthschaftung zu wenig. Man gebe die, zum Theile durch die Säcularisation an den Staat gekommenen Waldungen im bayerischen Hochgebirge frei, und unaufhaltbare Devastationen werden in kurzer Zeit den gänzlichen Ruin, und in Folge dessen späterhin die Verarmung der Gebirgsbewohner herbeiführen. Diese Besorgniß ist nicht aus der Luft gegriffen, die Erfahrung der Vergangenheit rechtfertiget sie in einer unserer schönsten Gebirgsgegenden, in welcher gänzlicher Mangel an Forstaufsicht, sträfliche Indolenz allem Mißbrauche der Berechtigten Zaum und Zügel ließ. Jetzt beklaget der Sohn, der Enkel die ungezügelte Willkühr, deren sich in den Forsten früher Vater und Großvater erfreuten.

Wenn wir indessen die Nothwendigkeit einer fortdauernden Administration durch den Staat anerkennen, so sind wir keineswegs gemeint, ein Eingreifen derselben zum Nachtheile der Eingeforsteten und zu pekuniären Zwecken des Aerars zuzugeben. Die Administration beschränke sich darauf, Ordnung zu erhalten, den nachhaltigen Ertrag zum Vortheile der Berechtigten sicher zu stellen, für die Bedürfnisse durch Einforstung zu sorgen, die Gränzen der Berechtigungen da, wo sie durch Mißbrauch oder Uebergriffe im Laufe der Zeit in Verwirrung gerathen sind, am Wege der Uebereinkunft auf bleibende Weise zu fixiren, namentlich auch zur Förderung der, noch lange nicht gehörig betriebenen Alpenwirthschaft kräftigst mitzuwirken. Mag auch manche von den, zur Begründung besserer Ordnung unerläßlichen Bedingungen, besonders bei dem, zum Theile so gesunkenem Wohlstande der Gebirgs-Waldungen dem Berechtigten lästig im Rückblicke auf die Vergangenheit erscheinen, die Nachkommen werden dankbar die Früchte solcher Maßregeln ärnten, und bessere Einsicht wird an die Stelle übelverstandener Freiheit treten.

---

197. Runkelrübenzucker.

Die Runkelrüben-Zuckerfabrikation hatte von jeher das Schicksal, daß zu überspannte Versprechungen von ihrem Betrieb gemacht wurden, und daher, wenn kostspielige Einrichtungen darauf hergerichtet waren, und diese sich endlich nicht rentirten, das Ganze wieder in Verfall gerieth, und für Andere ein abschreckendes Beispiel blieb. So höre ich von einer Zuckerfabrik in Norddeutschland, von der übrigens noch nichts Großartiges von Runkelrüben-Zuckerfabrikation bekannt ist, das Geheimniß, 14 pCt. an Zucker aus den Runkelrüben zu gewinnen, um ein schweres Geld verkaufen. Welcher Sachkundige wird sich wohl des Lachens enthalten können? Da die Runkelrüben nach Verschiedenheit ihrer Spielarten von weißen, gelben und rothen, und ihres verschiedenen Anbaues höchstens nur 10 Pfd. Syrup in Allem geben und dieser höchstens 2/3 Zucker und 1/3 Melasse liefert, folglich im Ganzen höchstens 6 Pfd., und keine 14 Zucker vom Zentner gewonnen werden.

Bei meiner Zuckerfabrikation, die ich bereits 20 Jahre, jedoch nur versuchsweise und zur Nahrung meines kleinen Viehstandes betrieb, machte ich folgende Erfahrungen, die ich jedem Liebhaber zu diesem Geschäfte offenkundig mittheile.

In der Absicht, daß für das Rindvieh noch ein nahrhafter Rückstand übrig bleiben mußte (denn dieses hielt ich für zweckmäßig, damit dem Felde die Besserung nicht entgieng) erhielt ich durch meine eigens gefertigte Reibmaschine und Presse, die den Rückstand in einem bröcklichten für das Rindvieh und die Schafe noch geniesbaren nahrhaften Zustande zurückließ, höchstens noch 30 Pfd. dieses Rückstandes und ohngefähr 70 Pfd. Brühe vom Zentner, und diese 70 Pfd. Brühe lieferten durch zweckmäßiges Eindicken höchstens 7 Pfd. Syrup, dieser aber bei fernerem Eindicken 4 Pfd. Zucker und 2 Pfd. Melasse, denn 1 Pfd. von diesem Syrup gieng durchs Eindicken und Krystallisiren an Feuchtigkeit noch verloren und mein ganzer Ertrag an Rohzucker (der jedoch durchs Ralfiniren zu Kandis oder Melis auch noch 10 pCt. verlor) waren dann gegen 4 Pfd. vom Zentner, wenn alles gut von Statten gieng, allein ich hatte öfters mit unangenehmen Erfahrungen zu kämpfen, doch war ich für die Deckung meines Aufwandes mit der Ausbeute zufrieden. Wo übrigens die 10 Pfd. Zucker weiter stecken sollen, wird jedem Sachkundigen räthselhaft bleiben, denn wenn auch die 30 Pfd. Rückstand durch Dampfkochung (worauf man das Gewicht legt) vollends ganz in Saft umgeschaffen würden, was jedoch nicht möglich ist, da immer wenigstens noch 10 Pfd. Faserstoff übrig bleiben, und die gewaltige Dampfkochung doch nicht diesen vollends in Zucker umwandelt, so können im Ganzen doch höchstens nur 6 Pfd. Zucker vom Zentner gewonnen werden, und dieses scheint auch genug zu seyn für Deckung des Arbeitslohnes zum Betrieb einer Syrupfabrikation und dem Verkauf desselben an die Raffinerien, womit sich der Landwirth befassen mag, wie er sich ohngefähr mit der Kartoffel-Branntweinbrennerei bisher befaßte.

Lohr a/M den 1. Juni 1836.

J. A. Kurz,
Apotheker.

---

198. Ueber Syrupbereitung aus Runkelrüben.

Hr. Maschinenfabrikant Jordan hat in Nr. 91 der Großh. Hess. Zeitung auf den schon früher von mir empfohlenen Anbau der weißen Runkelrübe aufmerksam gemacht, und zugleich die Bemerkung beigefügt, daß auf den meisten Gütern in Schlesien und Böhmen die Syrupbereitung eingeführt sey. Diese Angabe, welche in der landw. Zeitschrift Nr. 14 als auf einem Irrthume beruhend, widerlegt ist, beruht auf einer früheren Mittheilung von mir, daß die Syrupbereitung auf vielen Gütern Statt finde, und ich hatte keine Ursache, diese mir schon vor 8 Monaten mitgetheilte Nachricht zu bezweifeln. Ob die in Böhmen bereits in's Leben getretene Syrupbereitung nur in besonders hierzu bestimmten, auf großen Gütern angelegten Fabriken Statt findet, ist mir nicht bekannt; da Herr Jordan dieselbe jedoch bei einem Anbau von 25 Morgen für vortheilhaft hält, so erlaube ich mir, meine Ansicht hierüber zur allgemeinen Kenntniß zu bringen, um so mehr, als der Hr. Verfasser des Aufsatzes in der landw. Zeitschrift zur Mittheilung eines Kostenanschlags auffordert.

Ich theile die Meinung des Hrn. Jordan, daß bei einem Anbau von 25 Morgen die Syrupbereitung unter den S. 107 der landw. Zeitschrift angeführten Bedingungen mit Vortheil betrieben werden kann, wobei auf den Boden vorzügliche Rücksicht genommen werden muß, da die zur Zuckerfabrikation anwendbaren Rüben mit weißer oder rother Schale in einem zur Kultur derselben nicht geeigneten Boden sehr leicht ausarten. Ich ziehe einen kräftigen, möglichst tiefen, schwitzenden *) Sandboden vor, und eine mehrjährige Erfahrung hat mich überzeugt, daß der zum Anbau der gewöhnlichen Dickrübe ebenfalls geeignete schwere, etwas nasse Boden zum Anbau der Zuckerrunkelrübe nicht vortheilhaft ist; dagegen bezweifle ich nicht, daß ein leichter Lehmboden und noch mancher andere Boden ebenfalls recht gut ist. Der Saft der in einem leichten Boden gepflanzten Rüben ist selbst dann, wenn solche eine bedeutende Größe erreichen, nicht nur zuckerreicher, sondern die Zuckerbereitung ist auch mit weniger Schwierigkeiten verbunden. In einem kräftigen lockeren Boden giebt der hess. Morgen (400 Klafter) bei sorgfältiger Behandlung einen Ertrag von 200 Zntr. und mehr, ich erhalte bei einem Anbau von 50 Morgen circa 150 Zntr. per Morgen im Durchschnitte, habe jedoch bei der unten folgenden Berechnung nur 125 Zntr. als mittleren Ertrag angenommen.

Ob es vortheilhaft ist, die Rübe mit weißer oder rother Schale als Viehfutter anzupflanzen, wage ich nicht zu entscheiden, da mir der Ertrag einer mit den gewöhnlichen Dickrüben angepflanzten Fläche nicht bekannt ist, und ich keine Gelegenheit hatte, vergleichende Versuche anzustellen, der bedeutend größere Zuckergehalt der beiden ersteren scheint jedoch für die Bejahung dieser Frage zu sprechen, auch soll in Roville, einem der besten landwirthschaftlichen Institute Frankreichs, die sogenannte schlesische Rübe als Viehfutter angebaut werden, ohne dieselbe vorher auf die Gewinnung des Zuckers zu be-

---

*) Unter dem in hiesiger Gegend gebräuchlichen Ausdruck „schwitzender Sand" ist ein feuchtgelegener Sandboden verstanden. D. H.

nützen. Es ist mir eben so wenig bekannt, ob die Rüben mit weißer Schale zuckerreicher sind, als diejenigen mit rother Schale, oder ob sie andere Vorzüge vor einander besitzen, in Frankreich wird vorzugsweise die erstere zur Zuckergewinnung angewendet. Beide Arten kommen unter dem Namen der schlesischen Rübe vor, denn nach S. 108 der landw. Zeitschrift wird die Rübe mit rother Schale so bezeichnet, sowohl aus Frankreich als aus Schlesien unter diesem Namen erhaltener Same hat mir dagegen größtentheils weiße Rüben geliefert; von Achard wird diese als die zuckerreichste empfohlen, und Mathieu de Dombasle *) versichert, die Rübe mit weißer Schale von Hrn. von Koppy unter dem Namen der schlesischen erhalten zu haben.

Ich habe bei Bestimmung des Werthes der Runkelrüben den Preis von 16 kr. pr. Zntr. angenommen, zu welchem dieselbe wohl überall ohne Verlust gebaut werden kann, und zu welchem auch die gewöhnliche Dickrübe in hiesiger Gegend verkauft wird, so wie denselben Preis auch für die ausgepreßten Rüben in Rechnung gebracht. Wenn gleich bei einer Annahme von 10 pCt. Zucker, unter der Voraussetzung, daß 65 pCt. Saft ausgepreßt werden, in 100 Theilen ausgepreßter Rüben nur 9½ pCt. Zucker enthalten sind, so werden diese, wenn man auch die in derselben enthaltene dreifache Menge Pflanzenfaser nicht berücksichtigt, als Viehfutter dadurch einen größern Werth erhalten, daß in denselben noch nicht die Hälfte des in einer gleichen Quantität unausgepreßter Rüben enthaltenen Wassers enthalten ist, und letztere eines größern Zusatzes trocknen Futters bedürfen.

Ob meine Ansicht die richtige ist, überlasse ich dem Urtheil erfahrener Oekonomen, ich kann zur Begründung derselben nur die Thatsache anführen, daß möglichst stark ausgepreßte Rüben, welche nur noch 1 – 1½ pCt. Zucker und 10 – 15 pCt. Wasser enthalten, mit Zusatz von klein geschnittenem Stroh ein vorzügliches Nahrungsmittel abgeben.

Bei Berechnung des Arbeitslohnes habe ich, da die Syrupbereitung in die Monate Oktober, November und Dezember fällt, und Mehreres von dem in der Oekonomie bereits vorhandenen Personal besorgt werden kann, für das Waschen und Herbeitragen der Rüben um so weniger etwas in Rechnung ge-

*) Vorsteher des Institutes in Roville. D. H.

bracht, da diese Arbeiten, so wie selbst das Zerkleinern derselben auch dann vorgenommen werden müßten, wenn die Rüben nicht zur Syrupbereitung benützt würden, und es können daher nur in Rechnung gebracht werden für

1 Arbeiter zum Läutern und Einkochen des Saftes, täglich 12 Stunden	— fl.	24 kr.
6 Arbeiter bei der Reibmaschine und den Pressen, täglich 8 Stunden à 16 kr. .	1 „	36 „
1 Arbeiter zum Waschen der Säcke, Herbeitragen des Brennmaterials u. dgl., täglich 8 Stunden	— „	16 „
2 Pferde zur Bewegung der Reibmaschine, welche, wenn gleich die Arbeit nur 2–3 Stunden Zeit erfordert, doch 6–8 Stdn. disponibel seyn müssen, à 30 kr.	1 „	— „
Summe .	3 fl.	16 kr.

25 Morgen à 125 Zntr. liefern 3125 Zntr. Rüben, und um solche in 100 Tagen in Syrup zu verarbeiten, müssen täglich 3125 Pfund Rüben verwendet werden, welche, wenn stark wirkende Pressen in Anwendung kommen, womit 65 pCt. Saft erhalten werden, täglich circa 2025 Pfd. Saft und 1100 Pfd. ausgepreßte Rüben liefern. Um die Rüben in 6–8 Stunden zu zerreiben, und in 12 Stunden zu Syrup einzukochen, können die Anlagekosten, mit Ausnahme des erforderlichen Lokals, betragen:

1) für eine Reibmaschine mit dem erforderlichen Triebwerk	300 fl.
2) für eine Schraubenpresse mit eiserner Spindel	300 „
3) für einen Läuterungskessel von circa 1½ Ohm mit dem Mauerwerk	150 „
4) für 2 Kessel zum Einkochen des Saftes . .	250 „
5) für eine Schaumpresse	50 „
6) für verschiedene Utensilien	250 „
Summe .	1300 fl.

Die jährlichen Ausgaben betragen für:

	fl.	kr.	fl.	kr.
3125 Zntr. Rüben à 16 kr. . . .	833 „	20 „		
400 „ Steinkohlen à 48 kr. .	320 „	— „		
20 „ Thierkohle à 5 fl. . .	100 „	— „		
Jährliche Anschaffung der Säcke, Horden, Kalk u. dgl.	100 „	— „		
Arbeitslohn in 100 Tagen à 3 fl. 16 kr.	326 „	40 „		
			1680	—
Hiezu die jährlichen Zinsen à 5 pCt.			84	—
die Zinsen des Anlage-Kapitals à 10 pCt. . . .			130	—
Vergütung für das Local			50	—
			1944	—

Die Einnahme beträgt:

	fl.	kr.	fl.	kr.
325 Zntr. Syrup *) von 30° Beaumé à 6 fl. **)	1950	—		
1100 Zentner ausgepreßte Rüben à 16 kr.	293	20		
			2243	20
Hievon ab die Ausgabe mit			1944	—
bleibt Gewinn			299	20

wonach der Gewinn pr. Morgen circa 12 fl., so wie der Brutto-Ertrag circa 46 fl. beträgt.

---

*) Der Hr. Verfasser hat oben 65 Procent rohen Saft oder im Ganzen 2025 Zntr. Saft angenommen; hiervon sind 325 Zntr. Syrup à 30 Grad gerechnet, was also fast $\frac{1}{6}$ des rohen Saftes oder etwas über 10 Prozent Syrup von den verwendeten Rüben beträgt; hievon wird man nicht ganz die Hälfte krystallisirten Zucker oder nahe an $4\frac{1}{2}$ Prozent Zucker, auf die rohen Rüben berechnet, bei gewöhnlich guter Verfahrungsart erhalten können. D. H.

**) Zu diesem Preise, und wenn der Syrup recht gut behandelt worden, auch noch etwas höher, werde ich recht gerne den Syrup von gedachter Beschaffenheit annehmen. D. Verf.

Ist der Boden zur Kultur der Runkelrüben vorzüglich geeignet, so daß man auf einen Ertrag von wenigstens 150 Zntr. rechnen kann, so würde der Gewinn um mehr als ⅓ erhöht werden, da mit denselben Apparaten in derselben Zeit eine größere Quantität Rüben verarbeitet werden kann, ohne das Anlage-Kapital bedeutend zu vergrößern, und bei einer Erhöhung von 100 – 200 fl. selbst die doppelte Quantität verarbeitet werden könnte.

Von dem bei der Syrupbereitung berechneten Gewinn müssen noch die Transportkosten des Syrups in die Zuckerfabrik in Abrechnung gebracht werden, in den meisten Fällen werden jedoch die dadurch entstehenden Kosten den Werth der bei der Aernte der Rüben erhaltenen Blätter und Wurzelköpfe nicht erreichen.

Darmstadt im Mai 1836.

Rube.

---

199. Versuche über das Trocknen des Tabakes in offenen Schopfen.

Nicht selten vernehmen wir die Stimme unserer Tabakskäufer, daß die vaterländischen Tabake im Allgemeinen einen bessern Werth erreichen dürften, wenn der Landmann sich mehr bemühte, die Tabake beim Trocknen aufmerksamer zu behandeln und dadurch eine bessere Qualität zu erzielen.

Es soll nicht selten der Fall seyn, daß, zumal bei der gegenwärtigen starken Produktion, die Tabake beim Aufhängen allzudicht zusammengehäuft werden, wodurch dieselben langsam trocknen, eine schlechte Farbe annehmen, nnd nicht selten dem sogenannten Dachbrande ausgesetzt sind, wodurch die Qualität bedeutend vermindert, und dem Tabakpflanzer die Einnahme geschmälert wird.

Die Ursache dieses Verfahrens liegt hauptsächlich in dem Mangel zweckmäßiger Trockenhäuser, wodurch die Tabakspflanzer genöthiget sind, die Blätter in angefüllten Scheuern, verdumpfenen Speichern, und in andern unpassenden Orten dicht zusammenzuhängen und so dem Verderben auszusetzen.

Die Unterrheinkreis-Abtheilung zu Heidelberg hat diesen wichtigen Gegenstand in Erwägung gezogen, und im landw. Garten dahier das Trocknen der Tabake in einem offenen und transportablen Schopfen im größeren Maßstabe versucht, worüber wir, bei der jetzt herannahenden Tabaksärnte die Resultate nachstehend mittheilen.

Man ließ einige Böcke von 12 Schuh Länge und 12 Sch. Höhe, nach Art derjenigen, welcher die Maurer zur Anfertigung ihrer Gerüste sich bedienen, vom Zimmermann aus leichtem Stangen- und Riegelholz fertigen, stellte diese in einer Reihe, 12 Schuh von einander entfernt, auf, und setzte darüber ein aus beweglichen Brettern und Sparren bestehendes Dach, wodurch einen 15 Schuh hohen und 13 Schuh breiten gedeckten Raum erhielt.

Die Seiten blieben ganz offen, und damit die Luft und Sonne gehörig einwirken konnte, so wurden an trockenen Tagen einige Borde abgenommen, und Abends wieder gehörig aufgelegt.

Der ganze bedeckte Raum wurde weiter mit Stangen belegt, um den gewonnenen Tabak nach gewöhnlicher Art daran hängen zu können.

Bald nach dem Aufhängen welkten die Blätter ab, wurden am Rande gelb, und nahmen beim allmähligen Trockenwerden eine feurige rothgelbe und rothbraune Farbe an, während dem die auf den Speicher gehängten Blätter nur sehr langsam trockneten, und eine grünliche unansehnliche Farbe erlangten, welche den Werth des Tabakes bedeutend verminderte.

Obgleich wir im Oktober meist feuchtes und regnerisches Wetter hatten, so trockneten die Blätter im offenen Schopfen dennoch so schnell, daß sie in der Mitte des Novembers abgehängt werden konnten.

Der Landmann wird hier einwenden, daß nicht jeder solche Schopfen von theurem Holze erbauen könne, und daß die allzufreihängenden Tabaksblätter vom Winde zu sehr zerschlagen und beschädigt würden. Darauf läßt sich aber erwiedern, daß solche Trockenschopfen nicht gerade aus kostspieligem Bauholze, und die Dächer von Bord gefertigt werden müssen, sondern, daß man dieselben aus verschiedenen Stangen, die in den Boden befestiget werden, selbst zusammenstellen, und das Dach aus Pfriemen oder Stroh anfertigen kann, wozu selbst der Aermere Mittel und Gelegenheit finden dürfte.

Um das Zerschlagen der Blätter durch den Wind zu verhindern, schnitten wir eine Parthie Tabaksstengel sammt den Blättern am Boden ab, und behiengen damit alle Seiten des Schopfens, wodurch eine Art Wand gebildet wurde, die den Wind nur leicht durchstreichen ließ, und die im Innern befindlichen Blätter gehörig schützte.

Bei solchen leichten Bedeckungen ist nicht zu vermeiden, daß bei starken Regengüssen der Tabak an den Seiten so wie auch bisweilen im Innern etwas befeuchtet wird, was vielen anstößig seyn mag; allein wir haben bemerkt, daß derselbe wieder sehr schnell trocken wird, und nicht leidet, wenn man ihn ungestört an Ort und Stelle hängen und der Luft ausgesetzt läßt.

Wir versuchten nun gleichzeitig den Tabak an den Stengeln in offenen Schopfen zu trocknen, und verfuhren folgender Art: Wir ließen eine Parthie Tabakstöcke sammt den Blättern am Boden abschneiden, und hiengen dieselben verkehrt an dünne Stangen auf, welches am leichtesten zu bewerkstelligen ist, wenn unten an den Stengeln ein schräger Einschnitt bis auf die Hälfte desselben gemacht, und aufgeschlitzt wird, wodurch man einen Haken bekommt, mit dem der Stengel leicht an die Stangen oder auch Seile befestigt werden kann.

Die Blätter welkten allmählig ab, wurden gelb, nahmen eine holzgelbe und rothbraune Farbe an, und zeichneten sich in jeder Beziehung vor denen, die vom Stengel abgenommen wurden, bedeutend aus. Besonders fanden wir die Blätter durchsichtig fettartig, mehr wiegend und besonders wohlriechend.

Bemerkenswerth ist, daß die meisten Stengel, drei Wochen nach dem Aufhängen, wo die meisten Blätter schon halbtrocken waren, noch Geitzen trieben, und theilweise zu blühen anfiengen, welches den Beweis liefert, daß die Vegetation selbst nach dem Aufhängen noch einige Zeit fortdauert, und sie dadurch eine Nachreife erlangen, welche bei den abgebrochenen Blättern unterbrochen wird und nicht Statt finden kann. Da unsere Tabake, wegen zu befürchtender Herbstreife, oft vor der eigentlichen Reife abgenommen werden müssen, so ist eine solche verlängerte Vegetationsperiode und das allmählige Absterben der Blätter von großer Wichtigkeit, und bestimmt das Hauptmittel zur Erlangung besserer Tabake. Wir werden diese Versuche auch in diesem Herbste wieder fortsetzen und wünschen, daß dieselben auch an andern Orten angestellt werden mögen.

Heidelberg den 16. August 1836.

Metzger,
Garten-Inspektor.

---

200. Die Hof- und Feldbaumzucht und ihr Einfluß.

Erst kürzlich als Mitglied in den landwirthschaftlichen Verein Bayerns eingetreten, war es für mich sehr interessant, die früheren Verhandlungen des Vereins durchzusehn, theils um meinen längst gehegten Glauben zu befestigen, wie unendlich viel Gutes und Nützliches durch das unermüdete Streben des Vereins im Königreiche bereits gestiftet worden ist.

Bei meinen Nachsuchungen fand ich im Wochenblatte Nr. 9 vom 26. Novbr. 1833 ad 41 eine Abhandlung, deren Ueberschrift: „Die Hof- und Feldbaumzucht und ihr Einfluß" mir als Forstwirth von hohem Interesse war.

Ich las diese schöne Abhandlung von Hrn. Dr. Desberger aus Aschaffenburg mit Achtsamkeit durch, und es sey mir erlaubt, Einiges zuzusetzen, was auf langjährigen Erfahrungen beruht.

Ich folge hiebei dem Gange der Abhandlung selbst.

Wer stimmt nicht mit dem so wahren Ausspruche des Hrn. Verfassers überein, daß: „der Waldbau mit dem Feldbau zusammenhänge, und der erstere den leztern eben so mächtig unterstützen kann als soll?"

Im Rheinkreise wird man in wenigen Jahren diese Wahrheit erkennen müssen, da die Bevölkerung noch immer im Zunehmen ist, die Holzpreise aber bereits bis zu einer enormen Höhe gestiegen sind, und es so klar vor Augen liegt, daß die vorhandenen 650,000 Tagwerk Staats-, Gemeinde und Privat-Waldungen unzureichend sind, die Bedürfnisse des Kreises zu befriedigen.

Die Waldungen werden im Allgemeinen nach den besten Regeln bewirthschaftet, so daß sie, verbunden mit jährlich fortgesetzten großen Kulturen bereits auf eine hohe Stufe der Vollkommenheit gebracht worden sind, auch sind Brennsurrogate, als Torf und Steinkohlen, in großer Menge vorhanden, und dennoch wirken die hohen Holzpreise örtlich sehr empfindlich auf das Wohl und die Zufriedenheit der Bevölkerung.

Die Noth ist die beste Lehrmeisterin, und darum kann man mit Gewissheit voraussagen, daß die Gemeinden in wenigen Jahren den großen Nutzen erkennen werden, der ihnen außerhalb ihrer Waldgränzen zugesichert wird.

Wir haben bereits ein Beispiel auf der Rheinebene, wo die Feldbaumzucht seit Jahren in voller Pracht besteht; es ist dieses die Gemeinde Böbingen, deren Feldgemark einem Garten gleicht. Die Obstbaumzucht besteht auf geeignetem Boden, und der Holzanbau mit Weiden, Erlen und Pappeln vegetirt fröhlich auf den Rainen, an den Bachufern und Gränzen der Wiesen.

Es sind viele Bewohner in Böbingen, welche das nöthige Brennholz auf ihrem Eigenthume beziehen, und diejenigen, deren Ländereien zu beschränkt sind, erhalten durch die Holzgewinnung immer einen schönen Lohn für ihren Fleiß.

Diese Gemeinde bedarf keiner Aufmunterung, sie hat die Feldbaumzucht vor Augen, und genießt mit jedem Jahre ihren Vortheil.

Möchten die übrigen Gemeinden — besonders auf der Rheinebene an dieser sich ein Beispiel nehmen! Es ist zwar bei Vielen der Anfang gemacht, allein es fehlt noch sehr viel, um den regen Eifer hervorzurufen, den die Wichtigkeit des Gegenstandes erfordert.

Der von dem Hrn. Verfasser Seite 131, 132 und 133 vorgeschlagene Weg wird unsere Jugend zum sichern Ziele führen.

Wir empfinden bereits im Rheinkreise die Wohlthat eines Schullehrers-Seminars, so wie die Folgen gründlicher Belehrung der Volksschullehrer; die nun in Kaiserslautern errichtete Kreisgewerbsschule wird die Hoffnungen zur Wirklichkeit führen, so daß wir mit einiger Beruhigung der Zukunft entgegen sehen dürfen.

Was gründlicher Unterricht und Regsamkeit bei einem Volksschullehrer zu leisten vermag, davon lieferte erst kürzlich den Beweis die nahe bei Landau gelegene Gemeinde Frankweiler.

Ich glaube es an seinem Orte, halte es sogar für meine Pflicht, hievon Erwähnung zu thun, da das Centralblatt des landwirthschaftlichen Vereins in den meisten Gemeinden des Rheinkreises gelesen wird, und man hoffen darf, daß eine oder die andere Gemeinde ein Beispiel an der von Frankweiler nehmen möchte.

Besagte Gemeinde war seit einer Reihe von Jahren, nur auf den Ruin ihres Gemeindewaldes bedacht, zahllose Frevel lichteten die jungen Bestände, und die Habsucht brachte es so weit, daß nahe am Orte eine Oede von 70 bis 80 Tagwerken entstanden ist.

Diese Oede bildet einen hohen, sehr schroffen und steilen Abhang gegen Süd-Osten; das abschreckende Bild der Verheerung stellt sich dem Auge schon auf eine Entfernung von 4 bis 5 Stunden dar, und es wurde beschlossen, die traurige Ansicht durch Wiederanbau zu entfernen.

Die Ausführung war nicht leicht, und fand sich theils durch die steile und brennende Lage, theils durch die häufigen Gewittergüsse erschwert.

Der Plan zur Kultur wurde entworfen, und bei dem guten Willen des Ortsvorstandes, so wie bei der Einsicht und rastlosen Thätigkeit des Schullehrers Cullmann wurde bereits im vorigen Jahre mit Beihilfe aller seiner Schulkinder der Anfang zur Wiederbelebung der Einöde gemacht.

Nach allen Nachrichten ist die erste sehr ansehnliche Saat und Pflanzung troß der großen Dürre des Sommers vollkommen gelungen. Sie erhielt den würdigen Namen Ludwigs-Anlage als Denkmal des Jubiläums unserer Erlauchten Königs-Familie.

Die Freude über das Gelingen des ersten Versuchs ist bei Alt und Jung in der Gemeinde ohne Gränzen; Liebe zur Kultur bei derselben erweckt, der Hang zum Waldverheeren verschwunden, und so erhebt diese einzige Begebenheit die Gemeinde Frankweiler zu einem Muster für Andere. Im nächsten Jahre wird die Ludwigsanlage merklich vergrößert werden.

Die Art dieser sehr schwierigen Kultur, so wie die Holzarten, welche zum Anbau gewählt worden sind, sind wichtig genug, um eine Stelle im Centralblatte des landwirthschaftlichen Vereins einnehmen zu dürfen, und der Unterzeichnete behält sich vor, nachträglich darauf zurück zu kommen.

Wenn nun durch diese Thatsachen sich ergiebt, daß durch gründliche Belehrung und Beispiele, im Rheinkreise hinlänglich gesorgt ist, den Kultursinn bei unserer Jugend hervorzurufen und zu beleben; so ist doch noch vieles bei den jetzt lebenden Familien-Vätern zu thun übrig, um alte Vorurtheile zu beseitigen: und denselben Gefühl und Geschmack für, und Glauben an das Neuere und Bessere beizubringen.

Der Landmann in vielen Gegenden des Kreises glaubt nur das, was sein Auge sieht, oder sein Gaumen kostet. Lobt der Pfarrer einen Apfel, giebt ihm gar einen französischen Namen, so predigt er tauben Ohren; geht aber im Herbst der Peter an der Wohnung des Pfarrers vorüber, und dieser ruft ihn zu sich, zeigt den schönen Apfel, und giebt ihm solchen zu kosten, so kann man sicher seyn, Peter kömmt im nächsten Frühjahre und bittet den Pfarrer um einige Pfropfreiser vom guten Apfel.

Nur Einen in einer Gemeinde aufsuchen und finden, bei dem sich Bereitwilligkeit und Liebe zur Kultur findet oder erwecken läßt, dieses ist die nicht leichte Aufgabe der k. Verwaltungs-Behörden, und wenn dieser die Zeit zu öftern persönlichen Besuchen in den Gemeinden fehlen sollte, so dürfte vielleicht die Absendung eines sachverständigen Mannes in eine oder die andere Gemeinde von sehr großem Vortheile seyn; eines Mannes, der die hinlänglichen Kenntnisse besitzt, um zu belehren, und durch Popularität sich Glauben zu verschaffen weiß.

Alle Wege zur Belehrung und Aufklärung dürften einzuschlagen seyn, und es bleibe nur das feste Vorhaben aller Mitglieder des landwirthschaftlichen Vereins, das Möglichste zur Beförderung der Hof- und Feldbaumzucht beizutragen.

In einem Alter von 70 Jahren werde ich zwar nur wenig Erfolg dieser Bemühungen mehr erleben; allein so lange ich athme, will ich meinen Landsleuten zurufen: „Pflanzet Holz auch außerhalb eurer Waldgränzen, der Kinder und Enkel Segen folgt euch nach.

Nach diesen Ausschweifungen — wobei man meinen guten Willen nicht verkennen möge — komme ich auf den Haupt-Gegenstand zurück, und indem ich den gründlichen Ansichten des Hrn. Verfassers bis Seite 133 beifällig gefolgt bin, bemerke ich: daß im Rheinkreise die hölzernen Umzäunungen um

Höfe, Gärten und Güter beinahe gänzlich verschwunden sind. Es bestehen deren wohl noch bei armen Leuten, jedoch nur für die Sommermonate, wozu sie die Reiser von den Gabholzwellen verwenden.

Lebende Befriedungen werden zwar häufig angelegt, aber nicht in dem Maße, als es zur Verschönerung des Landes, zum Schutze der Felder gegen Thiere und Menschen, so wie auch gegen die herrschenden Winde und auch zur Erhaltung einer feuchtwarmen Luftschichte innerhalb der Heckengränzen geschehen sollte.

In den Gebirgsgegenden, wo sich viele Steine finden, ziehen die Landleute die Mauern vor; auf der Rheinebene dagegen bleibt noch viel zu thun übrig.

Daß die Hainbuche (Carpinus betulus) eine schnelle und schöne Hecke bildet, kann nicht geläugnet werden, aber darum wollen wir den schön blühenden und herrlich duftenden Weißdorn (Mespilus Oxyacantha) nicht verachten. Auf feuchten Niederungen ist die Rain-Weide (Ligustrum vulgare) darum besonders zu empfehlen, weil dieser Strauch sehr gut sich unter der Scheere halten läßt; auch sieht man im gemäßigten Klima des Rheinkreises schöne Hecken von Akazien (Robinia Pseudoacacia).

Die Weidenarten, welche der Hr. Verfasser Seite 134 zum Bepflanzen der Bachufer und derjenigen Stellen empfiehlt, worauf zu gewissen Jahreszeiten das Wasser austritt, sind sämmtlich von ökonomischem Nutzen, allein der Hauptzweck — Holzerzeugung — wird dadurch nicht erreicht. Dieses kann aber geschehen, wenn man mit solchen Weidenanlagen die Kopfholz-Wirthschaft verbindet, wozu im gemäßigten Klima die weiße Weide (Salix alba) und im rauhen oder kalten Klima die Bruchweide (Salix fragilis) mit großem Vortheile gewählt werden können. Diese Weidenarten können alle 4 bis 6 Jahre auf eine Höhe von 6 bis 8 Fuß abgeköpft werden, das austretende Wasser schadet ihnen nichts, und der Holzertrag ist so stark, daß diese Art von Mittelwaldsbetrieb nicht genug empfohlen werden kann.

Wie viel Gutes könnte damit nicht auf den vom Hrn. Verfasser beschriebenen endlosen Strecken bei München und der Isar gestiftet werden, wenn in den Niederungen Weiden, und auf den einzelnen Erhöhungen, worauf das Wasser nicht zu lange stehen bleibt, Kopfholzstämme von Pappeln gepflanzt würden. Ist das Klima zu rauh, so wähle man hiezu die deutsche Pappel, allein so viel ich mich dunkel erinnere, hat sich auch die italienische Pappel um München herum acclimatisirt? Ist dieses, so verdient diese vor der deutschen Pappel den Vorzug.

Möchte daher unter den Augen des Central-Comité des landwirthschaftlichen Vereins der Versuch mit einer Kopfholzzucht am Gestade der Isar gemacht werden, und dieser Versuch zum Frommen der dortigen Umgegend gelingen!

Im weitern Verfolge der Abhandlung Seite 134 bemerke ich hinsichtlich der Bepflanzung von Gemeindeplätzen, Dorfwegen, Viehweiden, Haiden, Strassen, Kirchhöfen, Schluchten ꝛc. daß dieses gerade diejenigen Stellen sind, worauf die Feldbaumzucht bestehen kann und soll.

Daß die Franzosen zu diesem Zwecke Weiden und Pappeln nicht allein empfehlen, sondern auch allgemein anwenden, kann bei dem Verkauf der Staatswaldungen und bei dem Ruin derselben durch Private als ein großes Glück, besonders für Elsaß und Lothringen angesehen werden.

Die meisten Gemeinden dieser Gegenden erziehen bereits auf Kopfholzstämmen dieser Holzarten ihr nöthiges Brennholz, und von hochschäftigen Pappeln das Bauholz, welches im Innern der Gebäude mit Vortheil verwendet wird.

Die Franzosen lieben vorzüglich die italienische Pappel, weil dieser Baum in 30 Jahren eine Höhe von 50 – 60 Fuß erreicht, und als Kopfholz behandelt, alle 6 Jahre benutzt werden kann.

Auf der Rheinebene gewinnt der Anbau von Pappeln und Weiden mit jedem Jahre mehr Fortgang, und wird von mehreren Gemeinden sogar in's Große getrieben.

Die Stadt Speyer hat auf ihrer ausgedehnten Feldgemark im vorigen Jahr 7300 italienische Pappeln theils mit Wurzeln, theils mit Setzstangen anpflanzen lassen, so wie neue Baumschulen angelegt, wozu 24,600 Stecklinge verwendet worden sind.

Im vorigen Jahre hat diese Gemeinde denn auch mehr als 1000 fl. aus Pappelholz erlöst, und bei fortgesetzter Bemühung wird in wenigen Jahren eine ansehnliche jährliche Revenue gebildet seyn.

Das Pappel- und Weidenholz ist im trocknen Zustande recht gut zur Feuerung zu gebrauchen, dieses ergiebt sich aus den hohen Preisen, welche mit 9 bis 10 fl. per 100 Kubikfuß angelegt werden.

Der Zuwachs der Pappel ist nach angestellten Versuchen so stark, daß 12 Jahr alter Wiederausschlag von 30 Jahr alten Stämmen 4 Kubikfuß jährlich per Stamm ertragen hat, und der jährliche reine Geldertrag belief sich per Stamm auf 10 kr.

Wenn ich auch darinnen den Ansichten des Hrn. Verfassers beitrete, daß man zur Feldbaumzucht überseeische Holzarten entfernt halten, und diese der Schönheit und Abwechslung wegen, den großen Gartenanlagen überlassen soll; so kann ich dem Antrage des Hrn. Verfassers Seite 135 hinsichtlich der zu wählenden Holzarten nicht beistimmen.

Tannen, Fichten, Lerchen, Ulmen, Birken, Erlen und Buchen, sind vortreffliche Holzarten, zum Anbau im Innern der Waldungen im geschlossenen, keineswegs aber im freien und vereinzelten Stande.

Ihre Benützung liegt außerdem zu entfernt, und tritt auch diese nach 50 – 80 Jahren ein, so muß der Stamm abgehauen und ein junger an dessen Stelle gepflanzten werden.

Hiezu sind unsere raschen Rheinkreis-Bewohner nicht zu bewegen; solche verlangen Holzarten, welche ihre Bedürfnisse in wenig Jahren befriedigen, deren Benutzung sie erleben, und halten sich deßwegen an Pappeln und Weiden, weil diese in wenig Jahren einen ansehnlichen Ertrag abwerfen.

Die Regeln der Hof- und Feldbaumzucht lassen sich in wenig Worten zusammenfassen, und bestehen nach meiner Ueberzeugung und Erfahrung kürzlich in folgenden:

In Gärten edle Aepfel-, Birnen-, Pflaumen- und Kirschen-Sorten 2c.

In der Nähe der Ortschaften, auf bebautem Ackerlande, oder auf den Gränzen derselben nebst Kirschen vorzüglich Zwetschken.

Letztere erreichen im Rheinkreise eine ansehnliche Höhe, viele Ortschaften, besonders Reifenberg, Maßweiler, auch Wartweiler und Hengstbach im Kanton Zweibrücken, so wie einige Gemeinden im Glan und Lauterthal, stehen gleichsam in einem Zwetschken- und Kirschenwald. Mit jener Frucht sowohl im grünen als getrockneten Zustande, so wie mit dem gewonnenen Branntweine wird großer Handel getrieben. Dieselbe bringt dem Landmanne viel Geld ein, und ist eine wahre Haus-Arznei in gesunden und kranken Tagen.

An Feld-, Haupt- und Vizinalwegen, nämlich so weit der Boden durch den Pflug oder die Hacke bearbeitet wird — Aepfel, Birnen, und in gemäßigtem Klima, den in Holz und Frucht gleich schätzbaren Nußbaum (Juglans regia).

Da wo die Wege Wiesen oder sonstige nasse Niederungen — Weiden, und die deutsche Pappel; auf gemäßigtem Grunde, auf Oedungen, Steppen oder sandigen Erhöhungen, die italienische Pappel, und nichts als die italienische Pappel!

Haltet euch Alle, besonders ihr lieben Landsleute an diese Regeln, und Ihr werdet nicht irre gehen.

Damit ihr nun aber bei der Vermehrung der Pappeln und Weiden keine Mißgriffe macht — wie dieses leider! in mehreren Gemeinden geschehen ist — so will ich euch kürzlich den auf Erfahrung beruhenden Anbau derselben mittheilen.

A. Anleitung zum Anbau der Pappeln.

Der Anbau dieser nützlichen und schnell wachsenden Holzart erfolgt auf zweierlei Weise,

a. mittelst bewurzelter in besonderen Baumschulen erzogener Pflanzen,

b. durch unbewurzelte Setzstangen.

Das erste Verfahren wird zur unbedingten Nothwendigkeit, wenn der Anbau auf leichtem und trockenem Sandboden Statt finden soll; das Andere ist nur auf feuchten Niederungen, auf Wiesen und an Bachufern anwendbar.

Um bewurzelte Pflanzen zu erhalten, sind besondere Pflanz- oder Baumschulen nöthig, bei deren Anlegung Folgendes zu beobachten ist.

1. Auswahl der Pappel-Arten.

Es können zur Anlegung einer Baumschule verwendet werden

a. die italienische Pappel (Populus nigra Italica),

b. die schwarze oder deutsche Pappel (Populus nigra).

Erstere verdient den Vorzug, zur Bepflanzung von Haupt- und Vizinal-Strassen, an Dämmen und Gräben; die Andere, nämlich die deutsche Pappel, eignet sich mehr zur Verwehrung der Waldbestände, und zwar auf trockenen, mit Kies belegten Erhöhungen, welche dem Anbau der weissen Weide (Salix alba) nicht zusagen. Die deutsche Pappel ist in den Rheinwaldungen besonders empfehlenswerth, da dieselbe geneigt ist, sehr viele Wurzelloden ausgehen zu lassen.

Nicht minder empfehlenswerth ist wegen seines üppigen und starken Wuchses — die Canadische Pappel (Populus Caroliniensis).

Alle diese Pappelarten nebst noch mehreren andern eignen sich zur Kopfholzzucht, und können, je nach den Lokalbedürfnissen alle 6 – 8 – 10 oder 12 Jahre abgeköpft werden.

2. Anlegung einer Pflanzschule mit italienischen Pappeln.

Man wähle hiezu einen mäßig feuchten Boden, der jedoch nicht ganz mager seyn darf, sondern mit einer, wenn auch nur seichten Dammerdenschichte belegt seyn muß.

Das hiezu bestimmte Terrain muß 1½ Schuh tief der Art rejolt werden, daß die obere Erdschichte nach unten zu liegen kömmt.

Die Fläche kann zwar ganz rejolt werden, allein es ist zureichend, wenn solches nur reihenweise geschieht.

Man hebe nämlich einen 4 Schuh breiten und 1½ Schuh tiefen Graben auf, und lege die obere Erdschichte zur rechten und die untere zur linken Seite.

Dieser Graben wird dann wieder eingeebnet, und zwar wie bereits gesagt worden — die obere Erde nach unten, und die untere nach Oben gebracht. Sehr gut ist es, diese Operation im Herbste vorzunehmen, und den Graben den Winter über offen stehen zu lassen, damit durch den Zutritt der atmosphärischen Luft, wie der Kälte, die Erde verbessert und milder werde.

An diesen Graben bleibt der Boden 4 Schuh breit unrejolt liegen, dann wird wieder ein neuer Graben in obenbeschriebener Art aufgehoben, und dieses so fortgesetzt, bis das ganze Land auf solche Weise als Pflanzschule hergerichtet ist.

Die Räume zwischen den Gräben sind bestimmt, um auf gleiche Weise benützt zu werden, wenn die auf den rejolten zu erziehenden jungen Pflanzen sämmtlich verpflanzt sind, und haben noch weiters den Vortheil, daß die jungen Stämmchen weit leichter gehackt und gereinigt werden können, als wenn die ganze Fläche mit Pappeln besteckt wäre.

Soll jedoch das Terrain ganz rejolt werden wollen, so muß in allen Fällen, die Eintheilung desselben nach obiger Weise geschehen; nämlich, daß zwischen den Pflanzreihen immer ein Zwischenraum von 4 Schuh liegen bleibt.

Im Frühjahre werden die Gräben — falls solche im Herbst angefertigt worden sind — wie oben bemerkt worden ist, wieder eingeebnet, und auf jeden Graben zwei Reihen Pappeln in höchstens einer Entfernung von einem Schuh eingesteckt.

3. Auswahl der Steckreiser oder Stopfer.

Zu Steckreiser dürfen nur Ein höchstens zwei Jahre alte Triebe verwendet werden; bei älterem Holze ist die Rinde zu hart, und dadurch die Wurzelbildung erschwert.

Die Reiser werden 2 Schuh lang, unten mit einem oder zwei scharfen Schnitten in schiefer Richtung der Art zugerichtet, daß auf der einen Seite die Rinde bis in die Spitze des Schnitts stehen bleibt.

Das Einstecken darf nicht übereilt werden, sondern muß mit Vorsicht geschehen, damit die untere Rinde sich nicht ablöst, wodurch der Stopfer gewöhnlich abstirbt.

Ist demnach der Boden hart, so bedient man sich eines Pflanzstickels, macht damit ein Loch, setzt den Stopfer ein, und drückt die Erde mittelst Einstossen eines zweiten Lochs an den Stopfer fest.

Der Stopfer wird so tief eingesetzt, daß nur 2 bis 3 Augen oder 3 bis 4 Zoll über die Erde zu stehen kommen. Am besten ist es, die Stopfer unmittelbar, nachdem solche geschnitten sind, einzusetzen. Ist man aber genöthigt, einen großen Vorrath zu schneiden, so dürfen solche nicht an der Luft liegen bleiben, sondern müssen vorsichtig in die Erde eingeschlagen werden.

Eben so wenig dürfen die Stopfer beim Zuschneiden und Transport rauh behandelt oder mit Gewalt aufeinander hingeworfen werden, wodurch die Rinde beschädigt, und vom Holz abgelöst oder die Augen abgestossen werden. Am besten bleiben die Stöpfer vor Beschädigung verwahrt, wenn man selbige halbhundert oder hundertweise mit einer Weide zusammen bindet.

Solche vorsichtig behandelte Stopfer werden im ersten Jahre schon schöne Triebe zeugen, welche man bis nach Johännis fortwachsen läßt; gleich nach dieser Zeit aber werden alle Triebe bis auf den schönsten mit einem scharfen Messer und mit Vorsicht, damit das Stämmchen nicht ausgehoben wird, abgeschnitten.

Das Reinhalten der Baumschule ist nicht allein im ersten, sondern auch in den folgenden Jahren unbedingt nöthig; dasselbe geschieht mit einer kleinen Hacke bloß auf der Oberfläche des Bodens, ohne das Stämmchen zu berühren.

Sehr gut ist, wenn man anders dazu Gelegenheit hat, die jungen Pflanzen im ersten Herbste, mit etwas Laub oder Kiefern-Nadeln zu bedecken; letztere verdienen den Vorzug, weil diese weniger als die Blätter vom Winde verweht werden.

Im zweiten Jahre müssen an den jungen Stämmchen die Seitentriebe mit einem scharfen Messer abgeschnitten werden, und nur der Haupttrieb stehen bleiben.

Im dritten Jahre wird dieses Abschneiden der Seitenäste abermals, jedoch mit vieler Vorsicht wiederholt.

Die Seitenäste sollen nicht hart am Stamm, sondern dürfen nur in einer Entfernung von 2 bis 3 Zoll von demselben abgeschnitten werden.

Dieses Verfahren ist wesentlich nöthig, damit der Längewuchs gestört, und das Stämmchen gezwungen werde, mehr in der Dicke anzulegen, und es sich so an das Selbsttragen, ohne Befestigung an einen Pfahl, gewöhnt.

4. Verpflanzung der Stämmchen aus der Baumschule.

Ist der Boden in der Baumschule gut und tragbar, welches am sichersten an den mehr oder weniger langen Jahrestrieben beurtheilt werden kann; so wird man die jungen Stämme, nachdem sie drei Jahrestriebe geschoben haben, verpflanzen können.

Die Stämmchen mehr als 4 Jahre alt werden zu lassen, ist nicht rathsam; die Pflanzen werden zu stark, und die Wurzeln breiten sich zu sehr aus, so daß sie beim Ausheben der Stämmchen beschädigt werden müssen.

Der Glaube, man müsse hohe und starke Stämme setzen, um schneller einen erwachsenen Baum zu erhalten, ist bloßes Vorurtheil; junge Stämme, welche ¾ höchstens 1 Zoll mittleren Durchmesser haben, führen bei vorsichtigem Ausheben und Verpflanzen weit sicherer und schneller zum Ziele.

Das junge Stämmchen muß — wie bereits gesagt worden — mit aller Vorsicht ausgehoben, und dabei die Wurzel möglichst geschont werden.

Allenfalls beschädigte oder zu lange Wurzeln müssen eingekürzt und überhaupt das gesammte Wurzelwerk so zugeschnitten werden, daß es nicht über 2 Schuh Durchmesser hat.

Nach dem Ausheben dürfen die Wurzeln nicht frei an der Luft liegen bleiben, sondern müssen, nachdem sie beschnitten sind, sogleich in die Erde eingeschlagen werden.

Bei weitem Transport sind die Wurzeln am besten mit Moos, auch wohl nur mit Stroh oder einem Tuche zu bedecken, damit die kleinen Haar- und Saugwurzeln nicht austrocknen, wodurch das Anwachsen erschwert würde.

Wenn man auch bei dem Ausheben der Pflanzen noch so vorsichtig zu Werke geht, so werden die Wurzeln immer mehr oder weniger beschädigt und das Wurzelsystem tritt gegen das Stämmchen außer Verhältniß. Die beschnittenen und zum Verpflanzen zubereiteten Wurzeln können das ganze Stämmchen nicht ernähren, und wenn viele Pflanzen nicht anwachsen oder verkommen, so ist meistens die Ursache, daß man den Wurzeln mehr zugemuthet hat, als solche zu leisten im Stande sind.

Es ist daher eine unbedingte Nothwendigkeit, das Stämmchen zu den Wurzeln in ein angemessenes Verhältniß zu bringen, welches dadurch bewirkt wird, wenn alle Stämmchen vor dem Einsetzen auf eine Höhe von 7 bis 8 Fuß abgeworfen werden.

Hiedurch wird das Gedeihen des jungen Stammes unglaublich befördert, das Anwachsen derselben ist in den meisten Fällen gewiß, und man darf nicht glauben, daß durch das Abwerfen der Stamm an seiner Schönheit verliert, was namentlich bei der italienischen Pappel niemals der Fall seyn wird, da solche ihrer Natur nach geneigt ist, ihre Krone immer in pyramidalischer Form zu bilden, weßhalb sie auch die Pyramidenpappel genannt wird.

Die Größe der Pflanzlöcher richtet sich nach der Stärke des Stammes und dessen Wurzelausbreitung. Im geringsten Falle müssen jedoch die Löcher zwei Schuh weit und 1½ Schuh tief gemacht werden; weitere und tiefere Löcher können nur wohlthätig auf den Wuchs des Stammes einwirken.

Aus dem bereits berührten Grunde, wenn anders der Boden nicht zu naß ist, bleibt es von großem Nutzen, die Löcher vor dem Eintritte des Winters anzufertigen.

Geschieht dieses, so kann man auch die obere Erde, das Gras oder den Rasen nach unten in das Loch bringen, solche mit feiner Erde bedecken, und das Stämmchen einsetzen. Werden jedoch die Löcher erst im Frühjahre kurz vor dem Verpflanzen gemacht, so hüte man sich, Gras oder Rasen in die Löcher zu werfen, oder nahe an die Wurzeln zu bringen, da die Gährung des Rasens rc. während der Einwirkung der Hitze leicht Schimmel erzeugt, der den feinen Wurzeln verderblich wird.

So wie alle Wurzeln hinreichend mit Erde bedeckt sind, kann man gleichwohl den Rasen, jedoch mit der grünen Fläche nach unten, zur obern Bedeckung verwenden; dieses ist sogar von Nutzen, und das Stämmchen wird dabei mehrmals auf und nieder bewegt, damit der Grund sich fest an die Wurzeln anlege. Wenn der Stamm eingesetzt ist, kann die Erde leise angedrückt werden, man hüte sich aber, solche mit Gewalt fest anzutreten, wodurch gar häufig die feinen Wurzeln abgetreten werden. Ist Wasser in der Nähe, so ist es am zuträglichsten, die Stämmchen anzuschlemmen oder anzugießen.

Auf leichtem sandigem Boden müssen die Stämmchen 6 Zoll tiefer gesetzt werden, als sie in der Pflanzschule gestanden haben, auf gutem und feuchtem Boden dagegen, ist es zureichend, sie 3 Zoll tiefer zu setzen.

Die Entfernung, in welcher die Stämme stehen sollen, richtet sich nach den Lokalitäten und dem Zwecke der Pflanzung; an Vizinal- und andern Wegen, an Gräben und Dämmen, so wie auf Wiesen, ist die beste Entfernung von einem Stamme zum andern 5 Meter oder 15 bis 18 Fuß. Auf Stellen, die ganz mit Pappeln, und zwar bloß des Holzes wegen bepflanzt werden sollen, ist eine Entfernung von 12 Fuß hinreichend.

5. Unterhaltung der Pflanzung.

An Stellen, welche mit Rindvieh betrieben werden, müssen die jungen Stämme in den ersten Jahren, an einen Pfahl befestigt, mit Dornen umbunden, und dadurch vor Beschädigung geschützt werden.

Das Abschneiden der untern Aeste wird meistens übertrieben, dieses darf in keinem Falle höher als auf 3 bis 4 Fuß geschehen; ein weiteres Abschneiden benimmt dem Stamme seine natürliche Schönheit.

6. Benutzung der Pappel.

Unter sorgsamen Schutze gegen gewaltsame Beschädigungungen läßt man den jungen Stamm heranwachsen.

Da wo der Boden ergiebig ist, kann schon nach 8 Jahren die erste Benutzung eintreten, welche darin besteht, daß alle Stämme auf eine Höhe von 10 bis 12 Fuß abgeköpft werden. Das Abköpfen geschieht mit einer scharfer Axt in schiefer Richtung, so daß der höhere Theil des glatten Abhiebs gegen Westen zu stehen kömmt.

Nach 8 bis 10 Jahren folgt der zweite Abhieb, und sofort in gleichen Zeiträumeu.

Bei dem zweiten und den folgenden Abhieben ist mehr Vorsicht als beim ersten erforderlich. Die Stangen dürfen nicht dicht am Stamme abgehauen werden, sondern von jeder müssen zur Beförderung des Wiederausschlags 1 bis 2 Zoll junges Holz stehen bleiben; eben so wenig dürfen die Stangen beim Abhieb zersplittert werden, und man bedient sich daher hiezu am besten einer guten Baumsäge.

Eine abgeköpfte Pappelreihe hat in der ersten Zeit, und bis sich wieder junge Belaubung gebildet hat, ein übles und abschreckendes Ansehen.

Um diesem Mißstande zu begegnen, ist es sehr anzurathen, nicht alle Stämme auf einmal, sondern einen Stamm um den andern abzuköpfen.

Dieses Verfahren ist in Gegenden, wo das Bauholz selten und theuer ist, besonders zu empfehlen, weil man die nicht abgeköpften Stämme zu Bauholz kann heran wachsen lassen, wozu das Pappelholz, wenn es an trockenen Stellen, und im Innern der Gebäude verwendet wird, sich ganz gut eignet. Kömmt einmal die Pappel-Pflanzung als Bauholz zur Benutzung, so werden die Stämme ausgegraben, und die Stellen mit jungen Stämmen wieder bepflanzt. Hiebei muß jedoch nicht unterlassen werden, frische Erde in das Loch zu bringen, da junge Stämme selten auf dem Standorte eines alten Stammes Gedeihen finden.

B. Anbau der Pappeln mit Setzstangen.

Diese Vermehrungsart führt nicht so sicher zum Ziel, als wenn der Anbau mit bewurzelten Pflanzen geschieht; und in der Wahl des Bodens muß man dabei sehr vorsichtig seyn.

Zu nasser Boden ist der Pappel überhaupt nicht zuträglich, abwechselnde Feuchtigkeit aber schadet nichts.

Auf trockenem Boden ist die Anwendung von Setzstangen immer ungewiß, von gewissem Erfolg dagegen in mäßig feuchten Boden, auf Wiesen, Bachufern, an Gräben und Dämmen. Das Verfahren ist kürzlich folgendes:

1. Alter und Auswahl der Setzstangen.

Das beste Alter ist drei, höchstens vier Jahre: bei ältern Stangen ist die untere Rinde zu hart, gerissen, und dadurch die Wurzelbildung erschwert. Ist man genöthigt, ältere Aeste zu nehmen, so darf es nur die obere Spitze seyn, woran die Rinde glatt ist.

2. Abhieb der Setzstangen.

Die beste Zeit zum Abhieb ist im Monat Februar und Anfang März; es kann damit fortgefahren werden, bis die Saftbewegung bemerkbar wird.

Gewaltiges Herabstürzen der Stangen, starkes hin und her werfen derselben, beschädigt die Rinde, erzeugt Brandflecken, verhindert das Anwachsen, und ist meistens die Ursache zum Absterben der Stangen.

3. Zurichten der Setzstangen.

Alle Seitenäste werden glatt und hart am Stamme, ohne jedoch die Rinde zu beschädigen, abgehauen. Die Länge der Stange muß 7 bis 8 Fuß betragen; am untern Ende werden sie auf zwei Seiten der Art zugespitzt, daß auf der dritten Seite die Rinde bis in die Spitze stehen bleibt; ist jedoch die Stange nicht sehr dick, so ist ein scharfer Hieb in schiefer Richtung hinlänglich.

Kann man die Stangen nicht sogleich nach dem Zurichten einsetzen, so müßen dieselben in die Erde eingelegt werden.

Ist ein weiter Transport nöthig, so werden die Stangen bedeckt, und beim Auf- und Abladen mit aller Schonung behandelt.

4. Pflanzung der Setzstangen.

Das gewaltsame Einstossen in die Erde, selbst das Anwenden eines Pfahleisens ist nachtheilig, der Boden wird um die Stange herum zu fest, und die Wurzelbildung ist erschwert.

Von weit gewisserem Erfolge ist es, die Stangen in besonders zubereitete Löcher einzusetzen, welche auf 1 Schuh im Durchmesser und 2 Schuh tief ausgehoben werden.

In die Mitte dieser Löcher kömmt die Stange zu stehen, und wird mit lokerer Erde umgeben, und der Rasen zur Befestigung der Stange als obere Bedeckung verwendet.

5. Behandlung der Setzstangen.

Sind die Stangen angewachsen, so ist keine weitere Behandlung nöthig, als daß sie in den ersten Jahren, von den untersten Aesten, auf eine Höhe von 3 bis 4 Schuh befreit werden.

Meine gesammelten Erfahrungen über den Anbau der Weide, wird der Unterschriebene nachträglich vorzulegen sich beehren.

Speyer den 12. Novbr. 1836.

Dr. Rettig,
Kreis-Forst-Inspektor u.
Mitglied des landwirth.
Vereins.

201. Neue und verbesserte Maschine zur Zubereitung von Hanf und Flachs, und verbesserte Maschinerie zur mechanischen Spinnerei von Flachs, Hanf, Baumwolle, Seide und anderen Faserstoffen, worauf sich Daniel Dewhurst, Flachsspinner von Preston in der Grafschaft Lancaster, und Thomas, Joseph und Isaak Hope, Mechaniker, sämmtlich von Manchester, am 16. December 1835 ein Patent ertheilen liessen.

Aus dem London Journal of Arts. Jun. 1836, S. 253.

(Uebersezt im polytechnischen Journal.)

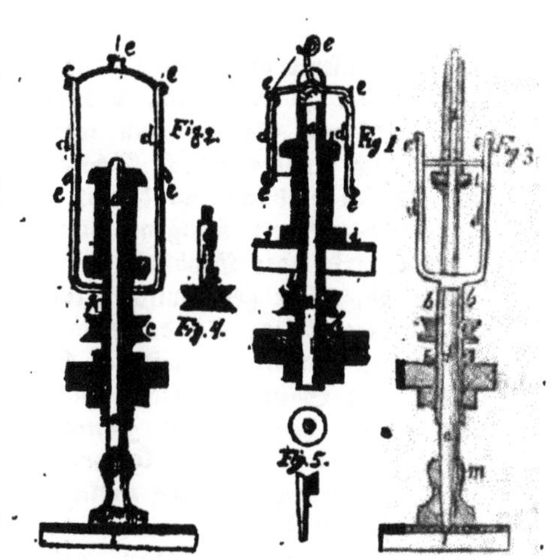

Die Verbesserungen und Erfindungen, worauf wir obiges Patent nahmen, bestehen

1) darin, daß wir den Flachs und Hanf, bevor er gehechelt wird, einweichen, waschen, sieden, und zwischen Walzen oder mittelst einer Maschinerie auspressen, um ihm dadurch nicht nur ein schöneres Ansehen zu geben, sondern um die Stärke seiner Faser hiedurch auch weniger zu beeinträchtigen, als es durch die gewöhnliche Zubereitung zu geschehen pflegt, und um zugleich auch den Verlust, der

später beim Hecheln Statt findet, bedeutend zu vermindern. Sie bestehen

2) in einer neuen oder verbesserten Anordnung der Mechanismen, womit der Flachs, der Hanf, die Baumwolle, die Seide oder der sonstige Faserstoff gesponnen wird, und wodurch die Geschwindigkeit so vermehrt werden kann, daß man in einer und derselben Zeit eine bedeutend größere Menge Gespinnst zu erzeugen vermag. Zu diesen Vorzügen kommt auch noch, daß die verbesserte Spindel mit der Fliege kaum den vierten Theil der gewöhnlichen Spindel wiegt, und daß man deßhalb mit ihr Garn von beinahe jedem beliebigen Grade der Feinheit zu spinnen im Stande ist. Die Zeichnung, zu deren Beschreibung wir später übergehen wollen, wird diesen Theil unserer Erfindung anschaulich machen.

Wir nehmen gemäß unserer verbesserten Methode den Flachs und Hanf zuzubereiten oder zu raffiniren, das rohe Material und weichen es in verdünnte Säuren von irgend einer Art. Den Vorzug verdient nach unserer Ansicht Schwefelsäure, wenn dieselbe so weit mit Wasser verdünnt worden ist, daß man sie füglich im Munde erleiden kann; übrigens hängt die Stärke der Säuren von der Stärke oder Grobheit oder Feinheit der zu behandelnden Faser ab. Der gewöhnliche irländische Flachs erfordert eine weit stärkere Säure als der flammändische; die Erfahrung muß hierin den Fabrikanten leiten. Hat der Flachs oder Hanf so lange in der Säure geweicht, daß er ganz gesättigt ist, so wird sich der harzige oder gummiharzige Stoff, so wie die äußere Rinde von den Fasern losmacheu. Man läßt daher auch den Flachs in diesem Zustande zwischen einem Paar Druckwalzen, die man mittelst Schrauben, belasteten Hebeln oder auf irgend andere Weise so stellen kann, daß sie einen beliebigen Druck ausüben, durchlaufen, um dadurch die verdünnte Säure mit den gelösten harzigen und gummiharzigen Stoffen auszupressen, und die Rinde oder die Agen oder die Holzfaser so zu zerquetschen, daß sie alle fremdartigen Substanzen fahren lassen. Nachdem dieses geschehen ist, lassen wir den Flachs oder Hanf mit reinem Wasser gut auswaschen, damit alle noch zurückgebliebene Säure vollkommen entfernt wird. Darauf sieden wir ihn einige Stunden lang in einer starken Aschen- oder Sodalauge oder in einem andern Alkali, um hiedurch die Fasern zu öffnen, und um der Faser eine blässere Farbe und mehr Glanz zu geben. Zuletzt lassen wir ihn zur Austreibung der fremdartigen Stoffe noch einmal zwischen den bereits oben erwähnten Druckwalzen durchlaufen. Das Einweichen und Sieden muß, je nach der Beschaffenheit des Materials, womit man arbeitet, drei oder vier Mal wiederholt werden. Die Fasern werden hienach vollkommen geöffnet, und nur etwas verworren seyn; um sie der Länge nach so neben einander zu legen, daß sie beim Hecheln nicht brechen oder reissen, schwemmt man den Flachs in starker Seifenlauge aus, um ihn dann hierauf zum Behufe des Trocknens in Bündeln aufzuhängen. Wenn das Waschen und Auspressen hinlänglich oft wiederholt worden ist, so kann man den Flachs oder den Hanf leicht schlagen oder brechen, und endlich ein oder zwei Mal durch eine gewöhnliche Hechel oder eine steife Bürste ziehen, worauf man ihn dann in die Streck- oder Vorspinnmaschine bringen kann.

Der zweite Theil unserer Erfindung, der sich auf die Maschinerie zum Spinnen von Flachs, Hanf, Baumwolle, Seide und andern Faserstoffen bezieht, erhellt aus Fig. 1, 2, 3, 4 und 5. Fig. 1 ist nämlich ein theilweiser Durchschnittsaufriß der Spindel, der Spule und der Fliege, wie wir sie zum Spinnen aller Arten von Flachs und Hanf, der feinern Nummern Baumwolle, der Seiden ꝛc. am geeignetsten halten. Fig. 2 zeigt eine andere ähnlich eingerichtete Maschinerie, welche sich hauptsächlich zum Spinnen gröberer und schwererer Garne eignet. Fig. 3 endlich zeigt eine solche Vorrichtung, wie ich sie zum Spinnen aller Arten von Eintrag, der auf die sogenannten Spulröhrchen oder auf solche Spulen aufgewunden werden muß, die sogleich in die Schiffchen eingesetzt werden können, empfehle. a, a, a ist die stationäre oder unbewegliche Spindel der gewöhnlichen Drosselmaschine; sie ist umgeben von der Röhre b, b, und mit der Scheibe oder Rolle c, womit die Fliege d umgetrieben wird, ausgestattet. Die Fliege d ist mit Führern oder Conductoren e, e versehen, die den Faden unmittelbar an die Spule führen, ohne daß er hiebei Gefahr läuft zu brechen, wie dieses sonst öfter zu geschehen pflegte, wenn das Garn bei dem gewöhnlichen Herlaufen von den Streckwalzen mit dem Kopfe der Spule in Berührung kam. Diese Fliege ist auch mit einer kleinen centralen aufrechten Welle f versehen, die die Fliege trägt; diese Welle selbst läuft in dem kleinen Ausschnitte g, der sich an dem Scheitel der stationären Spindel a befindet, und ist mit der Fliege an der Röhre b, b befestigt, welche zugleich mit ihr von der Rolle oder Scheibe c umgetrieben wird.

Aus Fig. 4 erhellt, daß die Rolle c und die Röhre b am Grunde durch ein Ueberschlaggefüge oder eine Klauenbüchse verbunden sind. Dieses ist deßwegen der Fall, damit die Röhre b an der Spindel emporgeschoben, und die Spule, wenn sie mit Garn gefüllt ist, leichter abgenommen werden kann: und zwar ohne daß man die Maschine anzuhalten, oder das Laufband von der Rolle oder Scheibe c, deren Röhre in der Pfanne h in der Nähe des unteren Theiles des Drosselrahmens läuft, abzunehmen.

Das Traversiren der Spule wird genau auf dieselbe Weise, wie an den gewöhnlichen Drosselmaschinen, nämlich durch Emporheben und Herabsenken der Dockenlatte i, die hier die Spulen trägt, hervorgebracht. In Fig. 48 ist die Fliege doppelt so lang als die Spule, damit sich letztere frei in ihr auf und nieder bewegen kann; ihre Arme sind an dem oberen Ende mittelst eines leichten Querstückes verbunden, damit sie sich, wenn die Fliege mit großer Geschwindigkeit umläuft, nicht in Folge der eintretenden Centrifugalkraft von einander entfernen. Zum Behufe des Spinnens gröberer Nummern muß die Fliege, wie die Zeichnung zeigt, auch noch mit einer inneren Röhre k, k versehen seyn, damit die Spindel hiedurch mehr Halt bekommt. Die Spulen ruhen sowohl hier als in Fig. 3 auf einem Halsringe oder einem Wäscher l, l, der in der Nähe des oberen Endes der Spindel angebracht ist. Die Spindel ist in diesen beiden Fällen auch nicht fixirt oder vollkommen unbeweglich, sondern sie dreht sich zu gewissen Zeiten in einem leichten Grade, und zwar in Folge der Reibung des Gewichtes m, m, welches mit dem unteren Theile der Spindel verbunden ist, und auf einem ledernen oder tuchenen Wäscher ruht, und sich auf der Dockenlatte i reibt, wenn der Faden zu gewissen Zeiten angezogen wird. Der Zug läßt sich hiedurch reguliren, und wenn irgend ein außerordentlicher Zug auf den Faden wirkt, so wird derselbe nicht wie bisher brechen, sondern durch das Herumgleiten der Spindel und des Gewichtes auf die beschriebene Weise frei fortlaufen. In dem Gewichte m ist, wie Fig. 5 zeigt, ein Loch angebracht, und das Ende der Spindel ist entsprechend geformt, so daß diese nach Belieben herausgenommen und wieder eingesetzt werden kann, ohne daß beide mittelst Stiften, Schrauben oder auf andere Weise an einander befestigt zu werden brauchten.

Es versteht sich von selbst, daß wir mehrere der kleineren Theile hier nur deßwegen beschrieben und abbildeten, um unsere Erfindung dadurch anschaulicher zu machen, und daß wir dieselben als bereits bekannt nur in der eigenthümlichen hier angegebenen Verbindung als unser ausschließliches Recht in Anspruch nehmen.

---

202. Ueber Viehzucht und Fleischtheurung.

Zur Berichtigung einiger Behauptungen im Septemberheft, S. 557 u. f. v. J. 1836.

Der Verfasser des citirten Aufsatzes behauptet: „Die Viehzucht in Bayern ist im Abnehmen. Ich behaupte: sie war gar nie im Zunehmen, sie war und ist immer noch weit entfernt von jener Stufe der Vervollkommnung, welche sie erreichen könnte und sollte. Beweis dafür ist der Anblick des elenden, kaum das Gerippe zu schleppen vermögenden Rindviehes, welches, besonders in Altbayern den ganzen Sommer über auf der kein Futter gewährenden Weide in Hitze, Durst, Staub und Insektenpflage herumgejagt wird. Nicht das Aufheben der Weidenschaften bringt, wie der Hr. Verf. meint, die Viehzucht in gänzlichen Verfall, sondern gerade das Fortbestehen derselben (ausser den Gebirgsgegenden) hindert jeden Aufschwung dieses Hauptzweiges der Landwirthschaft, macht jede Veredlung der Rindviehraçe unmöglich, vermindert die zur Aufhebung der Brache unentbehrliche Düngermasse, und verewigt den alten Schlendrian, dem nur ein Volk noch länger huldigen kann, das beinahe aller Bildung und alles Nachdenkens über Verbesserung zeitlicher Interesse ermangelt. „Der gewöhnliche Landmann hat weder Mittel noch Lokalitäten, Jungvieh in den Stallungen nachzuziehen. Die Stallfütterung ist nur wünschenswerth beim wirklichen Nutzvieh (milchgebende Kühe) nicht aber für das Jung- oder Zuchtvieh, welches im Freien besser gedeiht, und bei grüner Nahrung kräftiger heranwächst. So heißt es S. 557. Unter den „Mitteln“ wird doch gewiß das Futter verstanden; dieses fehlt freilich da, wo nicht Stallfütterung gehalten wird, wo aus Mangel an Dünger die Wiesen wenig oder gar nicht gedüngt werden, und aus dem nämlichen Grunde auch die Brache nicht angebaut werden kann. Bei gehörigem Fruchtwechsel und mit reichlicher Düngung (die nur durch Stallfütterung erzielt werden kann) wird der Boden auch bei

das zum Theil sehr glänzende Gemählde des Hrn. Verfassers, besonders was Altbayern betrifft, sehr trübe herausstellen.

Ein Mitglied des Vereins.

---

203. Landwirthschaftliche Nachrichten aus Belgien.

Die Regierung hat aus England und aus Schweden fünfzehn verschiedene Sorten Samen von saftigen großen Rüben bezogen. Man hat sie in Flandern und in Brabant ausgesäet. Ihr sehr starkes Grünes giebt ein sehr gutes Viehfutter. In der Gemeinde Moreslet sind sie besonders von den Bauern schon in nützliche Anwendung gebracht. Auch hat man alle Arten von Aussaat-Getreide aus der Fremde bezogen. Das Ministerium des Innern hat Eicheln und Tannen-Samen aus Amerika kommen lassen, eben so Tabaks-Samen, wovon herrliche Pflanzungen zu Roulers bestehen. Auch der Baron J. d'Hoogvorts hat eine solche Pflanzung angelegt, von deren Aernte Hr. Kock zu Brüssel bereits Tabak fabricirt hat, der von ganz vorzüglicher Qualität befunden worden ist. Die Tabakspflanzen sind dabei schön und groß. — Die Krapp-Cultur schreitet mächtig vor. Die Qualität ist ganz vorzüglich. Diese Kultur giebt unsern Bauern einen sehr reichen Ertrag und hohen Gewinnst. Wir werden dadurch unser Land dem großen Tribut entziehen, den es jährlich für die Einfuhr von Krapp aus der Levante und von Avignon bezahlt. — Unsere ausgezeichnetsten Agronomen d'Hane de Potter, Claes de Lembecq, Piers zu Hoorscamp, der Senator Dumon-Dumortier, der Baron von Peuthy haben in einer Vieh-Auktion, welche das Gouvernement abhalten ließ, herrliche Stücke gekauft und wünschen deren noch mehr erhalten zu können, um die Landes-Raçen durch Kreuzung verbessern zu können. — Der Erfolg

---

Flurwächter haben, und doch fordert und wünscht man den Aufschwung der Landwirthschaft; auf die Herstellung der Grundbedingung derselben — auf strenge Feldpolizei wird aber nicht gedrungen!! Höchstens Maßregeln auf dem Papiere aber ohne Vollzug in der Wirklichkeit!!

D. E.

der Maulbeer-Pflanzungen ist kein Problem mehr. In der Pflanzung von Uccle stehen jetzt 200,000 frische Bäume. Dieses Etablissement wird bis zum Jahre 1839 oder 1840 schon 2 bis 300 Pfd. Seide liefern, und mit dem Wachsthume der Bäume steigt von Jahr zu Jahr der Ertrag an Seide. — Das landwirthschaftliche Journal le Cultivateur, welches in Brüssel bei Deprez-Parent erscheint und jährlich nur 6 Franken kostet, verbreitet die reichen Erfahrungen des Landes eben so rasch als lehrreich.

Anmerkung.

Die von mir seit dem 1ten Dezember 1818 — also seit 18 Jahren ununterbrochen, und zwar gratis besorgte Redaktion der vorigen Wochenblätter und jetzt des Centralblattes des landwirthschaftlichen Vereins ist mit diesem Hefte geendet, da mein so oft geäußerter Wunsch, von einer so mühsamen und mit so vielen Opfern verbundenen Redaktion enthoben zu werden, nun bei der neuen Organisation des General-Comités endlich in Erfüllung kommen konnte.

Staatsrath von Hazzi.

Mittelpreise

auf den

vorzüglichsten Getreideschrannen in Bayern.

Wochen.	Getreid-Sorten.	Aichach.		Amberg.		Ansbach.				Augsburg.		Bairenth.		Erding.		Kempten.	
		fl.	kr.	fl.	kr.	fl.	kr.	fl.	kr.	fl.	kr.	fl.	kr.	fl.	kr.	fl.	kr.
Vom 20. bis 26. Novbr. 1836.	Weitzen	8	55	9	10	9	32	9	29	9	12	11	12	8	30	—	—
	Kern	—	—	—	—	9	1	10	11	9	4	—	—	—	—	12	—
	Roggen	5	28	6	36	6	28	6	34	5	59	8	24	5	12	7	51
	Gerste	6	4	6	40	7	23	7	22	7	2	7	57	6	48	8	47
	Haber	3	45	3	40	4	20	4	25	3	56	4	37	3	54	4	25
Vom 27. Nbr. bis 3. Dzbr. 1836.	Weitzen	8	34	9	40	9	16	—	—	9	14	10	48	8	18	—	—
	Kern	—	—	—	—	9	51	—	—	8	22	—	—	—	—	12	1
	Roggen	5	14	6	32	6	27	—	—	5	48	8	18	5	6	7	55
	Gerste	5	54	6	36	7	13	—	—	7	8	7	30	6	54	8	26
	Haber	3	39	3	30	4	20	—	—	3	51	4	46	3	48	4	40
Vom 4. bis 10. Dzbr. 1836.	Weitzen	—	—	9	—	9	31	9	16	8	49	—	—	9	36	—	—
	Kern	—	—	—	—	9	54	9	41	8	43	—	—	—	—	11	45
	Roggen	—	—	6	29	6	22	6	29	5	38	—	—	5	12	7	42
	Gerste	—	—	6	6	6	46	7	54	6	35	—	—	6	54	8	50
	Haber	—	—	3	29	4	24	4	23	3	49	—	—	3	42	4	15
Vom 11. bis 17. Dezbr. 1836.	Weitzen	8	40	8	54	9	—	9	25	8	57	10	52	8	24	—	—
	Kern	—	—	—	—	9	22	9	1	8	52	—	—	—	—	11	33
	Roggen	5	5	6	23	6	22	6	20	5	32	8	3	5	—	7	35
	Gerste	5	38	6	9	6	58	6	53	6	49	7	28	6	36	8	2
	Haber	3	36	3	34	4	23	4	21	3	47	4	33	3	36	4	16
Vom 18. bis 24. Dzbr. 1836.	Weitzen	8	38	8	38	9	7	9	30	9	7	11	6	8	30	—	—
	Kern	—	—	—	—	9	19	9	40	8	36	—	—	—	—	11	34
	Roggen	5	10	6	8	6	18	6	20	5	36	8	7	4	50	7	49
	Gerste	5	52	6	45	7	19	6	56	6	42	7	33	6	48	7	29
	Haber	3	32	3	22	4	22	4	22	3	43	4	49	3	33	4	18

Mittelpreise
auf den
vorzüglichsten Getreideschrannen in Bayern.

Wochen	Getreid-Sorten	Landsberg fl.	Landsberg kr.	Landshut fl.	Landshut kr.	Lauingen fl.	Lauingen kr.	Memmingen fl.	Memmingen kr.	München fl.	München kr.	Neuötting fl.	Neuötting kr.	Nördlingen fl.	Nördlingen kr.	Nürnberg fl.	Nürnberg kr.
Vom 20. bis 26. Novbr. 1836.	Weitzen	—	—	8	15	9	—	—	—	9	42	8	16	—	—	—	—
	Kern	9	2	—	—	8	58	11	48	—	—	—	—	8	20	—	—
	Roggen	6	7	6	—	5	55	7	1	5	46	4	40	6	36	—	—
	Gerste	6	41	6	—	6	49	7	46	7	32	5	28	5	56	—	—
	Haber	3	48	3	45	3	26	4	2	4	6	3	25	3	30	—	—
Vom 27. Nbr. bis 3. Dezbr. 1836.	Weitzen	—	—	8	7	9	30	—	—	9	52	8	10	—	—	9	5[illegible]
	Kern	—	—	—	—	10	—	11	49	—	—	—	—	8	48	—	—
	Roggen	—	—	4	52	6	5	7	7	5	56	4	39	6	40	7	[illegible]
	Gerste	—	—	6	—	7	29	8	2	7	26	5	24	6	13	7	1[illegible]
	Haber	—	—	3	45	3	37	3	59	4	10	3	29	3	59	4	2[illegible]
Vom 4. bis 10. Dezbr. 1836.	Weitzen	—	—	8	7	6	40	—	—	10	6	8	20	—	—	9	4[illegible]
	Kern	9	55	—	—	9	5	11	26	—	—	—	—	8	59	—	—
	Roggen	6	16	4	52	5	38	7	11	6	4	5	21	6	42	6	5[illegible]
	Gerste	6	—	5	52	6	55	7	33	7	35	5	29	6	13	7	1[illegible]
	Haber	3	43	3	45	3	25	4	7	4	9	3	30	3	54	4	1[illegible]
Vom 11. bis 17. Dzbr. 1836.	Weitzen	—	—	7	45	8	5	—	—	9	49	8	28	—	—	9	4[illegible]
	Kern	9	41	—	—	8	59	12	—	—	—	—	—	8	45	—	—
	Roggen	6	7	4	45	5	33	7	7	5	48	5	6	6	7	6	4[illegible]
	Gerste	5	52	6	—	7	2	8	20	7	32	5	20	5	41	7	2[illegible]
	Haber	3	33	3	45	3	16	4	8	4	7	3	32	3	37	4	1[illegible]
Vom 18. bis 24. Dzbr. 1836.	Weitzen	—	—	8	37	8	48	—	—	9	38	8	32	—	—	—	—
	Kern	9	14	—	—	9	3	11	46	—	—	—	—	9	1	—	—
	Roggen	6	18	4	37	6	28	7	—	5	44	5	7	6	—	—	—
	Gerste	6	2	6	—	5	55	8	3	7	37	5	5	6	16	—	—
	Haber	3	34	3	45	3	28	4	—	4	3	3	28	3	44	—	—

Mittelpreise
auf den
vorzüglichsten Getreideschrannen in Bayern.

Wochen.	Getreid-Sorten.	Passau. fl.	Passau. kr.	Regensburg. fl.	Regensburg. kr.	Rosenheim. fl.	Rosenheim. kr.	Speyer. fl.	Speyer. kr.	Straubing. fl.	Straubing. kr.	Traunstein. fl.	Traunstein. kr.	Vilshofen. fl.	Vilshofen. kr.	Weilheim. fl.	Weilheim. kr.
Vom 20. bis 26. Novbr. 1836.	Weitzen	8	40	8	5	9	32	13	3	7	30	8	48	8	16	9	50
	Kern	—	—	—	—	—	—	—	—	—	—	—	—	—	—	9	50
	Roggen	6	—	5	41	5	39	9	48	5	15	5	12	6	—	6	50
	Gerste	5	23	5	50	5	48	8	9	6	—	6	6	5	26	7	16
	Haber	4	12	3	51	3	36	5	6	3	45	3	24	—	—	4	12
Vom 27. Novbr. bis 3. Dezbr. 1836.	Weitzen	8	21	8	3	9	31	10	29	—	—	9	—	8	17	10	9
	Kern	—	—	—	—	—	—	—	—	—	—	—	—	—	—	10	9
	Roggen	—	—	5	38	5	59	9	43	—	—	5	30	5	54	6	50
	Gerste	5	18	5	36	5	56	6	41	—	—	6	12	5	32	7	10
	Haber	—	—	3	50	3	28	5	10	—	—	3	36	4	32	4	10
Vom 4. bis 10. Dzbr. 1836.	Weitzen	8	30	8	4	9	35	12	39	7	33	9	12	8	19	10	—
	Kern	—	—	—	—	—	—	—	—	—	—	—	—	—	—	10	—
	Roggen	—	—	5	57	6	7	9	16	5	15	5	36	5	59	6	56
	Gerste	5	16	5	47	6	4	8	18	5	49	6	12	5	35	7	30
	Haber	—	—	3	47	3	30	5	10	3	51	3	30	3	48	4	4
Vom 11. bis 17. Dzbr. 1836.	Weitzen	7	53	8	7	9	54	11	38	7	33	9	—	8	12	10	6
	Kern	—	—	—	—	—	—	—	—	—	—	—	—	—	—	10	6
	Roggen	6	—	5	41	6	20	8	26	5	15	5	18	5	56	6	53
	Gerste	5	21	5	56	6	4	7	22	5	53	6	12	5	7	7	15
	Haber	4	—	3	59	3	34	4	29	3	45	3	18	3	36	4	8
Vom 18. bis 24. Dzbr. 1836.	Weitzen	9	—	8	2	9	32	—	—	7	29	9	12	8	8	9	36
	Kern	—	—	—	—	—	—	—	—	—	—	—	—	—	—	9	36
	Roggen	6	—	5	30	6	12	8	18	5	15	5	24	5	51	6	44
	Gerste	5	15	5	45	5	48	7	20	5	42	6	18	5	24	7	6
	Haber	—	—	3	50	3	33	4	38	3	45	3	24	—	—	4	3

Programm

zu dem

Central-Landwirthschafts-Feste in München am 2. Oktober 1836.

Für die Dauer der schwebenden Finanzperiode ist das General-Comité des landwirthschaftlichen Vereins mittels einer großmüthigen Unterstützung aus dem Staatsfonde in den Stand gesetzt, auch in diesem Jahre die Feier dieses Festes anzuordnen, und hiemit auszuschreiben.

I.

Dieses Fest wird im heurigen Jahre am 2. Oktober, als am ersten Sonntage in diesem Monate auf der Theresenswiese bei München gefeiert. Demselben werden nicht nur Seine Majestät unser allergnädigster König und Herr, sondern auch Allerhöchstdero Sohn, Seine Majestät der König von Griechenland, beizuwohnen geruhen.

II.

Die zu vertheilenden Preise sind:

A. Für die besten 4jährigen Zuchthengste.

a) 6 Hauptpreise mit Fahnen.

1ster Preis	50	bayer.	Thaler.
2 – –	30	–	–
3 – –	24	–	–
4 – –	16	–	–
5 – –	12	–	–
6 – –	10	–	–

b) 12 Nachpreise. Jeder besteht in der Vereinsdenkmünze sammt Fahne und einem Buche. Diese Nachpreise werden ohne Entgang an der für die Hauptpreise bisher bestimmten Summe ertheilt, und zwar für diejenigen Landwirthe, die sonst für ihre preiswürdigen Viehstücke keine Preise erhalten würden, die man also nicht unbelohnt davon ziehen lassen will. Auch ersieht das General-Comité dabei die günstige Gelegenheit, nützliche landwirthschaftliche Schriften unter die Landleute zu bringen. Solche Bücher werden sich mit der Jahresreihe in den Dörfern häufen, und einen Samen ausstreuen, der die schönste Aernte erwarten läßt.

B. Für die besten 4jährigen Zuchtstuten.

a) 6 Hauptpreise mit Fahnen.

1ster Preis	....	60	bayer. Thaler.
2 — —	....	30	— —
3 — —	....	24	— —
4 — —	....	16	— —
5 — —	....	12	— —
6 — —	....	10	— —

b) 12 Nachpreise. Jeder in der Vereinsdenkmünze, einer Fahne und einem Buche bestehend.

C. Für die besten ein einhalb- und zweijährigen, zur Zucht tauglichen Stiere, bei welchen die 4 Schaufelzähne noch nicht vollständig gebildet sind.

a) 4 Hauptpreise mit Fahnen.

1ster Preis	....	20	bayer. Thaler.
2 — —	....	12	— —
3 — —	....	10	— —
4 — —	....	8	— —

b) 6 Nachpreise auf obige Art.

D. Für die besten Zuchtkühe mit dem ersten Kalbe, welches zugleich dabei stehen muß.

a) 4 Hauptpreise mit Fahnen.

1ster Preis	....	20	bayer. Thaler.
2 — —	....	12	— —
3 — —	....	10	— —
4 — —	....	8	— —

b) 6 Nachpreise auf obige Art.

E. Für die Zucht der veredelten Schafe mit feiner krauser Wolle, Merinos, im Alter von 2—4 Jahren.

a) 4 Hauptpreise mit Fahnen.

1ster Preis	. . . . .	25	bayer.	Thaler.
2 —	—	20	—	—
3 —	—	15	—	—
4 —	—	10	—	—

b) 4 Nachpreise, jeder in der Vereinsdenkmünze, einer Fahne, einem Buche und einer Schafscheere bestehend.

F. Für die Zucht der veredelten Schafe mit langer Kammwolle im Alter von 2—4 Jahren.

a) 4 Hauptpreise mit Fahnen.

1ster Preis	. . . . .	25	bayer.	Thaler.
2 —	—	20	—	—
3 —	—	15	—	—
4 —	—	10	—	—

b) 4 Nachpreise, jeder in der Vereinsdenkmünze, einer Fahne, einem Buche und einer Schafscheere bestehend.

G. Für die Schweinszucht.

a) 3 Hauptpreise mit Fahnen.

1ster Preis	. . . . .	10	bayer.	Thaler
2 —	—	6	—	—
3 —	—	4	—	—

b) 1 Nachpreis, in der Vereinsdenkmünze, einer Fahne und einem Buche bestehend. Die Schweine sammt den Jungen müssen auf den Platz geführt werden, und es reichen nicht die nur vorgezeigten obrigkeitlichen Zeugnisse zu. Es gelten daher die Haupt- und Nachpreise auch nur für die Schweinsmütter.

H. Um auch die für die Landwirthschaft so wichtige Mastung zu ermuntern, werden auch heuer folgende, jedoch lediglich für Landwirthe und Oekonomiegutsbesitzer, welche allein zur Konkurrenz zugelassen werden, bestimmte Preise dafür angeordnet.

a) Mast-Ochsen,

die nämlich in kürzester Zeit und auf die wohlfeilste Art am schwersten gemacht sind. Den Thatbestand hierüber muß auf die richtigen Angaben des Gemeinde=Vorstehers und Eigenthümers des Mastviehes ein obrigkeitliches Zeugniß nachweisen, welches auch bei der Preiswerbung für Schweinemastung zu beobachten ist; dieses obrigkeitliche Zeugniß muß demnach bei jedem Stücke genau ausweisen:

1) Farbe des Thieres,
2) Höhe und Länge,
3) Alter,
4) Gewicht vor der Mast,
5) gegenwärtiges Gewicht,
6) Dauer der Mast,
7) Art der Fütterung,
8) Kosten der Mastung,
9) Entfernung von München.

Auch wird in Ansehung des Mastviehes noch weiter verordnet, daß ein Stück Mastvieh, das schon im vorigen Jahre einen Preis erhielt, heuer keinen weiteren empfangen kann. Um anderen Klagen abzuhelfen, und damit entferntere Landwirthe auch mit allen anderen Unternehmern der Mastung konkurriren können, hat man nicht nur die Preise vermehrt, sondern es werden nach den verschiedenen Entfernungen des hergebrachten Mastviehes noch Benefizien von Gewichtsnachlaß für den durch das Hertreiben verursachten Gewichtsverlust bei den Mastochsen 12 ℔. per Tagreise zugestanden, welcher Gewichtsnachlaß unter gleichen Verhältnissen in Rechnung kömmt.

Preise für die Mastochsen der Landwirthe.

1ster Preis	. . . .	18	bayer.	Thaler.
2 – –	. . . .	12	–	–
3 – –	. . . .	8	–	–
4 – –	. . . .	6	–	–

sammt Fahnen.

Vier Nachpreise, ein jeder aus der Vereinsdenkmünze, einer Fahne und einem Buche bestehend.

Bei diesen Preisen können nur ausübende Landwirthe, keineswegs aber Metzger überhaupt, insbesondere nicht die von München und dasigen Vorstädten konkurriren.

b) Mastschweine.

1ster Preis	. . . .	6 bayer.	Thaler.
2 — —	. . . . .	3 —	—
3 — —	. . . . .	1 —	—

sammt Fahnen.

2 Nachpreise wie oben.

III.

Jedem Knechte oder jeder Dirne, welche ein preistragendes Viehstück begleiten, wird eine besondere Denkmünze zum Lohne ihres Fleißes zugestellt.

IV.

Das General-Comité wünscht die Veranlassung treffen zu können, daß die Viehstücke, welche bei den Bezirks-Landwirthschaftsfesten die ersten Preise erhielten, wenigstens größtentheils bei dem Centralfeste erschienen, wodurch das Letztere seinem Zwecke als Central-Landwirthschaftsfest erst ganz entsprechen würde. Nachdem es aber an Mitteln, um die hiezu nöthigen Entschädigungen bestreiten zu können, zur Zeit noch fehlt, so werden, wie bisher, die Besitzer von preiswerbenden Pferden, welche wenigstens 25, und von Stieren, Kühen, Schweinen und Schafen, die wenigstens 15 Stunden weit herbeigeführt werden, insoferne die Viehstücke übrigens zur Preisewerbung geeignet sind, sogenannte Weitpreise erhalten, und zwar selbst dann, wenn ihnen einer der vorausgesetzten Preise zu Theil geworden ist. Vielleicht möchte dieses noch den Ehrgeitz so manchen entfernten Landwirthes anregen.

Die größeren Entfernungen, welche nach den an den Landstraßen befindlichen Stundensäulen auf dem kürzesten Wege nach München berechnet werden, und welche in den beizubringenden Zeugnissen genau bemerkt seyn müssen, bestimmen den Vorzug, so wie unter einer andern Entfernung für die Viehgattungen kein Anspruch auf einen solchen Preis Statt finden kann.

a) Weitpreise für Hengste und Stuten.

1ster Preis	. . . .	10 bayer.	Thaler.
2 — —	. . . . .	8 —	—
3 — —	. . . . .	6 —	—
4 — —	. . . . .	4 —	—

b) Für die Stiere, Kühe und Schafe.

1ster Preis . . . . 6 bayer. Thaler.
2 — — . . . . 4 — —
3 — — . . . . 2 — —
4 — — . . . . 1 — —

c) Für Schweine.

1ster Preis . . . . 6 bayer. Thaler.
2 — — . . . . 4 — —

d) Weitpreise für Mastochsen.

1ster Preis . . . . 6 bayer. Thaler.
2 — — . . . . 4 — —
3 — — . . . . 2 — —
4 — — . . . . 1 — —

e) Für die Mastschweine.

1ster Preis . . . . 3 bayer. Thaler.
2 — — . . . . 2 — —

Zu jedem solchen Preise eine Fahne mit der Inschrift: Weitfahne des Centralfestes 1836.

V.

Für die Vertheilung der Preise werden folgende Bestimmungen festgesetzt:

1) Um alle Preise können nur inländische Landwirthe, jedoch aus allen Gegenden des Königreiches, und zwar vorzüglich selbst jene werben, welche bei irgend einem Kreisfeste schon Preise erhalten haben.

2) Zur Auswahl und Prüfung der Viehstücke und Zuerkennung der Preise wird ein Schiedsgericht von sachverständigen und unpartheyischen Männern bestellt.

Das General-Comité, um den entferntesten Anschein einer Partheilichkeit und dießfallsige Klagen zu beseitigen, will, daß hierüber eine förmliche Juri bestehe, und daß keiner davon ein Mitglied seyn könne, welcher selbst ein Preiswerber ist. Zur schnellern und bessern Beurtheilung der Viehstücke wird eine solche Juri oder Preisgericht:

1stens für Hengste und Stuten,
2 – für Stiere, Kühe und Schweine,
3 – für die feinwolligen Schafe, und endlich
4 – für das Mastvieh

aufgestellt.

Ersteres besteht aus 8 Preisrichtern, von den übrigen dreien jedes aus 6 Preisrichtern, von denen überall das General-Comité die Hälfte, die andere Hälfte der hiesige Magistrat wählt. Jedes solche Preisgericht erhält zugleich ein leitendes Mitglied des General-Comité, welches auch das Protokoll zu führen, und von den Preisrichtern die Erklärung abzunehmen hat, daß sie nach ihrer besten Ueberzeugung ganz unpartheyisch ihr Urtheil aussprechen.

3) Zur Preisbewerbung können nur solche Viehstücke konkurriren, deren Besitzer durch erforderliche Zeugnisse nachweisen:

a) daß sie selbst ausübende Landwirthe sind, daß sie

b) das preiswerbende Vieh entweder bis zu dem bedingten Alter der Preiswürdigkeit selbst erzogen, oder die Erziehung wenigstens seit der ersten Hälfte dieses Alters übernommen haben, und daß die nämlichen Viehstücke beim Centralfeste noch nicht Preise erhielten.

c) daß die Oekonomien der Eigenthümer überhaupt gut bestellt, und das preiswerbende Viehstück nicht mit Vernachläßigung der übrigen besonders gepflegt worden sey.

d) Auch bei dem Mastvieh oder Mastgeschäft ist die Eigenschaft eines wirklichen Landwirthes erforderlich und würde für heuer, lediglich im Interesse der Landwirthschaft, bloß auf die Mastungen der Oekonomiebesitzer beschränkt, jedoch die Zahl der Preise vermehrt, um das Mastungsgeschäft auf dem Lande anzuregen und zu ermuntern.

Diese und alle andern Zeugnisse sind bis zum 15. September zum General-Comité des landwirthschaftl. Vereins einzusenden, später einlaufende werden nicht mehr beachtet.

VI.

Wie die Zeugnisse für das Zucht- und Mastvieh beschaffen seyn müssen, darüber geben nachfolgende Vorschriften und Formularien genügende Auskunft, und es muß sich von den Preisbewerbern eben so, wie von den Stellen, pünktlich hienach gerichtet werden. Es muß also für jedes Stück Vieh ein eigenes solches Attestat eingeschickt werden. Die von der k. b. Landgestüts-Commission ausgestellten Zeugnisse sind nicht zureichend, sondern nur die, nach oben bemerkten Formularien ausgefertigten als giltig anzusehen. Den Attestaten für die Schafe sind noch besonders Wollenmuster beizufügen, weil die Feinheit der Wolle den Hauptausschlag giebt. Die Zeugnisse müssen alle von dem Ortsvorsteher gewissenhaft ausgestellt, und von der einschlägigen Obrigkeit über den ganzen Thatbestand legalisirt seyn. Nebenbei werden aber sämmtliche Stellen ersucht, über die Thatsachen genaue Einsicht zu nehmen, weil nach vorgekommenen Anzeigen bereits mehrere Unterschleife eingetreten sind. Zugleich werden aber auch diejenigen Titl. Herrn Preisbewerber, die mit Patrimonialgerichten versehen sind, ersucht, die Zeugnisse von den benachbarten Gerichtsstellen ausfertigen zu lassen, welches auch auf Güteradministrationen ꝛc. Bezug hat. Bezüglich dieser Attestate wird nochmal die gesetzliche Verfügung wiederholt, wie schon in vorigen Jahren vorkam: „Sehr unangenehm drang sich im vorigen Jahre wieder die Bemerkung auf, daß mit Ausstellung der Zeugnisse, sowohl in Ansehung der Viehzucht und Mastung, als der Kulturleistungen und Beförderungen, die Sache noch nicht in gehöriger Ordnung ist, und dadurch die Preisgerichte in große Verlegenheit gerathen, auch aus Mangel vollständiger Zeugnisse manche Preisbewerber unschuldig zu leiden haben. Es sind doch durch die Intelligenzblätter der k. Kreisregierungen die Formulare für die Zeugnisse genau vorgeschrieben worden, und wenn bei jeder Gerichtsstelle die Formularbücher, wie es die Ordnung mit sich bringt, vorhanden sind, so können für diese Zeugnisse alle Jahre die Rubriken genau ausgefüllt, und so alles berichtiget werden. Die Vorsteher der Gemeinden mögen auf diese Art nicht fehlen bei diesen Ausfertigungen, und so auch die Gerichtsstellen nicht, welche nicht blos die Unterschrift des Vorstehers, sondern stets den Inhalt des Zeugnisses zu bestätigen, und dadurch den Akt zu legalisiren haben, weil außerdem jede Preiswerbung zurückgewiesen wird. Es ist auch schon wiederholt bemerkt worden, daß in Ansehung der Pferde die Zeugnisse der k. Landgestüts-Commission nicht zureichen, sondern auch noch die ordentlich vorgeschriebenen Zeugnisse mit übergeben werden müssen, auch für jedes Viehstück nach den Gattungen abgesonderte Zeugnisse erforderlich sind. Einzelne und zwar nur wenige Stellen erlauben sich, bei diesen

Zeugnissen auch Taxen zu nehmen und Stempelbögen zu fordern. Es kann dieses nur einem Irrthume zugeschrieben werden, indem aus der Natur der Sache für solche Fälle keine Taxen, wie keine Stempelbögen zulässig sind, vielmehr Alles zusammenwirken muß, um eine so wichtige Angelegenheit, wie die Ermunterung der Landwirthschaft des Reiches vorstellt, möglichst zu erleichtern und zu fördern, wie auch nur so der allerhöchsten Regierungsabsicht bei diesem Feste entsprochen werden kann."

Die Form der Zeugnisse für die beim Central-Landwirthschafts- und den Kreisfesten preiswerbenden Viehgattungen ist folgende:

I. Zeugniß für einen Zuchthengsten (Zuchtstute, Stier und Kuh.)

Vorzeiger dieses, Namens:

Eigenschaft, als ausübender Landwirth:

Wohnort:

Führet zum dießjährigen Central-Landwirthschaftsfeste ein . . . . . .

welch

an Farbe:

Abzeichen:

Alter:

Höhe:

Abstammung: Vater . . . . Mutter . . . .

Hat dasselbe selbst erzogen:

a) von Geburt her:

b) oder erkauft, und wie lange selbst gepflegt:

Des Eigenthümers Oekonomie befindet sich gegenwärtig im . . . . . Zustande.

Desselben Wohnort ist von München entfernt . . geometrische Stunden.

II. Zeugniß für die veredelte Schafzucht.

Vorzeiger dieses, Namens:

Eigenschaft, als ausübender Landwirth:

Wohnort:

Führet zum dießjährigen Central-Landwirthschaftsfeste:

Zahl . . . Widder,

Zahl . . . Mutterschafe,

Zahl . . . Lämmer.

a) desselben Heerde von gleicher Veredlung ist stark:

b) hat seit dem 1. Oktober 1835 . . Lämmer erhalten,

c) der gegenwärtige Gesundheitszustand der Heerde ist zu Folge thierärztlicher Untersuchung:

d) von dieser Untersuchung werden Wollproben versiegelt beigeschlossen . . . . Päckchen,

e) der Eigenthümer ist in dem Besitze dieser veredelten Heerde seit . . . . .

Desselben Oekonomie befindet sich gegenwärtig im . . . . Zustande.

Ist von München entfernt . , . . geometrische Stunden.

III. Zeugniß für die Schweinszucht.

Vorzeiger dieses, Namens:

Eigenschaft als ausübender Landwirth:

Wohnort:

Führet zum dießjährigen Central-Landwirthschaftsfeste:

Zahl . . . Schweinsbär,

Zahl . . . Schweinsmütter,

Zahl . . . Ferkeln.

Des Eigenthümers Schweinszucht bestand übrigens dieses Jahr hindurch in . . . Schweinsbär . . Schweinsmütter.

Davon seit 1. Oktober 1835 erhalten . . . Ferkeln.

Desselben Oekonomie befindet sich gegenwärtig im . . . Zustande.

Ist von München entfernt . . . geometrische Stunden.

IV. Zeugniß für das Mastvieh.

Vorzeiger dieses, Namens:

Seines Geschäftes:

Wohnort:

Welcher die Mastung vorstehender Thiere selbst vorgenommen hat, führet zum dießjährigen Central-Landwirthschaftsfeste nachfolgende Stücke:

(Benennung derselben) welche

a) an Farbe:

b) Höhe und Länge,

c) Alter:

d) Haben vor der Mast gewogen:

e) Und wiegen gegenwärtig:

f) Die Mastung hat gedauert seit:

g) Die Futterung während der Mastung bestand in:

h) Die Kosten der Mastung betrugen per Tag:

Des Eigenthümers Wohnort ist von München entfernt . . . geometrische Stunden.

NB. Werden mehrere Stücke gemästeten Viehes einer und derselben Gattung vorgeführt, so sind solche in demselben einzeln zu beschreiben; sollte aber ein Eigenthümer Mastvieh von verschiedener Gattung, z. B. Ochsen und Kühe oder Schweine vorführen wollen, so ist für jede Gattung ein besonderes Zeugniß beizubringen.

1) Landwirthschafts-Anstalten des Staates begeben sich der Bewerbung um die Preise in dem Maße, daß sie zwar an ihrem Orte genannt werden, wenn ihnen ein Preis gebührt, der Preis selbst aber dem nächstfolgenden Privatökonomen zu Theil wird.

2) Keiner kann mehr als einen Preis für dieselbe Viehgattung erhalten; wenn daher Jemand mehrere der ausgesetzten Preise würdige Stücke zur Ausstellung gebracht haben sollte, so wird die Preiswürdigkeit der übrigen Stücke und der ihnen gebührende Platz ausgesprochen, auch dem Eigenthümer die treffende Denkmünze zugestellt, der Geldpreis aber und die Fahne dem nächstfolgenden schönsten Stücke eines andern Landwirthes zuerkannt.

3) Die Auswahl der preiswerbenden Hengste, Stuten, Stiere und Schafe, wie aller andern Thiere, geschieht am Tage vor der Preisevertheilung auf dem Zeughausplatze vor der neuen Reitschule; sie fängt Früh 7 Uhr an, und diejenigen Stücke, welche um 10 Uhr Morgens noch nicht

eingetroffen seyn sollen, können nicht mehr zur Konkurrenz gelassen werden. Weil aber die vielen Pferde die meisten Geschäfte veranlassen, und daher bis jetzt oft Verzögerung und Verwirrung entstanden, so ist zugleich festgesetzt worden, daß sich das Preisgericht für die Pferde schon Freitags Nachmittags um 3 Uhr versammelt, damit die schon vorhandenen Pferde um diese Stunde sogleich auf den neuen Schauplatz geführt und besichtiget werden können, um so eine Vorarbeit für den Samstag Morgens zu bezwecken.

4) Am Festtage selbst, Vormittags gegen 9 Uhr, werden die Freitags und Samstags zuvor auf dem besagten Zeughausplatze zur bestimmten Zeit erschienenen und von den Richtern beschriebenen Stücke auf die Theresenswiese gebracht, und in die für die verschiedenen Viehgattungen bestimmten Abtheilungen geführt, worein nur diejenigen gelassen werden, deren Besitzer sich durch die auf dem Zeughausplatze erhaltenen Zeichen legitimiren können.

VII.

Es liegt nicht im Zwecke des Vereins, alle ausgezeichneten Leistungen der Landwirthe im Vaterlande, welche mittelbar oder durch Beispiel zur Emporhebung der Landwirthschaft beitragen, durch große Geldsummen zu belohnen, weil diese Leistungen in ihrem glücklichen Erfolge selbst die Belohnung in sich tragen; indessen sollen dieselben durch Ertheilung von Medaillen öffentliche Anerkennung erhalten; daher werden alle Landwirthe aufgefordert, das, was sie zur Förderung der Industrie in einem größern oder kleinern Kreise gethan haben, zur Kenntniß des General-Comité des Vereins zu bringen. Diese Leistungen können nun sehr manigfaltig seyn, und wir führen beispielweise nur nachstehende Punkte an.

1) Es ist eine anerkannte Thatsache, daß weder alle Düngerstoffe, welche die Natur darbietet, zweckmäßig benützt werden, noch daß der gewöhnliche Dünger, nämlich der Stallmist, gehörig zubereitet und verwendet wird; es werden daher alle Landwirthe, welche neue Düngermaterialien, z. B. den gebrannten Mergel versucht und eingeführt, und durch Herrichtung guter Düngerstätten, Benützung der Gülle 2c. dem wichtigsten Körper zur Erhöhung der Produktion eine würdige Aufmerksamkeit geschenkt haben, rühmliche Anerkennung von Seite des Vereins finden.

2) Eine zweckmäßige Bearbeitung des Bodens hat nach der Düngung den größten Einfluß auf den Ertrag desselben, daher das General-Comité allen Landwirthen, welche durch eine vorzügliche Bearbeitung des Bodens eine große Reinheit ihrer Felder vom Unkraut erreicht, zur Einführung wahrhaft nützlicher Ackerwerkzeuge beigetragen, wenig produktive Grundstücke verbessert, z. B. Moore und Sümpfe entwässert, die wichtige Verbesserung durch Anlage von Bewässerungen eingeführt haben u. s. w., die lohnende Anerkennung nicht versagen wird. Hiebei wurde schon häufig die Bemerkung gemacht, daß Landwirthe mit kleinem Grundbesitz der Meinung sind, daß ihre Leistungen nicht beachtet, oder wenigstens nur nach der Größe der Ausdehnung des Unternehmens beurtheilt würden; allein das General-Comité des Vereins ertheilt hier die Zusicherung, daß im Verhältniß der zu Gebothe stehenden Mitteln die Leistungen sowohl der kleineren als größeren Grundbesitzer gewürdiget werden.

3) Wenn auch einer besseren Benützung des Bodens durch Verbannung der Brache, durch Einführung der Brachfrüchte, durch die Kultur von solchen Pflanzen, welche noch wenig gebaut werden, z. B. der Oel- und Färbepflanzen ꝛc., große Hindernisse entgegenstehen, als z. B. Mangel an Arrondirung, Naturalbelastungen, grundherrliche Verhältnisse, Mangel an Absatz der erzeugten Produkte u. s. w., so kann doch nicht in Abrede gestellt werden, daß die meisten dieser Hindernisse entfernt werden können, und es werden daher alle Leistungen, durch welche die obenerwähnten, das Fortschreiten der Kultur hemmenden Hindernisse, mehr oder weniger entfernt werden, eine würdige Anerkennung finden.

4) Auch solche Leistungen, welche die Reglung des innern Haushaltes, die Verwerthung der Produkte, die Verschönerung des Landes durch Anlage von Gärten, Alleen, zweckmäßigen Gebäuden, guten Wegen u. s. w. zur Folge haben, werden die verdiente Auszeichnung durch Medaillen erhalten.

Die Mitbewerber müssen das Geleistete durch obrigkeitliche Zeugnisse nachweisen, welche Zeugnisse bis zum 15. September sicher an das General-Comité des landwirthschaftlichen Vereins eingeschickt seyn müssen. Ein vom General-Comité aufgestelltes Preisgericht wird dann darüber entscheiden.

XIII.

Nach der von Seiner Majestät dem König gepflogenen Besichtigung der durch gedachtes Schiedsgericht getroffenen Wahl beginnt die feierliche, von Musikchören begleitete Preiseverthei-lung aus der Hand Seiner Durchlaucht des Herrn Staats-Ministers des Innern.

XIV.

Sowohl für die Besetzung des Platzes durch Wachen, und für andere gewöhnliche Sicherheitsmaßregeln, als für den Froh-sinn und die Bequemlichkeit der Zuseher, wird von den ein-schlägigen Behörden alle nöthige Fürsorge getroffen werden.

XV.

Am andern Tage, Montag den 3ten, beginnt des Morgens der Viehmarkt. Dieser allgemeine Viehmarkt wird künftig alle-zeit am Montag nach dem ersten Sonntag im Oktober gehalten, weßwegen die Kalender des Reiches auch diesen Markttag stets anzeigen werden.

Dieser Markttag dient nebenbei für alle Sämereien, Pflan-zen, landw. Bücher, Geräthe und Maschinen, wofür auch die nöthigen Boutiquen aufgeschlagen werden.

XVI.

Die ganze Woche hindurch bleibt auch das Lokal des land-wirthschaftlichen Vereins in der Türkenstraße No. 2 Jedermann geöffnet, um alle Sammlungen landw. Maschinen und Geräth-schaften, die Modelle, Bücher, Sämereien ꝛc. einzusehen, und man wird sich Mühe geben, über Alles besondere Auskunft zu ertheilen.

XVII.

Dieses Programm wird in den Kreisen durch die Intelli-genzblätter und andere öffentliche Blätter so bald als möglich genauest bekannt gemacht werden. Ebenso werden alle Ortsvor-stände ersucht, für die Bekanntmachung in ihrer Gegend, beson-ders auch in den Dörfern, bestens zu sorgen.

München, den 6. August 1836.

Das

General-Comité des landwirthschaftlichen Vereins in Bayern.

Beilagen zu dem Programme.

I. Pferde=Rennen.

Sonntag den 2. Oktober des gegenwärtigen Jahres wird auf der Theresenswiese zu München nach der Preisevertheilung des landwirthschaftlichen Vereins ein Pferde=Rennen nach folgenden Bestimmungen gehalten.

1) Die Herren Bürger J. B. Findel, C. Baumgartner, K. Lechner, J. Schmidt und Jos. Vielweck machen zusammen das Renngericht aus, welches alle Vorfallenheiten nach Stimmenmehrheit unabänderlich entscheidet, die Preise zuerkennt und das ganze Pferderennen leitet. Alle Anstände, welche sich bei dem Pferderennen ergeben, müssen vor der Preisevertheilung dem Renngerichte angezeigt werden. Nach derselben werden keine Klagen mehr gehört. Mit vorläufigen Anfragen hat man sich an Herrn Findel zu wenden, welchem als Vorstand des Renngerichtes die Leitung des ganzen Rennens übertragen ist. Dem Renngerichte wird Ulrich von Destouches als Aktuar beigegeben.

2) Der erste Preis besteht in 36 bayer. Thalern, die übrigen Preise bestehen aus 24, 18, 16, 14, 12, 10, 9, 8, 7, 6, 5, 4, 3, 2 und 1 bayer. Thaler; der Weitpreis aus 10 bayer. Thalern. Zu jedem Preise wird eine Fahne gegeben.

3) Auf den Weitpreis haben nur diejenigen einen Anspruch, deren Pferde bei diesem Rennen einen Preis gewonnen, oder schon bei einem andern, in einer Stadt oder in einem Markte gehaltenen Rennen einen Preis gewonnen haben.

4) Die Rennbahn beträgt genau den vierten Theil einer deutschen Meile, und muß viermal umritten werden.

5) Das Renngericht wird sich Tags vorher den 1. Oktober Morgens 10 Uhr bei Hrn. Weingastgeber Findel in der Dienersgasse Nr. 13 versammeln, und die Einschreibung und Verloosung der Rennpferde vornehmen.

6) Am 2. Oktober Nachmittags 3 Uhr versammeln sich die Herren Rennrichter und Rennmeister mit ihren Knaben und Pferden auf dem Max-Josephs-Platze und ziehen von da auf das Rathhaus, wo das Renngericht die Preise und Preisefahnen des Pferde-Rennens in Empfang nimmt.

Hierauf beginnt der feierliche Zug auf die Thereseinswiese in folgender Ordnung:

Denselben eröffnet ein Zug Kavallerie der Landwehr. Sodann folgen von Knaben getragen die Preisefahnen des Hauptrennens, wovon die ersten drei gestickt, und die Weitfahne mit einem Gemälde geziert sind, dann die Preisefahnen des Nachrennens, wovon die ersten 2 gestickt, und die Weitfahne mit einem Gemälde geziert sind.

7) Jene Knaben, welche sich durch Zeugnisse ihrer Pfarrer oder Ortsvorstände über fleißigen Schulbesuch und gute Aufführung ausweisen, und bei dem Rennen sich durchaus ordentlich betragen, werden nach dem Pferderennen von dem Renngerichte mit besonderen Denkmünzen belohnt. Ohne Vorlage dieser Zeugnisse wird ihnen die Denkmünze nicht gegeben.

8) Diejenigen 3 Rennknaben, welche am schönsten gekleidet sind, erhalten 3 Preise zu 3, 2 und 1 bayer. Thaler.

9) Am 9. Oktober wird ein zweites Pferderennen auf der nämlichen Rennbahn gehalten. Die Einschreibung und Verloosung geschieht am Vorabende bei Herrn Findel unter Leitung des obengenannten Renngerichts und unter den nämlichen Bestimmungen, wie bei dem ersten Pferderennen. Die Preise sind 20, 15, 10, 8, 6, 5, 4, 3, 2, 1 bayer. Thaler, dann ein Weitpreis zu 8 bayer. Thaler.

Zu jedem Preise wird eine Fahne gegeben.

10) Beide Pferderennen sind ohne Einlage ganz frei. Bei dem zweiten Rennen können auch solche Pferde mitlaufen, welche sich bei dem ersten Rennen nicht befunden haben.

11) Zur Vermeidung aller Unordnungen haben die Herren Rennmeister Sorge zu tragen, daß ihre Knaben sich überhaupt und vorzüglich bei dem Absprengen blos nach den Anordnungen

des Renngerichtes richten, dessen Mitglieder durch eine um den linken Arm geschlungene weiß und blaue Binde ausgezeichnet sind. Insbesondere wird festgesetzt, daß die Rennknaben bei den Pferderennen keine Peitsche gebrauchen dürfen.

12) Sowohl bei dem ersten als bei dem zweiten Rennen werden neben den inländischen auch ausländische Pferde ohne Ausnahme zugelassen.

J. B. Findel, Vorstand.
Ernest Baumgartner.
Korbinian Lechner.
Jos. Schmidt.
Jos. Vielweck.

II. Vogel-, Hirsch-, Pistolen- und Scheiben-Schießen.

Am 3. Oktober des gegenwärtigen Jahres wird auf der Theresenswiese zu München ein Vogel-, Hirsch-, Pistolen- und Scheibenschießen unter folgenden Bestimmungen Statt finden, wozu Jedermann eingeladen wird, der an diesen Belustigungen Theil nehmen will.

I. Vogel-Schießen.

1) Bei dem Vogelschießen werden 4 Preise vertheilt, nämlich für das letzte Stück 5, für den Kopf 3, und für jede Klaue 2 bayerische Thaler, im Ganzen 28 fl. 48 kr. Zu jedem Preise wird eine Fahne gegeben. Die Fahne des ersten Preises ist mit einem Gemälde geziert. Für jedes andere herabgeschossene Stück Holz werden vom Vierling angefangen, für jedes Loth 4 kr. bezahlt. Sollte von den Leggeldern nach Abzug aller vorstehenden Preise etwas übrig bleiben, so wird dieser Ueberschuß auf einer Perpendikelscheibe ausgeschossen.

2*

2) Die Loose zum Vogelschießen werden vom Donnerstag den 29. September bis Samstag den 1. Oktober Nachmittags von 1 bis 5 Uhr im kleinen Rathhaussaale von dem Aktuar der Hauptschützengesellschaft, Herrn Liesinger, abgegeben. Das Loos kostet 1 fl. 12 kr.

3) Es steht jedem Schützen frei, sein Loos auf den Vogel einem andern Schützen zu übergeben, und diesen statt seiner schießen zu lassen. Wer dieses thut, darf aber sein Loos nicht mehr zurücknehmen, und nicht mehr selbst auf den Vogel schießen.

II. Hirsch-Schießen.

4) Auf den laufenden Hirschen beträgt das erste Loos 15 fl. und das zweite 7 fl. 30 kr. nebst 12 Fahnen, wovon die erste mit einem Gemälde geziert ist.

5) Die Einlage beträgt 1 fl. 30 kr.; auch können 80 Schüße zu 12 kr. gekauft werden.

6) Damit auf den Hirschen die Herren Schützen nicht zu lange aufgehalten werden, wird festgesetzt, daß der Schuß verloren ist, sobald der Hirsch herausgeläutet worden, und ohne geschossen worden zu seyn, durchgelaufen ist, oder wenn das Gewehr versagt oder aufgebrannt haben soll; jedoch steht jedem Hrn. Schützen frei, in diesen Fällen in dem Stand zu bleiben, und noch einmal zu schießen. Hiebei wird bemerkt, daß auf dem Hirsch jeder Herr Schütze nur eines Gewehres sich bedienen darf.

III. Pistolen-Schießen.

7) Bei dem Pistolenschießen beträgt das erste Beste auf dem Haupte 6 bayer. Thaler, und auf dem Glücke 4 bayer. Thaler, im Ganzen 24 fl. Zu dem Besten für das Haupt werden 3 Fahnen und für das Glück 6 Fahnen gegeben. Die erste Fahne auf dem Haupte und die erste Fahne auf dem Glücke sind mit Gemälden geziert.

8) Die Einlage auf dem Haupte auf 4 Legschüße besteht in 2 fl. 48 kr., und auf dem Glücke zu 3 Legschüssen ist 1 fl. 54 kr. Auf dem Haupte kann nur ein einziger Fehlschuß mit 42 kr., am Glück aber können 80 Schüsse zu 9 kr. gekauft werden.

9) Die Scheiben sind mit 12 Zoll grossen Schwarzen versehen, und werden in einer Entfernung von 60 Schritten aufgestellt.

IV. Scheiben-Schießen mit Stutzen und Büchsen.

10) Die ersten zwei Gewinnste des Scheibenschießens betragen auf dem Haupte 33 fl. und 15 fl., auf dem Kranz 30 fl. und 12 fl. 30 kr., auf dem Glücke 25 fl. und 11 fl., zusammen 126 fl. 30 kr. Zu dem Besten auf Haupt und Kranz werden zusammen 12, auf dem Glücke ebenfalls 12 Fahnen gegeben. Die erste Fahne auf dem Haupte ist gestickt. Die ersten Fahnen für Kranz und Glück sind mit Gemälden geziert.

11) Die Einlage auf dem Haupte beträgt 3 fl., auf dem Kranze 2 fl. 30 kr., und auf dem Glücke 2 fl. 12 kr. — Auf dem Haupt und Kranz kann nur ein einziger Fehlschuß mit 1 fl. und resp. 50 kr., auf dem Glücke aber können 80 Schüsse zu 16 kr. gekauft werden.

12) Der Hirsch und die Scheiben werden in einer Entfernung von 150 Schritten aufgestellt. Das Schwarze auf den Scheiben, und die Treffer auf den Hirschbretteln sind 12 Zoll groß.

13) Das Hirschschießen dauert sechs, das Vogel-, Pistolen- und Scheibenschießen drei Tage. Sollte der Vogel in dieser Zeit nicht herabgeschossen werden, so wird das Schießen auch am vierten Tage fortgesetzt. An eben diesem Tage werden die Scheiben abgezogen und nach Möglichkeit die Nebengewinnste vertheilt.

14) Jedem Schützen steht es frei, auf jedes Beste einzeln einzulegen. Wer aber auf das Scheibenschießen mit Stutzen und Büchsen, oder das Hirschschießen, wie immer einlegt, ist verbunden, auch ein Loos zum Vogelschießen zu nehmen.

15) Von den inländischen Herren Schützen, welche bei diesem Schießen erscheinen, erhält der Aelteste nach dem Lebensalter, dann derjenige, welcher aus der weitesten Entfernung hieher reiset, eine besondere gezierte Fahne.

V. Zweites Schießen.

16) Am 7. und 8. Oktober findet ein Nachschießen Statt, wobei das Beste auf dem Haupte 11 fl., auf dem Kranze 11 fl.,

und auf dem Glücke 11 fl. beträgt. Zu den Besten auf Haupt und Kranz werden zusammen 6, und auf dem Glücke ebenfalls 6 Fahnen gegeben. Die erste Fahne für das Haupt ist gestickt. Die ersten Fahnen für Kranz und für das Glück sind mit passenden Dekorationen geziert.

17) Die Einlage auf dem Haupte, Kranz und Glück beträgt überall 2 fl. 12 kr., sohin im Ganzen 6 fl. 36 kr. Auf dem Haupt und Kranz kann nur ein Fehlschuß zu 44 kr., am Glück können aber 50 Schüße zu 15 kr. gekauft werden.

18) Zu dem zweiten Pistolenschießen werden für das Haupt vier und für das Glück drei bayerische Thaler, im Ganzen 16 fl. 48 kr. mit drei Fahnen auf dem Haupte und 6 Fahnen auf dem Glück gegeben, wovon die erste Fahne auf dem Haupte mit einem Gemälde geziert, und die erste Fahne auf dem Glücke mit passenden Dekorationen geziert sind.

19) Die Vertheilung der Hauptgewinnste und Fahnen des Haupt- und Nachschießen wird Sonntag den 9. Oktober vor dem Pferderennen vor sich gehen.

20) Bei diesem Schießen wird, mit Ausnahme des Pistolenschießens, nach der laufenden Nummer (Köldel) geschossen.

21) Alle vorstehenden Schießen werden gänzlich frei gegeben, und von den Herren Schützenmeistern der hiesigen Hauptschützengesellschaft nach den Vorschriften der bayerischen Schützen-Ordnung geleitet.

22) Die Standbillets für den ersten Tag werden Montag den 3. Oktober nur auf dem Rathhaussaale abgegeben.

23) Sowohl bei dem Haupt- als dem Nachschießen werden die Leggelder

auf Haupt und Kranz in ⅔ von der Schußzahl,

auf Glück und Hirsch in ½ „ „ „

die Einlagen für die Kaufschüße

auf dem Glück in ⅘ von der Schußzahl,

„ „ Hirschen in ⅗ „ „ „

vielen Gewinnsten — nach der vom „gehorsamen Diener" bereits hierüber erschienenen Anleitung — vertheilt werden.

24) Schlüßlich werden die Herren Schützen, welche an diesem Schießen Theil nehmen, eingeladen, Montag den 3. Oktober Morgens 9 Uhr mit ihren Gewehren auf dem Rathhause

Lightning Source UK Ltd.
Milton Keynes UK
UKHW012032281218
334636UK00015B/1176/P